*Dem Andenken von Walter Eisen
und Margret Eisen geb. Hüter*

HÄNDEL-HANDBUCH · BAND 2

HÄNDEL-HANDBUCH

Herausgegeben vom Kuratorium der Georg-Friedrich-Händel-Stiftung
von Dr. Walter Eisen und Dr. Margret Eisen

In fünf Bänden

Gleichzeitig Supplement zu

HALLISCHE HÄNDEL-AUSGABE

(Kritische Gesamtausgabe)

Band 1
Lebens- und Schaffensdaten
Thematisch-systematisches Verzeichnis:
Bühnenwerke

Band 2
Thematisch-systematisches Verzeichnis:
Oratorische Werke
Vokale Kammermusik
Kirchenmusik

Band 3
Thematisch-systematisches Verzeichnis:
Instrumentalmusik

Band 4
Dokumente zu Leben und Schaffen

Band 5
Bibliographie

BÄRENREITER KASSEL · BASEL · LONDON

HÄNDEL-HANDBUCH · BAND 2

Thematisch-systematisches Verzeichnis:
Oratorische Werke
Vokale Kammermusik
Kirchenmusik
von Bernd Baselt

BÄRENREITER KASSEL · BASEL · LONDON

Gemeinsame Edition: „Bärenreiter-Verlag Kassel,
Basel, London"
und „VEB Deutscher Verlag für Musik Leipzig"
Printed in the German Democratic Republic
Gesamtherstellung: Offizin Andersen Nexö,
Graphischer Großbetrieb, Leipzig
Schutzumschlag und Einband: Egon Hunger, Leipzig
ISBN 3-7618-0715-5

Inhaltsverzeichnis

Kammerduette

Kammertrios

Arien und Lieder

Neun deutsche Arien

24 English Songs

Kirchenmusik

Geistliche Konzertmusik

Vorwort

Der in diesem Band vorgelegte zweite Teil des Thematisch-systematischen Verzeichnisses der Werke G. F. Händels (HWV) umfaßt die weiteren drei Gruppen der Vokalmusik: Oratorische Werke (Oratorien – Serenaden – Oden), Vokale Kammermusik (Kantaten – Kammerduette und -trios – Arien und Lieder) und Kirchenmusik (Geistliche Konzertmusik – Anthems, Te Deum, Jubilate – Kirchenlieder). Jedes Werk trägt zu Beginn die jeweilige Ordnungsnummer, die es im Gesamtverzeichnis einnimmt, um eine eindeutige Identifizierung und Zitierung zu gewährleisten. Darauf erscheint der (normalisierte) Werktitel in originaler Form mit der aus den Quellen (Handschriften, Drucken oder Textbüchern) übernommenen Gattungsbezeichnung. Es folgen Angaben über den Textautor oder die Textquellen, die genauen Besetzungshinweise für das gesamte Werk mit allen zum Einsatz kommenden Vokal- und Instrumentalstimmen, die Verzeichnung der Bandzahl der Ausgabe der Deutschen Händelgesellschaft (ChA) und der Hallischen Händel-Ausgabe (HHA) sowie der Nachweis der Entstehungszeit (EZ) und der Uraufführung (UA). Für das thematische Verzeichnis waren die Editionsrichtlinien der HHA bindend; dementsprechend erhielt jeder einzelne Satz innerhalb eines zyklisch angelegten Vokalwerkes eine Satz-Nummer (ausgenommen Ouverturen und Seccorezitative[1]) sowie eine Satzbezeichnung (Arie, Rezitativ, Chor usw., der jeweiligen Sprache des Textes entsprechend in Englisch, Italienisch oder Deutsch). Darauf folgen die speziellen Besetzungsangaben für den betreffenden Satz. Die einzelnen Partien sind in der Reihenfolge ihres Auftretens angeführt.

Am Schluß jedes Incipits erscheint die Zahl der von Händel insgesamt notierten Takte sowie bei Arien ein Vermerk, ob es sich um eine Da-capo- bzw. Dal-segno-Arie handelt. Auf Continuo-Bezifferungen oder editorische Ergänzungen (Artikulationszeichen usw.) wurde grundsätzlich verzichtet. Kleingedruckte Noten bezeichnen daher keine editorischen Zusätze, sondern beziehen sich auf obligate Begleitstimmen im System der notierten Hauptstimme, die zur Verdeutlichung der Satzstruktur dienen sollen. Um den Umfang des Notenteils in erträglichen Grenzen zu halten, mußten die Incipits auf die Wiedergabe der wichtigsten motivischen Zusammenhänge beschränkt bleiben. Die Verzeichnung ausführlicher thematischer Strukturen, die bei Händel häufig relativ ausgedehnt sind, konnte demzufolge nicht vorgenommen werden. Die Grundlage für die Form, in der ein Werk im thematischen Verzeichnis wiedergegeben wird, bildet in der Regel die Fassung des Autographs (bzw. beim Fehlen eines solchen die der Primärquelle). Alle späteren Ergänzungen und Einfügungen, die eindeutig auf Händels Intentionen zurückgehen und bei Aufführungen von ihm berücksichtigt wurden, sind an den jeweils in Betracht kommenden Stellen des Werkes eingeordnet.

Varianten und Mehrfassungen einzelner Sätze, die bereits vor der Uraufführung im Autograph gestrichen wurden, sowie ausführlicher notierte Skizzen und Entwürfe, die zugunsten von Endfassungen von Händel wieder verworfen wurden, sind in der Regel in einem Anhang zu jedem Werk zusammengefaßt. Auch sie erhielten – soweit sich das ermitteln ließ – diejenige Nummer, unter der sie in der Reihenfolge der einzelnen Sätze im Werk selbst einzuordnen wären.

Der Textteil ist folgendermaßen gegliedert:

Quellenverzeichnis

Das Quellenverzeichnis ist geordnet nach Handschriften, deren Fundorte mit den Bibliothekssiglen des Internationalen Quellenlexikons der Musik (RISM) bezeichnet sind, Erst- und Frühdrucke, deren Erscheinungsjahr mit wenigen Ausnahmen in der Regel vor 1800 liegt, mit Angabe von Originaltitel in normalisierter Form, Impressum und Erscheinungsjahr, soweit dies bekannt ist. Auf ausführliche Quellenbeschreibungen konnte dagegen verzichtet werden, da fast alle der angeführten Handschriften bereits in den bekannten beschreibenden Katalogen[2] erfaßt sind, auf die im Literaturverzeichnis verwiesen ist; aus Raumgründen wurden daher nur die notwendigsten Angaben im Quellenverzeichnis wiedergegeben und für den Benutzer dieses Werkes präzisiert.

Handschriften, die sich in Privatbesitz befinden, konnten nur dann berücksichtigt werden, wenn sie durch Publikationen bekannt geworden sind. Sammeldrucke (z. B. „Apollo's Feast", „A Pocket Com-

[1] Einige bereits in der HHA erschienene Werke, u. a. HWV 53 Saul, weichen von dieser Numerierung ab und bezeichnen alle Sätze, auch die Rezitative, mit einer Nummer. Um eine Verwirrung in der Satzzählung zu vermeiden, wurden die Incipits in dem betreffenden Werk nach dieser Neuausgabe gezählt.

[2] Vgl. folgende Standardwerke: Fuller-Maitland, J. A./Mann, A. H.: Catalogue of the Music in the Fitzwilliam Museum Cambridge, London 1893; Squire, W. B.: British Museum. Catalogue of the King's Music Library. Part I: The Handel-Manuscripts, London 1927; Clausen, H. D.: Händels Direktionspartituren („Handexemplare"), Hamburg 1972; Walker, A. D.: George Frideric Handel. The Newman Flower Collection in the Henry Watson Music Library, Manchester 1972.

panion" u. dgl.) sind lediglich dort angeführt, wo sie nicht als Nachdrucke oder Titelauflagen gelten müssen. Umfassendere Informationen über all diese Ausgaben bietet der Katalog von W. C. Smith[3].
Als Fundortnachweis für die Libretto-Drucke gilt, wenn nicht anders angegeben, die Sammlung GB Lbm.

Bemerkungen
Dieser Abschnitt enthält Angaben zur Entstehungs- und Aufführungsgeschichte, Bemerkungen zu den Quellen bzw. Fassungen, in denen das betreffende Werk überliefert ist, sowie Nachweise von Entlehnungen und Wiederverwendungen musikalischer Themen aus eigenen oder Werken anderer Komponisten.
Zur Frage der Überlieferung der italienischen Kantaten ist folgende Vorbemerkung zu beachten: Eine genaue Datierung der italienischen Kantaten ist nur in wenigen Fällen möglich, da Händel lediglich ein einziges Autograph (HWV 127^{a}) mit einem Datum versah. Eine Hilfe für die chronologische Bestimmung bieten jedoch die Wasserzeichen der erhaltenen Autographe sowie in Ergänzung dazu die Kopie- und Aufführungsdaten, die durch die Ruspoli-Dokumente[4] erschlossen wurden. Danach zeigt sich, daß die auf italienisches Papier geschriebenen Kantatenautographe im wesentlichen fünf Formen von Wasserzeichen aufweisen, die von K. Watanabe[5] als Typ 1–5 klassifiziert wurden. Typ 1 zeigt 3 Halbmonde in einer horizontalen Reihe und weist 14 Varianten (A–N) auf[6]; Typ 2 zeigt eine Lilie in einem Doppelkreis[7] (3 Varianten A, C, D), Typ 3 ein Tier im Kreis (3 Varianten A–C), Typ 4 eine Lilie im Kreis, Typ 5 eine Art Vogel. Andere, nur gelegentlich vorkommende Wasserzeichenformen italienischen Ursprungs werden bei den jeweiligen Manuskripten beschrieben. Papier mit dem Wasserzeichen Typ 2 (Lilie) verwendete Händel dabei am häufigsten; es erscheint in den meisten der für Ruspoli bestimmten Kantatenautographen und ist somit mindestens für Mai 1707 bis November 1708 (Rom) belegbar. Kantatenautographe auf Papier mit dem Wasserzeichen Typ 1 (3 Halbmonde) weisen aufgrund der Schriftunterschiede deutlich auf eine frühere Entstehungszeit hin (Florenz 1706/07) und stehen somit außerhalb der Ruspoli-Verpflichtungen, da das Papier, mit dem Ruspoli Händel arbeiten ließ, bis auf eine Ausnahme (HWV 172) stets Wasserzeichen vom Typ 2 erkennen läßt. Papier mit dem Wasserzeichen Typ 5, das nur in drei Autographen nachweisbar ist (HWV 146, 171 sowie 150), scheint auf eine Tätigkeit in Rom außerhalb des Ruspoli-Haushalts (vermutlich für Ottoboni) zu deuten.
In einigen Kantatenautographen, die ebenfalls die charakteristische Beschaffenheit der italienischen Zeit Händels aufweisen, sind keine Wasserzeichen zu erkennen. Die in England komponierten Kantaten jedoch haben sämtlich Papier mit den von Larsen[8] und Clausen[9] gekennzeichneten und beschriebenen LVG-Zeichen und lassen sich daher leicht von den in Italien entstandenen Autographen unterscheiden.
In den Bemerkungen zu den einzelnen Kantaten sowie teilweise auch zu den in Italien entstandenen und auf Papier italienischer Herkunft notierten Kirchenmusikwerken ist daher bei der zeitlichen Einordnung auf diese Papierbeschaffenheit Bezug genommen worden; die nicht durch solche diplomatischen Merkmale zeitlich bestimmbaren Kompositionen werden nach äußeren Gegebenheiten (Kopistenrechnungen, Aufführungsdaten etc.) eingeordnet.
Die wichtigsten Sekundärquellen für die Kantaten sind in Kopien folgender Schreiber überliefert: G. A. Angelini: D (brd) MÜs (Hs. 1893: HWV 173; Hs. 1894: HWV 105; Hs. 1898: HWV 90, 127^{a}, 161^{a}, 158^{a}, 84, 167^{b}, 126^{a}, 155; Hs. 1899: HWV 107, 130, 104, 159, 172, 148, 137, 114, 156, 140; Hs. 1900: HWV 96; Hs. 1902: HWV 92; Hs. 1903: HWV 170; Hs. 1905: HWV 99; Hs. 1906: HWV 82; Hs. 1910: HWV 153, 171, 173, 142, 90, 161^{a}, 130, 125^{a}; Hs. 1912: HWV 83; Hs. 1913: HWV 171; Hs. 1914: HWV 143).
J. Ch. Smith senior: AUSTR Sydney[10] (P 39), GB Lbm (Egerton 2942; Add. MSS. 31574: HWV 116, 120^{b}, 127^{a}, 128, 145, 158^{c}, 161^{b}, 132^{c,d}), Ob (Mus. d. 61: HWV 157, 161^{c}, 162, 164^{b}; Mus. d. 62, „Cantatas/ Composta del Signor G. F. Handel Anno 1720": HWV 106, 111^{a}, 112, 114, 125^{b}, 160^{a}, 167^{a}; MS. Don. d. 125), CDp (M. C. 1.5.). S_1: D (brd) Hs (M $\frac{A}{200}$, mit Korrekturen von Händels Hand), GB Cfm (Barrett-Lennard-Collection, Mus. MS. 797). S_2: GB Mp (MS 130 Hd4, v. 77, v. 78), Ob (Mus. d. 62: HWV 84, 103, 104, 118, 131, 133, 135^{b}, 136^{a}, 139^{a,c}, 144, 146, 152, 164^{a}).
Die Reihe der in England entstandenen Kantaten-

[3] Smith, W. C.: Handel. A Descriptive Catalogue of the Early Editions, London 1960, ^{2}/1970.
[4] Kirkendale, U.: The Ruspoli Documents on Handel. In: Journal of the American Musicological Society, Vol. XX, 1967, S. 222 ff., 518.
[5] Watanabe, K.: The Paper Used by Handel and his Copyists During the Time of 1706–1710. In: Ongaku Gaku. Journal of the Japanese Musicological Society, Vol. XXVII, 1981, No. 2, S. 129–171.
[6] Watanabe, S. 137–143. Vgl. auch Heawood, E.: Watermarks mainly of the 17th and 18th Centuries, Vol. I, Hilversum 1950.
[7] Watanabe, S. 144–146. Zu Typ 3–5 vgl. ebenda, S. 147 bis 149.
[8] Larsen, J. P.: Handel's Messiah. Origins, Composition, Sources, London 1957.
[9] Clausen, H. D.: Händels Direktionspartituren, Hamburg 1972, Anhang I.
[10] Brown, P.: Introduction to Robert Dalley-Scarlett and his Collection. In: Studies in Music (University of Western Australia), V, 1971, S. 87 ff.

abschriften (vorwiegend Sammelbände wie die oben angeführten Handschriften), deren Papier bereits von Larsen und Clausen auf Wasserzeichen untersucht wurde, kann hier noch um die Handschriften A Wn (Ms. 17748 und Ms. 17750) ergänzt werden. Diese Sammelbände sind auf Papier mit einem Wasserzeichen geschrieben, das Larsens Typen B und C entspricht; Lilie und Schild ähneln dabei Clausens Typ CbII, so daß diese beiden Quellen auf ca. 1717/30 zu datieren sind[11].
Die in den Titelübersichten und in den Bemerkungen mitgeteilten Daten beziehen sich, soweit sie Händels Leben in England betreffen, auf den dort bis um 1750 gültigen „alten" Stil in der Datenbezeichnung. Zur Umrechnung der Angaben in die auf dem Kontinent seit etwa 1700 üblichen Datierungen sei auf das einschlägige Werk von H. Grotefend[12] verwiesen.

Literaturangaben
Die Literaturhinweise sind alphabetisch nach Verfassern geordnet. Sie wurden auf solche Titel beschränkt (Einzeldarstellungen, Aufsätze in Zeitschriften und Sammelbänden, Vorworte und Kritische Berichte zu Neudrucken sowie Dokumentationen), die wesentliche Informationen über das jeweils angeführte Werk Händels vermitteln und vor allem quellenkritische Aspekte erörtern. Eine umfassende Übersicht des gesamten Schrifttums bietet die Händel-Bibliographie von K. Sasse[13], die in erweiterter Form als Band 5 dieses Händel-Handbuches erscheinen wird.

Register
Der Registerteil enthält ein alphabetisches Verzeichnis der Textanfänge, Verzeichnisse der Instrumentalsätze und der Partien in den Oratorien und größeren Kantaten sowie ein Personen-, Orts- und Sachregister.
Allen im Bibliotheksverzeichnis genannten Bibliotheken und Musiksammlungen dankt der Bearbeiter für vielfach gewährte detaillierte Auskünfte. Besonders dankbar verbunden fühlt er sich dem am 12. 3. 1980 verstorbenen Vorsitzenden des Kuratoriums der Georg-Friedrich-Händel-Stiftung Dr. W. Eisen, der dieses Handbuch angeregt und sein Entstehen über viele Jahre tatkräftig gefördert hat. Weiterhin gilt sein Dank dem Präsidenten der Georg-Friedrich-Händel-Gesellschaft Herrn Prof. Dr. Dr. h. c. E. H. Meyer (Berlin), Herrn Prof. Dr. W. Siegmund-Schultze und der Redaktion der Hallischen Händel-Ausgabe, der Direktion des Händel-Hauses Herrn Dr. K. Sasse (†) und Herrn Dr. E. Werner, sowie den Herren G. Beeks (Gambier, Ohio), T. Best (Brentwood, Essex), D. Burrows (Abingdon, Oxon), G. Coke (Bentley, Hants.), W. Dean (Godalming, Surrey), A. Hicks (London), Prof. Dr. J. M. Knapp (Princeton, N. J.), Prof. Dr. A. Mann (Rochester, N. Y.), Dr. J. S. M. Mayo (Toronto), O. W. Neighbour (The British Library, London), M. Noiray (Paris), P. Riethus (Wien), Dr. H. Serwer (Chevy Chase, Md.), Dr. R. Strohm (London) und Dr. P. M. Young (Wolverhampton), die bereitwillig Quellen und Literatur für die Arbeit an vorliegendem Band zur Verfügung stellten und sie durch wertvolle Hinweise ständig förderten.
Dem VEB Deutscher Verlag für Musik und seinem verantwortlichen Lektor, Herrn F. Zschoch (Leipzig), ist für die umfangreiche verlegerische Betreuung und kollegiale Hilfe bei der Arbeit an diesem Handbuch besonders zu danken.

Halle (Saale), Dezember 1982 Bernd Baselt

[11] Nach freundlicher Mitteilung von Dr. Rita Steblin, Urbana, Ill., USA, der an dieser Stelle dafür gedankt sei. Der Kopist von Ms. 17750 entspricht Clausens H6.
[12] Grotefend, H.: Taschenbuch der Zeitrechnung des deutschen Mittelalters und der Neuzeit. Zehnte erweiterte Auflage, hrsg. von Th. Ulrich, Hannover 1960.
[13] Sasse, K.: Händel-Bibliographie, Leipzig 1963; 1. Nachtrag: 1962–1965, Leipzig 1967.

Verzeichnis der mehrfach benutzten Literatur

Kataloge und Sammlungen

Catalogue of Rare Books and Notes (Ohki Collection, Nanki Music Library), Tokyo 1970.

Fellowes, E. H.: The Catalogue of Manuscripts in the Library of St. Michael's College, Tenbury. Paris 1934.

Fuller-Maitland, J. A./Mann, A. H.: Catalogue of the Music in the Fitzwilliam Museum, Cambridge. London 1893. Zitiert: Catalogue Mann.

Hughes-Hughes, A.: Catalogue of Manuscript Music in the British Museum, vol. 1–3. London 1906–1909, ^{2}/1964–1966.

Lenneberg, H./Libin, L.: Unknown Handel Sources in Chicago. In: Journal of the American Musicological Society, vol. XXII, 1969, S. 85 ff.

Knapp, J. M.: The Hall Handel Collection. In: The Princeton University Library Chronicle, vol. XXXVI, No. 1, Autumn 1974, S. 3 ff.

Picker, M.: Handeliana in the Rutgers University Library. In: The Journal of the Rutgers University Library, vol. XXIX, No. 1, 1965, S. 1 ff.

Squire, W. B.: British Museum. Catalogue of the King's Music Library. Part I. The Handel-Manuscripts. London 1927. Zitiert: Catalogue Squire.

Walker, A. D.: George Frideric Handel. The Newman Flower Collection in the Henry Watson Music Library. Manchester 1972.

Willetts, P. J.: Handlist of Music Manuscripts Acquired 1908/67. London (The British Library) 1970.

Nachschlagewerke

Deutsch, O. E.: Handel. A Documentary Biography. London 1955. Zitiert: Deutsch.

Grove's Dictionary of Music and Musicians. 5th Edition, ed. by E. Blom, 9 vols., 1 suppl. vol. London 1954, 1961.

Internationales Quellenlexikon der Musik: Einzeldrucke vor 1800, Bd. 4. Kassel etc. 1974, S. 4–84.

The New Grove. Dictionary of Music and Musicians. Ed. by S. Sadie. 20 vols. London 1980 ff.

Sasse, K.: Händel-Bibliographie. Leipzig 1963; 1. Nachtrag: 1962–1965. Leipzig 1967.

Smith, W. C.: Verzeichnis der Werke Georg Friedrich Händels. In: Händel-Jb., 2. (VIII.) Jg., 1956, S. 125–167.

Smith, W. C.: Handel. A Descriptive Catalogue of the Early Editions. London 1960, ^{2}/1970.

Verzeichnis der Werke Georg Friedrich Händels (HWV), zusammengestellt von B. Baselt. In: Händel-Jb., 25. Jg., 1979, S. 10–139.

Monographien

Beeks, G.: The Chandos Anthems and Te Deum of George Frideric Handel (1685–1759). Ph. D. diss., University of California, Berkeley 1981 (maschinenschriftl.).

Beeks, G.: Zur Chronologie von Händels Chandos Anthems und Te Deum B-Dur. In: Händel-Jb., 27. Jg., 1981, S. 89–105. Zitiert: Beeks.

Burney, Ch.: A General History of Music from the Earliest Ages to 1789, Third Edition, vol. IV. London 1789 (Musicological Reprints, Baden-Baden: Heitz, 1958). Zitiert: Burney IV.

Burrows, D. J.: Handel and the English Chapel Royal during the reigns of Queen Anne and King George I. Ph. D. diss., Open University 1981, 2 Bde. (maschinenschriftl.).

Chrysander, F.: G. F. Händel, Bd. I–III. Leipzig 1858, 1860, 1867. Register von S. Flesch. Leipzig–Hildesheim 1967. Zitiert: Chrysander I, II, III.

Clausen, H. D.: Händels Direktionspartituren („Handexemplare") (Hamburger Beiträge zur Musikwiss. Bd. 7). Hamburg 1972. Zitiert: Clausen.

Dean, W.: Handel's Dramatic Oratorios and Masques. London 1959. Zitiert: Dean.

Ewerhart, R.: Die Händel-Handschriften der Santini-Bibliothek in Münster. In: Händel-Jb., 6. Jg., 1960, S. 111–150. Zitiert: Ewerhart.

Flower, N.: George Frideric Handel: His Personality and his Times. London ^{1}/1923, ^{2}/1943, ^{3}/1947, ^{5}/1959. – Deutsche Ausgabe: Georg Friedrich Händel. Der Mann und seine Zeit. Aus dem Englischen übersetzt von A. Klengel. Leipzig ^{1}/1925, ^{2}/1934. Zitiert: Flower.

Harris, E. T.: Handel and the Pastoral Tradition. London 1980. Zitiert: Harris.

Hawkins, J.: George Frederic Handel. In: A General History of the Science and Practice of Music, vol. V. London 1776 (New ed. vol. II. London 1875).

Herbage, J.: The Oratorios. The Secular Oratorios and Cantatas. In: Handel. A Symposium, ed. by G. Abraham. London ^{1}/1954, ^{2}/1963. Zitiert: Herbage (Symposium).

Hicks, A.: Handel, George Frideric. In: The New Grove. Dictionary of Music and Musicians, ed. by S. Sadie. Vol. 8. London 1980, S. 114–137.

King, A. H.: Handel and his Autographs. London ^{1}/1967, ^{2}/1979.

Kirkendale, U.: The Ruspoli Documents on Handel. In: Journal of the American Musicological Society, vol. XX, No. 2, 1967, S. 222–273, 518. Zitiert: Kirkendale.

Lam, B.: The Church Music. In: Handel. A Symposium, ed. by G. Abraham. London ^{1}/1954, ^{2}/1963. Zitiert: Lam (Symposium).

Lang, P. H.: Georg Frederic Handel. New York 1966. – Deutsche Ausgabe: Georg Friedrich Händel. Sein Leben, sein Stil und seine Stellung im englischen Geistes- und Kulturleben. Übersetzung: Eva Ultsch. Basel 1979. Zitiert: Lang.

Larsen, J. P.: Handel's „Messiah": Origins, Composition, Sources. London 1957. Zitiert: Larsen.
Leichtentritt, H.: Händel. Stuttgart 1924. Zitiert: Leichtentritt.
Lewis, A.: The Songs and Chamber Cantatas. In: Handel. A Symposium, ed. by G. Abraham. London 1/1954, 2/1963. Zitiert: Lewis (Symposium).
Mainwaring, J.: Memoirs of the Life of the Late George Frederic Handel. To which is added, A Catalogue of his Works, and Observations upon them. London 1760. *Mattheson, J.:* Georg Friderich Händels Lebensbeschreibung, nebst einem Verzeichnisse seiner Ausübungswerke und deren Beurtheilung; übersetzet, auch mit einigen Anmerkungen, absonderlich über den hamburgischen Artikel, versehen ... Hamburg 1761. Zitiert: Mainwaring/Mattheson.
Mayo, J. S. M.: Handel's Italian Cantatas. Ph. D. diss., University of Toronto, Canada, 1977 (maschinenschriftl.). Zitiert: Mayo I.
Mayo, J. S. M.: Zum Vergleich des Wort-Ton-Verhältnisses in den Kantaten von Georg Friedrich Händel und Alessandro Scarlatti. In: G. F. Händel und seine italienischen Zeitgenossen. Bericht über die wissenschaftliche Konferenz zu den 27. Händelfestspielen der DDR in Halle (Saale) am 5. und 6. Juni 1978. Im Auftrag der Georg-Friedrich-Händel-Gesellschaft hrsg. von W. Siegmund-Schultze. Halle 1979, S. 31–44. Zitiert: Mayo II.
Müller von Asow, H./E. H.: Georg Friedrich Händel. Lindau 1949.
Müller-Blattau, J.: Georg Friedrich Händel. Potsdam 1933. Zitiert: Müller-Blattau.
Müller-Blattau, J.: Georg Friedrich Händel. Der Wille zur Vollendung. Mainz 1959.
Schneider, G.: Mehrfassungen bei Händel. Phil. Diss., Köln 1952 (maschinenschriftl.).
Schoelcher, V.: The Life of Handel. London 1857. Zitiert: Schoelcher.
Serauky, W.: Georg Friedrich Händel. Sein Leben – sein Werk. Bd. III, IV, V. Leipzig 1956–1958. Zitiert: Serauky III, IV, V.
Siegmund-Schultze, W.: Georg Friedrich Händel. Leipzig 1980. Zitiert: Siegmund-Schultze.
Smither, H. E.: A History of the Oratorio, vol. 2: The Oratorio in the Baroque Era. Protestant Germany and England. Chapel Hill 1977. Zitiert: Smither II.
Streatfeild, R. A.: Handel. London 1/1909, 2/1910. Zitiert: Streatfeild.
Taylor, S.: The Indebtedness of Handel to Works by Other Composers. Cambridge 1/1906, New York 2/1979.
Young, P. M.: The Oratorios of Handel. London 1949. Zitiert: Young.

Verzeichnis der Bibliotheken

A Wgm	=	Wien, Bibliothek der Gesellschaft der Musikfreunde
A Wn	=	Wien, Österreichische Nationalbibliothek, Musiksammlung
AUSTR Sydney	=	Sydney, University of Sydney, Fisher Library
D (brd) B	=	Berlin (West), Staatsbibliothek Preußischer Kulturbesitz, Musikabteilung
D (brd) BNms	=	Bonn, Bibliothek des Musikwissenschaftlichen Seminars der Universität
D (brd) DS	=	Darmstadt, Hessische Landes- und Hochschulbibliothek, Musikabteilung
D (brd) Hs	=	Hamburg, Staats- und Universitätsbibliothek, Musikabteilung
D (brd) Mbs	=	München, Bayerische Staatsbibliothek, Musiksammlung
D (brd) MÜs	=	Münster (Westfalen), Bibliothek des Bischöflichen Priesterseminars und Santini-Sammlung
D (ddr) Bds	=	Berlin, Deutsche Staatsbibliothek, Musikabteilung
D (ddr) Dlb	=	Dresden, Sächsische Landesbibliothek, Musikabteilung
D (ddr) LEm	=	Leipzig, Musikbibliothek der Stadt Leipzig
D (ddr) SWl	=	Schwerin, Wissenschaftliche Allgemeinbibliothek, Musikabteilung
DK Rungsted	=	Rungsted Have 7 D, Privatsammlung Margarethe Schou
EIRE Dcc	=	Dublin, Christ Church Cathedral Library
EIRE Dm	=	Dublin, Marsh's Library
EIRE Dmh	=	Dublin, Mercer's Hospital Library
F Pa	=	Paris, Bibliothèque de l'Arsenal
F Pc	=	Paris, Bibliothèque nationale (ancien fonds du Conservatoire national de musique)
GB BENcoke	=	Bentley (Hampshire), Gerald Coke private Collection
GB Cfm	=	Cambridge, Fitzwilliam Museum
GB Ckc	=	Cambridge, Rowe Music Library, King's College
GB CDp	=	Cardiff, Public Libraries, Central Library

GB CF = Chelmesford, Cathedral Library
GB DRc = Durham, Cathedral Library
GB En = Edinburgh, National Library of Scotland
GB Ep = Edinburgh, Public Library
GB Er = Edinburgh, Reid Music Library of the University of Edinburgh
GB GL = Gloucester, Cathedral Library
GB H = Hereford, Cathedral Library
GB Lam = London, Royal Academy of Music
GB Lbm(bl) = London, The British Library
GB Lcm = London, Royal College of Music
GB Lgc = London, Gresham College (Guildhall Library)
GB Lsp = London, St. Paul's Cathedral Library
GB Lwa = London, Westminster Abbey Library
GB Thomas Coram Foundation London (Foundling Hospital), Library
GB Malmesbury Collection = Basingstoke (Hampshire), The Earl of Malmesbury private Collection
GB Mp = Manchester, Central Public Library (Henry Watson Music Library)
GB Ob = Oxford, Bodleian Library
GB Och = Oxford, Christ Church Library
GB Shaftesbury Collection = St. Giles House, Wimborne (Dorsetshire), The Earl of Shaftesbury private Collection
GB T = Tenbury (Worcestershire), St. Michael's College Library (Depositum in GB Ob)
GB Y = York, Minster Library
I Bc = Bologna, Civico Museo Bibliografico-Musicale
I Fc = Firenze, Biblioteca del Conservatorio di Musica „L. Cherubini"
I Mc = Milano, Biblioteca del Conservatorio „Giuseppe Verdi"
I PAc = Parma, Sezione Musicale della Biblioteca Palatina presso il Conservatorio „Arrigo Boito"
I Rc = Roma, Biblioteca Casanatense
I Rn = Roma, Biblioteca nazionale centrale „Vittorio Emanuele II°"
I Rsc = Roma, Biblioteca Musicale governativa del Conservatorio di Santa Cecilia
I Sac = Siena, Biblioteca dell'Accademia Musicale Chigiana
I Vnm = Venezia, Biblioteca nazionale Marciana
J Tn = Tokyo, The Ohki Collection, Nanki Music Library
S Skma = Stockholm, Kungliga Musikaliska Akademiens Bibliotek
US BE = Berkeley (Cal.), University of California, Music Library
US BETm = Bethlehem (Pa.), Archives of the Moravian Church in Bethlehem (Northern Province Archives)
US Cu = Chicago (Ill.), University of Chicago, Music Library
US CA = Cambridge (Mass.), Harvard University, Music Libraries (Houghton)
US NBu = New Brunswick (N. J.), Rutgers University Library
US NH = New Haven (Conn.), Yale University, The Library of the School of Music, Beinicke Library
US NYp = New York (N. Y.), New York Public Library at Lincoln Center
US NYpm = New York (N. Y.), Pierpont Morgan Library
US NYr = New York (N. Y.), Sibley Music Library
US PRu = Princeton (N. J.), Princeton University Library
US SM = San Marino (Cal.), Henry E. Huntington Library & Art Gallery
US Wc = Washington (D. C.), Library of Congress, Music Division
US Ws = Washington (D. C.), Folger Shakespeare Library

Abkürzungsverzeichnis

Anm.	= Anmerkung
Bd., Bde.	= Band, Bände
Bez., bez.	= Bezifferung, beziffert
Bl., Bll.	= Blatt, Blätter
ChA	= Chrysander-Ausgabe (Georg Friedrich Händels Werke. Ausgabe der Deutschen Händelgesellschaft, herausgegeben von Friedrich Chrysander, Leipzig und Bergedorf 1858ff.)
conc.	= concertino
DDT	= Denkmäler der Tonkunst in Deutschland
DTB	= Denkmäler der Tonkunst in Bayern
DTÖ	= Denkmäler der Tonkunst in Österreich
EZ	= Entstehungszeit
Ex.	= Exemplar, Exemplare
Faks.	= Faksimile
fragm.	= fragmentum, unvollständig überliefert
GA	= Gesamtausgabe
HHA	= Hallische Händel-Ausgabe
Hrsg., hrsg.	= Herausgeber, herausgegeben
Hs., Hss.	= Handschrift, Handschriften
Instr.	= Instrumente
instr.	= instrumental
Jg.	= Jahrgang
Jh.	= Jahrhundert
Kl.A.	= Klavierauszug
Krit. Bericht	= Kritischer Bericht
Ms., Mss.	= Manuskript, Manuskripte
p.	= pagina
Part.	= Partitur
r	= recto
rip.	= ripieno
S.	= Seite
Sign.	= Signatur
s. l.	= sine loco (ohne Ortsangabe)
Slg.	= Sammlung
s. n.	= sine nomine (ohne Verlagsangabe)
T.	= Takt, Takte
UA	= Uraufführung
unis.	= unisono
v	= verso
vol.	= volume
WZ	= Wasserzeichen
Z.	= Zeile, Zeilen

A.	= Alto (Chor)
B.	= Baß, Basso (Chor)
Bc.	= Basso continuo
C.	= Canto (Chor)
Cbb.	= Contrabbasso
Cemb.	= Cembalo
Cont.	= Continuo
Cor.	= Corno, Corni
Fag.	= Fagotto, Fagotti
Fl.	= Flauto (dolce), Flauti (dolci)
Fl. trav.	= Flauto traverso, Flauti traversi
Ob.	= Oboe, Oboi
Org.	= Organo
S.	= Soprano (Chor)
Sopr.	= Soprano (Solo)
St.	= Stimme, Stimmen
Str.	= Streicher
T.	= Tenore (Chor)
Ten.	= Tenore (Solo)
Timp.	= Timpano, Timpani
Trba., Trbe.	= Tromba, Trombe
V.	= Violino, Violini
Va.	= Viola
Vc.	= Violoncello

Oratorische Werke

Oratorien
Serenaden
Oden

46ª. Il Trionfo del Tempo e del Disinganno

Oratorio in due parti von Benedetto Pamphilj

Besetzung: Soli: 2 Soprani (Bellezza, Piacere), Alto (Disinganno), Ten. (Tempo).
Instrumente: Fl. I, II; Ob. I, II; V. I, II, III; Va.; Vc. I, II; Org.; Cont.
ChA 24. – HHA I/4. – EZ: Rom, März/Mai 1707. – UA: Rom, Juni 1707, Collegio Clementino

Sonata dell' Overtura

Ob. I, II
V. I, II del concertino
V. I, II del Concerto grosso
Va.
Vc.
Cont.

Parte I

1. Aria. Bellezza

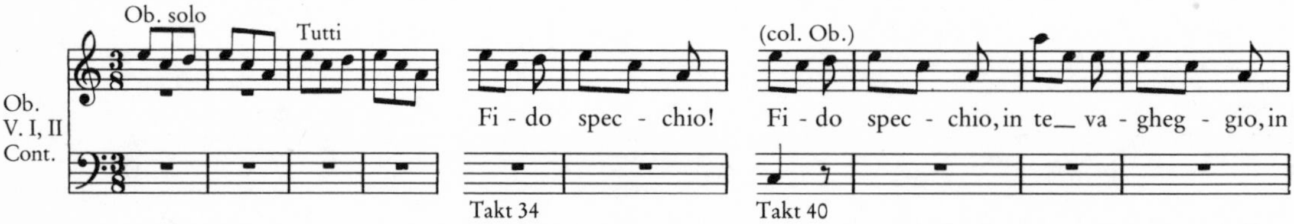

Recitativo. Piacere; Bellezza

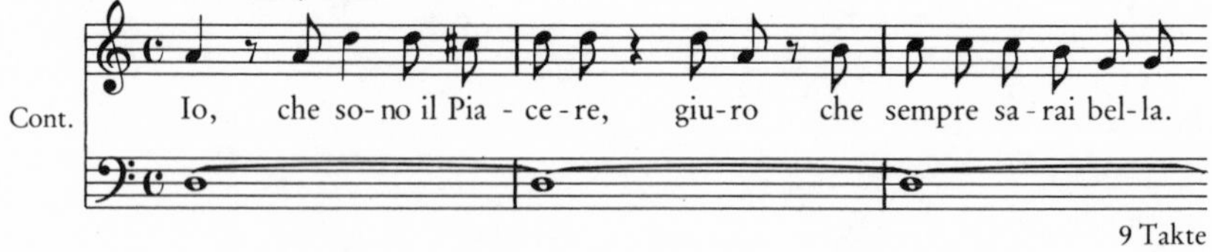

2. Aria. Piacere

Recitativo. Tempo; Disinganno

Cont.
Ed io, che il Tempo so-no
7 Takte

3. Aria. Disinganno

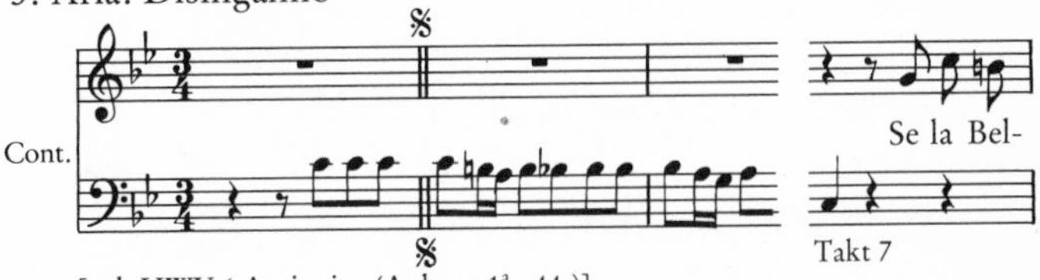
Cont.
Se la Bel-
Takt 7

[vgl. HWV 6 Agrippina (Anhang 1a., 44.)]

lez - za perde va - ghez-za,
38 Takte D. s.

Recitativo. Piacere; Bellezza; Tempo; Disinganno

Piacere
Bellezza
Cont.
Dunque si prendan l'armi, e si ve-drà
6 Takte

4. Aria. Bellezza

Ob. I, II
V. I, II
Va.
Cont.
U-na schiera di pia- - ce-ri, di pia - ce-ri,
Takt 10
38 (36) Takte D. c.

[vgl. HWV 6 Agrippina (28.)]

Recitativo. Tempo

Cont.
I colos - si del so - le per me cadderò a ter-ra,
5 Takte

5. Aria. Tempo

V. I, II, III
Va.
Cont.
p

f
p
Ur-ne voi, ur- ne voi! che racchiudete tante bel-le,
Takt 11
42 Takte D. c.

Recitativo. Piacere

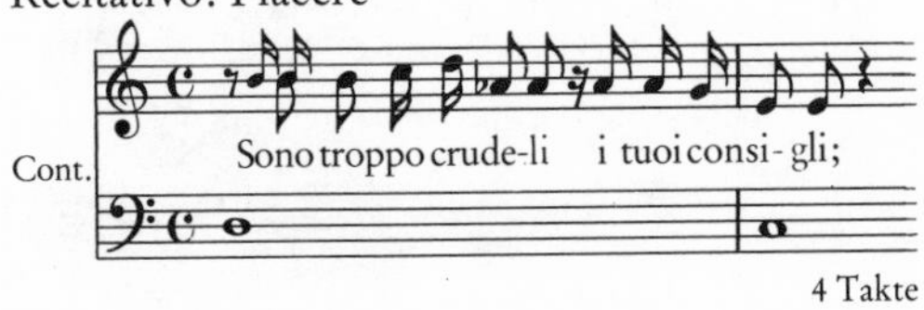
Cont.
Sono troppo crude-li i tuoi consi- gli;
4 Takte

6. Duetto. Bellezza; Piacere

Ob. I, II
V. I, II
Va.
Cont.
Ob. I
Ob. II
Bellezza
Il vo-

ler nel fior degl' anni fra gl'affanni passar l'o-re è va-ni-tà
Takt 14
53 Takte D. c.

Recitativo. Disinganno; Bellezza

Cont.
Della vi- ta mortale scorre un guardo
10 Takte

7. Aria. Bellezza

Recitativo. Disinganno; Piacere; Bellezza

8. Aria. Tempo

9. Aria. Disinganno

A. Recitativo. Piacere

B. Recitativo. Piacere

10. Sonata e Recitativo. Bellezza

11. Aria. Piacere

Recitativo. Bellezza

12. Aria. Bellezza

Venga il Tem - po, e con l'a - li fune - ste,
Takt 8
53 Takte D. c.

13. Aria. Disinganno

(Fl. I, II all'ottava alta)
Fl. I, II
V. I, II
Va.
Cont.
p

[vgl. HWV 6 Agrippina (29.)]

Cre - de l'uom ch'e- gli ri - po - si,—
Takt 6

(Allegro)
Ma se i col- pi so- no a - scosi,
Takt 62
72 Takte D. c.

Recitativo. Tempo; Bellezza

Cont.
Tu credi che sia lungi
21 Takte

14. Aria. Tempo

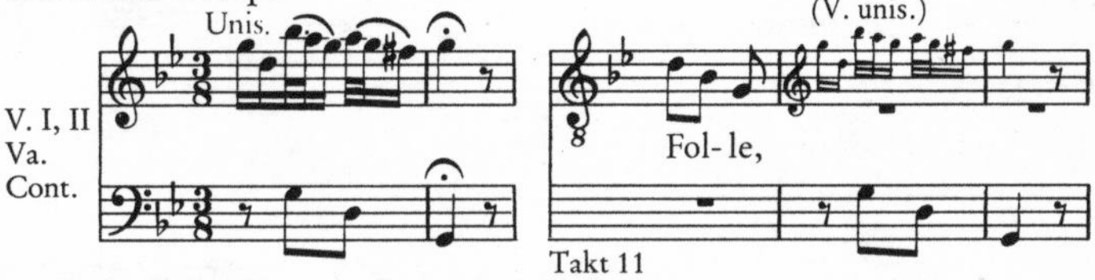
Unis.
V. I, II
Va.
Cont.
(V. unis.)
Fol- le,
Takt 11

fol- le dunque, tu so - la pre - su - mi,

Vo per mari, per monti, per fiu - mi,
Takt 68
86 Takte D. c.

Recitativo. Disinganno; Tempo

Cont.
La reggia del Pia - cer vedesti,
6 Takte

15. Aria (à 4). Bellezza; Piacere; Disinganno; Tempo

Ob. I, II
V. I, II
Va.
Vc.
Cont.

Bellezza
Se non sei più mi - ni- stro di pe - ne,
p
Takt 8

Piacere
Non la- scia - re la stra - da fio - ri - ta,
Str. (V. solo)
Takt 39

Disinganno
Se ti van - ti pia - ce - re sin- ce - ro,
Tempo
Va., Vc.
Takt 50

Piacere
Io pre - pa - ro pre- sen - ti conten - ti,
Soli p
V. I, II, Va.
Takt 58
65 Takte D. c.

Parte II

Recitativo. Tempo

Cont.
Se del fal- so Pia- ce-re vedesti già
20 Takte

16. Aria. Piacere

Ob. I, II
Ob. I, II
V. I, II
Va.
Cont.
Cemb.

Chiu- di, chiudi, chiudi, chiudi i va- ghi rai,
Takt 13
Takt 17
(103 Takte D. s.)
90 Takte D. c.

Recitativo. Tempo

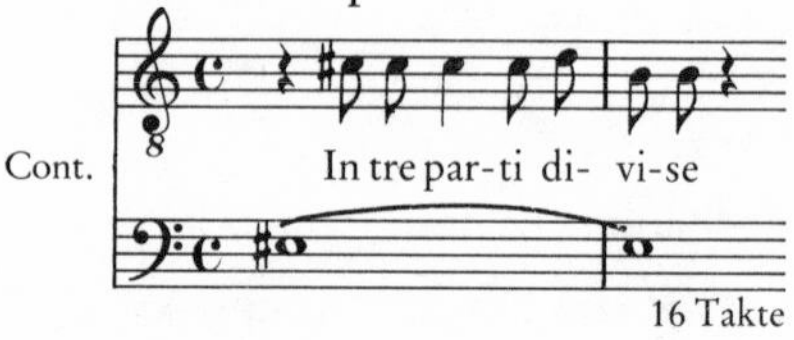
Cont.
In tre par- ti di- vi- se
16 Takte

17. Aria. Bellezza

Adagio
Ob. solo
Ob.
V. I, II
Cont.
Ob.
Io spe- ra- i trovar nel ve- ro il piacer
Takt 10
38 Takte D. c.

Recitativo. Piacere

Cont.
Tu vi-vi in van do- len- te;
4 Takte

18. Aria. Piacere

V. solo
Tu giu- ra- sti di mai non la- sciar- mi, o il do- lo- re che sia tua merce- de,
(Takt 6)
Takt 7
Vc.
(45 Takte D. s.)
40 Takte D. c.

Recitativo. Tempo

Cont.
Sguardo, che in-fermo ai rai del sol si volge,
7 Takte

19. Arioso e Recitativo. Bellezza; Disinganno

(Adagio)
Disinganno
Bellezza
Cont.
Io vor-
Takt 8

rei due co- ri in se- no, un per darlo al pen- ti- mento,

(Recitativo)

Disinganno
Ma dimmi a qual Pia- ce- re?
Takt 33

(Arioso)

Bellezza
Al pia- cer che più se- re- no
Takt 35
86 Takte

Recitativo. Disinganno; Bellezza

Cont.
Io giurerei, che tu chiudesti i lu-mi
11 Takte

20. Aria. Disinganno

Adagio
Fl.
Fl. I, II
V. I, II
Va.
Cont.
V. all' unis. (ottava alta)
Più non cu- ra val- le os- cu- ra chi dal
Takt 4

monte saggio ve- de
28 Takte D. c.

Recitativo. Tempo

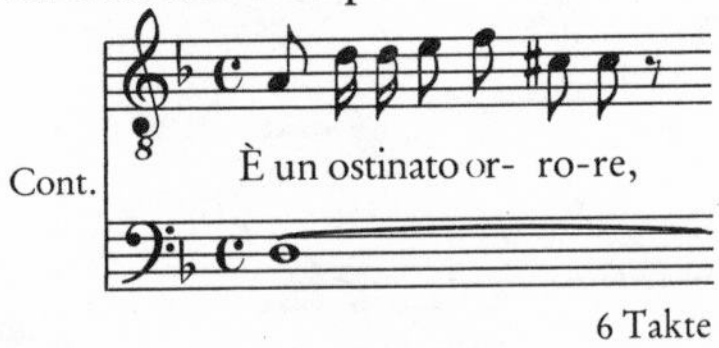
Cont.
È un ostinato or- ro-re,
6 Takte

21. Aria. Tempo

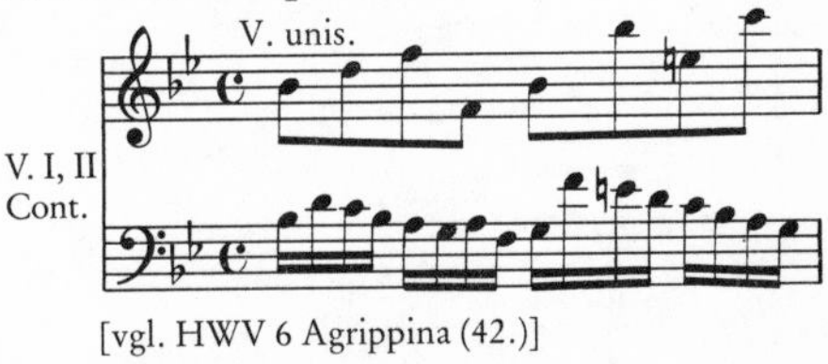
V. unis.
V. I, II
Cont.
[vgl. HWV 6 Agrippina (42.)]

È ben fol- le quel noc- chier che non vuol can- giar sen- tier,
Vc.
Takt 6
(68 Takte)
40 Takte D. c.

Recitativo. Bellezza

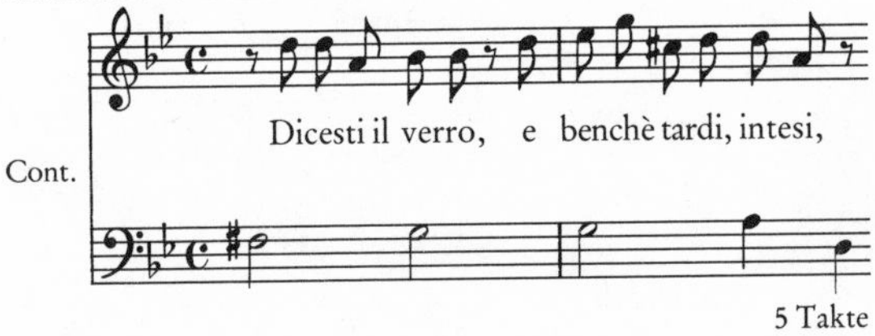
Cont.
Dicesti il verro, e benchè tardi, intesi,
5 Takte

22. Quartetto. Bellezza; Piacere Disinganno; Tempo

V. all' unis.
Ob. I, II
V. I, II
Va.
Cont.
Ob. I
Ob. II
Va.
Bellezza
Voglio
Takt 25

Tem- - - - - -po,
Tempo
Teco è il Tempo,
ed il Con- si-glio
Disinganno
Piacere
ma il Con-
Takt 36

si- glio è il tuo do- lor,
153 Takte D. c.

Recitativo. Bellezza; Disinganno

Cont.
Presso la reg- gia ove il pia- cer ri- sie- de
21 Takte

23. Aria. Piacere

Tutti
V. I, II
Va.
Cont.
p
Lascia la spina co-gli la ro-sa,
Str.
Vc.
[vgl. HWV 1 Almira (4./52.)]
Takt 9
(71 Takte D. s.)
61 Takte D. c.

Recitativo. Bellezza; Disinganno

Cont.
Con troppo chiare no-te la ve-ri-tà mi chiama
9 Takte

24. Aria. Bellezza

Adagio
Tutti
tr
Ob. I, II
V. I, II
Va.
Cont.

V. I
(Presto)
V. II
Adagio
Voglio can- giar de- si- o,
e voglio dir, mi pen- to,
Takt 8
Takt 10
33 Takte D. c.

Recitativo. Bellezza; Piacere; Disinganno

Cont.
Or che tie- ne la destra
7 Takte

25. Aria. Disinganno

unis.
Ob.
V. I, II
unis.
Cont.
Chi già fu- del bion-do
V.
Takt 21

V.
cri- ne consi- glie- ro, al suol ca- drà,
(95 Takte D. s.)
96 Takte D. c.

Recitativo. Bellezza

Cont.
Mà che veggio, che miro?
14 Takte

26. Aria. Bellezza

Poco adagio
Ob. I, II
Ob. I, II
V. I, II
Va.
Cont.
Tutti V. all' unis.
Ric-co pi- no, nel cammi- no, getta al
Ob. I, II
V. I, II
Takt 15
Str.
Cont. 8va
Va.
p

ma- re e gemme ed o- ro,
101 Takte D. c.

27. Recitativo accompagnato. Bellezza

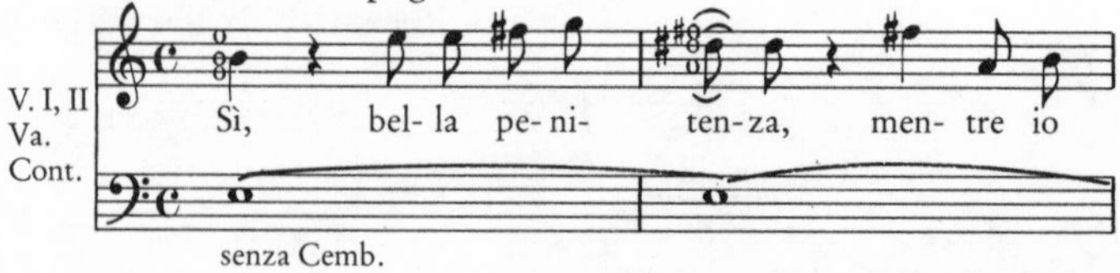
V. I, II
Va.
Cont.
Sì, bel- la pe- ni- ten- za, men- tre io
senza Cemb.

28. Duetto. Disinganno; Tempo

Ritornello.

Recitativo. Bellezza

29. Aria. Piacere

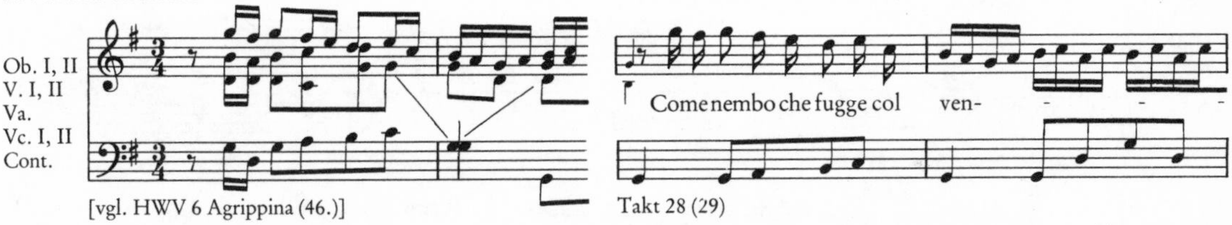

30. Recitativo accompagnato. Bellezza

31. Aria. Bellezza

46b. Il Trionfo del Tempo e della Verità

Oratorio in tre parti von Benedetto Pamphili

Textfassung: Bearbeiter unbekannt

Besetzung: Soli: 2 Soprani (Bellezza, Piacere), 2 Alti (Disinganno, Tempo). Chor: C.; A.; T.; B. Instrumente: Fl. trav. I, II; Ob. I, II; Fag.; Cor. I, II; Trba. I, II; Timp.; V. I, II; Va.; Vc.; Cbb.; Org.; Cemb.; Carillon
ChA 24. – HHA I/4. – EZ: London, 2.–14. März 1737. – UA: London, 23. März 1737, Theatre Royal, Coventgarden

Sinfonia

Parte I

1. Coro. C.; A.; T.; B.

[= HWV 263 Sing unto God (1.)]

Recitativo. Bellezza

2. Aria. Bellezza

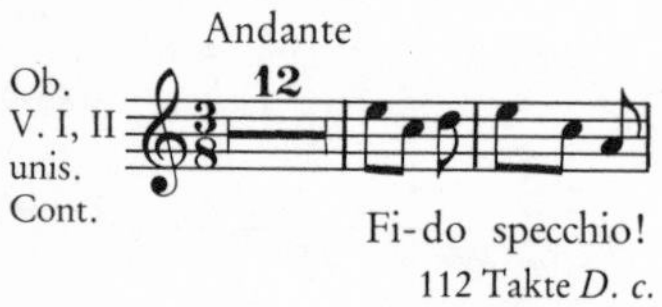

Recitativo. Piacere; Bellezza

3. Aria. Piacere

[= HWV 71 (3.), HWV 263 (2.)]

Recitativo. Tempo; Disinganno

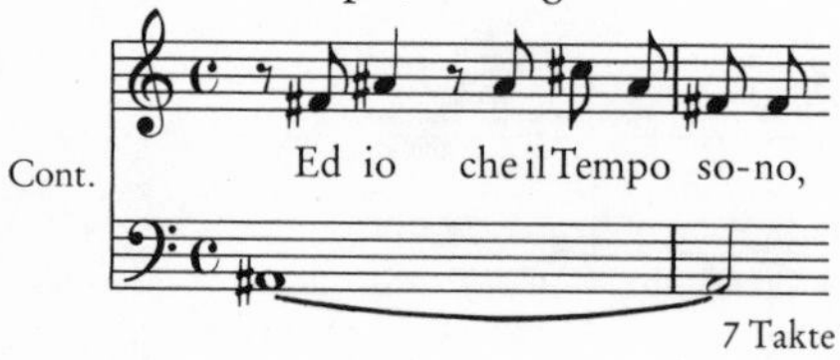

4. Aria. Disinganno

Recitativo. Piacere; Bellezza; Tempo; Disinganno

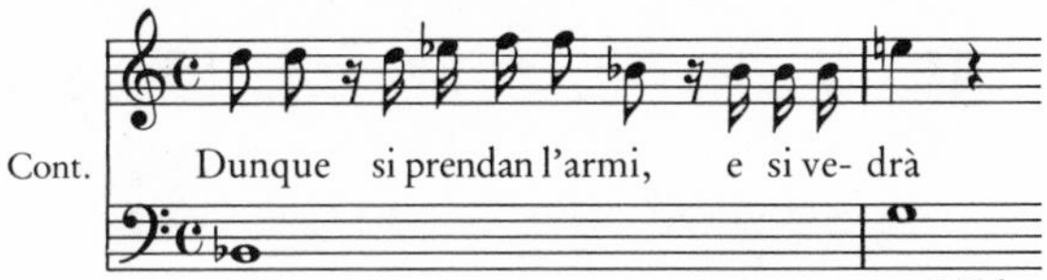
Cont.
Dunque si prendan l'armi, e si ve- drà

5 Takte

5. Aria. Bellezza

Allegro
8
V. I, II unis.
Cont.
U- na schiera di pia- ce- ri,

[s. HWV 71 (6.)] 79 Takte *D. c.*

Recitativo. Tempo

Cont.
I colos- si del so- le per me cadderò a terra

4 Takte

6. Aria. Tempo

Larghetto
12
V. I, II unis.
Cont.
Ur- ne voi, che racchiu- de- te

[= HWV 71 (7.)] 78 Takte *(attacca)*

7. Coro. C.; A.; T.; B.

Largo
(Solo)
Ob. I, II
Fag.
V. I, II
Cont.
(abbando-)nò.
A. e V. II
E nul- la più re- stò, e nul- la più re- stò
T. e Va. e Fag.
Son lar- ve di do- lor, son schele- tri d'or- ror

Takt 79 104 Takte

Recitativo. Piacere

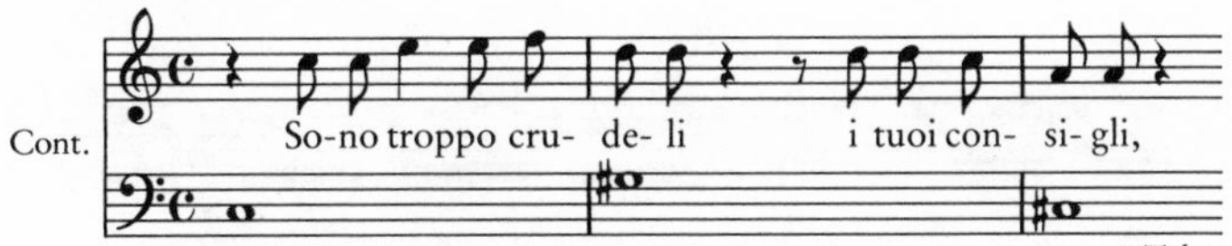
Cont.
So- no troppo cru- de- li i tuoi con- si- gli,

5 Takte

8. Duetto. Bellezza; Piacere

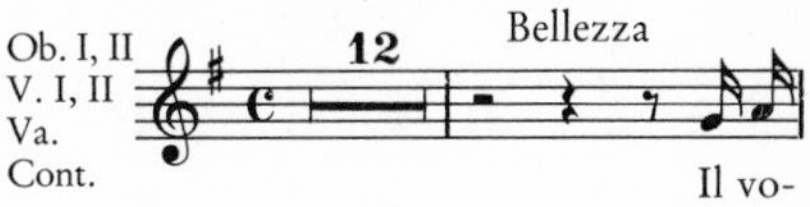

ler nel fior degl'an- ni fra gl'af- fanni

53 Takte *D. c.*

Recitativo. Disinganno; Bellezza

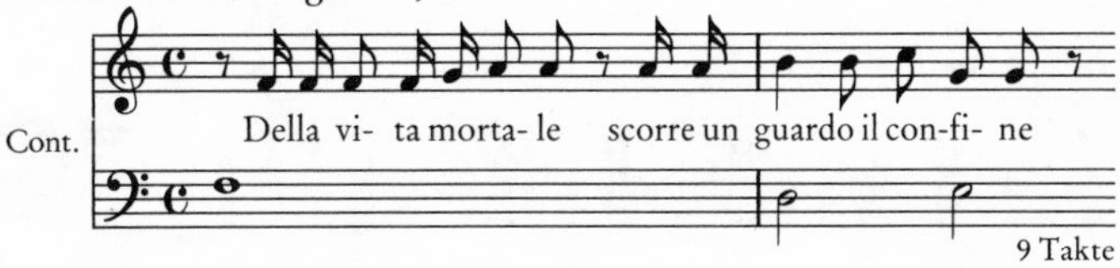
Cont.
Della vi- ta morta- le scorre un guardo il con- fi- ne

9 Takte

9. Aria. Bellezza

(Andante allegro)
Ob. I, II
V. I, II
Va.
Cont.
Un pen- sie- ro ne- mi- co di pa- ce fece il

[vgl. Nr. 21a] Takt 3

Tempo volu- bile e- da- ce

35 Takte *D. c.*

Recitativo. Disinganno; Piacere; Bellezza

Cont.
Folle tu nieghi il tempo

19 Takte

10. Aria. Bellezza

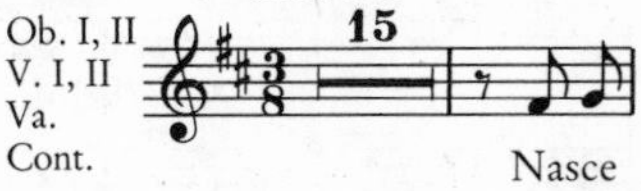
Andante
15
Ob. I, II
V. I, II
Va.
Cont.
Nasce

l'uo-mo, ma na- sce bam- bi- no,

102 Takte *(attacca)*

11. Coro. C.; A.; T.; B.

Ob. I, II
Cor. I, II
Trba. I, II
V. I, II
Va.
Cont.

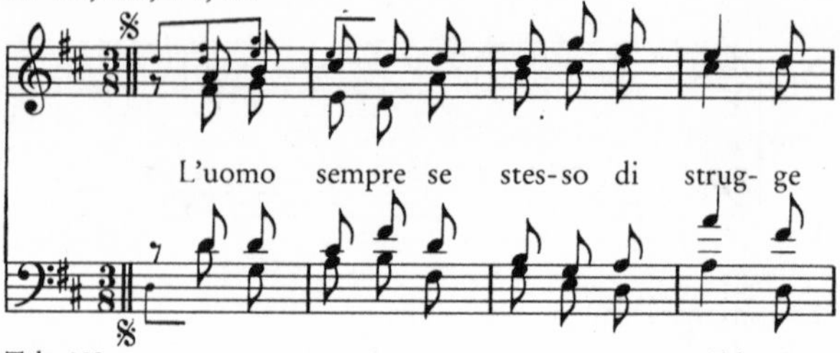
L'uomo sempre se stes- so di strug- ge

Takt 103

148 Takte *D. s.*

Parte II

12a. Concerto.

Org.
Ob. I, II
V. I, II
Va.
Vc.
Cbb.

77 Takte

12b. Sinfonia.

Ob. I, II
V. I, II
Va.
Cont.

Allegro
V. I e tutti Ob.
V. II e Va.

40 Takte

Recitativo. Piacere

Cont.

Questa è la Reggia mi-a

26 Takte

13a. Sonatina.

V. solo
Cont.

Adagio

Presto

Takt 3

22 Takte

13b. Sonatina. Carillon (1739)

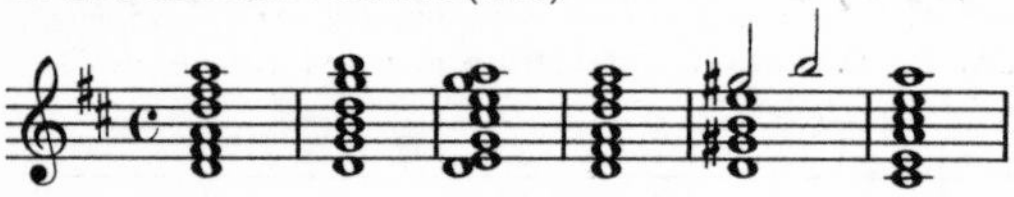

Takt 11

14 Takte

14a. Aria. Piacere

Recitativo. Bellezza

Cont.

Ta-ci, qual suono as- colto!

V. I, II
Va.
Cont.

Andante

Un leg-giadro gio- vi-

Takt 13

Solo
net- to, bel di- let- to
p

63 Takte *D. c.*

14b. Aria. Bellezza; Carillon (1739)

V. I, II
Va.
Cont.

Andante
11
Un leg- gia-dro gio- vi- net-to,

63 Takte *D. c.*

Recitativo. Bellezza

Cont.
Ha nel-la destra l'a- li,
4 Takte

15. Aria. Bellezza

Allegro ma non troppo

V. I, II
Va.
Cont.
7
Venga il Tempo, e con l'a- li fune- ste,
55 Takte D. c.
La seconda volta il Rit.

Ritornello.

V. I, II
Va.
Cont.
6 Takte

16. Aria. Disinganno; Fl. I, II 1739

Larghetto

Ob. I, II
V. I, II
Va.
Cont.
5
Crede l'uom

ch'egli ri- po- si,
72 Takte D. c.

Recitativo. Tempo; Bellezza

Tempo

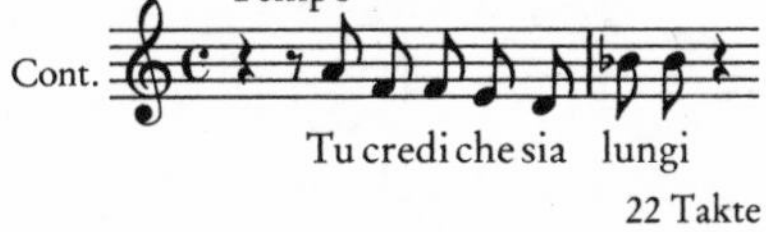
Cont.
Tu credi che sia lungi
22 Takte

17. Aria. Tempo

Andante

V. I, II
unis.
Cont.

Folle dunque, tu so- la pre-su- mi,
Takt 11
69 Takte D. c.

Recitativo. Disinganno; Tempo

Cont.
La reggia del pia-cer ve-

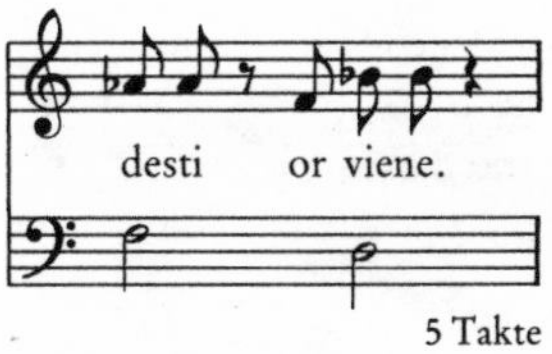
desti or viene.
5 Takte

18. Quartetto. Bellezza; Piacere; Disinganno; Tempo

Allegro

Ob. I, II
V. I, II
Va.
Cont.
(V. unis. colla parte p)
Se non sei più mi- ni- stro di pe-ne,
Takt 21

Piacere
Non la- sciare la stra- da fio- ri- ta,
V. I
V. II e Va.
Takt 38
Disinganno, Tempo
V.
Se ti van- ti pia- ce- re sin- ce- ro
Takt 52
150 Takte

Recitativo. Tempo

Cont.
Se del fal- so pia-ce- re ve-desti già la fa- vo- lo- sa sce-na,
17 Takte

19. Aria. Piacere

Andante

Ob. I, II
V. I, II
Va.
Cont.
12

Recitativo. Tempo

Cont.

In tre parti di- vi- se

Chiudi, chiudi,

102 Takte *D. s.*

14 Takte

20. Aria. Bellezza; Fl. trav. 1739

Larghetto
Ob.

Ob. solo
V. I, II
Cont.

Io sperai trovar nel ve-ro il piacer nè il veggio an-co- ra,

Takt 7

38 Takte *D. c.*

A. Recitativo. Piacere

Cont.

Tu vivi in van do- lente

3 Takte

21a. Aria. Piacere

Ob. I, II
V. I, II, III
Va.
Cont.

[vgl. Nr. 9]

Tu giu- ra-sti di mai non lasciarmi

35 Takte *D. c.*

B. Recitativo. Tempo

Cont.

Sguardo che inferno, ai

21b. Aria. Bellezza

rai del sol si vol-ge

(Adagio)

V. I, II
Va.
Cont.

6 Takte

Io vor- rei due co-ri in se- no un per

Takt 8

darlo al pen- ti- mento,

Ritornello.

(da-)rei.

Takt 29

36 Takte

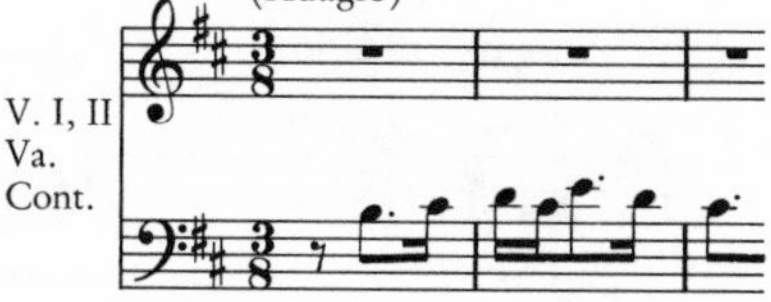

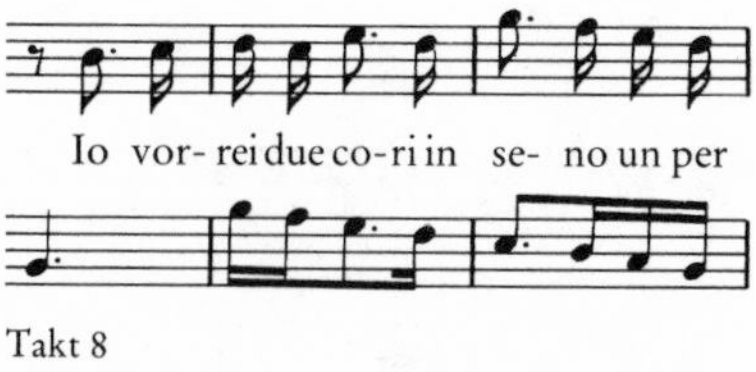

Recitativo. Disinganno; Bellezza

Cont.

Io giure-rei che tu chiudesti i lu-mi

11 Takte

22. Aria. Disinganno

Fl. trav.
V. I, II
unis.
Cont.

Larghetto
2

Più non cu- ra val- le os- cu- ra

28 Takte *D. c.*

Recitativo. Tempo

Cont.

È un osti- nato er-

rore lasciar si-cura duce
7 Takte

23. Aria.. Tempo

Allegro
V. I, II
Cont.
È ben fol- le quel nocchier,
p
Takt 15

che non vuol can- giar sentier,
76 Takte D. s.

Recitativo. Bellezza

Cont.
Di-ce-sti il ve-ro, e benchè tar-di, inte- si,
5 Takte

24. Quartetto. Bellezza; Piacere; Tempo; Disinganno

Andante
Ob. I, II
V. I, II
Va.
Cont.

Str.
Bellezza
Voglio Tem-po per ri- sol- vere,
Disinganno
ed il consi-glio,
Tempo: Teco è il Tempo,
p
Takt 7
39 Takte

25. Coro. C.; A.; T.; B.

Andante allegro
Ob. I, II
V. I, II
Va.
Cont.
Pria che sii con- verta in pol- ve, se- gui il ben e can- gia il cor,
41 Takte

[= HWV 263 Sing unto God (4.)]

Parte III

26. Sinfonia.

Andante
Ob. I
V. I
Ob. I, II
V. I, II
Va.
Cont.
Ob. II, V. II, Va.
3

[s. HWV 71 (22.)] 25 Takte

Recitativo. Bellezza; Disinganno

Cont.
Presso la reggia ove il piacer ri-siede
21 Takte

27. Aria. Piacere

Ob. I, II
V. I, II
unis.
V. III
Va.
Cont.
Allegro
4
La- scia la spi- na, co- gli la ro- sa

[s. HWV 71 (23b.)] 28 Takte *D. c.*

Recitativo. Bellezza; Disinganno

Cont.
Con troppo chiare

no- te la ve- ri- tà mi chiama

9 Takte

28. Aria. Bellezza

Largo

V. I, II
Va.
Cont.
5
Vo- glio, voglio cangiar de- si- o,

24 Takte *D. s.*

Recitativo. Bellezza; Piacere; Disinganno

Cont.
Or che tie- ne la destra

7 Takte

29. Aria. Disinganno

Andante allegro

Ob. I, II
V. I, II
unis.
Cont.
20
Chi già fu del biondo cri- ne

104 Takte *D. c.*

Recitativo. Bellezza

Cont.
Ma, che veggio, che mi-ro?

14 Takte

30. Aria. Bellezza

Poco adagio

Ob. I, II
V. I, II
Va.
Cont.
14
Ri-co pi- no, nel cam-mi- no,

101 Takte *D. c.*

31. Recitativo accompagnato. Bellezza

V. I, II
Va.
Cont.
Sì, bella peni- ten- za,

13 Takte

32. Aria. Tempo

Andante

V. I, II
unis.
Cont.
1
7
Il bel pianto dell' au- ro- ra,

[s. HWV 71 (28.)]

65 Takte *D. s.*

Recitativo. Bellezza

Cont.
Piacer, che meco già vi-vesti,

10 Takte

33. Aria. Piacere

Vivace

(col V. I unis.)

Ob. I, II
V. I, II
Va.
Cont.
Co- me

nembo che fugge col vento, da- te fuggio,
V. II
Va.
p

Takt 13

97 Takte *D. c.*

34. Recitativo accompagnato. Bellezza

V. I, II
Va.
Cont.
Or se la ve-ri- tà del sole e- terno

5 Takte

35. Aria. Bellezza

Largo e staccato

Ob. solo
V. I, II
Va.
Cont.
3
Quel del ciel mi-ni-stro e-letto,

[s. HWV 71 (31.)]

28 Takte *D. s.*

Seque il Concerto per l'organo (HWV 292 op. 4 Nr. 4 F-Dur) e poi l'Alleluja.

36. Coro. C.; A.; T.; B.

Al- le- lu- ja,
Ob. I, II
Cor. I, II
V. I, II
Va.
Cont.
Alleluja, allelu- ja,
p

[= HWV 71. The Triumph of Time and Truth (32.)]

57 Takte

Anhang

(9.) Aria. Bellezza

(Andante allegro)

[= HWV 89 Cecilia, volgi un sguardo (2.)]

174 Takte *D. s.*

Quellen

Handschriften: Autographe: HWV 46[a]: GB Lbm (R. M. 19. d. 9., f. 66–78: „Sonata dell'Overtura del Oratorio à 4. con Stromenti Il Trionfo del Tempo e del Disinganno. Del Sig[re] G. F. Hendel"). HWV 46[b]: GB Cfm (30 H 1, p. 9–16: Nr. 14–17, p. 17–20: Nr. 25), Lbm (R. M. 20. f. 10., unvollständige Part. mit Hinweisen auf Transpositionen und Umarbeitungen. Neben den meisten Rezitativen sind folgende Nummern[1] darin enthalten: 2, 3, 5–7, 1, 13[a, b], Beginn von Nr. 14 sowie 18, 20, 21[a], 23, 24, 27, 28, 32–35. Zwischen f. 14[v] und 19 gehören die 8 Seiten des Autographs Cfm 30 H 1, p. 9–16).

Abschriften: HWV 46[a]: D (brd) MÜs (Hs. 1896, 1. Teil: „La Bellezza Raveduta nell' Trionfo Del Tempo e del Disinganno. Oratorio A 4. con Stromenti Del Sig. G. F. Hendel"; Hs. 1914a, 2. Teil: „Tempo, Siconda Parte", vermutlich Direktionspartitur für die Aufführung Rom 1707) – GB Lbm (R. M. 19. d. 9., enthält zahlreiche Zusätze und Korrekturen Händels für die Fassung HWV 46[b]).

HWV 46[b]: D (brd) Hs (M $\frac{A}{1060}$, Direktionspartitur 1737/39) – GB Cfm (Barrett-Lennard Collection), Lbm (R. M. 19. f. 1.; R. M. 18. c. 8., f. 2–124; Egerton 2934; Add. MSS. 31 568; R. M. 18. e. 5., St. f. V. I, II, Cont.; R. M. 18. c. 11., f. 2–71: Nr. 3, 6, 8, 12[a], 18, 20, 23, 24, 27, 28, 32, 33), Mp [MS 130 Hd4, St.: v. 28(2)–33(2), 35(2), 37(2)–45(2), 247(2), 248(2), 351(1)–353(1)].

Drucke: Venga il tempo (Come, Time, they sable wings display) Air by M[r]. Handel (in: Sonatas or chamber aires, for a German flute, violin or harpsicord... vol. V, part 2[d]. – London, John Walsh, 1743).

Libretto: Il Trionfo del Tempo e della Verità. Oratorio dal Sign. Georgio-Frederico Handel. Da contarsi nel Reggio Teatro d'Covent Garden. Done into English by Mr. George Oldmixon. – London, T. Wood, 1737 (US PRu, Hall Collection).

Bemerkungen

Händels erstes Oratorium entstand im Frühjahr 1707 während seines ersten Aufenthalts in Rom auf einen Text des unter dem Schäfernamen „Fenizio" in der römischen Accademia degli Arcadi bekannten Kardinals Benedetto. Pamphilj (s. Mainwaring, p. 62/ Mattheson, S. 52). Obwohl ein vollständiges Autograph des Werkes nicht erhalten ist, läßt sich seine Entstehungszeit auf Grund einer von Händel bestätigten Rechnung seines römischen Hauptkopisten, Antonio Guiseppe Angelini (detto Panstufato), die dieser am 14. Mai 1707 für HWV 46[a] Il Trionfo und die Kantate HWV 99 „Da quel giorno fatale" an Pamphilj einreichte (Faksimile bei L. Montalto, s. Lit.), heute ziemlich genau festlegen. Die Kopie Angelinis ist die in D (brd) MÜs aufbewahrte Handschrift; vermutlich diente sie bei der Erstaufführung, die Ende Mai bzw. im Juni erfolgt sein muß, als Direktionspartitur, wie R. Ewerhart (s. Lit.) annimmt. Bei den Proben unter Leitung von Arcangelo Corelli kam es zu jener von Mainwaring/Mattheson (p. 56 f./ S. 48 f.) überlieferten Auseinandersetzung zwischen Händel und Corelli über die Interpretationsunterschiede von italienischer und französischer Musik. Händel hatte zunächst eine Einleitung in Form einer französischen Ouverture vorgesehen, mit deren Aufführungsstil die italienischen Musiker unter Corelli nicht vertraut waren; darauf schrieb Händel eine „Symphonie, die mehr nach dem italienischen Stil schmeckte" (Mattheson, S. 49). Die jetzt dem Werk vorangehende D-Dur-Ouverture mit ihren ausgearbeiteten Violinsoli, bestehend aus zwei schnellen, durch ein Adagio verbundenen Sätzen, entspricht genau dieser Beschreibung. Während das Autograph des Oratoriums verschollen ist, hat sich Händels Eigenschrift dieser Ouverture erhalten (GB Lbm, R. M. 19. d. 9., f. 66–78).

Auf Grund ihrer thematischen Substanzgemeinschaft mit einer einzeln überlieferten Ouverture im französischen Stil (HWV 336) in B-Dur nimmt A. Hicks (s. Lit.) an, daß letztere die Urform der Instrumentaleinleitung zu „Il Trionfo" darstelle. Die in ChA 24 veröffentlichte Form der Ouverture ist eine Überarbeitung, die Händel für HWV 47 La Resurrezione vornahm (GB Cfm, 30 H 1, p. 1–8), wobei er u. a. die Instrumentation um 2 Trompeten, eine 3. Violine und Viola da gamba erweiterte.

Die Musik zu HWV 46[a] Il Trionfo diente Händel als thematische Quelle für eine Reihe später entstandener Werke:

Ouverture, Satz 1, 2
  HWV 47 La Resurrezione: Ouverture
  HWV 336 Ouverture B-Dur

Ouverture, Satz 3
  HWV 47 La Resurrezione: 16. Introduzione zum 2. Teil

2. Fosco genio, e nero dolo
  HWV 48 Brockespassion: 55. Wisch ab der Tränen scharfe Lauge
  HWV 12[a] Radamisto (1. Fassung): 21. Non sarà quest'alma mia
  HWV 40 Serse: 9. Di tacere e di schernirmi

3. Se la Bellezza
  HWV 47 La Resurrezione: 18. Risorga il mondo
  HWV 6 Agrippina: Anhang 1[a]. Sarà qual vuoi, Anhang 44. Esci, o mia vita
  HWV 73 Il Parnasso in festa: 32. Han mente eroica

4. Una schiera di piaceri
  HWV 6 Agrippina: 28. Bella pur nel mio diletto
  HWV 12[a] Radamisto (1. Fassung): 27. Sposo ingrato (Ritornello)

[1] Zum Teil für die Vorbereitungen der Direktionspartitur von HWV 71 The Triumph of Time and Truth mit englischen Texten versehen.

5. Urne voi (Ritornello)
HWV 14 Floridante: 30^{a,b}. Questi ceppi (Ritornello)
10. Sonata
HWV 5 Rodrigo: 27. Qua rivolga gli orribili acciari
HWV 7^{a} Rinaldo (1. Fassung): 28. Vo' far guerra
HWV 579 Sonata G-Dur für Cembalo
HWV 262 This is the day which the Lord hath made: 8. We will remember thy name
11. Un leggiadro giovinetto
HWV 6 Agrippina: 45. Bel piacere è godere
HWV 7^{a} Rinaldo (1. Fassung): 34. Bel piacere è godere
12. Venga il Tempo
HWV 51 Deborah: 20. O Baal, monarch of the skies
13. Crede l'uom
HWV 6 Agrippina: 29. Vaghe fonti
HWV 13 Muzio Scevola: 6. Volate più dei venti (T. 28 ff.)
HWV 386 Sonata op. 2 Nr. 1 h-Moll, 3. Satz (Largo) bzw. Variante c-Moll, 3. Satz (Andante)
17. Io sperai trovar
HWV 6 Agrippina: 9. Lusinghiera mia speranza
18. Tu giurasti (Ritornello)
HWV 11 Amadigi: Anhang 3. Minacciami, non ho timor
HWV 51 Deborah: 27. O the pleasure my soul is possessing
19. Io vorrei due cori
HWV 175 Vedendo amor: 1. In un folto bosco ombroso
HWV 73 Il Parnasso in festa: 28^{b}. Da sorgente rilucente
21. E ben folle quel nocchier – Vokalteil
HWV 5 Rodrigo: 37. L'amorosa Dea di Gnido
HWV 7^{a} Rinaldo (1. Fassung): 39. Vinto è sol della virtù
Ritornello
HWV 122 La terra è liberata: 6. Come rosa in su la spina
HWV 6 Agrippina: 42. Coll'ardor del tuo bel core
HWV 215 Col valor del vostro brando
HWV 119 Io languisco fra le gioje: 10. Se qui il ciel
22. Voglio Tempo
HWV 51 Deborah: 23. All your boast
23. Lascia la spina
HWV 1 Almira: 4./52 Sarabande
HWV 7^{a} Rinaldo (1. Fassung): 22. Lascia ch'io pianga
25. Chi già fu
HWV 47 La Resurrezione: 1. Caddi, è ver
HWV 6 Agrippina: 22. Cade il mondo
26. Ricco pino (Ritornello)
HWV 74 Birthday Ode: 3. Let all the winged race (Ritornello)
HWV 73 Il Parnasso in festa: 19. Trà sentier di amene selve (Ritornello)
29. Come nembo che fugge col vento
HWV 6 Agrippina: 46. Come nube che fugge dal vento
31. Tu del ciel ministro eletto
HWV 31 Orlando: 10. Ritornava al suo bel viso

Erst 20 Jahre später, im Frühjahr 1737, als mehrere Opern Händels sich nacheinander als Fehlschläge erwiesen (u. a. „Arminio", „Giustino" und „Berenice") und er, um den finanziellen Ruin seiner Opernakademie abzuwenden, Oratorienaufführungen einbezog, griff er wieder auf „Il Trionfo" zurück. Er überarbeitete die Fassung HWV 46^{a} (1707) grundlegend, schrieb zahlreiche neue Sätze, die er zum Teil (Nr. 1, 3, 25) dem Wedding Anthem HWV 263 „Sing unto God" (Nr. 1, 2, 4) entlehnte, erweiterte die Instrumentation und fügte Chöre hinzu. Als Daten der Umarbeitung gab Händel im Autograph an: „London angefangen ohngefehr den 2 March 17(37)" sowie „Fine dell'Oratorio G. F. Handel London March 14 1737" (s. GB Lbm, R. M. 20. f. 10., f. 1 bzw. 39^{v}).
Am 23. März 1737 erfolgte die erste Aufführung der Neufassung im Coventgarden-Theatre mit vermutlich folgender Besetzung: Tempo: Domenico Annibali, Disinganno: Maria Caterina Negri, Bellezza: Anna Strada del Pò, Piacere: John Beard. Weitere Aufführungen fanden am 25. März sowie am 1. und 4. April 1737 und am 3. März 1739 statt (mit teilweise neuer Besetzung; Händel vermerkte die Namen der Sopranistin Davis und des Bassisten Thomas Reinhold, für den die Partie des Tempo eingerichtet wurde). Seiner Gewohnheit seit etwa 1735 entsprechend, die Oratorienaufführungen durch die Einfügung von Orgelkonzerten künstlerisch zu bereichern, spielte Händel vor dem Schlußchor das Orgelkonzert HWV 292 op. 4 Nr. 4 F-Dur(1735 für HWV 52 Athalia komponiert, später mehrfach wiederholt), dessen letzter Satz mit dem Alleluja (36) von HWV 46^{b} Il Trionfo del Tempo e della Verità, wie das Werk jetzt hieß, motivisch verknüpft ist (s. GB Lbm, R. M. 20. f. 10., f. 39^{v}: „Segue il Concerto per l'organo e poi Alleluja").
Auch die Aufführung 1739 wurde in der „London Daily Post" vom 3. März dieses Jahres mit solchen Einfügungen angekündigt: „At the King's Theatre in the Hay-Market... will be reviv'd on Oratorio, call'd Il Trionfo del Tempo & della Verità, with several Concertos on the Organ and other instruments", obwohl Händel in seiner Direktionspartitur den oben zitierten Hinweis auf die Einfügung des Konzerts wieder gestrichen hatte. Außerdem nahm er mehrere Kürzungen, Transpositionen und Umstellungen bzw. einen Austausch von Arien für diese Aufführung vor (Übersicht s. Clausen, S. 244 f.).
Wie A. Schering (s. Lit.) nachweisen konnte, ließ Händel sich auch von anderen Komponisten seines deutschen und italienischen Umkreises bei der Komposition von HWV 46^{a} Il Trionfo del Tempo e del Disinganno thematisch anregen: „Urne voi" (5) hat das Accompagnato „Stigia notte, inferni orrori"

(Atto III, Pallante in prigione) aus der Oper „Nerone fatto Cesare" von Giacomo Antonio Perti (Venedig 1693[2]) zum Vorbild, „Crede l'uom ch'egli rigore" (13) stützt sich motivisch auf die Arie des Seneca „Ruhig sein" (I. Handlung, 1. Auftritt) aus der Oper „Die römische Unruhe oder Die edelmütige Octavia" von Reinhard Keiser (Hamburg 1705). Als Händel dann 1737 das Werk überarbeitete, schrieb er eine neue Arie auf den Text „Come nembo che fugge col vento" (HWV 46^{b}: Nr. 33), die später in parodierter Form mit dem englischen Text „Hence I hasten" in die Oratorien HWV 52 Athalia (geplante Fassung 1743, Anhang 23) bzw. HWV 51 Deborah (Fassung 1744, Nr. 21^{b}) übernommen wurde. Diese Arie geht motivisch auf ein melodisches Modell aus Georg Philipp Telemanns Kantatenjahrgang „Der harmonische Gottesdienst" (Hamburg 1725/26) zurück, das sich in der Pfingstkantate Nr. 31 „Zischet nur, stechet, ihr feurigen Zungen"[3] findet. Gleichzeitig übernahm Händel für den Chor „Pria che sii converta in polve" (25) den musikalischen Satz aus dem Wedding Anthem HWV 263 „Sing unto God" (4. Lo, thus shall the man be blessed), der ebenso wie der Chor „Son larve di dolor" (7) von einer Braunschweiger Passion Carl Heinrich Grauns[4] angeregt wurde, während die Arie „Un pensiero nemico di pace" (Anhang 9) der Eingangsarie von HWV 166 „Splenda l'alba" bzw. HWV 89 „Cecilia volgi un sguardo" (2) entlehnt ist.

Als der blinde Händel mit Hilfe von John Christopher Smith senior und junior 1757 sein letztes oratorisches Werk HWV 71 The Triumph of Time and Truth vorbereitete, verarbeitete er in dieser dritten Fassung des Stoffes die meisten Nummern der beiden vorausgehenden Fassungen HWV $46^{a,b}$, allerdings, zum Teil schon des englischen Textes wegen, in stärkerer Umgestaltung als früher und mit neuen musikalischen Mitteln:

HWV 46^{a}	HWV 46^{b}	HWV 71
	1. Solo al goder[5]	1. Time is supreme
1. Fido specchio	2. Fido specchio	2. Faithful mirror
	3. Fosco genio[6]	3. Pensive sorrow
3. Se la Bellezza	4. Se la Bellezza	5. The Beauty smiling
	5. Una schiera di piaceri[7a]	6. Ever flowing tides of Pleasure
	6. Urne voi[7b]	7. Loathsome urns
8. Nasce l'uomo	10. Nasce l'uomo	10. Like the shadow
12. Venga il Tempo	15. Venga il Tempo	14. Come, oh Time
13. Crede l'uom	16. Crede l'uom	15. Mortals think
16. Chiudi i vaghi rai	19. Chiudi i vaghi rai	17. Lovely Beauty
19. Io vorrei due cori	21^{b}. Io vorrei due cori	19. Fain would I two hearts enjoying
20. Più non cura	22. Più non cura	20. On the valleys
	25. Pria che sii converta in polve[8]	21. Ere to dust is chang'd that beauty
	26. Sinfonia	22. Sinfonia
	27. Lascia la spina[9]	$23^{a,b}$. Sharp thorns despising
24. Voglio cangiar desio	28. Voglio congiar desio	24. Pleasure, my former ways resigning
25. Chi già fu	29. Chi già fu[10]	26. Thus to ground
26. Ricco pino	30. Ricco pino	18. Melancholy is a folly
	32. Il bel pianto	28. From the heart that feels
29. Come nembo		29. Like clouds
31. Tu del ciel ministro eletto	35. Quel del ciel ministro eletto	31. Guardian angels, oh protect me
	36. Alleluja	32. Alleluja

[2] Part. in D (ddr) SWl.

[3] G. Ph. Telemann, Musikalische Werke, Bd. III, hrsg. von G. Fock, Kassel 1953, S. 263ff.

[4] Prout, E.: Graun's Passion Oratorio and Handel's Knowledge of it. In: The Monthly Musical Record, vol. 24, May–June 1894, S. 97ff., 121ff. Vgl. auch S. Taylor, S. 31ff. Es handelt sich dabei um das Passionsoratorium „Kommt her und schaut", dessen Kenntnis Prout einer aus Deutschland stammenden Abschrift verdankt. Folgende Sätze aus Grauns Passion entlehnte Händel für HWV 46^{b}: „Lasset uns aufsehen auf Jesum, den Anfänger und Vollender des Glaubens" (= 25. Pria che sii converta in polve) und „Erduldet er das Kreuz, er achtet der Schande nicht" (= 7. Son larve di dolor). Beide Sätze Grauns sind zitiert bei Bitter, C. H.: Beiträge zur Geschichte des Oratoriums, Berlin 1872, S. 184ff., 186f., sowie bei Latrobe, C. I.: Selection of Sacred Music from the works of some of the most eminent composers of Germany and Italy, vol. 1–6, (1806–1825). Auch Passagen des Ritornells von Nr. 3 sind von Grauns Werk angeregt (vgl. die Baßarie „Ihr Jünger, lernt die Tücke"). Partituren in D (brd) B und D (ddr) SWl. S. auch Grubs, J. W.: Ein Passions-Pasticcio des 18. Jahrhunderts. In: Bach-Jb., 51. Jg., 1965, S. 10ff.

[5] Vgl. HWV 263 „Sing unto God": 1. Sing unto God.

Fußnoten 6–10 siehe S. 38.

Literatur
Ademollo, A.: G. F. Haendel in Italia. In: Gazetta Musicale di Milano, Anno XLIV, 1889, S. 257ff.; Anonym: A Choral Concerto. In: The Musical Times, vol. 44, 1904, S. 163f.; Chrysander I, S. 217ff., III, S. 58f.; Clausen, S. 243ff.; Dahnk-Baroffio, E.: Zu den Trionfi. In: Göttinger Händeltage 1960, Programmheft, S. 30ff.; Dean, S. 269f.; Deutsch, S. 21ff.; Ewerhart, S. 113ff.; Ewerhart, R.: Händels „Trionfo del Tempo". In: Westdeutscher Rundfunk Köln, Schlußkonzert der 25. Corveyer Musikwochen 1979, Programmheft, S. 8f.; Finscher, L.: Händels „Il Trionfo del Tempo". In: Göttinger Händeltage 1960, Programmheft, S. 8ff.; Gudger, W. D.: The Organ Concertos of G. F. Handel: A Study based on the Primary Sources. Diss. Yale University, New Haven/Conn., 1973, vol. 1, S. 126ff.; Harmsen, O.: Trionfo und Triumph. In: Göttinger Händel-Fest 1976, Programmheft, S. 10ff.; Herbage, S. 150f.; Hicks, A.: Handel's Early Musical Development. In: Proceedings of the Royal Musical Association, vol. 103, 1976/77, S. 81ff.; Kirkendale, S. 223ff.; Lang, p. 65/S. 55f.; Leichtentritt, S. 299ff.; Leichtentritt, H.: Händel in Italien. In: Die Musik, 15. Jg., 1922/23, S. 89f.; Mainwaring/Mattheson, p. 62/S. 52; Marx, H.-J.: Die Musik am Hofe Pietro Kardinal Ottobonis unter Arcangelo Corelli. In: Analecta Musicologica, 5. Jg., 1968, S. 104ff.; Montalto, L.: Un Mecenate in Roma barocca: Il Cardinale Benedetto Pamphilj (1653–1730), Florenz 1955, S. 325, 335f.; Müller-Blattau, S. 39; Robinson, P.: Handel and his Orbit, London 1908; Schering, A.: Zum Thema: Händel's Entlehnungen. In: ZIMG, 9. Jg., 1907/08, S. 244ff.; Schering, A.: Geschichte des Oratoriums, Leipzig 1911, S. 256ff.; Siegmund-Schultze, S. 28; Streatfeild, R. A.: Handel in Italy. In: The Musical Antiquary, vol. I, 1909/10, S. 1ff.; Streatfeild, R. A.: The Granville Collection of Handel Manuscripts. In: The Musical Antiquary, vol. II, July 1911, S. 218ff.; Zanetti, E.: Roma città di Haendel. In: Musica d'Oggi, II, 1959, S. 434ff.; Zanetti, E.: Haendel in Italia. In: L'Approdo Musicale, III, 1960, S. 3ff.

Beschreibung der Autographe: Lbm: Catalogue Squire, S. 90ff. – Cfm: Catalogue Mann, Ms. 251, S. 159f.

[6] Vgl. HWV 263 „Sing unto God": 2. Blessed are all they.
[7a] Als melodische Quelle diente Händel dabei die Kantate 23 „Jauchzt, ihr Christen, seid vergnügt" (3. Ostertag) aus G. Ph. Telemanns Kantatenjahrgang „Der harmonische Gottesdienst" (Hamburg 1725/26). Vgl. G. Ph. Telemann, Musikalische Werke, Bd. III, Kassel 1953, S. 190.
[7b] Vgl. HWV 1(15), HWV 5(20).
[8] Vgl. HWV 263 „Sing unto God": 4. Lo, thus shall the man be blessed.
[9] Vgl. HWV 402 Sonata B-Dur op. 5 Nr. 7, 6. Satz (Menuet) und HWV 8^b Terpsicore: 11./12. Hai tanto rapido/Ballo.
[10] Vgl. HWV 8^a Il Pastor fido (1. Fassung): Ouverture, 4. Satz.

47. La Resurrezione

Oratorio in due parti von Carlo Sigismondo Capece

Besetzung: Soli: 2 Soprani (Angelo, Maddalena), Alto (Cleofe), Ten. (San Giovanni), Basso (Lucifero). Chor: S.; A.; T.; B. Instrumente: Fl. I, II, Fl. trav.; Ob. I, II; Fag.; Trba. I, II; V. solo; V. I–IV; Va.; Va. da gamba; Vc. I, II; Teorba (Arciliuto); Cont.
ChA 39. – HHA I/3. – EZ: Rom, März/April 1708. – UA: Rom, 8. April (Ostersonntag) 1708, Palazzo Bonelli

Prima Parte

Sonata

Recitativo. Lucifero

A di-spetto de' Cieli ho vinto, ho vin-to.
Cont.
23 Takte

1. Aria. Lucifero

V. unis.
Cont.
Caddi, è ver,
[vgl. HWV 6 Agrippina (22)]
Takt 18

cad-di, è ver, ma nel ca- de- re

124 Takte *D. c.*

2 a. Accompagnemento. Lucifero

Ob. I, II
Trba. I, II
V. I, II
VA.
Cont.

Ma che in-so-li-ta lu- ce squarcia le ten- de

Takt 6 21 Takte

2 b. Recitativo accompagnato. Lucifero

V. I, II
Va.
Cont.
Qual in-so-li-ta lu- ce squarcia le tende

23 Takte

3. Aria. Angelo

Trba. I, II
Ob. I, II
Trba. I, II
V. I, II
Va.
Cont.
Dis-se-ra-te-vi, oh por- te d'a ver-no!

Takt 15

Ob. solo
tr
V. unis.

Takt 83

p
Ce- de- te, hor- ri- de por- te

Takt 87 102 Takte *D. c.*

4. Recitativo accompagnato. Lucifero; Angelo

V. I, II
Va.
Cont.
Ma che veggio? di spirti a me ne- mi- ci,

13 Takte

Recitativo. Lucifero; Angelo

Cont.
Chi sei? chi è que-sto re,

19 Takte

5. Aria. Angelo

Solo
V. I
V. I, II, III, IV
Va.
Cont.
D'a- mor fu con- si- glio, che al Pa- dre nel fi- glio

61 Takte

Recitativo. Lucifero; Angelo

Cont.

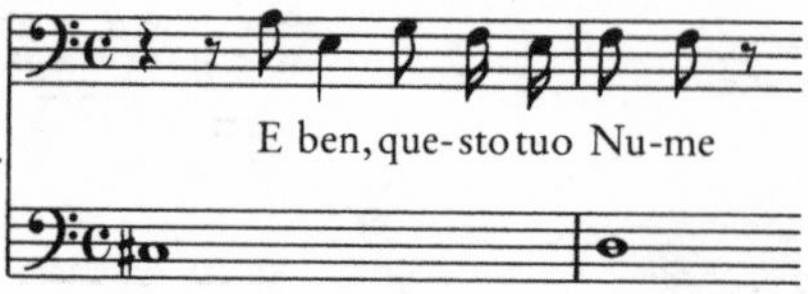
E ben, que-sto tuo Nu-me

31 Takte

6. Aria. Lucifero

(V. unis. col voce all' 8va alta)

V. unis.
Cont.

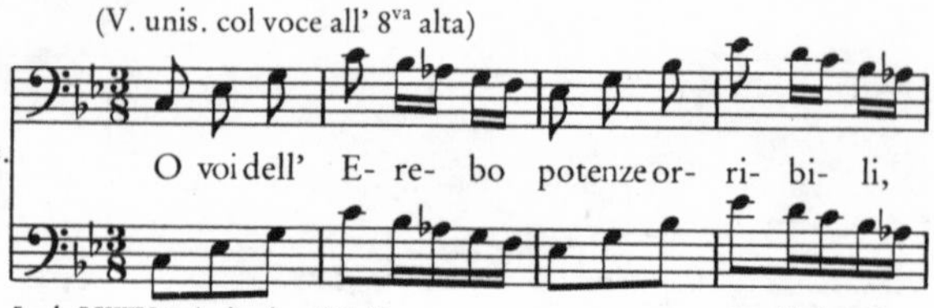
O voi dell' E- re- bo potenze or- ri- bi- li,

[vgl. HWV 6 Agippina (37.)] 88 Takte *D. c.*

7. Recitativo accompagnato. Maddalena

Fl. I, II
Va. da gamba

Notte, notte fu- nesta, che del di-vi-no so- le
Va.da gamba senza Cont.

9 Takte

8. Aria. Maddalena

Appoggiato

Fl. I, II
V. I, II
con. sord.
Va. da gamba
Cont.

Violoni senza Cemb.

Fer-ma l'a- li, fer-ma l'a- li, e sù i miei lu- mi

Takt 8

Fl. I, II
Va. da gamba

Takt 62

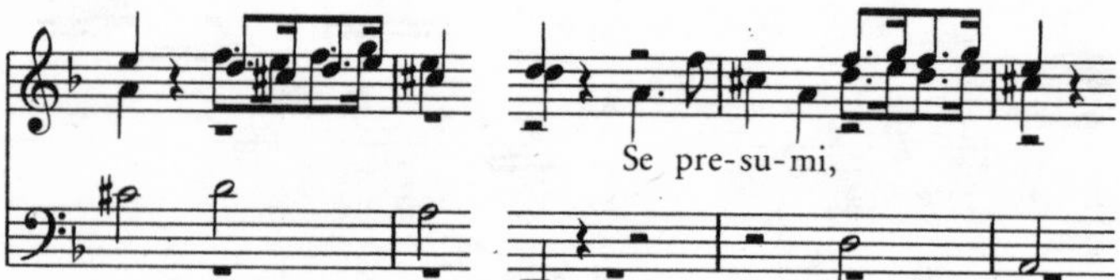
Se pre-su-mi,

Takt 68 92 Takte *D. c.*

Recitativo. Cleofe, Maddalena

Cont.

Conce-di, o Madda-le-na,

22 Takte

9. Aria. Cleofe

Viole
unis. colla
Va. da gamba
Cont.

p
Pian-gete, sì, pian- ge- te,

Takt 4 24 Takte

Recitativo. Maddalena; Cleofe

Cont.

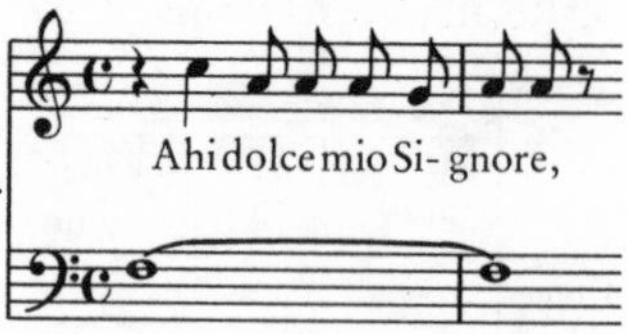
Ahi dolce mio Si- gnore,

40 Takte

10. Duetto. Maddalena; Cleofe

Maddalena
Dol-ci, chiodi, ama- te spi-ne,

Solo

V. I, II
Cont.

Takt 33 159 Takte

Recitativo. S. Giovanni; Maddalena

Cont.

O Cle-o- fe, o Madda-le-na,

37 Takte

11. Aria. S. Giovanni

Recitativo. Cleofe; S. Giovanni; Maddalena

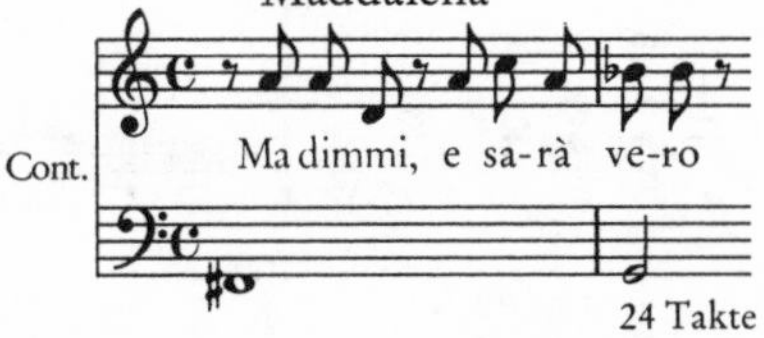

12. Aria. Cleofe

Recitativo. S. Giovanni; Maddalena

13. Aria. S. Giovanni

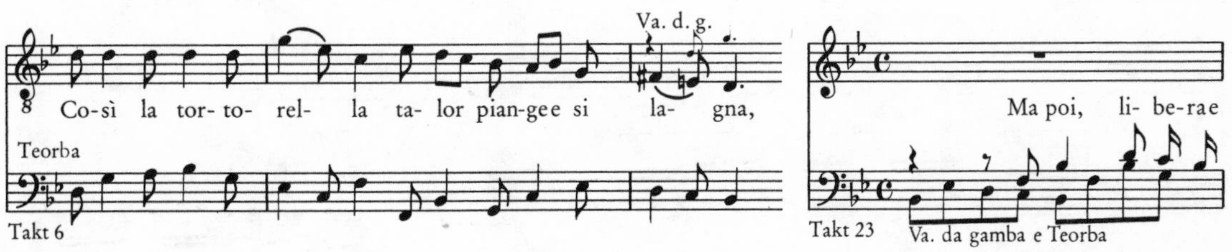

Recitativo. Maddalena

14. Aria. Maddalena

Recitativo. Angelo

15. Coro. S.;A.;T.;B.

cor, che in ve-ce di do- lor,
70 Takte
Cont.
Uscite pur, u- sci- te
31 Takte
S. (col Ob.)
Ob. I, II
V. I, II
Va.
Vc. I, II
Cont.
Il Nume vin- ci-
Cont.

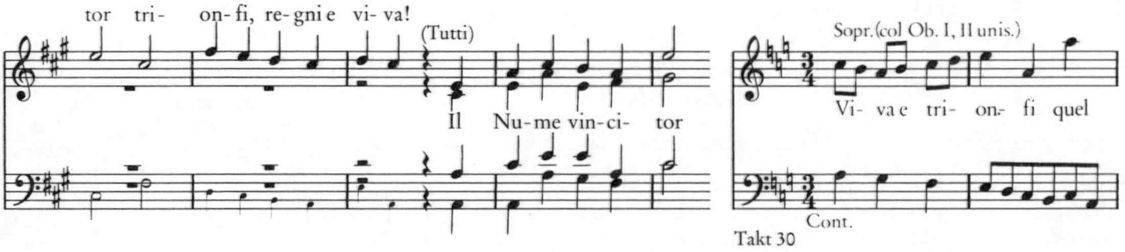
tor tri- on- fi, re- gni e vi- va!
(Tutti)
Il Nu- me vin- ci- tor
Sopr. (col Ob. I, II unis.)
Vi- va e tri- on- fi quel
Cont.
Takt 30

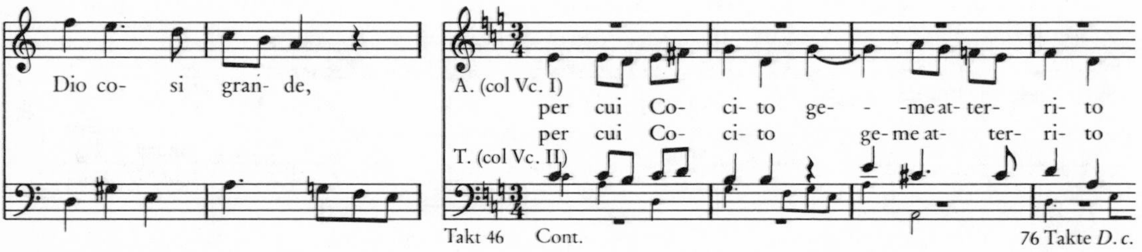
Dio co- si gran- de,
A. (col Vc. I)
per cui Co- ci- to ge- -me at- ter- ri- to
per cui Co- ci- to ge- me at- ter- ri- to
T. (col Vc. II)
Takt 46
Cont.
76 Takte D. c.

Seconda Parte

16. Introduzione

Ob. I
Ob. I, II
Trba. I, II
V. I, II
Va.
Cont.
Ob. II
Tutti
39 Takte

Recitativo. S. Giovanni

17. Aria. S. Giovanni

Cont.
Di quai nuo- vi por- ten- ti
16 Takte
V. I, II
Va.
Cont.
tr
f
Ec- co il
Takt 8
p

sol ch'e- sce dal ma- re,
f
(indo)-ra.
Takt 42
69 Takte D. c.

18. Aria. Angelo

Recitativo. S. Giovanni

Cont.
Ma o-ve Ma-ri- a di- mo-ra,
8 Takte
Ob. I
Str.
Ob. I, II
Fag.
V. I, II
Va.
Cont.
Ob. II
Fag.
Ri- sorga il mondo
con Fag.
Takt 17

lie- to e gio- con- do
85 Takte D. c.

19. Recitativo accompagnato. Angelo

V. I, II
Va.
Cont.

Di rabbia indarno fre- me
22 Takte

Recitativo. Lucifero; Angelo

Cont.

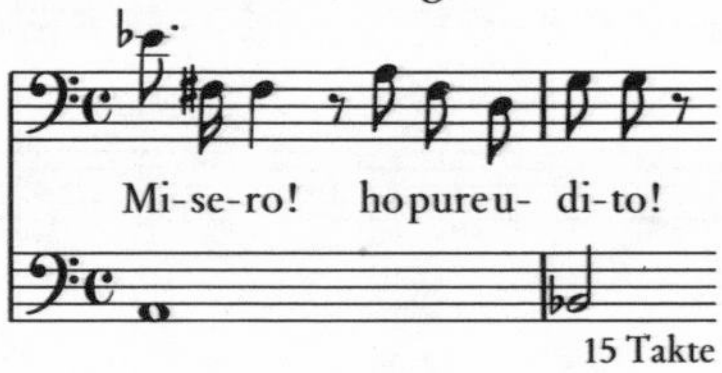
Mi-se-ro! ho pure u- di-to!
15 Takte

20. Aria. Lucifero

V. I, II
Cont.

Solo
Per ce- la- re il nuo- vo scor- no,
con Cont.
26 Takte D. c. e li Violini rivoltati

Recitativo. Angelo

Cont.

Oh co- me cie- co il tuo fu- ror de- li- ra!
14 Takte

21. Duetto. Angelo; Lucifero

Cont.

Angelo
Du- ro,
Lucifero
con Cont.
Impe-dir- lo sa-prò,

du- ro è il ci- men- - - - -to,
im- pe- dir- lo sa- prò!
13 Takte

Recitativo. Maddalena; Cleofe

Cont.

A- mi- ca, troppo tar-do
17 Takte

22. Aria. Maddalena

Fl. I, II
Ob. sordo. I, II
V. solo
V. I, II
Va.
Va. da gamba
Vc.
Cont.

Adagio
Va. da gamba
Str.
pp
f
Per me già di mo- ri- re
Va. da gamba
Vc.
Takt 13
Cont.
73 Takte

Recitativo. Lucifero

Cont.

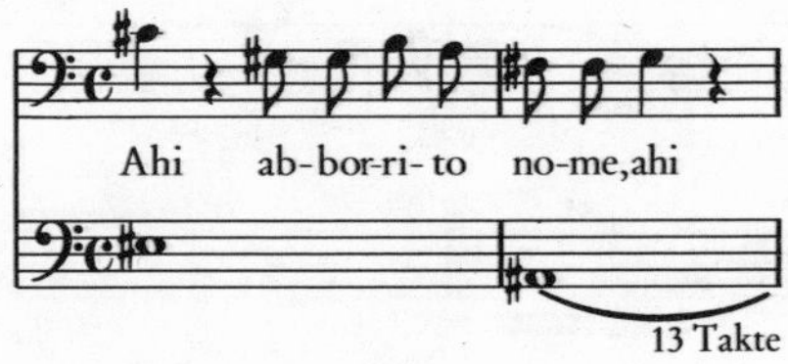
Ahi ab- bor- ri- to no- me, ahi
13 Takte

23. Aria. Cleofe

Ob. I, II
Trba. I, II
V. I, II
Cont.

Recitativo. Maddalena; Cleofe

Ve- do il ciel__ che più se- re- no

Cont. Cle- o- fe, siam giunte al luo- go,

Takt 11 Soli 58 Takte *D. c.* 34 Takte

24. Aria. Angelo

Andante

V. I, II
Cont.

Se per col- pa di don- na infe- li- ce all' uo- mo nel se- no il cru- do ve- le- no la morte sgorgò.__

21 Takte *D. c.*

(Ritornello) Recitativo. Maddalena 25. Aria. Maddalena

Cont. Mio Giesù, mio Si- gnore, Ob. I, II V. I, II Cont.

Takt 33 38 Takte 17 Takte

V. unis.

Del ci- glio do- len- te l'on- do- sa pro- cel- la can- gian- - - - -

Takt 14 Soli Takt 20

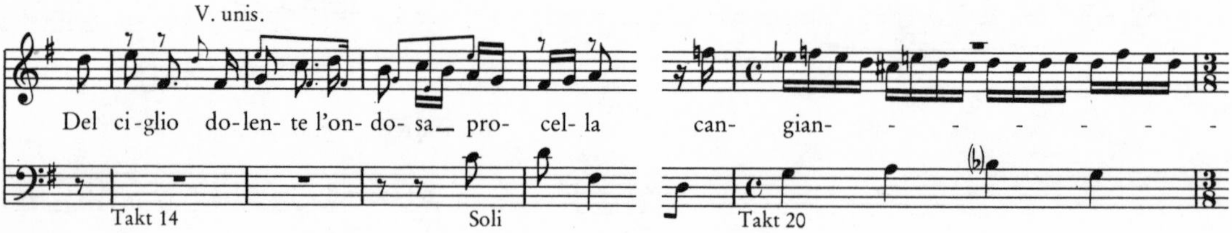

Recitativo. Cleofe

do, can- gian- do sen va,__ Cont. Sì, sì, cerchia- mo pu- re l'or- me del nostro a- mor;

64 Takte *D. c.* 8 Takte

26. Aria. Cleofe
(V. all'unis.) Recitativo. S. Giovanni; Cleofe

V. I, II
Cont. Au- gel- let- ti, ru- scel- let- ti, Cont. Dove si fret- to- lo- si, Cle- o- fe,

[vgl. HWV 8 a II/ Pastor fido (2.)] 32 Takte *D. c.* 26 Takte

27. Aria. S. Giovanni

V. I, II Va. Cont. (conVc.) Ca- ro fi- glio! Ca- ro fi- glio, a- ma- to Di- o,

Vc. Takt 9 61 Takte *D. c.*

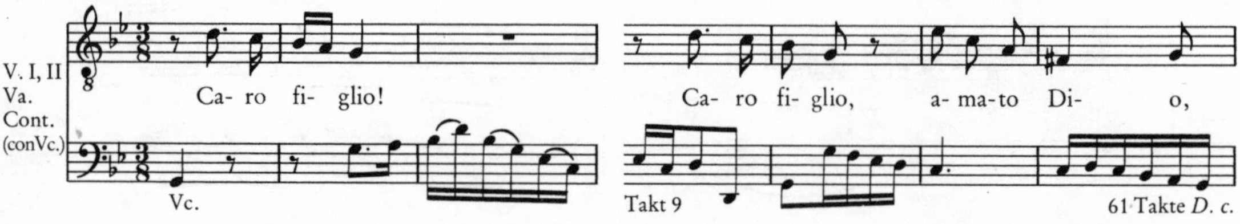

Recitativo. Maddalena; S. Giovanni; Cleofe

28. Aria. Maddalena

Recitativo. S. Giovanni; Cleofe; Maddalena

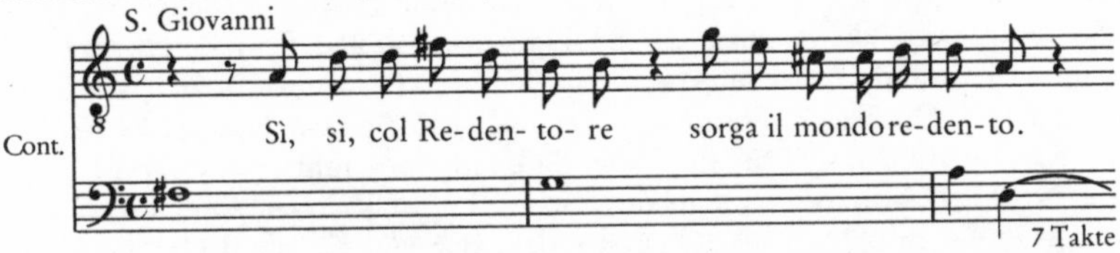

29. Coro. S.; A.; T.; B.

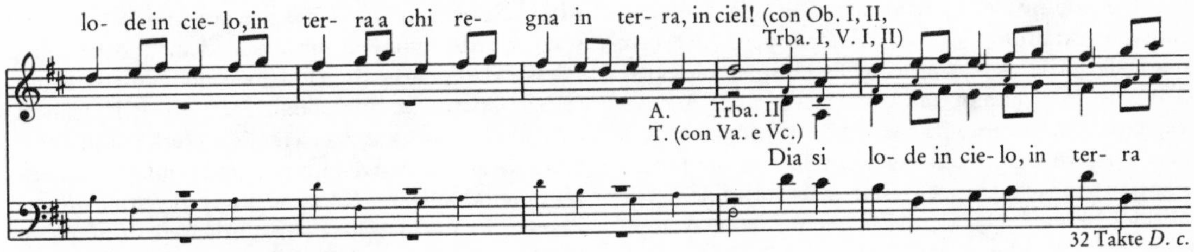

Anhang.

(15.) Coro. S.; A.; T.; B.;

Quellen

Handschriften: Autographe: GB Cfm (30 H 1, p. 1–8: Sonata, Takt 1–48), Lbm (R. M. 20. f. 5., ohne Sonata, Nr. 2^{b} und Nr. 4).

Abschriften: D (brd) MÜs (Hs. 1873. I, f. 1^{r}: „Oratorio/Prima Parte/ Della Resuretione posto in Musica/Dall'Sig^{r}. Hendel detto il Sassone"; Hs. 1873 II, f. 1^{r}: „Introduttione della Parte 2°./Dell' Oratorio à 5/Con Str^{ti}/Del Sig^{r} G. F. Hendel". Direktionspartitur mit autographen Zusätzen der Aufführung Rom 1708) – GB Lbm (R. M. 19. d. 4.), Mp [MS 130 Hd4, Part.: v. 239, St.: v. 240(1)-249(1)] – US Cu (Ms. 437, vol. 10, 23, St. für Basso I und Bassone II), Wc (Part.: M2. 1. H22 Case; St.: M2. 1. H2 Case, v. 1: Canto I, Angelo; v. 2: Canto II, Maddalena; v. 3: Alto, Cleofe; v. 5: Tenore, Giovanni).

Drucke: La Resurrezione, Oratorio sacro in partizione composta da G. F. Handel. – London, Arnold's edition, No. 169–171 (1796)[1].

Libretto: Oratorio per la Risurrettione di Nostro Signor Giesù Cristo. Poesia del Sig. Carlo Sigismondo Capece, Musica del Sig. Giorgio Federico Hendel. Dedicato all'Eminentiss. e Reverendiss. Signore Card. Gualterio, e cantato nella Sala dell'Accademia del Signor Marchese Ruspoli l'anno MDCCVIII. – In Roma, per Antonio de' Rossi alla Piazza di Ceri, 1708. Con licenza de' Superiori. (Ex.: GB Mp – I Rc).

Bemerkungen

„La Resurrezione" entstand in der Zeit von Händels zweitem Besuch in Rom, als er sich von Februar bis Mai 1708 vorwiegend bei dem Marchese Francesco

[1] Zu „Ho un non so che nel cor" (14) vgl. HWV 6 Agrippina.

Maria Ruspoli aufhielt. Entgegen den Angaben in der älteren Händelliteratur, HWV 46ª Il Trionfo del Tempo e del Disinganno sei später als „La Resurrezione" komponiert worden, ist seit der Entdeckung der Kopistenrechnung für „Il Trionfo" bekannt, daß dieses Werk schon ein Jahr früher vorlag. Aus „Il Trionfo" übernahm Händel für „La Resurrezione" auch die Ouverture und die Einleitung zum 2. Teil, die er umarbeitete und anders instrumentierte. Die Entdeckung der Direktionspartitur in D (brd) MÜs durch R. Ewerhart (s. Lit.) beweist, daß die Ouverture nachträglich von Händel für „La Resurrezione" vorbereitet wurde, wie das autographe Fragment in GB Cfm (30 H 1, p. 1–8) deutlich macht. Die in ChA 24 veröffentlichte Ouverture mit der zusätzlichen Besetzung von 2 Trompeten und Violino terzo und dem nachfolgenden Adagio gehört daher zu „La Resurrezione", und der menuettartige dritte Teil bildete die Einleitung zur „Seconda Parte" dieses Werkes. Noch vor der Uraufführung veränderte Händel den Beginn von „La Resurrezione". Die Fassung des Autographs (Recitativo des Lucifero „A dispetto de'cieli ho vinto", Arie Nr. 1 „Caddi, è ver", Accompagnemento Nr. 2ª „Ma che insolita luce") erfuhr in der Direktionspartitur (vgl. Libretto) eine Umgestaltung: Auf das Adagio der Ouverture folgt die Arie des Angelo „Disseratevi, oh porte d'averno" (3), darauf eine Umarbeitung des Accompagnato „Ma che insolita luce" (2ª) als „Qual insolita luce" (2ᵇ, zum Teil von Händel selbst in die Direktionspartitur eingetragen) mit nachfolgender Arie „Caddi, è ver" (1), der sich ein weiteres Accompagnato „Ma che veggio" (4) anschließt. Danach stimmen Autograph und Direktionspartitur in der Reihenfolge der einzelnen Sätze wieder überein. Das im Autograph an erster Stelle stehende Rezitativ „A dispetto de' cieli ho vinto" fiel bei der Aufführung weg und wurde auch nicht in die Direktionspartitur aufgenommen. Der Schlußchor der Prima Parte (B-Teil, T. 30ff.) zeigt in der Direktionspartitur ebenfalls eine stärkere Abweichung vom Autograph.

Die Direktionspartitur, die neben einigen autographen Korrekturen zum überwiegenden Teil von Händels römischem Hauptkopisten Antonio Giuseppe Angelini geschrieben ist, weicht von dem gedruckten Libretto von Carlo Sigismondo Capece (1652–1728) kaum ab. Capece (oder Capeci), seit 1692 Mitglied der Arcadia (1690 zum Gedächtnis der Exkönigin Christina von Schweden gegründet), diente seit 1704 der Exkönigin Maria Casimira von Polen als Hofpoet und Sekretär[2].

Der erste Teil des Textes (visitatio sepulchri) ist eine freie lyrische Bearbeitung des biblischen Auferstehungsberichts, der zweite Teil (descensus) wurde von Capece aus den apokryphen Evangelien zusammengestellt. Einen genaueren Nachweis der Textquellen gab E. Dahnk-Baroffio (s. Lit.).

„La Resurrezione" wurde im Salone al Piano Nobile[3] des Palazzo Bonelli, der Residenz von Marchese Ruspoli, nach drei öffentlichen Proben am Ostersonntag und Ostermontag (8. und 9. April 1708) unter fast theatermäßiger Ausstattung („... havendo fatto nel salone un ben' ornato teatro per l'uditorio"[4]) aufgeführt.

Die Sänger, die reich entlohnt und mit wertvollen Juwelen beschenkt wurden, waren: S. Maria Maddalena: Margherita Durastanti[5], Angelo: Signor Matteo, S. Maria Cleofe: Signor Pasqualino, S. Giovanni Evangelista: Vittorio Chiccheri, Lucifero: Signor Cristofano. Das Orchester unter Leitung von Arcangelo Corelli hatte nach den Abrechnungen der Ruspoli-Dokumente, (s. Kirkendale, Dokument 11, S. 256ff.) mit den Hausmusikern folgende Besetzung: 22–23 Violinen, 4 Violen, 5 Violoncelli, 5 Kontrabässe, 2 Trompeten, 4 Oboen; zusätzlich wurde ein Posaunist entlohnt, jedoch kein besonderer Spieler für die Viola da gamba erwähnt.

„La Resurrezione" ist im Rahmen eines Oratorienzyklus entstanden, der von Kardinal Ottoboni und Marchese Ruspoli für 1708 geplant und in Szene gesetzt wurde; am Karmittwoch, dem 5. April, ging Alessandro Scarlattis „Passione del Nostro Signor Giesù Cristo" in Ottobonis Palazzo della Cancelleria ähnlich ausgestattet Händels Werk voraus[6].

Eine Reihe von Sätzen übernahm Händel aus gleichzeitig entstandenen Kompositionen der italienischen Zeit in „La Resurrezione" bzw. arbeitete sie in spätere Werke ein:

Sonata
  HWV 46ª Il Trionfo del Tempo: Ouverture
1. Caddi, è ver
  HWV 46ª Il Trionfo del Tempo: 25. Chi già fu
  HWV 6 Agrippina: 22. Cade il mondo
3. Disseratevi, oh porte (Ritornello)
  HWV 65 Alexander Balus: 13. Mighty love now calls to arm

[2] Capeci schrieb in ihrem Auftrag später eine Reihe von Opernlibretti für Domenico Scarlatti, von denen Händel ebenfalls zwei – HWV 25 Tolomeo und HWV 31 Orlando – vertonte.

[3] Zunächst sollte die Aufführung in der Stanzione delle Accademie (s. den Vermerk im Libretto in I Rn) erfolgen, wo auch die erste Probe abgehalten wurde. Infolge des zu erwartenden starken Besucherstroms wurde aber der Aufführungsort in diesen anderen, größeren Saal verlegt. Vgl. Kirkendale, S. 235f.

[4] Vgl. „Diario di Roma" von Francesco Valesio, Ms. im Archivio Storico Capitolino Rom, tomo 16, f. 36ᵛ–37ʳ, zitiert nach Kirkendale, S. 236, die (S. 233ff.) auch eine ausführliche Beschreibung der Aufführung und ihres Dekors anhand der Ruspoli-Dokumente gibt.

[5] In der zweiten Aufführung ersetzt von Signor Filippo („Pippo soprano della Regina", d. h. von Maria Casimira, Exkönigin von Polen), nachdem ein päpstliches Verbot Ruspoli untersagt hatte, eine Sängerin in der Öffentlichkeit auftreten zu lassen.

[6] Kirkendale, U.: Antonio Caldara. Sein Leben und seine venezianisch-römischen Oratorien (Wiener Musikwiss. Beiträge, Bd. 6), Graz – Köln 1966, S. 150.

5. D'amor fu consiglio
HWV 122 La terra è liberata: 8. Deh, lascia addolcire
HWV 65 Alexander Balus: 5. Fair virtue shall charm me
6. O voi dell'Erebo[7]
HWV 6 Agrippina: 37. Col raggio placido
HWV 35 Atalanta: 15. Di' ad Irene
HWV 39 Faramondo: 15. Sì, l'intendesti (B-Teil)
HWV 53 Saul: 26. With rage I shall burst
8. Ferma l'ali
HWV 50[b] Esther (2. Fassung): 2[a,b]. Watchful angels
11. Quando è parto
HWV 121[b] L'aure grate: 1. L'aure grate, il fresco rio
HWV 20 Scipione: 9. Dolci aurette
14. Ho un non so che nel cor[8]
HWV 6 Agrippina: 12. Ho un non co che nel cor
HWV 8[a] Il Pastor fido (1. Fassung): 18. Ho un non so che nel cor
15. Il Nume vincitor
HWV 349 Wassermusik Suite II D-Dur, Bourrée
16. Introduzione
HWV 46[a] Il Trionfo del Tempo: Ouverture, 3. Satz
18. Risorga il mondo
HWV 46[a] Il Trionfo del Tempo: 3. Se la Bellezza perde vaghezza
HWV 6 Agrippina: Anhang 1[a]. Sarà qual vuoi, Anhang 44. Esci, o mia vita
HWV 71 The Triumph of Time and Truth: 5. The Beauty smiling
23. Vedo il ciel
HWV 65 Alexander Balus: 13. bzw. 28. Fury with red sparkling eyes
26. Augelletti, ruscelletti
HWV 119 Io languisco fra le gioje: 11. Un sol angolo del mondo
HWV 8[a] Il Pastor fido (1. Fassung): 2. Augelletti, ruscelletti
HWV 12[b] Radamisto (2. Fassung): 27[a,b]. So ch'è vana la speranza
26. Augelletti, ruscelletti, Takt 3ff.
HWV 96 Cor fedele: 14. Come la rondinella
HWV 6 Agrippina: 19. Coronato il crin d'alloro
HWV 8[a] Il Pastor fido (1. Fassung): 8. Non vo' legarmi il cor
HWV 49[b] Acis and Galatea (2. Fassung): 8. Come la rondinella
29. Dia si lode in cielo[9]
HWV 78 A crudel! nel pianto mio: Sinfonia
HWV 72 Aci, Galatea e Polifemo: 20. Chi ben ama ha per oggetti
HWV 6 Agrippina: 4. L'alma mia fra le tempeste
HWV 7[a] Rinaldo (1. Fassung): 10. Molto voglio
HWV 13 Muzio Scevola: 18. Sì, sarà più dolce amore
HWV 29 Ezio: 12[a]. Sinfonia (Takt 2f.)
HWV 55 L'Allegro, il Penseroso ed il Moderato: 30. These delights if thou can'st give (Takt 30ff.)
HWV 468 Air A-Dur für Cembalo
HWV 64 Joshua: 24. Heroes when with glory burning

Literatur

Ademollo, A.: G. F. Haendel in Italia. In: Gazetta Musicale di Milano, Anno XLIV, 1889, S. 257ff.; Cametti, A.: Carlo Sigismondo Capeci. In: Musica d'Oggi, 13. Jg., 1931, S. 55ff.; Chrysander I, S. 214ff.; Chrysander, F.: Händels Teufels-Arie. In: AMZ 17. Jg., 1882, S. 764; Dahnk-Baroffio, E.: Händels römisches Osteroratorium. Die Höllenfahrt und die Auferstehung Christi. In: Göttinger Händeltage 1964, Programmheft, S. 40ff.; Dean, S. 20; Deutsch, S. 22f.; Ewerhart, S. 116ff.; Ewerhart, R.: New Sources for Handel's „La Resurrezione". In: Music & Letters, vol. XLI, 1960, S. 127ff.; Ewerhart, R.: G. F. Händels Osteroratorium „La Resurrezione". In: Göttinger Händelfestspiele 1961, Programmheft, S. 21ff.; Flower, p. 83ff./S. 63ff.; Herbage, S. 71ff.; Hicks, A.: Handel's „La Resurrezione". In: Musical Times, vol. 110, 1969, S. 145ff.; Hicks, A.: Handel's Early Musical Development. In: Proceedings of the Royal Musical Association, vol. 103, 1976/77, S. 81ff.; Kirkendale, S. 231ff.; Lang, p. 83f./S. 73f.; Leichtentritt, S. 310ff.; Leichtentritt, H.: Händel in Italien. In: Die Musik, 15. Jg., 1922/23, S. 85ff.; Montalto, L.: Un Mecenate in Roma barocca: Il Cardinale Benedetto Pamphilj (1653–1730), Florenz 1955; Müller-Blattau, S. 39; Robinson, P.: Handel and his Orbit, London 1908; Robinson, P.: Handel's Journeys. In: The Musical Antiquary, vol. I, 1909/10, S. 193ff.; Schoelcher, S. 18ff.; Siegmund-Schultze, S. 27f.; Smither I, S. 344ff.; Streatfeild, S. 259ff.; Streatfeild, R. A.: Handel in Italy. In: The Musical Antiquary, vol. I, 1909/10, S. 1ff.; Zanetti, E.: Roma città di Haendel. In: Musica d'Oggi, II, 1959, S. 434ff.; Zanetti, E.: Haendel in Italia. In: L'Approdo Musicale, III, 1960, S. 3ff.

Beschreibung der Autographe: Cfm: Catalogue Mann, Ms. 251, S. 159. – Lbm: Catalogue Squire, S. 62f.

[7] Händel entlehnte das Thema dieser Arie der Oper „Die römische Unruhe oder Die edelmütige Octavia" von R. Keiser (Hamburg 1705, II. Handlung, 13. Auftritt, Arie der Livia „Constante ognor cosi").

[8] Zum Ursprung der Melodie (A. Corelli, Sonata F-Dur op. 5 Nr. 10. Allegro) vgl. Schering, A.: Zum Thema: Händel's Entlehnungen. In: ZIMG, 9. Jg., 1907/08, S. 247.

[9] Von Händel einem Duett M. A. Cestis bzw. einer Arie A. Scarlattis entlehnt, die beide den gleichen Text „Cara e dolce libertà" haben. Vgl. Chrysander I, S. 197ff. H. Kretzschmar, Geschichte der Oper, Leipzig 1919, S. 148, weist nach, daß auch R. Keiser das Thema in seiner Oper „La forza della virtù" (Hamburg 1700, Arie „Amor macht mich zum Tyrannen") verwendete. Vgl. auch SIMG 3. Jg., 1901/02, S. 285.

48. Der für die Sünde der Welt gemarterte und sterbende Jesus

Passionsoratorium von Barthold Heinrich Brockes

Besetzung: Soli: 6 Soprani (Maria, 3 Mägde, Tochter Zion, Gläubige Seele), 4 Alti (Jakobus, Johannes, Judas, Gläubige Seele), 3 Tenori (Evangelist, Petrus, Gläubige Seele), 5 Bassi (Caiphas, Jesus, Pilatus, Kriegsknecht, Gläubige Seele). Chor: S.; A.; T.; B. Instrumente: Ob. I, II; Fag. I, II; V. I, II; Va.; Cont. ChA 15. – HHA I/7. – EZ: London, 1716/17. – UA: Hamburg, 3. April 1719, Domkirche

Sinfonia.

[vgl. HWV 314 Concerto op. 3 Nr. 3 (1.)] [= HWV 313 Concerto op. 3 Nr. 2 (3.)]

1. Soli e Coro. S.; A.; T.; B.

Recitativo. Evangelist

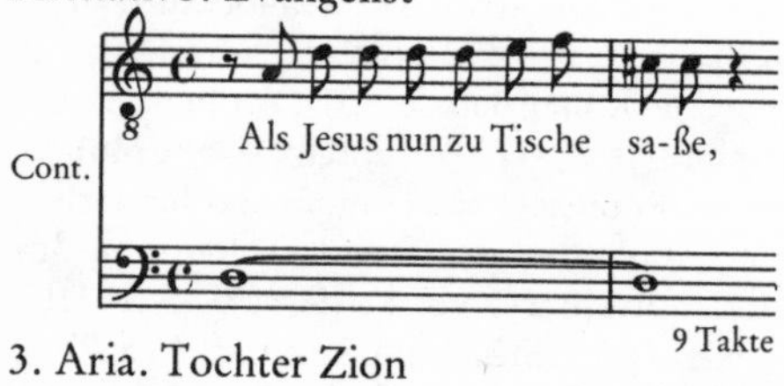

2. Recitativo accompagnato. Jesus

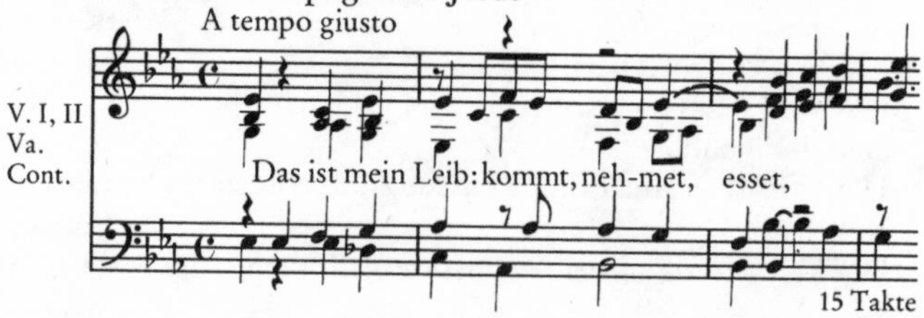

3. Aria. Tochter Zion

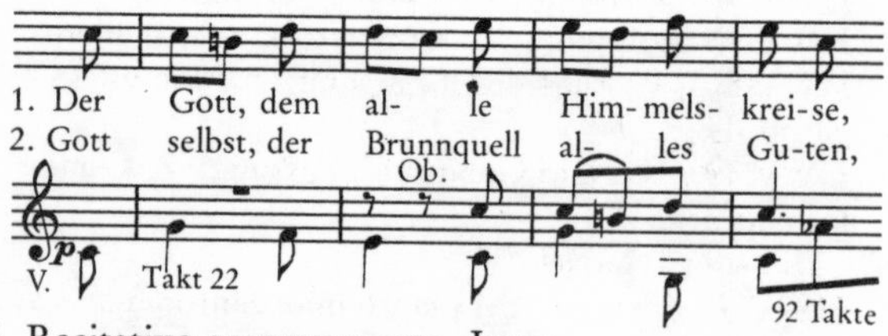

Recitativo. Evangelist

4. Recitativo accompagnato. Jesus

5. Coro (Choral). S.; A.; T.; B.

A tempo giusto

Ob. I, II
V. I, II
Va.
Cont.

Str.
Ach, wie hun- gert mein Ge- mü- te,
Ach, wie pfleg' ich oft mit Trä- nen
24 Takte

Recitativo. Evangelist; Jesus

Cont.

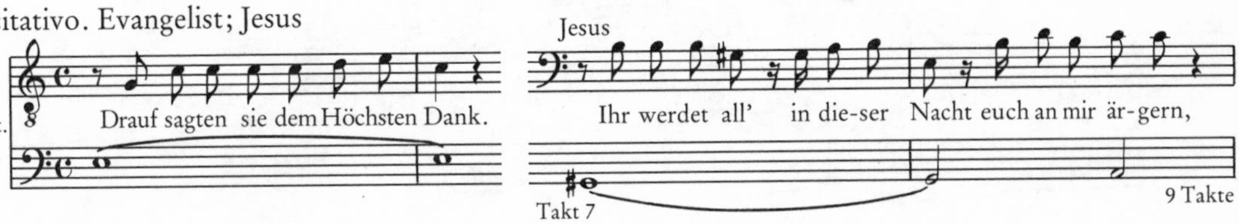
Drauf sagten sie dem Höchsten Dank.
Jesus
Ihr werdet all' in die-ser Nacht euch an mir är-gern,
Takt 7
9 Takte

6a. Coro. S.; A.; T.; B.

Ob. I, II
V. I, II
Va.
Cont.

Wir wollen al- le eh' er- blassen
25 Takte

6b. Coro. S.; A.; T.; B.

Alla breve

Ob. I, II
V. I, II
Va.
Cont.

Wir al- le wollen eh' er- blas- - - -
Wir al- le wol len eh' er- blas- -
Wir al- le wol- len

Wir al- le wol-len
- - - - (sen)
- - - - (sen)
eh' er- blas- - - (sen)
47 Takte

[vgl. HWV 279 Utrecht Jubilate (4.)]

Recitativo. Jesus

Cont.

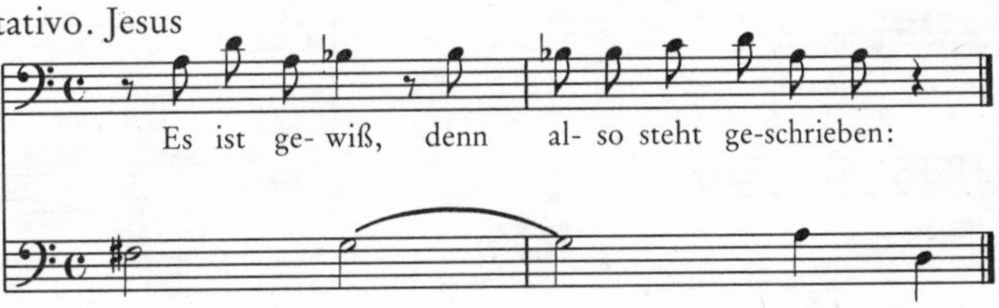
Es ist ge- wiß, denn al- so steht ge-schrieben:

7. Aria. Jesus

Allegro ma non presto

Ob. I, II
V. I, II
Cont.

Weil ich den Hir- ten schla- gen wer- de,
Takt 8
58 Takte

Recitativo. Petrus; Jesus

Cont.

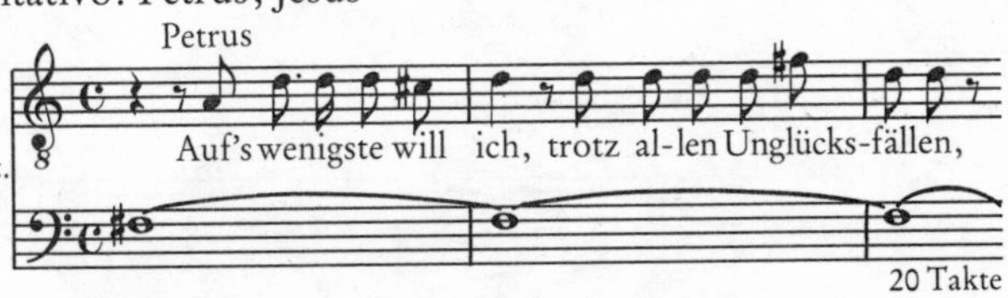
Petrus
Auf's wenigste will ich, trotz al-len Unglücks-fällen,
20 Takte

8. Aria. Jesus

Adagio staccato

V. I, II
Va.
Cont.

f

p
1. Mein Va- ter, mein Va- ter! – Schau, wie ich mich quä- le,
2. Ist's mög- lich, ist's mög- lich, daß dein Zorn sich stil- le,
p
Takt 4
25 Takte

Recitativo. Jesus

Cont.

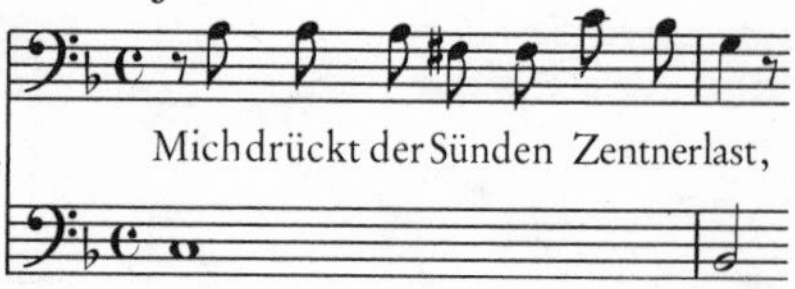
Mich drückt der Sünden Zentnerlast,

15 Takte

8. Aria V. 2 *da capo*

9. Arioso. Tochter Zion

Andante

Ob. solo
Cont.

Ob.
Sün-der,

Takt 5

Ob.
schaut mit Furcht und Zagen
eu-rer Sünden Scheusal an,

25 Takte

Recitativo. Evangelist

Cont.

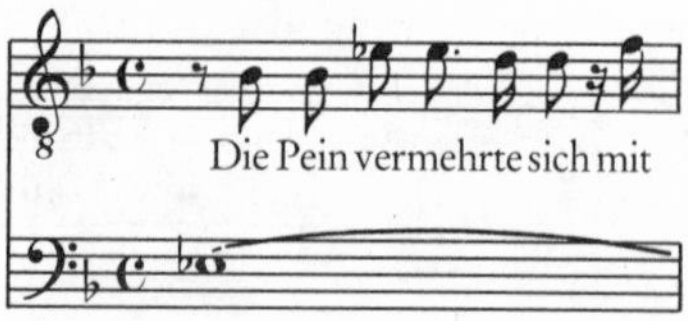
Die Pein vermehrte sich mit

grausamem Erschüttern,

17 Takte

10. Aria. Tochter Zion

Largo e staccato

V. I, II
Cont.

Brich, mein Herz, zer- fließ in Tränen,

Takt 7

Je- sus' Leib zer- fließt in Blut,

52 Takte *D. c.*

Recitativo. Evangelist

Cont.

Ein Engel a-ber kam von den gestirn-ten Bühnen,

10 Takte

11. Arioso. Johannes; Jakobus; Petrus; Jesus

Andante

V. I, II
Cont.

Jesus
Er-wachet doch!

Takt 16

Johannes
Jakobus
Ja, Herr,
Petrus
Wer ruft?
Jesus
Er- wa-chet doch!

Takt 22

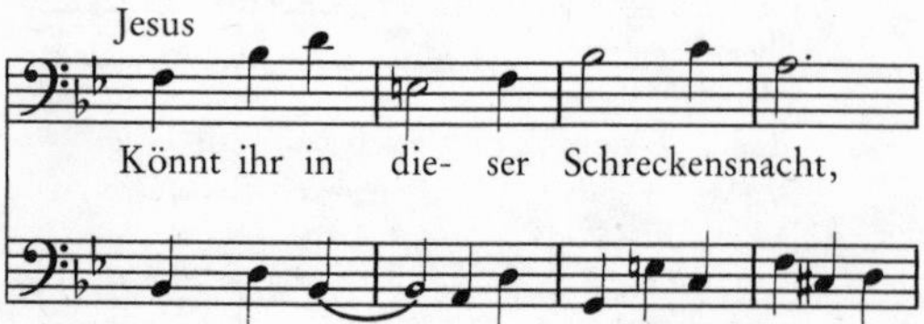
Jesus
Könnt ihr in die- ser Schreckensnacht,

Takt 28

56 Takte

Recitativo. Evangelist

Cont.

Und eh' die Re-de noch ge-endigt war,

6 Takte

12. Coro. S.; A.; T.; B.

Allegro ma non troppo
Ob. I, II
V. I, II
Va.
Cont.
Greift zu, schlagt tot, schlagt tot,
Ihr müsset ihn le- ben- dig
Greift zu, schlagt tot!
Ihr müsset ihn le-ben-dig fan-
Takt 12
Ihr müs- set ihn le-

fan- gen,
Ihr
gen,
bendig fan- gen,
50 Takte

Recitativo. Evangelist; Judas

Cont.
Und der Ver-rä-ter hat-te die-ses ih-nen zum Zeichen las-sen dienen:
7 Takte

13. Coro. S.; A.; T.; B.

Allegro
Er soll uns nicht ent-lau- (fen)
V. I, II
Va.
Cont.
Er soll uns nicht ent- lau- fen, er soll uns nicht ent- lau- fen,
Er soll uns nicht ent- lau- fen, er soll uns
Cont.
Er soll uns nicht ent-lau- (fen)
16 Takte

Recitativo. Judas; Jesus

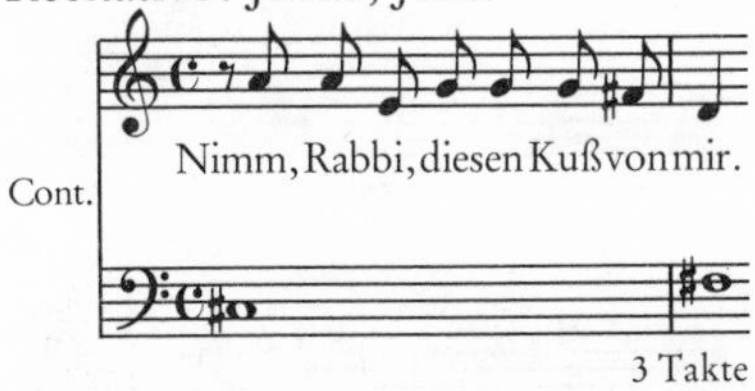
Cont.
Nimm, Rabbi, diesen Kuß von mir.
3 Takte

14. Aria. Petrus

Allegro
Ob. I, II
V. I, II
Va.
Cont.
Ob.
V. I, II
Gift und Glut,
Takt 7

Strahl und Flut, Gift und Glut,
41 Takte

Recitativo. Jesus

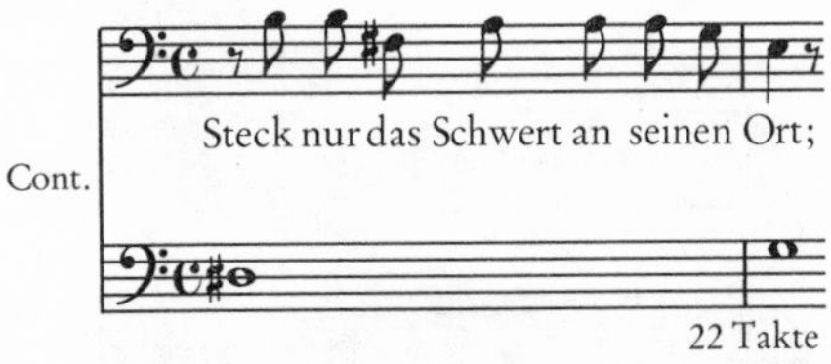
Cont.
Steck nur das Schwert an seinen Ort;
22 Takte

15. Coro. S.; A.; T.; B.;

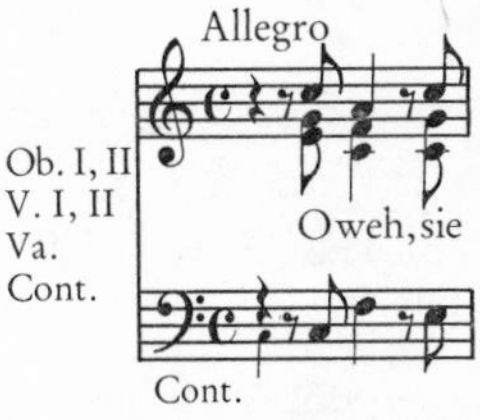
Allegro
Ob. I, II
V. I, II
Va.
Cont.
O weh, sie
Cont.

binden ihn mit Strick und Ket- ten!
20 Takte

Recitativo. Petrus

Cont.
Wo flieht ihr hin? Verzagte, bleibt!
14 Takte

16. Aria. Petrus

Andante
Cont.
Nehmt mich

mit, verzagte Scharen, hier ist Pe-trus ohne Schwert!
69 Takte D. s. (Takt 12)

Recitativo. Evangelist; Caiphas; Jesus; Kriegsknecht

Cont.
Und Jesus ward zum Palast Ca- i-phas',
27 Takte

17. Aria. Tochter Zion

Ardito
V. I, II
Cont.
Was Bä-ren-tat- zen,
Takt 11

Löwen-klau-en trotz ihrer Wut sich nicht getrau- en,
60 Takte *D. c.*

Recitativo. Evangelist; 1. Magd; Petrus; 2. Magd; 3. Magd

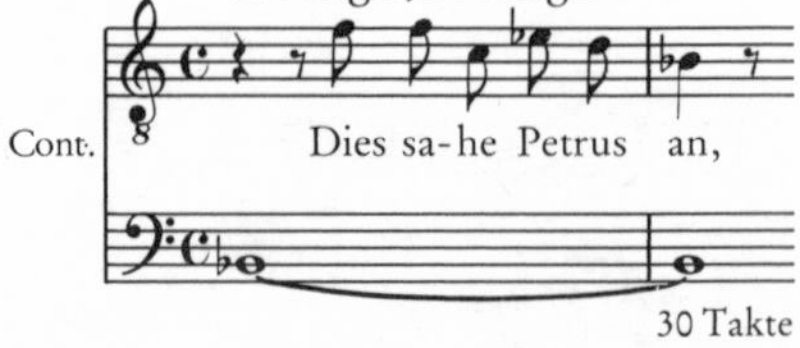
Cont.
Dies sa-he Petrus an,
30 Takte

18. Arioso. Petrus

Allegro
Ob. I, II
V. I, II
Va.
Cont.
Str.
Ich will ver-sinken und ver- gehn, mich stürz' des Wet- ters Blitz und Strahl
21 Takte

Recitativo. Evangelist; Petrus

Cont.
Drauf krähe-te der Hahn.
21 Takte

19. Aria. Petrus

Largo e staccato
Ob. solo
V. I, II
Cont.
Ob.
8va
Heul, du Fluch! Schaum!
Takt 10

heul, du Fluch Schaum der Menschen- kinder!
59 Takte

Recitativo. Petrus

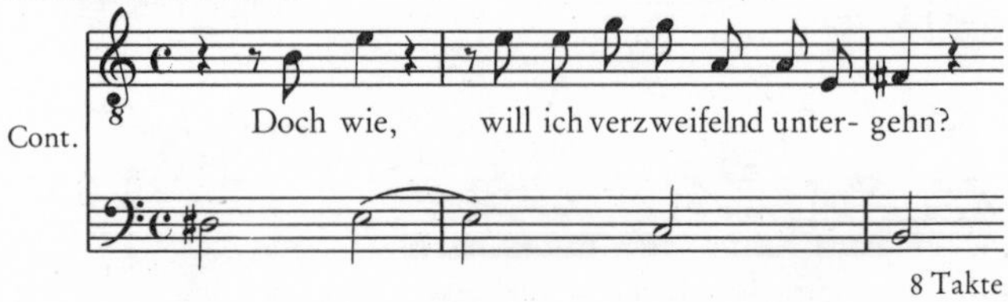
Cont.
Doch wie, will ich verzweifelnd unter- gehn?
8 Takte

20. Aria. Petrus

Largo e staccato
V. I, II
Va.
Cont.
Schau, ich fall' in strenger Bu-ße, Sünden- bü- ßer, dir zu Fu- ße,
Takt 6
29 Takte

21. Coro (Choral). S.; A.; T.; B.

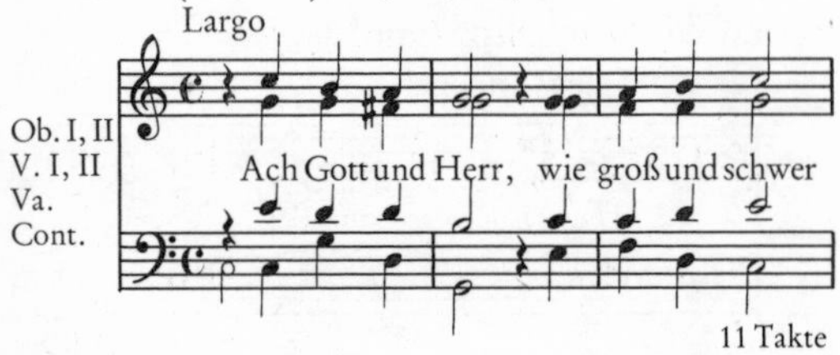
Largo
Ob. I, II
V. I, II
Va.
Cont.
Ach Gott und Herr, wie groß und schwer
11 Takte

Recitativo. Evangelist; Caiphas; Jesus

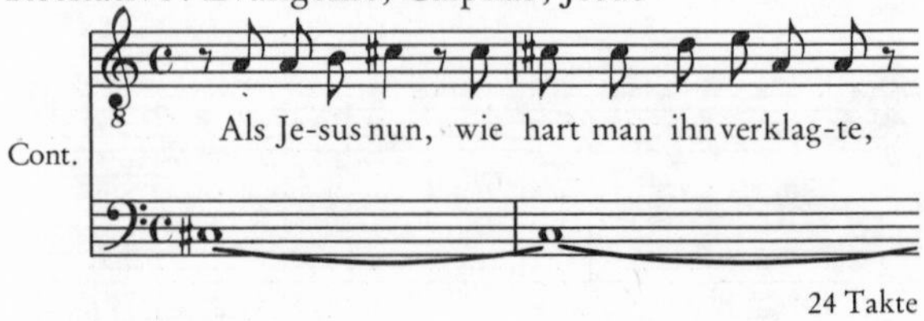
Cont.
Als Je-sus nun, wie hart man ihn verklag-te,
24 Takte

22. Coro. S.; A.; T.; B.

Allegro
Ob. I, II
V. I, II
Va.
Cont.
Er hat den Tod ver- dient,
4 Takte

23. Aria. Ten.

Andante e staccato
Adagio
Ob. I, II
V. I, II
Cont.
Er- wäg,
Takt 9

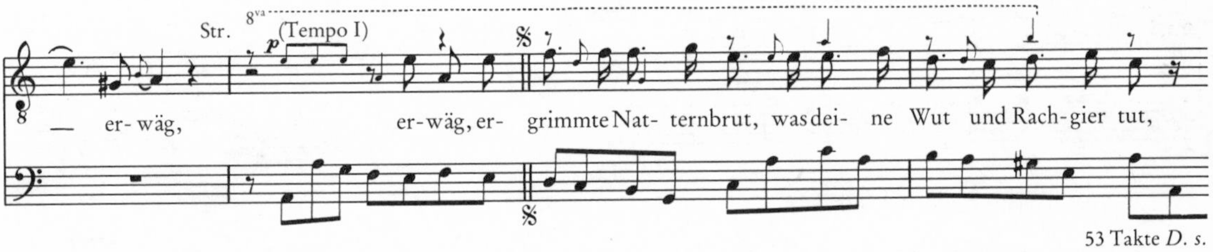
Str.
8va
(Tempo I)
p
— er- wäg, er- wäg, er- grimmte Nat- ternbrut, was dei- ne Wut und Rach- gier tut,
53 Takte D. s.

Recitativo. Evangelist; Tochter Zion

Cont.
Die Nacht war kaum vorbei,
20 Takte

24. Aria. Tochter Zion

Larghetto
Ob. I, II
V. I, II
Cont.
Meine Laster sind die Stricke,
Ob.
Takt 23
105 Takte

Recitativo. Judas

Cont.
O, was hab' ich ver- fluchter Mensch getan!
12 Takte

25. Aria. Judas

Ardito
V. I, II
Cont.

Laßt die- se Tat nicht un-ge- ro- chen!
Takt 8
40 Takte

Recitativo. Judas

Cont.
Un- säg-lich ist mein Schmerz,
19 Takte

26. Aria. Tochter Zion

Adagio
Ob.
V. I, II
p
simile
Ob. solo
Fag. I, II
V. I, II
Va.
Cont.
Die ihr Got- tes Gnad' ver- säu- met und mit Sünden Sün- - den häuft,
Fag. I/Va.
Fag. II
Cont.
28 Takte

[vgl. HWV 51 (17.)]

Recitativo. Evangelist; Jesus

Cont.
Wie nun Pi- la- tus Jesum fragt, ob er der Juden König wär,
5 Takte

27. Coro. S.; A.; T.; B.

Allegro
Ob. I, II
V. I, II
Va.
Cont.

Be- stra- fe die- sen Ü- bel- tä- ter,
6 Takte

Recitativo. Pilatus; Evangelist

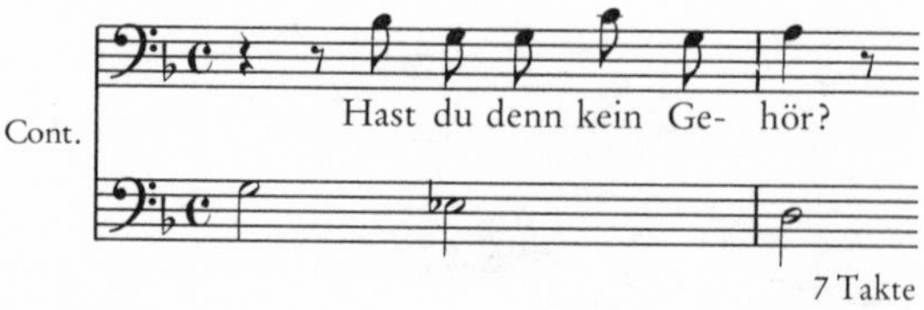
Cont.
Hast du denn kein Ge- hör?
7 Takte

28. Duetto. Tochter Zion; Jesus

Allegro
V. I, II
Cont.
Tochter Zion
Sprichst du denn auf dies Ver- kla- gen und dies
Takt 15

spötti- sche Be- fra-gen,
Jesus
Nein, ich will euch jet- zo zei-gen,
Takt 33
72 Takte

Recitativo. Evangelist

Cont.
Pi- latus wunderte sich sehr,
12 Takte

29. Coro. S.; A.; T.; B.

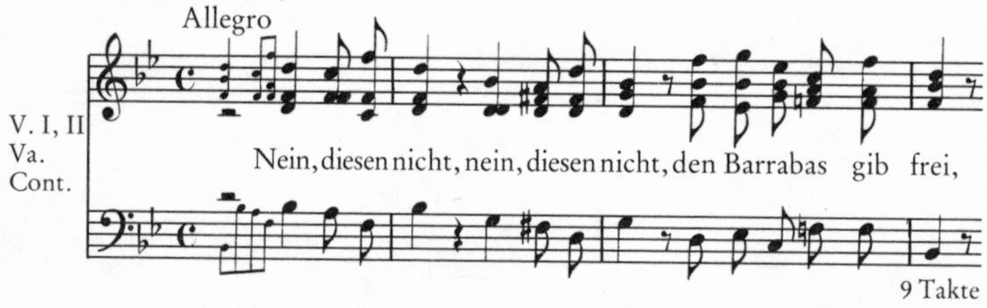
Allegro
V. I, II
Va.
Cont.
Nein, diesen nicht, nein, diesen nicht, den Barrabas gib frei,
9 Takte

Recitativo. Pilatus

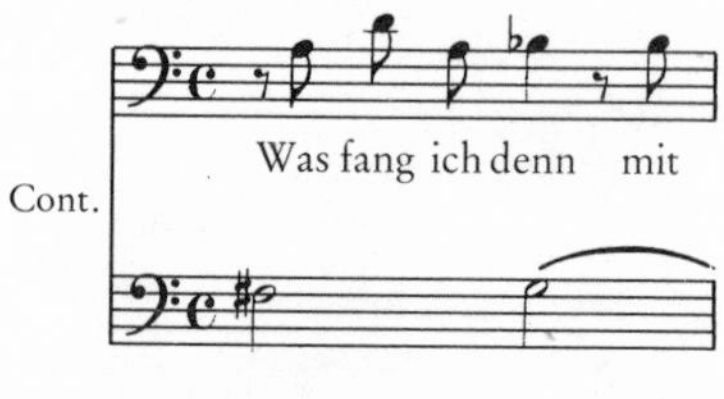
Cont.
Was fang ich denn mit

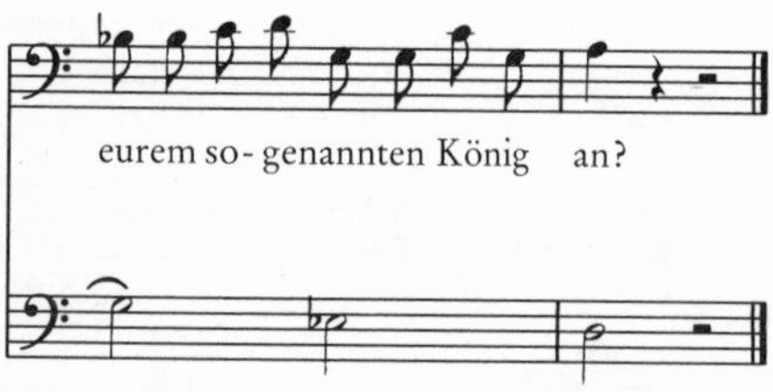
eurem so- genannten König an?

30. Coro. S.; A.; T.; B.

Allegro
Weg, weg, weg! Laß ihn kreu-zigen! Weg!
Ob. I, II
V. I, II
Va.
Cont.
Weg, weg, weg! Laß ihn kreu-zigen,
5 Takte

Recitativo. Pilatus

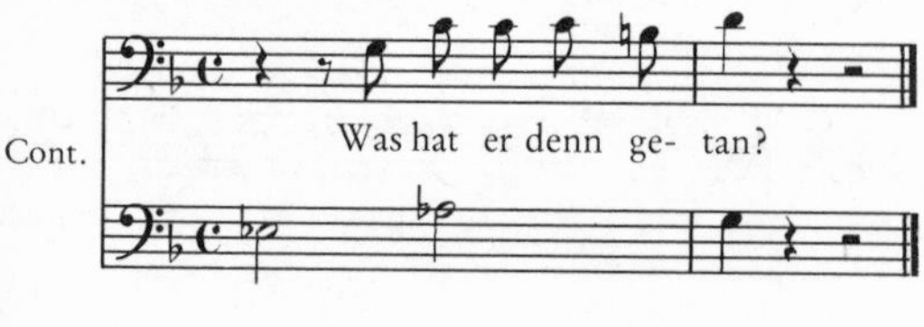
Cont.
Was hat er denn ge- tan?

31. Coro. S.; A.; T.; B.

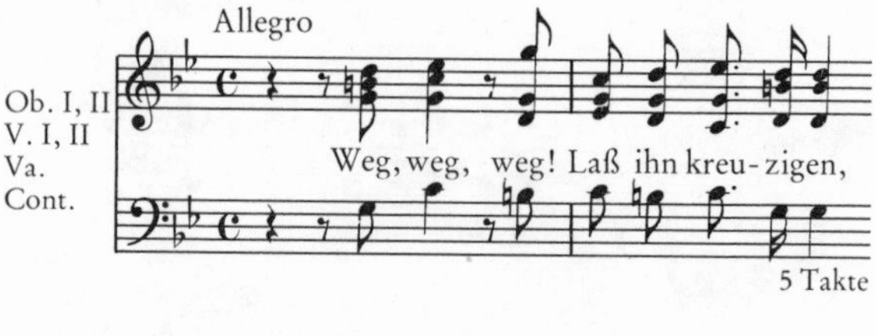
Allegro
Ob. I, II
V. I, II
Va.
Cont.
Weg, weg, weg! Laß ihn kreu- zigen,
5 Takte

Recitativo. Evangelist

Wie er nun sah, daß dies Getümmel nicht zu stillen
Cont.
5 Takte

32. Arioso. Tochter Zion

Allegro

Be-
Cont.

sinne dich, Pi- latus, schweig, halt ein!
35 Takte

Recitativo. Evangelist

Drauf zerreten die Kriegsknecht ihn hinein
Cont.
9 Takte

33. Arioso. Gläubige Seele (Sopr.)

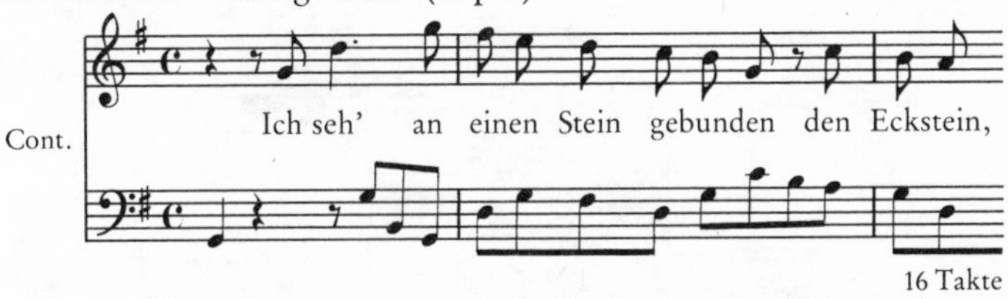
Ich seh' an einen Stein gebunden den Eckstein,
Cont.
16 Takte

Recitativo. Gläubige Seele (Sopr.)

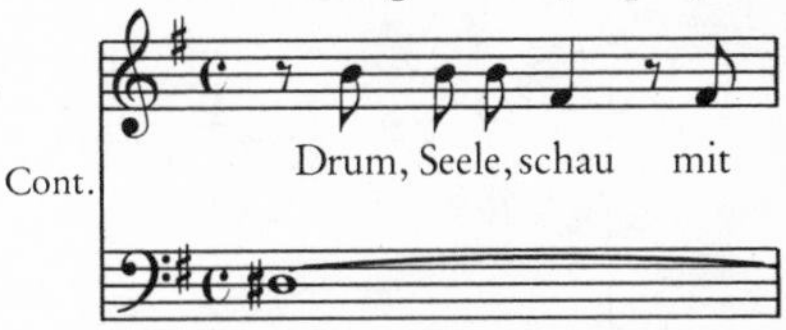
Drum, Seele, schau mit
Cont.

ängstlichem Vergnü-gen,
27 Takte

34. Aria. Gläubige Seele (Sopr.)

Andante

V. I, II
Cont.
Dem Him- mel
Takt 17

gleicht sein bunt-gefärb- ter Rücken,
bunt-gestriem- ter
49 Takte D. s.

Recitativo. Evangelist

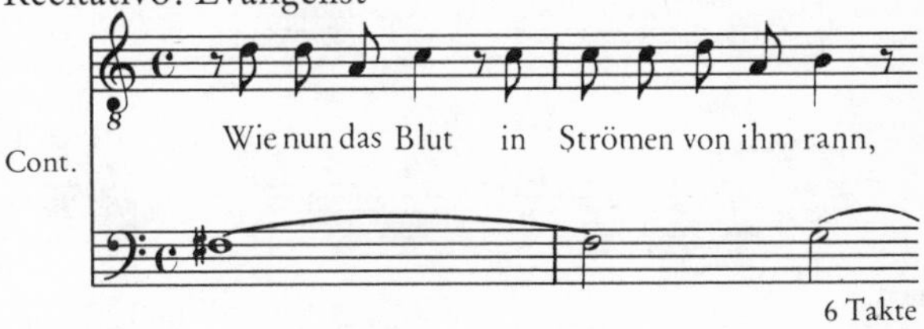
Wie nun das Blut in Strömen von ihm rann,
Cont.
6 Takte

35. Aria. Tochter Zion

Larghetto alla Siciliana

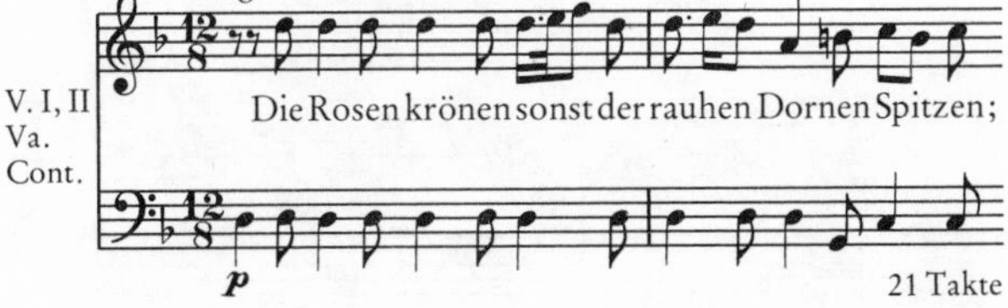
V. I, II
Va.
Cont.
Die Rosen krönen sonst der rauhen Dornen Spitzen;
p
21 Takte

Recitativo. Tochter Zion

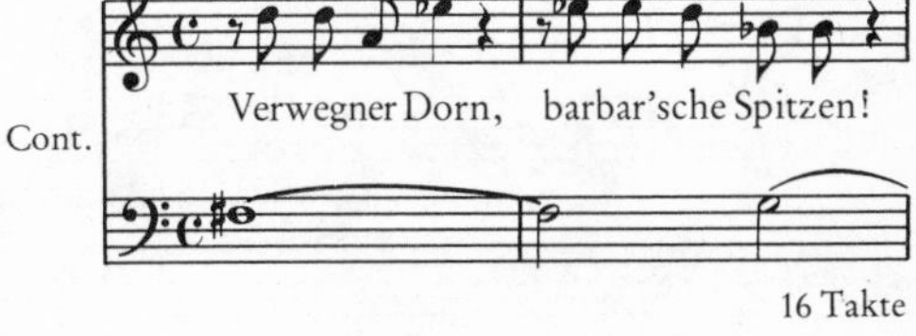
Verwegner Dorn, barbar'sche Spitzen!
Cont.
16 Takte

36. Aria. Tochter Zion

Largo

Cont.
Laß doch die-se herbe Schmerzen, frecher Sün-der, dir zu Herzen,
Takt 5
22 Takte D. s.

Recitativo. Tochter Zion

Cont.
Die zarten Schläfen sind bis ans Gehirne durchlöchert

11 Takte

37. Aria. Tochter Zion

A tempo giusto

Ob. I, II
Cont.
Je-su!

Takt 17

Jesu, dich mit unsern See- len zu vermählen,
Ob.

90 Takte

Recitativo. Evangelist

Cont.
Drauf beugten sie aus Spott vor ihm die Kniee,

4 Takte

38. Coro. S.; A.; T.; B.

Allegro

Ge- grü- - ßet seist du, Ju- den- kö- - nig!
Ob. I, II
V. I, II
Va.
Cont.
Ge-grü- ßet, ge-grü- ßet seist du, Ju- den- kö- - nig!
Ge- grü- - ßet seist du, Ju- den- kö- - nig!
Ein je- der sei ihm un- ter- tä- nig! Ge-grüßet, ge- grü- ßet seist du, Ju-den-kö- nig!

25 Takte

Recitativo. Evangelist

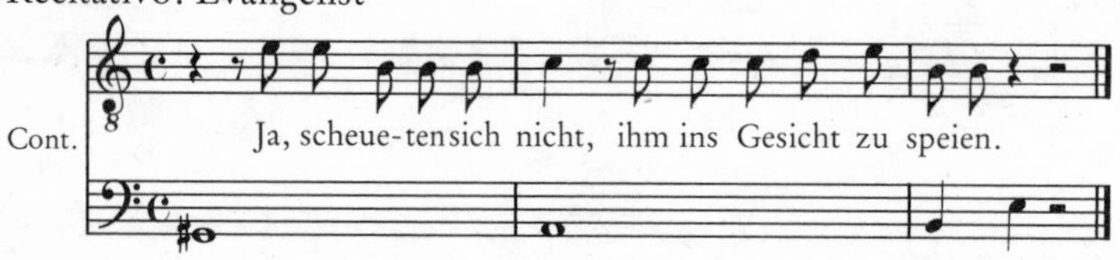
Cont.
Ja, scheue-ten sich nicht, ihm ins Gesicht zu speien.

39. Aria. Tochter Zion

Allegro

Cont.
Schäumest

Takt 16

du, du Schaum der Welt,

112 Takte

Recitativo. Evangelist

Cont.
Worauf sie mit dem Rohr, das seine Hände trugen,

4 Takte

Recitativo. Tochter Zion

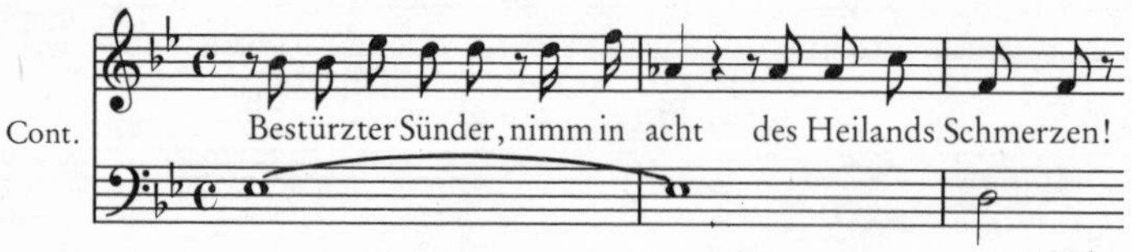
Cont.
Bestürzter Sünder, nimm in acht des Heilands Schmerzen!

17 Takte

40. Aria. Tochter Zion

Allegro

Ob. I, II
V. I, II
Cont.

V. I
p
V. II
Heil der Welt, dein schmerz-lich Lei- den schreckt die Seel' und bringt ihr Freu- den,
p

Takt 11

62 Takte *D. s.*

Recitativo. Evangelist

Cont.
Wie man ihm nun ge-nug Verspottung, Qual und Schmach hatt' ange-tan, riß man ihm ab den Purpur,
9 Takte

41. Solo e Coro. Tochter Zion; S.; A.; T.; B.

Andante
V. I, II
Cont.
Eilt, ihr an- ge- foch- ten See- len,
Takt 7
Kommt! Kommt! Nach Gol-ga- tha.
Wo-hin? Wo- hin?
Takt 16
34 Takte

Recitativo. Maria

Cont.
Ach Gott, ach Gott! Mein Sohn wird fortgeschleppt,
19 Takte

42. Duetto. Maria; Jesus

Adagio
Ob. I, II
V. I, II
Va.
Cont.

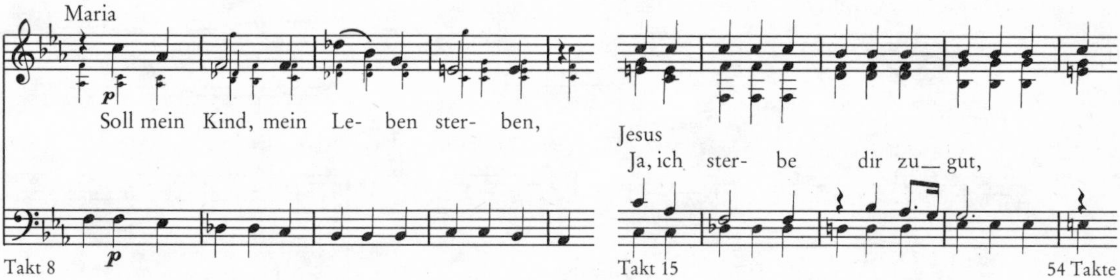
Maria
Soll mein Kind, mein Le- ben ster- ben,
Jesus
Ja, ich ster- be dir zu_ gut,
Takt 8
Takt 15
54 Takte

Recitativo. Evangelist; Tochter Zion

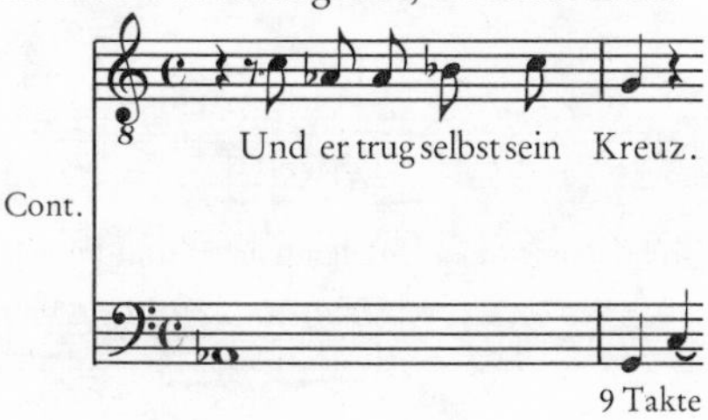
Cont.
Und er trug selbst sein Kreuz.
9 Takte

43. Aria. Ten.

Come alla breve
V. I, II
Va.
Cont.
Es scheint, da den zerkerbten Rücken
Takt 22
113 Takte

Recitativo. Evangelist

Cont.
Wie sie nun an die Stätte, Golga-tha mit Namen,
7 Takte

44. Aria. Gläubige Seele (Sopr.)

Adagio assai e staccato
(Ob.; V. I colla parte)
Hier erstarrt mein Herz und
Ob. I, II
V. I, II
Va.
Cont.

Blut, hier er- staunen Seel' und Sin-nen!
29 Takte

Recitativo. Gläubige Seele (Sopr.)

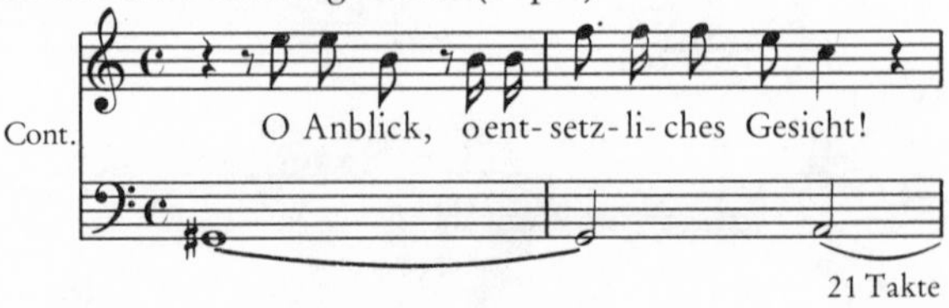
Cont.
O Anblick, o ent- setz- li- ches Gesicht!
21 Takte

45. Coro (Choral). S.; A.; T.; B.

Ob. I, II
V. I, II
Va.
Cont.
O Men-schen- kind, nur dei- ne Sünd' hat die-ses an- ge- rich- tet,
10 Takte

Recitativo. Evangelist

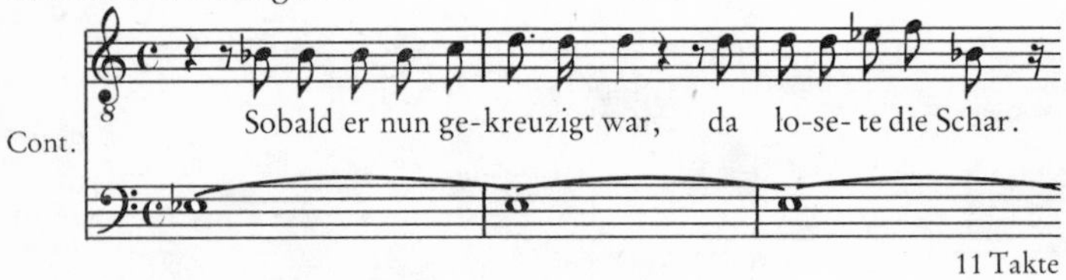
Cont.
Sobald er nun ge-kreuzigt war, da lo-se- te die Schar.
11 Takte

46. Coro. S.; A.; T.; B.

Allegro
Ob. I, II
V. I, II
Va.
Cont.
Pfui! Pfui, pfui! Pfui

seht mir doch den neu-en Kö-nig an!
13 Takte

Recitativo. Evangelist

Cont.
Und ei- ne dik- ke Fin- sternis,
4 Takte

47. Aria. Gläubige Seele (Sopr.)

Adagio ma non troppo
(V. I colla parte)
Was Wunder, daß der Sonnen Pracht,
Fag. I, II
V. I, II
Cont.
V. I, II
Fag. I, II
Takt 22
89 Takte

Recitativo. Evangelist

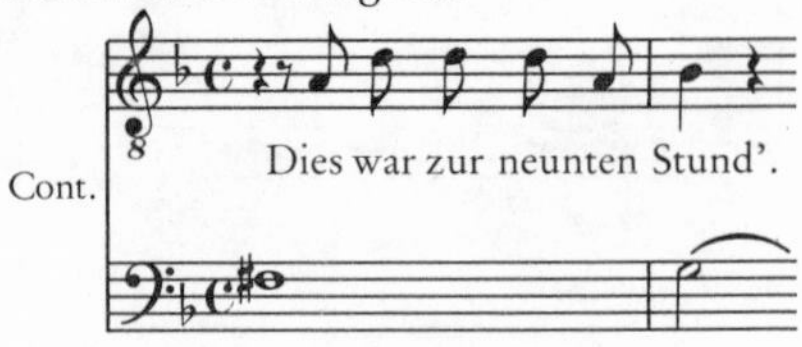
Cont.
Dies war zur neunten Stund'.

Und bald hernach
16 Takte

48. Arioso. Gläubige Seele (Sopr.)

Cont.
Mein Heiland, mein Heiland, Herr und Fürst!
Takt 4
22 Takte

Recitativo. Evangelist

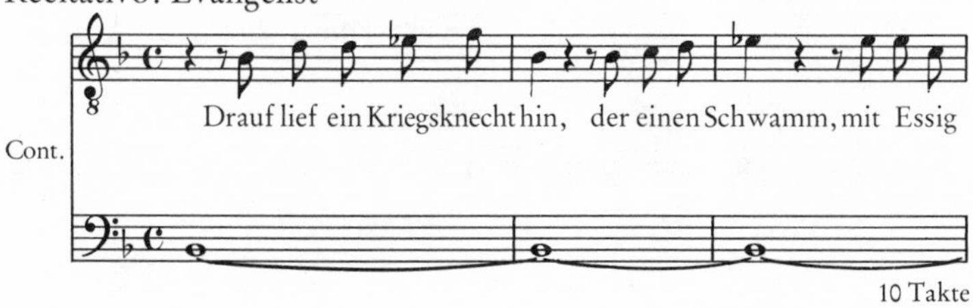
Drauf lief ein Kriegsknecht hin, der einen Schwamm, mit Essig
Cont.
10 Takte

49. Terzetto. Sopr.; Alto; Basso

Andante
V. I, II
Va.
Cont.
1. O Donner-wort!
2. O selig's Wort!
Cont.

O schrecklich Schrei-en!
O heil- sam Schrei-en!
44 Takte

Recitativo. Gläubige Seele (Sopr.); Evangelist

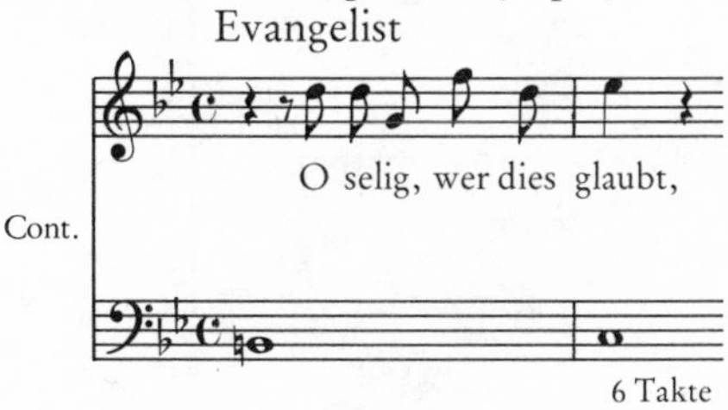
O selig, wer dies glaubt,
Cont.
6 Takte

50. Duetto. Tochter Zion; Gläubige Seele (Sopr.)

Larghetto
Cont.

Tochter Zion
Sind mei- ner Seele tie- fe Wun- - den durch dei- ne Wunden nun verbunden?
Takt 5
34 Takte

Recitativo. Tochter Zion; Evangelist

Evangelist
O Großmut! O er- barmendes Gemüt! Und er verschied.
Cont.

51. Aria. Gläubige Seele (Ten.)

Allegro
V. I, II
Va.
Cont.

Brich, brül-lender Abgrund, brich, brül-lender Abgrund, zer- trümmre, zerspal- te!
f
Takt 21
127 Takte D. c.

Recitativo. Gläubige Seele (Ten.); Hauptmann

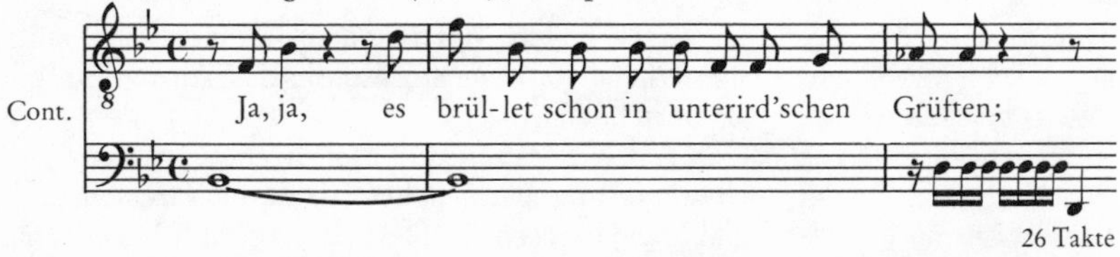
Ja, ja, es brül-let schon in unterird'schen Grüften;
Cont.
26 Takte

52. Aria. Gläubige Seele (Basso)

Allegro
V. I, II
Cont.

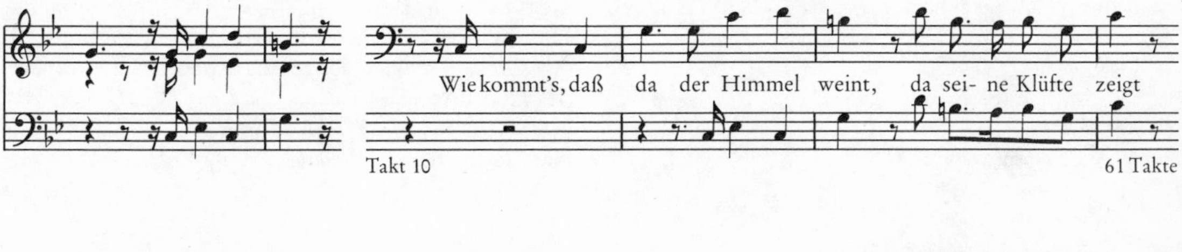
Wie kommt's, daß da der Himmel weint, da sei- ne Klüfte zeigt
Takt 10
61 Takte

53. Recitativo accompagnato. Gläubige Seele (Sopr.)

V. I, II
Va.
Cont.
Bei Je- sus' Tod und Lei-den lei- det des Himmels Kreis, die gan- ze Welt;
18 Takte

54. Coro (Choral). S.; A.; T.; B.

Ob. I, II
V. I, II
Va.
Cont.
Mein Sünd' mich werden kränken sehr,
Cont.
18 Takte

55. Aria. Tochter Zion

Largo
Ob. I, II
V. I, II
Cont.
Wisch ab der Tränen scharfe
Ob.
Takt 11

Lauge, steh', sel'ge Seele, nun in Ruh',
V.
75 Takte D. c.

56. Coro (Choral). S.; A.; T.; B.

Ob. I, II
V. I, II
Va.
Cont.
Ich bin ein Glied an deinem Leib,
Cont.
18 Takte

Quellen

Handschriften: Autograph: verschollen. GB Lbm (R. M. 20. g. 13., f. 18v–21v: Sinfonia).
Abschriften: A Wgm (Q. 807), Wn (Mus. Ms. 818; Cod. 17.535, Kopie der Quelle H Bn; S. m. 9874) – D (brd) B (Mus. ms. 9002; Mus. ms. 9002/1, St. für C., A., T., B., Ob. I, II, V. I, II, Va., Basso), Hs (M $\frac{C}{48}$, aus dem Besitz von H. W. Stolze, Stadtorganist in Celle; M $\frac{B}{1592}$, aus dem Besitz von Grober, datiert „2. Decbr: a:o 1724"), Mbs (Mus. Ms. 814, aus dem Besitz von A. F. J. Thibaut) – D (ddr) Bds (Mus. ms. 9002/10, „Oratorium Passionale. Poesia di Brocks et Musica di Hendel", Abschrift zum Teil von J. S. Bach[1]) – GB Lbm (R. M. 19. d. 3.; R. M. 19. g. 3.; Add. MSS. 39571), Mp (MS 130 Hd4, v. 233) – H Bn (Ms. mus. IV. 517, aus dem Besitz von Joseph Haydn).
Libretto: Der für die Sünde der Welt/ gemarterte und sterbende Jesus aus den IV. Evangelisten von B. H. B./ in gebundener Rede vorgestellt/ und in der Stillen-Woche Musicalisch aufgeführt/ Anno 1712. – Hamburg, Conrad Neumann (Ex.: D (brd) Hs.); —. – ib., 1713; — ib., 1719.

[1] S. Rust, W., in: J. S. Bachs Werke, hrsg. von der Bach-Gesellschaft zu Leipzig, Bd. 11 (1), Leipzig 1862, S. XIV, Bd. 12 (1), Leipzig 1863, S. XIX.

Bemerkungen

Über die Entstehungs- und Aufführungsgeschichte der Vertonung des Passionstextes von Barthold Heinrich Brockes durch Händel unterrichtet J. Mattheson in der „Ehrenpforte". Nach Mattheson[2] wurde Händels Passion zusammen mit den Vertonungen des gleichen Textes von R. Keiser, G. Ph. Telemann und seiner eigenen am Montag der Karwoche (3. April 1719) aufgeführt. Er berichtet ferner, daß ihm Händel seine Passion, die „in England verfertiget" worden sei, „in einer ungemein enggeschriebenen Partitur auf der Post hieher geschickt" habe. Dies war vermutlich im Jahre 1717, denn 1718 ist Matthesons eigene Brockes-Passion in Hamburg „vor der händelschen öffters aufgeführet worden, da doch diese längst hie war..." (Ehrenpforte, S. 96, Anmerkung)
Demnach erhielt Mattheson von Händel eine handschriftliche Partitur zugesandt; das Autograph gilt als verschollen.
Unter den erhaltenen Abschriften existieren zwei Überlieferungszweige, die sich darin unterscheiden, daß die Handschrift GB Lbm (R. M. 19. d. 3.) und die aus dem Besitz von Ch. Jennens stammende Handschrift GB Mp (MS 130 Hd4, v. 233) anstelle des *Grave e staccato* der Sinfonia den 1. Satz (Vivace) des Concerto grosso op. 3 Nr. 2 HWV 313 besitzen,

[2] Dem Textbuch von 1719 entnommen, in dem der von Mattheson zitierte „Vorbericht" steht.

auf das *Adagio* der Sinfonia verzichten und den Satz Nr. 6ª überliefern. Matthesons Bericht deutet darauf hin, daß er die Komposition durch Händel auch angeregt, vielleicht sogar bestellt hat, eventuell schon im Hinblick auf die zweifellos sensationelle Aufführung der Vertonungen des Librettos durch vier namhafte deutsche Musiker. Hinzu kommt, daß Händel Brockes persönlich kannte; dieser hatte 1700/02 an der Halleschen Universität studiert, wo Händel selbst am 10. Februar 1702 immatrikuliert wurde, und musikalische Abendunterhaltungen in der Saalestadt veranstaltet. In Hamburg, wo Brockes sich seit 1704 wieder aufhielt und ein gastliches Haus mit vielerlei geselligen Zusammenkünften führte, wird diese Bekanntschaft zweifellos vertieft worden sein. Als direkte Textquelle diente Händel, wie Frederichs (S. 48 f.) nachweisen konnte, die Ausgabe der Passion von 1713.

Als Entstehungszeit für die Brockes-Passion sind die Monate gegen Ende 1716 und Anfang 1717 anzunehmen. 1716 weilte Händel den Sommer über auf dem Kontinent, und es wäre möglich, daß er damals mit Mattheson die Vertonung der Passion vereinbarte und nach der Rückkehr nach London Ende des Jahres mit der Arbeit begann. Die Übernahme dreier Sätze aus Kompositionen, die zwischen 1713 und 1717 entstanden (HWV 279 Utrecht Jubilate, HWV 74 Ode for the Birthday of Queen Anne, HWV 607 Fuge B-Dur Nr. 3) sowie die Tatsache, daß im Chandos Anthem VII HWV 252 „My song shall be alway" die Begleitung des Chorals „Ach wie hungert mein Gemüte" (5) aus der Brockes-Passion erscheint, weisen auch auf diesen Zeitraum hin. Nicht ganz unwahrscheinlich ist die Annahme, daß Händel beabsichtigt hatte, bei der Aufführung im April 1719 in Hamburg anwesend zu sein; seine für dieses Jahr belegte Reise auf den Kontinent, um dort Sänger für die eben ins Leben gerufene *Royal Academy of Music* zu engagieren, konnte er jedoch infolge gewisser Verzögerungen, die im Zusammenhang damit auftraten, erst im Mai 1719 antreten.

In Hamburg wurde das Werk zwischen 1719 und 1724 fünfmal aufgeführt (vgl. Becker, S. 36). Über die Nachwirkung von Händels Passion im übrigen Deutschland sind nur spärliche Nachrichten überliefert; Mattheson (in: Critica musica, Bd. I, Hamburg 1723, Pars IV, No. 2, S. 288) berichtet über eine Aufführung am Karfreitag 1723 in Lüneburg. Daß das Werk jedoch noch bis in die Zeit der Wiener Klassik ausstrahlte (J. Haydn besaß eine ihm von der englischen Königin übergebene Partiturabschrift, s. Quellenverzeichnis), beweisen die relativ zahlreichen Kopien, die heute noch erhalten sind. Es existieren sogar Passions-Pasticci, die – aus den Vertonungen von Keiser, Telemann und Händel zusammengestellt – eine außerordentliche Beliebtheit besaßen (s. Chrysander I, S. 438 ff., und von Winterfeld, S. 196 f.) und selbst von J. S. Bach geschätzt wurden[3].

Händel ließ sich nicht nur durch früher entstandene Werke bei der Komposition der Passion anregen, sondern verwendete mehr als die Hälfte ihrer Sätze in Oratorien, Werken der Kirchenmusik und selbst in Opern wieder, wie aus folgender Übersicht hervorgeht:

Sinfonia (Grave e staccato)
  HWV 252 „My song shall be alway": Sinfonia (Largo e staccato)
  HWV 314 Concerto grosso G-Dur op. 3 Nr. 3 (Largo e staccato)

Sinfonia (Allegro)
  HWV 607 Fuge III B-Dur
  HWV 249ᵇ „O sing unto the Lord": 3. Declare his honour
  HWV 313 Concerto grosso B-Dur op. 3 Nr. 2, 3. Satz (Allegro)

1. Mich vom Stricke meiner Sünden
  HWV 50ª Esther (1. Fassung): 16. Virtue, truth, and Innocence
  HWV 50ᵇ Esther (2. Fassung): 16. Tyrants may awhile presume

5. Ach wie hungert mein Gemüte (Einleitung)
  HWV 252 „My song shall be alway": 1. My song shall be alway (Einleitung)

6ª. Wir wollen alle eh' erblassen
  HWV 50ª Esther (1. Fassung): 4. Shall we of servitude complain

6ᵇ. Wir wollen alle eh' erblassen
  HWV 279 Utrecht Jubilate: 4. O go your way

8. Mein Vater, ists möglich
  HWV 50ª Esther (1. Fassung): 19. Turn not, o Queen

10. Brich, mein Herz, zerfließ in Tränen
  HWV 50ª Esther (1. Fassung): 10. Dread not, righteous Queen

11. Erwachet doch (Ritornello)
  HWV 50ª Esther (1. Fassung): 9. O Jordan, sacred tide

12. Greift zu, schlagt tot
  HWV 51 Deborah: 3. Forbear thy doubts
  HWV 247 „In the Lord put I my trust": 4. Behold the wicked

13. Er soll uns nicht entlaufen
  HWV 52 Athalia: 13. The traitor if you there descry

14. Gift und Glut
  HWV 51 Deborah: 12. All danger disdaining

15. O weh, sie binden ihn
  HWV 51 Deborah: 7. O blast with thy tremendous brow

17. Was Bärentatzen, Löwenklauen
  HWV 51 Deborah: 10ª. To joy he brightens

[3] Dürr, A.: Zur Chronologie der Leipziger Vokalwerke J. S. Bachs. In: Bach-Jahrbuch, 44. Jg., 1957, S. 162.

18. Heul, du Schaum / Fluch der Menschenkinder
    HWV 251^{a} „As pants the hart" (1. Fassung): 2. Tears are my daily food
20. Schau, ich fall in strenger Buße
    HWV 102 „Dalla guerra amorosa": 2. La bellezza è com'un fiore
    HWV 107 „Dite, mie piante": 1. Il candore tolse al giglio
    HWV 145 „Oh Numi eterni": 1. Già superbo del mio affanno
    HWV 71 The Triumph of Time and Truth: 3^{b}. Sorrow darkens ev'ry feature
24. Meine Laster sind die Stricke
    HWV 50^{a} Esther (1. Fassung): 11. Tears assist me
25. Laßt diese Tat nicht ungerochen (Ritornello)
    HWV 50^{a} Esther (1. Fassung): 1. Pluck root and branch (Ritornello)
26. Die ihr Gottes Gnad' versäumet
    HWV 278 Utrecht Te Deum: 6. We believe that thou shalt come
    HWV 51 Deborah: 17. In Jehovah's awful sight
28. Sprichst du denn auf dies Verlangen
    HWV 51 Deborah: 18. Whilst you boast
29. Nein diesen nicht
    HWV 52 Athalia: 31. Around let acclamation ring: Hail, royal youth
34. Dem Himmel gleicht
    HWV 52 Athalia: 9^{b}. The Gods who chosen blessings shed
38. Ein jeder sei ihm untertänig
    HWV 74 Birthday Ode: 2. The day that gave great Anna birth
    HWV 252 „My song shall be alway": Sinfonia (Allegro)
    HWV 314 Concerto grosso G-Dur op. 3 Nr. 3: 1. Satz (Allegro)
    HWV 51 Deborah: 1. And grant a leader to our host
40. Heil der Welt
    HWV 122 „La terra è liberata": 4. Ardi, adori
    HWV 119 „Io languisco fra le gioje": 3. Anche il ciel
    HWV 51 Deborah: 9. Choirs of angels
    HWV 319 Concerto grosso G-Dur op. 6 Nr. 1: 2. Satz (Allegro)
41. Eilt, ihr angefochten Seelen
    HWV 122 „La terra è liberata": 7. Come in ciel
    HWV 12^{a} Radamisto (1. Fassung): 26. Dolce bene di quest'alma
    HWV 49^{b} Acis and Galatea (2. Fassung): 13. Vuoi veder dov'è la calma
42. Soll mein Kind, mein Leben, sterben
    HWV 110 „Dunque sarà pur vero": 3. Come, oh Dio
    HWV 50^{a} Esther (1. Fassung): 13. Who calls my parting soul
43. Es scheint, da den zerkerbten Rücken
    HWV 52 Athalia: 15. Gloomy tyrants
47. Was Wunder, daß der Sonnen Pracht
    HWV 50^{a} Esther (1. Fassung): 14. O beauteous Queen
50. Sind meiner Seele tiefe Wunden
    HWV 138 „Nice, che fa?": 1. Se pensate
    HWV 17 Giulio Cesare in Egitto: 12. Cara speme, questo core
52. Wisch ab der Tränen scharfe Lauge
    HWV 46^{a} Il Trionfo del Tempo e del Disinganno: 2. Fosco genio
    HWV 12^{a} Radamisto (1. Fassung): 21. Non sarà quest'alma mia
    HWV 40 Serse: 9. Di tacere e di schernirmi

Literatur

Baselt, B.: Händel und Bach. Zur Frage der Passionen. In: J. S. Bach und G. F. Händel – zwei führende musikalische Repräsentanten der musikalischen Aufklärungsepoche. Bericht über das wiss. Kolloquium der 24. Händelfestspiele der DDR 1975, Halle 1976, S. 58 ff.; Becker, H.: Die frühe Hamburgische Tagespresse als musikgeschichtliche Quelle. In: Beiträge zur Hamburgischen Musikgeschichte, Hamburg 1956, S. 36; Bernhardt, R.: Der für die Sünde der Welt gemarterte Jesus. Eine Händel-Partitur aus Joseph Haydns Besitz. In: Die Musik, 21. Jg., 1928/29, S. 249 ff.; Chrysander I, S. 427 ff.; Deutsch, S. 88 ff.; Fleming, W.: Oratorium, Festspiel (Deutsche Literatur, Reihe Barock, Barockdrama, Bd. 6), Leipzig 1933, S. 22 ff., 92 ff.; Flower, p. 124 f./ S. 103 ff.; Frederichs, H.: Das Verhältnis von Text und Musik in den Brockespassionen Keisers, Händels, Telemanns und Matthesons. Mit einer Einführung in ihre Entstehungs- und Rezeptionsgeschichte sowie in den Bestand ihrer literarischen und musikalischen Quellen (Musikwiss. Schriften, Bd. 9), München-Salzburg 1975, bes. S. 43 ff.; Lang, p. 136 ff./ S. 120 ff.; Leichtentritt, S. 323 ff.; Mattheson, J.: Grundlage einer Ehrenpforte, Hamburg 1740 (Neudruck, hrsg. von Max Schneider, Berlin 1910), S. 96 f.; Schoelcher, S. 45 ff.; Schroeder, F.: Hallische Händel-Ausgabe, Serie I, Bd. 7, Passion nach B. H. Brokkes, Kritischer Bericht, Leipzig 1973: Siegmund-Schultze, S. 34; Smither II, S. 130 ff.; Streatfeild, S. 262 ff.; Winterfeld, C. von: Der evangelische Kirchengesang und sein Verhältnis zur Kunst des Tonsatzes, Dritter Theil, Leipzig 1847, S. 195 f.

49a. Acis and Galatea (1. Fassung)

Masque (in zwei Akten) von John Gay (mit Texten von Alexander Pope und John Hughes)

Textfassung: Bearbeiter unbekannt

Besetzung: Soli: Sopr. (Galatea), 2 Tenori (Acis, Damon), Basso (Polypheme). Chor: C.; T. I, II, III; B.
Instrumente: Fl. piccolo; Fl. I, II; Ob. I, II; V. I, II; Va.; Vc.; Cont.
ChA 3. – HHA I/9. – EZ: Cannons, Mai 1718. – UA: Cannons, Sommer 1718

(Act I.)

1. Sinfonia

2. Chorus. C.; T. I, II, III; B.

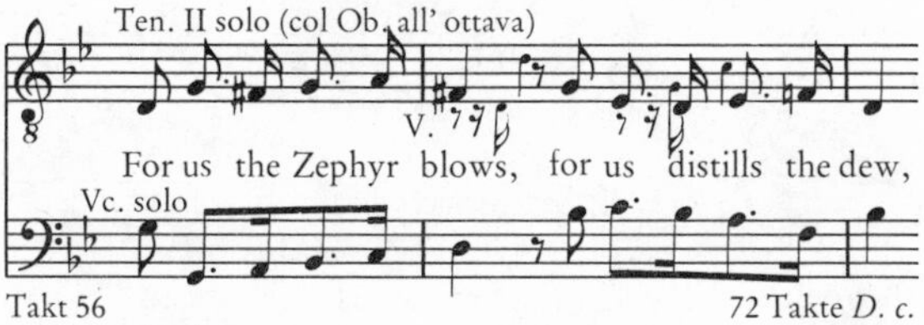

3. Accompagnato. Galatea

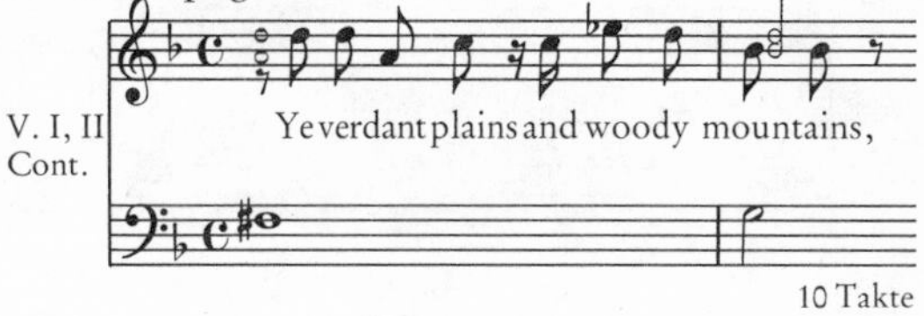

4. Air. Galatea

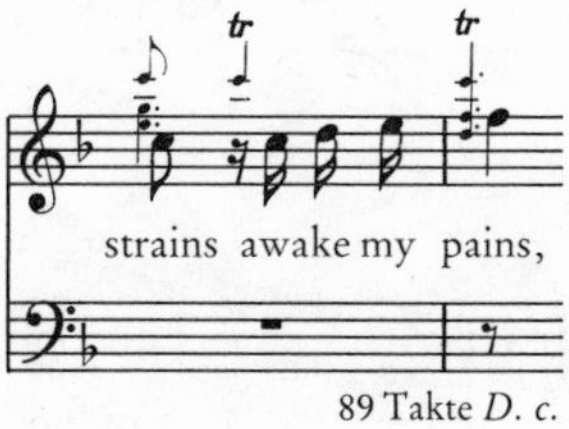

5. Air. Acis

fair? Direct the way, kind genius of the mountains;
67 Takte D. s.
Recitative. Damon
Cont.
Stay, shepherd, stay! See, how thy flocks
6 Takte
6. Air. Damon
Andante
Ob. I, II
V. I, II
Cont.
p
Shep-herd, what art thou pur- su-ing? heed- less run- ning to thy
Takt 10
Takt 16
ru- in,
64 Takte D. c.
Recitative. Acis
Cont.
Lo! Here my love! Turn, Ga- la- te- a, hi- ther turn they eyes;
5 Takte
7. Air. Acis
Larghetto
Ob.
V. I, II
Cont.
V. II (col V. I colla parte)
Love in her eyes sits play- ing, and sheds de- li- cious death;
Takt 7
40 Takte D. c.
Recitative. Galatea
Cont.
Oh! Didst thou know the pains of ab-sent love,
4 Takte
8. Air. Galatea
Andante
(Ob. colla parte p)
V.
Ob.
V. I, II
Cont.
As when the dove la-
ments her love, all on the na- ked spray,
181 Takte D. s.
9a. Duet. Galatea; Acis
Presto
tr
Ob. I, II
V. I, II
Cont.
Galatea: Hap-py, hap- py
Acis: Hap-py, hap- py,
hap- py, hap-py, hap-py we;
Acis
Hap-py, hap- py,
Takt 7
Takt 11
54 Takte D. s.

9b. Chorus. C.; A.; T.; B.; Carillon
9c. Chorus. C.; A.; T.; B.

b: 45 Takte
c: 28 Takte

(Act II)

10. Chorus. C.; T. I, II, III; B.

11. Accompagnato. Polypheme

12. Air. Polypheme

Recitative. Polypheme; Galatea

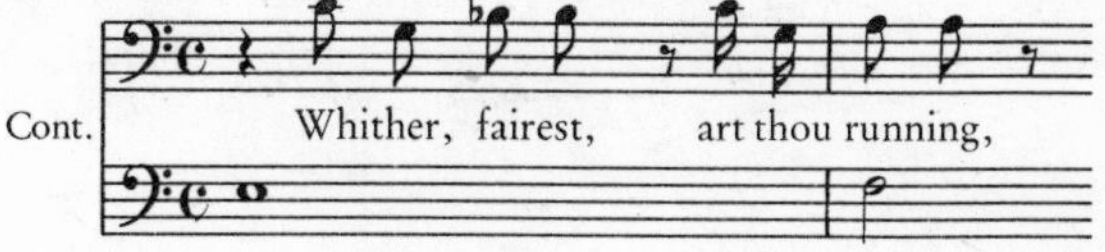

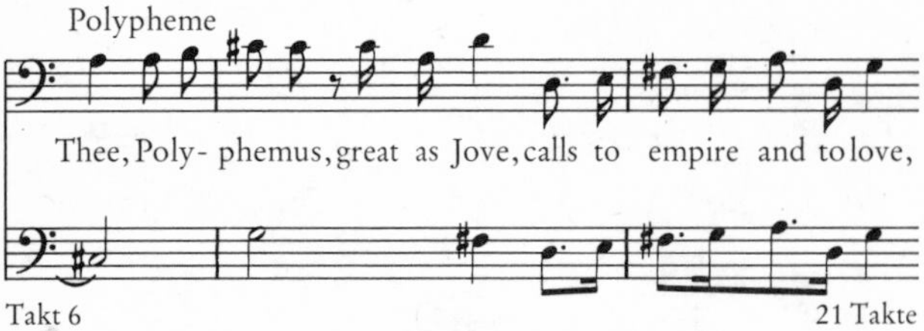

13. Air. Polypheme

14. Air. Damon

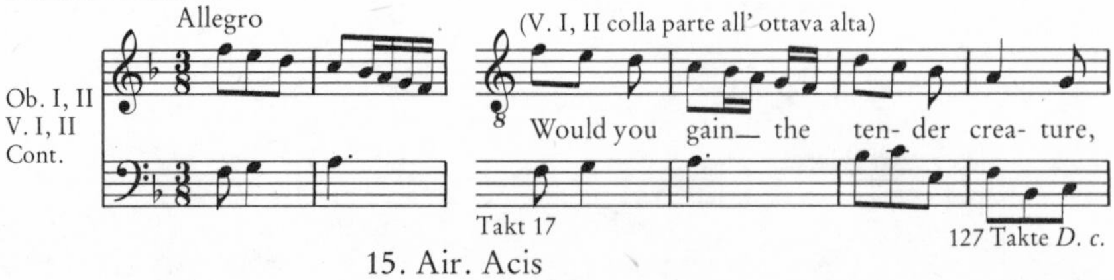

Recitative. Acis

15. Air. Acis

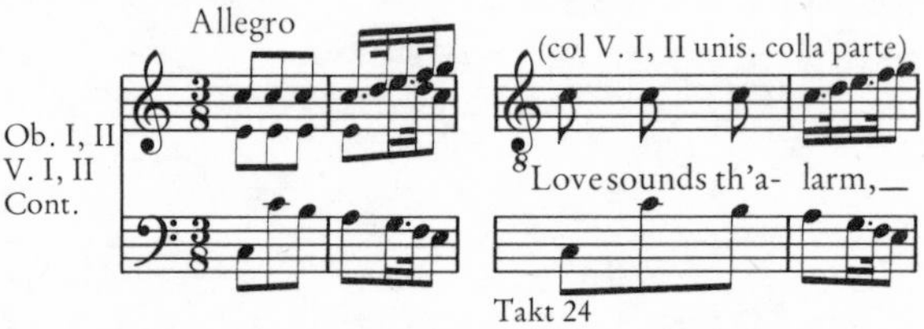

16. Air. Damon

Recitative. Galatea

17. Trio. Galatea; Acis; Polypheme

to me, as these dear smiles
as these
I forsake my love
to me as these dear smiles
as these
fu- ry, Fly swift, thou massy ruin, fly, fly swift, die, presumptuous Acis, die
Takt 33
Takt 37
43 Takte

18. Accompagnato. Acis

Adagissimo e piano

V. I, II
Cont.
Help, Gala-te-a! help, ye parent gods!
8 Takte

19. Chorus. C.; T. I, II, III; B.

Adagio ma non troppo

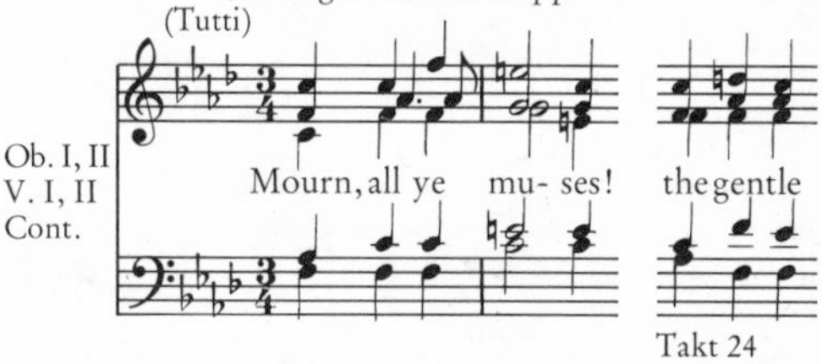
(Tutti)
Ob. I, II
V. I, II
Cont.
Mourn, all ye mu- ses! the gentle
Takt 24

Acis is no more!
78 Takte

20a. Solo and Chorus. Galatea; T. I, II, III; B.

Adagio

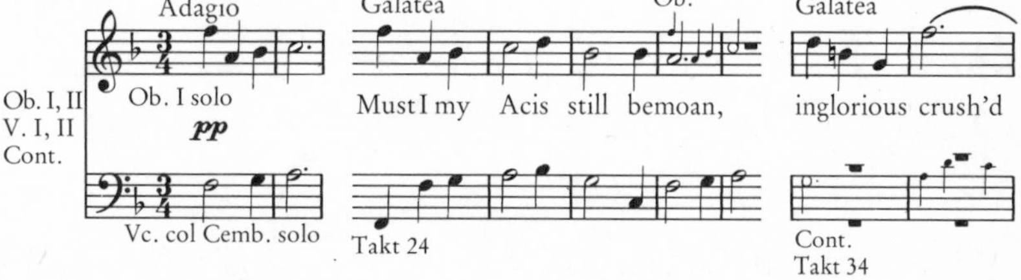
Ob. I, II
V. I, II
Cont.
Ob. I solo
pp
Vc. col Cemb. solo
Galatea
Must I my Acis still bemoan,
Ob.
Takt 24
Galatea
inglorious crush'd
Cont.
Takt 34

Ob.
beneath that stone!
T. I (con strom.)
T. II
Cease, cease, Ga- la- te-a, cease to grieve,
To kindred gods the youth re- turn,
T. III
B.
Takt 86
118 Takte

(20b.) Recitative. Damon; (1739)

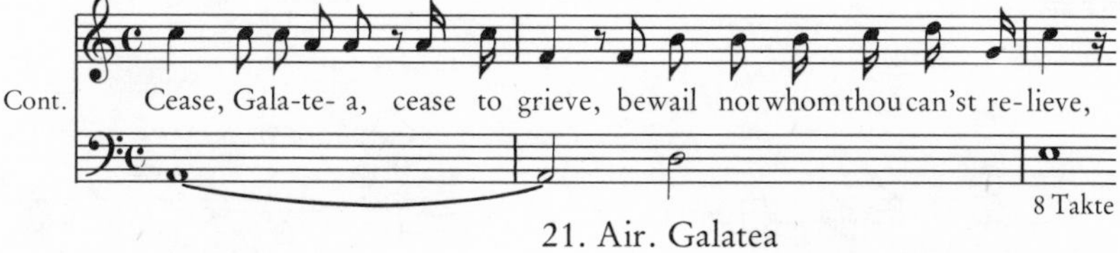
Cont.
Cease, Gala-te- a, cease to grieve, bewail not whom thou can'st re-lieve,
8 Takte

Recitative. Galatea

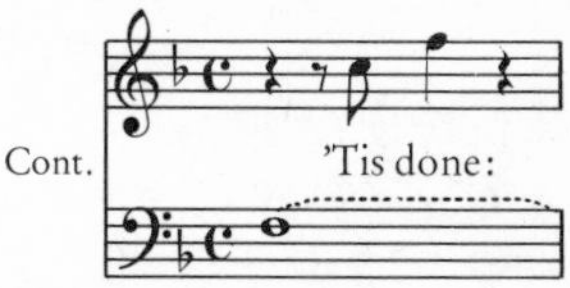
Cont.
'Tis done:

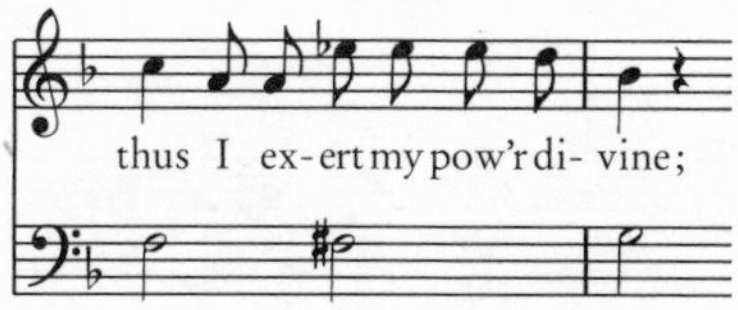
thus I ex-ert my pow'r di- vine;
5 Takte

21. Air. Galatea

Larghetto

Fl. I, II
Fl. I, II
V. I, II
Cont.
V. I, II
p
f
tr

Takt 8 45 Takte

22. Chorus. C.; T. I, II, III; B.

Takt 66 147 Takte

49[b]. Acis and Galatea (2. Fassung)

Serenata in tre parti von John Gay

Textfassung: Georg Friedrich Händel

Besetzung: Soli: 3 Soprani (Galatea, Clori, Eurilla), Mezzosoprano (Aci), 2 Alti (Filli, Dorinda), Ten. (Silvio), Basso (Polifemo). Chor: S.; A.; T.; B. Instrumente: Fl. piccolo; Fl. trav.; Ob. I, II; Trba.; Cor. I, II; V. I, II; Va.; Arciliuto; Org.; Cont. ChA 53. – HHA I/5. – EZ: London, Mai/Juni 1732. – UA: London, 10. Juni 1732, King's Theatre, Haymarket

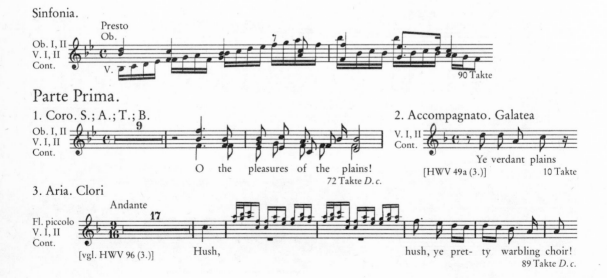

Sinfonia.

Parte Prima.

1. Coro. S.; A.; T.; B.

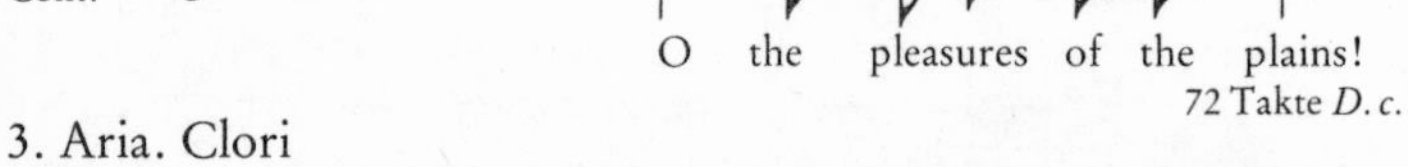

72 Takte *D. c.*

2. Accompagnato. Galatea

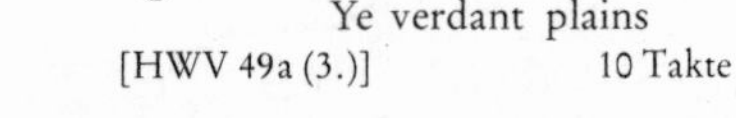
V. I, II
Cont.
Ye verdant plains

[HWV 49a (3.)] 10 Takte

3. Aria. Clori

[vgl. HWV 96 (3.)] 89 Takte *D. c.*

4. Duetto. Aci; Galatea

V. I, II
Cont.
6
Sorge il dì,
Spunta'lau- ro-ra

[= HWV Fl. 72 Aci; Galatea e Polifemo (1.)]

31 Takte *D. s.*

Recitativo. Aci

Cont.
Vanti, o ca- ra, il ru- scel- lo

13 Takte

5. Aria. Aci

Larghetto
Ob.
V. I, II
Cont.
8
Lontan da te mio cor non sa

[vgl. HWV 49a (5.)]

la- gna au- gel se il ca- ro a- mor non cre- do più ve- der

181 Takte *D. c.*

Recitativo. Galatea
Se di perle un tesoro
vedi, bell' idol mio...
(Musik verschollen)

6. Aria. Galatea

Andante
Ob.
V. I, II
Cont.
Si

[vgl. HWV 49a (8.)]

Recitativo. Silvio; Cont.
Pastor, guardo il tuo core
da quel crudele, che si chiama Amore.
(Musik verschollen)

7. Aria. Silvio

Andante
Ob.
V. I, II
Cont.
9
O pa- stor, che vai pen- san- do,

[vgl. HWV 49a (6.)]

64 Takte *D. c.*

8. Aria. Aci; (Ob.; V. I, II; Cont.)
Stanno in quegli occhi unite
(Parodie von HWV 49a,
7. Love in her eyes sits playing,
Musik verschollen)

Recitativo. Filli;
Bella, non ben conosci
d'amor le insidie: Sdegni...
(Musik verschollen)

9. Aria. Filli

V.
Arciliuto
Cont.
Allegro
15
Co- me la ron- di— nel- la dall' E- git- to

[= HWV 96. Cor fedele (14.)]

83 Takte *D. c.*

Recitativo. Dorinda

Cont.
Quanto del vostro fo- co ho pie- tà, fi- di a- man- ti;

9 Takte

10. Aria. Dorinda

Andante
V. I, II
Cont.
8
Un so- spi-

[= HWV 96. Cor fedele (13.)]

ret- to d'un labbro pal- li- do,

64 Takte *D. c.*

11. Aria. Galatea

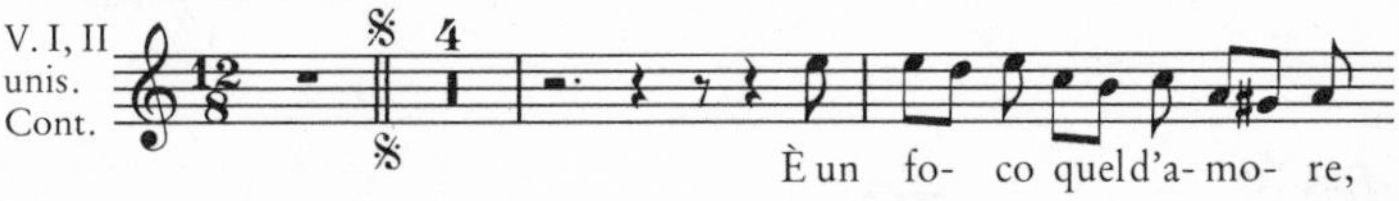
V. I, II
unis.
Cont.
4
È un fo- co quel d'a- mo- re,

[= HWV 83. Aminta e Fillide „Arresta il passo", (8.)]

37 Takte *D. s.*

12. Duetto e Coro. Galatea; Aci; S.; A.; T.; B.

Andante
Ob. I, II
V. I, II
Va.
Cont.
Str.
Aci
Conten- to— sol promet- te A-mor
(Tutti)
cor
Conten-to sol promet-te A-
Takt 7
p
Takt 31

[= HWV 74. Ode for the Birthday of Queen Anne (7.)]

mor a chi fe- del— conserva il cor,

58 Takte

13. Coro. S.; A.; T.; B.

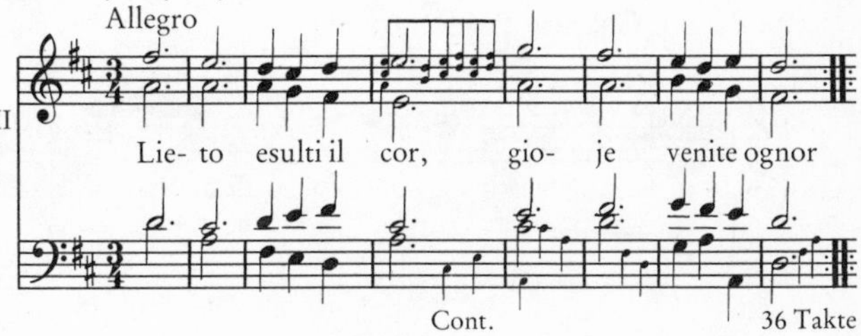
Allegro
Ob. I, II
Trba.
V. I, II
Va.
Cont.
Lie- to esulti il cor, gio- je venite ognor
Cont.

36 Takte

Parte Seconda

14. Solo e Coro. Galatea; S.; A.; T.; B.

[= HWV 48. Brockes-Passion (41.)]

15. Recitativo accompagnato. Galatea; Aci; Polifemo

16. Aria. Polifemo

[vgl. HWV 49a (12.)]

44 Takte *D. s.*

Recitativo. Galatea; Polifemo

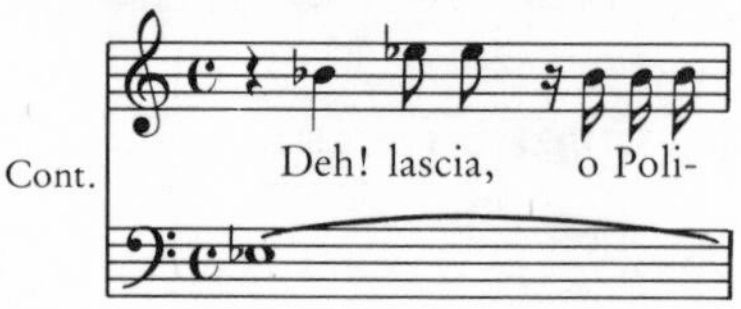

17. Aria. Eurilla (Damon, in G-Dur)

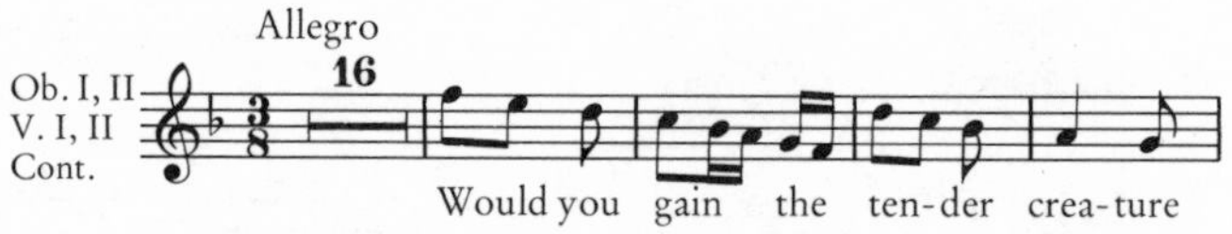

127 Takte *D. c.*

Recitativo. Polifemo; Galatea; Cont.

No, cadrai depressa e vinta
al mio temuto piede . . .
(Musik verschollen;
vgl. HWV 72. Aci, Galatea e Polifemo)

18. Aria. Polifemo

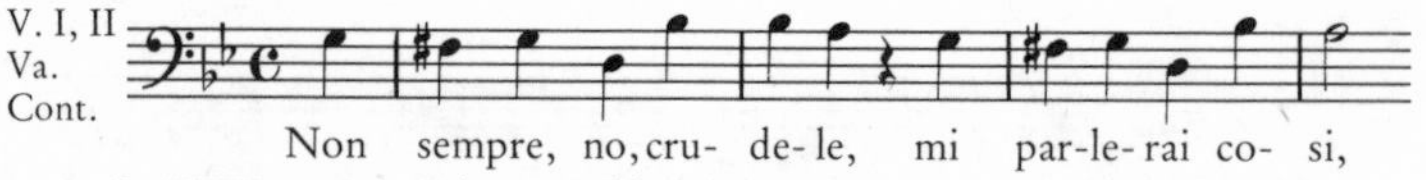

[= HWV 72. Aci, Galatea e Polifemo (7.)]

90 Takte

A./B. Recitativo. Galatea; Polifemo; Aci

19. Aria. Aci

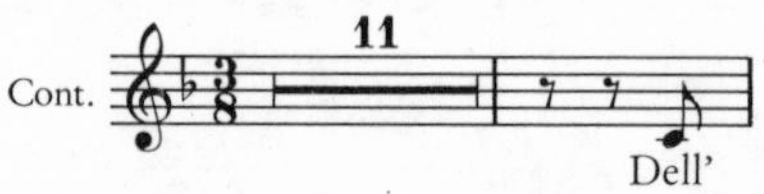

[= HWV 72. Aci, Galatea e Polifemo (8.)]

a- quila l'ar- ti- gli
79 Takte D. c.

A. B. Recitativo. Polifemo; Aci

Polifemo
Aci
Cont.
Meglio spiega i tuoi sensi. Sen- ti, quando adempi- re bra- mi
9 Takte

20. Terzetto. Aci; Galatea; Polifemo

Polifemo
Ob.
V. I, II
Va.
Cont.
Prove-rà lo sdegno mi-o chi da me non chiede a- mor,
34 Takte

[= HWV 72. Aci, Galatea e Polifemo (11.)]

Recitativo. Polifemo; Galatea

Cont.
Ingra- ta, se mi nieghi,
10 Takte

21a. Coro. Galatea, Clori, Eurilla e S.; Aci, Filli, Dorinda, Damone ed A.; Silvio e T.; Polifemo e B.

Str.
(Tutti)
Ob. I, II
Cor. I, II
V. I, II
Va.
Cont.
1732: Smiling Ve-nus, queen of love,
Cont. senza Organo
con Organo
1734: Ca- re sel- ve, date al cor,

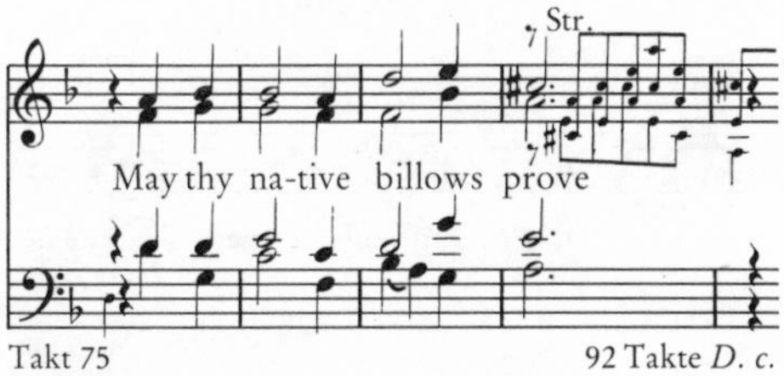
Str.
May thy na-tive billows prove
Takt 75
92 Takte D. c.

21b. (Aria). Clori

Larghetto
con V. unis. pp
V. I, II unis.
Cont.
Love ever vanquishing, hearts softly languishing,
pp
28 Takte D. c.

[vgl. HWV 84 (3.)]

E poi il Coro Nr. 21a da capo

Parte Terza

22. Solo e Coro. Galatea; Clori; Eurilla; Aci; Filli; Dorinda; Silvio; Polifemo; S.; A.; T.; B.

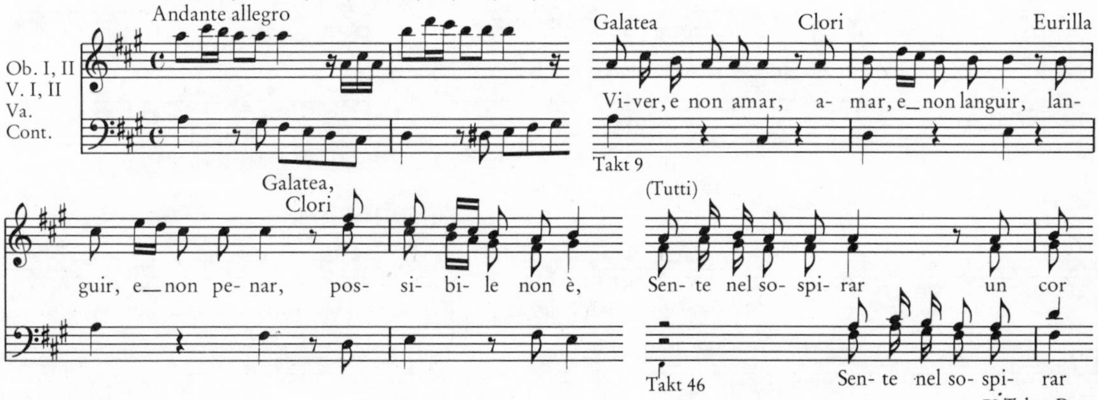
Andante allegro
Ob. I, II
V. I, II
Va.
Cont.
Galatea
Clori
Eurilla
Vi-ver, e non amar, a- mar, e non languir, lan-
Takt 9
Galatea, Clori
guir, e non pe- nar, pos- si- bi- le non è,
(Tutti)
Sen- te nel so- spi- rar un cor
Sen- te nel so- spi- rar
Takt 46
70 Takte D. c.

A. B. Recitativo. Aci

Cont.
Ah! Crude stelle, o- gnor meco rubel-le!
6 Takte

23a. Aria. Aci

Andante allegro
Fl. trav.
V. I, II
Va.
Cont.

[= HWV 72. Aci, Galatea e Polifemo (13.)]

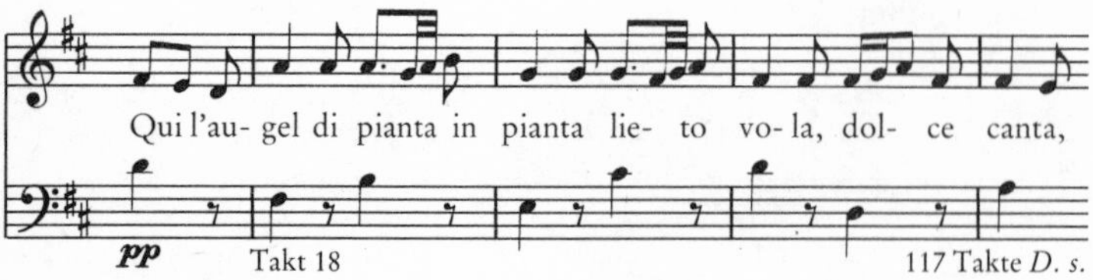
Qui l'au- gel di pianta in pianta lie- to vo- la, dol- ce canta,
pp
Takt 18
117 Takte D. s.

23 b. Aria. Aci (1734/36)

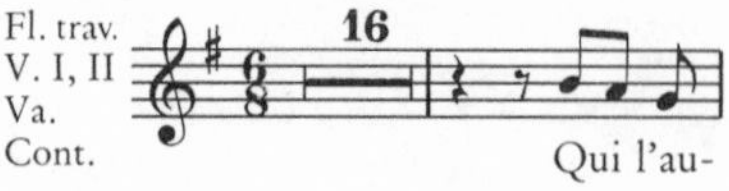
Fl. trav.
V. I, II
Va.
Cont.
16
Qui l'au-

gel di pian- ta in pianta
117 Takte D. s.

A. Recitativo. Dorinda

Cont.
Nell' impe- ro d'a-mo-re ha sempre gio- ie e pe- ne
5 Takte

B. Recitativo. Dorinda (1734)

Cont.
Nell im- pe-ro d'amore ha sempre gioie e pene
5 Takte

24a. Aria. Dorinda

V. I, II
Cont.
Di go- der quel bel che a-
[vgl. HWV 8a II Pastor fido (5.)]

do-ra si lu- singa il cor nel__ se- no,
39 Takte D. c.

24b. Aria. Dorindo (1734)

V. I, II
Cont.
Di go- der quel bel che a- do- ra
39 Takte D. c.

A./B. Recitativo. Galatea; Aci

Cont.
Giunsi al fin, mio teso-ro, nelle cupe e profonde
9 Takte

25. Aria. Galatea

Ob. I, II
V. I, II
Cont.
[vgl. HWV 8a II Pastor fido (19.)]

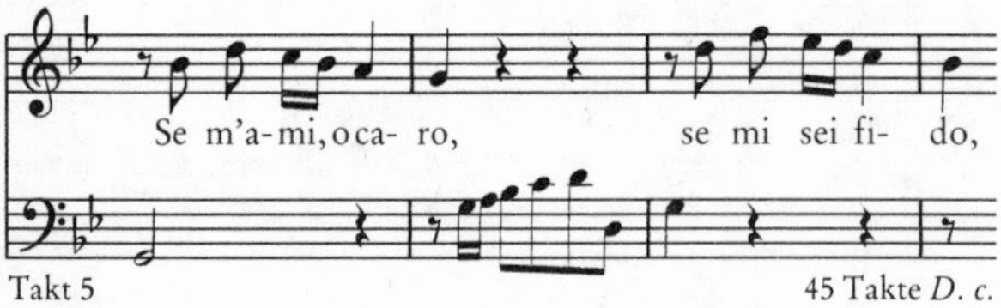
Se m'a-mi, o ca- ro, se mi sei fi- do,
Takt 5
45 Takte D. c.

Recitativo. Polifemo

Cont.
Qui sull' alto del monte attende- rò
3 Takte

26. Aria. Clori (Damon)

Larghetto
Ob. I, II
V. I, II
Cont.
21
Con- sid- er, fond shep- herd,
102 Takte D. s.

Recitativo. Aci; Galatea; Polifemo

Aci
Cont.
Ca- ra, sino i tor- menti
9 Takte

27 a. Terzetto. Aci; Galatea; Polifemo

Andante e staccato

Ob. I, II
V. I, II
Cont.
Galatea
Delfin vivrà sul monte, l'agnello in fondo al mar,

[vgl. HWV 49 a (17.)]

43 Takte

27 b. Terzetto. Aci; Galatea; Polifemo

Andante e staccato

Ob. I, II
V. I, II
Cont.
Aci
Delfin vivrà sul monte,

43 Takte

A. Recitativo. Aci

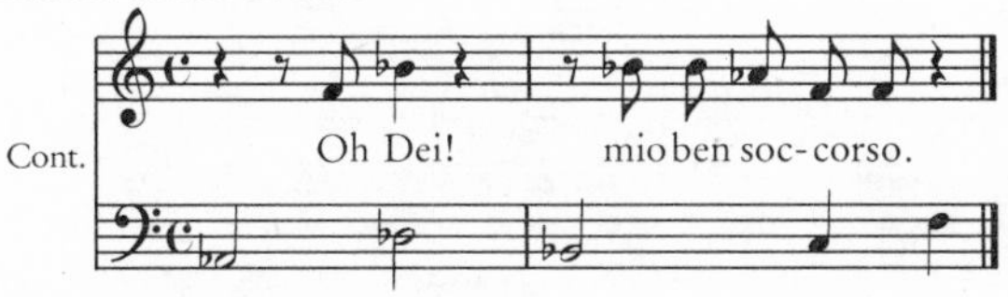
Cont.
Oh Dei! mio ben soc-corso.

B. Recitativo. Aci

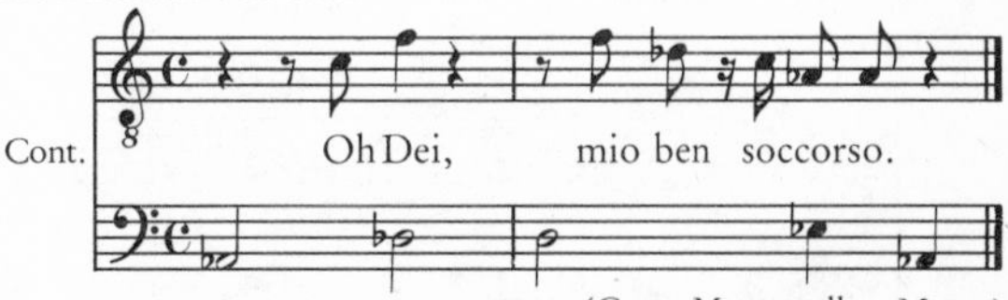
Cont.
Oh Dei, mio ben soccorso.

(Coro: Mourn, all ye Muses)

28a. Aria. Aci

V. I, II
Va.
Cont.
Ver- so già l'al- ma col san- gue

[= HWV 72. Aci, Galatea e Polifemo (16.)]

21 Takte *D. c.*

28b. Aria. Aci (1734/36)

V. I, II
Va.
Cont.
Ver- so già l'al-ma col sangue

21 Takte *D. c.*

A.
B. Recitativo. Galatea

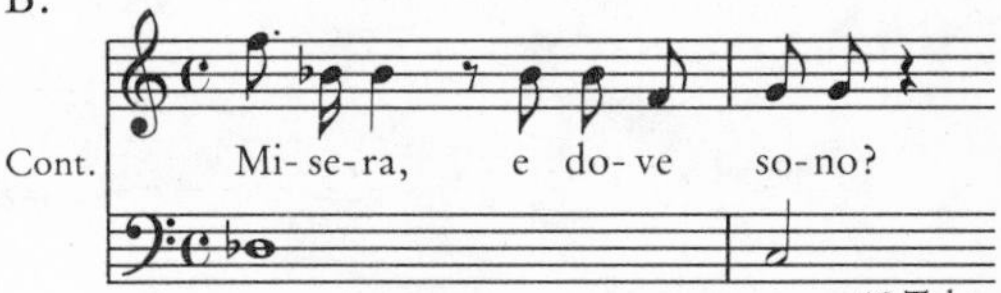
Cont.
Mi- se-ra, e do- ve so-no?

12 Takte

29. Aria. Galatea

Allegro
V. I, II
Cont.
Del mar fra l'on- de per non mi- rar- ti,

[= HWV 72. Aci, Galatea e Polifemo (18.)]

Takt 5

Largo
Ma in que-ste sponde torno all' af- fanno

Takt 23

34 Takte *D. c.*

A. Recitativo. Galatea

Cont.
Ma il mio po-ter di- vi- no cange-rà

10 Takte

B. Recitativo. Galatea

Cont.
So- no in suc- ces- so si ri- o

13 Takte

30. Coro. S.; A.; T. I, II; B.

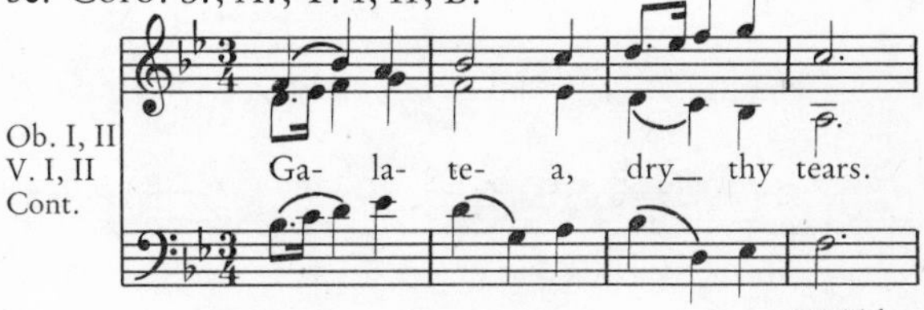
Ob. I, II
V. I, II
Cont.
Ga- la- te- a, dry thy tears.

128 Takte

Anhang.

Ergänzungen 1734–1736

1. Aria. Sopr.

V. I, II
Va.
Cont.
Lontan dal suo te- -so- ro, dal suo te- so- ro,

[vgl. HWV 8 a Il Pastor fido (4.)] Takt 6 51 Takte

2. Aria. Sopr.

Larghetto
V. I, II
Va.
Cont.
Mi la- sci, mi fug-gi e m'ab- ban-do- ni,

[vgl. HWV 8 a Il Pastor fido (7.)] 64 Takte

3. Aria. Sopr.

Allegro
Ob. I, II
V. I, II
Va.
Cont.
Nel mio co-re ri- tor- na il con- ten- to

[vgl. HWV 8 a Il Pastor fido (15.)] Takt 19 161 Takte *D. c.*

4. Recitativo accompagnato. Polifemo

Largo
V. I, II
Va.
Cont.
Mi pal- - - - -

- - - pi- ta il cor,
Allegro
V. I, II
Va.
A- gi-
Takt 12 Cont.

p
ta- - - (ta)

37 Takte

5. Aria. Polifemo

Andante allegro
V. I, II
V. I, II
Va.
Cont.
Va.

Str.
con Cont.
Af-fanno ti-ranno, che m'a-gi-ti il seno, deh! fuggi da me,

Takt 9 67 Takte D. s.

6. Aria. Galatea

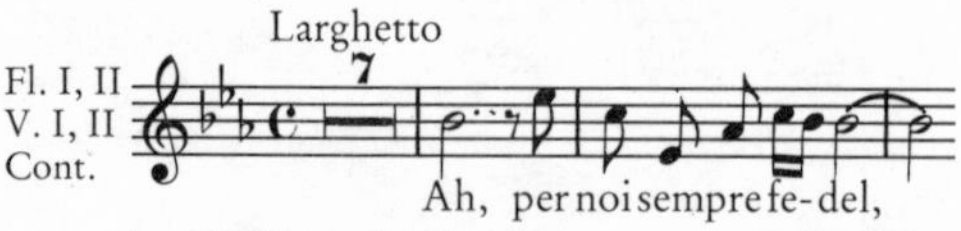
Larghetto
Fl. I, II
V. I, II
Cont.
Ah, per noi sempre fe-del,

[= HWV 49 a (21.)] 45 (43) Takte

Quellen

Handschriften: Autographe: HWV 49[a]: GB Lbm (R. M. 20. a. 2., ohne die Arie Nr. 14, das erste Bl. des Trios Nr. 17 und das letzte Bl. des Schlußchores Nr. 22), Cfm (30. H. 6., p. 7: Nr. 2 in G-Dur für Cembalo, vgl. HWV 474, als *Andante allegro,* p. 9: Nr. 9[b] der Fassung 1739). HWV 49[b]: GB Cfm (30 H 6, p. 3–6: Nr. 28 und Rezitativ „Ma il poter divino", Nr. 14), Lbm (R. M. 20. a. 2., f. 66–68: Nr. 20; R. M. 20. d. 2., f. 1–8: Nr. 21, T. 1–49[1], Anhang Nr. 4, Anhang Nr. 5)

Abschriften: HWV 46[a]: D (brd) Hs (M $\frac{A}{996}$) – D (ddr) Bds (Mus. ms. 9042) – GB BENcoke, Cfm (Barrett-Lennard-Collection, vol. 4), DRc (MS. E 17), Lbm (Egerton 2940; Add. MSS. 31 561; Add. MSS. 36 710; Add. MSS. 5321, f. 1–102; Add. MSS. 31 573, f. 63[v]: Rezitativ „Cease, Galatea" der Fassung 1732; R. M. 18. c. 11., f. 72–75: Nr. 9[c]), Lcm (MS. 667), Malmesbury Collection (Part. aus dem Besitz von E. Legh: „Acis and Galatea. An English Opera Composed by George Frederick Handel Esquire Anno 1718, London"), Mp (MS 130 Hd4, v. 1: „The Pastoral Opera call'd Acis and Galatea by Mr. Handel"), T (MS. 885) – US Cu (Ms. 437, vol. 10: Basso I), Wc (M2. 1. H22. A3 case, Aylesford Collection; M2. 1. H2 case, Part. und St. für C. I, II, T. I, II, III, B. II, Ob. I, II, V. I, II, Vc. I, Vc. rip., Cemb.; M2105. H13. S7. P2 case: Songs, St. für V. I, II, Va., Vc., Cont.). HWV 49[b]: GB DRc (MS. E 26(II, III), fragm.] Lbm (R. M. 19. f. 7. und Egerton 2953: Direktionspart.; R. M. 18. c. 7., f. 53–104: Nr. 8, 21, 22[a], 20, Anhang 3, Nr. 3, 27[a], 9, 18, Anhang 1, Anhang 2 der Fassung 1734; R. M. 18. c. 5., f. 15–57: Nr. 10, 13, 17, 19, 23[a], 11, 12, 14, 24, 28, Anhang 4–5 der Fassung 1736; R. M. 19. d. 10., f. 26–77: Nr. 8, 21, 20, Anhang 3, Anhang 1, Nr. 9, 14, 24, Anhang 5, Anhang 4 der Fassung 1741; Add. MSS. 5321, f. 103[v]–114[r]: Nr. 18 in A-Dur, Nr. 8, 22[a]; Add. MSS. 31 555, f. 99[r]–108[r]: Nr. 3, 17, 24, Anhang 4–5; Add. MSS. 31 573, f. 70[v]: Rezitativ „Meglio spiega i tuoi sensi"), Lcm (MS. 2254, f. 10–14: Nr. 19) – US Wc (M2. 1. H2 case, vol. 2: Add. songs 1732, Continuopart. mit 17 Nummern).

Drucke: Acis and Galatea. A serenade with the recitatives, songs & symphonys compos'd by M[r] Handel. – London J. Walsh (2 verschiedene Ausgaben); Acis und Galatea a mask as it was originally compos'd with the overture, recitativo's, songs duets & choruses, for voices and instruments. Set to musick by M[r] Handel. – ib., John Walsh; Acis and Galatea. A mask. – ib., W. Randall; — ib., H. Wright; Acis and Galatea in score, composed by M[r] Handel. – ib., H. Wright; Acis and Galatea. An oratorio in score, composed by M[r] Handel. – ib., Thomas Preston; Acis and Galatea. A serenata, composed for the Duke of Chandos in the year 1720. – ib., Arnold's edition, Nr. 28–30 (1788); Acis and Galatea. A masque. Composed by M[r] Handel, for the voice, harpsichord, and violin. – ib., Harrison & Co.; The favourite songs in the opera call'd Acis and Galatea. – ib., John Walsh, John & Joseph Hare; The songs and symphony's in the masque of Acis and Galatea made and perform'd for his Grace the Duke of Chandos compos'd by M[r] Handel fairly engraven and carefully corrected. – ib., John Walsh, Joseph Hare; — compos'd by M[r] Handel with the additional songs, – ib., John Walsh; — ib., John Walsh, No. 287; The overture and songs in the oratorio of Acis and Galatea, for the harpsichord or piano-forte. – ib., John Bland; Harrison's edition, corrected by D[r] Arnold. The overture and songs in Acis and Galatea, a masque, for the voice, harpsichord and violin, composed by M[r] Handel. – ib., Harrison & Co.; Acis and Galatea, for a flute, containing the songs and symphonys curiously transpos'd and fitted to the flute in a compleat manner, the whole fairly engraven and carefully corrected. – ib., John Walsh, John & Joseph Hare; Acis and Galatea. A masque. Composed by M[r] Handel, for the German-flute. – ib., Harrison & Co.; The overture to Acis & Galatea, for a full band, composed by Mr Handel. – ib., H. Wright; Acis and Galatea (Ouverture). – ib., G. Walker; Acis and Galatea ... for the piano-forte with the chorus's in score. – ib., G. Walker; Azis und Galathe. Eine Serenate von Georg Friedr: Händel. Klavierauszug und deutscher Text von J. O. H. Schaum. – Berlin T. Trautwein, No. 321; Angels bright and fair. – London, Bland & Weller; As when the dove (mit Rezitativ: O did'st thou know). A song by an eminent master. – s. l., s. n.; — London, Bland; — ib., R. Faulkner; Consider, fond shepherd. A song by an eminent master. – s. l., s. n.; — London, A. Bland & Weller; — ib., J. Bland; — ... (in: The Lady's Magazine, Feb., 1791). – (London), s. n.; — ib., H. Andrews; For us the Zephyr blows. A dream. – s. l., s. n.; — Beneath a shady willow (Parodie des Textes: For us the Zephyr blows). The dream. – s. l., s. n.; The flocks shall leave the mountains. A three part song (p. 30–33 aus: The favourite songs in the opera call'd Acis and Galatea). – (London, John Walsh, John & Joseph Hare); — ... (p. 51–53 aus: A collection of songs for two and three voices). – (London, John Johnson, ca. 1760); — ib., John Bland; — ib., Bland & Weller; — ... (Aus: A select collection ... songs, duetts &c. from operas). – Edinburgh, John Corri, C. Elliot; — London, G. Walker; Happy we ... Acis and Galatea. – (London), J. Bland; Heart, the seat of soft delight. A song from Acis and Galatea. – London, R. Falkener; Hush ye pretty warbling quire. As sung by Mrs Harrison in Acis and Galatea. – ib., Joseph Dale; Hush ye pretty warbling quire. Acis and Galatea. – ib., J. Bland; — ib., Bland & Wel-

[1] Die Takte 49–70 fehlen in dieser Quelle. Vermutlich schrieb Händel sie nicht aus, da er für diesen Teil des Chores eine Bearbeitung von „Wretched lovers" benutzte, deren Autograph nicht erhalten ist.

ler; — s. l., s. n.; Rondo from Handel's ... song Hush ye pretty warbling choir, arrang'd (with an introductory piece) by L. C. Nielson. – ib., Goulding & Co.; (Lo here my heart turn Galatea. Rezitativ). Love in her eyes sits playing. A favourite song by an eminent master within the compass of the flute. – s. l., s. n.; Love in her eyes sits playing. – London, R. Falkener; — ib., Goulding & Co.; Love sounds th'alarm. A song from Acis and Galatea. – ib., R. Falkener; — s. l., s. n.; — (London), J. Bland; — ... (in: The Lady's Magazine, March 1791). – (London), s. n.; O ruddier than the cherry (Polyphemus, p. 17–19, aus: The favourite songs in the opera call'd Acis and Galatea). – (London, John Walsh, John & Joseph Hare); — A song from Acis and Galatea, set by Mr. Handel. – London, R. Falkener; — ib., G. Walker; Shepherd what art thou pursuing. A song set by an eminent master. – s. l., s. n.; — ... a song set by M[r] Handle (!) in the opera of Acis & Galathen. – s. l., s. n.; — (London), J. Bland; — London, A. Bland & Weller; Where shall I seek the charming fair. – s. l., s. n.; — a song with a symphony for a hoboy and violins. – s. l., s. n.; — A song in Acis and Galatea, set by Mr. Handel. – London, R. Falkener; — A song from Acis and Galatea. – ib., G. Walker; Wou'd you gain the tender creature. A song by an eminent master. – s. l., s. n.; — A song compos'd by Mr Handle (!) in the mask of Acis & Galathea. – s. l, s. n.; — London, R. Falkener; — ... (in: The Lady's Magazine, May, 1779.) – (London), s. n.; — London, A. Bland & Weller; — Man en skön. Aria uti Doctor Hendels pastoral. – (Stockholm, J. C. Kuhlau, 1740); — London, G. Walker; Ye verdant plains. A song with a symphony for an octave flute & violins. – s. l., s. n.; — (London), William Randall. – The Works of Handel, printed for the members of the Handel Society ... vol. 7, ed. W. Sterndale Bennet, London 1846/47.

Libretto: Acis and Galatea: An English Pastoral Opera. In Three Acts. As it is Perform'd at the New Theatre in the Hay-Market, set to Musick by Mr Handel. – London (11. Mai 1732), John Watts (Ex.: GB BENcoke, Lbm, Ob – US SM); — A Serenata. As it is performed at the King's Theatre in the Hay-Market. Formerly composed by Mr. Handel and now revised by him, with several Additions. – ib., Thomas Wood, 1732 (Ex.: *F* Pc, Schoelcher Coll. – GB En); — A Serenata: or Pastoral Entertainment. As Perform'd at the Theatre in Oxford. At the Time of the Publick Act, in July, 1733. Formerly Compos'd by Mr Handel, and now Revised by him, with several Additions. – London, John Watts, 1733 (Ex.: F Pc, Schoelcher Coll.); — A Serenata: or Pastoral Entertainment. Written by Mr Gay. To which is added, A Song for St Cecilia's Day. Written by Mr Dryden. Both set to Musick by Mr Handel. – London, John Watts, 1739 (Ex.: US SM); The Masque of Acis and Galatea. The Musick by Mr Handell. – Dublin, (George Faulkner), 1742 (Ex.: GB Lbm).

Bemerkungen

Durch den Verlust des letzten Blattes der autographen Partitur von „Acis and Galatea" ist vermutlich auch Händels Eintragung über die genaue Entstehungszeit der Komposition verlorengegangen; aus anderen Quellen ergibt sich jedoch, daß dieses Werk spätestens am 23. August 1720[2] und frühestens am 27. Mai 1718 (s. P. Rogers, Lit.) vorgelegen haben muß. W. Dean vermutet ebenfalls Sommer 1718 als Aufführungszeit.

Das Werk weist in Besetzung und Faktur die für Händel in Cannons typischen Merkmale auf: In seiner Originalgestalt ist „Acis und Galatea" für ein Solistenensemble konzipiert, d. h., die fünfstimmigen Sätze waren einfach besetzt, denn Händel schrieb die Namen nur eines einzelnen Sängers neben jede Tenorstimme des ersten Chores (Mr. Blackley – Ten. 1, Mr. Row – Ten. 2, Hadres – Ten. 3). Auch das Orchester umfaßte vermutlich nicht mehr als sieben Spieler.

Wie Libretti und Handschriften bzw. Druckausgaben erkennen lassen, besaß „Acis and Galatea" keine von Händel autorisierte Gattungsbezeichnung; teils wird das Werk „Masque", teils „Opera" oder „Pastoral-Entertainment" genannt, während der Titel „Serenata" sich hauptsächlich auf die zweisprachige Fassung von 1732 (HWV 49^{b}) bezieht.

Die Fabel von „Acis and Galatea" stammt aus Ovids „Metamorphosen" (XIII, 750 ff.), der eine sizilianische Sage, die die Aktivitäten des Ätna personifiziert, als erster in Versform brachte. Händel hatte bereits 1708 anläßlich eines Besuchs der Stadt Neapel in einer Hochzeitsserenade für den Herzog von Alvito (vgl. HWV 72) auf diesen Stoff zurückgegriffen.

Händels Text für die Cannons-Masque stammt in seinen wesentlichsten Teilen von John Gay (1685 bis 1732), dem späteren Autor von „The Beggar's Opera" (1728); wie W. Dean nachweisen konnte, enthält der Text jedoch auch einige Interpolationen von anderen Autoren. So basiert der Chor „Wretched lovers" (10) auf einer Schilderung des wütenden Neptun aus der „Ilias" (XIII, 27–33) (Ausgabe 1718) von Alexander Pope (1688–1744), das Trio „The flocks shall leave the mountains" (17) ist den „Pastorals" (Autumn, 40–46) des gleichen Autors entnommen, die zwei Zeilen über die Pfeife in Polyphems erstem Rezitativ (11) sowie das Rezitativ des Acis „Help, Galatea" (18) kommen aus der Übersetzung von Ovids „Metamorphosen" durch John Dryden,

[2] Der erhaltene „Catalogue of Music" des Duke of Chandos (*US* SM, Stowe MS 66), unterzeichnet und datiert von J. Ch. Pepusch, nennt unter diesem Datum „O the pleasure of the plain, a masque for five voices and instruments, in score".

während die Arie „Would you gain" (14) von John Hughes erst nachträglich von Händel in die Partitur aufgenommen wurde. Gay und Pope hatte Händels bereits während der Jahre 1713/17 beim Herzog von Burlington kennengelernt, mit Hughes korrespondierte er schon seit 1711 (s. HWV 85).

Obwohl Einzelheiten über die Erstaufführung nicht bekannt sind, wird angenommen, daß „Acis and Galatea" in Cannons szenisch dargeboten wurde, da Konzert- oder Oratorienaufführungen in England damals noch unbekannt waren. Auf die szenische Wiedergabe verweist ein Brief von Sir David Dalrymple (gest. 1721) an Hugh Campbell, 3. Earl of Loudoun (gest. 1731), der am 27. Mai 1718 in London geschrieben wurde und in dem es über die musikalischen Aktivitäten in Cannons heißt: „. . . besides which there is a little opera now a makeing for his diversion whereof the Musick will not be made publick. The words are to be furnished by Mrs Pope & Gay, the musick composed by Hendell; It is as good as finished, and I am promised some of the Songs by Dr. Arbuthnot who is one of the club of composers . . ." (US SM, Ms. HM LO8340; abgedruckt in vollem Wortlaut bei P. Rogers, s. Lit.)

In Händels ursprünglicher Konzeption war das Werk einaktig, ohne den Chor „Happy we" (9). Eine Reihe von Sätzen der Fassung HWV 49[a] geht auf früher komponierte Werke Händels zurück:

2. Oh the pleasure of the plains, B-Teil: For us the Zephyr blows
   HWV 11 Amadigi: 18. Crudel, tu non farai
4. Hush, ye pretty warbling choir
   HWV 96 „Cor fedele": 3. Va' col canto
   HWV 72 Aci, Galatea e Polifemo: 10. S'agità in mezzo all'onde
8. As when the dove
   HWV 96 „Cor fedele": 3. Amo Tirsi ed a Fileno
9. Happy we
   HWV 431 Suite VI (1. Sammlung), fis-Moll: Gigue
10. Wretched lovers
   HWV 183 „Caro autor": Da gl'amori flagellata
13. Cease to beauty
   HWV 1 Almira: 41. Move i passi alle ruine
   HWV 157 „Sarei troppo felice": 2. Giusto ciel se non ho sorte
   HWV 231 „Coelestis dum spirat aura": 3. Alleluja
   HWV 6 Agrippina: 43. Io di Roma il Giove sono
   HWV 197 „Tanti strali al sen mi scocchi"
   HWV 12[a] Radamisto (1. Fassung): Anhang (30.) Senza luce, senza guida
   HWV 31 Orlando: 20. Tra caligini profonde
17. The flocks shall leave the mountains
   HWV 9 Teseo: 8. M'adora l'idol mio (B-Teil)[3]

Obwohl „Acis and Galatea" 1722 von J. Walsh erstmals (noch ohne die Chorsätze) gedruckt wurde, fand bis 1731 keine vollständige Aufführung[4] außerhalb Cannons statt. Am 13. März dieses Jahres jedoch zeigte das *London Daily Journal* eine Benefiz-Vorstellung von „Acis and Galatea" (Pastoral genannt) für den Tenor Philip Rochetti im Theatre Royal in Lincoln's-Inn-Fields an, die am 26. März 1731 (vermutlich szenisch) in folgender Besetzung gegeben wurde:

Acis: Philip Rochetti, Galatea: Mrs. Wright, Polypheme: Richard Leveridge, Damon: Thomas Salway, Coridon: Jean Legar (Laguerre). Ein Jahr darauf veranstaltete die Gesellschaft des *New (Little) Theatre in the Haymarket* unter Thomas Arne, dem Vater des Komponisten Thomas Augustin Arne, zwei weitere Aufführungen, die am 17. und 19. Mai 1732 stattfanden, diesmal mit dem ausdrücklichen Vermerk „being the first time it was ever performed in a theatrical way". Es sangen: Acis: Thomas Mountier, Galatea: Susanna Arne (die spätere Mrs. Cibber), Polypheme: Gustav Waltz, Damon: Susanna Mason. Diese ohne Händels Einverständnis vorbereiteten Aufführungen[5] veranlaßten ihn, gegen Arnes Inszenierung mit seiner eigenen Operntruppe voller berühmter Namen, mit seinem großen Opernorchester und einem Chor eine Neubearbeitung von „Acis and Galatea" öffentlich darzubieten. Am 5. Juni 1732 kündigte das King's Theatre, Haymarket, das Werk als „Serenata" an; es wurde, mit zahlreichen Zusätzen versehen, von einer großen Zahl der besten Sänger und Instrumentalisten, jedoch ohne szenische Aktion, wenn auch mit Dekorationen und Kostümen, aufgeführt (am 10., 13., 17. und 20. Juni sowie weitere viermal im Dezember 1732 als Teil des Opernanrechts).

Um seine Sänger voll zu beschäftigen, führte Händel mehrere neue Personen ein. Er erweiterte das Werk beträchtlich und griff dabei teils auf die 1708 komponierte Serenata HWV 72, teils auf andere Werke zurück.

Besetzung: Acis: Francesco Bernardi, detto Senesino (Altkastrat), Galatea: Anna Strada del Pò, Polifemo: Antonio Montagnana, Cloris: Ann Turner Robinson, Eurilla: Mrs. Davis, Filli: Anna Bagnolesi, Dorinda: Francesca Bertolli, Silvio: Giovanni Battista Pinacci. Diese Fassung war nun zweisprachig angelegt, Robinson und Davis sangen in englischer, die anderen Solisten in italienischer Sprache, der Chor in beiden Sprachen. Wie schon Arne, teilte auch

[3] Das Thema stammt aus der Oper „Ascanio" von A. Lotti (Atto II, Scena 13, Arie des Euandro, Dresden 1718). Vgl. Spitz, Ch.: A. Lotti in seiner Bedeutung als Opernkomponist, Diss. München, Borna – Leipzig 1918, S. 53.

[4] Die einzige öffentliche Wiedergabe von Sätzen aus „The Pastorals of Acis and Galatea" vor diesem Datum ist für den 22. November 1727 in Bristol belegt, als dort ein Konzert zu Ehren des Kathedral-Organisten Nathaniel Priest veranstaltet wurde. S. Dean, W.: Handel's Dramatic Oratorios and Masques, London 1959, S. 171.

[5] Eine ähnliche Konstellation führte zur Neubearbeitung von HWV 50[b] Esther (2. Fassung).

Händel seine Neufassung in drei Akte auf (Parte I: Nr. 1–12, Parte II: Nr. 13–20, Parte III: Nr. 21–29).
Die Neufassung 1732 (Serenata) zeigt folgende Abhängigkeit zu den genannten Quellen:

1. Oh the pleasure of the plains
   HWV 49ª (1)
2. Hush, ye pretty warbling choir
   HWV 49ª (4)
3. Sorge il dì
   HWV 72 Aci, Galatea e Polifemo: 1. Sorge il dì
4. Lontan de te
   HWV 49ª (5. Where shall I seek), mit italienischem Text versehen und nach f-Moll transponiert
5. Si lagna augel
   HWV 49ª (8. As when the dove), mit italienischem Text versehen.
6. O pastor, che vai pensando
   HWV 49ª (6. Shepherd, what art thou pursuing), mit italienischem Text versehen und nach A-Dur transponiert
7. Stanno in quegli occhi
   HWV 49ª (7. Love in her eyes sits playing), Musik nicht erhalten
8. Come la rondinella
   HWV 96 „Cor fedele": 14. Come la rondinella
   HWV 6 Agrippina: 19. Coronato il crin d'alloro
   HWV 8ª Il Pastor fido (1. Fassung): 8. Non vo' legarmi il cor
9. Un sospiretto
   HWV 96 „Cor fedele": 13. Un sospiretto
   HWV 5 Rodrigo: 32. Allorchè sorge
   HWV 8ª Il Pastor fido (1. Fassung): 11. Allorchè sorge. Aus HWV 96 übernommen, aber nach e-Moll transponiert, um 16 Takte verkürzt und in der Textur verändert
10. È un foco quel d'amore
    HWV 83 „Arresta il passo": 8. È un foco quel d'amore
    HWV 6 Agrippina: 11. È un foco quel d'amore.
    HWV 13 Muzio Scevola: 15. Vivo senza alma (Ritornello). Nach a-Moll transponiert, B-Teil anders textiert
11. Contento sol promette Amor[6]
    HWV 74 Birthday Ode: 7. The day that gave great Anna birth. Mit italienischem Text versehen
12. Lieto esulti il cor
    Neukomposition, später übernommen in HWV 71 The Triumph of Time and Truth: 4. Come, live with pleasure
13. Vuoi veder dov'è la calma
    HWV 48 Brockes-Passion: 41. Eilt, ihr angefochten Seelen. Mit italienischem Text versehen, nach a-Moll transponiert, reicher instrumentiert und mit 7 zusätzlichen Takten für den Chor am Schluß versehen

[6] Vgl. auch HWV 233 „Donna che in ciel" (5. Maria, salute e speme) bzw. HWV 355 Aria c-Moll für Streicher (GB Lbm, R. M. 19. a. 4., f. 21).

14. Ma qual orrido suono
    Neuvertonung
15. Ferito son d'amore
    HWV 49ª (12. O ruddier than the cherry), mit italienischem Text versehen
16. Would you gain
    HWV 49ª (16)
17. Non sempre, no, crudele
    HWV 72 Aci, Galatea e Polifemo (7)
18. Dell'aquila l'artigli
    HWV 72 Aci, Galatea e Polifemo (8), nach F-Dur transponiert
19. Proverà lo sdegno mio
    HWV 72 Aci, Galatea e Polifemo (11)
20. Smiling Venus, Queen of love
    Neukomposition, nach 1734 mit italienischem Text versehen (Care selve)
20. (Love ever vanquishing)
    HWV 84 „Aure soavi e lieti": 2. Un aura flebile
    HWV 95 „Clori, vezzosa Clori": 2. Non è possibile
    HWV 6 Agrippina: 30. Voi dormite, oh luci care
    HWV 72 Aci, Galatea e Polifemo: 2. Sforzano a piangere
    HWV 447 Suite für Cembalo d-Moll: Sarabande
21. Viver, e non amar
    Neukomposition (Takt 1–49) aus HWV 96 „Cor fedele" (16. Vivere, e non amar) sowie aus HWV 49ª (10. Wretched lovers) entwickelt, später in HWV 50ᵇ Esther (Fassung 1737: Angelico splendor) und HWV 71 The Triumph of Time and Truth (11. Pleasure submits to pain) übernommen
22. Qui l'augel di pianta in pianta
    HWV 72 Aci, Galatea e Polifemo (13), nach D-Dur transponiert, uminstrumentiert und um 15 Takte erweitert
23. Di goder quel bel che adoro
    HWV 8ª Il Pastor fido (1. Fassung): 5. Di goder quel bel ch'adoro[7], umgearbeitet, gekürzt und anders instrumentiert
24. Se m'ami, o caro
    HWV 72 Aci, Galatea e Polifemo (14), nach g-Moll transponiert, aus HWV 8ª Il Pastor fido (1. Fassung, 19. Se m'ami, o caro) übernommen
25. Consider, fond shepherd
    HWV 49ª (16)
26. Delfin vivrà sul monte
    HWV 49ª (17. The flocks shall leave the mountains), mit italienischem Text versehen
27. Verso già l'alma
    HWV 72 Aci, Galatea e Polifemo (16), nach b-Moll transponiert und umgearbeitet
28. Del mar fra l'onde
    HWV 72 Aci, Galatea e Polifemo (18), nach B-Dur transponiert und umgearbeitet
29. Galatea, dry thy tears
    HWV 49ª (22), um 19 Takte (Takt 62–80) verkürzt

[7] Vgl. weitere Nachweise in Händel-Handbuch, Bd. I, S. 126 (Nr. 5).

Anhang

1. Lontan dal suo tesoro
HWV 8^{a} Il Pastor fido (1. Fassung) (4), gekürzt
2. Mi lasci, mi fuggi
HWV 8^{a} Il Pastor fido (1. Fassung) (7), gekürzt
3. Nel mio core ritorna
HWV 8^{a} Il Pastor fido (1. Fassung) (15)
4. Mi palpita il cor
Neukomposition
5. Affanno, tiranno
Neukomposition[8]
6. Ah, per noi sempre fedel
HWV 49^{a} (21. Heart, the seat of soft delight), ca. 1734 oder 1736 von Händel im Autograph von HWV 49^{a} geändert.

Die Rezitative wurden zum größten Teil neukomponiert.

Für die Wiederholungen des Werkes in den nachfolgenden Spielzeiten nahm Händel weitere Änderungen vor:
Oxford (11. Juli 1733): Die Sätze Nr. 3, 14, die als B-Teil des Chores Nr. 20 fungierende Arie „Love ever vanquishing" sowie die Wiederholung des Chores, Nr. 23 und einige Rezitative wurden gestrichen. Anstelle der italienischen Arien Nr. 4–7 wurde wieder ihre englische Originalfassung gesungen. Besetzung: Acis: Walter Powell (Countertenor, der Senesinos Part ohne Transpositionen sang), Galatea: Anna Strada del Pò, Polyphemus: Gustav Waltz, Cloris: Mrs. Wright (für sie wurde Nr. 25 nach F-Dur transponiert), Dorindo: Philipp Rochetti (für ihn wurde Nr. 9 nach a-Moll transponiert und die Rolle der Dorinda als männliche Partie gestaltet).
London (7. Mai 1734): Besetzung: Aci: Giovanni Carestini, Galatea: Anna Strada del Pò, Polifemo: Gustav Waltz, Dorindo: Carlo Scalzi (Soprankastrat, für ihn wurde Nr. 23 nach A-Dur transponiert). W. Dean vermutet, daß möglicherweise auch Margherita Durastanti und eine der Schwestern Negri bei der Aufführung mitwirkten. Als Quelle für die Änderungen gilt die Ariensammlung der Aylesford Collection (GB Lbm, R. M. 18. c. 7., f. 53–104), in der die drei Arien Anhang 1–3 – aus HWV 8^{a} Il Pastor fido (1. Fassung) entnommen – enthalten sind; HWV 8^{c} Il Pastor fido (2. Fassung) wurde etwa zur gleichen Zeit für eine Neuaufführung vorbereitet. Die B-Versionen einzelner Arien aus HWV 49^{b} stammen fast sämtlich aus dem Jahre 1734, in dem Händel teilweise eigenhändig Änderungen in der Direktionspartitur vornahm; so fügte er die Vokalstimme für die g-Moll-Fassung von Nr. 26 hinzu, schrieb den italienischen Text für den Chor Nr. 20 (Care selve) und änderte mehrere Rezitative.
London (24. und 31. März 1736): Da für 1736 kein Textbuch erhalten ist, sondern nur Zeitungsanzeigen über die bevorstehenden Aufführungen unterrichteten, ist zu vermuten, daß ein weiterer Ariensammelband der Aylesford Collection (GB Lbm, R. M. 18. c. 5., f. 15–57) zusammen mit der für 1734 genannten Quelle die Sätze überliefert, die zu diesen Aufführungen gesungen wurden. Dieser Band enthält auf f. 51–57 die auch im Autograph (GB Lbm R. M. 20. d. 2., f. 5–8) erhaltene neue Szene für Polifemo „Mi palpita il cor" und „Affanno tiranno" (Anhang Nr. 4, 5), die vermutlich für den von Händel neuverpflichteten deutschen Bassisten Thomas Reinhold bestimmt war und nach dem Autograph auf die Arie „Hush, ye pretty warbling choir" (2) folgen sollte. Die Sänger dieser Saison können nicht alle namentlich bestimmt werden, doch gilt als sicher, daß Anna Strada del Pò (Galatea), Thomas Reinhold (Polifemo), Cecilia Young-Arne (Cloris) und William Savage (Silvio, Altpartie) mitwirkten.
London (20. Dezember 1739, 21. Februar und 28. März 1740): Die während dieser Saison aufgeführte Fassung ließ Händel wieder ganz in englischer Sprache singen, da er in dieser Spielzeit außer der Festoper HWV 35 Atalanta keine Opern gab und hauptsächlich auf englische Sänger zurückgreifen mußte. Diese Fassung orientierte sich also wieder am ursprünglichen Notentext von HWV 49^{a}, alle Ergänzungen aus den Bearbeitungen von 1732 und der folgenden Jahre, italienische wie englische, wurden rückgängig gemacht. Doch führte Händel nicht die Fassung der Cannons-Masque auf, sondern teilte das Werk in 2 Akte und fügte – wie die Londoner Presse ankündigte[9] – HWV 76 Ode for St. Cecilia's Day sowie mehrere Instrumentalwerke ein (2 Concerti grossi aus op. 6 und ein Orgelkonzert, deren genaue Identifizierung jedoch nicht möglich ist). Dafür entfielen „Cease to beauty" (13) und „Must I my Acis still bemoan" (20). Letzteres wurde für Damon als Rezitativ („Cease, Galatea, cease to grieve") umgeschrieben und mit einem vorangehenden Concerto grosso aufgeführt. Außerdem kam „Happy we" (9^{b}) als Schluß des 1. Aktes hinzu, der in der längeren, mit Carillon instrumentierten Fassung erklang; dieses glockenspielartige Instrument stand Händel nur in dieser Saison zur Verfügung (vgl. HWV 53 Saul und HWV 55 L'Allegro). Alle späteren Aufführungen verwendeten die gekürzte Fassung dieses Chores (9^{c}). Besetzung: Acis: John Beard, Galatea: Elisabeth Duparc, detta la Francesina, Polypheme: Thomas Reinhold, Damon (Sopran): the Boy. Diese Namen sowie die notwendigen Transpositionen und Änderungen wurden

[8] Thematisch angeregt von der Arie der Mirtilla „Du frecher Verräter" aus G. Ph. Telemanns Oper „Der neumodische Liebhaber Damon" (Hamburg 1724, II. Akt, 5. Auftritt, Nr. 14). Vgl. G. Ph. Telemann, Musikalische Werke, Bd. XXI, hrsg. von B. Baselt, Kassel 1969, S. 141 ff.

[9] London Daily Post, 13. Dezember 1739: „Acis & Galatea, a pastoral Entertainment. Written by Gay. To which is added a Song for St. C.'s Day. Written by Mr. Dryden. Both set to Musick by Mr. Handel".

von Händel in das Autograph von HWV 49ª (GB Lbm, R. M. 20. a. 2.) geschrieben.
London (28. Februar und 11. März 1741): Bei diesen Aufführungen griff Händel wieder auf die zweisprachige Fassung zurück, änderte aber verschiedene Passagen und transponierte die Partie des Acis um eine Terz bis Quinte höher, vermutlich um den Soprankastraten Andreoni dabei einsetzen zu können (zur Fassung 1741 vgl. GB Lbm, R. M. 19. d. 10., f. 26–77). Als mögliche Besetzung kommen folgende Sänger in Betracht: Aci: Andreoni, Galatea: Elisabeth Duparc, detta la Francesina, Polifemo: Thomas Reinhold, Filli: Signora Monza. Auch für diese Aufführungen (1741) wurden „Concertos on the Organ, and other Instruments. And a Concerto by Signor Veracini"[10] angekündigt.
Die beiden letzten von Händel veranstalteten Aufführungen von „Acis and Galatea" fanden während seiner Irland-Reise am 20. und 27. Januar 1742 in Dublin statt. Das Werk erklang in englischer Sprache (als „Masque" angekündigt) und wurde wieder mit der „Ode for St. Cecilia's Day" verbunden. Für die Beliebtheit des Werkes, das nach 1742 zahlreiche Aufführungen durch andere Interpreten erlebte (s. den Nachweis bei W. Dean, Handel's Dramatic Oratorios and Masques, Appendices C und D), spricht die Tatsache, daß es auch im späten 18. und im 19. Jahrhundert nicht in Vergessenheit geriet. W. A. Mozart bearbeitete es im Auftrag G. van Swietens für dessen Händel-Aufführungen 1788[11], F. Mendelssohn Bartholdy schuf 1828 eine Neuorchestrierung für die Berliner Singakademie[12], F. Chrysander (ChA 53, Vorwort, S. III f.) erwähnt eine Aufführung im Londoner Drury Lane Theatre 1842 auf der Grundlage der Masque-Fassung von 1718 mit einem neu hinzugefügten Prolog, und 1858 plante G. Meyerbeer als preußischer Generalmusikdirektor in Berlin eine szenische Aufführung, die F. Chrysander unterstützte[13].

[10] Francesco Maria Veracini (1690–1768) trat von 1735 bis 1745 in London als Violinvirtuose und Opernkomponist in Erscheinung. Vgl. Ricci, F. C.: Appunti per una biografia da Francesco Maria Veracini nel bicentenario della morte (1690–1768). In: Annuario dell'Accademia Nazionale di Santa Cecilia, 1968, S. 155 ff.; Hill, J. W.: Veracini in Italy. In: Music & Letters, vol. 56, 1957, S. 257 ff.
[11] KV 566. Das ehemals in der Staatsbibliothek Berlin befindliche Teilautograph, in dem nur die Zusatzinstrumentierung für Bläser von Mozarts Hand stammte, ist seit 1977 wieder in D (ddr) Bds. Der Erstveröffentlichung von „Acis and Galatea" in Mozarts Fassung, in: W. A. Mozart, Neue Ausgabe sämtlicher Werke, Serie X: Supplement, Werkgruppe 28, Abt. 1, Bd. 1, vorgelegt von A. Holschneider, Kassel und Leipzig 1973, liegen folgende Quellen zugrunde: A Wn (Partiturabschrift Codex 19032) – CS Pnm (Part. und Originalstimmen, Archiv Lobkowitz).
[12] Vgl. Kilburn, N.: Additional Accompaniments to Handel's „Acis". In: SIMG, 3. Jg., 1901/02, S. 129 ff.
[13] Vgl. Baselt, B.: F. Chrysander, G. Meyerbeer und die szenische Aufführung von Händels Oratorien. – Ein nicht abgesandter Brief (Miscellanea Haendeliana 3). In: Der Komponist und sein Adressat. Musikästhetische Beiträge zur Autor-Adressat-Relation, hrsg. von S. Bimberg, Wiss. Beiträge der Martin-Luther-Universität Halle–Wittenberg, 1976/23 (G 3), S. 82 ff.

Literatur
Baker, C. H. C./Baker, M. I.: The Life and Circumstances of James Brydges First Duke of Chandos, Patron of the Liberal Arts, Oxford 1949; Best, T.: Acis and Galatea. In: The Musical Times, vol. 113, 1972, S. 43; Burney IV, S. 776 f.; Chrysander I, S. 479 ff., II, S. 262 ff.; Chrysander, F.: Über Händel's fünfstimmige Chöre. In: AMZ, 15. Jg., 1880, S. 201; Clausen, S. 91 ff.; Dean, S. 153 ff.; Dean, W.: Masque into Opera. In: The Musical Times, vol. 108, 1967, S. 605 ff.; Deutsch, S. 291 ff.; Flower, p. 203 ff./ S. 180 ff.; Herbage, S. 134 ff.; Lang, p. 272 ff./S. 245 ff.; Leichtentritt, S. 315 ff.; Rendall, E. D.: The influence of Henry Purcell on Handel, traced in „Acis and Galatea". In: The Musical Times, vol. 36, 1895, S. 293 ff.; Rogers, P.: Dating „Acis and Galatea". A newly discovered letter. In: The Musical Times, vol. 114, 1973, S. 792; Rudolph, J.: Idylle und Pastorale. In: Händel-Festspiele Halle 1958, Programmheft, S. 23 ff.; Schering, A.: Geschichte des Oratoriums, Leipzig 1911, S. 310 ff.; Schoelcher, S. 115 ff.; Siegmund-Schultze, S. 114 f.; Squire, W. B.: A lost Handel Manuscript. In: The Musical Times, vol. 62, 1921, S. 690; Smith, W. C.: Concerning Handel, London 1948; Smither II, S. 183 ff.; Steglich, R.: Der Schlußchor von Händels „Acis und Galatea", Analyse. In: Händel-Jb., 3. Jg., 1930, S. 147 ff.; Streatfeild, S. 269; Streatfeild, R. A.: Handel, Canons, and the Duke of Chandos, London 1916; Windszus, W.: G. F. Händel. Aci, Galatea e Polifemo, Cantata. Acis and Galatea, Masque, sowie die zweisprachige Fassung von 1732, Serenata. Edition und Krit. Bericht. Phil. Diss. Hamburg 1975, maschinenschriftl.; Druckausgabe Hamburg 1979. Zander, E.: Der Schlußchor von Händels „Acis und Galatea". Ergänzung. In: Händel-Jb., 3. Jg., 1930, S. 145 ff.

Beschreibung der Autographe: Lbm: Catalogue Squire, S. 1 ff., 93. – Cfm: Catalogue Mann; Ms. 256, S. 170. – Dean, S. 189 f.

50ᵃ. Esther (Haman and Mordecai) (1. Fassung)

Masque in 6 Szenen von Alexander Pope und John Arbuthnot (nach „Esther" von Jean Racine, 1689)

Besetzung: Soli: 2 Soprani (Esther, 1. Israelite), Alto (3. Israelite), 4 Tenori (Assuerus, Habdonah, Mordecai, 2. Israelite), Basso (Haman). Chor: C.; A.; T. I, II; B. Instrumente: Ob.; Trba.; Cor. I, II; Arpa; V. I, II; Va; Cont.
Cha 40. – HHA I/8. – EZ: Cannons, 1718. – UA: Cannons, vermutlich 23. August 1720

Sinfonia.

Andante

Ob.
V. I, II
Cont.

26 Takte

Larghetto

Ob.
V.

[vgl. HWV 388 op. 2 Nr. 3 (3.)]

p

56 Takte

Allegro

[vgl. HWV 388 op. 2 Nr. 3 (2.)]

68 Takte

Scene I

Recitative. Habdonah; Haman

Cont.
'Tis greater far to spare, than to destroy

15 Takte

1. Air. Haman

Ob.
V. I, II
Cont.

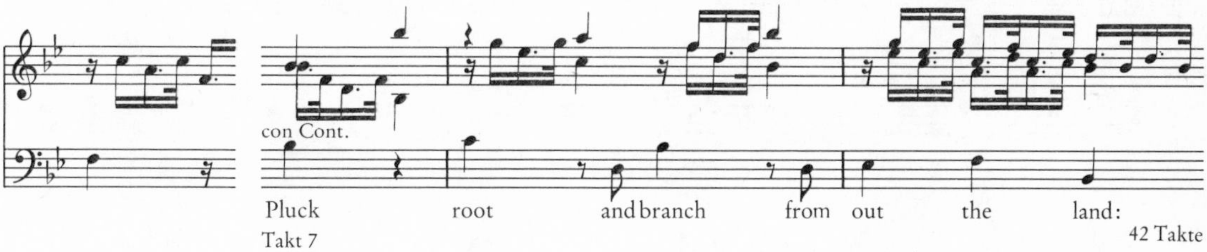
con Cont.
Pluck root and branch from out the land:

Takt 7

42 Takte

Recitative. Officer (2. Israelite)

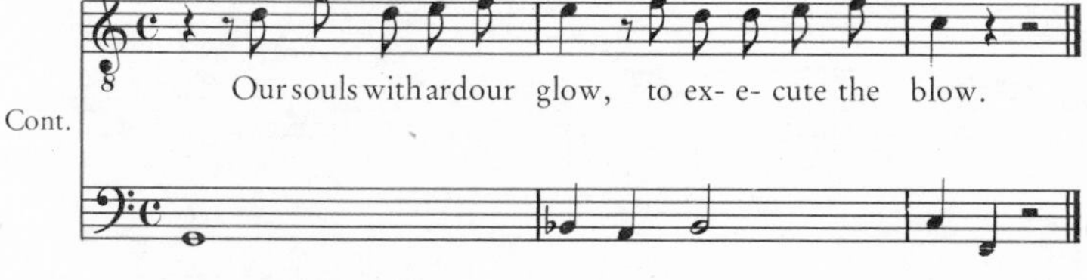
Cont.
Our souls with ardour glow, to ex- e- cute the blow.

2. Chorus. C.; A.; T. I, II; B.

(Tutti)
Ob.
V. I, II
Cont.
Shall we the God of
Shall we the God of

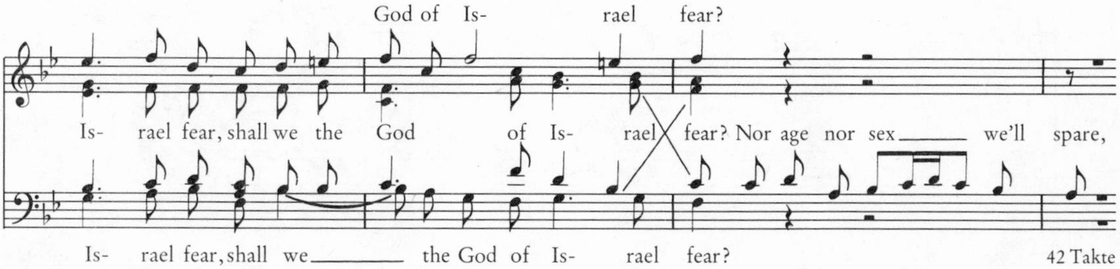
God of Is- rael fear?
Is- rael fear, shall we the God of Is- rael fear? Nor age nor sex we'll spare,
Is- rael fear, shall we the God of Is- rael fear?

42 Takte

Scene II

Recitative. 2. Israelite

Cont.
Now per- se- cu- tion shall lay by her i- ron rod;
5 Takte

3. Air. 2. Israelite

Ob.
Ob.
V. I, II
Cont.
V. I, II pizzicato
pizzicato senza Cembalo

Ob.
Tune, tune your harps to cheer- ful strains,
Takt 8
69 Takte D. c.

4. Chorus. C.; A.; T. I, II; B.

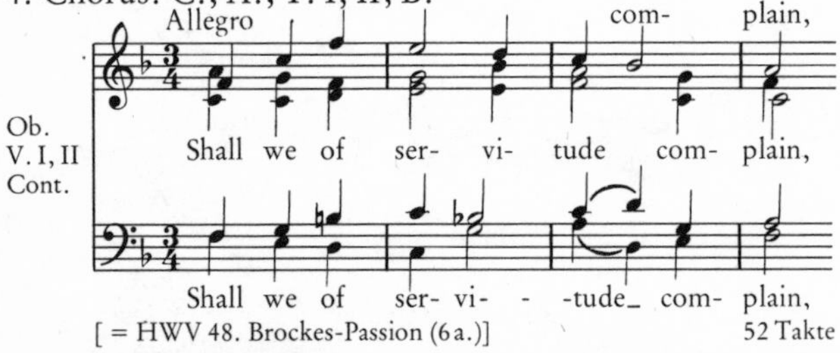
Allegro
Ob.
V. I, II
Cont.
com- plain,
Shall we of ser- vi- tude com- plain,
Shall we of ser- vi- -tude com- plain,
[= HWV 48. Brockes-Passion (6a.)]
52 Takte

5. Air. 1. Israelite

V.
V. I, II unis.
Va.
Vc.
Cbb.
Arpa
Cont.
Arpa
Va, Vc. senza Cbb.

Arpa
Praise the Lord with cheer- - - ful noise,
V. colla parte
Va. senza Vc.
Takt 19

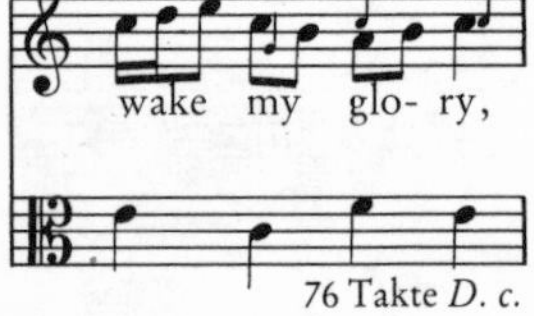
wake my glo- ry,
76 Takte D. c.

Recitative. 1. Israelite

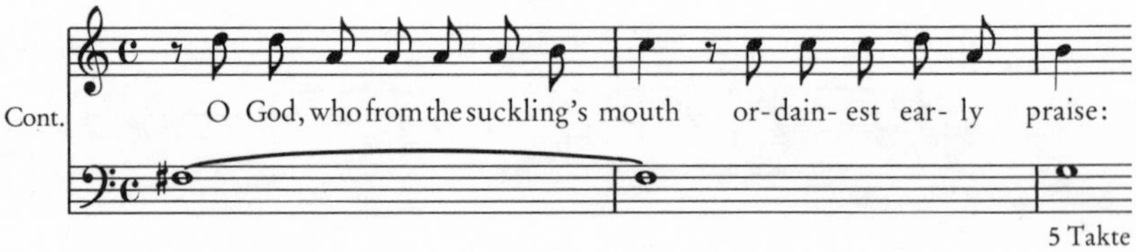
Cont.
O God, who from the suckling's mouth or- dain- est ear- ly praise:
5 Takte

6. Air. 2. Israelite

Andante
Ob.
V. I, II
Cont.
Sing songs of praise, bow down the knee,
p
Takt 7
(p)
45 Takte D. c.

4. Chorus *da capo*

Scene III

Recitativo. 3. Israelite

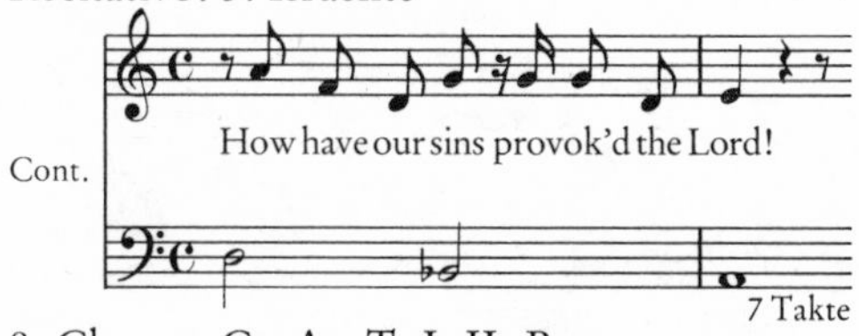
Cont.
How have our sins provok'd the Lord!
7 Takte

7. Accompagnato. 3. Israelite

V. I, II
Cont.
Me-thinks I hear the mother's groans,
10 Takte

8. Chorus. C.; A.; T. I, II; B.

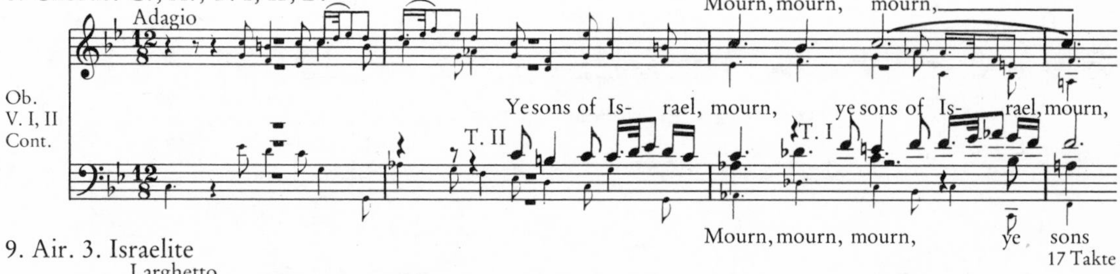
Adagio
Mourn, mourn, mourn,
Ob.
V. I, II
Cont.
Ye sons of Is- rael, mourn, ye sons of Is- rael, mourn,
T. II
T. I
Mourn, mourn, mourn, ye sons
17 Takte

9. Air. 3. Israelite

Larghetto
V. I, II
Cont.
O Jor- dan, Jor- dan, sa- - - cred tide!
Takt 14
105 Takte

Scene IV

Recitativo. Esther, Mordecai

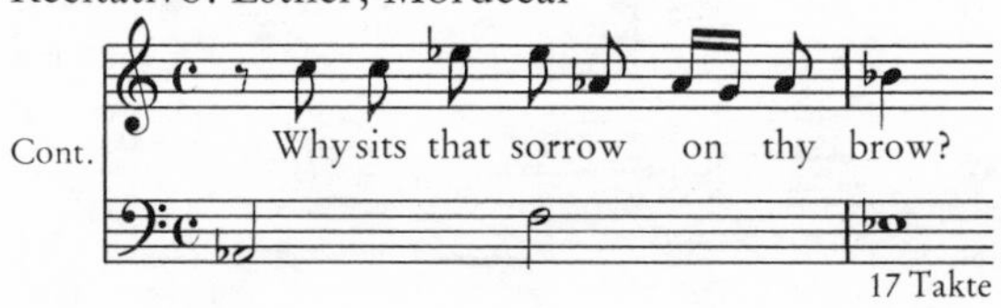
Cont.
Why sits that sorrow on thy brow?
17 Takte

10. Air. Mordecai

[= HWV 48. Brockes-Passion (10.)]

Dread not, right – eous Queen, the dan- ger,
Takt 7
48 Takte D. c.

Recitative. Esther

Cont.
I go be-fore the king to stand.
3 Takte

11. Air. Esther

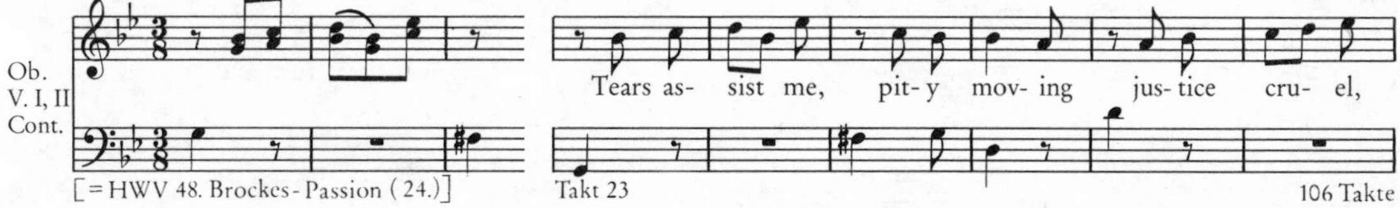
Ob.
V. I, II
Cont.
Tears as- sist me, pit- y mov- ing jus- tice cru- el,
Takt 23
106 Takte

[= HWV 48. Brockes-Passion (24.)]

12. Chorus. C.; A.; T. I, II; B.

Grave
and blunt the wrathful sword, and blunt
A.
Ob.
V. I, II
Cont.
Save us, o Lord, save us, o Lord,
T. I
and blunt the wrath- ful sword,
Save us, o Lord, save us, o Lord!
13 Takte

Scene V

Recitative. Assuerus; Esther

Cont.
Who dares in- trude in- to our pres- ence
22 Takte

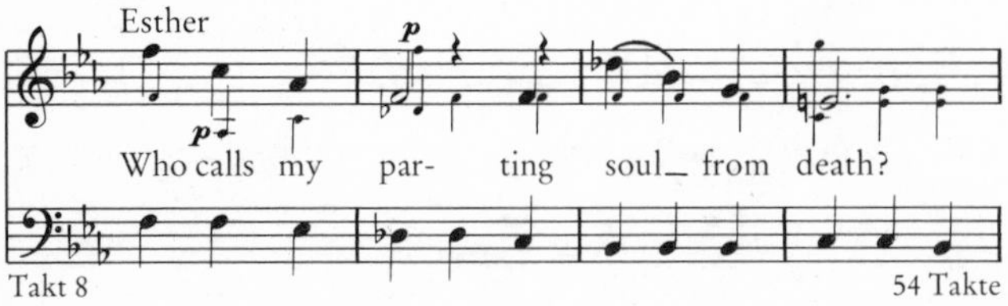
Esther
Who calls my par- ting soul_ from death?
Takt 8
54 Takte

13. Duet. Esther; Assuerus

Adagio, e staccato
V. I, II
Cont.

[= HWV 48. Brockes-Passion (42.)]

14. Air. Assuerus

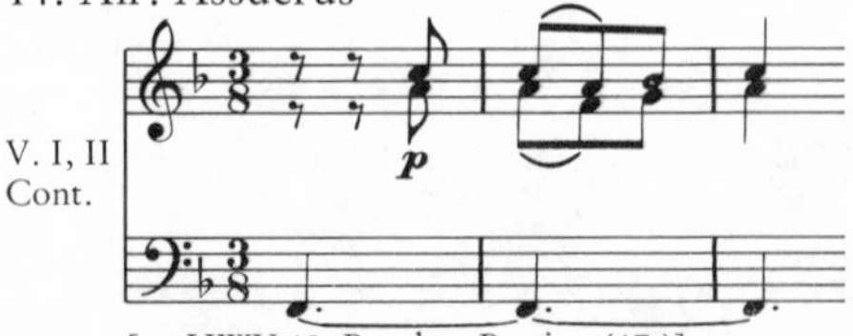
V. I, II
Cont.

[= HWV 48. Brockes-Passion (47.)]

O beauteous Queen, un- close those eyes!
Takt 25
140 Takte D. c.

Recitative. Esther

Cont.
If I find favour in thy sight,
7 Takte

15. Air. Assuerus

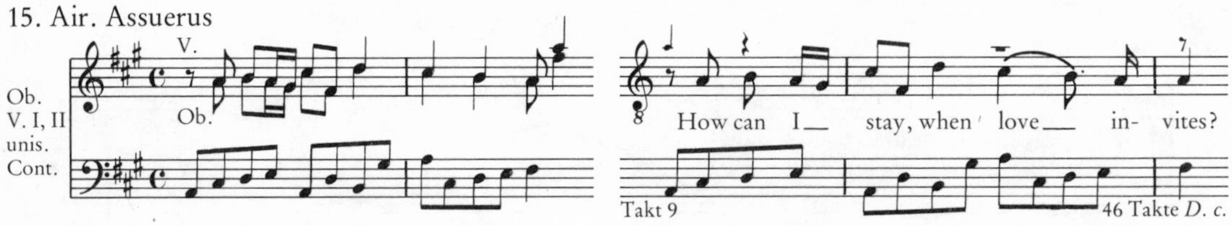
Ob.
V. I, II
unis.
Cont.
V.
Ob.
How can I_ stay, when love_ in- vites?
Takt 9
46 Takte D. c.

Recitative. 1. Israelite; 2. Israelite

Cont.
With inward joy his vi-sage glows,
5 Takte

16. Chorus. C.; A.; T. I, II; B.

Allegro moderato
Ob.
V. I, II
Va.
Cont.

[= HWV 48. Brockes-Passion (1.)]

V. I
Cont.
8va
C.
Vir- tue, truth, and in- no- cence shall ev- er be,
Takt 14
Vir- tue, truth, and in- no- cence
Vir- tue, truth, and in- no- cence
Takt 26
85 Takte

17. Arioso (The Invocation). 3. Israelite

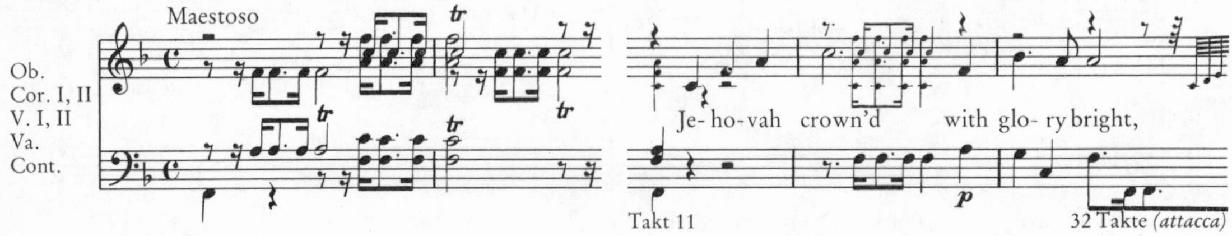
Maestoso
Ob.
Cor. I, II
V. I, II
Va.
Cont.
Je- ho-vah crown'd with glo- ry bright,
Takt 11
32 Takte (attacca)

18. Chorus. C.; A.; T. I, II; B.

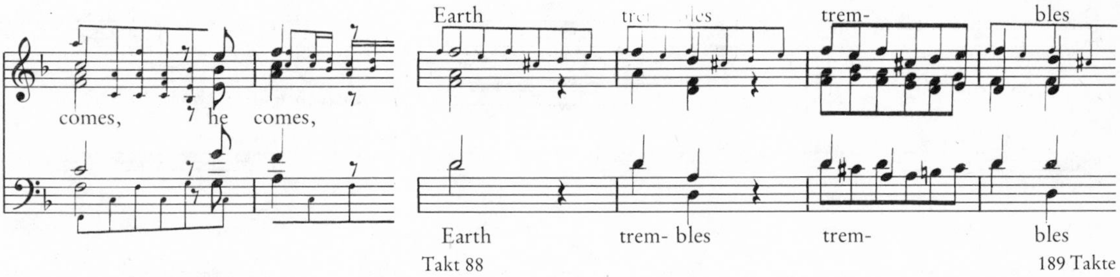

Scene VI

Recitative. Assuerus; Esther

19. Accompagnato (Arioso). Haman

20. Air. Esther

Recitative. Assuerus

21. Air. Haman

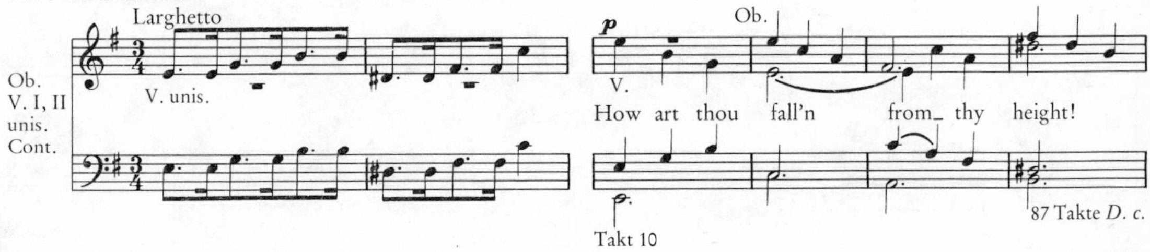

22. Chorus. C.; A.; T. I, II; B.

Allegro
Tutti
Ob.
Trba.
V. I, II
Va.
Cont.
The Lord our en- e- my has slain, the Lord our en- e- my has slain,
Str. staccato
A. Ye sons of
staccato
Ja- cob, sing
ye sons
T. I
Sing songs of praise, bow down thee knee, bow down
C. Sing songs of
Takt 22
The Lord our en- e- my has slain
Takt 86
For ev- er, for ev- er, for ev- er
For ev- er
For ev- er for ev- er bles- sed,
Takt 108
bles- sed,
bles
for ev- er,
A.
Let Is- rael songs of joy re- peat
Trba.
Takt 144
days. For
For ev- er bles- sed,
Takt 184
ev- (er)
for ev- er, for ev- er blessed be
For ev- er bles- sed, for ev- er
Esther
The Lord his peo- ple shall re- store,
Mordecai
Takt 216
Tutti
For
For ev- er
ev- (er)
bles- sed, for ev- er bles- sed
Takt 230
Solo
Mount Lebanon his firs
Solo
Mount Le- ba- non his
Takt 248
re- signs
firs
For ev- er, for ev- er, for ev- er bles- sed
A.; T.
For ev- er bles- sed, for ev- er bles- (sed)
For ev- er, for ev- er bles- sed, for ev- er
Takt 278
316 Takte

50b Esther (2. Fassung)

Oratorio in three acts von Alexander Pope und John Arbuthnot (nach „Esther" von Jean Racine, 1689)

Textfassung: Samuel Humphreys

Besetzung: Soli 1732: 3 Soprani (Esther, Israelite Woman, Israelite Man), 2 Alti (Ahasverus, Mordecai), 2 Tenori (Harbonah, Officer), Basso (Haman). 1751: Sopr. (Esther), 2 Alti (Ahasverus, Israelite), 2 Tenori (Mordecai, Priest Israelite), Basso (Haman). 1757: 3 Soprani (Esther, 1. Israelite, 2. Israelite), Alto (Mordecai), Ten. (Ahasverus, ebenso 1736, 1740), Basso (Haman). Chor: S. I, II; A. I, II; T.; B. I, II. Instrumente: Fl. I, II; Ob. I, II; Fag. I, II; Cor. I, II; Trba. I, II, III; Timp.; V. I, II, III, IV, V; Va.; Vc.; Cbb.; Teorba; Arpa, Cemb. I, II; Org. ChA 41. – HHA I/10. – EZ: London, Jan./Febr. 1732. – UA: London, 2. Mai 1732, King's Theatre, Haymarket

Ouverture.

Act I

Scene I

1. Arioso. Israelite Woman (1733, 1751, 1757: Esther)

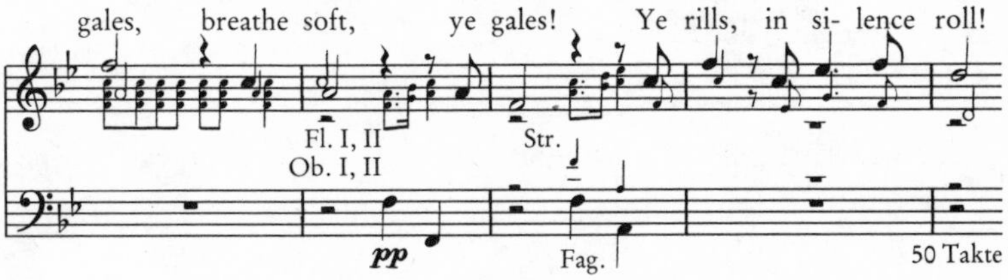

2a. Air. Israelite Woman (1832)

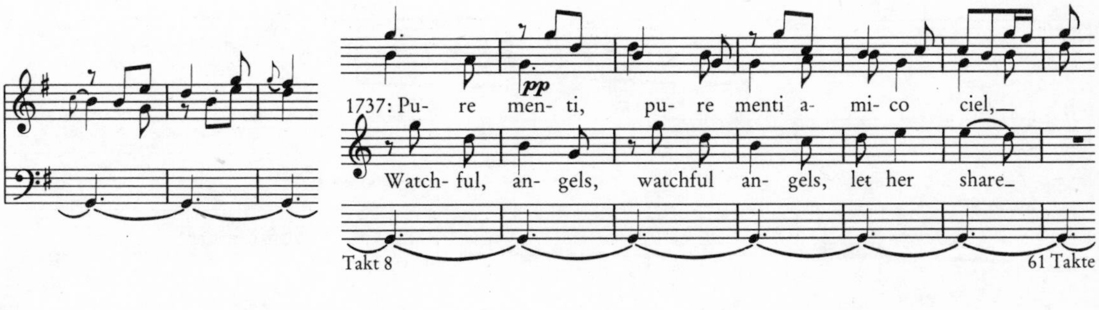

2b. Air. Esther (1751, 1757)

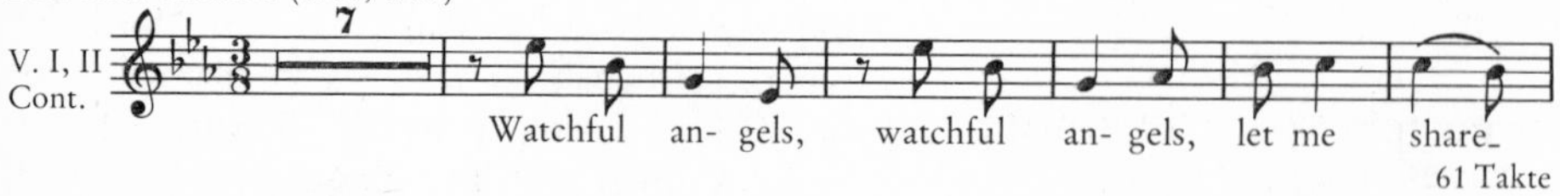
V. I, II
Cont.
7
Watchful an- gels, watchful an- gels, let me share_
61 Takte

A. Recitative. Esther

Cont.
O King of Kings, ce-les-tial Lord!
7 Takte

B. Recitative. Esther

Cont.
O King of Kings, ce-les-tial Lord!
7 Takte

3. Air. Esther

Presto
Ob. I, II
V. I, II
Va.
Cont.
Al-le- lu-ja, al- le- lu- - - ja,
Takt 8
101 Takte

Tutti bassi del concertino, Cembali, Teorba, Harpa, Vc.; due Cbb.; due Bassoni senza Org. e Ripieno
[= HWV 242. Silete venti (6.)]

C. Recitative. Esther (1751)

Cont.
O King of Kings, ce-les- tial Lord,

7 Takte [Seque Nr. 5]

Recitative. Mordecai

Cont.
With transport, lovely Queen, I see
13 Takte

4. Air. Mordecai

Allegro
V. I, II unis.
Cont.
pp
So much beau- ty, sweet- ly blooming, sweet- ly blooming,
Takt 15
47 Takte D. s.

5. Chorus (Authem). S.; A. I, II; T.; B. I, II

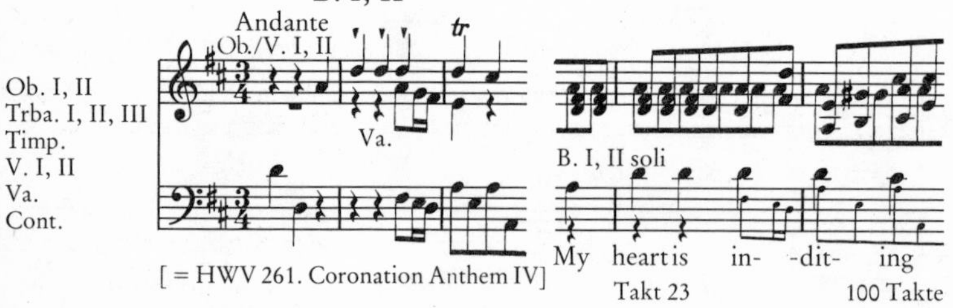
Andante
Ob./V. I, II
tr
Va.
Ob. I, II
Trba. I, II, III
Timp.
V. I, II
Va.
Cont.
B. I, II soli
My heart is in- -dit- ing
Takt 23
100 Takte

[= HWV 261. Coronation Anthem IV]

6. Chorus. S.; A. I, II; T.; B.

Andante
tr
Ob. I, II
V. I, II
Va.
Cont.

[= HWV 261]

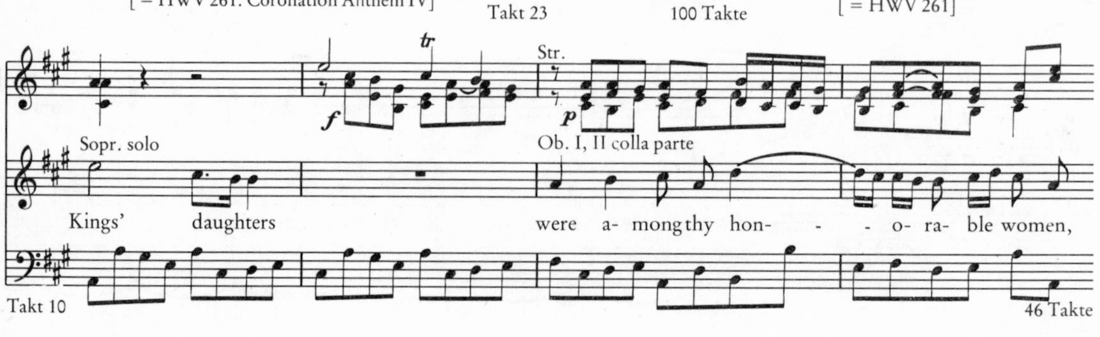
tr
Str.
f
p
Sopr. solo
Ob. I, II colla parte
Kings' daughters were a- mong thy hon- - - o- ra- ble women,
Takt 10
46 Takte

7. Chorus. S.; A. I, II; T.; B.

Andante
Ob. I, II colla parte
V. I, II
Va.
Cont.
Up- on thy right hand
[= HWV 261]
Takt 23
101 Takte

8. Chorus. S.; A. I, II; T.; B.

Allegro
Ob. I, V. I, II
Ob. I, II
Trba. I, II, III
Timp.
V. I, II, III
Va.
Cont.
Ob. II,
V. III, Va.
[= HWV 261]
Kings, Kings shall be thy nurs- ing fa- thers, Kings shall be
Kings, Kings shall be thy nurs- ing fa- - thers,
Kings, Kings shall be thy nurs- ing fa- - - thers
Kings, Kings shall be thy nurs- ing fa- - - thers,
Takt 13
73 Takte

Scene II

A. Recitative. Ahasverus; Haman

Cont.
Let me with freedom thy pe- ti- tion know,
25 Takte

B. Recitative. Haman; Ahasverus (1751)

Cont.
O King, for ev- er live!
22 Takte

9a. Air. Ahasverus

Andante
V. I, II
unis.
Cont.
1737: Quella fa - - - -
Endless fame,
Takt 7

- ma, ch'or ti chiama,
thy days a- - dorning,
57 Takte D. c.

9b. Air. Ahasverus (1736, 1740, 1757)

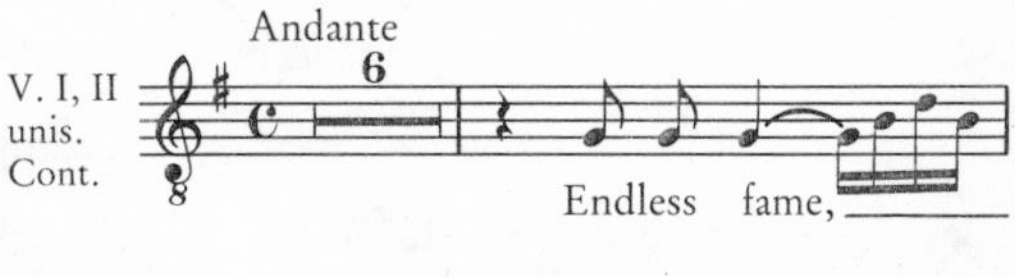
Andante
V. I, II
unis.
Cont.
Endless fame,

thy days a- - dorning,
57 Takte D. c.

Scene III

Recitative. Harbonah; Haman

Cont.
'Tis greater far to spare, than to destroy
15 Takte

10. Air. Haman

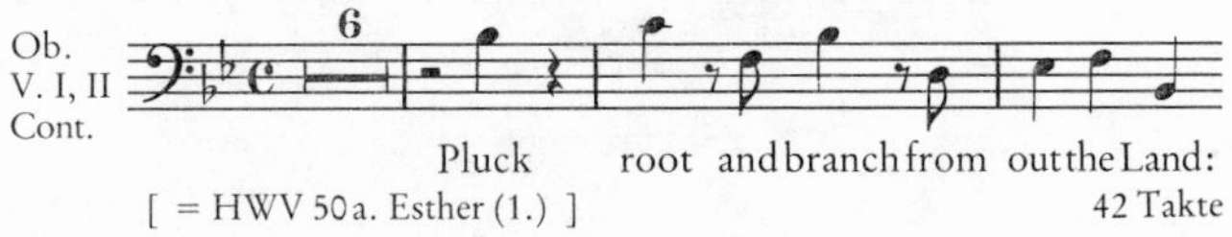
Ob.
V. I, II
Cont.
Pluck root and branch from out the Land:
[= HWV 50a. Esther (1.)]
42 Takte

11. Chorus. S.; A.; T. I, II; B.

Allegro
Ob.
V. I, II
Cont.
Shall we the God of Israel fear,
42 Takte

Scene IV

Recitative. Israelite Woman (1751: Priest Israelite)

Cont.

(8)
Je- ru- sa- lem no more shall mourn,

9 Takte

tune your harps to cheer- ful strains,

94 Takte *D. c.*

12a. Air. Israelite Woman

(1733: Esther; 1751: Priest Israelite)

Ob.
V. I, II
Cont.

pizz. senza Cembalo

Takt 8

12b. Air. Israelite Woman (1757)

Ob.
V. I, II
Cont.

7
Tune, tune your harps

94 Takte *D. c.*

Recitative. Israelite Woman
„Shall we of servitude complain"
(Musik verloren)

(13.) Chorus. S.; A.; T. I, II; B. (1751, 1757)

Ob.
V. I, II
Cont.

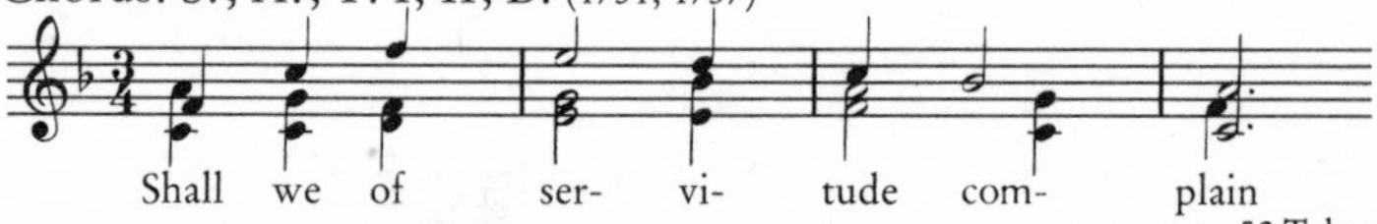
Shall we of ser- vi- tude com- plain

52 Takte

13a. Air. Israelite Woman

V. I, II
unis.
Va.
Vc.
Arpa
Cont.

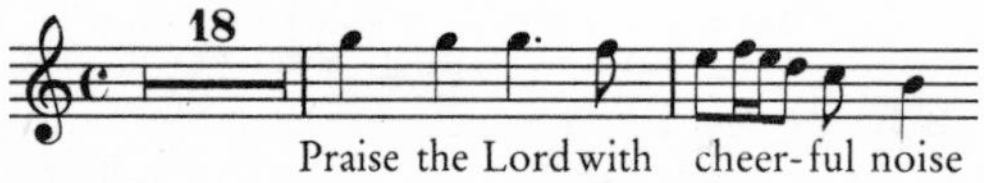
18
Praise the Lord with cheer- ful noise

76 Takte *D. c.*

Recitative. Esther (1751)

Cont.

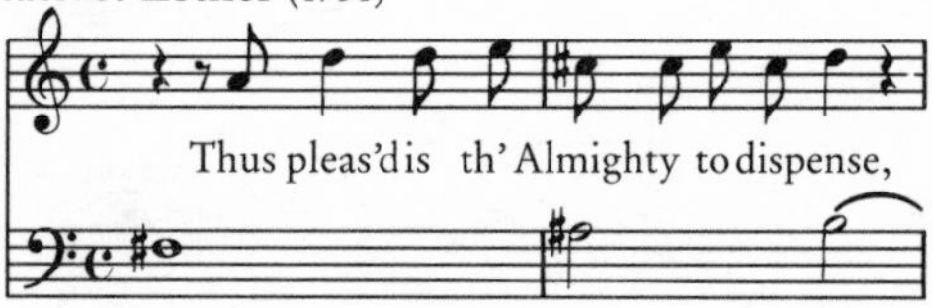
Thus pleas'd is th' Almighty to dispense,

4 Takte

13b. Air. Esther (Israelite Woman) (1751)

V. I, II
Cont.

Larghetto
15
No, no, no more, no more disconso- late

[= HWV 51. Deborah (26.)]

117 Takte

Scene V

Recitative. Mordecai

Cont.

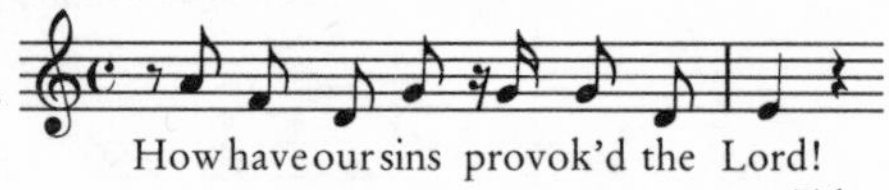
How have our sins provok'd the Lord!

7 Takte

14a. Air. Mordecai

V. I, II
Cont.

Larghetto
13
O Jor- dan, Jor- dan, sa- - -cred tide!

105 Takte

Recitative. Priest Israelite (1751)

Cont.

8
Now perse- cu- tion

8
shall lay by her i- ron rod;

5 Takte

(14.) Accompagnato. Priest Israelite (1751)

V. I, II
Va.
Cont.

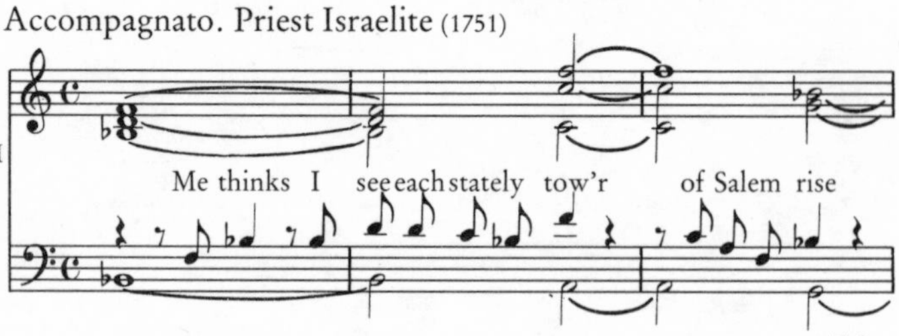
Me thinks I see each stately tow'r of Salem rise

8 Takte

14b. Air. Priest Israelite (1751)

V. I, II
Cont.

Maestoso
12
8
Sacred raptures cheer my breast,

[= HWV 67. Solomon (6.)]

118 Takte

15. Chorus. S.; A.; T. I, II; B.

Ob.
V. I, II
Cont.

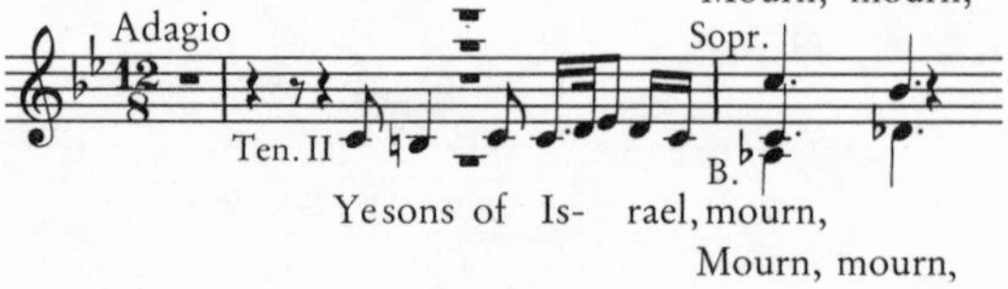
Adagio
Mourn, mourn,
Sopr.
Ten. II
B.
Ye sons of Is- rael, mourn,
Mourn, mourn,

17 Takte

Act II

Scene I

16. Chorus. S.; A.; T. I, II; B.

Ob.
V. I, II
Va.
Cont.
13
Sopr.
Tyrants may awhile presume they ne-ver shall,

[= HWV 50a. Esther (16.)] 85 Takte

Scene II

Recitative. Esther; Mordecai

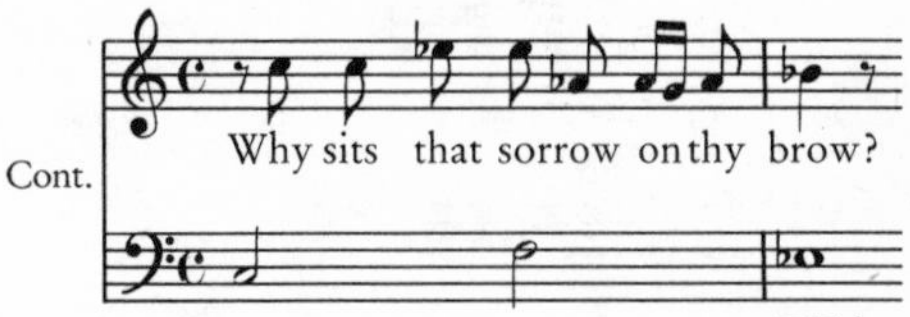
Cont.
Why sits that sorrow on thy brow?

17 Takte

17a. Air. Mordecai (1. Israelite)

Larghetto
V. I, II
unis.
Cont.

p
Dread not, right-eous Queen, the danger! Love will pa- ci- fy his anger;
p

Takt 7 48 Takte *D. c.*

Recitative. Priest Israelite (1751, Mordecai 1757)

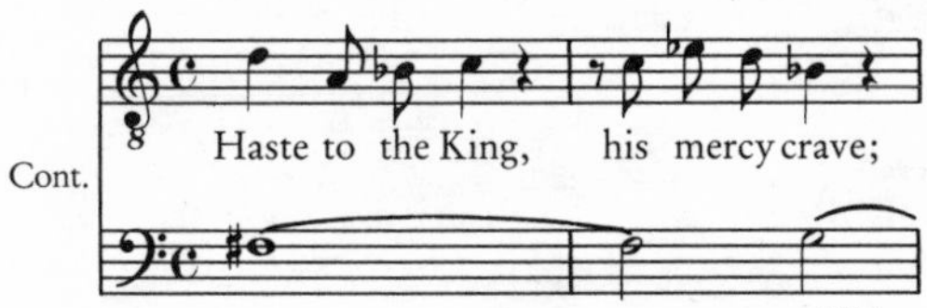
Cont.
Haste to the King, his mercy crave;

6 Takte

17b. Air. Priest Israelite (1751; Mordecai 1757)

Larghetto
V. I, II
unis.
Cont.
6
Dread not, right-eous Queen, the danger;

48 Takte *D. c.*

Recitative. Israelite Woman

Cont.
O Heav'n, protect her with thy tender care,

4 Takte

18. Duet. Israelite Woman; Mordecai (1733: Second Israelite Woman)

Ob. solo
Ob.
V. I, II
Cont.
V. I
V. II
p

[= HWV 74. Birthday Ode (6.)]

(1.) Israelite Woman
Bles- sings, de- scend on down- y wings!

Takt 5 30 Takte *D. c.*

A. Recitative. Esther

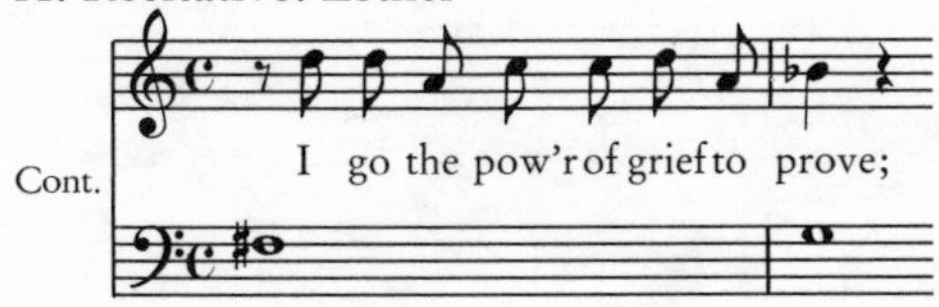
Cont.
I go the pow'r of grief to prove;

3 Takte

19a. Air. Esther

Ob.
V. I, II
Cont.
22
Tears as- sist me, pity moving,

106 Takte

B. Recitativo. Esther (1751)

Cont.

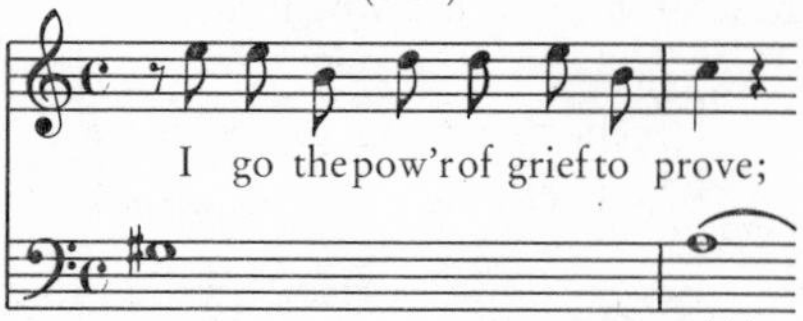
I go the pow'r of grief to prove;

3 Takte

19b. Air. Esther (1751)

Ob.
V. I, II
Cont.

Tears, as- sist me, pity moving,
Ob.

Takt 23 106 Takte

20. Chorus. S.; A.; T. I, II; B.

Ob.
V. I, II
Cont.

Grave
Save us, o Lord, save us, o Lord,

13 Takte

Recitative. Mordecai (1751; Esther 1757)

Cont.

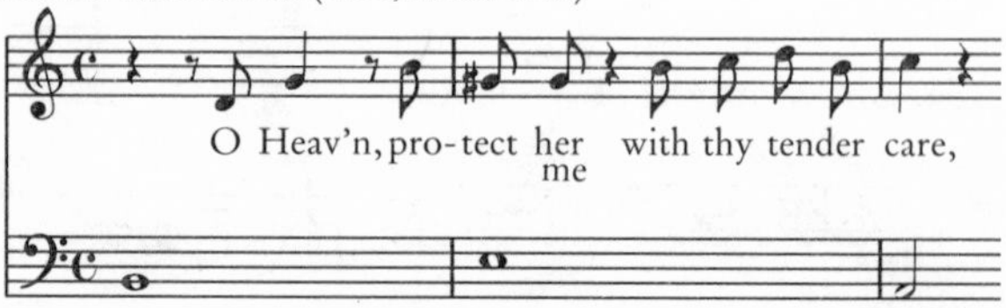
O Heav'n, pro- tect her with thy tender care,
me

5 Takte

(20.) Air. Mordecai (1751)

Ob. I, II
V. I, II
Va.
Cont.

Larghetto

[= HWV 242. Silete venti (3.)]

Ob. solo
Hope, hope, a pure and last- ing trea- sure,

Takt 5 45 Takte *D. s.*

Scene III

A. Recitative. Ahasverus; Esther

Cont.

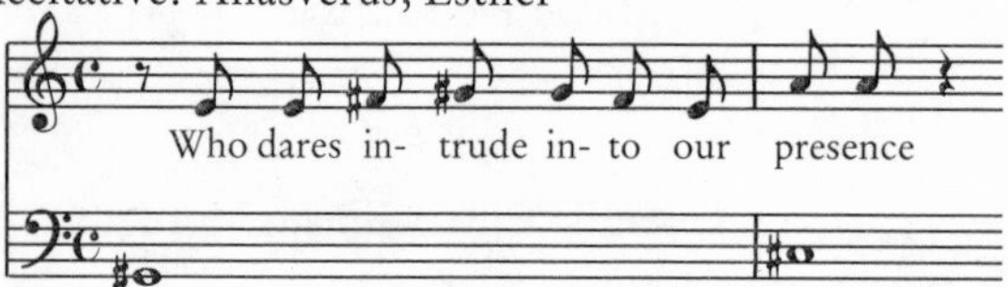
Who dares in- trude in- to our presence

22 Takte

B. Recitative. Ahasverus; Esther (1740)

Cont.

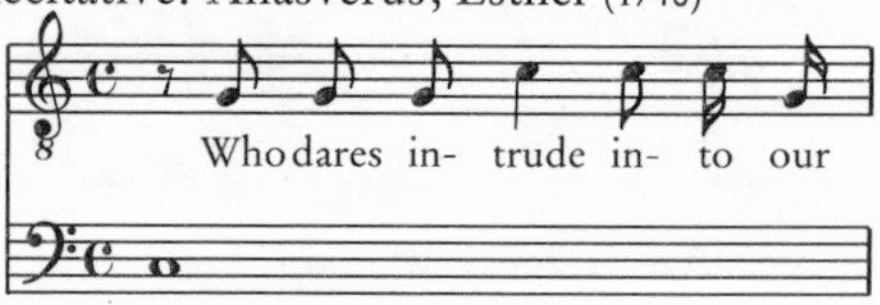
Who dares in- trude in- to our

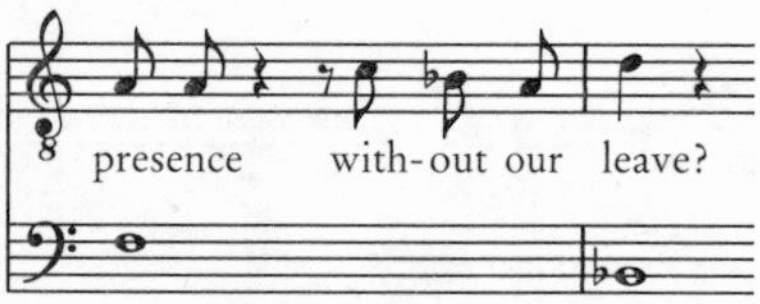
presence with- out our leave?

22 Takte

21. Duet. Esther; Ahasverus

V. I, II
Cont.

Adagio e staccato
7
Esther
Who calls my parting soul from death?

54 Takte

22. Air. Ahasverus

V. I, II
Cont.

O beauteous Queen, un close those eyes!

Takt 26 140 Takte *D. c.*

Recitative. Esther

Cont.

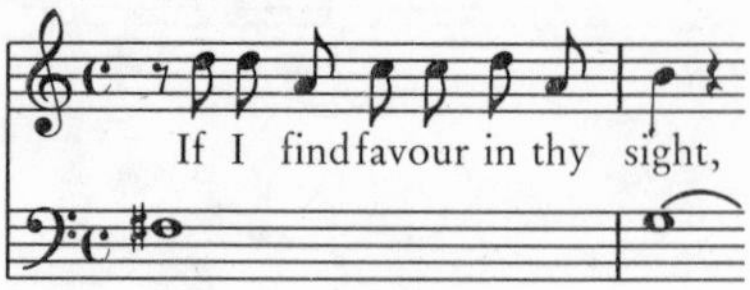
If I find favour in thy sight,

23. Air. Ahasverus

Ob.
V. I, II
Cont.

How can I stay, when love in- vites?

Takt 9 47 Takte *D. c.*

Recitative. Priest Israelite (1751)

Cont.
With inward joy his visage glows,
5 Takte

23a. Air. Israelite (1751)

Larghetto

V. I, II
unis.
Cont.
Virtue, truth, and inno-
[= HWV 67. Solomon (16.)]
Takt 19

cence shall ev- er be her sure de- fence;
93 Takte

23b. Duet and Chorus. Israelite Woman; Israelite Man; S. I, II; A.; T.; B. (1757)

Andante

V. unis.
Va.
Ob. I, II
Fag.
V. I, II
Va.
Cont.
Israelite Woman
Sion now her
V.
Takt 17

head shall raise,
Solo (Israel Woman)
tune your harps
to song and praise!
Tutti
Sion now
Chorus: Tune your harps,
tune your harps!
Takt 59
218 Takte

23c. Air. Mordecai (1757)

Allegro

V. I, II
Cont.
14
[vgl. Nr. 4]
May thy beau- ty, sweetly, smiling,
47 Takte D. s.

Recitative. Priest Israelite

Cont.
With inward joy his visage glows,
8 Takte

24. Air. Israelite Woman (1733, 1742: Esther)

Andante allegro

V. I, II
unis.
Cont.
Hea-ven o lend me ev- - -ry charm,
has lent her
Takt 21
117 Takte D. s.

Recitative. Priest Israelite

Cont.
The King will listen to his royal fair,
4 Takte

25. Chorus (Anthem). S. I, II; A. I, II; T.; B. I, II

Ob. I, II
Fag. I, II
Trba. I, II, III
Timp.
V. I, II, III
Va.
Vc.
Cbb.
Org.
[= HWV 258. Coronation Anthem I]

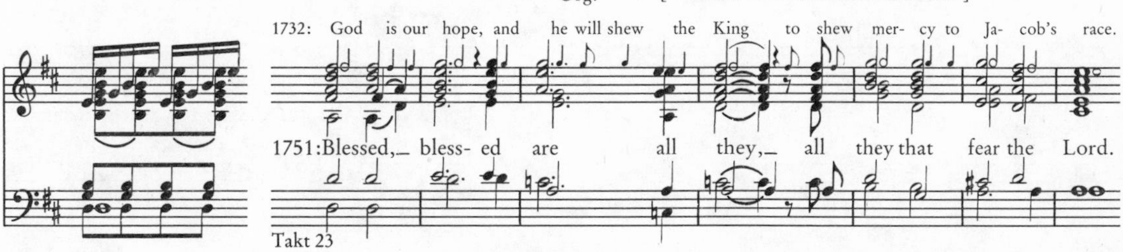
1732: God is our hope, and he will shew the King to shew mer- cy to Ja- cob's race.
1751: Blessed, bless- ed are all they, all they that fear the Lord.
Takt 23

A tempo ordinario
A. I, II
may the King live for ev- er!
God save the King, long live the King, God save the King!
Amen, Amen,
Ten.
Takt 31
B. I, II
89 Takte

Act III

Scene I

26. Arioso. (The Invocation). Mordecai (1733: 1. Israelite; 1751: Priest)

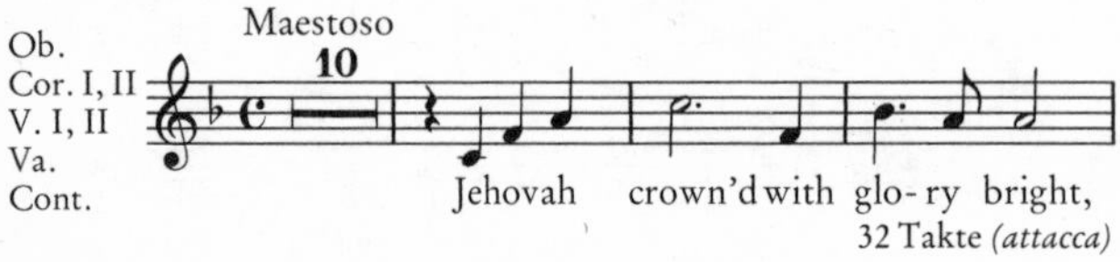
Ob.
Cor. I, II
V. I, II
Va.
Cont.
Maestoso
10
Jehovah crown'd with glo- ry bright,
32 Takte (attacca)

27. Chorus. S.; A.; T. I, II; B.

Ob.
Cor. I, II
V. I, II
Va.
Cont.
Allegro
29
7
He comes

to end
Sopr.
Ten. I
B.
to end our woes,
to end our woes,
189 Takte

Scene II

Recitative, Ahasverus, Esther

Cont.
Now, O Queen, thy suit de- clare;
29 Takte

Recitative. Israelite Woman (1757)

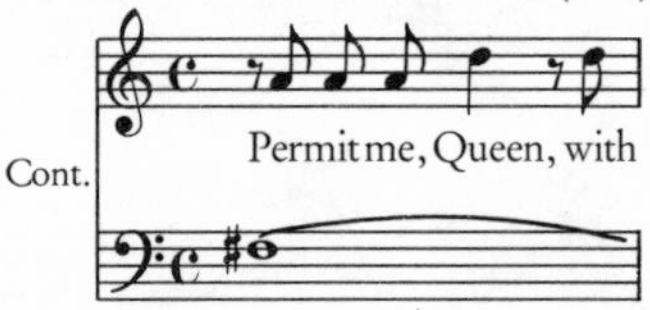
Cont.
Permit me, Queen, with

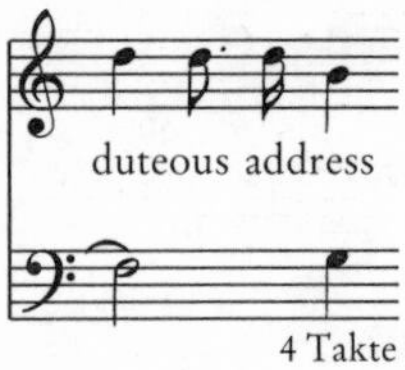
duteous address
4 Takte

Air. Israelite Woman (1757)

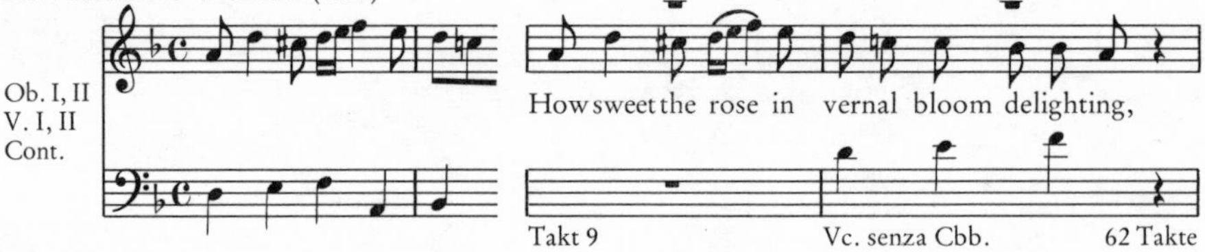
Ob. I, II
V. I, II
Cont.
How sweet the rose in vernal bloom delighting,
Takt 9
Vc. senza Cbb.
62 Takte

28. Arioso. Haman

V. I, II
Va.
Cont.
3
senza Cemb., Teorba, Arpa e Fag.
Turn not, O Queen, thy face_ a- way,
24 Takte

29. Air. Esther

Ob.
V. I, II unis.
Cont.
Allegro
Flatt'ring tongue, no more I hear thee!
75 Takte D. c.

Recitative. Ahasverus

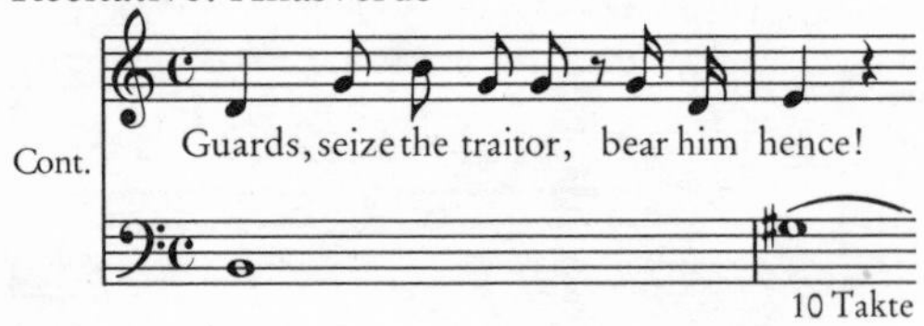
Cont.
Guards, seize the traitor, bear him hence!
10 Takte

30a, b. Air and Chorus. Ahasverus

Andante
V. I, II
Cont.
Thro' the
Tasto solo
Takt 9
p

na- tion he_ shall_ be

[= HWV 74. Birthday Ode (5.)]

Chorus. S.; A.; T.; B.

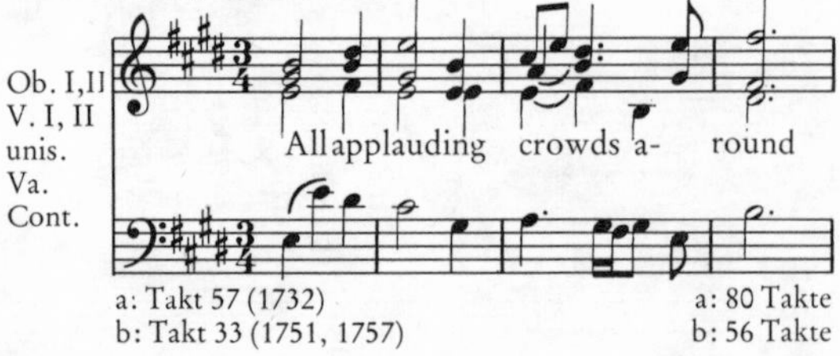
Ob. I, II
V. I, II unis.
Va.
Cont.
All applauding crowds a- round
a: Takt 57 (1732)
b: Takt 33 (1751, 1757)
a: 80 Takte
b: 56 Takte

Recitative. Esther (1757)

Cont.
By thee, great Prince, we now again are freed,
4 Takte

Air. Esther (1757)

Allegro
V. I, II unis.
Cont.

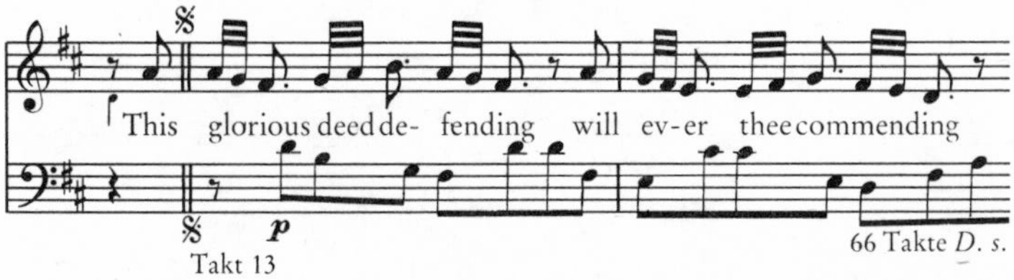
This glorious deed de- fending will ev-er thee commending
p
Takt 13
66 Takte D. s.

31. Air. Haman

Larghetto
Ob.
V. I, II unis.
Cont.
V. unis.
Org. tasto solo

How art thou fall'n from thy height! Tremble, am- bi- tion,
Takt 10
53 Takte

32. Duet. Esther; Israelite Woman

(1751/57: Esther; Mordecai)

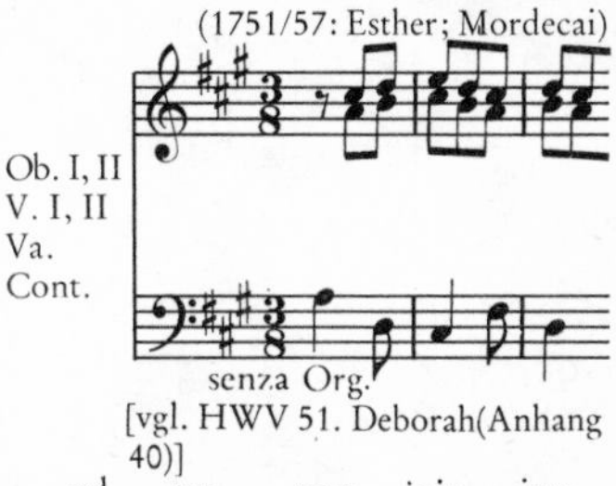
Ob. I, II
V. I, II
Va.
Cont.
senza Org.

[vgl. HWV 51. Deborah(Anhang 40)]

Esther
(V. colla parte)
I'll pro- claim the wond'rous sto- ry
1737: Il fa- vor del pri- mo au- to- re
Takt 9
Cemb. I, con li Bassi

Esther
In ex- alt- ed rap- ture join- ing
Israelite Woman: In ex- alt- ed
Cemb. I e II con li Bassi
Takt 53
91 Takte

Scene III

33a. Chorus. S. I, II; A.; T. I, II; B.

Ob. I, II
Fag.
Trba. I, II, III
Timp.
V. I, II
Va.
Cont.

The Lord our en-e-my has slain, the Lord our en-e-my has slain!
S. II
Al-le-lu- ja
Cont.
126 Takte

33b. Chorus. S. I, II; A.; T. I, II; B.

Ob. I, II
Fag.
Trba. I, II, III
Timp.
V. I, II
Va.
Cont.

The Lord our en- e- my has slain, the Lord our en- e- my has slain!
A. Ye sons of-
Cont.

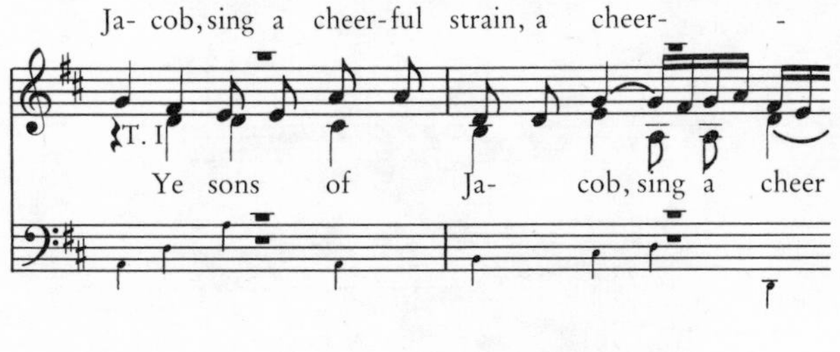
Ja- cob, sing a cheer-ful strain, a cheer-
T. I
Ye sons of Ja- cob, sing a cheer

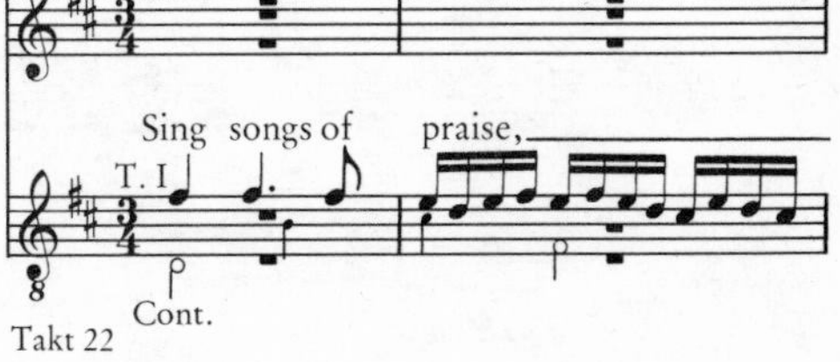
Sing songs of praise,
T. I
Cont.
Takt 22

Sing songs of praise,
bow down thee knee, bow down the knee
The Lord our en-e-my has
Takt 81
For ev-er, for ev-er, for ev-er bless-ed
A.
T. I
For ev- er bless- ed
slain, the Lord our en- e- my has slain. For ev-er, for ev-er, for ev-er, for ev-er,
For ev-er, for ev-er bless-ed, for ev-er,

126(121) Takte

Anhang

Additional Airs Juli 1737

Aria. Sopr.

Allegro
Ob.
V. I, II
unis.
Cont.
Tua bellezza, tua dol- cez- za vince- rà del Regeil cor,
p

Takt 9 — 79 Takte *D. c.*

Aria. Sopr.

Allegro
Ob.
V. I, II
unis.
Cont.
Ange- li- co splen- dor rischia- ri il nobil cor,

Takt 23 — 135 Takte *D. s.* (T. 15)

Aria. Sopr.

Larghetto
tr
Ob. solo
Ob. I, II
V. I, II
Va.
Cont.
Cor fe- de- le, cor fe- de-le, spe- ra sempre,

[= HWV 242. Silete venti (3.)]
[vgl. Nr. (20.)]

Takt 7 — 47 Takte *D. s.*

Aria. Sopr.

Allegro
Ob. I/V. I
Ob. I, II
V. I, II
Va.
Cont.
Va.
Bian- co gi- glio in tut- to
V. II
Va.
p

[= HWV 242. Silete venti (5.)]

Takt 11

Quellen

Handschriften: Autographe: HWV 50^{a}: GB Lbm (R. M. 20. e. 7., f. 1–67^{v}, ohne Sinfonia und ohne die folgenden Sätze: Rezitativ und Arie Nr. 3, Nr. 10, Rezitativ „Who dares intrude", Nr. 14, Rezitativ „If I find favour", Rezitativ „With inward joy"; außerdem fehlt das letzte Bl. des Schlußchores Nr. 22), Cfm (30 H 1, p. 27–30: Nr. 10). HWV 50^{b}: GB Lbm (R. M. 20. e. 7., f. 69–80: Rezitativ „O king of Kings", Fassung A, Rezitativ und Arie Nr. 4, Rezitativ „O Heaven protect her", Fassung A, Rezitativ und Arie Nr. 24, Rezitativ „The King will listen", Nr. 30^{a}, Rezitativ und Arie Nr. 9; R. M. 20. g. 9., f. 18: „Spira un aura" für 1737), Cfm (30 H 1, p. 31–38, Teil der Direktionspartitur: Nr. 1, Nr. 2, nur Text autograph, Noten von J. Ch. Smith senior, Rezitativ A/B „O king of Kings", Nr. 3, Takt 1–8, Nr. 33; p. 39–42: Takt 42–57 sowie Da capo von „Bianco gigli" für 1737, Nr. 33^{a}, T. 1–88, mit geändertem Sopransolo für Conti 1737; 30 H 12, p. 41–44: „Angelico splendor" für 1737, T. 1–90).

Abschriften: HWV 50^{a}: D (brd) B (Mus. ms. 9003/50), Hs (M $\frac{B}{1667}$: „Haman and Mordecai, a Masque") – GB BENcoke (3 Ex.), Cfm (Barrett-Lennard-Collection, MS. 800, mit Anhang für HWV 50^{b}), DRc (Ms. D 15, St.; MS. E 35 [III], St.), Lbm (Egerton 2931, mit Anhang „Additional Songs" für HWV 50^{b}; Add. MSS. 31 560), Malmesbury Collection (Ms. aus dem Besitz von Elizabeth Legh, datiert 1718: „The Oratorium/Composed by/George Frederick Handel Esquire/in London/1718", Abschrift des Kopisten RM_1), Mp (MS 130 Hd4, v. 93) – US BET m (Lititz Miscellaneous Collection 15.), NH (Beinicke Library, Osborn MS. 519, aus dem Besitz von William Boyce), NYp (*MNZ), Wc (M. 2000. H 22. E 72, P 2, St. book 2–15). HWV 50^{b}: D (brd) Hs (M $\frac{C}{261}$, Direktionspartitur 1732–1757; M $\frac{C}{261^{a}}$, Direktionspartitur nach 1759) – GB Lbm (R. M. 18. d. 1.; R. M. 18. d. 2.; R. M. 19. g. 8.; R. M. 19. b. 2., 6 Vokalstimmen; R. M. 19. e. 10., St. f. V. I, II, Va., Vc.), Lcm (MS. 895), Mp [MS 130 Hd4, St.: v. 94(1), 95(1), 97(1) bis 101(1), 103(1)–108(1), 110(1)–115(1)] Arien: GB Lbm (R. M. 18. c. 5., f. 58–113: „Tua Bellezza", „Angelico splendor", „Cor fedele", „Bianco gigli", „Spira un aura", Nr. 1, 2, Rezitativ und Arie Nr. 3, 16, 18, 24; R. M. 18. c. 6., f. 15–19: Nr. 32, 30; R. M. 18. c. 7., f. 39–48: Nr. 4, 9; R. M. 19. a. 1., f. 62–65: Ouverture für Cembalo; R. M. 19. d. 11., f. 57–98: „Tua Bellezza", Nr. 2, „Angelico splendor", „Cor fedele", Nr. 1, 18, 24, Rezitativ und Arie Nr. 3), Mp [MS 130 Hd4, v. 59(2, 4, 5, 6), v. 60(2, 4), v. 61(2), v. 62(2–5): St. f. V. I, II, Va., Cont. von Nr. 14^{a}, 4, 17, 9; v. 314: Nr. 22, 14^{a}].

Drucke: Esther. An oratorio set to musick by Mr Handel. – London, John Walsh; Esther. An oratorio in score, composed by Mr Handel. – ib., Wright & Co.; Esther. A sacred oratorio. In score, composed in the year 1720. – London, Arnold's edition, No. 135–139; Esther. An oratorio in score by Mr Handel, for the voice, harpsichord, and violin. – ib., Harrison & Co.; The most celebrated songs in the oratorio call'd Queen Esther, to which is prefixt the overture in score, compos'd by Mr Handel. – ib., John Walsh; — ib., John Walsh, No. 288; Harrison's edition, corrected by Dr Arnold. The overture and songs in Esther, an oratorio, for the voice, harpsichord, and violin, composed by Mr Handel. – ib., Harrison & Co.; Esther. Composed by G. F. Handel, arranged for the organ, or piano forte by Dr John Clarke, Cambridge. – ib., Button, Whitaker & Beadnell; The overture to Esther, for a full band, composed by Mr Handel. – ib., H. Wright; Overture in Esther. – s. l., s. n.; — (London), J. Bland; — London, A. Bland & Weller; — (London), W. Randall; — Overture to Esther, composed by Handel. – London, G. Walker; — ib., W. Boag; — Overture in Esther. – ib., J. Dale; Dread not, righteous Queen, the danger. Song (In: The Lady's Magazine, May, 1778). – London, s. n.; I'll proclaim. Esther. – (London), J. Bland; — I'll proclaim the wondrous story. Song. (In: The Lady's Magazine, April 1789). – (London), s. n.; — . . . (In: The Lady's Magazine, April, 1793). – (London), s. n.; O beauteous Queen, unclose those eyes! A song. From the oratorio of Queen Esther, set by Mr. Handel, and sung by Signior Senesino. – London, R. Faulkner; — O beauteous queen. A favourite song by Handel. – (London), H. Wright; Praise the Lord. Esther. – (London), J. Bland; Tears assist me. Song (In: The Lady's Magazine, May, 1791). – (London), s. n.; Who calls my parting soul. Esther. – (London), J. Bland; —

London, Bland & Weller. – The Works of Handel, printed for the members of the Handel Society, vol. 3, ed. Ch. Lucas, London 1844/45.
Libretto: Esther: an Oratorio; or Sacred Drama. The Musick As it was composed for the Most Noble James Duke of Chandos. By George Frederick Handel, in the Year 1720. And Perform'd by the Children of His Majesty's Chapel, on Wednesday, Feb. 23. 1731. – London, printed in the Year M.DCC. XXXII. (Ex.: F Pn, Schoelcher Collection); — An Oratorio; or Sacred Drama. As it is now acted at the Theatre Royal in the Hay-Market with vast applause. The Musick being composed by the Great Mr Handel (In: London Magazine, May, 1732); — An Oratorio: or Sacred Drama. As it is performed At the King's Theatre in the Hay-Market. The Musick formerly Composed by Mr Handel, and now Revised by him, with several Additions. The Additional Words by Mr Humphreys. – London, T. Wood, MDCCXXXII (Ex.: GB BENcoke, Ckc – US PRu); — The third edition. – ib. (1733) (Ex.: BENcoke); — The fourth edition. – ib. (1733); — As it is Perform'd At the Theatre in Oxford. – London, T. Wood (1733) (Ex: F Pn, Schoelcher Collection – GB BENcoke); — The Musick compos'd by Mr. Handel. The Words by Dr Arbuthnot. – (Dublin, George Faulkner), MDCCXLII; — An Oratorio. As it is Perform'd at the Theatre Royal in Covent-Garden. – London, J. Watts, 1751 (Ex.: GB BENcoke, Lcm); — An Oratorio: with new additions. As it is Perform'd at the Theatre Royal in Covent-Garden. Set to Musick by Mr. Handel. – London, J. Watts, 1757.

Bemerkungen
Wie eine kürzlich von H. Serwer entdeckte Abschrift (GB Malmesbury Collection) beweist, entstand „Esther" bereits 1718. Da Händels Autograph weder Titel noch Gattungsbezeichnung überliefert, kommt dieser vermutlich frühesten Kopie von Smith senior mit seiner Bezeichnung „Oratorium" eine wichtige Mittlerrolle zu: Ein „Oratorium" ohne Titel, das aber der Besetzung von „Esther" ziemlich genau entspricht, erscheint auch im „Catalogue of Music" der Cannons-Sammlung vom August 1720 (vgl. Baker, S. 134 ff.):
F. Chrysanders Titel von HWV 50^{a} „Haman and Mordecai. A Masque" bezieht sich auf die Abschrift D (brd) Hs (M $\frac{B}{1667}$), die als einzige Quelle diesen Titel trägt.
Der Text des Librettos, der A. Pope und J. Arbuthnot, zwei repräsentativen Mitgliedern des Cannons-Kreises, zugeschrieben wird, geht auf das Schauspiel „Esther, or Faith Triumphant. A Sacred Tragedy" von Thomas Brereton (Oxford 1715) zurück, das wiederum mit der Tragödie „Esther" von Jean Racine (1689, Musik: Jean Baptiste Moreau) in Verbindung steht. Die Erstfassung von „Esther" ist in 6 Szenen eingeteilt und berücksichtigt in der Besetzung die musikalischen Möglichkeiten von Cannons. Über die Uraufführung ist nichts bekannt; W. Dean ist mit R. A. Streatfeild (s. Handel, Canons, and the Duke of Chandos, London 1916) der Meinung, daß „Esther" in Cannons szenisch im großen Salon des Schlosses dargeboten wurde, und nimmt 1720 als Jahr der Erstaufführung an, doch kann nach neueren Forschungen von H. Serwer auch 1718 oder 1719 in Betracht gezogen werden.
Bis zum Jahre 1732 blieb „Esther" ohne öffentliche Resonanz; es gibt weder Berichte über Aufführungen, noch wurden Druckausgaben des Werkes veröffentlicht, wie etwa im Falle von HWV 49^{a} Acis and Galatea 1722. Im Frühjahr 1732 jedoch erlebte das Werk 10 Aufführungen, von denen vier nicht von Händel veranstaltet und drei szenisch dargeboten wurden. Die ersten Aufführungen, die von Bernard Gates, dem Leiter des Knabenchores der Königlichen Kapelle, dirigiert wurden, fanden am 23. Februar, am 1. und 3. März 1732 in der Londoner Crown and Anchor Tavern statt. Zur ersten Aufführung war Händel anläßlich seines 47. Geburtstages eingeladen worden[1] und dürfte daher die Unternehmungen von Gates sanktioniert haben. Im Libretto heißt es zur Art der Darbietung: „Mr. Bernard Gates, Master of the Children of the Chapel-Royal, together with a Number of Voices from the Choirs of St. James's and Westminster, join'd in the Chorus's, after the Manner of the Ancients, being placed between the Stage and the Orchestra; and the Instrumental Parts (two or three particular Instruments, necessary on this Occasion, excepted) were performed by the Members of the Philarmonick Society, consisting only of Gentlemen"[2]. Die Solisten der Aufführung, zum Teil Knaben, waren: Esther: John Randall, Assuerus und 1. Israelite: James Butler, Haman: John Moore, Mordecai und Israelite Boy: John Brown, Priest of Israelites: John Beard, Harbonah: Price Cleavely, Persian Officer und 2. Israelite: James Allen, Israelites and Officers: Samuel Howard, Thomas Barrow und Robert Denham. Nach Mitteilungen von W. C. Smith (s. Lit.) lag den Aufführungen von Gates eine in drei Akte eingeteilte Fassung von HWV 50^{a} zugrunde, in die zusätzlich – vermutlich auf Veranlassung Händels (s. weiter unten) – das Einleitungsritornell des Coronation

[1] W. Dean (Handel's Dramatic Oratorios and Masques, S. 205) vermutet, daß die Academy of Antient Music eine Tradition daraus entwickelt habe, Händels Geburtstag mit Aufführungen von „Esther" zu würdigen, da Libretti vom 24. Februar 1743 und 22. Februar 1753 erhalten sind, die die Cannons-Fassung HWV 50^{a} wiedergeben.
[2] Zitiert nach W. Dean, a. a. O., S. 204. Vgl. auch Burney, Ch.: Sketch of the Life of Handel, London 1785, S. 22; Streatfeild, R. A.: Handel, Canons, and the Duke of Chandos, London 1916; Dean, W.: The Dramatic Element in Handel's Oratorios. In: Proceedings of the Royal Musical Association, 1952/53, S. 33 ff.; Smith, W. C.: Handeliana. In: Music & Letters, vol. 31, 1950, S. 125 ff.

Anthems HWV 258 „Zadok the Priest" vor dem Schlußchor eingefügt worden war.
Diesen drei Aufführungen folgte eine vierte am 20. April 1732 im „Great Room in the Villars-Street York Buildings" unter anonymer Leitung und ohne Billigung Händels. Seine Antwort darauf war eine eigene Aufführung am 2. Mai dieses Jahres, die in der Londoner Presse mit folgenden Worten angekündigt wurde: „By His Majesty's Command, At the King's Theatre in the Hay-Market, on Tuesday the 2d Day of May, will be performed, *The Sacred Story* of Esther: an *Oratorio* in *English*. Formerly compos'd by Mr. Handel, and now revised by him, with several Additions, and to be performed by a great Number of the best Voices and Instruments. NB. There will be no Action on the Stage, but the House will be fitted up in a decent Manner, for the Audience. The Musick to be disposed after the Manner of the Coronation Service"[3].
Daß es zu keiner szenischen Aufführung in Händels Opernhaus kam, lag am Einspruch des Londoner ultrapuritanischen Bischofs Edmund Gibson, der – wie Burney berichtet – zugleich als Dekan der Königlichen Kapelle die Mitwirkung der Chorknaben in einem öffentlichen Opernhaus untersagte.
Händel führte „Esther" fünfmal innerhalb dreier Wochen auf (am 2., 6., 9., 13. und 16. April, dann nochmals am 20. Mai 1732). Besetzung: Esther: Anna Strada del Pò, Ahasverus: Francesco Bernardi detto Senesino, Harbonah und Mordecai: Francesca Bertolli, Haman: Antonio Montagnana, Israelite Woman: Ann Turner Robinson, First Israelite: Mrs. Davis.
Diese Aufführungen boten die Fassung HWV 50b. Die von Händel angekündigte Überarbeitung und Erweiterung der Partitur (die 6 Szenen wurden in drei Akte geteilt) umfaßte eine Reihe von Neukompositionen, deren Text von Samuel Humphreys stammte, damals Sekretär der Royal Academy of Music, sowie Übernahmen von Sätzen aus früheren Werken. Eine ganze Anzahl von Rezitativen wurde neu geschrieben, Transpositionen durchgeführt, um die Partien den Stimmlagen der neuen Sänger anzugleichen, Streichungen und Umlegungen von Arien der Fassung HWV 50a vorgenommen, der Schlußchor um mehr als ein Drittel gekürzt, dafür jedoch in seiner vokalen und instrumentalen Faktur erweitert, sowie die Ouverture umgearbeitet. Eine ausführliche Darstellung der sämtlichen Änderungen gibt W. Dean (Dramatic Oratorios and Masques, S. 207 ff., 217 ff., Appendix G).
Eine Reihe von Sätzen beider Fassungen übernahm Händel aus früheren Werken bzw. arbeitete Sätze aus „Esther" in andere Kompositionen ein:

[3] London Daily Journal, 19. April, 1732. Vgl. auch Dean, W.: Handel's Dramatic Oratorios and Masques, S. 205.

HWV 50a/50b
Ouverture – Larghetto
HWV 388 Triosonate B-Dur op. 2 Nr. 3: 3. Satz (Larghetto)
Ouverture – Allegro
HWV 388 Triosonate B-Dur op. 2 Nr. 3: 2. Satz (Allegro)
1./10. Pluck root and branch (Ritornello)
HWV 48 Brockes-Passion: 25. Laßt diese Tat nicht ungerochen (Ritornello)
4./13. Shall we of servitude complain
HWV 48 Brockes-Passion: 6a. Wir wollen alle eh' erblassen
8./15. Ye sons of Israel, mourn
HWV 15 Ottone: 10. Affanni del pensier, B-Teil
HWV 333 Concerto a due Cori F-Dur: 4. Satz (Largo)
9./14a. O Jordan, Jordan, sacred tide
HWV 48 Brockes-Passion: 11. Erwachet doch (Ritornello)
10./17. Dread not, righteous Queen
HWV 48 Brockes-Passion: 10. Brich, mein Herz
11./19. Tears assist me
HWV 48 Brockes-Passion: 24. Meine Laster sind die Stricke
13./13. Who calls my parting soul
HWV 110 „Dunque sarà pur vero": 3. Come, oh Dio
HWV 48 Brockes-Passion: 42. Soll mein Kind, mein Leben, sterben
14./22. O beauteous Queen
HWV 48 Brockes Passion: 47. Was Wunder, daß der Sonnen Pracht
16. Virtue, truth, and innocence/16. Tyrants may awhile presume
HWV 48 Brockes-Passion: 1. Mich vom Stricke meiner Sünden
17./26. Jehovah crowned
HWV 333 Concerto a due Cori F-Dur: 1. Satz (Pomposo)
18./27. He comes to end our woe
HWV 333 Concerto a due Cori F-Dur: 2. Satz (Allegro)
19./28. Turn not, o Queen, thy face away
HWV 48 Brockes-Passion: 8. Mein Vater, ist's möglich
HWV 50b
1. Breathe soft, ye gales
HWV 242 „Silete venti": 2. Silete venti
2. Watchful angels
HWV 47 La Resurrezione: 8. Ferma l'ali
3. Alleluja
HWV 240 „Saeviat tellus"; 4. Alleluja
HWV 242 „Silete venti": 6. Alleluja
5. My heart is inditing
HWV 261 „My heart is inditing": 1. My heart is inditing
13b. No more disconsolate (1751)
HWV 51 Deborah: 26. No more disconsolate

14[b]. Sacred raptures (1751)
HWV 67 Solomon: 6. Sacred raptures
18. Blessings descend
HWV 74 Birthday Ode: 6. Kind health descends
23[a]. Virtue, truth, and innocence
HWV 67 Solomon: 1[b]. When the sun over yonder hills
25. God is our hope/Blessed are all they
HWV 258 „Zadok the Priest": Zadok the Priest
30. Thro' the nation/All applauding crowds
HWV 74 Birthday Ode: 5. Let rolling streams/The day that gave great Anna birth
HWV 333 Concerto a due Cori F-Dur: 5. Satz (Allegro ma non troppo)
Add. air (1751): Hope, a pure and lasting treasure
HWV 242 „Silete venti": 3. Dulcis amor

Händel führte HWV 50[b] „Esther" in neun weiteren Spielzeiten auf, deren jede wiederum Änderungen und Kürzungen des Werkes brachte, so daß von einem definitiven Notentext der 2. Fassung von „Esther" eigentlich nicht gesprochen werden kann. Folgende Aufführungen sind durch Libretti bzw. Pressebelege dokumentiert:

London (14. und 17. April 1733): Besetzung vermutlich wie 1732, Kürzung des Werkes durch Streichung von Rezitativen, einer Arie (19) und zwei Chören (11, 20) sowie Umstellung von Arien.

Oxford (5. und 7. Juli 1733): Aufführung im Sheldonian Theatre durch etwa 70 Sänger und Instrumentalisten[4]; Besetzung: Esther: Anna Strada del Pò, Ahasuerus und Mordecai: Walter Powell, Haman: Gustav Waltz, Harbonah und Israelite: Philip Rochetti, 1./2. Israelites: Philip Row, Thomas Salway.

London (6 Aufführungen im März 1735), Presseankündigung „with several new additional songs, likewise two new Concerto's on the Organ"; vermutliche Besetzung: Esther: Anna Strada del Pò, Ahasuerus: Giovanni Carestini, Mordecai: Maria Caterina Negri, Haman: Gustav Waltz, Israelite Woman: Cecilia Young, Harbonah und Israelite: Samuel Howard. Die bei dieser Gelegenheit aufgeführten Orgelkonzerte waren HWV 290 op. 4 Nr. 2 B-Dur, dessen letzter Satz als „Minuet in Esther" bekannt wurde und das Händel wenig später bei Aufführungen von HWV 51 Deborah und HWV 52 Athalia wiederholte, sowie vermutlich HWV 291 op. 4 Nr. 3 g-Moll.

London (7. und 14. April 1736): Besetzung: Esther: Anna Strada, Mordecai: William Savage, Israelite Woman: Cecilia Young, Haman: Mr. Erard, Ahasuerus: John Beard, Harbonah/Israelite: Thomas Salway.

London (6. und 7. April 1737): Für diese Spielzeit hatte Händel neue italienische Sänger verpflichtet, die die englische Sprache nicht beherrschten. Deshalb wurden fünf italienische Arien eingefügt und andere Arientexte ins Italienische übersetzt. Als Einlagen[5] dienten: „Tua bellezza" (Neukomposition), „Angelico splendor" (aus G. Ph. Telemanns Kantatenjahrgang „Der Harmonische Gottesdienst", Hamburg 1725/26, Kantate 19, Nr. 3: „Immanuel ist da", entwickelt. Vgl. G. Ph. Telemann, Musikalische Werke, Bd. III, Kassel 1953, S. 160), „Cor fedele spera sempre", „Bianco gigli" und „Spira un'aura"[6] (aus HWV 242 „Silete venti", 3. Dulcis amor, und 5. Date serta/Surgant venti, entnommen und umtextiert). Diese Arien wurden vermutlich für den Kastraten Conti eingelegt, für den weiterhin die Arie Nr. 2 „Watchful angels" (= „Pure menti amico ciel") und das Duett Nr. 32 „I'll proclaim the wond'rous story" (= „I favor del primo autore") ins Italienische übersetzt sowie die Solopassagen im Schlußchor Nr. 32[a] neu bearbeitet wurden[7]. Auch Annibali erhielt für die Arie Nr. 9 „Endless fame" eine italienische Übersetzung (= „Quella fama, ch'or ti chiama"). Besetzung: Esther: Anna Strada, Ahasuerus: Domenico Annibali, Israelite: Gioacchino Conti detto Gizziello, Mordecai: Francesca Bertolli, Haman: Thomas Reinhold, 2. Israelite: John Beard. Die Änderungen und Einlagen für diese Spielzeit werden neben den autographen Quellen noch durch eine Reihe von Sammelbänden der Aylesford Collection (s. GB Lbm, R. M. 18. c. 6., R. M. 18. c. 7., R. M. 18. c. 5.) überliefert.

In einem Konzert, das Händel unter der Ankündigung „An Oratorio" am 28. März 1738 veranstaltete, erklangen die italienischen Arien der Fassung 1737 („Tua bellezza" erhielt den neuen Text „La speranza, la costanza") und weitere Sätze aus HWV 50[b]. Vermutlich wurde bei dieser Gelegenheit der Anthem-Chor „Zadok the Priest" (HWV 258), der 1732 auf die Worte „God is our hope" gesungen wurde, mit dem Text „Blessed are all they that fear the Lord" versehen (s. W. Dean, S. 212).

London (26. März 1740): Besetzung: Esther: Elisabeth Duparc detta La Francesina, Ahasuerus: John Beard, Haman: Thomas Reinhold, Israelite Woman: Cecilia Young-Arne, Mordecai: John Immyns, Harbonah/1. Israelite: Mr. Corfe, 2. Israelite: Mr. Williams. Bei dieser Aufführung wurden ein Concerto grosso aus op. 6 und ein Orgelkonzert gespielt. Die Änderungen überliefert der Sammelband GB Lbm, R. M. 19. d. 11.; drei italienische Arien wurden dabei berücksichtigt („Tua bellezza", „Angelico splendor" und „Cor fedele") und der Schlußchor in einer Neufassung (Nr. 32[b]) gesungen.

Dublin (3. und 10. Februar, 7. April 1742): Diese Aufführung geht auf die Fassung *Oxford 1732* zu-

[4] Norwich Gazette, 14 Juli, 1733.

[5] „Angelico splendor", „Cor fedele" und „Tua bellezza" wurden 1739 auch in HWV 54 Israel in Egypt gesungen, die erste Arie in B-Dur, die zweite in G-Dur. Die Einlage erfolgte für Elisabeth Duparc, detta la Francesina. Vgl. Clausen, S. 161.

[6] Der neue italienische Text wurde von Händel in das Autograph von HWV 242 „Silete venti" über die Worte „Surgant venti" geschrieben (s. GB Lbm, R. M. 20. g. 9.).

[7] S. GB Cfm (30 H 1, p. 37–38).

rück, doch wurden weitere Kürzungen vorgenommen, die sich auf Rezitative, die Sätze Nr. 3, 10, 18, 30 und die Anthem-Chöre („My heart is inditing" und „God is our hope" aus HWV 261 und 258) erstreckten. Susanna Maria Cibber sang die Partie des Ahasuerus und Christina Maria Avoglio die der Esther. Die Sänger der anderen Partien sind unbekannt. Auch hier wurden „several Concertos on the Organ and other Instruments" von Händel eingefügt.

London (15. März 1751): Besetzung: Esther: Giulia Frasi, Ahasuerus: Gaetano Guadagni, Mordecai/Priest: Thomas Lowe bzw. John Beard, Israelite: Caterina Galli, Haman: Thomas Reinhold, Habdonah: John Cox. Im Vergleich zur Fassung von 1742 wurden vier Arien (Nr. 3, 4, „Praise the Lord with cheerful noise", 24) gestrichen, vier neue hinzugefügt (13^b. No more disconsolate, aus HWV 51 Deborah; 14^b. Sacred raptures, aus HWV 67 Solomon; „Hope a pure and lasting treasure" als englische Fassung von „Cor fedele spera sempre" der Fassung 1737; „Virtue, truth and innocence", bearbeitet nach HWV 67 Solomon: 16. When the sun o'er yonder hills) und 8 Sätze der Fassung HWV 50^a wieder eingefügt (s. die Nachweise bei W. Dean, Appendix G).

London (25. Februar, 2. März 1757): Vermutliche Besetzung: Esther: Giulia Frasi, Ahasuerus: John Beard, Mordecai: Isabella Young, Haman: Samuel Champness, 1. und 2. Israelite Woman: Christina Passerini, Signora Beralta. Für diese Aufführungen entfernte Händel die vier zusätzlichen Arien der Fassung 1751; „Sion now her head shall raise" (23^b.)[8] und „May thy beauty" (23^c., als Überarbeitung von „Tua bellezza"), Rezitativ „Permit me, Queen" und Arie „How sweet the rose"[9] sowie Rezitativ „By thee, great Prince" und Arie „This glorious deed defending"[10] (beides Act III, Scene 2) wurden neu in die Partitur eingefügt.

Die Partie des Priest Israelite wurde gestrichen und ihre Musik zum Teil Mordecai bzw. Israelite Woman übertragen oder weggelassen.

Nach Händels Tod wurde die Aufführungstradition von „Esther" durch John Christopher Smith junior weitergeführt, der eine neue Direktionspartitur [D (brd) Hs (M $\frac{C}{261^a}$)] anlegen ließ und mehrere Änderungen darin vornahm; u. a. fügte er das Chandos Anthem VI^A HWV 251^b „As pants the hart" in die 2. Szene des II. Aktes ein[11].

Literatur

Baker, C. H. C./Baker, M. I.: The Life and Circumstances of James Brydges, First Duke of Chandos, Patron of the Liberal Arts, Oxford 1949; Burney, Ch.: Sketch of the Life of Handel, p. 22/An Account of the Musical Performances in Westminster and the Pantheon ... 1784, in Commemoration of Handel, London 1785, p. 100f., deutsche Ausgabe: Dr. Karl Burney's Nachricht von Georg Friedrich Händel's Lebensumständen und der ihm zu London im Mai und Juni 1784 angestellten Gedächtnisfeier. Aus dem Englischen übersetzt von Johann Joachim Eschenburg. Berlin und Stettin 1785, S. XXXIIIf.; Burney III, S. 775f.; Chrysander I, S. 471ff., II, S. 269ff.; Chrysander, F.: Über Händel's fünfstimmige Chöre. In: Allgemeine Musikalische Zeitung, 15. Jg., 1880, S. 201f.; Clausen, S. 139ff.; Dean, W.: The Dramatic Elements in Handel's Oratorios. In: Proceedings of the Royal Musical Association, 1952/53, S. 33ff.; Dean, S. 191ff.; Deutsch, S. 109ff., 285ff.; Flower, p. 146f., 198ff./S. 126f., 178f.; Herbage, S. 76ff.; Hiekel, H.-O.: Esther. In: Göttinger Händelfestspiele 1963, Programmheft, S. 13ff.; Lang, p. 285ff./S. 256ff.; Larsen, S. 16ff., 25ff., 62f.; Larsen, J. P.: Esther und die Entstehung der Händelschen Oratorien. In: 50 Jahre Göttinger Händelfestspiele, Kassel 1970, S. 33ff.; Leichtentritt, S. 327ff.; Müller-Blattau, S. 74ff.; Müller-Blattau, J.: Über Händels Frühoratorien „Esther", „Deborah" und „Athalia". In: Händel-Ehrung der DDR, Halle 11.–19. April 1959, Konferenzbericht, Leipzig 1961, S. 127ff.; Schering, A.: Geschichte des Oratoriums, Leipzig 1911, S. 258ff.; Schoelcher, S. 59, 104ff.; Serwer, H.: Die Anfänge des Händelschen Oratoriums („Esther", 1718). In: Anthem, Ode, Oratorium. Ihre Ausprägung bei G. F. Händel. Bericht über die wiss. Konferenz zu den 29. Händelfestspielen der DDR Halle 1980, Halle 1981, S. 34ff.; Siegmund-Schultze, S. 48, 56f.; Smith, W. C.: Handeliana. In: Music & Letters, vol. 31, 1950, S. 125ff.; Smither II, S. 188ff.; Streatfeild, S. 83, 267ff.; Streatfeild, R. A.: Handel, Canons, and the Duke of Chandos, London 1916; Young, S. 43ff.

Beschreibung der Autographe: Lbm: Catalogue Squire, S. 29f., 92. – Cfm: Catalogue Mann, Ms. 251, S. 160ff., Ms. 262, S. 204. – Dean, S. 222ff.

[8] Für „Esther" im Januar/Februar 1757 geschrieben, später (25. März 1757) auch in HWV 63 Judas Maccabaeus (20^b) aufgeführt. Zusammen mit „May thy beauty" in Quelle D (brd) Hs (M $\frac{C}{261}$, f. 74–82) notiert. Das Thema stammt aus der Altarie „Peno, peno, e l'alma fedele" von G. Buononcini (GB Cfm, 24 F 13, mit Hinweis auf die Entlehnung durch Händel von der Hand des englischen Bassisten James Bartleman). S. auch W. Dean, Appendix E, S. 645.

[9] D (brd) Hs (M $\frac{C}{261}$, f. 102–103).

[10] D (brd) Hs (M $\frac{C}{261}$, f. 112–113^v). Parodie von HWV 203 „Das zitternde Glänzen" bzw. HWV 19 Rodelinda (Anhang 31. Verrete a consolarmi).

[11] Dieser Fassung steht vermutlich auch die Abschrift GB Lbm (R. M. 18. d. 1.) nahe, die das gesamte Anthem HWV 251^b (nach 19. Tears assist me) und die Sätze Nr. 1, 2 und 5 des Dettingen Anthem HWV 265 als Schlußchor des II. Aktes aufweist.

51. Deborah

Oratorio in three acts von Samuel Humphreys

Besetzung: Soli: 3 Soprani (Deborah, Jael, Israelitish Woman) 2 Alti (Barak, Sisera, 1744 auch Ten.), Ten. (Herald) 3 Bassi (Abinoam, Chief Priest of Baal, Chief Priest of the Israelites). Chor: C. I, II; A. I, II; T. I, II; B. I, II. Instrumente: Fl. trav. I, II; Ob. I, II; Fag. I, II; Cor. I, II, III; Trba. I, II, III; Timp.; V. I, II, III; Va. I, II; Vc.; Cbb.; Cemb.; Org.
ChA 29. – HHA I/11. – EZ: London, Januar bis 21. Februar 1733. – UA: London, 17. März 1733, King's Theatre, Haymarket

Ouverture.

Part I

Scene I

1. Chorus. Coro I (C.I, A. I, T. I, B. I); Coro II (C.II, A. II, T. II, B. II)

O grant a leader to our host whose name with hon- our we may boast,
S. I, II
we may bost, whose name with hon- - -our we may boast

154 Takte

Recitative. Deborah; Barak

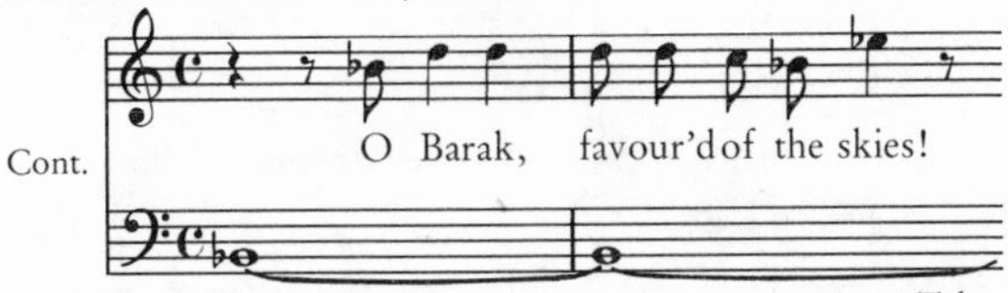
Cont.
O Barak, favour'd of the skies!

14 Takte

2. Duet. Deborah; Barak

Larghetto

V. I, II
Va.
Cont.

Senza Org. e rip.

Barak

Viol.
Viol.
Where do thy ar- dours raise me!
how shall I soar to fame,
pp

Takt 7

Deborah

Trust in the God that fires thee,

Takt 18 53 Takte

3. Chorus. C.; A.; T.; B.

Allegro

Ob. I, II
V. I, II
Va.
Cont.
a- way!
For- bear thy doubts! to arms! for- bear
For-bear thy doubts! to arms! a- way!

Con Org. e tutti

[= HWV 48 (12.)] 50 Takte

Recitative. Barak

Cont.
Since Heav'n has thus his will express'd,

8 Takte

4. Chorus. C.; A.; T.; B.

Larghetto

Str.
p
p
Ob. I, II
V. I, II
Va.
Cont.
Solo
For ev- er to the voice of pray'r for ev- er, for ev- er
Cemb. e Violoni
Je- hovah lends a gra- cious ear,

[vgl. HWV 52 (6b.)] 16 Takte

5. Accompagnato. Deborah

V. I, II
Va.
Cont.
By that a- dor- a-ble de- cree, that Chaos cloath'd with sym-metry; by that re sist- less pow'

12 Takte

6. Chorus. Coro I (C.I, A. I, T. I, B. I)
Coro II (C.II, A. II, T. II, B. II)

Largo
Ob. I, II
Fag. I, II
V. I, II
Va.
Cont.
O hear thy low-ly ser-vant's pray'r
Takt 4
31 Takte

Recitative. Deborah

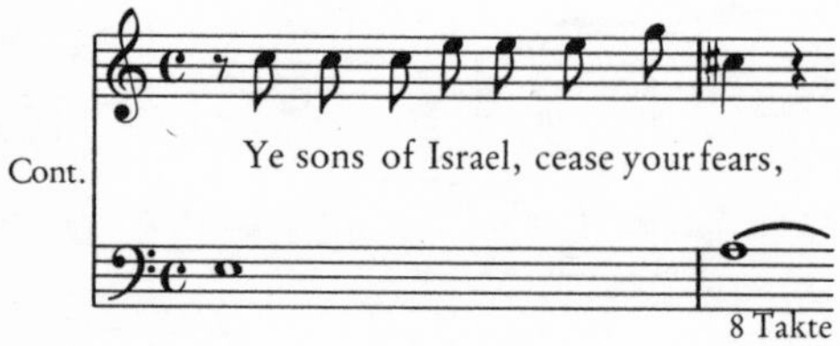
Cont.
Ye sons of Israel, cease your fears,
8 Takte

7. Chorus. C.; A.; T.; B.

Allegro
(senza strom.)
Ob. I, II
V. I, II
Va.
Cont.
O blast with thy tre- mendous brow
Organi senza Violoni e Bassons
21 Takte

Recitative. Barak

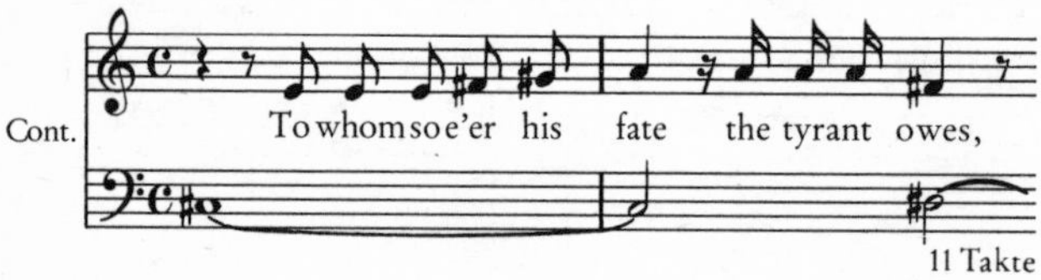
Cont.
To whom so e'er his fate the tyrant owes,
11 Takte

8. Air. Barak

Largo
V. I, II
Cont.
How

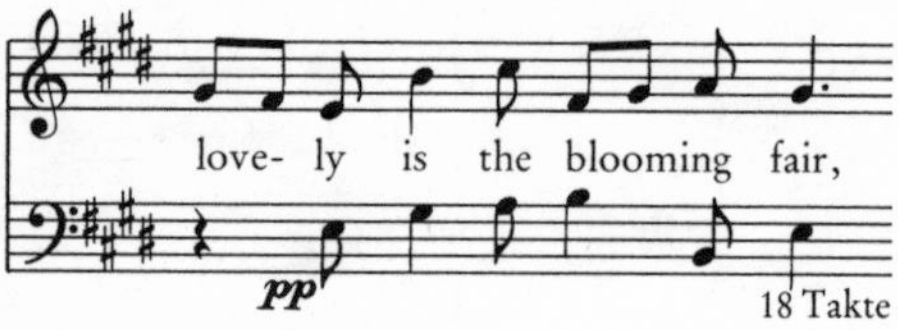
love- ly is the blooming fair,
pp
18 Takte

Scene II
Recitative. Jael; Deborah

Cont.
O De- bo- rah, where - e'er I turn my eyes,
17 Takte

9. Air. Deborah

Allegro
Tutti
Ob. I, II
V. I, II
Cont.
[= HWV 48 (40.)]
Choirs of an- gels all a- round thee,
senza Org.
p
Takt 11
62 Takte D. s.

Recitative. Jael

Cont.
My transports are too great to tell;
8 Takte

10. Air Jael

Ardito
V. I, II
unis.
Cont.
Tutti
[= HWV 48 (17.)]
To joy he brigh- tens
Takt 11

my de- spair,
60 Takte D.c.

Scene III
Recitative. Abinoam

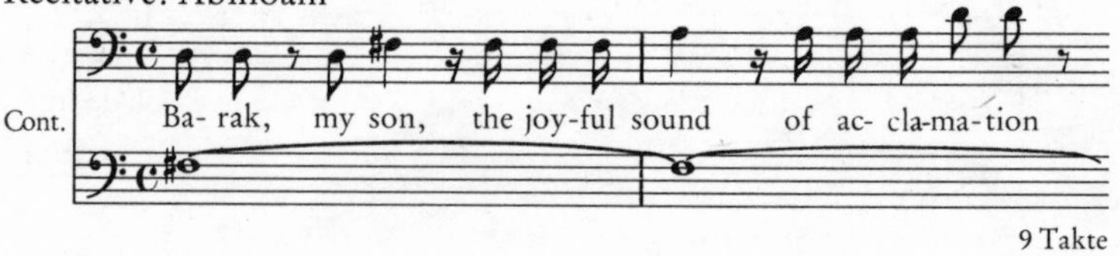
Cont.
Ba- rak, my son, the joy- ful sound of ac- cla- ma- tion
9 Takte

11. Air. Abinoam

(Allegro)
(V. e Va. unis. all' ottava)
V. I, II
Va.
Cont.
A wake the ar- dour of thy breast,
Takt 25
[= HWV 74 (8.)]
f 106 Takte

A. Recitative. Barak

Cont.
I go, where Heav'n and du-ty call,
3 Takte

B. Recitative. Barak

Cont.
I go, where Heav'n and du-ty call,
3 Takte

12. Air. Barak

Allegro
Ob. I, II
V. I, II
Va.
Cont.
p
Ob.
All danger dis- daining all dan- ger dis- daining, for
Takt 7
p
[= HWV 48 (14.)]

bat- tle I glow,
60 Takte D. c.

13. Chorus. C.; A. I, II; T.; B

Allegro
Ob. I, II
V. I, II
Va.
Cont.
tr
A. I
A. II
Let thy deeds be glo- rious,
T.
Tutti
Takt 25
B. Let thy deeds be glo- (rious)
[= HWV 259. Coronation Anthem II]
84 Takte

Scene IV

Recitative. Herald, Barak

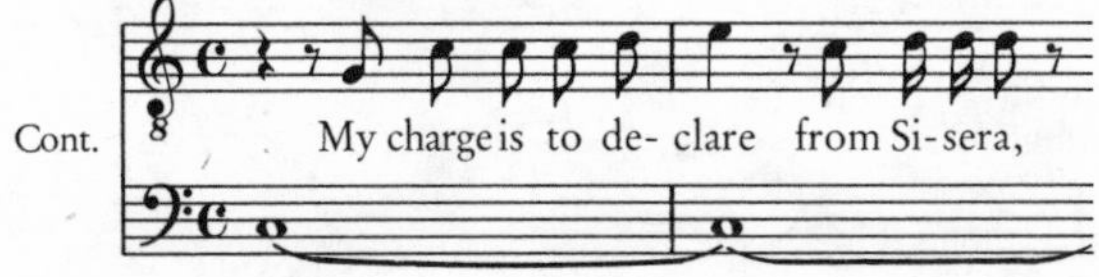
Cont.
My charge is to de- clare from Si-sera,

Scene V

(Recitative). Deborah

Cont.
Let him approach pa- cif- ic, or in rage
Takt 24
31 Takte

14. Chorus. C.; A. I, II; T.; B.

Larghetto
Ob. I, II
V. I, II
Va.
Cont.
De-
De- spair all a- round them shall swift-ly, shall swift- ly con-
Takt 14 De- spair all a- round them shall swift-ly con-
[= HWV 259, Coronation Anthem II]

spair all a- round them
found
found
Al- le- lu-ja, al- le-lu- ja, al- le- lu- ja,
Al- le- lu-ja, al- le-lu-ja, al- le- lu- ja,
Al- le- lu- ja, alle-lu- ja,
Takt 79
Al- le-luja, al- le- lu- ja, al- le-
130 Takte

Part II

Scene I

15. Chorus. C. I, II; A.; T.; B.

Andante allegro
Ob. I, II
Fag.
V. I, II
Va.
Cont.
See, see! see, the proud chief advan-ces
Cont.
See,
Takt 17

[vgl. HWV 232 (1.)]

see, the proud chief ad-vances now, now,
and scorn,
now, now, Ja- cob, Ja- cob, a- rise! as-sert thy God!
see, the proud chief ad-van- ces, now, now,
Takt 63

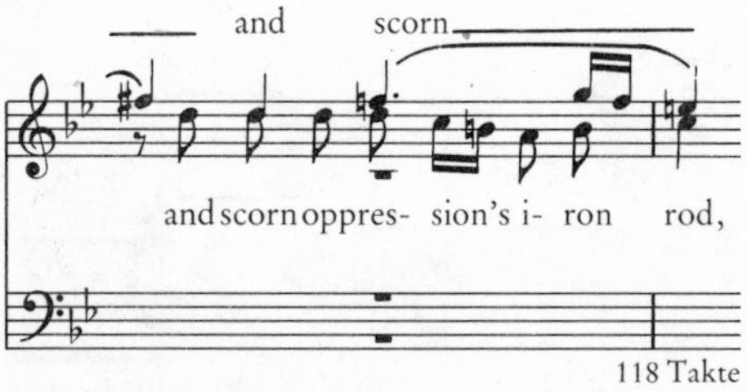
and scorn
and scorn oppres- sion's i- ron rod,
118 Takte

Scene II

A./B. Recitative. Sisera (Alto bzw. Ten.)

A.
Alto
That here re- - -bel-lious arms I see,
Cont.
That here re- bel-lious arms I see,
Ten.
B.
11 Takte

16. a, b Aria. Sisera (a. Alto; b. Ten.)

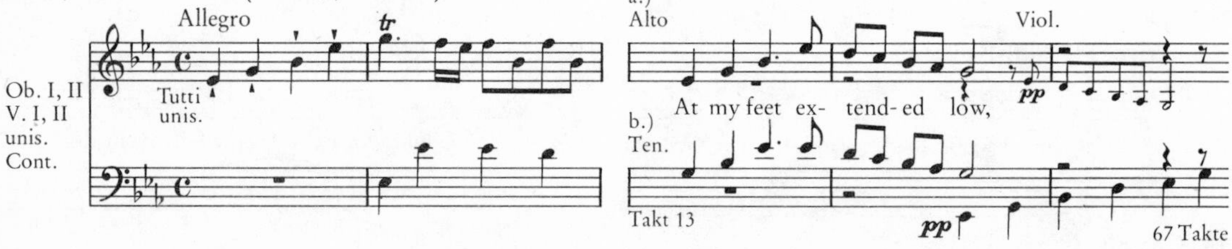
Allegro
Ob. I, II
V. I, II
unis.
Cont.
Tutti
unis.
tr
a.)
Alto
Viol.
At my feet ex- tend- ed low,
pp
b.)
Ten.
pp
Takt 13
67 Takte

Recitative. Deborah

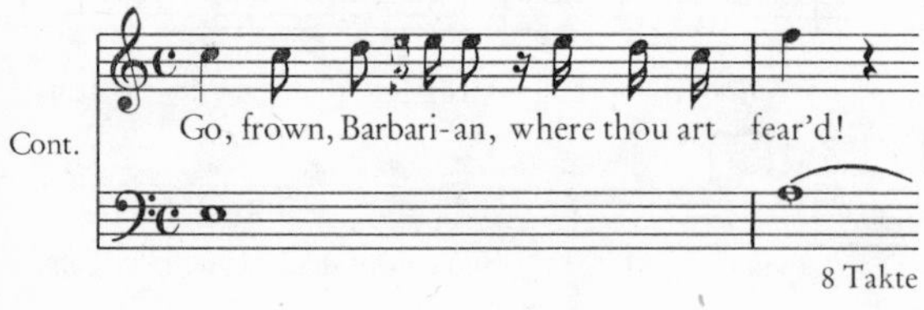
Cont.
Go, frown, Barbari-an, where thou art fear'd!
8 Takte

17. Air. Deborah

Adagio
In Je- ho- vah's aw-ful
Ob. solo
Fag. I, II
V. I, II
Va.
Cont.
Str.
p
Fag. I, II

[= HWV 48 (26.)]

sight, haughty tyrants are but dust,
Ob.
28 Takte

A./B. Recitative. Sisera (Alto bzw. Ten.)

Alto
A.
Yes, how your God in wonders can ex- cel,
Cont.
Ten.
B.
4 Takte

18a,b. Air. Sisera. (a. Alto; b. Ten.)

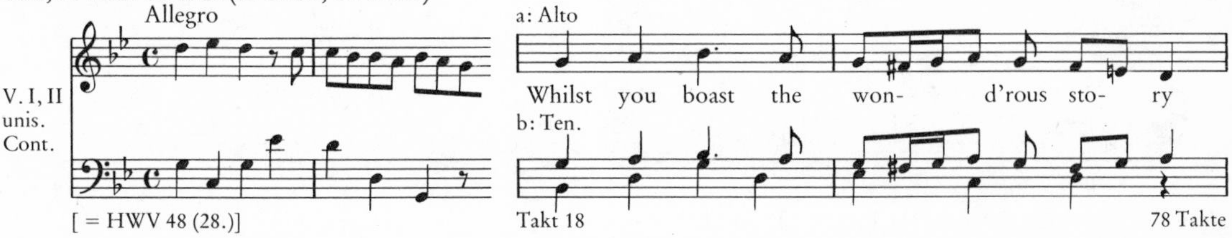
Allegro
V. I, II
unis.
Cont.
a: Alto
Whilst you boast the won- d'rous sto- ry
b: Ten.
Takt 18

[= HWV 48 (28.)]

78 Takte

19. Air. Barak

Largo e staccato
V. I, II
Va.
Cont.
Im- pious mor- tal, cease to brave us! great Je- ho- vah soon will save us,
p
p
Takt 6

[= HWV 48 (20.)]

29 Takte

A. Recitative. Chief Priest of Baal

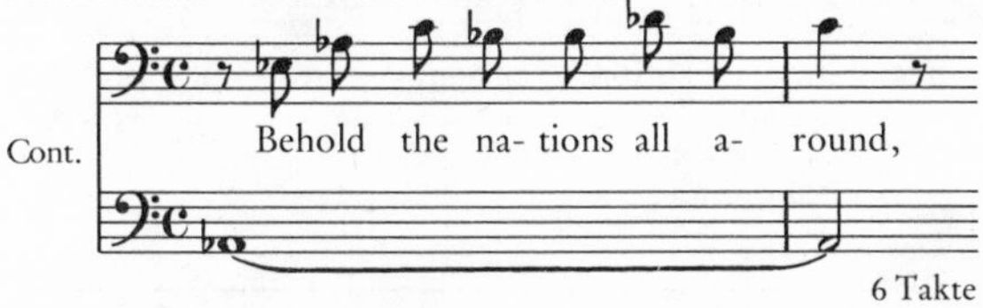
Cont.
Behold the na- tions all a- round,

6 Takte

B. Recitative. Chief Priest of Baal

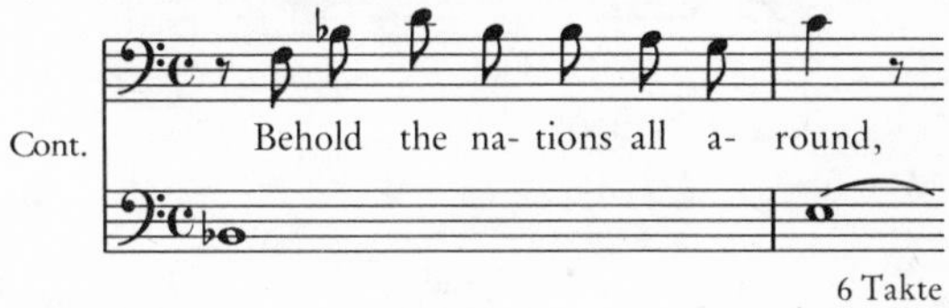
Cont.
Behold the na- tions all a- round,

6 Takte

20. Chorus of Baal's Priests. C. I, II; A.; T.; B.

Andante allegro
etc.
V. tutti e Violette all'ottava con i Bassi
Ob. I
Ob. II
C. I, II
A.
T.
Ob. I, II
V. I, II
unis.
Va.
Cont.
O Ba- - al!

[vgl. HWV 46a (12.)]

O Ba- al,
O Ba- - al, o Ba- al,
o Ba- al! mon- arch of the skies!
o Ba- al! mon- arch of the skies!

58 Takte

Recitative. Chief Priest of the Israelites

Cont.
No more! ye in- fi- dels, no more! false is the God whom ye a- dore;
7 Takte

21. Chorus. C. I, II; A. I, II; T. I, II; B. I, II

Grave
(Tutti)
Ob. I, II
Fag.
V. I, II
Va.
Vc. rip.
Org.
Cont.
Lord of e- ter- ni- ty! who hast in store plagues for the proud,
Lord of e- ter- ni- ty! who hast in store plagues for the proud,
Lord of e- ter- ni- ty! who hast in store plagues for the proud,
Organi e tutti li Bassi
(14) Takte

22. Chorus. C. I, II; A.; T.; B.

Andante
Plead thy just cause,
Ob. I, II
Fag. rip.
V. I, II
Va.
Cont.
C. I, II
con Ob. I, II
A- venge thy servants, thy ser- vants,
Cont.
[vgl. HWV 232 (1.), HWV 255 (11.)]
A- venge thy servants, thy ser- vants,
52 Takte

A.
B. Recitative. Deborah; Sisera

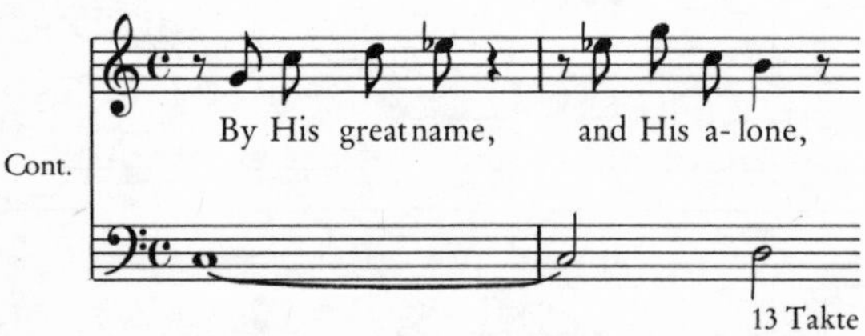
By His great name, and His a- lone,
Cont.
13 Takte

23. Solo and Chorus. Deborah; Sisera; Barak; Baal's Priest; Coro I (C. I; A. I; T. I; B. I) Coro II (C. II; A. II; T. II; B. II)

Andante
Ob. I, II
Fag. rip.
V. I, II, III
Va.
Vc.
Cbb.
Org.
Cemb.
[= HWV 46a Il Trionfo (22.)]

Deborah
All your boast all your boast will end in woe
Takt 25
pp
Cemb. e primo Vc. e Cbb.

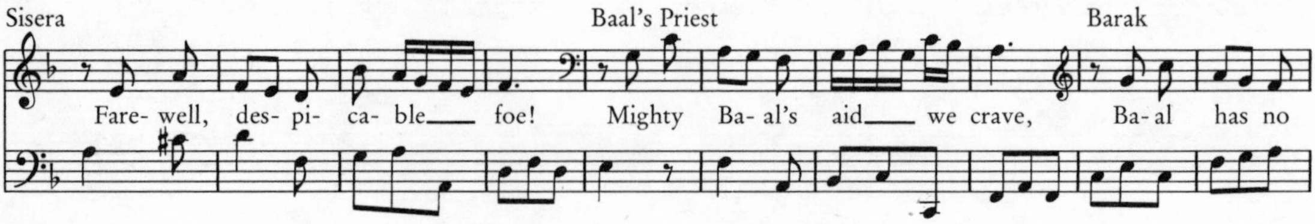
Sisera
Baal's Priest
Barak
Fare- well, des- pi- ca- ble foe! Mighty Ba- al's aid we crave, Ba- al has no

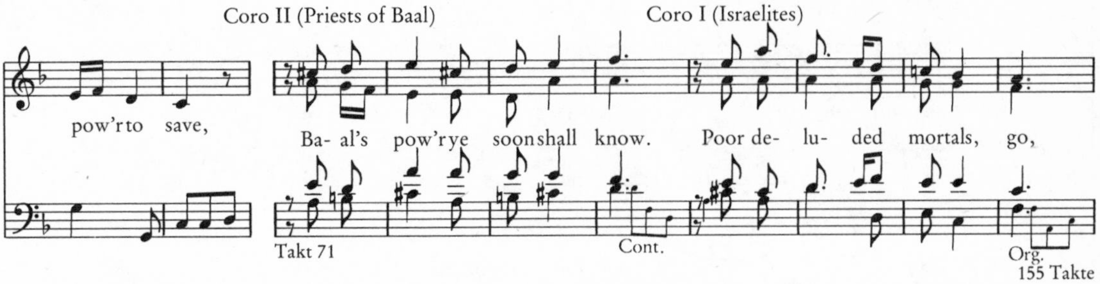
Coro II (Priests of Baal)
Coro I (Israelites)
pow'r to save,
Ba- al's pow'r ye soon shall know.
Poor de- lu- ded mortals, go,
Takt 71
Cont.
Org.
155 Takte

Recitative. Barak

Cont.
Great prophetess! my soul's on fire
6 Takte

24. Air. Barak

Andante

Fl. trav.
Ob.
V. unis.
Org.
Cont.
Fl. trav. ed Org.
In the battle
Cemb. e tutti Bassi
pp
Takt 25

Org.
fame pur- su- ing,
176 Takte D. s.

Recitative. Abinoam

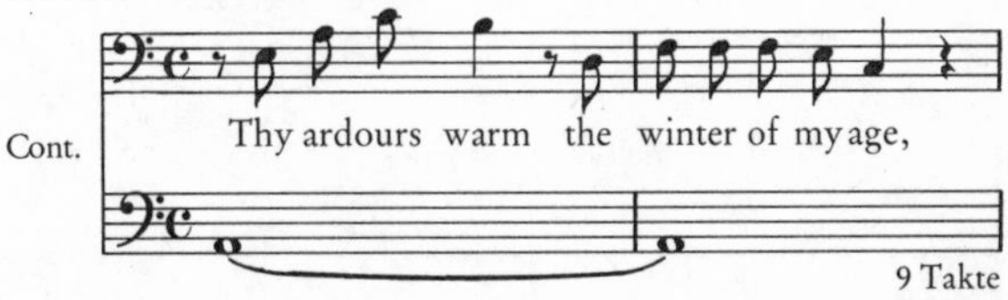
Cont.
Thy ardours warm the winter of my age,
9 Takte

25. Air. Abinoam

Allegro

V. I, II
unis.
Cont.
swift in-un- da- tion of des- o- la- tion pour on the
Takt 11

[= HWV 72 (9.)]

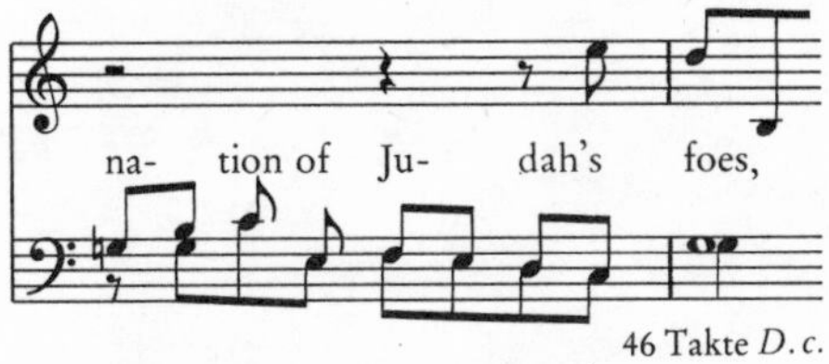
na- tion of Ju- dah's foes,
46 Takte D. c.

Recitative. Israelitish Woman/Jael

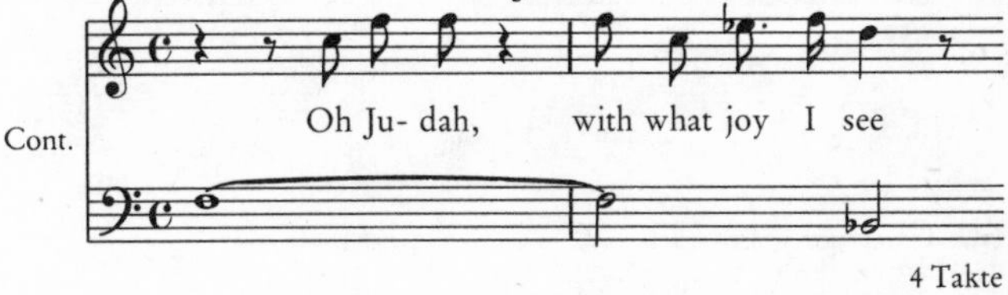
Cont.
Oh Ju- dah, with what joy I see
4 Takte

26. Air. Israelitish Woman/Jael

Larghetto

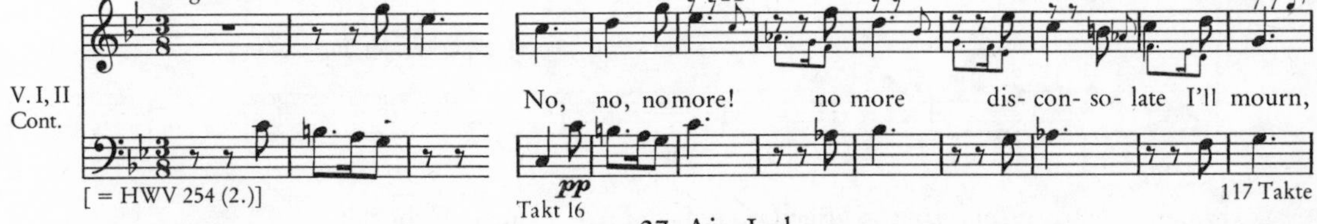
V. I, II
Cont.
V. I
pp
No, no, no more! no more dis- con- so- late I'll mourn,
pp
Takt 16
117 Takte

[= HWV 254 (2.)]

Recitative. Deborah

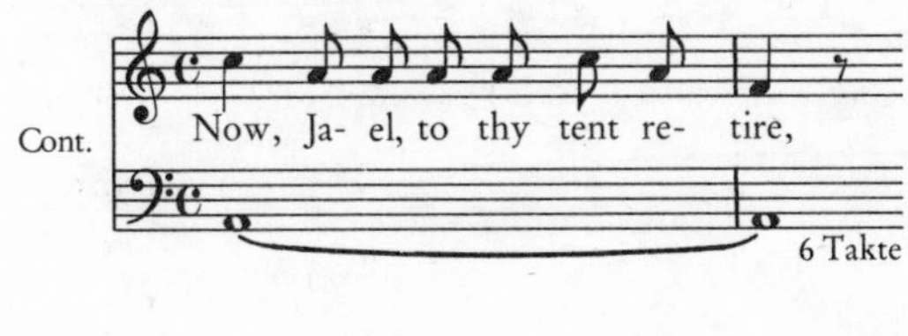
Cont.
Now, Ja- el, to thy tent re- tire,
6 Takte

27. Air. Jael

Larghetto

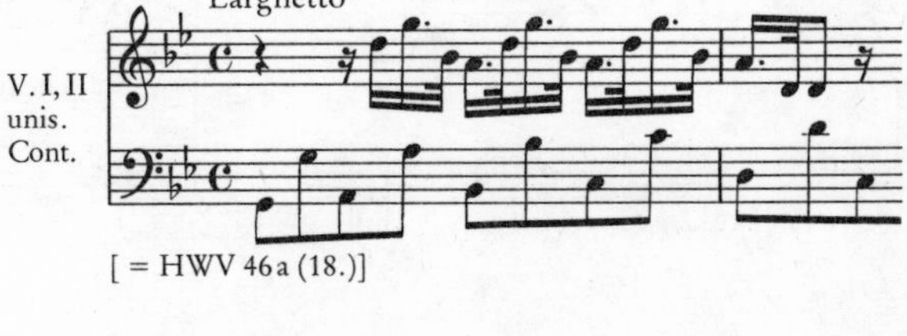
V. I, II
unis.
Cont.

[= HWV 46a (18.)]

Viol.
O the plea- sure my soul is pos- ses- sing at the pros- pect of mer- cies so dear,
Takt 6
28 Takte D. s.

Recitative. Deborah

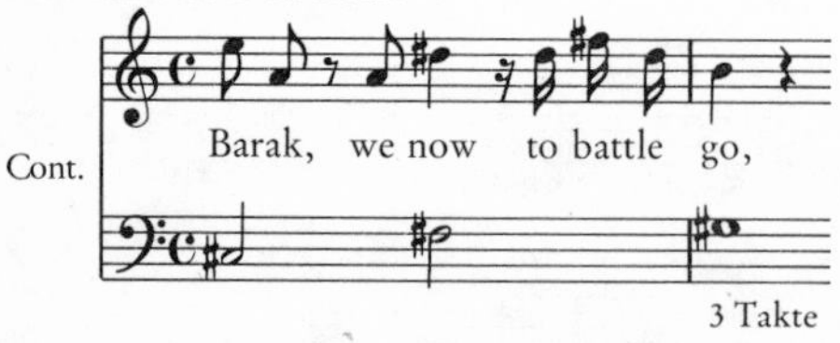
Cont.
Barak, we now to battle go,
3 Takte

28. Duet. Deborah; Barak

Larghetto
Deborah
Ob. I, II
V. I, II
Cont.
Smil-ing free- dom,
Vc., Cemb.
Takt 9

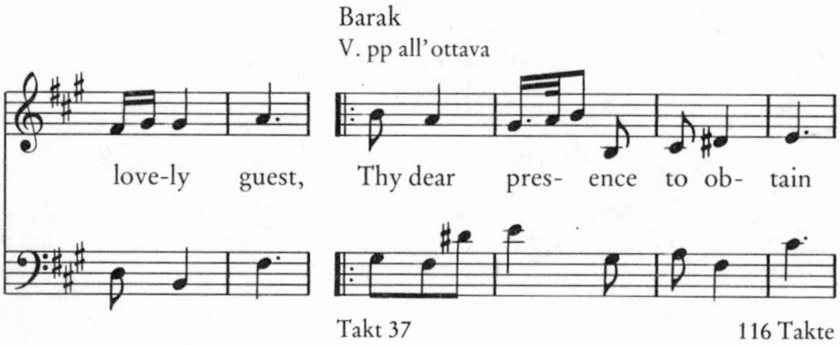
Barak
V. pp all'ottava
love-ly guest, Thy dear pres- ence to ob- tain
Takt 37
116 Takte

29. Chorus. C.; A. I, II; T.; B. I, II

Allegro
Ob. I, II
Trba. I, II, III
Timp.
V. I, II, III
Va.
Cont.

[= HWV 260. Coronation Anthem III]

The great King of Kings, the great King of Kings will us aid to- day,
Takt 29
74 Takte

Part III

Scene I

30. Chorus of Israelites. C.; A.; T.; B.

Andante
Ob. I, II
Cor. I, II
V. I, II
Va.
Cont.
bro- ken
Now the proud in- sult-ing foe
Takt 49
Takt 61

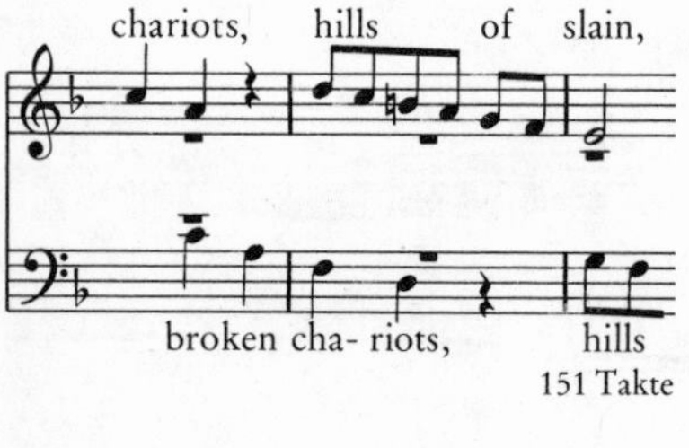
chariots, hills of slain,
broken cha- riots, hills
151 Takte

Recitative. Israelitish Woman/Deborah

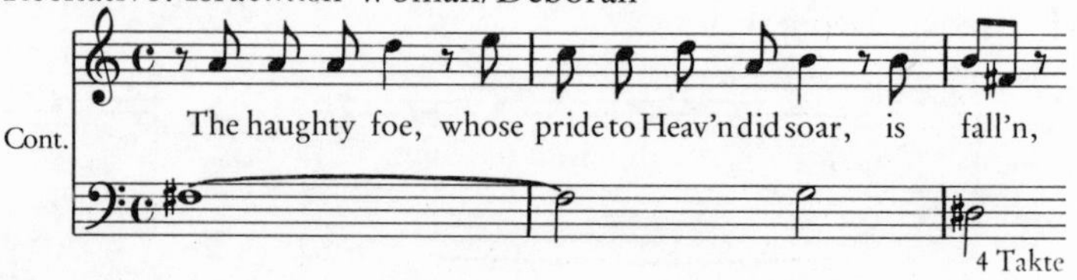
Cont.
The haughty foe, whose pride to Heav'n did soar, is fall'n,
4 Takte

31. Air. Israelitish Woman

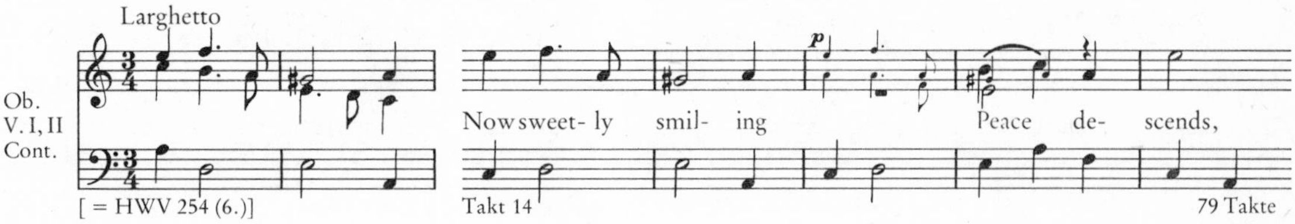
Larghetto
Ob.
V. I, II
Cont.
Now sweet- ly smil- ing Peace de- scends,
[= HWV 254 (6.)]
Takt 14
79 Takte

Scene II
Recitative. Abinoam; Barak

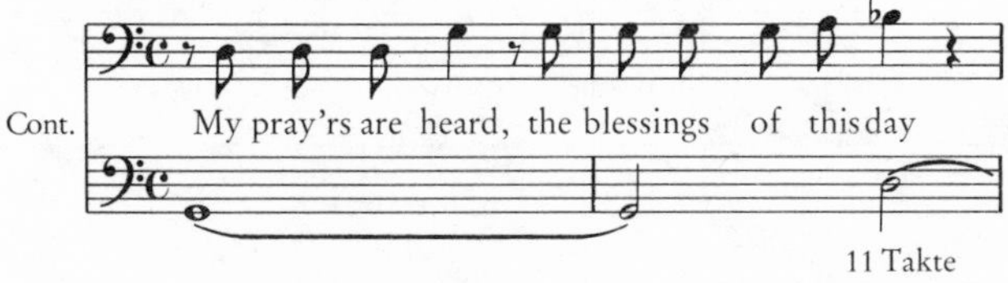
Cont.
My pray'rs are heard, the blessings of this day
11 Takte

32. Air. Abinoam

Largo e pianissimo
Trav. e Org. soft
Fl. trav. I, II
V. I, II
Org.
Cont.
V. pp
pp
[vgl. HWV 252 (4.)]

un poco piano per tutto
V.I, II
Tears, tears such as tender fa- thers shed,
Takt 3
19 Takte

Scene III
Recitative. Jael

Cont.
O Deborah! my fears are o'er,
3 Takte

33. Chorus of Baal's Priests. C.; A.; T.; B.

Larghetto e staccato
Ob. I, II
V. I, II
Va.
Vc.
Cbb.
Org.
Cemb.
Dole- ful ti- dings, dole- -ful
Dole- ful ti- dings, dole- ful ti- dings, dole- -ful
Cemb.
Vc. e Bassi
Org.
Dole- ful

Dole- ful ti- dings,
Ob.
ti- dings, how ye wound!
ti- dings, how ye wound!
ti- dings, how ye wound!
30 Takte

34. Air. Israelitish Woman

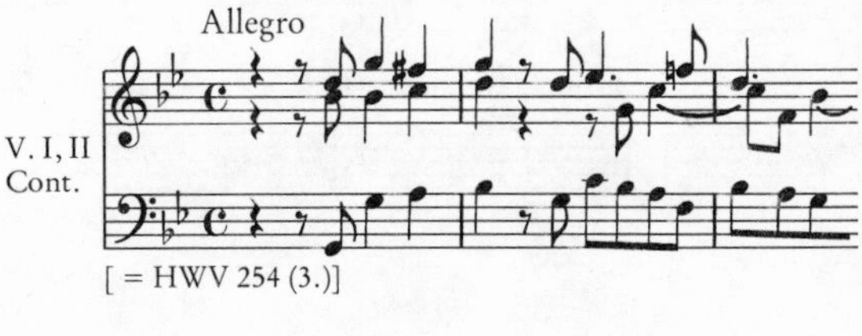
Allegro
V. I, II
Cont.
[= HWV 254 (3.)]

Our fears are now for ev- er- fled, our eyes no more shall flow,
Takt 6
63 Takte

Recitative. Barak

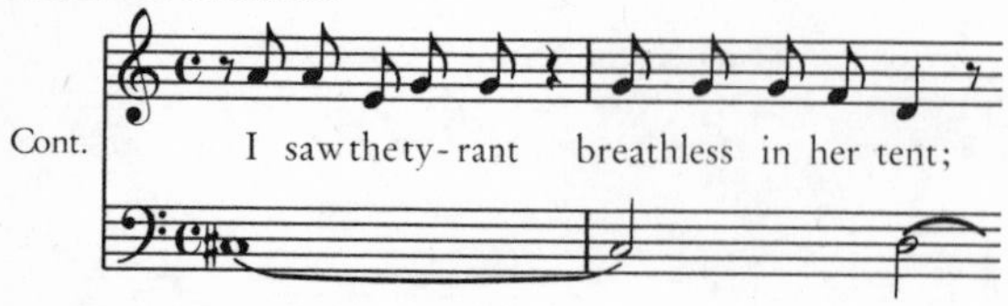
Cont.
I saw the ty- rant breathless in her tent;

(Recitative). Jael

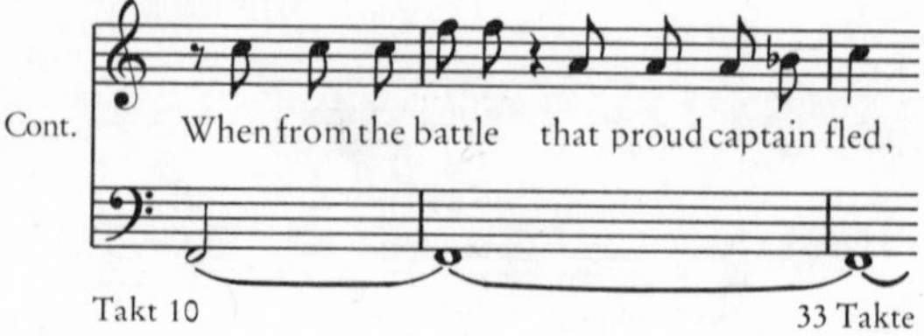
Cont.
When from the battle that proud captain fled,
Takt 10
33 Takte

35. Air. Jael

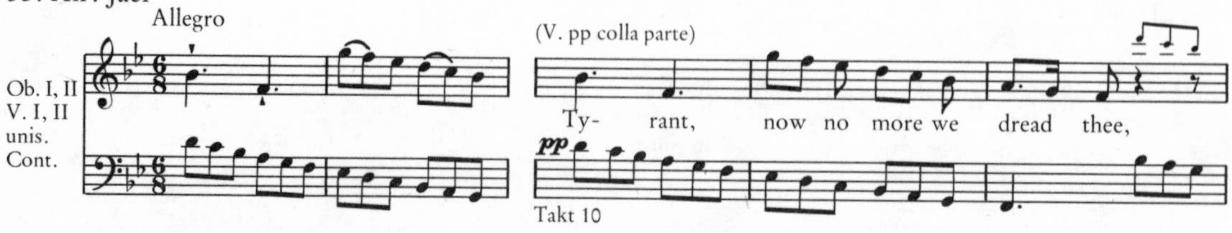
Allegro
Ob. I, II
V. I, II
unis.
Cont.
(V. pp colla parte)
Ty- rant, now no more we dread thee,
pp
Takt 10

all thy in- so- lence is o'er,
93 Takte D. c.

Recitative. Deborah

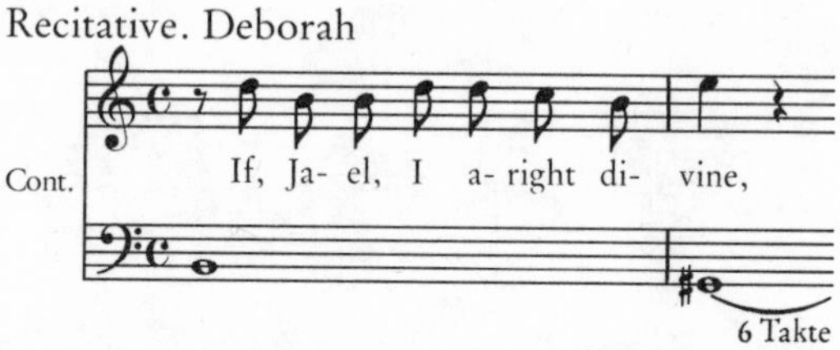
Cont.
If, Ja- el, I a- right di- vine,
6 Takte

36. Air. Deborah

Andante
V. I, II
unis.
Cont.
The glo- rious sun shall cease to shed,
pp
pp
Takt 21
85 Takte

Recitative. Barak

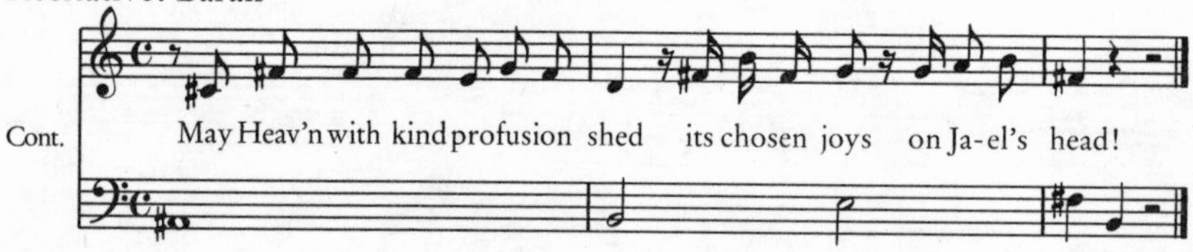
Cont.
May Heav'n with kind profusion shed its chosen joys on Ja-el's head!

37. Air. Barak

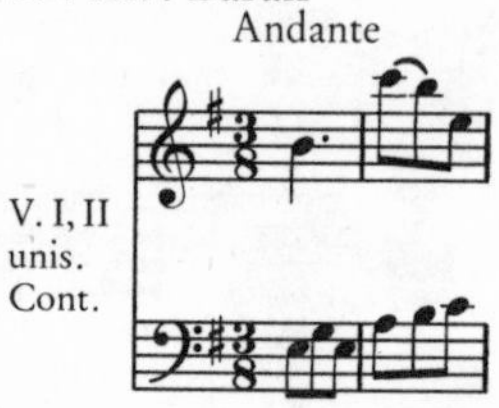
Andante
V. I, II
unis.
Cont.

Viol.
p
Low at her feet, low at her feet he bow'd,
Viol.
Takt 15
118 Takte

38. Accompagnato. Deborah

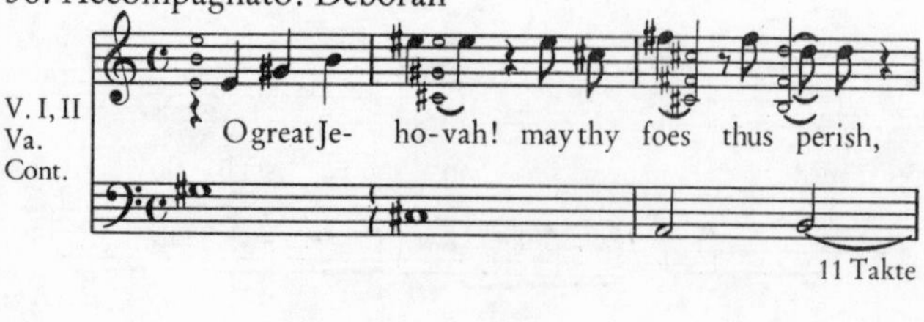
V. I, II
Va.
Cont.
O great Je- ho-vah! may thy foes thus perish,
11 Takte

39. Chorus. C. I, II; A. I, II; T. I, II; B. I, II

Andante
Ob. I, II
Fag. rip.
Cor. I, II, III
Trba. I, II, III
Timp.
V. I, II
Va.
Vc.
Cbb.
Org.
Cemb.

Let our glad songs to Heav'n as-cend, to Heav'n as- cend
Let our glad songs to Heav'n as- cend, to heav'n as- cend
Let our glad songs to Heav'n as- cend, to heav'n as- cend
Cont.
Cont.

Takt 16

Grave
for Ju- dah's God is Ju- dah's friend.
for Ju- dah's God is Ju- dah's friend.
for Ju- dah's God is Ju- dah's friend.

Takt 49

Chorus. C.; A. I, II; T.; B.

Ob. I, II
Trba. I, II, III
Timp.
V. I, II
Va.
Cont.

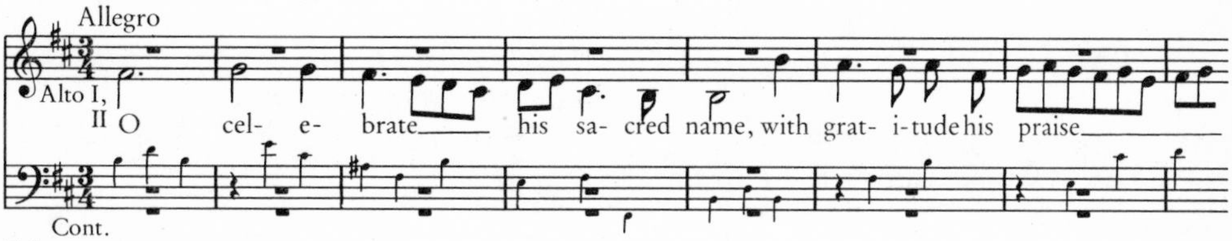
Allegro
Alto I, II
O cel- e- brate his sa- cred name, with grat- i-tude his praise
Cont.

Takt 52
[= HWV 260. Coronation Anthem III]

C.; A. I, II; T.; B. I, II

Ob. I, II
Trba. I, II, III
Timp.
V. I, II
Va.
Cont.

Allegro
Alto I
Al- le- lu ja,
Alto II
Ten.
Al- le- lu- ja, al- le- lu- ja,

Takt 146 — 216 Takte
[= HWV 260. Coronation Anthem III]

Änderungen der Fassung 1744 ff.
Atto I, Scene I

Accompagnato. Alto

V. I, II
Cont.

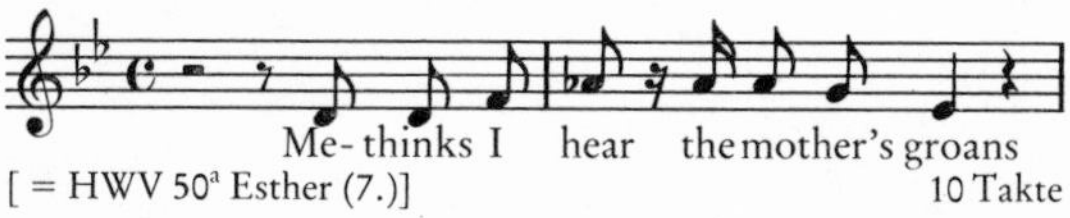
Me- thinks I hear the mother's groans

[= HWV 50a Esther (7.)] — 10 Takte

(10.) Air. Alto

V. I, II
Cont.

Larghetto
13
O Jor- dan, Jor- dan,

[= HWV 50a Esther (9.)]

sa- -cred tide!

105 Takte

Scene II
(10.) Air. Jael; (1744)

Ob. I, II
V. I, II
Va.
Cont.

Allegro
Flow-ing joys do now sur- round me,

[= HWV 50a Esther (20.)] — 75 Takte

(10.) Air. Jael (1760)

V. I, II
unis.
Cont.

Allegro

[= HWV 24. Siroe (13.)]

To joy he bright- ens my de- spair,

Takt 13 — 80 Takte *D. s.* (T. 24)

Scene IV
Air. Herald

Ob. I, II
V. I, II
Cont.

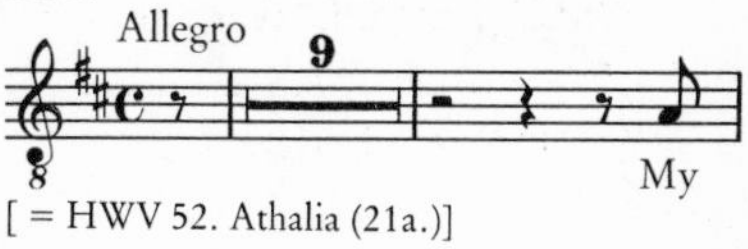
Allegro
9
My

[= HWV 52. Athalia (21a.)]

vengeance awakes me, com- pas- sion for- sakes me,

68 Takte *D. c.*

Air. Barak; (1756)

Ob. I, II
V. I, II
Va.
Cont.

Allegro
5
Hate-ful man, thy raptur'd mind

[= HWV 25 Tolomeo (18.)] — 46 Takte *D. c.*

Recitative. Deborah

Cont.

Let him approach pa- cif- ic or in rage

12 Takte

Chorus. C.; A.; T.; B.

Ob. I, II
V. I, II
Va.
Cont.

Al- le- lu- ja

[= HWV 52 Athalia (16.)] 134 Takte

Scene V

(14.) Air. Deborah

Andante

Ob. I, II
V. I, II
Va.
Cont.

8
Cease, o Ju-dah, cease thy mourning

[= HWV 52. Athalia (18b.)] 66 Takte *D. c.*

Act II

Scene II

(23.) Air. Sisera

Vivace

Ob. I, II
V. I, II
Va.
Cont.

[= HWV 52 Athalia (21b.)]

hast- en, then fear for thy dan-ger,

79 Takte *D. c.*

Recitative. Chief Priest of Israel

Cont.

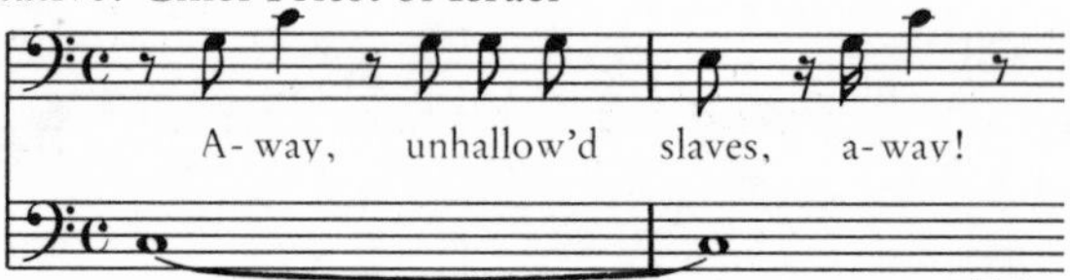
A- way, unhallow'd slaves, a-way!

3 Takte

(26.) Air. Jael

Ob. I, II
V. I, II
Cont.

7
Watch-ful an- gels, watch-ful an- gels, let her share,

[= HWV 50b Esther, (2.)] 61 Takte

(27.) Air. Deborah.

Andante allegro

V. I, II
Cont.

[= HWV 50b. Esther (24.)]

tend her with ev'- ry charm,

117 Takte *D. s.*

Recitative. Barak. (1756)

Cont.

Re-joice, o Ju- dah, this triumphant day,

[= HWV 52 Athalia (Rec. vor Nr. 36.)] 7 Takte

(29.) Chorus. C. I, II; A. I, II; T. I, II; B. I, II (1756)

Ob. I, II
Fag.
Cor. I, II
Trba. I, II
Timp.
V. I, II
Va.
Vc. rip.
Cbb.
Cemb.
Org.

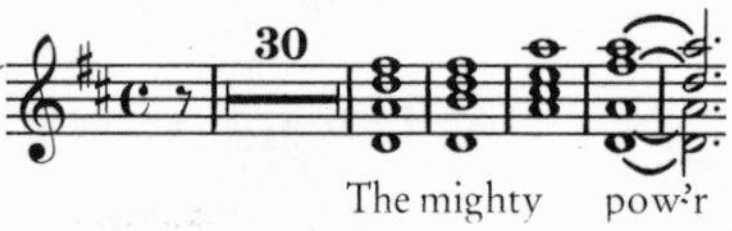

[= HWV 52. Athalia, (17.)] 162 Takte

Act III

Scene III

(34.) Air. Israelitish Woman (1760)

V. I, II
Va.
Cont.

5
Our fears are now for ev- er fled,

[= HWV 21 Alessandro (36.)] 37 Takte *D. s.*

(34.) Air. Jael

Larghetto

V. I, II
unis.
Cont.

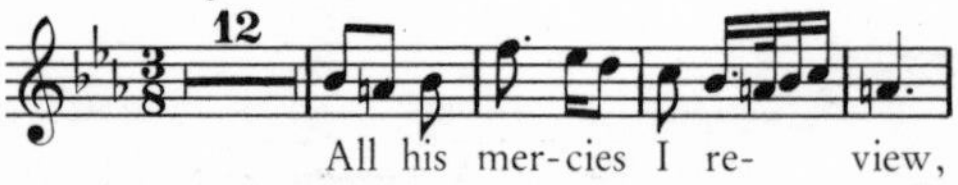
12
All his mer-cies I re- view,

[= HWV 52. Athalia (23.)] 100 Takte

(38a.) Duet. Deborah; Jael

Andante

Deborah
col Ob.

Ob. I, II
V. I, II
Cont.

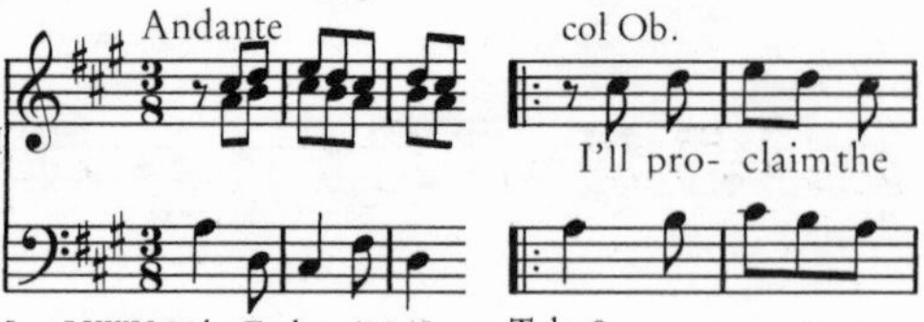
I'll pro- claim the

[= HWV 50b. Esther (32.)] Takt 9

Jael
col Viol. all' 8va

wond'rous sto- ry of the mer- cies I re- ceive,
All the blessings Heav'n in lending,

Takt 31 91 Takte

Quellen

Handschriften: Autographe: GB Lbm (R. M. 20. h. 2., nur Teilautograph; R. M. 20. f. 12., f. 35–38: Anhang Nr. 14; R. M. 20. h. 5., f. 11–13: Nr. 13, f. 14–17: Nr. 14, f. 18–25: Nr. 29), Cfm (30 H 10, p. 57: Skizze zu Nr. 24, p. 62: Skizze zu Nr. 37)

Abschriften: D (brd) Hs (Direktionspartitur: $M\frac{C}{258}$; $M\frac{C}{55}$ ohne Ouverture) – GB BENcoke (2 Ex.; Nr. 24 a. d. Aylesford Collection), Cfm (24 H 1; Barrett-Lennard Collection, Ms. 21), DRc (MS. E 12), Lbm (R. M. 18. d. 3.; Egerton 2932; Add. MSS. 31 870; Add. MSS. 34 006; R. M. 18. c. 6., f. 20–27r: Nr. 35, 9; R. M. 18. c. 7., f. 49–52: Nr. 24), Mp [MS 130 Hd4, St.: v. 94(2), 95(2), 96(1), 97(2)–101(2), 102(1), 103(2)–108(2), 109(1), 110(2)–115(2); v. 59(7), v. 60(5): Nr. 9; v. 59(8): Nr. 35] – US BETm (LMisc. 17 B, datiert 1749).

Drucke: Deborah an Oratorio set to musick by Mr. Handel. – London, J. Walsh; — ib.; Deborah, an oratorio in score, composed by Mr. Handel. – ib., Wright & Co.; Deborah; an oratorio. Composed by Mr Handel, with his additional quintetto, for the voice, harpsichord, and violin. With the chorusses in score. – ib., Harrison & Co.; Harrison's edition, corrected by Dr Arnold. The overture and songs in Deborah; an oratorio. For the voice, harpsichord, and violin. Composed by Mr. Handel. – ib., Harrison & Co.; Deborah a sacred oratorio in score composed in the year, 1733. – London, Arnold's edition, No. 140–146 (1794/95); The most celebrated songs in the oratorio call'd Deborah No. 544. Compos'd by Mr. Handel. – London, J. Walsh, No. 545; — in the oratorio call'd Deborah. – ib., No. 545; — ib., No. 545; — ib., No. 545; The overture and chorusses, in the oratorio of Deborah, composed by Handel; & arranged for the piano forte or organ by W. Crotch. – London, R. Birchall; Cease o Judah, cease thy mourning. Set by Mr. Handel (p. 9–12 in: The vocal musical mask. A collection of English songs never before printed set to musick by Mr. Lampe, Mr. Howard, &c.). – London, J. Walsh, 1744; Choirs of angels, all around thee (In: The Lady's Magazine, Dec., 1795). – (London), s. n.; How lovely is the blooming fair. Song (In: The Lady's Magazine, Feb., 1779). – (London), s. n.; In the battle. Deborah. – (London), J. Bland; Tears such as tender father's shed. A favourite song sung by Mr Tenducci at the Pantheon and Mr Abel's concert. – London, W. Randall; — (In: The Lady's Magazine, June, 1785). – (London), s. n.; —... as sung by Mr. Sale in Deborah. – London, R. Birchall; — ib., Goulding & Co.; The glorious sun shall cease to shed. Song (In: The Lady's Magazine, March, 1787). – (London), s. n.

Libretto: Deborah. An oratorio: or sacred drama. As it is perform'd at the King's Theatre in the Hay-Market. The musick compos'd by Mr Handel. The words by Mr Humphreys. – London, John Watts, 1733 (4 verschiedene Ausgaben. Ex: GB BENcoke, Cks, Lbm, Lcm); — The musick compos'd by Mr Handel. – London, J. Watts, B. Dod, 1744 (2 verschiedene Ausgaben. Ex.: F Pa – GB BENcoke); —... As it is perform'd at the Theatre Royal in Covent-Garden. The musick compos'd by Mr Handel. – London, J. Watts, B. Dod (1754; Ex.: GB BENcoke); — ib., 1756 (2 verschiedene Ausgaben. Ex: F Pc – GB Cu, Lcm)

Bemerkungen

„Deborah" stellte Händel vorwiegend aus Sätzen früher entstandener Werke zusammen und ließ diese von seinem Kopisten ins Autograph eintragen, während er selbst nur die neuen Texte der älteren Musik unterlegte oder die infolge abweichender Prosodie notwendigen Änderungen der Deklamation sowie Angaben zu Tempo und Dynamik hinzufügte. So stammen Nr. 11, 19, 27 und 34 gänzlich von der Hand des Kopisten John Christopher Smith senior, in Nr. 7 (nur Takt 1–4 autograph), Nr. 9, 10a, 25, 26 und 31 schrieb Händel nur den Text. Lediglich die neu komponierten Sätze stammen ganz von seiner Hand. In dieser teilautographen Partitur (GB Lbm, R. M. 20. h. 2) fehlen die Ouverture, der Schluß des Rezitativs „O Barak, favour'd of the skies", Nr. 2–4, die ersten Takte von Nr. 5 und das Rezitativ „Away! unhallow'd slaves" (1744). Vom Schlußchor „Let our glad songs" (39) ist nur der erste Abschnitt (T. 1–51) von Händel vollständig notiert worden; anschließend folgt der Vermerk „Segue l'Antifon sub litera A collo Hallelujah" sowie das Datum des Abschlusses der Komposition (im alten Stil) „Fine SDG. G. F. Handel London. Febr. 21 v. st. 1733." Von dieser „Antifon", dem zweiten Abschnitt des Schlußchores „O celebrate his sacred name" (T. 52–145), schrieb Händel lediglich die Singstimmen aus, während der dritte Abschnitt, das „Alleluja" (T. 146–216), nur mit dem verbalen Hinweis „segue Allelujah" gefordert wurde. Bis auf diesen ersten Abschnitt des Schlußchores sind die Chorsätze, die aus früher entstandenen Chandos- und Coronation-Anthems eingelegt wurden, im Autograph nicht noch einmal ausgeschrieben sondern nur mit entsprechenden Verweisen auf die gewünschten Sätze versehen worden. Für den Kopisten schrieb Händel in den Autographen der Anthems (z. B. GB Lbm, R. M. 20. h. 5., f. 12, 14, 29ff.) die neuen Texte über die alten Worte.

Vermutlich sollte diese Handschrift (GB Lbm, R. M. 20. h. 2.) bereits als Direktionspartitur dienen, wie Clausen (S. 129) annimmt; infolge weiterer Änderungen wurde dann jedoch eine erneute Reinschrift von Smith für Aufführungszwecke angelegt.

Das Libretto zu „Deborah" wurde von Samuel Humphreys nach dem *Buch der Richter* (4, 5) ohne direkte literarische Vorlage[1] verfaßt. Vermutlich um den Vertonungsprozeß abzukürzen, griff Händel auf die Parodiepraxis zurück und verwendete 28 Sätze aus 12 früher komponierten Werken als Quelle für die neue Partitur. Wie W. Dean nachwies, stammen diese zum Teil bereits aus der Zeit der ersten Italienreise oder aus Händels ersten englischen Werken. Folgende Sätze aus „Deborah" lassen sich auf frühere Kompositionen zurückführen bzw. wurden später in andere Werke übernommen:

Ouverture: 3. Satz (Poco allegro)[2]
HWV 255 „The Lord is my light": 8. O praise the Lord with me

1. Immortal Lord
HWV 254 „O praise the Lord with one consent": 1. O praise the Lord

1. O grant a leader to our host (T. 106ff.)
HWV 74 Birthday Ode: 2. The day that gave great Anna birth
HWV 48 Brockes-Passion: 38. Ein jeder sei ihm untertänig
HWV 252 „My song shall be alway": 1. Sinfonia (Allegro, T. 6ff.)
HWV 314 Concerto grosso op. 3 Nr. 3 G-Dur: 1. Satz (Allegro, T. 6ff.)

3. Forbear thy doubts
HWV 48 Brockes-Passion: 12. Greift zu, schlagt tot
HWV 247 „In the Lord put I my trust": 4. Behold! the wicked bend their bow

4. For ever to the voice of pray'r
HWV 81 „ Alpestre monte": 2. Io son ben ch'il vostro orrore
HWV 248 „Have mercy upon me"; 2. Have mercy upon me
HWV 52 Athalia: 6b. Oh Lord whom we adore

7. O blast with thy tremendous brow
HWV 48 Brockes-Passion: 15. O weh, sie binden ihn

9. Choirs of angels
HWV 122 „La terra è liberata": 4. Ardi, adori
HWV 119 „Io languisco fra le gioje": 12. Anche il ciel
HWV 48 Brockes-Passion: 40. Heil der Welt
HWV 319 Concerto grosso op. 6 Nr. 1 G-Dur: 2. Satz (Allegro)

10a. To joy he brightens
HWV 48 Brockes-Passion: 17. Was Bärentatzen, Löwenklauen

10b. To joy he brightens
HWV 24 Siroe: 13. Sgombra dell'anima

11. Awake the ardour
HWV 74 Birthday Ode: 8. Let envy then conceal
HWV 254 „O praise the Lord with one consent": 4. That God is great

12. All danger disdaining
HWV 48 Brockes-Passion: 14. Gift und Glut

13. Let thy deeds be glorious
HWV 259 Coronation Anthem II: Let thy hands be strengthened

14. Despair all around them/Alleluja
HWV 259 Coronation Anthem II: Let justice and judgement/Alleluja

15. See, the proud chief
HWV 232 „Dixit Dominus": 1. Dixit Dominus

17. In Jehovah's awful sight
HWV 278 Utrecht Te Deum: 6. We believe that thou shalt come
HWV 48 Brockes-Passion: 26. Die ihr Gottes Gnad' versäumet

18. Whilst you boast
HWV 48 Brockes-Passion: 28. Sprichst du denn auf dies Verlangen

19. Impious mortal, cease to brave us
HWV 102 „Dalla guerra amorosa": 2. La bellezza è com'un fiore
HWV 107 „Dite, mie piante": 1. Il candore tolse al giglio
HWV 145 „Oh numi eterni": 1. Già superbo del mio affanno
HWV 48 Brockes-Passion: 20. Schau, ich fall' in strenger Buße
HWV 71 The Triumph of Time and Truth: 3b. Sorrow darkens ev'ry feature

20. O Baal! monarch of the skies
HWV 46a Il Trionfo del Tempo e del Disinganno: 12. Venga il Tempo

22. Plead thy just cause
HWV 232 „Dixit Dominus": 1. Dixit Dominus
HWV 255 „The Lord is my light": 11. Sing praises/World without end (T. 46ff.)

23. All your boast
HWV 46a Il Trionfo del Tempo e del Disinganno: 22. Voglio Tempo

25. Swift inundation
HWV 72 Aci, Galatea e Polifemo: 9. Precipitoso nel mar che freme

26. No more disconsolate
HWV 254 „O praise the Lord with one consent": 2. Praise him, all ye

27. O the pleasure my soul is possessing
HWV 46a Il Trionfo del Tempo e del Disinganno: 18. Tu giurasti
HWV 11 Amadigi: Anhang 3. Minacciami, non ho timor (Ritornello)

29. The great King of Kings
HWV 260 Coronation Anthem III: The King shall rejoice

[1] Möglicherweise angeregt durch „The Song of Deborah and Barak" (Oktober 1732) von Maurice Green, wie Young und Dean (s. Lit.) vermuten.

[2] Der 2. und 4. Satz (Grave, Allegro) der Ouverture, die nachträglich geschrieben wurde, verwenden programmatisch die Musik zweier Chorsätze (Nr. 21 und 20) als thematische Grundlage.

31. Now sweetly smiling
HWV 254 „O praise the Lord with one consent“: 6. God's tender mercy
32. Tears, such as tender father's shed
HWV 92 „Clori, mia bella Clori“: 3. Mie pupille
HWV 255 „The Lord is my light“: 4. One thing have I desired
34. Our fears are now for ever fled
HWV 254 „O praise the Lord with one consent“: 3. For this our truest int'rest
39. Let our glad songs: O celebrate his sacred name (T. 52ff.)
HWV 260 Coronation Anthem III: The King shall rejoice: T. 197ff. Thou hast prevented him
39. Alleluja (T. 146ff.)
HWV 238 „Nisi Dominus/Gloria Patri“: 6. Et in saecula saeculorum
HWV 260 Coronation Anthem III: Alleluja

Für die ersten Aufführungen im März 1733 wurde das Werk als „Oratorio or Sacred Drama, in English ... to be perform'd by a great number of the best voices and instruments ... the house to be fitted up and illuminated in a new and particular manner“[3] angekündigt. Besetzung: Deborah: Anna Strada del Pò, Barak: Francesco Bernardi detto Senesino, Abinoam und Chief Priest of Israelites: Antonio Montagnana, Sisera: Francesca Bertolli, Jael und Israelite Woman: Celeste Gismondi.

Die äußeren Umstände waren dem Erfolg des Werkes nicht günstig, da ökonomische und politische Krisen, verbunden mit Steuererhöhungen für die Bevölkerung durch den damaligen Premierminister Horace Walpole, auch Händels Konzert- und Opernunternehmen stark beeinflußten. Hinzu kam, daß durch die wenig später eröffnete „Opera of the Nobility“ als Konkurrenzunternehmen zur „Royal Academy of Music“ Händel die meisten seiner italienischen Sänger, mit Ausnahme der Strada, verlor, die abgeworben wurden und nun unter Niccolò Porpora bei der Adelsoper sangen.

Händel führte „Deborah“ 1733 insgesamt siebenmal auf, am 17., 27. und 31. März, am 3., 7. und 10. April in London und bei einem Gastspiel in Oxford am 12. Juli im dortigen Sheldonian Theatre. Für die Londoner Aufführungen mußte Händel kurzfristig neue Sänger[4] verpflichten und das Werk entsprechend einrichten. Die Libretto-Drucke von 1733 belegen diese Änderungen. In der 2. Ausgabe wurden die Partien von Barak, Israelite Woman und Abinoam (Nr. 8, 11, 12, 19, 24, 25, 26, 31, 34, 37) fast vollständig und sechs Chöre (Nr. 3, 4, 13, 14 mit Alleluja, 23) ganz gestrichen, in der 3. und 4. Ausgabe wurden drei Arien (Nr. 19, 26, 36) und sechs Chöre (4, 6, 7, 14 mit Alleluja, 23) weggelassen. Für die Aufführung in Oxford am 12. Juli 1733 gibt es kein Libretto; nach Meinung W. Deans (s. Lit.) hatte Händel folgende Sänger verpflichtet: Deborah: Anna Strada, Barak: Walter Powell, Jael: Mrs. Wright, Sisera: Mr. Row, Abinoam, Chief Priest of Baal: Gustav Waltz.

Für die Aufführungen am 2., 6. und 9. April 1734 wurden (nach W. Dean) folgende Sänger verpflichtet: Deborah: Anna Strada, Barak: Giovanni Carestini, Sisera: Marta Caterina Negri, Abinoam/Chief Priest of Baal: Gustav Waltz bzw. Thomas Reinhold, Jael/Israelite Woman: Rosa Negri bzw. Margherita Durastanti.

Für die Aufführungen am 26., 28. und 31. März 1735 ist ebenfalls kein Libretto nachweisbar[5]. In Händels Direktionspartitur sind neben Anna Strada (Deborah), Giovanni Carestini (Barak) und Cecilia Young (Jael) der Tenor John Beard und die Bassisten Thomas Reinhold sowie der Chorist Hussey genannt.

Für März 1737 plante Händel, wie in der Londoner *Daily Post* vom 11. März angekündigt wurde, eine weitere Aufführung, die aber nicht zustandekam. Als Solisten waren u. a. Domenico Annibali (Barak), Margherita Chimenti (Jael), Gioacchino Conti (Israelite) und William Savage (Sisera) vorgesehen.

Am 28. März 1738 veranstaltete Händel im Haymarket Theatre eine Aufführung unter dem Titel „Mr. Handel's Oratorio“; das Programm enthielt Sätze aus Anthems, italienischen Kantaten und den Oratorien „Esther“, „Deborah“ und „Athalia“, wobei die Anteile aus „Deborah“ am umfangreichsten waren und den gesamten zweiten Teil des Programms ausmachten (Nachweis s. W. Dean, Handel's Dramatic Oratorios and Masques, S. 212, 238, 261).

1737 und 1738 versah Händel für seine ausländischen Sänger neben verschiedenen Rezitativen folgende Arien, Duette und Chöre mit italienischem Text:

2. Where do thy ardours raise me = Dove m'innalza il core (Deborah/Barak)
8. How lovely is the blooming fair = Più bella fia spoglia sarà fral (Barak)
10[a]. To joy he brightens = Che spera in Dio non dee temer (Jael)
12. All danger disdaining = Disprezzo il periglio (Barak)
16. At my feet extended low = A miei piedi io ti vedrò (Sisera)

[3] Daily Journal und Daily Post, March, 12–17, 1733. Vgl. Chrysander II, S. 284f. Der Graf von Egmont vermerkte nach der 2. Aufführung am 27. März in seinem Tagebuch, daß etwa 25 Chorsänger und 75 Instrumentalisten mitgewirkt hätten (s. Deutsch, S. 309).

[4] Ein Bericht im *Daily Advertiser* vom 20. bzw. 28. 3. 1733 nennt unter den Sängern Miss Young, Miss Arne und Mrs. Wright.

[5] In der *London Daily Post* und im *General Advertiser* vom 27. 3. 1735 wird für die zweite Aufführung angemerkt, „... that to perfect the Performance, Mr. Handel designs to introduce, to-morrow Night... a large new Organ, which is remarkable for its Variety of curious Stops; being a new Invention, and a great Improvement of that Instrument.“

18. Whilst you boast the wond'rous story = Benchè vanti gran portenti (Sisera)
20. O Baal, monarch of the skies = O Tempo, padre del dolor (Chor)
24. In the battle fame pursuing = Le campagne qui d'intorno (Barak)
25. Swift inundation = ersetzt durch HWV 50^b Esther: Angelico splendor (für Conti)
27. O the pleasure my soul is possessing = O! il piacere che l'alma ridente (Jael)
28. Smiling freedom, lovely guest = Cor in alma e pien di zel (Deborah/Barak)
36. The glorious sun shall cease to shed = Più bello ancor risplende il sol (Deborah)
37. Low at her feet he bow'd, he fell = Mai quel altier crede inclinar (Barak).

Diese italienischen Texte wurden zum Teil auch für die Aufführungen am 3. und 24. November 1744 mit folgenden Solisten verwendet:
Deborah: Elisabeth Duparc detta La Francesina, Barak: Miss Robinson, Jael: Susanna Maria Cibber, Sisera: John Beard, Abinoam: Thomas Reinhold, Priest of Baal: Mr. Corfe. Für beide Aufführungen nahm Händel umfangreiche Änderungen der Partitur vor. Für den 3. November wurde die Partie des Sisera für den Tenor John Beard, die der Jael für die Altistin Cibber und die des Baalspriesters für den Tenor Corfe umgestaltet; 10 Sätze wurden gestrichen (die Chöre Nr. 4, 14 mit Alleluja, 23, und der Mittelteil von Nr. 39 „O celebrate his sacred name", die Arien Nr. 10^a, 26, 31, 34 sowie das Rezitativ vor Nr. 26), Umstellungen vorgenommen und 6 Sätze aus HWV 50^b Esther sowie 4 Sätze aus HWV 52 Athalia eingefügt. Für den 24. November 1744 ist die Besetzung nicht bekannt; Händel hatte vermutlich italienische Sänger verpflichtet, denn das Libretto enthält ein Einlageblatt mit 16 italienischen Textübertragungen (einschließlich mehrerer Rezitative) für diese Aufführung.
Außerdem wurden fünf der sechs Sätze aus „Esther" (ausgenommen das Duett „I'll proclaim the wond'rous story") und „Cease, oh Judah" (aus „Athalia") gestrichen, dafür Nr. 10^a und Rezitativ und Arie Nr. 26 (von Jael gesungen) wieder eingegliedert, Rezitativ und Arie Nr. 27 jedoch ausgelassen.
Es folgten zwei Aufführungen am 8. und 13. März 1754 (vermutliche Besetzung: Deborah: Giulia Frasi, Barak: Caterina Galli, Sisera: John Beard, Abinoam/Priest: Mr. Wass, Jael: Christina Passerini), denen Händel die Fassung der zweiten Aufführung von 1744 (ohne die italienischen Übersetzungen) zugrunde legte. Außerdem wurden noch zwei der Einfügungen aus HWV 52 Athalia („My vengeance awakes me" und „All his mercies") gestrichen und ein „Allelujah" für Deborah Ende des I. Aktes eingefügt.
Die letzte Aufführung des Werkes zu Händels Lebzeiten, am 19. März 1756, ist durch zwei Libretto-Ausgaben belegt, die ebenfalls keine Angaben über die Besetzung enthalten. Aus der Direktionspartitur geht hervor, daß Isabella Young (als Barak) und Rosa Curioni (als Jael) mitwirkten. Beide Ausgaben des Librettos übernehmen im wesentlichen die Fassung von 1754, mit folgenden Ausnahmen: die erste Ausgabe greift auf Nr. 31 und 34 zurück und macht die Umstellung von Nr. 36 rückgängig, außerdem wurden Rezitativ und Arie Nr. 26 gestrichen, dafür aber Nr. 27 und 28 sowie die Einlagearie „Cease, oh Judah" wieder gesungen sowie eine neue Arie für Barak „Hateful man, thy raptur'd mind" (als Parodie von HWV 25 Tolomeo: 18. Piangi pur, ma non sperare[6]) hinzugefügt. Die zweite Ausgabe ersetzt im I. Akt den Anthem-Chor Nr. 13 durch „Tyrants would in impious throngs" (Nr. 3 aus HWV 52 Athalia) und streicht dafür „Cease, oh Judah". Im II. Akt ist Nr. 29 durch das Rezitativ „Rejoice, o Judah" und den Chor „The mighty pow'r" aus „Athalia" ersetzt. Alles andere entspricht dem Text der ersten Ausgabe von 1756.

Literatur

Burney IV, S. 780 f.; Chrysander II, S. 281 ff.; Clausen, S. 128 ff.; Dean, S. 223 ff.; Deutsch, S. 307 ff.; Flower, p. 209 f./S. 186 ff.; Herbage, S. 82 ff.; Heuß, A.: Über Händel im Allgemeinen und die „Debora" im Besonderen. In: Allgemeine Musik-Zeitung, 44. Jg., Berlin 1917, S. 187 ff., 203 ff., 221 ff.; Hiekel, H.-O.: Händels Oratorium „Deborah". In: Göttinger Händelfestspiele 1961, Programmheft, S. 5 ff.; Krause, E.: Händel's Debora. In: Hamburgische Musikzeitung, 2. Jg., Nr. 26, Hamburg 1888/89; Lang, p. 282 ff./S. 254 ff.; Larsen, S. 63 ff.; Leichtentritt, S. 335 ff.; Müller-Blattau, J.: Über Händels Frühoratorien „Esther", „Deborah" und „Athalia". In: Händel-Ehrung der DDR, Halle 11.–19. April 1959, Konferenzbericht, Leipzig 1961, S. 127 ff.; Nef, K.: Händel und Chrysander. Zur bevorstehenden Aufführung der „Debora" von Händel in der Bearbeitung von F. Chrysander durch den Basler Gesangverein. In: Schweizerische Musikzeitung, 38. Jg., Zürich 1898, S. 129 ff.; Schering, A.: Geschichte des Oratoriums, Leipzig 1911, S. 260 ff.; Schoelcher, S. 127 ff.; Siegmund-Schultze, S. 57 f., 124 ff.; Smither II, S. 200 ff.; Streatfeild, S. 119 ff., 271 ff.; Young, S. 59 ff.
Beschreibung der Autographe: Lbm: Catalogue Squire, S. 26 f. – Cfm: Catalogue Mann, Ms. 260, S. 197. – Dean, S. 245 f.

[6] Später auch als Einlage in HWV 68 Theodorah (38^b. Cease, ye slaves) übernommen.

52. Athalia

Oratorio in three acts von Samuel Humphreys (nach „Athalie" von Jean Racine, 1691)

Besetzung: Soli: 3 Soprani (Athalia, Josabeth, Joas), Alto (Joad), Ten. (Mathan), Basso (Abner). Chor: C. I, II; A. I, II; T. I, II; B. I, II. Instrumente: Fl. I, II; Fl. trav.; Ob. I, II; Fag. I, II; Cor. I, II; Trba. I, II; Timp.; V. I, II, III, IV; Va.; Vc.; Cbb.; Cemb.; Org.; Tiorba

ChA 5. – HHA I/12. – EZ: London, Mai bis 7. Juni 1733 – UA; Oxford, 10. Juli 1733, Sheldonian Theatre

A. Symphony.

Ob. I, II
V. I, II
Va.
Cont.

[= HWV 399 Sonata op. 5 Nr. 4 (1.)] 40 Takte

8 Takte

Ob. I, II
V. I, II, III, IV
Va.
Cont.

72 Takte

[= HWV 399 op. 5 Nr. 4 (2.)]

B. Ouverture.

Ob. I, II
V. I, II
Va.
Cont.

[= HWV 399 op. 5 Nr. 4 (2.)] 27 Takte

Ob. I, II
V. I, II, III, IV
Va.
Cont.

72 Takte

(Gigue)

Ob. I, II
V. I, II
Va.
Cont.

[vgl. HWV 389 op. 2 Nr. 4 (5.)] 61 Takte

Part I

Scene I. The Temple

1. Air. Josabeth

V. I, II
Va.
Cont.

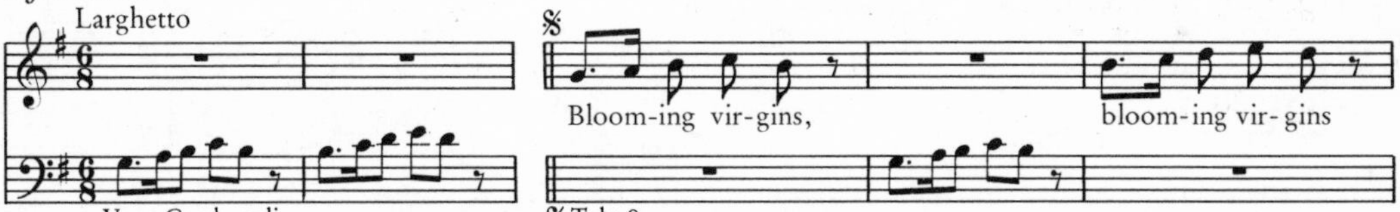
Larghetto
Bloom-ing vir-gins,
bloom-ing vir-gins
Vc. e Cemb. soli

𝄋 Takt 9

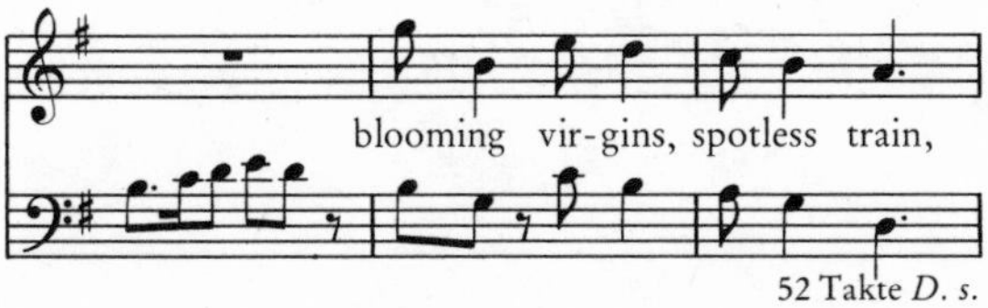
blooming vir-gins, spotless train,

52 Takte *D. s.*

2. Chorus. C.; A.; T.; B.

Ob. I, II
V. I, II
Va.
Cont.

A tempo ordinario

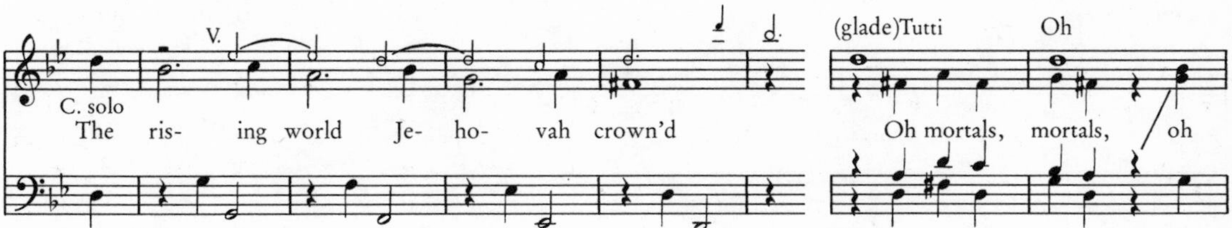
V.
C. solo
The ris- ing world Je- ho- vah crown'd
(glade)Tutti
Oh
Oh mortals, mortals, oh

Takt 10 Takt 59

3. Solo and Chorus. Josabeth; C.; A.; T.; B.

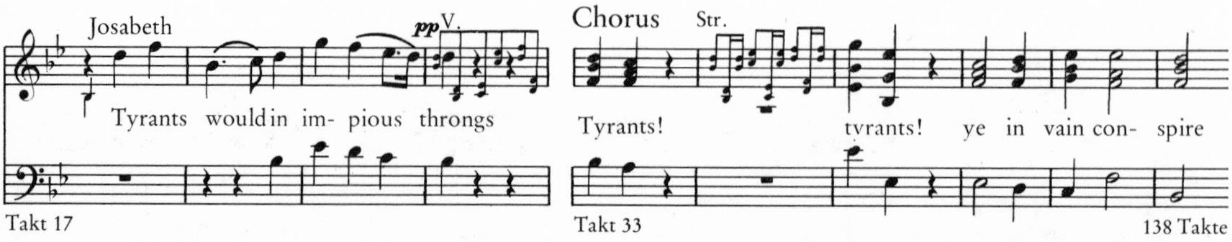

4. Solo and Chorus. Abner*); C.; A.; T.; B.

Recitative. Abner

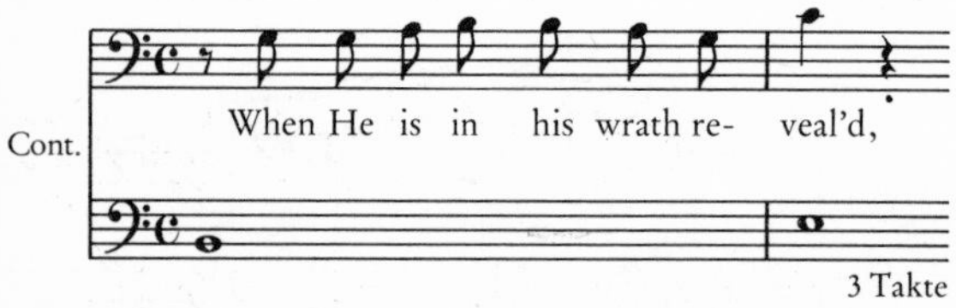

*) Autogr.: Israelit in Abners part.

Scene II

Recitative. Joad

5. Accompagnato. Joad

6a. Solo and Chorus. Joad; C.; A.; T.; B.

hear from thy mercy seat the groans thy tribes re- peat,
the groans thy tribes re- peat,

62 Takte

6b. Solo and Chorus. Joad; C.; A.; T.; B. (1735)

Largo

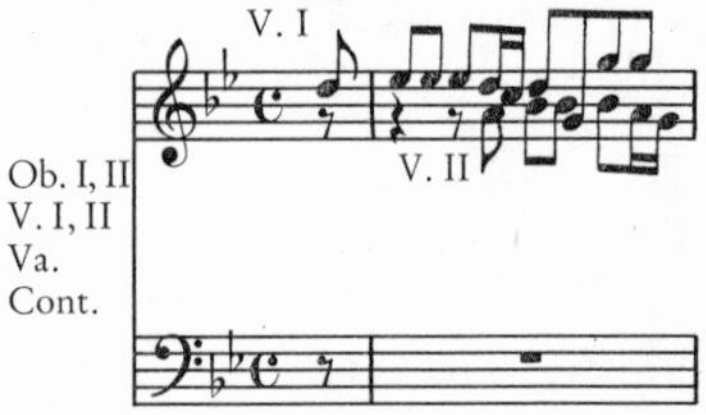
V. I
V. II
Ob. I, II
V. I, II
Va.
Cont.

Va.
p
A. solo (Joad)
O Lord, whom we a- dore, shall Judah rise no more,
Ob. solo
V.
Va.
Chorus
O Lord, whom we a-dore,
Hear

Takt 31 [vgl. HWV 51 (4.)] (T. con Cont.)

S. col Ob.
Hear from thy mercy seat,
o Lord, o Lord, whom we a- dore,
from thy mercy seat,
Cont.

45 Takte

Scene III. The Palace

7. Accompagnato. Athalia

Andante larghetto

Ob. solo
Str.
p
Ob.
V. I, II
Va.
Cont.

(Athalia starting out of a slumber)
What scenes of horror round me rise! I shake, I faint

Takt 6 12 Takte

Recitative. Athalia; Mathan

Oh Mathan, aid me to control
Cont.

13 Takte

8. Accompagnato. Athalia

Andante larghetto e piano

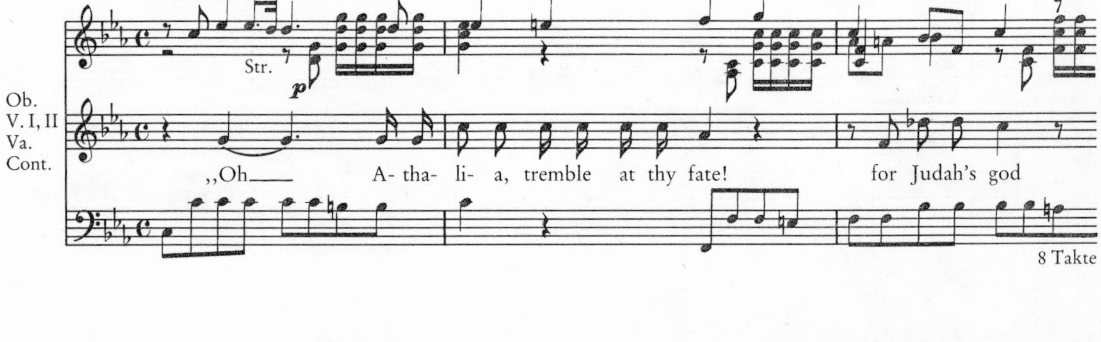
Ob. solo
Str.
p
Ob.
V. I, II
Va.
Cont.
„Oh A- tha- li- a, tremble at thy fate! for Judah's god

8 Takte

9a. Chorus. C.; A.; T.; B.

Allegro
Ob. I, II
Cor. I, II
V. I, II
Va.
Cont.
The gods, who cho- sen bless- ings shed
Takt 7
34 Takte

9b. Air. Mathan (1735)

Allegro
V. I, II
unis.
Cont.
[= HWV 48 (34.)]
The Gods who cho- sen bless- ings
Takt 17

shed,
62 Takte

Recitative. Athalia

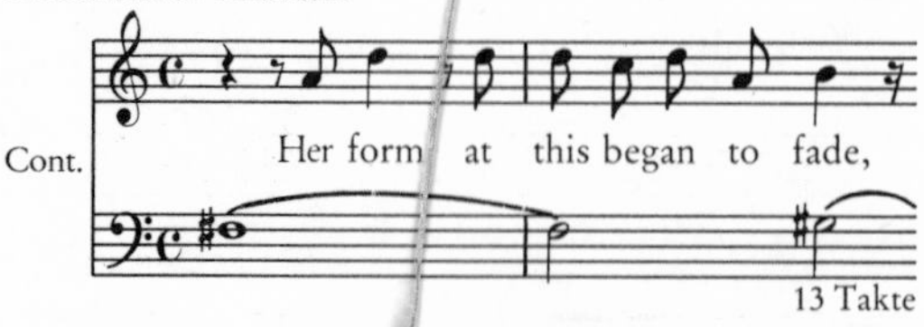
Cont.
Her form at this began to fade,
13 Takte

10. Chorus. C.; A.; T.; B.

Allegro, ma non presto
Ob. I, II
Fag.
V. I, II
Va.
Vc.
Cont.
Va.; Fag. e Vc.
Tasto solo e forte

Cheer her, o Ba- al, with a soft serene, oh Ba- al, cheer
Takt 5
Cheer her, o Ba- - al, with a soft se- rene, oh Ba- al,
42 Takte

Recitative. Athalia; Mathan

Cont.
Amidst these horrors that my soul dis- may'd,
20 Takte

11. Air. Mathan

Larghetto
Vc.solo
V. I, II
Va.
Cont.
Vc.
Cbb., Cemb. ed Archiliuto

Gentle airs, me-lo-dious strains! call for rap- tures out of woe
Vc.
Takt 5
26 Takte

12. Air. Athalia.

Andante larghetto
V. solo
V. solo
(Fl. trav.)
Ob. I, II
V. I, II
Va.
Cont.
pp
Soft- est sounds
V. solo
Str.
Takt 17

no more can— ease— me
89 Takte

Recitative. Mathan; Abner

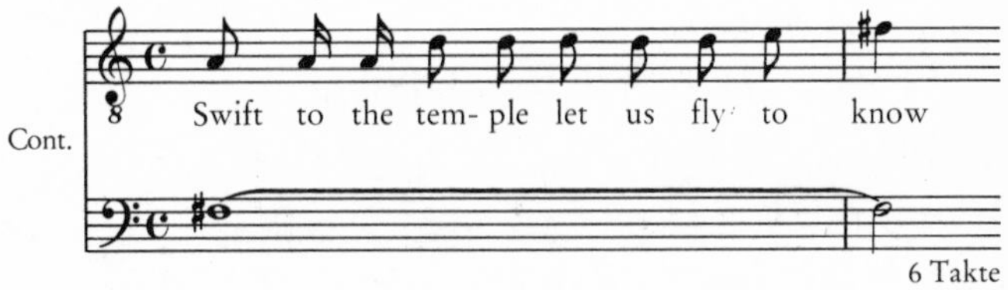
Cont.
Swift to the tem- ple let us fly to know
6 Takte

13. Chorus. C.; A.; T.; B.

Ob. I, II
V. I, II
Va.
Cont.
The traitor if you there de- scry, oh let him
col. Ob.
col. V. II
The traitor if you there de- scry,
oh let him by the
col. V. I
e Va.
The traitor if you there de- scry,
[vgl. HWV 48 (13.)]

Scene IV

Recitative. Joad; Josabeth; Abner

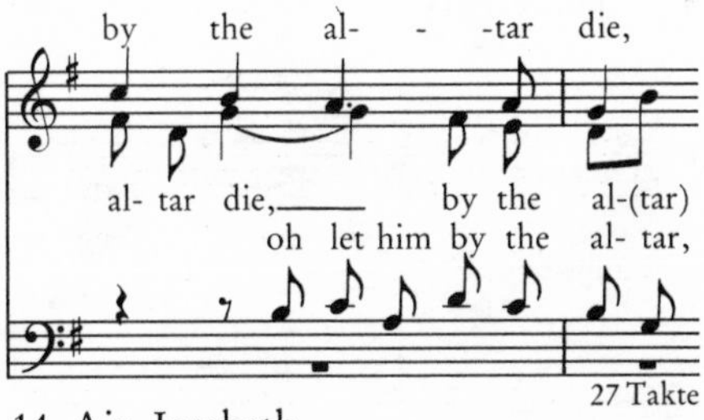
by the al- - -tar die,
al- tar die,—— by the al-(tar)
oh let him by the al- tar,
27 Takte

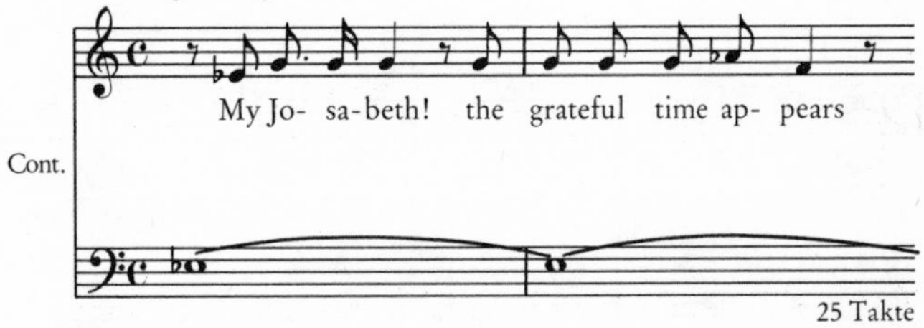
Cont.
My Jo- sa-beth! the grateful time ap- pears
25 Takte

14. Air. Josabeth

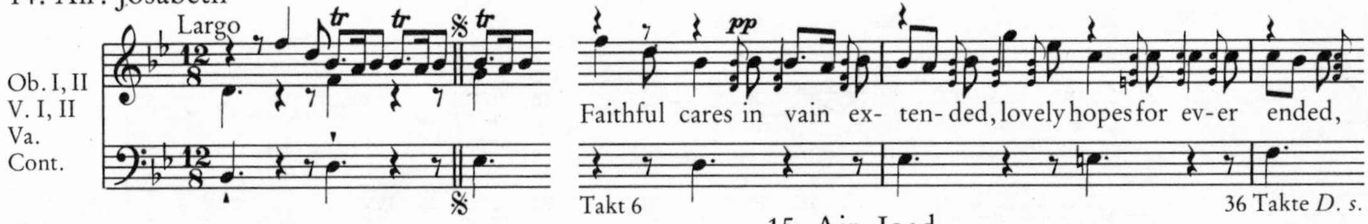
Ob. I, II
V. I, II
Va.
Cont.
Largo
pp
Faithful cares in vain ex- ten- ded, lovely hopes for ev- er ended,
Takt 6
36 Takte D. s.

Recitative. Abner; Joad

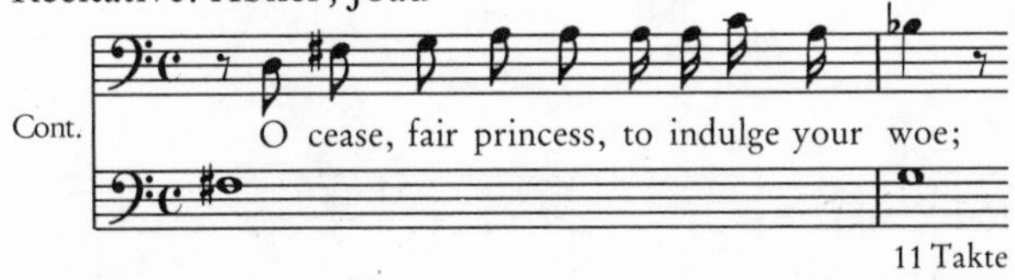
Cont.
O cease, fair princess, to indulge your woe;
11 Takte

15. Air. Joad

Come alla breve
V. I, II
unis.
Cont.

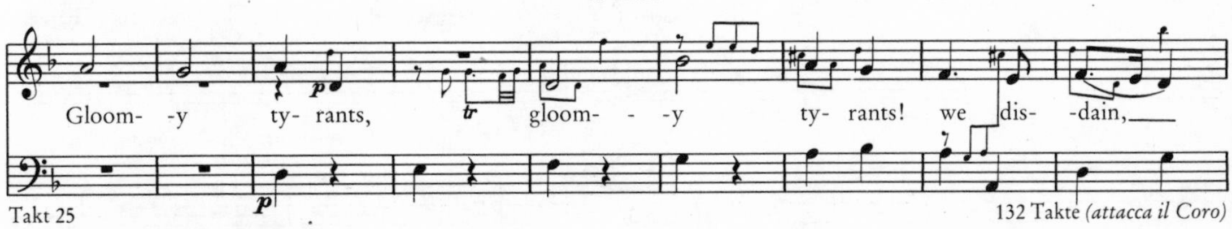
Gloom- -y ty- rants, gloom- - -y ty- rants! we dis- -dain,——
p
Takt 25
132 Takte (attacca il Coro)

16. Chorus. C.; A.; T.; B.

Str.
Ob. I, II
V. I, II
Va.
Cont.
al- le- lu- ja,
Al- le- lu- ja,—— al- le- lu- ja,
Al- le- lu- ja, al- le- lu- ja,
134 Takte
[= HWV 251c (Anhang 7a., T. 43ff.)]

Part II

Scene I (The Temple)

17. Chorus. C.; I, II; A. I, II; T. I, II; B. I, II

18a. Air. Josabeth

Fl. I, II
(ou Travers.1, 2)
V. I, II
unis.
Cont.
V.
Through the land, so lovely blooming,
Takt 21
167 Takte D. c.

18b. Air. Josabeth (1735)

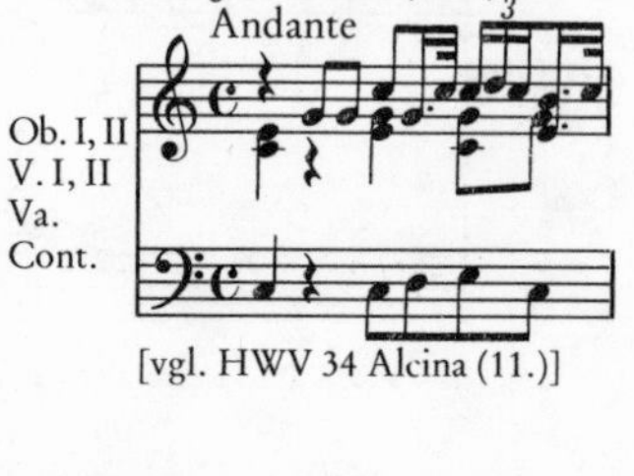

Andante
Ob. I, II
V. I, II
Va.
Cont.
[vgl. HWV 34 Alcina (11.)]

Through the land, so love- ly blooming, na-ture all her charms as- suming
3
p
Takt 9
66 Takte D. c.

Recitative. Abner; Joad

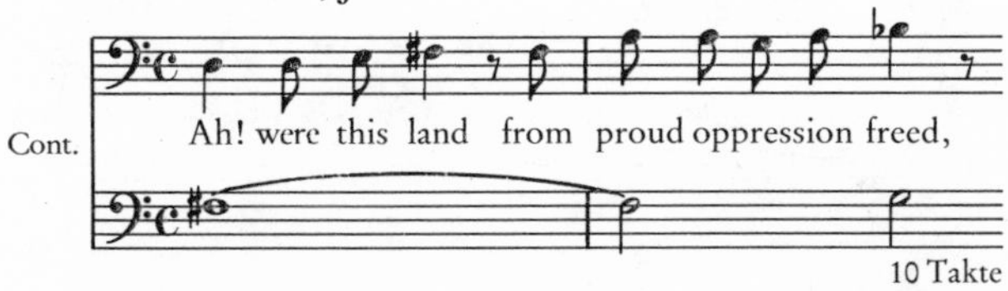
Cont.
Ah! were this land from proud oppression freed,
10 Takte

19. Air. Abner

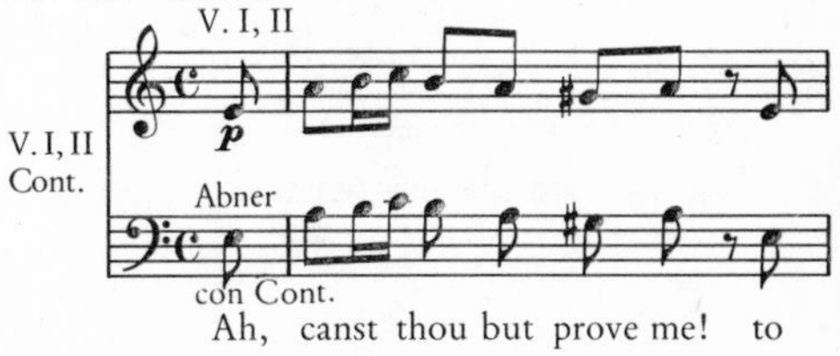
V. I, II
V. I, II
Cont.
p
Abner
con Cont.
Ah, canst thou but prove me! to

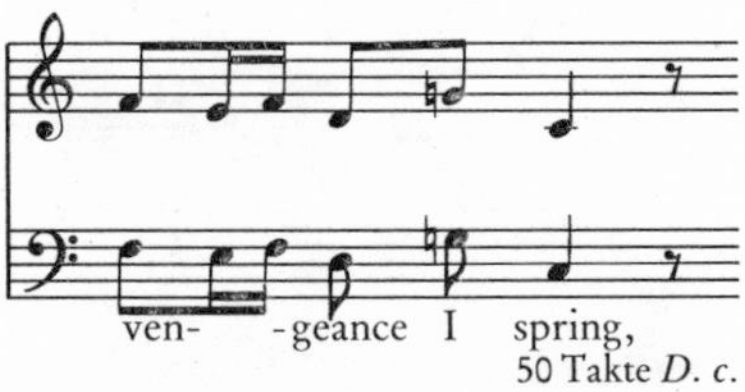
ven- -geance I spring,
50 Takte D. c.

Recitative. Joad

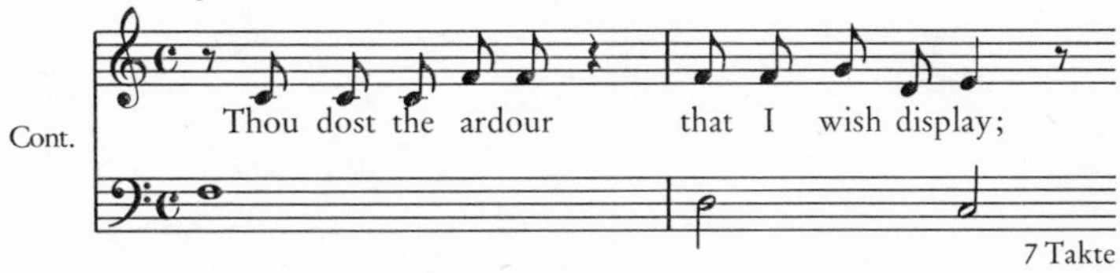
Cont.
Thou dost the ardour that I wish display;
7 Takte

Scene II

A. Recitative. Athalia; Josabeth; Joas

Cont.
Confusion to my thoughts! my eyes have view'd
28 Takte

B. Recitative. Joas (1743)

Cont.
What can the faithful

fear for Judah's foes
7 Takte

20. Air. Joas

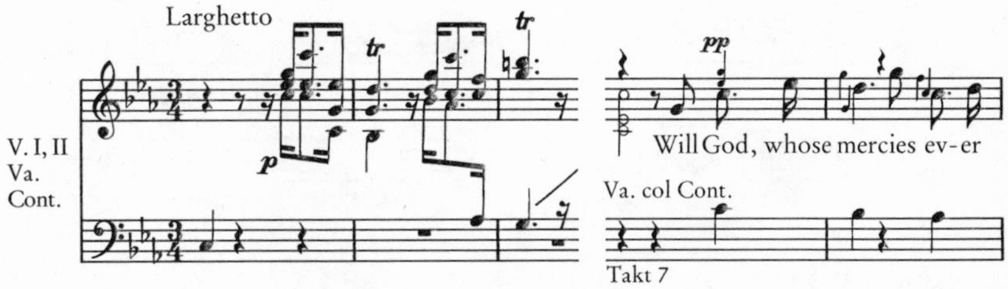
Larghetto
V. I, II
Va.
Cont.
p
pp
Will God, whose mercies ev- er
Va. col Cont.
Takt 7

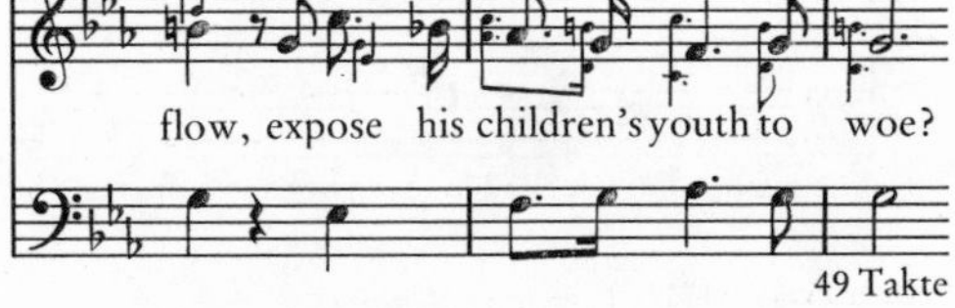
flow, expose his children's youth to woe?
49 Takte

Recitative. Athalia; Joas

Cont.
'Tis my intention, lovely youth, that you a scene
16 Takte

21a. Air. Athalia

Allegro
Ob. I, II
V. I, II
Cont.
Oboi colla parte
V.
My vengeance a- wakes me, com- pas- sion for- sakes me,
p
Takt 11
68 Takte D. c.

21b. Air. Athalia (1743)

Vivace

Hence I hasten, then fear for thy_danger! do__thou
(V. I colla parte *p*)
Ob. I, II
V. I, II
Va.
Cont.

[= HWV 46b. (33.)] Takt 13

tremble, do__thou tremble

79 Takte *D. c.*

Recitative. Mathan (1743)

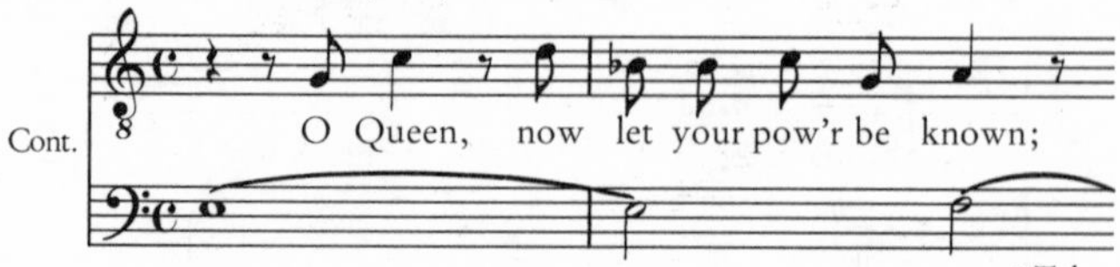
Cont.
O Queen, now let your pow'r be known;

6 Takte

(21.) Air. Mathan (1743)

Allegro

Ob. I, II
V. I, II
Cont.
9
My vengeance a-wakes me,

68 Takte *D. c.*

22. Duet. Josabeth; Joas

A tempo ordinario, ma un poco lento

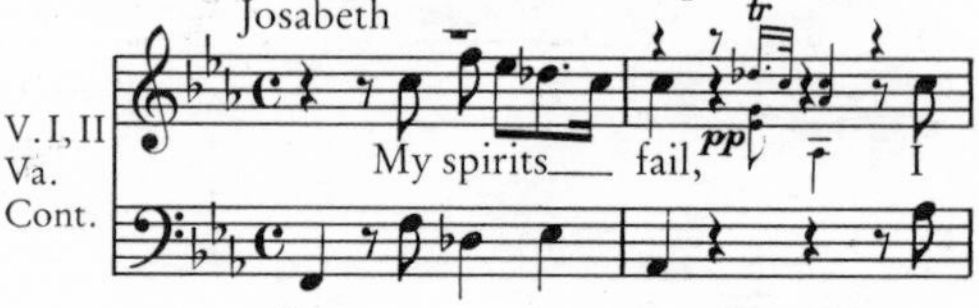
Josabeth
V. I, II
Va.
Cont.
My spirits__ fail,
I

faint, I die,

59 Takte

Scene III
Recitative. Joad

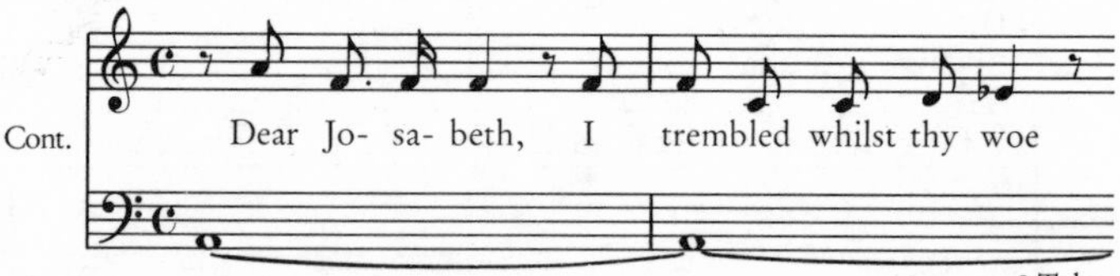
Cont.
Dear Jo- sa- beth, I trembled whilst thy woe

8 Takte

23. Duet. Joad; Josabeth

Larghetto

V. I, II unis.
Cont.
Joad
Cease thy an- guish, smile_once more,
Josabeth
All his mercies I re- view,

Takt 13 Takt 101 252 Takte

Recitative. Abner

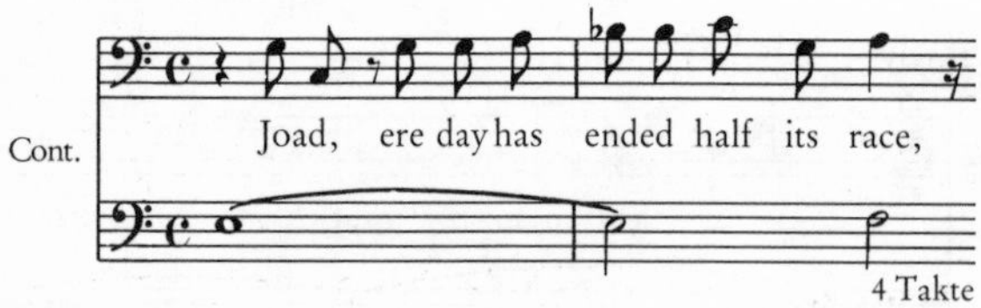
Cont.
Joad, ere day has ended half its race,

4 Takte

24. Chorus. C. I, II, III; A.; T.; B.

Allegro

Ob. I, II
Fag. I, II
V. I, II
Va.
Cont.

Org. tasto solo; left hand loud, right hand soft.

Chorus (of Young Virgins). C. I, II, III

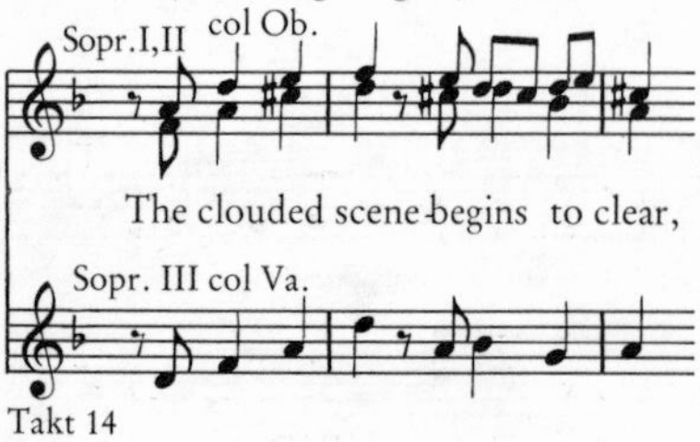
Sopr. I, II col Ob.
The clouded scene begins to clear,
Sopr. III col Va.

Takt 14

Chorus (of Priests and Levites), A.; T.; B.

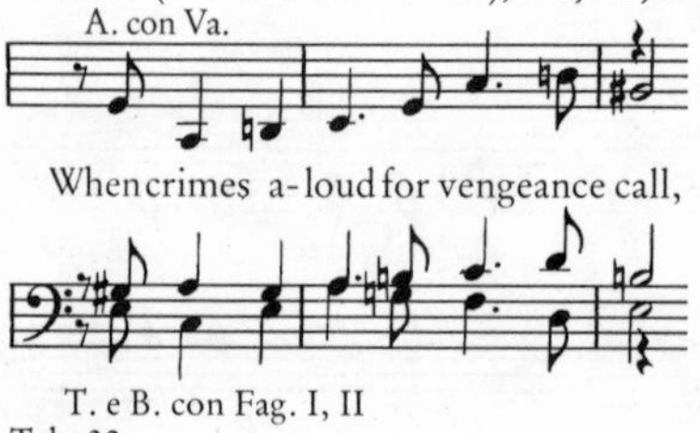
A. con Va.
When crimes a-loud for vengeance call,

T. e B. con Fag. I, II
Takt 32

Chorus. Tutti

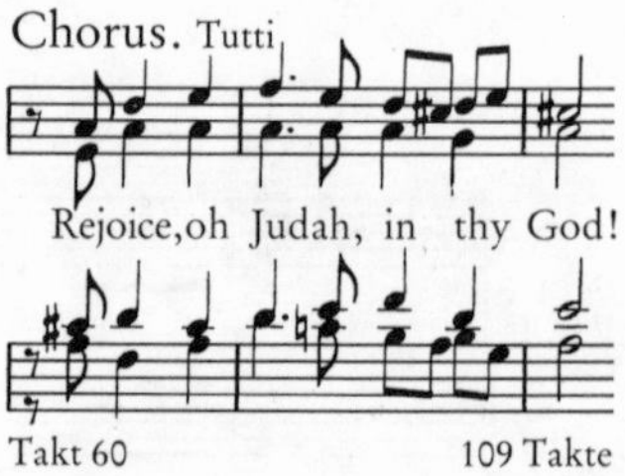
Rejoice, oh Judah, in thy God!

Takt 60 109 Takte

Part III

Scene I

25. Accompagnato. Joad

26. Chorus. C. I, II; A. I, II; T. I, II; B. I, II

27a. Accompagnato. Joad

27b. Aria. Joad (1735)

28. Solo and Chorus. Joad; C.; A.; T.; B.

Recitative. Joad; Joas; Josabeth

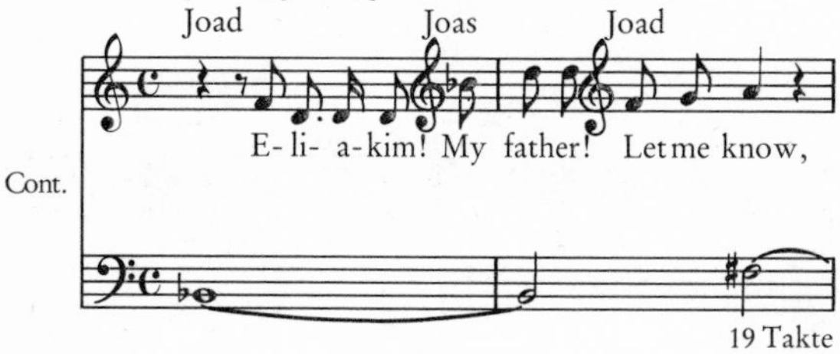
Joad
Joas
Joad
E- li- a-kim! My father! Let me know,
Cont.
19 Takte

29. Chorus. C. I, II; A. I, II; T. I, II; B. I, II

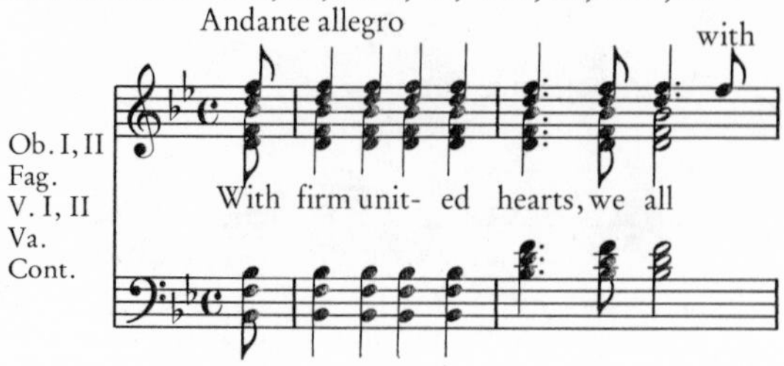
Andante allegro
with
Ob. I, II
Fag.
V. I, II
Va.
Cont.
With firm unit- ed hearts, we all

firm u- nit- ed hearts,
will conquer, will conquer,
9 Takte

Scene II

Recitative. Mathan; Josabeth

Cont.
Oh princess, I app- roach thee to de- clare,
8 Takte

30a. Air. Josabeth

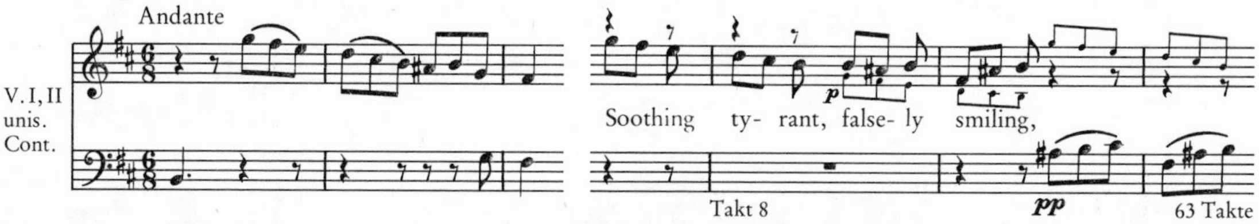
Andante
V. I, II
unis.
Cont.
p
Soothing ty- rant, false- ly smiling,
pp
Takt 8
63 Takte

30b. Air. Josabeth (1756)

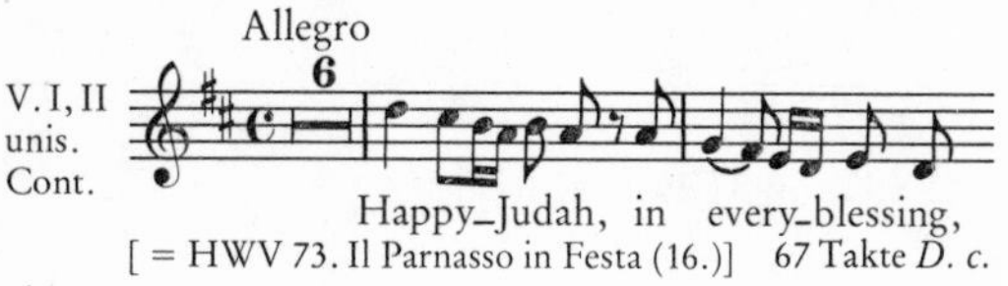
Allegro
V. I, II
unis.
Cont.
6
Happy_Judah, in every_blessing,
[= HWV 73. Il Parnasso in Festa (16.)] 67 Takte D. c.

Scene III

Recitative. Joad; Mathan

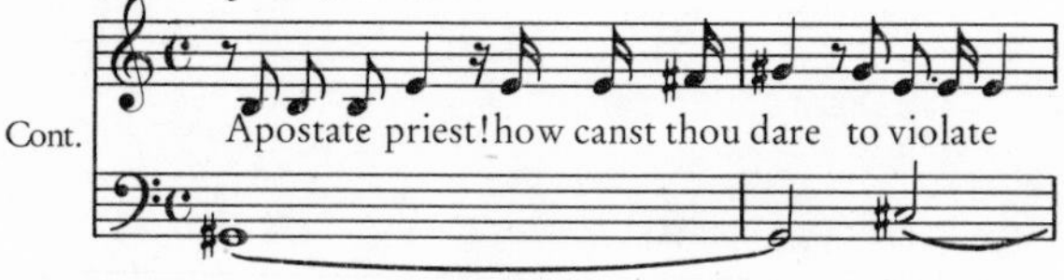
Cont.
Apostate priest! how canst thou dare to violate

Scene IV

(Recitative.) Athalia; Joad

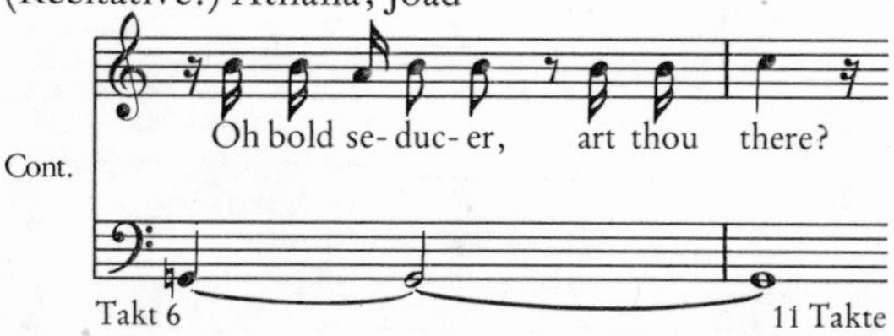
Cont.
Oh bold se- duc- er, art thou there?
Takt 6
11 Takte

31. Solo and Chorus. Joad; C. I, II; A. I, II; T. I, II; B. I, II

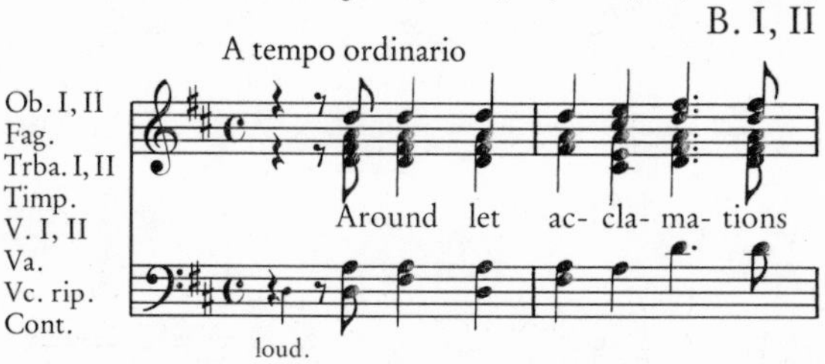
A tempo ordinario
Ob. I, II
Fag.
Trba. I, II
Timp.
V. I, II
Va.
Vc. rip.
Cont.
Around let ac- cla- ma- tions
loud.

(Tutti)
ring: hail roy- al youth,
Cont.
Joad. Solo
Reviv- ing Ju- dah_shall no more de- tested
Takt 15

im- a- ges a- dore;
Tutti
bless the true church,
Takt 27
51 Takte

Recitative. Athalia; Joad; Abner

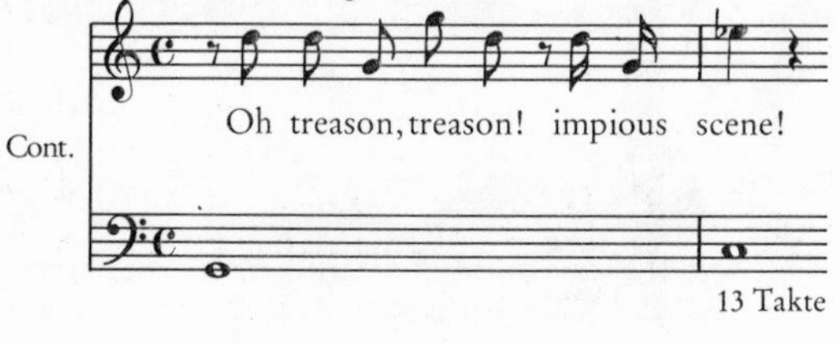
Cont.
Oh treason, treason! impious scene!
13 Takte

32. Air. Abner

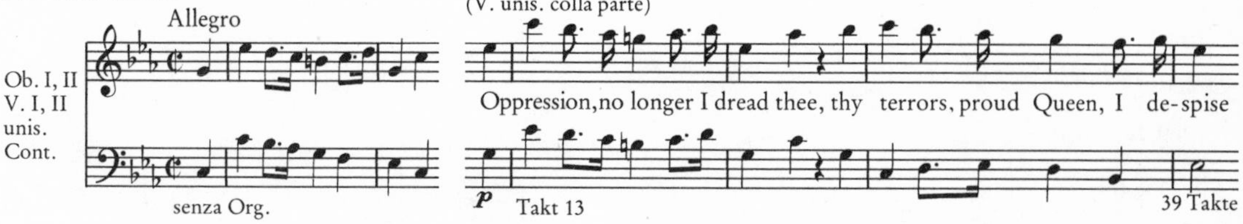
Allegro
(V. unis. colla parte)
Ob. I, II
V. I, II
unis.
Cont.
Oppression, no longer I dread thee, thy terrors, proud Queen, I de-spise
p
Takt 13
39 Takte
senza Org.

Recitative. Athalia; Mathan

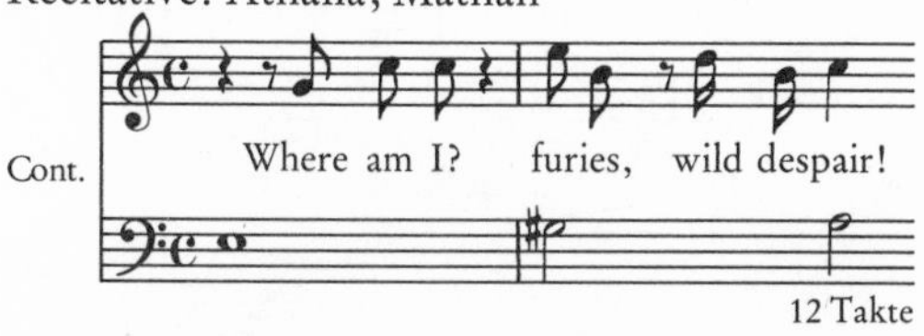
Cont.
Where am I? furies, wild despair!
12 Takte

33. Arioso. Mathan

Andante
V. I, II
Va.
Cont.
V. II
Va.
[vgl. HWV 71 Triumph of Time and Truth (29.)]

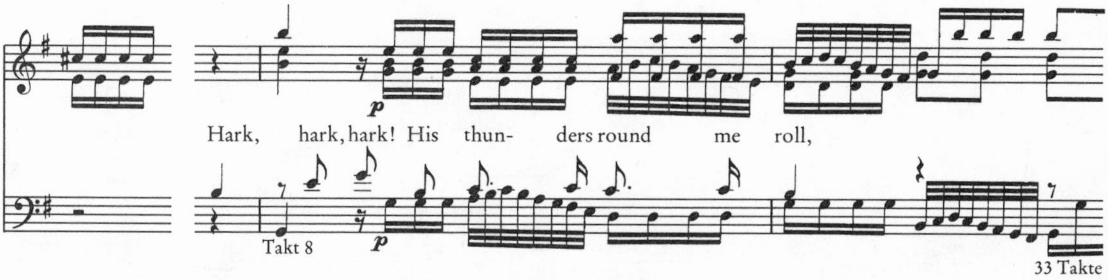
Hark, hark, hark! His thun- ders round me roll,
p
Takt 8
p
33 Takte

Recitative. Joad; Athalia

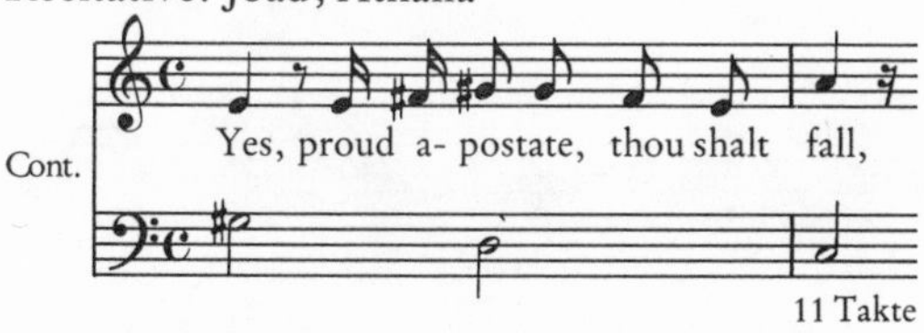
Cont.
Yes, proud a- postate, thou shalt fall,
11 Takte

34. Air. Athalia

V. I, II
Cont.
con Org. soft, tasto solo

V.
To darkness e- ter- nal and hor-rors in- fer- nal
Takt 5
32 Takte

Scene V.

Recitative. Joad; Josabeth

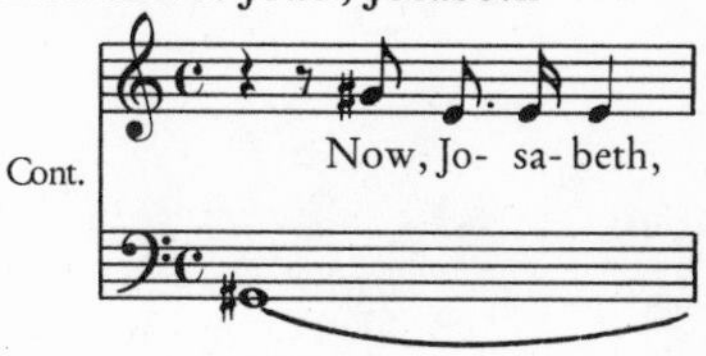
Cont.
Now, Jo- sa- beth,

thy fears are o'er!
3 Takte

35a. Duet. Joad; Josabeth

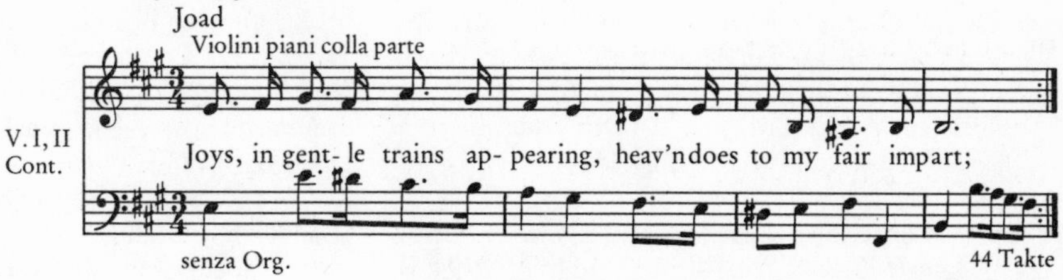
Joad
Violini piani colla parte
V. I, II
Cont.
Joys, in gent- le trains ap- pearing, heav'n does to my fair impart;
senza Org.
44 Takte

35b. Air. Josabeth (1743 ?)

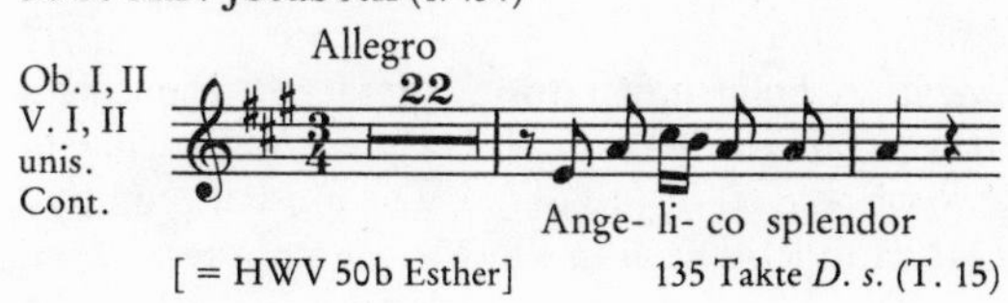
Allegro
Ob. I, II
V. I, II
unis.
Cont.
22
Ange- li- co splendor
[= HWV 50b Esther]
135 Takte D. s. (T. 15)

Recitative. Abner

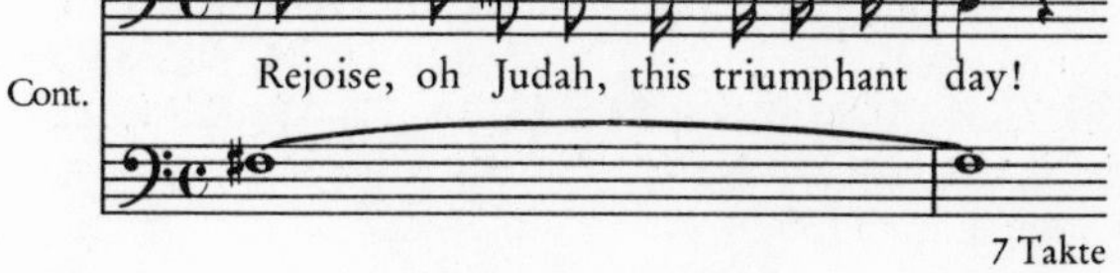
Cont.
Rejoise, oh Judah, this triumphant day!
7 Takte

36. Chorus. C. I, II; A. I, II; T. I, II; B. I, II

Anhang

(15.) Duet and Chorus. Joad (Basso); Abner; Chorus I: C.; A.; T.; B
ChorusII: C.; A.; T.; B. (1743)

Quellen

Handschriften: Autographe: GB Lbm (R. M. 20. h. 1.; R. M. 20. f. 12., f. 35–38v: Nr. 18b, Rezitativ B vor Nr. 20 „What can the faithful fear“, Rezitativ vor Nr. 21b „O Queen, now let your pow'r be known“), Cfm (30 H 1, p. 43–50: Anhang 15, T. 1–65, Fortsetzung in GB Lbm, R. M. 20. h. 1., f. 56, T. 66–71).

Abschriften: D (brd) Hs (Direktionspartitur M $\frac{C}{264}$) – GB BENcoke (2 Ex.), Cfm (Barrett-Lennard-Collection), Lbm (R. M. 18. d. 4.; Egerton 2933), Lcm (MS. 894), Mp [MS 130 Hd4, St.: v. 94(3), 95(3), 96(2), 97(3)–101(3), 102(2), 103(3)–108(3), 109(2), 110(3)–115(3), 222(6), 223(6)] – J Tn – US BETm (LMisc. 16D, datiert 1739). Arien: GB Lbm (R. M. 18. c. 6., f. 27v–73: Nr. 32, 34, 30a, 35a, 1, 7, 11, 18a, 20, 23, 21a, 12, 14, 22, 19; R. M. 18. c. 8., f. 136–152: Nr. 6b, 9b, 18b; Add. MSS. 31 504, 5 Sätze für 1735).

Drucke: The most celebrated songs in the oratorio call'd Athalia compos'd by Mr Handel. – London, J. Walsh, No. 545; —— ib., No. 545; Harrison's edition, corrected by Dr Arnold. The overture and songs in Athalia; an oratorio. For the voice, harpsichord, and violin. Composed by Mr Handel. – London, Harrison & Co.; Athaliah. An oratorio or sacred drama in score, the music composed in the year 1733. By G. F. Handel. – London, Arnold's edition, No. 1–4 (1787); Cease thy anguish, smile. Athalia. – (London), J. Bland; —— ... Duet. – ib., H. Wright; Gentle airs. – London, R. Falkener; —— ... a favourite song. – ib., H. Wright; —— ... as sung by Mr Harrison in Athalia. – ib., R. Birchall; ——. – Dublin, Edmund Lee.

Libretto: Athalia an oratorio: or sacred drama. As perform'd at the Theatre in Oxford. At the time of the Publick Act, in July, 1733. The musick compos'd by Mr. Handel. The drama by Mr. Humphreys. – London, John Watts, 1733 (Ex.: GB En, Lbm); — As it is perform'd at the Theatre Royal in Covent-Garden.. – London, J. Watts, B. Dod, 1756 (Ex.: F Pc – GB Lbm – US SM).

Bemerkungen
„Athalia“ entstand vermutlich zwischen Ende April und Anfang Juni 1733; Händel notierte im Autograph nur den Abschluß der Komposition („Fine dell'Oratorio S. D. G. G. F. Handel London June ye 7. 1733“). Der Text des Librettos von Samuel Humphreys geht auf die Tragödie „Athalie“ von Jean Racine (1691, mit Musik von Jean Baptiste Moreau) zurück.
Händel schrieb das Werk für eine akademische Festveranstaltung der Universität Oxford[1]; die Uraufführung sollte – nach Aufführungen von HWV 50[b] Esther am 5. und 7. Juli – am 9. Juli 1733 im dortigen Sheldonian Theatre erfolgen, wurde aber wegen der ausgedehnten Reden während der öffentlichen Promotion auf den 10. Juli verlegt und einen Tag darauf wiederholt. Am 12. Juli wurde HWV 51 Deborah aufgeführt. Besetzung: Josabeth: Anna Strada del Pò, Joad: Walter Powell, Athalia: Mrs. Wright, Abner: Gustav Waltz, Joas: Goodwill (Knabenalt), Mathan: Philip Rochetti.
Trotz des großen Erfolges in Oxford brachte Händel „Athalia“ nicht sofort in London zur Aufführung, sondern benutzte die Partitur als Material für die Serenade HWV 73 Il Parnasso in festa und das Wedding Anthem HWV 262 „This is the day which the Lord hath made“, die er anläßlich der Feierlichkeiten zur Vermählung seiner Schülerin Princess Anne mit dem Prinzen Wilhelm von Oranien am 13. und 14. März 1734 aufführte. Fast die gesamte Musik aus „Athalia“ ist in diesen beiden Werken verwendet worden; vermutlich war es Händel aus Zeitgründen nicht möglich, neue Werke für diesen Anlaß zu komponieren, weshalb er auf diese Pasticcio-Praxis zurückgriff.
Erst 1735 (5 Aufführungen im April) wurde „Athalia“ als Oratorium in London von Händel gegeben, „with a new Concerto on the Organ; also the first Concerto in the Oratorio of Esther, and the last in Deborah“[2].
Es sangen: Josabeth: Anna Strada del Pò, Joad: Giovanni Carestini, Athalia: Cecilia Young, Abner: Gustav Waltz, Mathan: John Beard, Joas: William Savage (Alt). Da kein Libretto der Aufführungen nachweisbar ist, kann nur auf Grund der autographen Eintragungen in die Direktionspartitur vermutet werden, daß Händel einige Änderungen der ursprünglichen Fassung vorgenommen hatte. So wurde die Ouverture von HWV 73 Il Parnasso in festa mit der Gigue am Schluß (diese wurde im Autograph GB Lbm, R. M. 20. h. 1., f. 56[v], „doppo la Sinfonia“ nachgetragen) anstelle der ursprünglichen Sinfonia als Einleitung gespielt und mehrere Sätze in neuen Vertonungen eingefügt (Nr. 6[b], 9[b], 18[b], 27[b]).
1743 plante Händel eine weitere Aufführung, deren Besetzung nach den Angaben in der Direktionspartitur folgendermaßen lauten sollte: Josabeth: Christina Maria Avoglio bzw. Miss Edwards, Abner: William Savage, Mathan: John Beard, Attendant: John Abbot; außerdem werden der Tenor Thomas Lowe und „a Boy“ genannt. Wer die Titelpartie singen sollte, ist ungewiß. Für diese beabsichtigte, aber aus unbekannten Gründen nicht realisierte Aufführung schrieb Händel folgende Stellen der Partitur neu: Ein D-Dur-Duett für 2 Solobässe und Doppelchor auf Musik und Text von „When storms the proud“ (4), anstelle von Nr. 15 (s. Autograph GB Cfm, 30 H 1, p. 43–50 bzw. GB Lbm, R. M. 20. h. 1., f. 56), mit Übergang nach d-Moll und Taktwechsel $^2/_4$ sowie verbalem Hinweis „Alleluja“ auf die folgende Nr. 16. Weiterhin ein zusätzliches Rezitativ für Joas „What can the faithful fear“, die Arie „Hence I hasten“[3] für Athalia anstelle von Nr. 21 sowie ein zusätzliches Rezitativ für Mathan „O Queen, now let your power be known“. Außerdem wurden einige Transpositionen angemerkt.
W. Dean (s. Lit., S. 261) erwähnt, daß Händel für sein Konzert unter dem Titel „An Oratorio“ am 28. März 1738 drei Sätze aus „Athalia“ (Nr. 3, 17, jedoch ohne das Solo Joads, und Nr. 21[a]) auswählte; zu dieser Aufführung gehörte die Violoncello-Stimme in GB Cfm (30 H 15, p. 53–54, 61–66, 55–60), die einen Teil der genannten Sätze wiedergibt.
Die letzten Aufführungen von „Athalia“ zu Händels Lebzeiten fanden am 5., 10. und 12. März 1756 statt. Besetzung: Josabeth: Giulia Frasi, Mathan: John Beard, Abner: Mr. Wass, Joad: Isabella Young. Wer die Titelpartie sang, läßt sich nicht mehr feststellen. Die hierbei gebotene Fassung (s. die Beschreibung bei W. Dean, S. 262) ist durch starke Kürzungen und Umstellungen von Sätzen geprägt; zwei neue Sätze [„Lovely Youth, come live with pleasure“ für Athalia vor Nr. 21, „Happy Judah, in every blessing“ für Josabeth als Nr. 30[b], Parodien aus HWV 73 (Nr. 28[b] bzw. 16)] kamen hinzu. Außerdem wurden zwei Sätze aus Anthems eingegliedert (vor Nr. 31 ein Solo für Joas „My mouth shall speak“ aus dem 5. Chandos Anthem HWV 250[a,b] „I will magnify thee“, Nr. 8 bzw. 6, und in Nr. 31 anstelle von Joads Solo der Satz „The King shall rejoice“ aus dem Dettingen Anthem[4] HWV 265) und in

[1] Die Londoner Zeitung „The Bee“ berichtete in iher Ausgabe vom 23. Juni 1733, daß Händel anläßlich des öffentlichen „Actus“ der akademische Grad eines Doktors der Musik verliehen werden sollte, den er jedoch aus unbekannten Gründen nicht annahm. S. Deutsch, S. 316 f.
[2] Dean, S. 259, Deutsch, S. 385. Vermutlich war das „neue“ Konzert HWV 292 op. 4 Nr. 4 oder HWV 293 op. 4 Nr. 5, die beide kurz zuvor entstanden sind.
[3] 1744 für Sisera in HWV 51 Deborah übernommen.
[4] Nicht aus dem gleichnamigen Coronation Anthem HWV 260, wie bei W. Dean (S. 262) vermerkt ist.

„Softest sounds" (12) wurde die Solovioline durch Traversflöte ersetzt.
Außer den unter HWV 73 und HWV 262 vermerkten Entlehnungen lassen sich folgende Sätze aus „Athalia" in anderen Werken thematisch belegen:

A. Symphony, 1. und 3. Satz (Allegro)
HWV 399 Sonata op. 5 Nr. 4 G-Dur: 1. und 3. Satz (Allegro, Allegro non presto)

B. Ouverture, Un poco allegro, Allegro
HWV 399 Sonata op. 5 Nr. 4 G-Dur: 2./3. Satz (A tempo ordinario, Allegro non presto)
(Gigue) – Allegro
HWV 389 Sonata op. 2 Nr. 4 F-Dur: 5. Satz (Allegro)

6[b]. O Lord whom we adore
HWV 81 „Alpestre monte": 2. Io so ben ch'il vostro orrore
HWV 6 Agrippina: 27. Voiche udite
HWV 9 Teseo: 8. M'adora l'idol mio
HWV 248 „Have mercy upon me": 2. Have mercy upon me
HWV 15 Ottone: 10. Affanni del pensier
HWV 51 Deborah: 4. For ever to the voice of Pray'r
HWV 68 Theodora: 10. As with rosy steps the morn

9[b]. The Gods who chosen blessings shed
HWV 48 Brockes-Passion: 34. Dem Himmel gleicht sein buntgefärbter Rücken

13. The traitor if you there descry
HWV 48 Brockes-Passion: 13. Er soll uns nicht entlaufen

15. Gloomy tyrants
HWV 48 Brockes-Passion: 43. Es scheint, da den zerkerbten Rücken

16. Alleluja
HWV 251[c] „As pants the hart" (3. Fassung): Anhang 7[a]. Alleluja (Takt 43 ff.)

18[b]. Through the land so lovely blooming
HWV 34 Alcina: 11. Bramo di trionfar

21[a]. My vengeance awakes me[5]
HWV 134 „Nel dolce dell'oblio": 2. Ha l'inganno il suo diletto
HWV 5 Rodrigo: Ouverture – Bourrée I
HWV 6 Agrippina: 49. V'accendano le tede

21[b]. Hence I hasten[6]
HWV 46[b] Il Trionfo del Tempo e della Verità: 33. Come nembo che fugge col vento

23. Cease thy anguish
HWV 38 Berenice: Ouverture, 3. Satz (Andante larghetto)

27[b]. Cor fedele
HWV 242 „Silete venti": 3. Dulcis amor

28. Jerusalem, thou shalt no more
HWV 400 Sonata op. 5 Nr. 5 g-Moll: 3. Satz (Larghetto)
HWV 8[b] Terpsicore: 2. Gran tonante

30[b]. Happy Judah, in every blessing
HWV 73 Il Parnasso in festa: 16. Torni pure un bel splendore
HWV 8[c] Il Pastor fido (2. Fassung): 15. Torni pure un bel splendore

31. Around let acclamation ring/Hail royal youth
HWV 48 Brockes-Passion: 29. Nein, diesen nicht
HWV 62 Occasional Oratorio: 18. May God from whom all mercies spring

Literatur

Brooke, D.: A Sermon preached at Worcester at the Meeting of the Three Western Choirs in September 1743: a discourse on the Musick of the Church on the Occasion of the performance of Handel's oratorio „Athalia", London 1743; Burney IV, S. 786 ff.; Chrysander II, S. 319 ff.; Clausen, S. 118 ff.; Dean, S. 247 ff.; Dean, W.: „Athalia" comes to London. In The Musical Times, vol. 108, 1967, S. 226 f., 439; Deutsch. S. 324 ff., 366 ff.; Flower, p. 216 f., 339 f./S. 193 f.; Herbage, S. 85 ff.; Hiekel, H.-O.: Zu Händels Oratorium „Athalia". In: Göttinger Händeltage 1968, Programmheft, S. 29 ff.; Lang, p. 286 f./S. 257 ff.; Larsen, S. 64 ff.; Leichtentritt, S. 344 ff.; Müller-Blattau, J.: Über Händels Frühoratorien „Esther", „Deborah" und „Athalia". In: Händel-Ehrung der DDR, Halle 11.–19. April 1959, Konferenzbericht, Leipzig 1961, S. 127 ff.; Schoelcher, S. 157; Siegmund-Schultze, S. 58, 125 f.; Smith, W. C.: Concerning Handel, his Life and Works, London 1948, S. 176 f.; Smither II, S. 204 ff.; Streatfeild, S. 127, 273 ff.; Young, S. 73 ff.

Beschreibung der Autographe: Lbm: Catalogue Squire, S. 17. – Cfm: Catalogue Mann, Ms. 251, S. 162. – Dean, S. 264

[5] Vgl. auch HWV 309 Orgelkonzert op. 7 Nr. 4 d-Moll (2. Satz, Allegro), angeregt durch G. Ph. Telemanns „Musique de table" (II. Production, 1. Suite D-Dur: Air Tempo giusto). S. dazu Seiffert, M.: G. Ph. Telemann's „Musique de table" als Quelle für Händel. In: Bulletin de la Société „Union musicologique", 4. Jg., 1. Heft, La Haye 1924, S. 1 ff.

[6] Angeregt durch den Eingangssatz der Kantate Nr. 31 „Zischet nur, stechet, ihr feurigen Zungen" aus G. Ph. Telemanns Sammlung „Der harmonische Gottesdienst" (Hamburg 1725/26). Vgl. unter HWV 46, Anm. 3.

53. Saul

Oratorio in three acts von Charles Jennens

Besetzung: Soli: 2 Soprani (Merab, Michal), Alto (David), 5 Tenori (Jonathan, Abner, Witch of Endor, auch Sopr., Amalekite, High Priest), 4 Bassi (Saul, Doeg, Apparition of Samuel, Abiathar). Chor: S.; A.: T.; B. Instrumente: Fl. trav. I, II; Ob. I, II; Fag. I, II; Trba. I, II; Tromb. I, II, III; Timp.; Carillons in F; Arpa; Tiorba; Org.; V. I, II, III; Va.; Cont. ChA 13. – HHA I/13. – EZ: London, 23. Juli bis 15. August 1738, Überarbeitung beendet am 27. September 1738. – UA: London, 16. Januar 1739, King's Theatre, Haymarket

Symfonia.

Ob. I, II
V. I, II
Va.
Cont.

124 Takte

Ob. I, II
Fag.
V. I, II, III
Va.
Vc.
Cbb.
Teorba
Cemb.
Org.

52 Takte
Org. ad lib.

Org. solo
Ob. I, II
V. I, II
Va.
Cont.

72 Takte

(Menuet)

Ob. I, II
V. I, II
unis.
Va.
Cont.

56 Takte

Act I

Scene I. An Epinicion, or Song of Triumph, for the Victory over Goliath and the Philistines.

1. Chorus. S.; A.; T.; B.

Ob. I, II
Fag.
Trba. I, II
Tromb. I, II, III
Timp.
V. I, II
Va.
Cont.

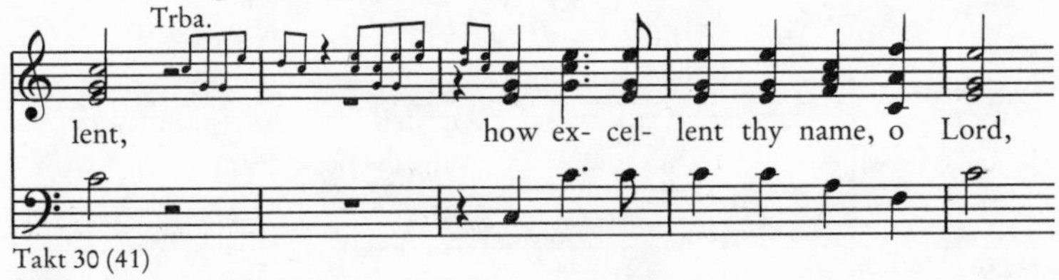

Takt 30 (41)

Takt 61 (86)

78 (112) Takte

2. Air. Sopr.

V. I, II
Va.
Cont.

An in- fant rais'd by thy com- mand,
pp
Va., Vc.
Takt 5
31 Takte (attacca)

3. Trio. A.; T.; B.

Ardito
Str.
V. I, II
Va.
Cont.
Sopr.
(op-)- pose.
f
Org. tasto solo, all'ottava, forte
f

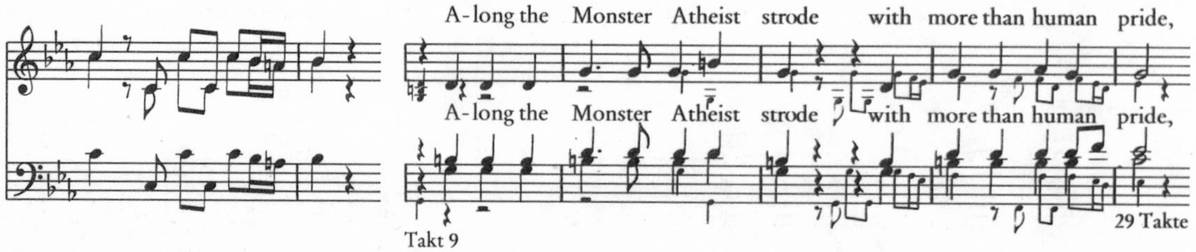
A-long the Monster Atheist strode with more than human pride,
A-long the Monster Atheist strode with more than human pride,
Takt 9
29 Takte

4. Chorus. S.; A.; T.; B.

Un poco più larghetto
The youth inspir'd by thee, o— Lord,
Ob. I, II
Ob. I, II
Fag.
V. I, II
Va.
Cont.
(An in- fant rais'd by thy command)
Cont. p
Org. tasto solo, all'ottava, forte
Alla breve
Our fainting courage soon— re- stor'd,
Takt 11
Our fainting courage soon—
Org. pieno, come stà in parti
87 Takte

5. Chorus. S.; A.; T.; B.

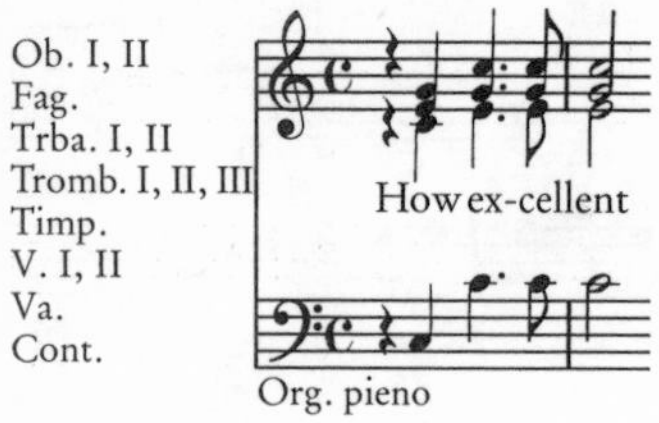
Ob. I, II
Fag.
Trba. I, II
Tromb. I, II, III
Timp.
V. I, II
Va.
Cont.
How ex-cellent
Org. pieno

A tempo giusto
V. I
V. II
Ob. I, II
Halle- lu- jah;
A. e Tromb. I
Halle- lu- jah;
T. e Tromb. II
B. e Fag.; Va. e Tromb. III, Org. pieno
Fag. e Cont.
Halle- lu- jah, hal- le- lu- jah,
Takt 24
(89) 68 Takte

Scene II

6. Recitative. Michal

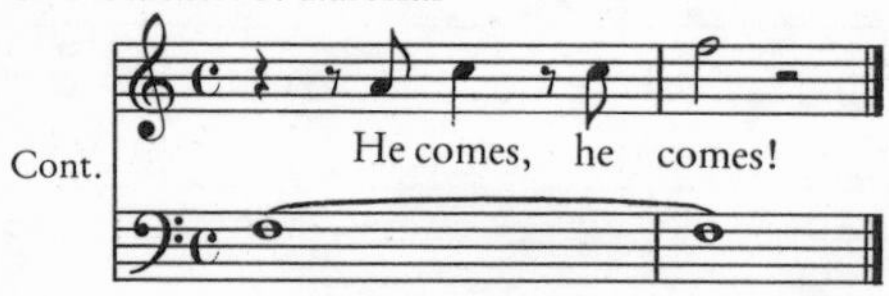
Cont.
He comes, he comes!

7. Air. Michal

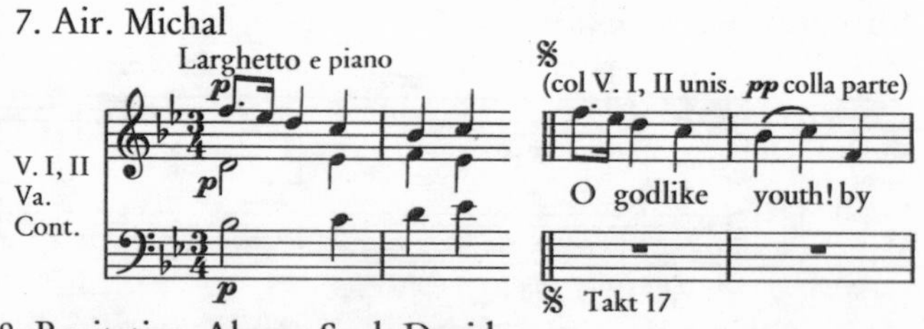
Larghetto e piano
V. I, II
Va.
Cont.
p
(col V. I, II unis. pp colla parte)
O godlike youth! by
Takt 17

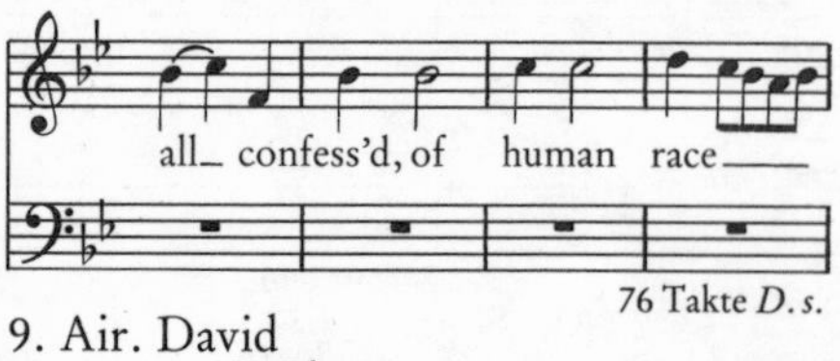
all— confess'd, of human race——
76 Takte D. s.

8. Recitative. Abner; Saul; David

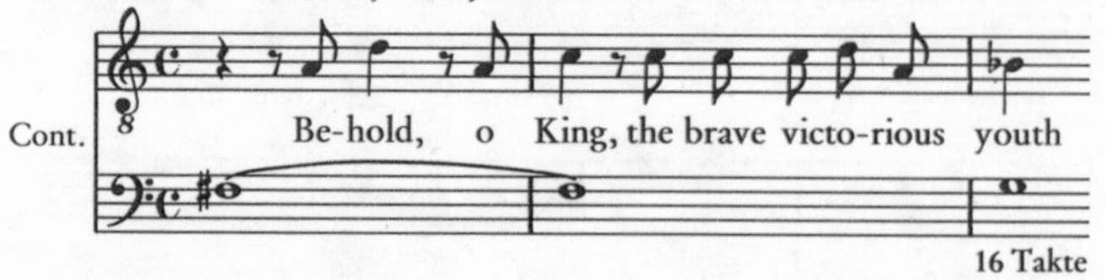
Cont.
Be-hold, o King, the brave victo-rious youth
16 Takte

9. Air. David

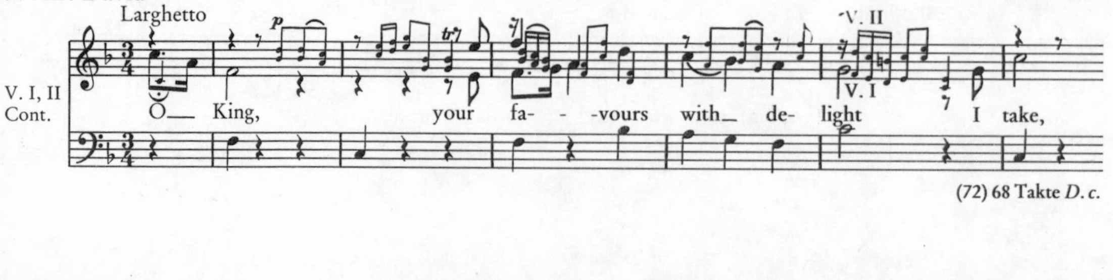
Larghetto
V. I, II
Cont.
p
O— King, your fa- - -vours with— de- light I take,
V. II
V. I
(72) 68 Takte D. c.

10a., b. Recitative. Jonathan

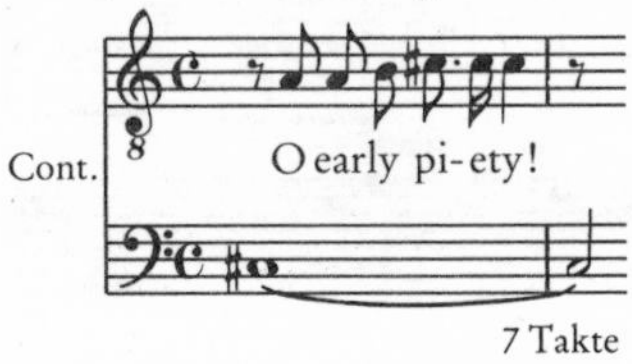
Cont.
O early pi-ety!
7 Takte

11a. Air. Merab

Andante
V. I, II
Va.
Cont.
B. senza Org.
What abject thoughts a prince can have
Takt 7
54 Takte

11b Air. Merab. (nach 1759)

Allegro
V. I, II
Va.
Cont.
[= HWV 24. Sircoe (27.)]
What ab- ject thoughts a prince can have,
Takt 11
64 Takte D. c.

12a., b. Recitative. Merab

Cont.
Yet think, on whom this honour you bestow
4 Takte

13. Air. Jonathan

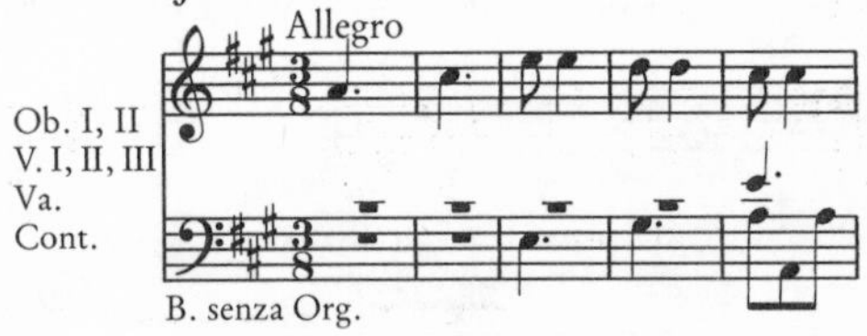
Allegro
Ob. I, II
V. I, II, III
Va.
Cont.
B. senza Org.

V. I, II
Va.
Birth and for-tune I de- spise!
Takt 9

Larghetto
No tit- les proud thy stem a- -dorn;
Takt 102
129 Takte D. c.

14. Recitative. High Priest

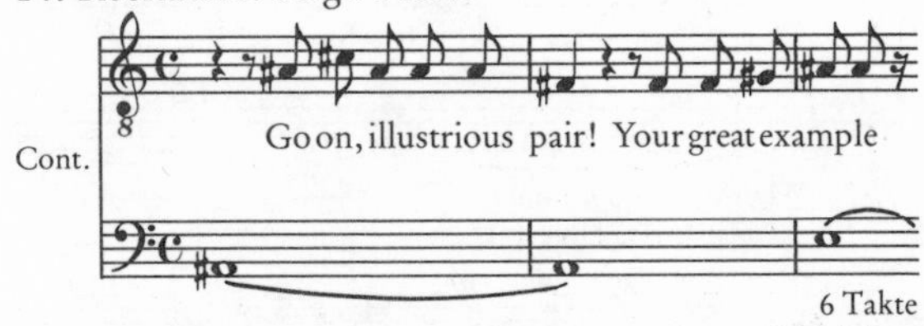
Cont.
Go on, illustrious pair! Your great example
6 Takte

15. Air. High Priest

Largo
V. I, II
Va.
Fl. trav.
V. I, II
Va.
Cont.

V. I (Fl. colla parte all'ottava)
Fl.
V. I
V. II
Va.
1. While yet thy tide of blood runs high, to God thy fu- ture life de- vote:
2. So shall thy great Cre- a- tor bless and bid thy days se-rene- -ly flow:
3. With sweet re- flec- tion thou shalt taste de-clin- ing gent- ly to thy tomb,
Takt 7
18 Takte

16. Recitative. Saul; Merab

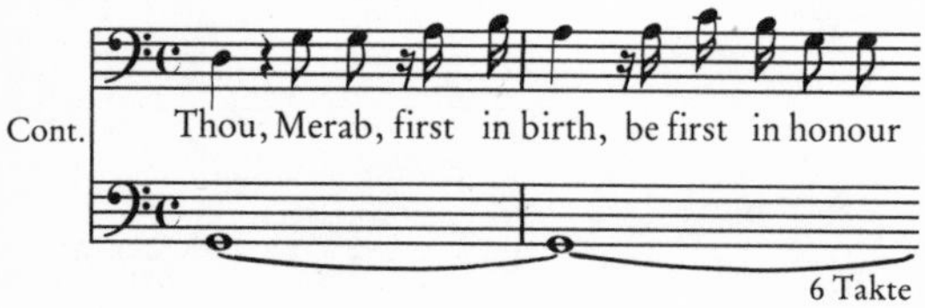
Cont.
Thou, Merab, first in birth, be first in honour
6 Takte

17. Air. Merab

Allegro
Ob. I, II
V. I, II, III
Va.
Cont.
[Autograph: ex A♯]

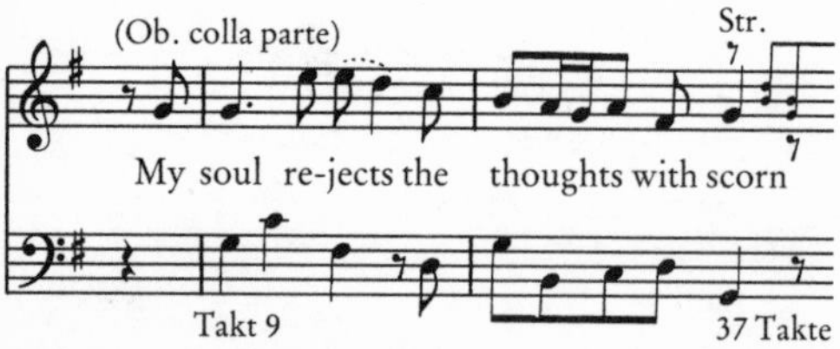
(Ob. colla parte)
Str.
My soul re-jects the thoughts with scorn
Takt 9
37 Takte

18. Air. Michal

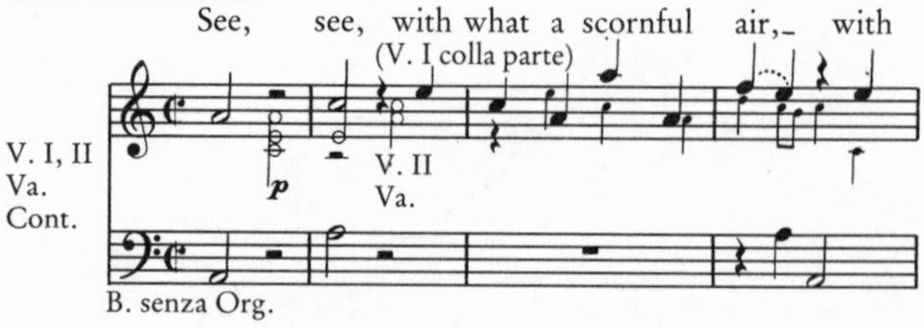
See, see, with what a scornful air, with
(V. I colla parte)
V. I, II
Va.
Cont.
p
V. II
Va.
B. senza Org.

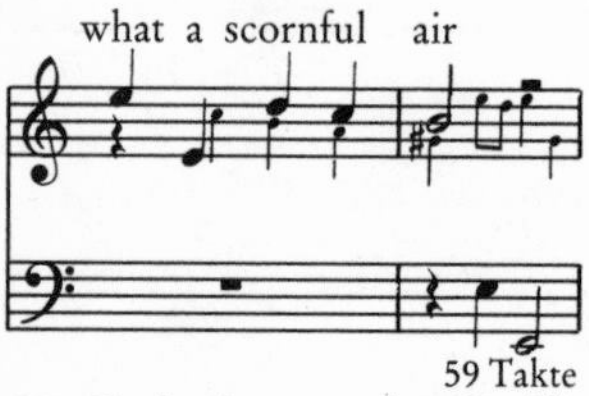
what a scornful air
59 Takte

19. Air. Michal

Larghetto
V. I, II
Va.
Cont.
p
Ah! lovely youth! Ah! lovely youth! wast thou de- sign'd
p
20 Takte

20. Sinfonie pour les Carillons.

Andante allegro
Carillons
V. I, II
unis.
Org.
Carillons
V. ed Org. tasto solo
32 Takte

Scene III

21. Recitative. Michal

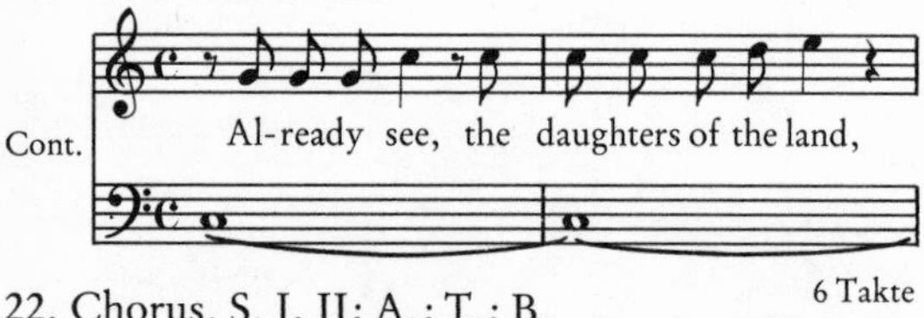
Cont.
Al-ready see, the daughters of the land,
6 Takte

(21.) Recit. pour les Carillons

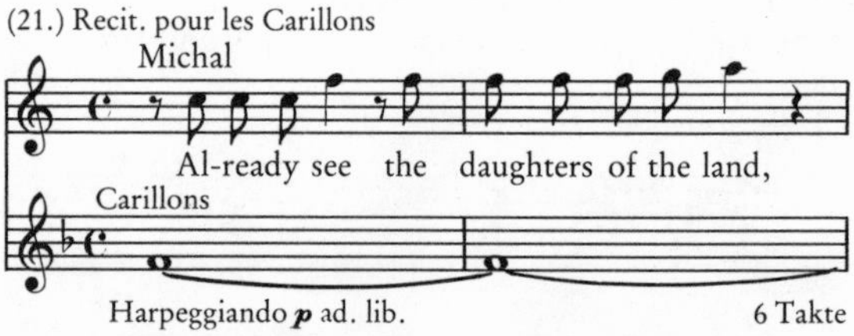
Michal
Al-ready see the daughters of the land,
Carillons
Harpeggiando p ad. lib.
6 Takte

22. Chorus. S. I, II; A.; T.; B.

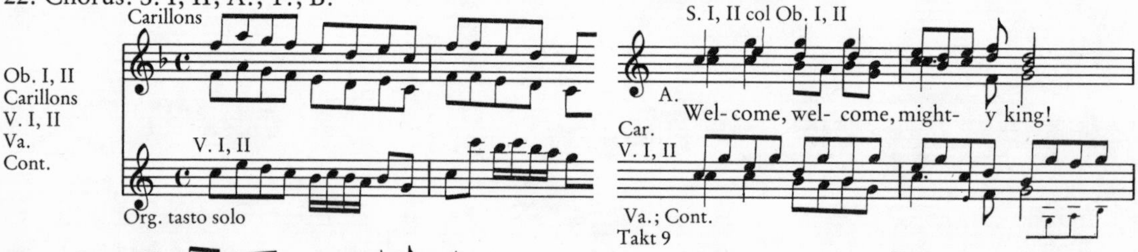
Carillons
Ob. I, II
Carillons
V. I, II
Va.
Cont.
V. I, II
Org. tasto solo
S. I, II col Ob. I, II
A.
Wel- come, wel- come, might- y king!
Car.
V. I, II
Va.; Cont.
Takt 9

Wel- come all who con- quest bring!
Saul, who hast thy Thou- sands slain,
Takt 25
44 Takte

23. Accompagnato. Saul

V. I, II
Va.
Cont.
What do I hear? Am I then sunk so low,
Fag.
Cont. senza Org.
6 Takte

24. Chorus. S.; A.; T.; B.

Tutti
Ob. I, II
Trba. I, II
Tromb. I, II, III
Timp.
Carillons
V. I, II
Va.
Cont.
David his ten
Org. pieno

Thousands slew, ten Thousands praises
10 Takte

25. Accompagnato. Saul

V. I, II
Va.
Cont.
To him ten Thousands! and to me but Thousands?
4 Takte

26. Air. Saul

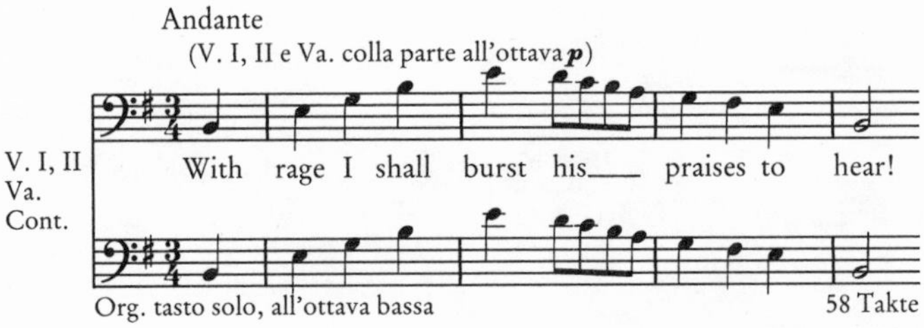
Andante
(V. I, II e Va. colla parte all'ottava p)
V. I, II
Va.
Cont.
With rage I shall burst his praises to hear!
Org. tasto solo, all'ottava bassa
58 Takte

Scene IV

27. Recitative. Jonathan; Michal

Cont.
Imprudent women!

Your illtim'd compa- risons,
14 Takte

28. Air. Michal

Larghetto
Fl. trav.
V. I, II
Va.
Cont.
p
Fell rage and black de- spair pos- sest
Takt 21
74 Takte

29. Recitative. High Priest

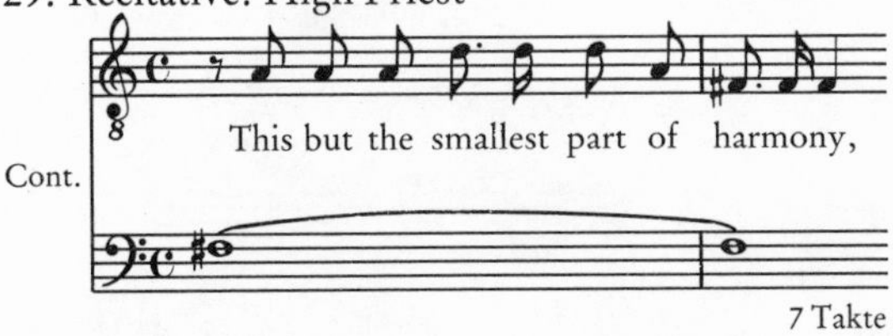
Cont.
This but the smallest part of harmony,
7 Takte

30. Accompagnato. High Priest

V. I, II
Va.
Cont.
By thee this u- ni- versal frame

Lento
V. II
Va.
Fag.
Takt 12
Nature began of la- bour eas'd,
Takt 14
26 Takte

Scene V

31. Recitative. Abner

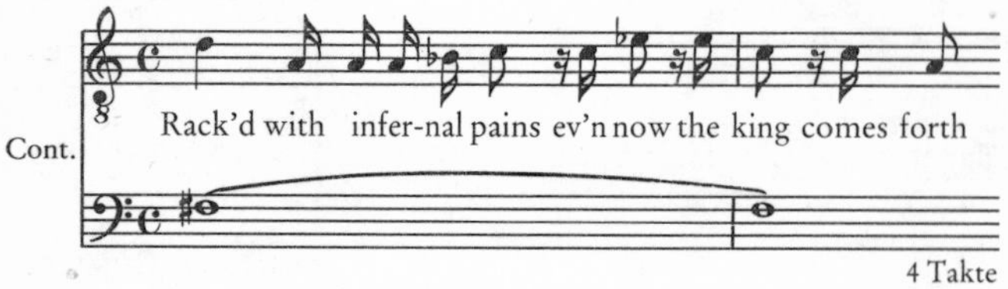

Cont.

Rack'd with infer-nal pains ev'n now the king comes forth

4 Takte

32a. Air. Michal

Largo e piano

V. I, II
Va.
Cont.

O Lord, whose mer- -cies numberless

V. II
Va.

Takt 10 36 Takte

32b. Air. David

Largo e piano

V. I, II
Va.
Cont.

Senza Fag. e Cemb.

O Lord, whose mer- cies numberless o'er all thy works___ pre- vail,

V. II
Va.

Takt 10 36 Takte

33. Symphony.

Largo

Arpa.

25 Takte

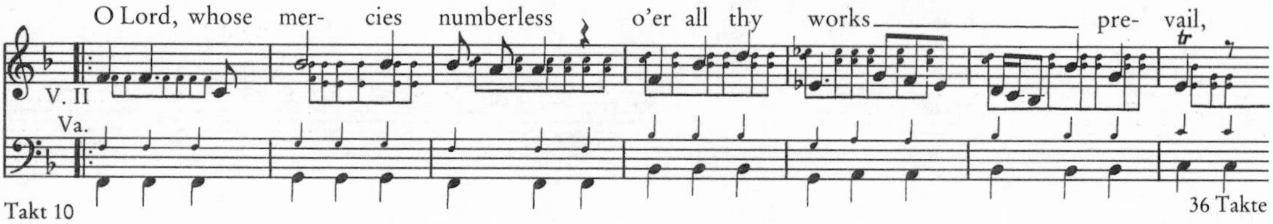

34. Recitative. Jonathan

Cont.

'Tis all in vain, his fury still continues;

5 Takte

35. Air. Saul

Allegro

Str.

Ob. I, II
V. I, II
Va.
Cont.

Org. tasto solo, all'ottava bassa

A serpent in my bo-som warm'd would sting me to the heart,

Takt 11 52 Takte

36. Recitative. Saul

Cont.

Has he escap'd my rage?

8 Takte

37. Air. Merab

Allegro

V. I, II
Cont.

B. senza Org.

Ca-

pri-cious man, in hu- mour lost,

Takt 11 98 Takte D. s.

Scene VI

38. Accompagnato. Jonathan

Lento

V. I, II
Va.
Cont.

O fil-ial pi- e-ty!

39. Air. Jonathan

40. Air. High Priest

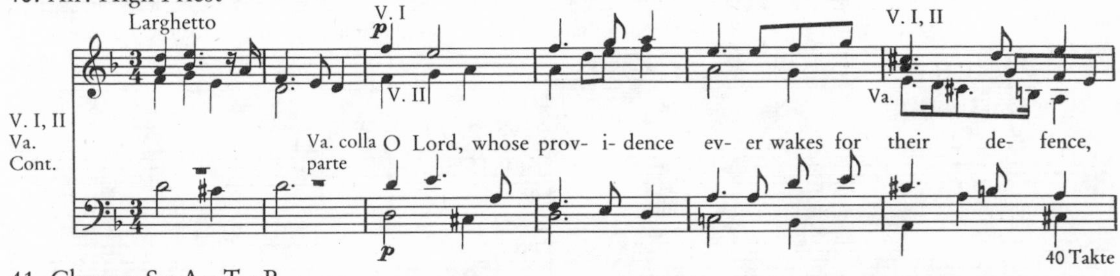

41. Chorus. S.; A.; T.; B.

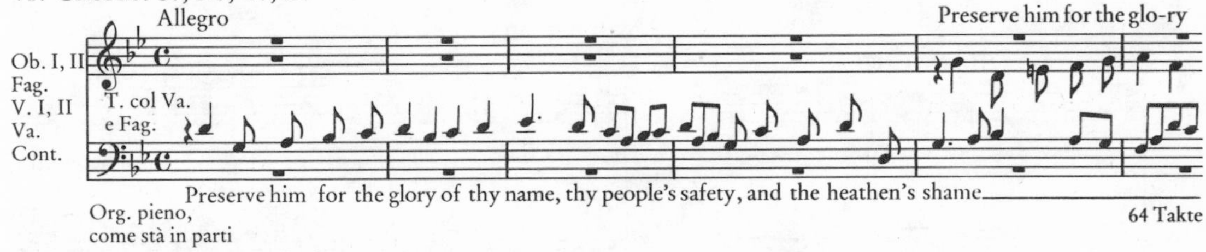

Act II

Scene I

42. Chorus. S.; A.; T.; B.

Scene II

43. Recitative. Jonathan

44. Air. Jonathan

45. Recitative. David; Jonathan

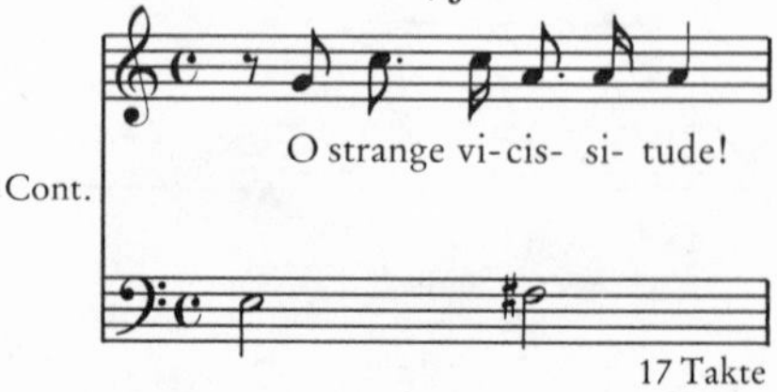

46. Air. David

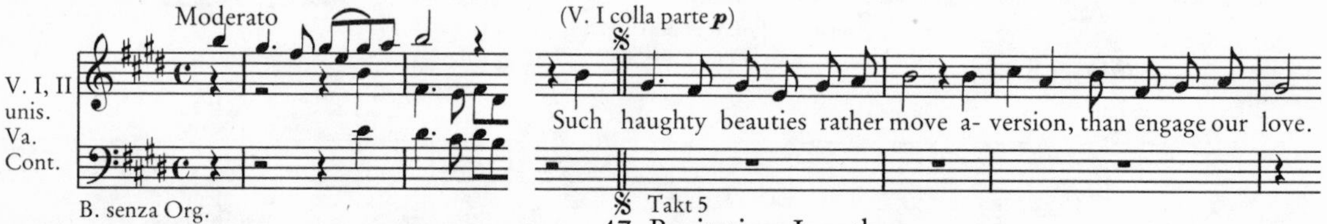

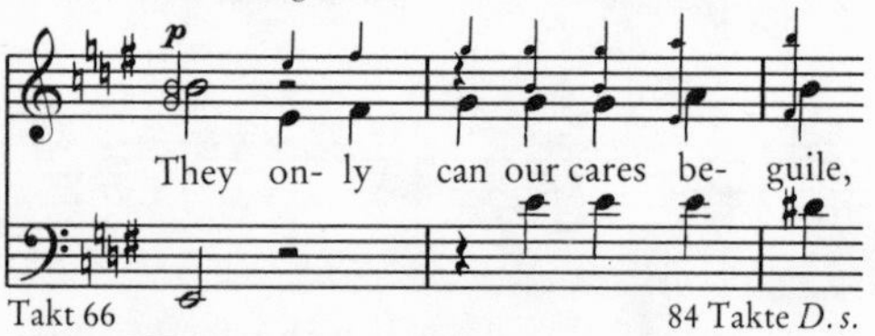

47. Recitative. Jonathan

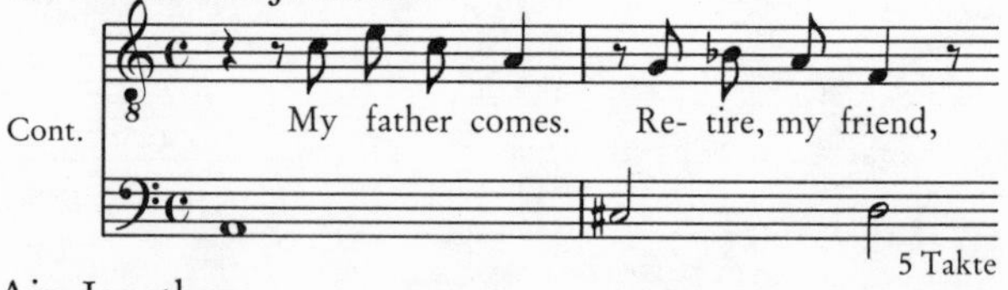

Scene III

48. Recitative. Saul; Jonathan

49. Air. Jonathan

50. Air. Saul

51. Air. Jonathan

Scene IV

52. Recitative. Jonathan; Saul

53. Air. David

54. Recitative. Saul

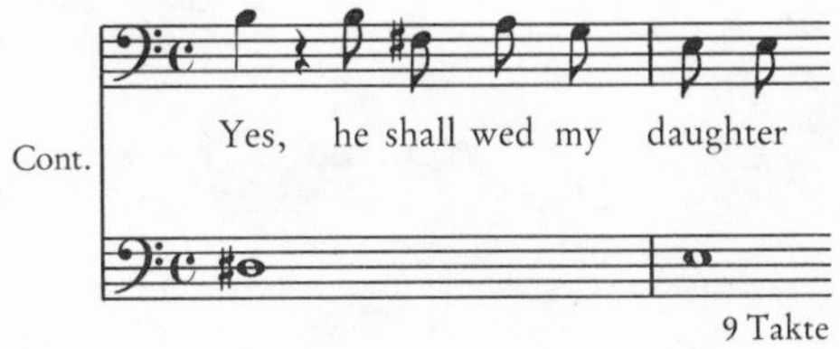

Scene V

55. Recitative. Michal

56. Duet. Michal; David

57. Chorus. S.; A.; T.; B.

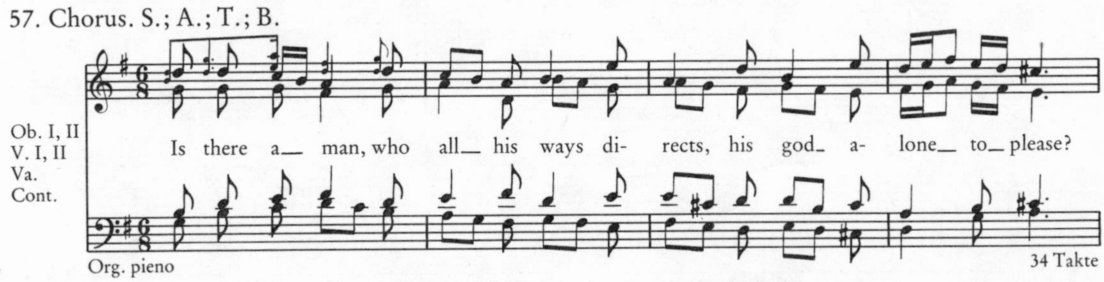

58a. Symphony.

58b. Gavotte (1750)

Scene VI

59. Recitative. David

60. Duet. Michal; David

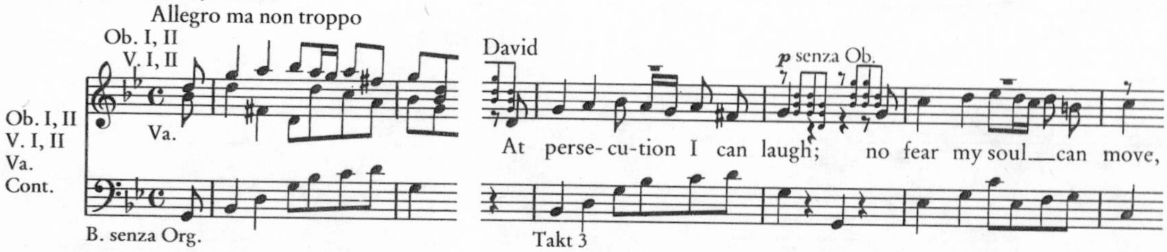

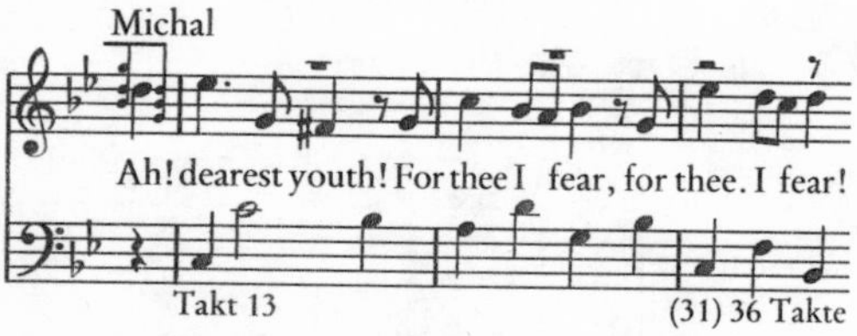

Scene VII

61. Recitative. Michal; Doeg [a Messenger]

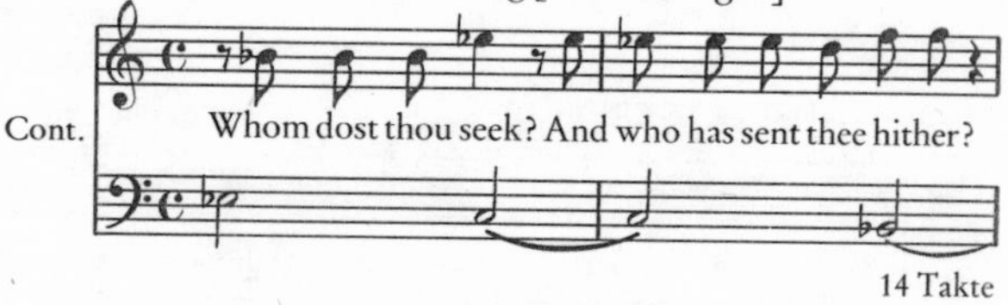

62. Air. Michal

Scene VIII

63a, b. Recitative. Merab

64. Air. Merab

Scene IX

65. Sinfonia

66a. Accompagnato. Saul

time at length is come, when I shall take my full re- venge on Jes- se's son.
11 Takte

66b. Air. Saul

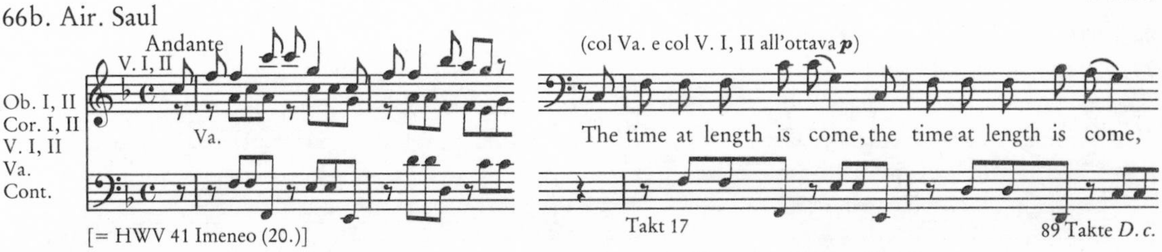
Andante
V. I, II
Ob. I, II
Cor. I, II
V. I, II
Va.
Cont.
Va.
(col Va. e col V. I, II all'ottava p)
The time at length is come, the time at length is come,
Takt 17
89 Takte D. c.

[= HWV 41 Imeneo (20.)]

Scene X

67. Recitative. Saul; Jonathan

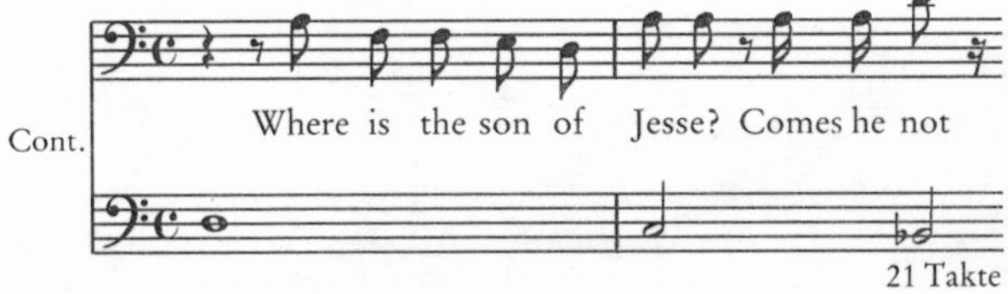
Cont.
Where is the son of Jesse? Comes he not
21 Takte

68. Chorus. S.; A.; T.; B.

[A tempo giusto]
O fa- tal con- se-quence of
(col. Ob.)
(col Va.)
O fa- tal
Ob. I, II
Fag.
V. I, II
Va.
Cont.

Org. pieno, come stà in parti

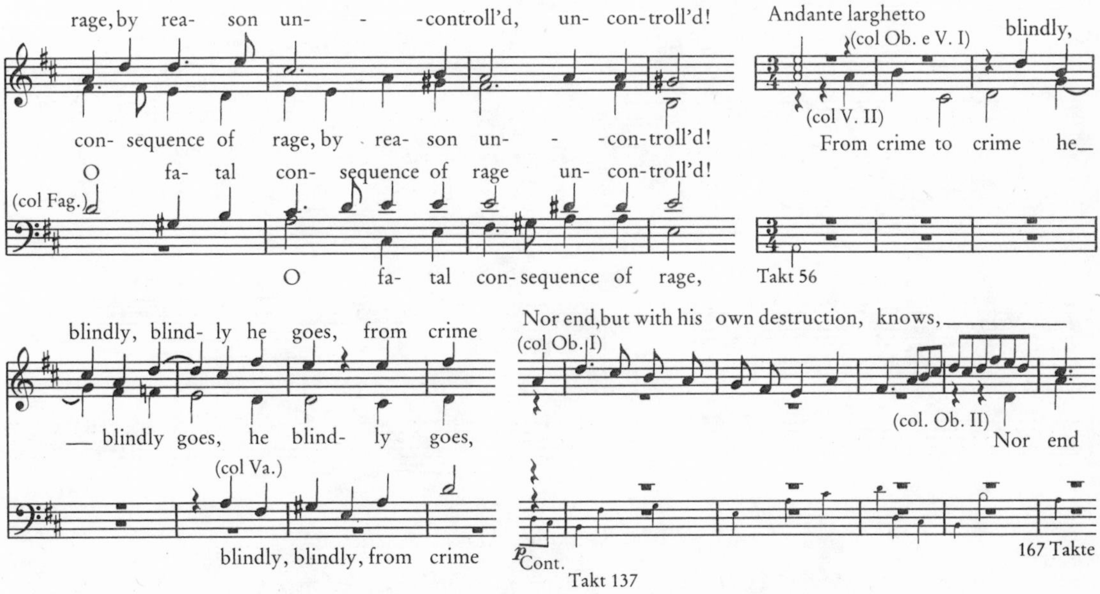
rage, by rea- son un- - -controll'd, un- con-troll'd!
con- sequence of rage, by rea- son un- - -con-troll'd!
O fa- tal con- sequence of rage un- con-troll'd!
(col Fag.)
O fa- tal con-sequence of rage,
Andante larghetto
(col Ob. e V. I)
blindly,
(col V. II)
From crime to crime he
Takt 56
blindly, blind- ly he goes, from crime
blindly goes, he blind- ly goes,
(col Va.)
blindly, blindly, from crime
Nor end, but with his own destruction, knows,
(col Ob. I)
(col. Ob. II)
Nor end
p Cont.
Takt 137
167 Takte

Act III

Scene I

69. Accompagnato. Saul

Largo
Ob. I, II
V. I, II
Va.
Cont.
(senza Ob.)
f
Wretch that I am! of my own ruin au- thor!
Takt 13
32 Takte

70. Recitative. Saul

V. I, II
Va.
Cont.
'Tis said, here lives a woman, close familiar

Accompagnato

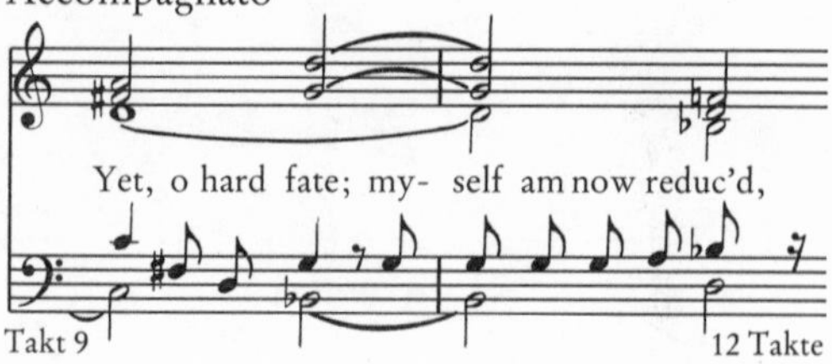
Yet, o hard fate; my- self am now reduc'd,
Takt 9
12 Takte

Scene II

71. Recitative. Witch; Saul

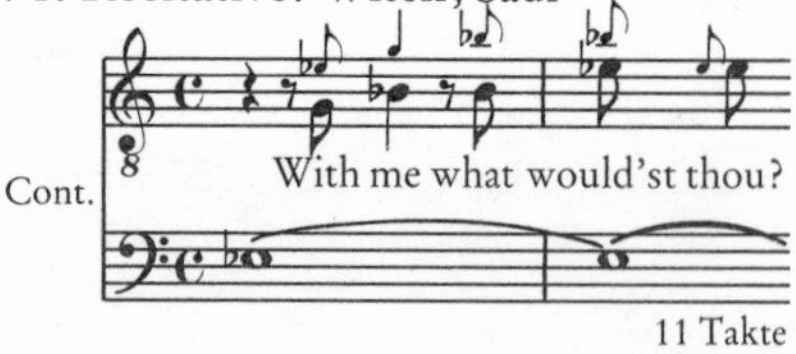
Cont.
With me what would'st thou?
11 Takte

72. Air. Witch

Largo
V. I, II
Ob. I, II
Fag.
V. I, II
Va.
Cont.
Ob. I, II
Fag.
Infernal spirits, by whose pow'r
Va. col Bassi all'ottava
senza Org.
Takt 9
p
43 Takte

Scene III

73. Accompagnato. Samuel; Saul

Largo
Fag. I
Fag. I, II
V. I, II
Va.
Cont.
Fag. II
Samuel
Why hast thou forc'd me from the realms of peace

Saul

Str.
V. I, II
Va.
Cont.
O ho-ly prophet, holy prophet! Re-fuse me not thy aid
Saul
Takt 7 senza Fag.

Recitative. Samuel

Samuel
Cont.
Hath God for sa-ken thee?
Takt 21

And dost thou ask my counsel?

Accompagnato. Samuel

V. I, II
Va.
Cont.
Thou and thy sons shall be with me to- morrow,
Takt 35
41 Takte

74. Sinfonia

Ob. I, II
Fag.
Trba. I, II
Tromb. I, II, III
Timp.
V. I, II
Va.
Cont.
Allegro
Ob. I, II
Fag.
Org. pieno
16 Takte

Scene IV

75. Recitative. David; Amalekite

David
Amalekite
Cont.
Whence comest thou? Out of the camp of Israel.
23 Takte

76. Air. David

Allegro
Ob. I, II
V. I, II, III
Va.
Cont.
* Impious wretch,
B. senza Org.
Impious wretch, of race ac- curst,
Str.
p
Takt 8
46 Takte

* Zusatz von Ch. Jennens im Autograph

77a. Elegy

77b. La Marche

Scene V

Elegy on the Death of Saul and Jonathan.

78. Chorus. S.; A.; T.; B.

79. Air. Ten. (Mr. Beard)

80. Air. Sopr. (Mrs. Arne)

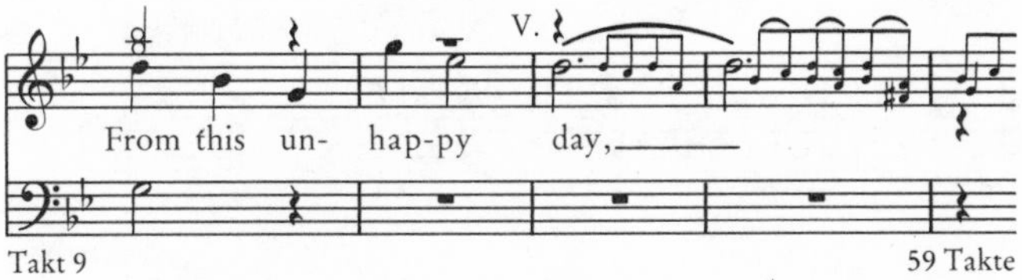

81. Air. Alto

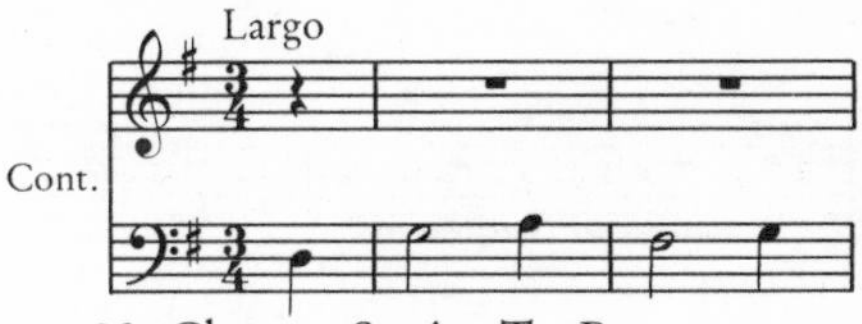

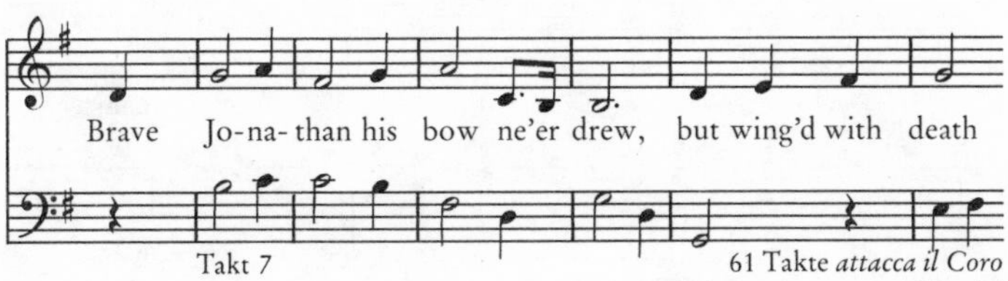

82. Chorus. S.; A.; T.; B.

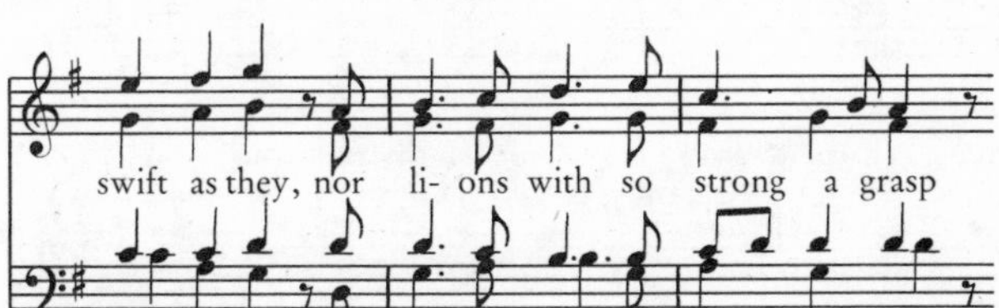

83. Air. Sopr. (Mrs. Arne)

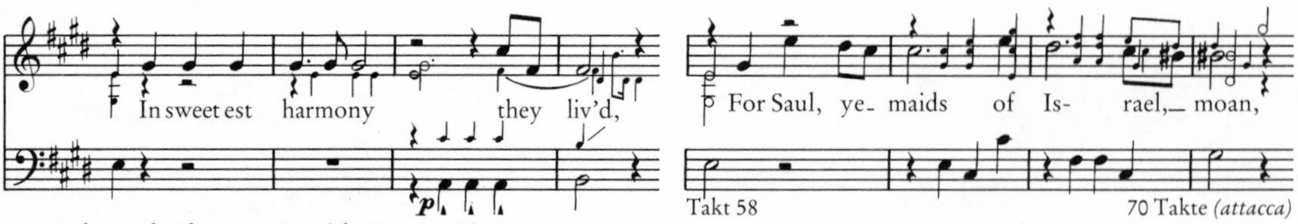
In sweet est harmony they liv'd,
For Saul, ye maids of Is- rael, moan,
p
Takt 58
70 Takte (attacca)

84. Solo and Chorus. David; S.; A.; T.; B.

O fa- tal day!
David (Signora Marchesini)
Ob. I, II
V. I, II
Va.
Cont.
shone.
O fa- tal day! How low the mighty lie!
O Jo- na-than!
Org. pieno
Cont. senza Org.
(93) 72 Takte

85a. Recitative. High Priest/Abner

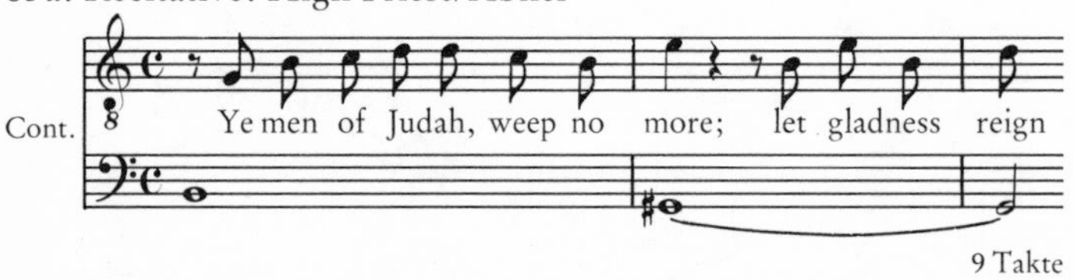
Cont.
Ye men of Judah, weep no more; let gladness reign
9 Takte

85b. Air. Abner

Allegro
V. I, II, III
Va.
Cont.
Org. tasto solo all'ottava bassa
[vgl. Anhang (76.)]

Ye man of Ju- dah, weep no more, weep no more,
Takt 13 p
100 Takte

86. Chorus. S.; A.; T.; B.

Allegro
Ob. I, II
Ob. I, II
Trba. I, II
Tromb. I, II, III
Timp.
V. I, II
Va.
Cont.
V. I, II
Va.
Org. tasto solo all'ottava

Gird on thy sword, gird on thy sword thou man of might,
Cont.
Takt 11

Go on, re-(trieve)
Go on, pur- sue thy wont- ed fame:
Re-trieve, re-trieve the he-brew name, re-trieve, re- trieve the he- brew name.
Re- -trieve, re-trieve the he- brew name.
Takt 42

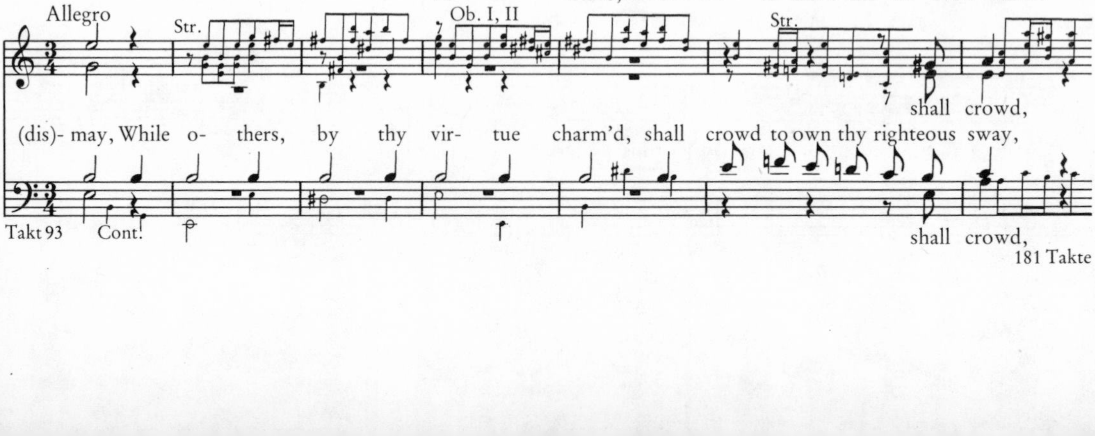
Allegro
Str.
Ob. I, II
Str.
shall crowd,
(dis)- may, While o- thers, by thy vir- tue charm'd, shall crowd to own thy righteous sway,
Takt 93 Cont.
shall crowd,
181 Takte

Anhang

(3.) Chorus. S.; A.; T.; B.

Ob. I, II
V. I, II
Va.
Cont.
V. I, II; Va.
S. con Ob.
f
A- long the monster Atheist strode,
Takt 8
36 Takte (*attacca* Nr. 4 „The youth inspir'd")

(10b.) Air. Jonathan

Allegro ma non presto
Str.
Ob. I, II
V. I, II
Va.
Cont.
V. I, II
Va.
V. II
Wise, va- liant, good, a- bove thy ten- der_ years en- du'd,
Takt 11
60 Takte *D. s.* (T. 33)

(12.) Recitative. Merab

Cont.
Yet think, with whom you stoop to link yourself
4 Takte

(32.) Air. Abner

Allegro
V. pizzicati
V. I, II unis.
Va.
Harpa
Teorba
Cont.
La Harpa e la Teorba unis. col V. e Bassi
Va. pizz. unis. all'ottava col Bassi (fragm.)
21 Takte

(32.) Air. David

Allegro
V. I, II unis.
Va.
Cont.
Va. pizz. col Basso all'ottava
Fly, fly, ma- li-cious spi- rit, fly,
Takt 22

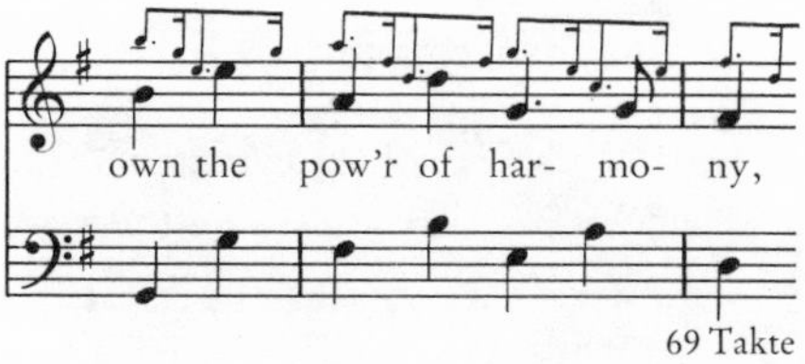
own the pow'r of har- mo- ny,
69 Takte

Act II, Scene VI

(59.) Recitative. David; Saul

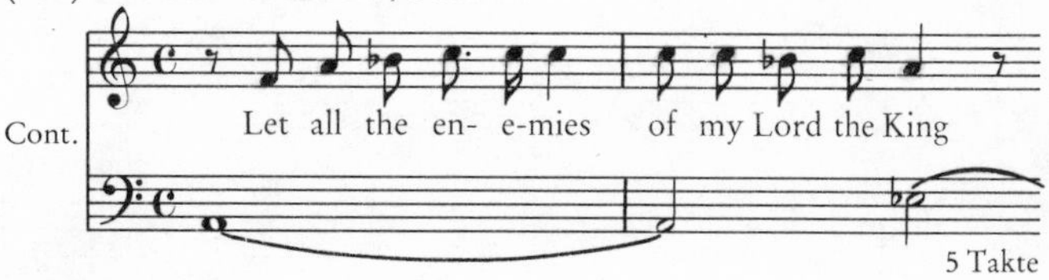
Cont.
Let all the en- e-mies of my Lord the King
5 Takte

(37.) Air. Merab

Andante
Ob. I, II
V. I, II
Va.
Cont.
(con Ob. colla parte)
pp
Ca- pri- cious man,_ in hu- mour lost,
Takt 12
58 Takte *D. s.*

Act II, Scene V

Chorus. S.; A.; T.; B.

A tempo giusto

Ob. I, II
Timp.
V. I, II
Va.
Cont.

What words can
What words can tell how happy they,

51 Takte (fragm., nur B. und Timp.)

Air. Sopr.

Largo

V. I, II
Cont.

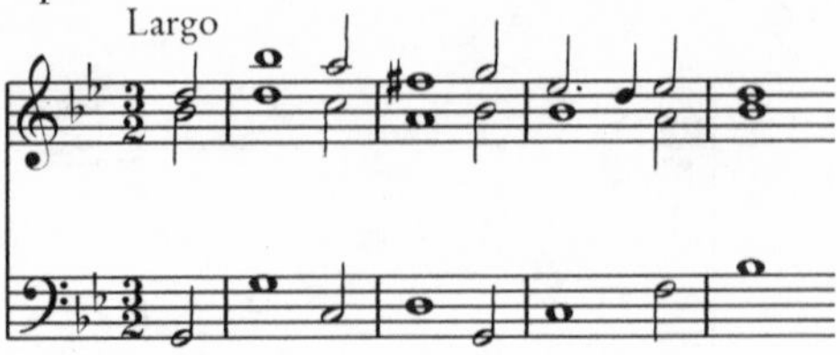

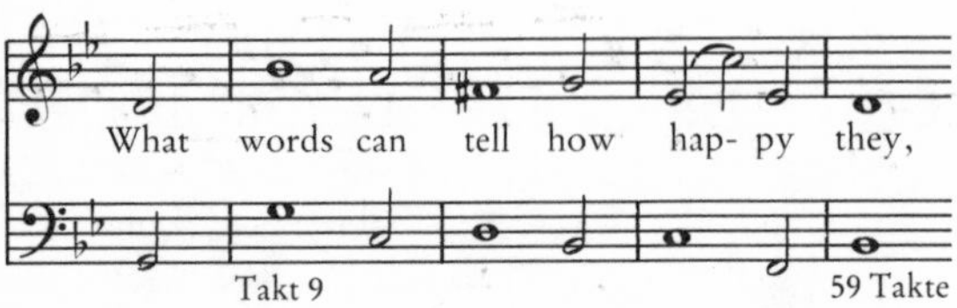
What words can tell how hap- py they,

Takt 9 59 Takte

Act II, Scene VIII

Air. Michal

Andante

Ob. I, II
V. I, II
Va.
Cont.

Ob., V. I
V. II
Va.

(con Ob. e V. I colla parte *p*)

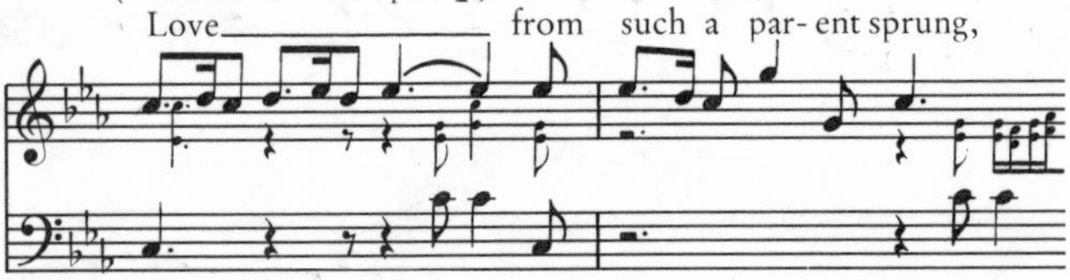
Love from such a par- ent sprung,

Takt 9

Un poco lento

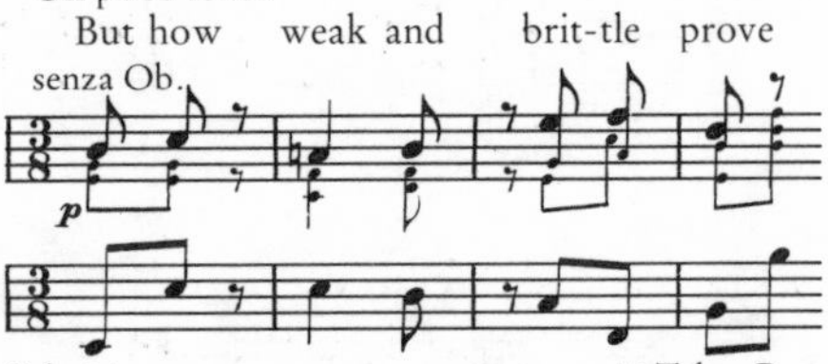
But how weak and brit-tle prove
senza Ob.
p

Takt 34 55 Takte *D. c.*

(58.) Symphony

Allegro

V. I, II
Cont.

84 Takte

(76.) Air. David

Allegro

V. I, II, III
Va.
Cont.

V. I, II
tr
V. III
Va.

[vgl. Nr. 85b]

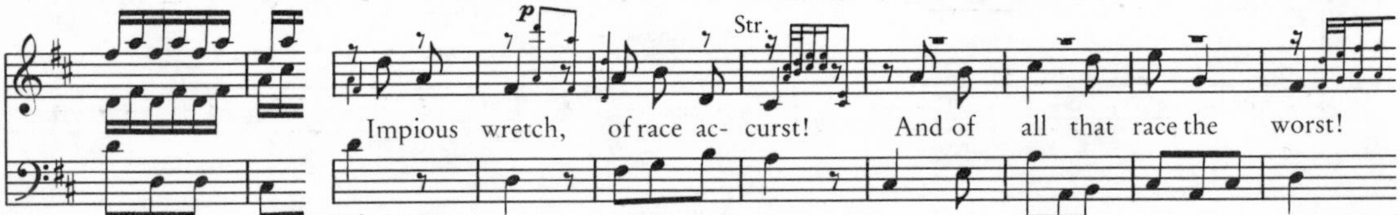
p
Str.
Impious wretch, of race ac- curst! And of all that race the worst!

Takt 13 79 Takte

Act III, Scene V, Elegy: HWV 264 (1, 2)

Accompagnato. David

V. I, II
Va.
Cont.

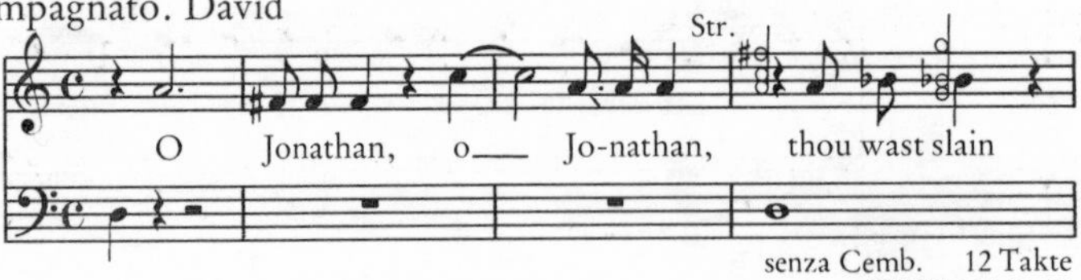
Str.
O Jonathan, o Jo-nathan, thou wast slain

senza Cemb. 12 Takte
segue HWV 264 (3–5)

Recitative. Sopr.

Cont.

Saul and Jonathan were

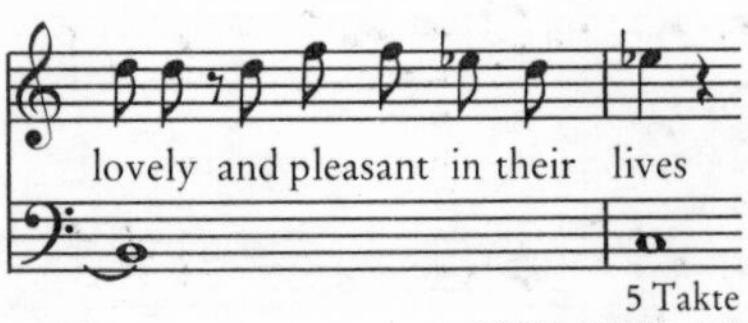
lovely and pleasant in their lives

5 Takte
segue HWV 264 (8, 11)

(81.) Air Sopr.

Andante

Ob. I, II
V. I, II
unis.
Cont.

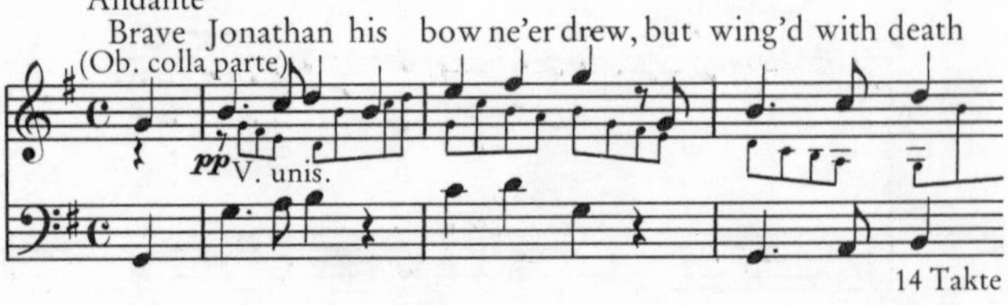
Brave Jonathan his bow ne'er drew, but wing'd with death
(Ob. colla parte)
pp V. unis.

14 Takte

Quellen

Handschriften: Autographe GB Lbm (R. M. 20. g. 3.; R. M. 20. g. 14., f. 51: Skizze zur Nr. 41), Cfm (30 H 9, p. 1–13: Ouverture als Triosonate HWV 403, Nr. 58, Allegro; 30 H 15, p. 10–11: Nr. 77b für Cembalo).

Abschriften: D (brd) Hs (Direktionspartitur: M $\frac{C}{267}$) – GB Cfm (Barrett-Lennard-Collection, MS. 25), Lbm (R. M. 18. d. 9.; Egerton 2935; Add. MSS. 5319), Lcm (MS. 896), Mp [MS 130 Hd4, Part.: 1. Ex.: v. 269–271; 2. Ex.: v. 272–274; St.: v. 247(3), 248(3), 249(2), 275(1)–290(1), 353(2)], Ob. Arien: GB Lbm (R. M. 18. c. 11., f. 131–136v: Nr. 16, 17, Anhang 32, Nr. 21), Mp [MS 130 Hd4, St.: v. 240(2)–243(2), 245(2), 246(2), 249(3): The most celebrated Songs in the Oratorio call'd Saul] – US BETm (LMisc 17C: Celebrated Songs, datiert 1740), Wc (M 2105. H 13 S 7 P 2 case: Songs, St. für V. II, Va., Vc., Cont.).

Drucke: Saul. An oratorio, set to musick by Mr Handel. – London, J. Walsh; Saul. An oratorio, in score, as it was originally composed by Mr Handel, with his additional alterations. – London, W. Randall; Saul. A sacred oratorio, in score composed in the year 1740. – London, Arnold's edition, No. 111–116 (ca. 1792); The most celebrated songs in the oratorio call'd Saul, compos'd by Mr Handel. – London, J. Walsh, No. 545; — ib., No. 545; — ib., No. 545; Saul. An oratorio. Composed by Mr Handel, for the voice, harpsichord, and violin; with the choruses in score. – London, Harrison & Co.; Harrisons's edition, corrected by Dr Arnold. The overture and songs in Saul; an oratorio, for the voice, harpsichord, and violin, composed by Mr Handel. – London, Harrison & Co.; The overture to Saul for a full band composed by Mr Handel. – London, H. Wright; No. 9. The overture, choruses, marches & symphonies, in the sacred oratorio of Saul, composed by G. F. Handel, 1740; adapted for the organ or piano forte, by W. Crotch. – London, R. Birchall; Saul ... arranged for the organ or piano forte, by Dr. John Clarke, Cambridge. – London, Whitaker & Co.; Overture in Saul. – London, J. Bland; Overture and Dead March in Saul. – London, Bland & Weller; — ib., G. Walker; — ib., Longman, Clementi & Co.; Dead march in Saul, and march in Scipio, for the pianoforte or harpsichord. – London, Bland & Weller; Dead march in Saul. – London, H. Wright; — ib., Wright & Co.; — ib.; — Dublin, E. Rhames; As great Jehovah lives. Song (In: The Lady's Magazine, April, 1792). – (London), s. n.; At persecution I can laugh. Duetto (In: The Lady's Magazine, Oct., 1791). – (London), s. n.; — ... favourite duet (In: The Lady's Magazine, Dec., 1794). – (London), s. n.; How excellent. A chorus from ... Saul, adapted for two performers on one piano forte, by T. Haigh. – London, L. Lavenu; In sweetest harmony, from the oratorio of Saul, by G. F. Handel, arranged by T. Greatorex. – London, The Royal Harmonic Institution, No. 126; My soul rejects the thought with scorn. Song (In: The Lady's Magazine, Sept., 1787). – (London), s. n.; No! let the guilty tremble. Song (In: The Lady's Magazine, Nov., 1795). – (London), s. n.; O fairest of ten thousand. – (London), J. Bland; O godlike youth. Song (In: The Lady's Magazine. Jan., 1798). – (London), s. n.; (Sin not, o king, against the youth). How long wilt thou forget me, Lord. Psalm XIII, set to a favourite air of Mr. Handel's (In: Christian's Magazine, Oct., 1760). – s. l., s. n.; Sin not, o King! Song (In: The Lady's Magazine, March, 1781). – (London), s. n.; — London, H. Wright; Wisest and greatest. Song (In: The Lady's Magazine, May, 1792). – (London), s. n.; Your words, o King! Song (In: The Lady's Magazine, Sept., 1785). – (London), s. n.; — (In: The Lady's Magazine, 1793, supplement). – (London), s. n.; — (In: The Lady's Magazine, April, 1798). – (London), s. n. – The Works of Handel, printed for the members of the Handel Society, vol. 15, ed. E. F. Rimbault, London 1857.

Libretto: Saul. An oratorio; or sacred drama. As it is perform'd at the King's Theatre in the Hay-Market. Set to musick by George-Frederic Handel, Esq. – London, Tho. Wood, 1738 (Ex.: GB BENcoke, Cfm, Ckc, Lcm); — As it is perform'd at the Theatre Royal in Lincoln's-Inn-Fields. – London, Tho. Wood, 1741 (Ex.: GB BENcoke); — An oratorio; or, sacred drama. – London, Thomas Wood, 1744 (Ex.: GB Ckc); — As it is perform'd at the Theatre-Royal in Covent Garden. – London, J. Watts, 1750 (Ex.: F Pc – GB BENcoke, Ckc, Lbm, Lcm).

Bemerkungen

Mit „Saul" beginnt Händel eine neue Schaffensperiode in der Oratorienkomposition, die sich äußerlich dadurch auszeichnet, daß er bis auf wenige Ausnahmen von jetzt an jeweils zwei Werke unmittelbar nacheinander vertont. Das Libretto stammt von Charles Jennens, der als textliche Quellen das alttestamentarische Buch Samuel (I, 17 ff. und II, 1) sowie das Epos „Davideis" von Abraham Cowley verwendete[1].

Händel erhielt das Libretto zu „Saul" vermutlich bereits im Sommer 1735 von Jennens und bedankte sich dafür in einem Brief vom 28. Juli (s. Deutsch, S. 394). Erst drei Jahre später jedoch begann er mit der Vertonung, deren zeitlicher Ablauf durch Händels Eintragungen im Autograph sowie durch Ergänzungen von Jennens ziemlich lückenlos überliefert ist: Act I: 23. Juli bis 1. August 1738; Act II: 2. August bis 8. August (Autograph, f. 92r: „Fine dell'Atto 2do. Agost. 8. 1738. Dienstag den 28. dieses"); Act III:

[1] In einer Anmerkung zum Libretto 1739 vermerkte Jennens: „NB. Merab's scornful Behaviour, Act I, Scene II, is a Hint taken from Cowley's *Davideis,* and has no Foundation in the *Sacred History.*" S. Dean, S. 275, und Young (Lit.) über weitere Nachweise für Anregungen aus anderen „Saul"-Vorlagen.

beendet am 15. August 1738. Daraus ist zu entnehmen, daß Händel vom 16. bis 28. August 1738 die Überarbeitung und Instrumentierung von Act I/II vornahm und danach den noch unvollendeten Act III zugunsten der Komposition von HWV 41 Imeneo (9.–20. September 1738) zurückstellte. Kurz nach einem Besuch von Jennens am 18. September wandte sich Händel dann der „Saul"-Partitur wieder zu und beendete die Überarbeitung von Act III am 27. September 1738 (s. Autograph, f. 115ʳ).
Die enge Zusammenarbeit zwischen Jennens und Händel während der Entstehung von „Saul" wird durch einen Bericht deutlich, den Jennens (vgl. Brief vom 19. September 1738, s. Deutsch, S. 465 f.) über einen Besuch bei Händel gibt, als beide die endgültige Fassung des Oratoriums erarbeiteten. Jennens erwähnt dabei zwei neue Instrumente, die Händel im „Saul" verwenden wollte: das Carillon, ein Glokkenspiel mit Tastatur, von Händel außerdem noch in HWV 46ᵇ Il Trionfo del Tempo e della Verità (3. März 1739), HWV 49ᵃ Acis and Galatea (Dezember 1739) und HWV 55 L'Allegro (Februar 1740) eingesetzt, sowie eine neue Orgel zum Preis von 500 Pfd., die Händel hatte anfertigen lassen, um seine Aufführungen besser leiten zu können[2]. Außerdem lieh er sich für die Uraufführung von „Saul" die größten Kesselpauken, die in London verfügbar waren, aus dem Tower aus[3a]. Weiterhin erwähnt Jennens, daß er mit Händel eine Auseinandersetzung über die Stellung des „Hallelujah" (5) geführt habe, mit dem Händel ursprünglich das Oratorium beenden wollte, obwohl von Jennens das „Epinicion" als Schlußabschnitt bestimmt war. Auf Grund der Vorstellungen des Librettisten[3b] änderte Händel dann aber seinen Plan und fügte das „Hallelujah" als Abschluß der 1. Szene des I. Aktes ein.
Händels Autograph zeigt, wie stark Änderungen und Neuvertonungen einzelner Sätze in die ursprüngliche Konzeption eingriffen. Eine ausführliche Beschreibung der ursprünglichen Version geben W. Dean (S. 305 ff.) und P. M. Young (Krit. Bericht zu HHA I/13). So fehlt eine Reihe von Sätzen am Ende des I. Aktes und zu Beginn des II. Aktes (Nr. 38–54). Eine weitere wichtige Änderung betraf die Streichung der Teile aus dem Funeral Anthem HWV 264, die ursprünglich anstelle der jetzigen „Elegy" im III. Akt zur Darstellung der Trauer über Sauls Tod stehen sollten.
Für diese „Elegy on the Death of Saul and Jonathan" (s. Autograph, f. 98ᵛ) waren folgende Sätze vorgesehen: HWV 264 Funeral Anthem Nr. 1, 2, Accompagnato „O Jonathan" (HWV 53 Saul, Anhang, Act III, Scene V), HWV 264 Nr. 3–5, Rezitativ „Saul and Jonathan were lovely" (HWV 53 Saul, Anhang), HWV 264 Nr. 8, und 11, Rezitativ „Ye men of Judah" (HWV 53 Saul, Nr. 85ᵃ), Chor „Gird on thy sword" (HWV 53 Saul, Nr. 86; vgl. dazu auch Chrysander III, S. 41 f.).
Die Posaunenstimmen wurden von Händel nachträglich hinzugefügt; sie sind am Ende des Autographs zu finden. Das Harfensolo Nr. 33 ist nur in der Direktionspartitur [D (brd) Hs, M $\frac{C}{267}$, f. 42] enthalten. Es stellt demnach keine Ergänzung von Händels Verlegern dar, wie F. Chrysander im Vorwort zu ChA 13 vermutet.
Die erste Aufführung des Werkes fand am 16. Januar 1739 in folgender Besetzung statt: Saul: Gustav Waltz, David: Mr. Russel, Jonathan: John Beard, Michal: Elisabeth Duparc detta La Francesina, Merab: Cecilia Young-Arne, High Priest: Mr. Kelly, Doeg: Mr. Butler, Samuel: Mr. Hussey, Amalekite: Mr. Stoppelaer, Witch of Endor: vermutlich Maria Antonia Marchesini detta La Lucchesina, die in der „Elegy" (f. 110ʳ des Autographs, Nr. 84) erwähnt wird.
Weitere Aufführungen folgten am 23. Januar, 3. und 10. Februar, 27. März und 19. April 1739, angekündigt „with several new Concertos on the Organ". Händel wiederholte „Saul" dann am 21. März 1740 und am 18. März 1741 im Theatre Lincoln's-Inn-Fields, führte das Werk auch auf seiner Irland-Reise am 25. Mai 1742 in Dublin (Libretto: GB Cu) und in vier weiteren Londoner Spielzeiten (16. und 21. März 1744, 13. März 1745, 2. und 7. März 1750 und 15. und 20. März 1754) auf.
Die Besetzungen dieser Aufführungen sind nicht genau zu ermitteln; in der Direktionspartitur werden für 1741 folgende Sänger genannt: Miss Edwards, Elisabeth Duparc detta La Francesina, Signora Monza, Signor Andreoni und William Savage. Für den Soprankastraten Andreoni wurde die Partie des David in dieser Aufführung ins Italienische übertragen; folgende Texte lassen sich in der Direktionspartitur nachweisen: 53. Your words, o King – Tuoi detti, oh Re, 59. Thy father is as cruel – Tanto è il tuo genitor falso, 76. Impious wretch – Traditor, il più crudel.
Wie die Direktionspartitur zeigt, nahm Händel eine ganze Reihe von Änderungen, Transpositionen und Umstellungen einzelner Sätze vor, die vor allem die Arien in „Epinicion" und „Elegy" betrafen, doch mangels erhaltener Textdrucke läßt sich eine genaue Reihenfolge der verschiedenen Fassungen, die Händel im Verlaufe der oben genannten Spielzeiten bot, nicht rekonstruieren. Über die vermutlichen Besetzungen und die damit verbundenen Änderungen geben Dean (S. 299 ff.) und Clausen (S. 217 ff.) entsprechende Hinweise.

[2] Über die mögliche Bauart des Instruments als sog. *Claviorganum*, eine Kombination von Orgel und Cembalo mit nur einer gemeinsamen Tastatur, s. Dean, S. 109 f., 275.

[3a] S. Deutsch, S. 472, 681. Nach W. Dean (S. 275) benutzte Händel diese Pauken für seine Oratorienaufführungen auch in den Jahren 1748 bis 1750, 1753 und 1756.

[3b] Vgl. die Bemerkungen von Jennens im Autograph, f. 24ᵛ, 97, 99ᵛ, 107ᵛ.

Die Mitwirkung von Posaunen und Carillon blieb auf die Spielzeiten bis 1742 beschränkt; später standen Händel diese Instrumente nicht mehr zur Verfügung (vgl. auch die Übernahme von Sätzen aus Oratorien mit Posaunen, wie z. B. aus HWV 54 Israel in Egypt in HWV 62 Occasional Oratorio, wo diese weggelassen wurden).
Händel ließ sich bei der Vertonung von „Saul" durch eine Reihe von Sätzen anderer Komponisten anregen. F. Chrysander (s. Lit.) machte auf die Verwendung folgender Sätze aus dem Te Deum von F. A. Urio (ChA, Supplemente, Bd. 2) aufmerksam:

Saul	Urio: Te Deum
4. The Youth inspir'd by thee	Laudamus te (S. 13)
Our fainting courage	Sanctum quoque paraclitum (S. 64)
20. Symphony (Carillons)	Te Deum, Einleitung (S. 2)
68. O fatal consequence of rage	Quos pretioso sanguine (S. 97)
74. Symphony	Tu ad liberandum, Ritornello T. 3–4 (S. 73)
86. Gird on thy sword/ Retrieve the Hebrew name (T. 42)	In te, Domine, speravi (S. 146)

Max Seifert (s. Lit.) wies auf zwei Themen aus Johann Kuhnaus „Neue Clavier-Übung"[4] hin, die Händel im Chor „How excellent" (1) bei der Textstelle „Above all heav'ns, o King, ador'd" (T. 61 ff.) verwendete, während Walter Serauky (III, S. 60) die gleiche Stelle auf die Kantate „Triumph, der Herr ist auferstanden" von Händels Lehrer Friedrich Wilhelm Zachow zurückführte. Außerdem übernahm Georg Philipp Telemann den Themenkopf der Arie „My soul rejects the thought with scorn" (17) in seine Serenade „Don Quichotte auf der Hochzeit des Comacho" (Hamburg 1761, Arie der Quiteria „Behalte nur dein Gold", s. Hamburger Jb. für Musikwissenschaft, Bd. 3, Hamburg 1978, S. 99, Notenbsp. 4).
Das Thema der Arie „With rage I shall burst" (26) ist ein melodisches Modell, das Händel in abgewandelter Form bereits in HWV 47 La Resurrezione (6. O voi dell'Erebo) und in den Opern HWV 6 Agrippina (37. Col raggio placido), HWV 35 Atalanta (15. Di' ad Irene) und HWV 39 Faramondo (15. Sì, l'intendesti, sì, B-Teil) verwendet hatte. Vier Arien aus „Saul" haben thematische Varianten in der zur gleichen Zeit entstandenen Oper HWV 41 Imeneo:

Saul	Imeneo
66^{b}. The time at length is come	20. In mezzo a voi due
83. In sweetest harmony	21^{a}. Pieno il core (Ritornello)
Anhang (37) Capricious man	Anhang (5). Se d'amore amanti siete; HWV 326
Anhang. Love from such a parent sprung	Concerto grosso op. 6 Nr. 8: Siciliana

Literatur

Burney IV, S. 825; Chrysander III, S. 19 ff.; Chrysander, F.: Händels Orgelbegleitung zu Saul und die neueste Ausgabe dieses Oratoriums. In: Jahrbücher für Musikalische Wissenschaft, Erster Bd., Leipzig 1863, S. 408 ff.; Chrysander, F.: F. A. Urio. In: Allgemeine Musikalische Zeitung, 13. und 14. Jg., Leipzig 1878 und 1879, S. 513 ff. bzw. 6 ff.; Clausen, S. 216 ff.; Dean, S. 274 ff.; Dean, W.: Charles Jennens' Marginalia to Mainwaring's Life of Handel. In: Music & Letters, vol. 53, 1972, S. 160 ff.; Deutsch, S. 394, 465 f.; Flower, p. 252 ff./S. 228 ff.; Herbage, S. 87 ff.; Hiekel, H.-O.: Saul und David. In: Göttinger Händel-Fest 1975, Programmheft, S. 37 ff.; Lang, p. 301 ff./S. 272 ff.; Larsen, S. 74 ff.; Leichtentritt, S. 359 ff.; Maaß, J. G. F.: Über „Saul" von Händel. In: Allgemeine Musikalische Zeitung, 22. Jg., Leipzig 1820, Sp. 189 ff.; Prout, E.: Urio's Te Deum and Handel's Use Thereof. In: Monthly Musical Record, November 1871; Schering, A.: Geschichte des Oratoriums, Leipzig 1911, S. 270 ff.; Schoelcher, S. 203 ff.; Seiffert, M.: Händels Verhältnis zu Tonwerken älterer deutscher Meister. In: Jb. der Musikbibliothek Peters 1907, Leipzig 1908, S. 41 ff.; Serauky III, S. 53 ff.; Siegmund-Schultze, S. 66, 134 ff.; Siegmund-Schultze, W.: Händels „Saul" – das Drama vom Sieg des Neuen. In: 11. Händelfestspiele Halle (Saale) 1962, Programmheft, S. 29 ff., und in: G. F. Händel, Thema mit 20 Variationen, Halle 1965, S. 70 ff.; Smither II, S. 214 ff.; Streatfeild, S. 275 ff.; Young, S. 82 ff.; Young, P. M.: Some Aspects of Handelian Research. In: Bericht über den 7. Internationalen musikwissenschaftlichen Kongreß Köln 1958, Kassel 1959, S. 318 f.; Young, P. M.: Die Bedeutung des „Saul". In: Händel-Jb., 5. Jg., 1959, S. 45 ff.; Young, P. M.: Zur Interpretation des „Saul". In: Händel-Ehrung der DDR, Halle 11.–19. April 1959, Konferenzbericht, Leipzig 1961, S. 131 ff.; Young, P. M.: Saul. Kritischer Bericht zur HHA, Serie I, Bd. 13, Leipzig 1964
Beschreibung der Autographe: Lbm: Catalogue Squire, S. 71 ff. – Cfm: Catalogue Mann, Ms. 259, S. 182, Ms. 265, S. 223. – Dean, S. 305 ff.; Young, Krit. Bericht zu HHA I/13.

[4] 1. Theil, Leipzig 1689, Partie I, Praeludium 2. Theil; in: DDT, 4. Bd., S. 6; Andrer Theil, Leipzig 1692, Partie II, Praeludium 2. Teil, in: DDT, 4. Bd., S. 38.

54. Israel in Egypt (Exodus)

Oratorio in three parts

Libretto: Bearbeiter unbekannt (Exodus I, 8, 11, 13; II, 23; Psalm 105, Psalm 106; Exodus XV, 1–21)

Besetzung: Soli: 2 Soprani, Alto, Ten., 2 Bassi. Chor: Coro I: C. I; A. I; T. I; B. I. Coro II: C. II; A. II; T. II; B. II. Instrumente: Fl. trav. I, II; Ob. I, II; Fag. I, II; Trba. I, II; Tromb. I, II, III; Timp.; V. I, II; Va.; Vc.; Cbb.; Org.; Cemb.
ChA 16. – HHA I/14. – EZ: London, 1. Oktober bis 1. November 1738. – UA: London, 4. April 1739, King's Theatre, Haymarket

Part I: The Lamentation of the Israelites for the death of Joseph (s. HWV 264 ,,The ways of Zion do mourn")

Part II: Exodus

Recitative. Ten.

1. Chorus. Coro I: C. I; A. I; T. I; B. I; Coro II: C. II; A. II; T. II; B. II

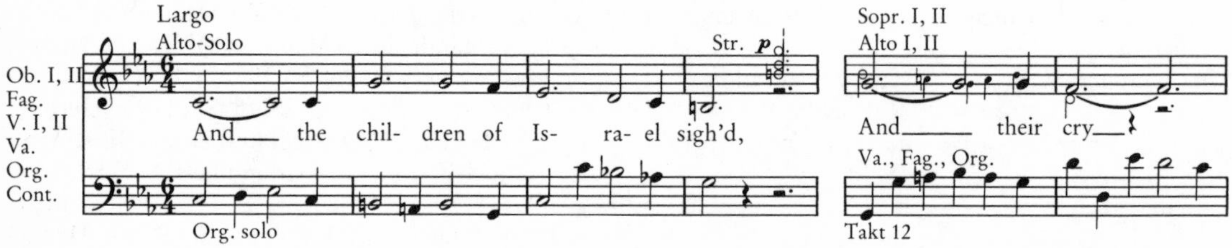

Recitative. Ten.

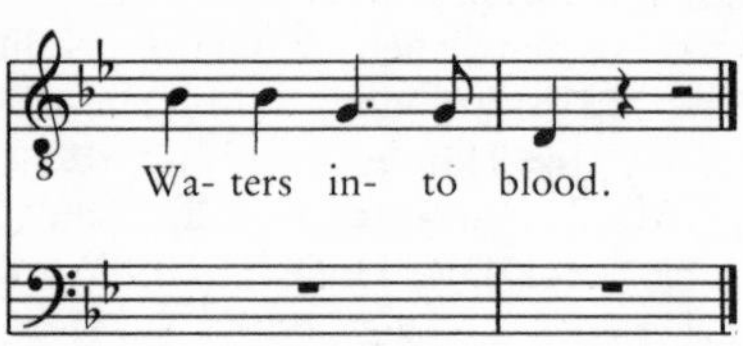

2. Chorus. C.; A.; T.; B.

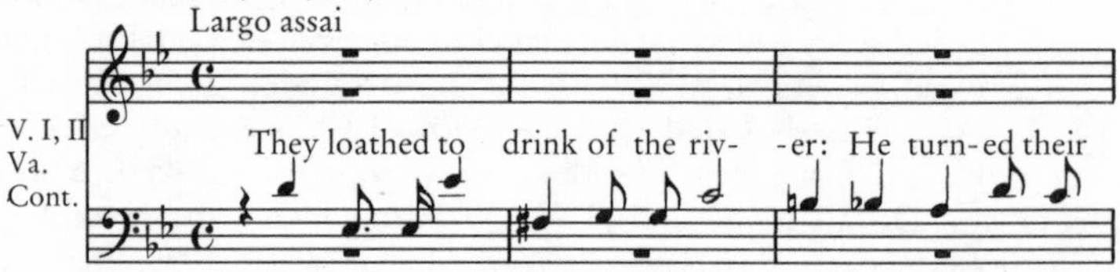

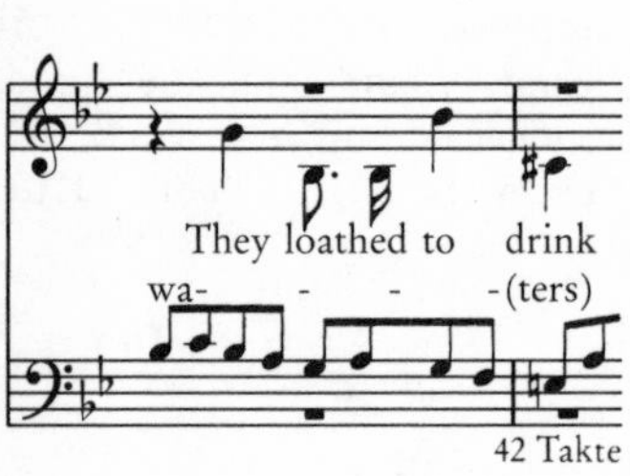

3. Air. Alto

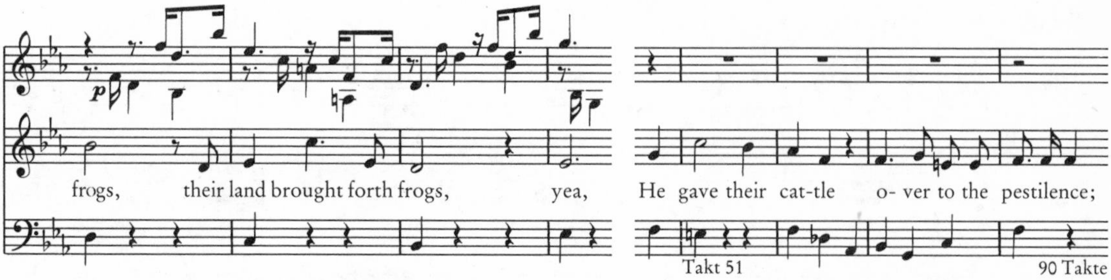

4. Chorus. Coro I: C. I; A. I; T. I; B. I. Coro II: C. II; A. II; T. II; B. II

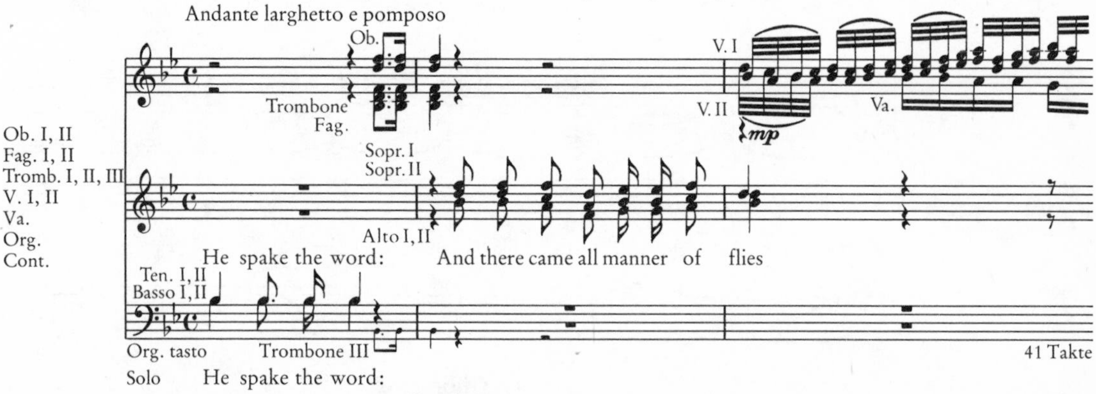

5. Chorus. Coro I: C. I; A. I; T. I; B. I; Coro II: C. II; A. II, T. II, B. II

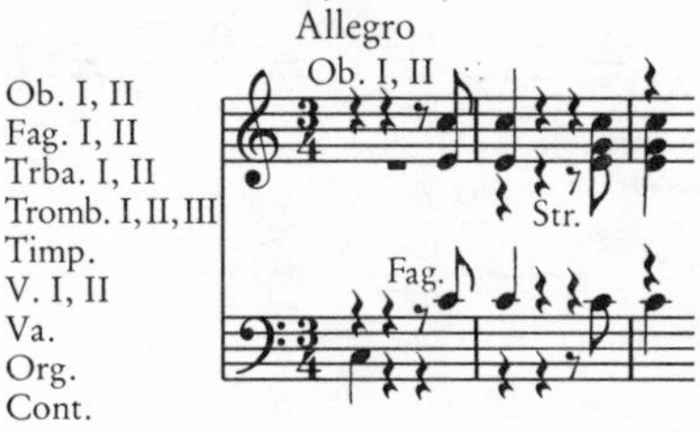

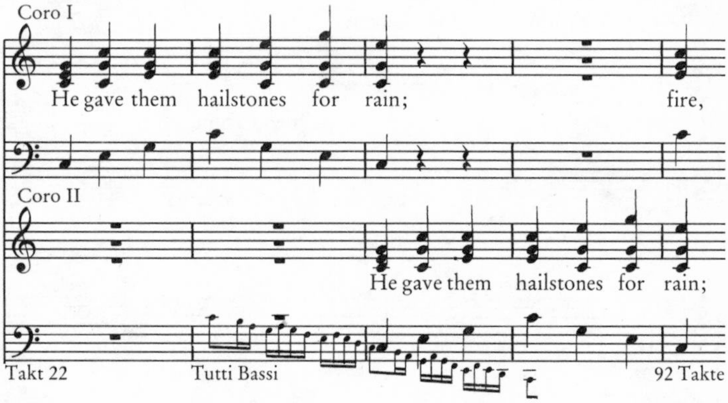

6. Chorus. C.; A.; T.; B.

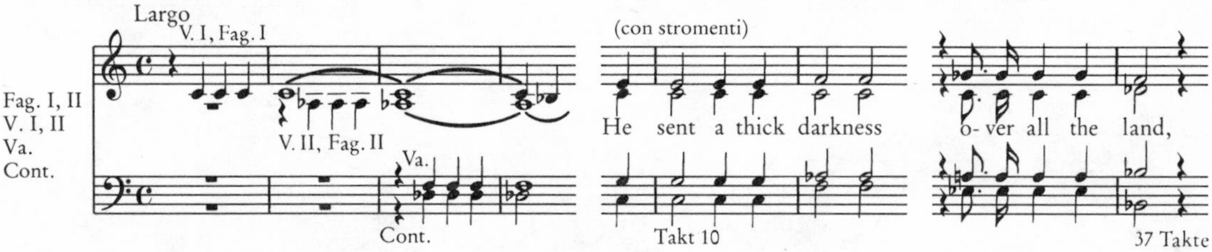

7. Chorus. C.; A.; T.; B.

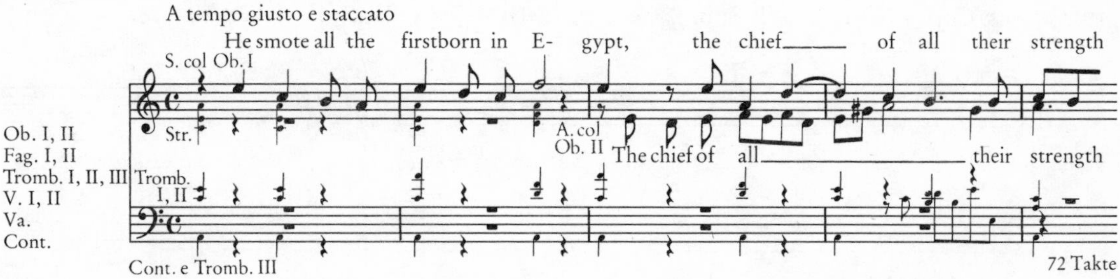

8. Chorus. C.; A.; T.; B.

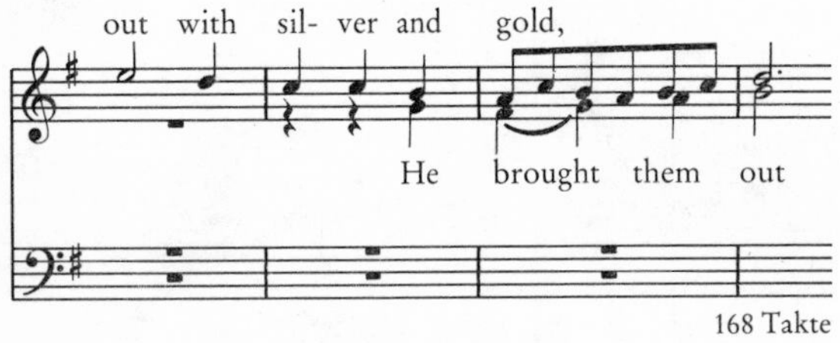

9a. Chorus. C.; A.; T.; B.

9b. Air. Sopr.

[= HWV 52 Athalia (18b.)]

10. Chorus. Coro I: C. I; A. I; T. I; B. I; Coro II: C. II; A. II; T. II; B. II

11. Chorus. Coro I: C. I; A. I; T. I; B. I; Coro II: C. II; A. II; T. II; B. II

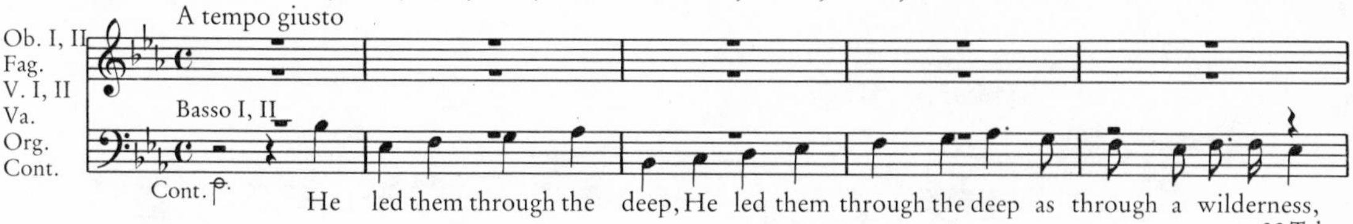

32 Takte

12. Chorus. C.; A.; T.; B.

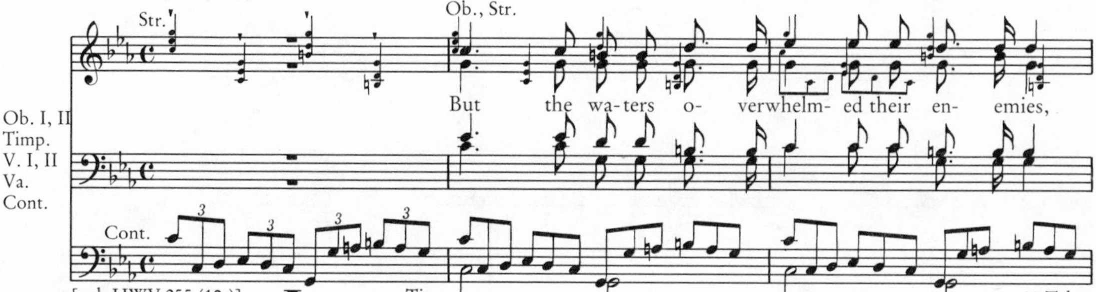

[vgl. HWV 255 (10.)] 35 Takte

Air. Sopr. (1739)

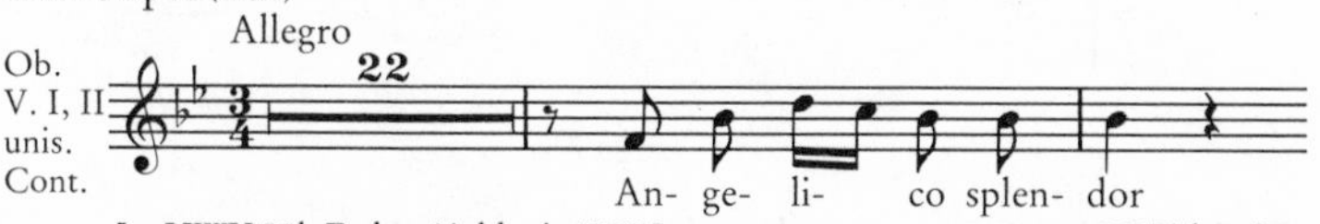

[= HWV 50b Esther (Add. air 1737)] 135 Takte *D. s.*

13. Chorus. Coro I: C. I; A. I; T. I; B. I; Coro II: C. II; A. II; T. II; B. II

11 Takte

Add. air. Sopr. (1756)

[= HWV 50b Esther (20. Add. air 1751)] 45 Takte *D. s.*

14. Chorus. C.; A.; T.; B.

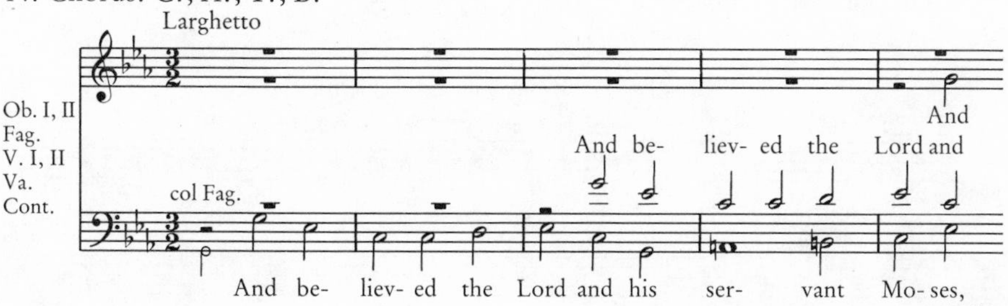

74 Takte

Part: III: Moses Song

15. Introitus (Chorus). Coro I: C. I; A. I; T. I; B. I; Coro II: C. II; A. II; T. II; B. II

A tempo giusto
Str.
Ob. I, II
Fag. I, II
Trba. I, II
Tromb. I, II, III
Timp.
V. I, II
Va.
Org.
Cont.
Tutti
Coro I
Mo- ses and the children of Is- rael
Coro II
Takt 11
sung this song un- to the Lord,
un- to the Lord
A tempo giusto (Andante)
Alto I, II I will sing un-to the
Ten. I, II
Cont. tasto solo
Takt 25
for he hath triumphed glo- - - - -(riously)
Lord,
for he hath tri- um- phed glo- (riously)
Coro II the horse
Coro I
(glo- -riously),
the horse and his
Takt 40
Coro I I will sing
I will sing, the horse
the horse and his ri- der, the horse
and his ri- der hath he thrown in- to the sea;
ri- der hath he thrown in- to the sea;
90 Takte

16. Duet. Sopr. I, II

Larghetto
V. unis.
V. I, II
Va.
Cont.
The Lord is my strength and my song,
V. unis.
The Lord is my strength and my song,
Takt 6
53 Takte

17. Chorus. Coro I: C. I; A. I; T. I; B. I; Coro II: C. II; A. II; T. II; B. II

C.; A.; T.; B.

18. Duet. Basso I, II

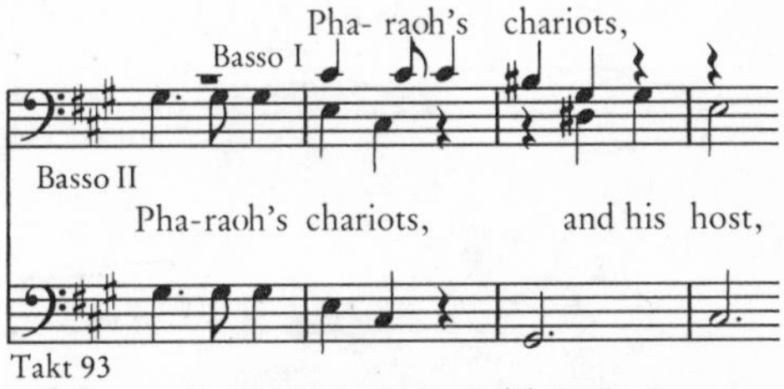

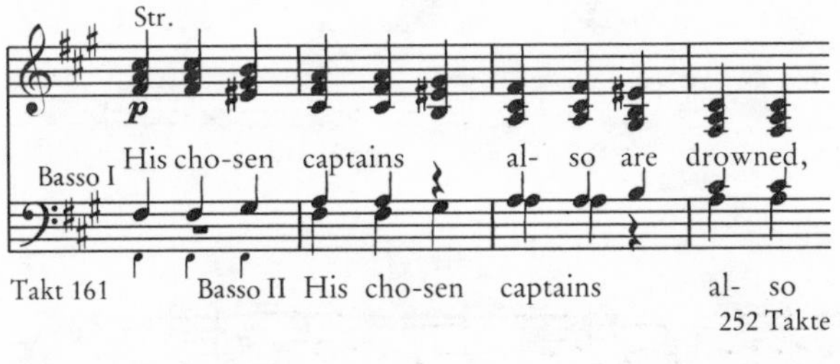

19. Chorus. Coro I: C. I; A. I; T. I; B. I; Coro II: C. II; A. II; T. II; B. II

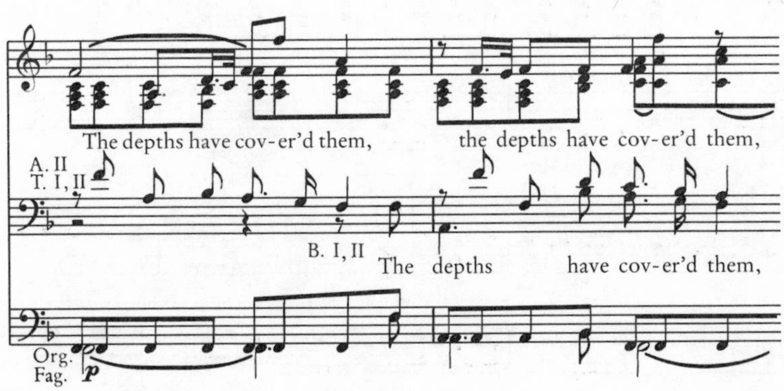

thy right hand, o Lord, hath dashed in

Takt 32

And in the great- ness of thine ex- cel- len- cy,

And in the great- ness of thine ex- cel- len- cy,

Takt 34 Takt 53 (attacca T. 61)

Air. Sopr.

Larghetto
Ob. I, II
V. I, II
Va.
Cont.
6
Cor fe- de- -le,

[= HWV 50b Esther (Add. air 1737)] 47 Takte *D. s.*

Coro I: C. I; A. I; T. I; B. I; Coro II: C. II; A. II; T. II; B. II

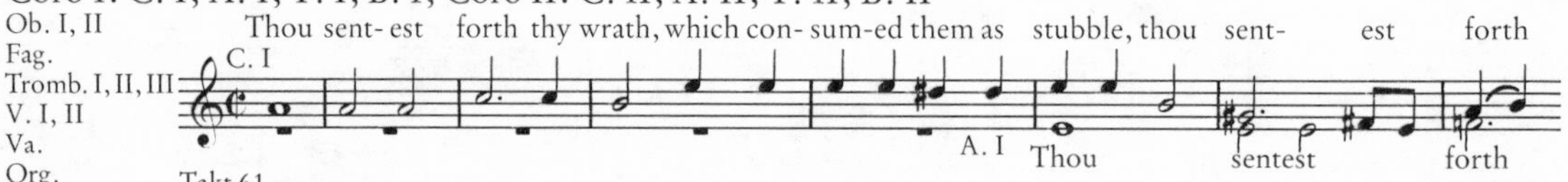
Ob. I, II
Fag.
Tromb. I, II, III
V. I, II
Va.
Org.
Cont.
Thou sent- est forth thy wrath, which con- sum-ed them as stubble, thou sent- est forth
C. I
A. I
Thou sentest forth

Takt 61 144 Takte

20. Chorus. C.; A.; T.; B.

Mezzopiano
Str.
mp
p
And with the blast of thy
Ob. I, II
V. I, II
Va.
Cont.
And with the blast of thy nostrils the
And with the blast of thy nostrils
And with the blast of thy

21. Air. Ten.

22. Air. Sopr.

23. Chorus. Coro I: C. I; A. I; T. I; B. I; Coro II: C. II; A. II; T. II; B. II

Coro I: C. I; A. I; T. I; B. I; Coro II: C. II; A. II; T. II; B. II

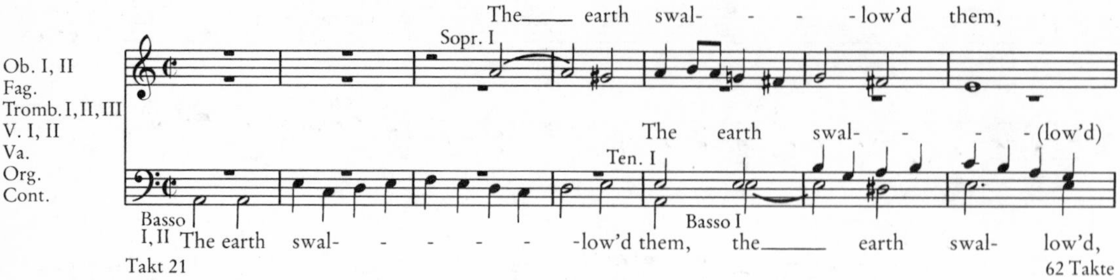

24. Duet. Alto; Ten.

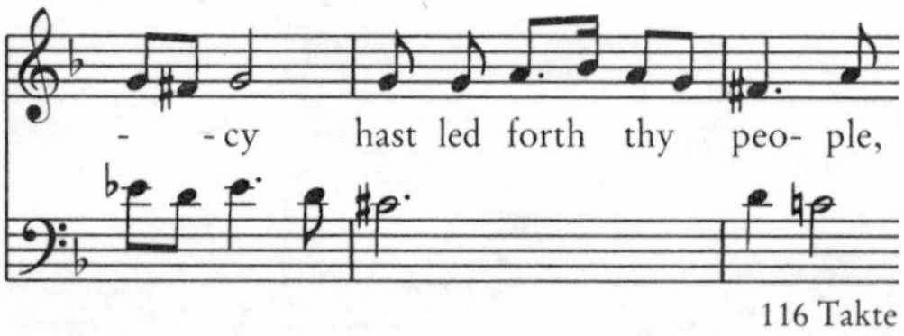

25a. Chorus. Coro I: C. I; A. I; T. I; B. I;
Coro II: C. II; A. II; T. II; B. II

shall melt a- way,
melt a-way,
till thy people pass over, oh Lord,
mp
They shall be as still as a stone,
shall melt
They shall be as still as a stone,
till thy people pass
mp
They shall be as still as a stone,
Takt 61
105 Takte

25b. Air. Sopr.

Allegro
Ob.
V. I, II
unis.
Cont.
8
La speran-za, la co-stanza

[=HWV 50b Esther (Tua bellezza, Add. air 1737)]
79 Takte *D. c.*

26. Air. Alto

Largo, e mezzo piano
V. I, II
Cont.
Thou shalt bring them in,
p
Takt 17
p
110 Takte

27. Chorus. Coro I: C. I; A. I; T. I; B. I; Coro II: C. II; A. II; T. II; B. II

Ob. I, II
Fag.
Trba. I, II
Tromb. I, II, III
Timp.
V. I, II
Va.
Org.
Cont.
A tempo giusto
Alto I, II
Ten. I, II The Lord shall reign for ev- er and ev-
Cont.

Coro I (Tutti)
er. The Lord shall reign
Coro II
er. The Lord shall reign
17 Takte

Recitative. Ten.

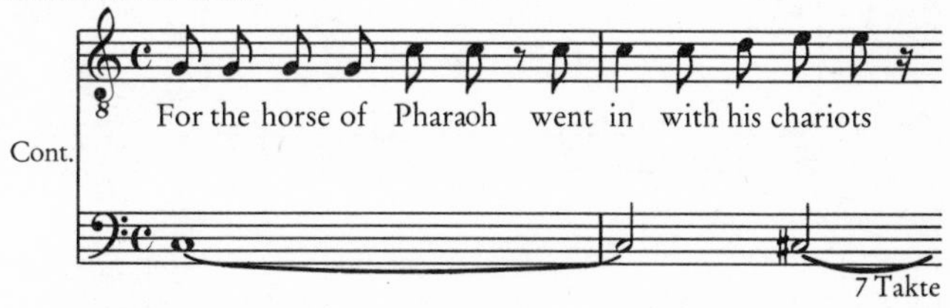
For the horse of Pharaoh went in with his chariots
Cont.
7 Takte

Repetatur

27. Chorus. "The Lord shall reign"

Recitative. Ten.

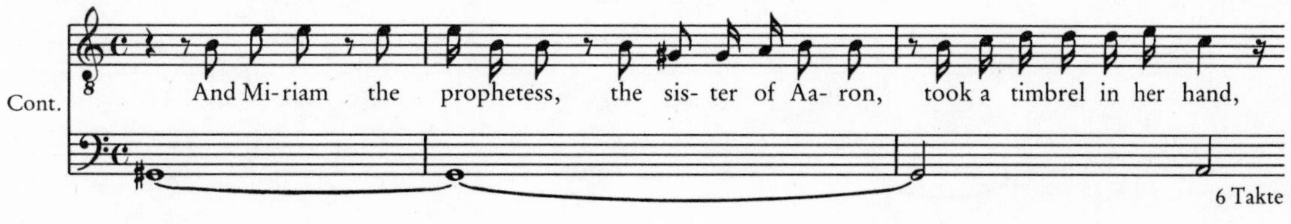
And Mi-riam the prophetess, the sis- ter of Aa- ron, took a timbrel in her hand,
Cont.
6 Takte

28. Chorus. Sopr.-Solo; Coro I: C. I; A. I; T. I; B. I; Coro II: C. II; A. II; T. II; B. II

Anhang

(1.) Chorus. C.; A.; T.; B.

(Recitative.) Ten.

Quellen
Handschriften: Autograph: GB Lbm (R. M. 20. h. 3.).
Abschriften: D (brd) Hs (Direktionspartitur: bis 1759: M $\frac{C}{262}$; nach 1759: M $\frac{C}{262^a}$; M $\frac{C}{47}$, aus dem Besitz von John Stanley) – GB BENcoke (2. Ex.), Cfm (Barrett-Lennard-Collection), DRc (MS. Mus. E3), Lbm (R. M. 18. d. 7.; Egerton 2936; Add. MSS. 5320), Lcm (MS. 898), Mp [MS 130 Hd4, St.: v. 134–141, 142(1)–144(1), 146(1)–149(1), 247(5), 248(5), 353(3): The Lamentation of the Israelites for the Death of Joseph] – US PRu (Hall-Collection), Wc (M 2000. H 22. I 72. P2 case, St., book 2^d^–19th).
Arien: GB Cfm (30 H 15, p. 57–59: Cor fedele, p. 62–65: La speranza, la costanza).
Drucke: A 2^d^ Grand Collection of celebrated English songs introduced in the late Oratorios compos'd by M^r^. Handel. – London, J. Walsh [Part. von Nr. 18]; Israel in Egypt. An oratorio, in score, as it was originally composed by Mr Handel. – London, Willm. Randall; Israel in Egypt; an oratorio. Composed by Mr Handel, for the voice, harpsichord, and violin. – London, Harrison & Co.; Harrison's edition, corrected by Dr Arnold. The overture and songs in Israel in Egypt, an oratorio. For the voice, harpsichord, and violin. Composed by Mr Handel. – London, Harrison & Co.; Israel in Egypt. A sacred oratorio in score composed in the year 1738 by G. F. Handel. – London, Arnold's edition, No. 92–98 (ca. 1791); Israel in Egypt. An oratorio, composed in the year 1738 (Stimmen). – s. l., s. n. (ca. 1799); Israel in Egypt ... arranged for the organ or piano forte, by Dr. John Clarke. – London, Button, Whitaker & Beadnell; No. 7. The choruses in the sacred oratorio of Israel in Egypt, composed by G. F. Handel, 1738, and arranged for the organ or piano forte, by W. Crotch. – London R. Birchall; Handel's grand hailstone chorus, adapted for the pianoforte by T. Haigh. – London, Preston & Son; He gave them hailstones for rain. A grand chorus from the oratorio of Israel in Egypt, arr. as a duet for two performers on the pianoforte, by T. Haigh. – (London), R. Birchall; Hailstone chorus, composed by G. F. Handel. – London, G. Walker; Thou didst blow (with the wind). Israel in Egypt. – (London), J. Bland; Thou shalt bring them in. Sung by Mr Goss in the oratorios at the Theatre royal. – London, Bland & Weller; Thy right hand, o Lord. A grand chorus, from the oratorio of Israel in Egypt, composed by G. F. Handel, arranged for two performers, on the piano forte, by T. Haigh. – London, G. Walker. – The Works of Handel, printed for the members of the Handel Society, vol. 5, ed. F. Mendelssohn Bartholdy, London 1845/46.
Libretto: Israel in Egypt. An oratorio; or sacred drama. As it is performed at the King's Theatre in the Hay-Market. Set to musick by George-Frederick Handel, Esq. – London, Printed and sold at the King's Theatre, 1739 (Ex.: F Pc – GB BENcoke)

Bemerkungen
Händel begann mit der Komposition von „Israel in Egypt" wenige Tage nach Abschluß von HWV 53 Saul und entschied sich dafür, den in „Saul" verworfenen Einschub des Funeral Anthem HWV 264 für „Israel" als Teil I zu benutzen. Demnach lautete der Beginn „The Lamentation of the Israelites for the Death of Joseph: The sons of Israel do mourn". Damit erklärt sich auch das Fehlen einer instrumentalen Einleitung für „Israel"; die kurze Sinfonia des Funeral Anthem wurde von Händel nachkomponiert und für die Verwendung in „Israel in Egypt" hinzugefügt.
Nach den Daten des Autographs komponierte Händel zuerst Part III (Autograph, f. 32: „Moses Song. Exodus. Chapt. 15. angefangen Oct. 1. 1738"; f. 73: „Fine. Octob^r^ 11. 1738."), bevor er mit Part II begann (Autograph, f. 1: „Act ye 2. 15 Octo^br^ 1738"; f. 4: „Part ye 2 of Exodus"; f. 31^v^: „Fine della Parte 2da d'Exodus, Octo^br^ 20. 1738."). Die Überarbeitung und Instrumentation von Part II wurde am 28. Oktober (Autograph, f. 31^v^) und die von Part III am 1. November 1738 beendet (Autograph, f. 73: „den 1 Novemb^r^ völlig geendiget.").
Die textliche Grundlage von „Israel in Egypt" bildet das 2. Buch Mose (Exodus); Part III ist eine fast lückenlose Übernahme von Kap. XV, v. 1–21, Part II eine Kompilation der früheren Kapitel mit Abschnitten aus den Psalmen 105 (V. 78) und 106. Der Textbearbeiter ist unbekannt; möglicherweise war Charles Jennens Händel bei der Zusammenstellung behilflich, wie A. Hicks (s. Lit.) aus einem noch unveröffentlichten Brief schließen möchte, den Jennens am 10. Juli 1741 an Edward Holdsworth (1684–1746) schrieb[1]. Darin erwähnt er seinen Text für HWV 56 Messiah und verweist außerdem auf „another Scripture collection", die er Händel bereits früher übergeben habe. W. Dean schließt als Erklärung für die merkwürdige zeitliche Differenz in der Entstehung beider Teile von „Israel" die Möglichkeit nicht aus, daß Part III ursprünglich von Händel als Einzelkomposition (Anthem) geplant gewesen sei; die spätere Hinzufügung von Part II könnte seiner Meinung nach nur darauf hindeuten, daß der Textbearbeiter, vermutlich Jennens, mit der Zusammenstellung der übrigen Partien nicht eher fertiggeworden sei. Somit hätte der Anthem-Charakter mit dem überwiegenden Choranteil und dem fast völligen Verzicht auf Arien und Rezitative die Notwendigkeit der Erweiterung auf die dreiaktige, bereits erprobte Oratorienform nach sich gezogen, zu der dann als Part I die Musik des Funeral Anthem dienen mußte. Diese wollte Händel als zunächst zweckbestimmte Begräbnismusik auf solche Weise retten (wie schon in „Saul"), indem er sie unter geringen textlichen Ände-

[1] GB BENcoke. Für die Erlaubnis zur Einsichtnahme in seine Sammlung sei Mr. Gerald Coke, Bentley, herzlich gedankt.

rungen in einen neutralen Zusammenhang mit einem neugeschaffenen Werk brachte. Diese Beschränkung auf eine schon vorher vorliegende Komposition zeigt Händel bei der Komposition von „Israel in Egypt“ in starker zeitlicher Bedrängnis und erklärt auch die besonders umfangreichen Entlehnungen aus Werken anderer Komponisten:

1. And the children of Israel/And their cry came up (T. 38ff., A. II/T. I)
   Choral „Christ lag in Todesbanden“[2]
4. He spake the word
   A. Stradella: Serenata „Qual prodigio è ch'io miri“: 10. Sinfonia (ChA, Suppl. 3, S. 33)
   J. Ph. Rameau: Hippolyte et Aricie: Trio der Parzen[3] (Paris 1733)
5. He gave them hailstones
   A. Stradella: Serenata: 1. Sinfonia (ChA, Suppl. 3, S. 2)
   14. Seguir non voglio più (ChA, Suppl. 3, S. 50)
8. But as for his people/He led them forth (T. 7ff.)
   A. Stradella: Serenata: 13. Io pur seguiro, Ritornello (ChA, Suppl. 3, S. 42ff.)
8. He brought them out with silver and gold (T. 52ff.)
   N. A. Strungk: Capriccio sopra „Ich dank dir schon“[4]
9. Egypt was glad
   J. K. Kerll: Canzona 4 (No. 17) aus *Modulatio Organica super Magnificat* (München 1686)[5]
10. He rebuke the Red Sea
   D. Erba: Magnificat: 3. Quia respicit humilitatem (ChA, Suppl. 1, S. 9)
14. And believed the Lord
   A. Stradella: Serenata: 9. Amor sempr'è avezzo/ Ite dunque a cercar, T. 101ff., V. I (ChA, Suppl. 3, S. 31f.)
16. The Lord is my strength
   D. Erba: Magnificat: 2. Et exultavit (ChA, Suppl. 1, S. 4)
17. He is my God
   D. Erba: Magnificat: 1. Magnificat anima mea (ChA, Suppl. 1, S. 2)
18. The Lord is a man of war
   F. A. Urio: Te Deum: 2. Te aeternum Patrem, Ritornello (ChA, Suppl. 2, S. 20)
   D. Erba: Magnificat: 4. Quia fecit mihi magna (ChA, Suppl. 1, S. 14)
   F. W. Zachow: Kantate „Triumph, Victoria“: Wir sind niedergestürzt und gefallen[6]
19. The depths have cover'd them/Thy right hand, o Lord (T. 18ff.)
   D. Erba: Magnificat: 3. Quia respicit humilitatem/Ecce enim ex hoc beatam, T. 10ff. (ChA, Suppl. 1, S. 11ff.)
19. Thou sentest forth thy wrath (T. 61ff.)
   D. Erba: Magnificat: 8. Fecit potentiam (ChA, Suppl. 1, S. 28)
20. And with the blast of thy nostrils *the waters were gathered*
   D. Erba: Magnificat: 6. Deposuit potentes (ChA, Suppl. 1, S. 42f.)
23. Who is like unto thee/The earth swallowed them (T. 21ff.)
   D. Erba: Magnificat: 11. Sicut erat in principio (ChA, Supp. 1, S. 58)
24. Thou in thy mercy
   D. Erba: Magnificat: 7. Esurientes implevit bonis (ChA, Suppl. 1, S. 49)
25. The people shall hear/All th'inhabitants of Canaan *shall melt away*
   A. Stradella: Serenata: 7. Amiche/Nemiche a pietà (ChA, Suppl. 3, S. 24)

Aus eigenen Werken entlehnte Händel folgende Themen:

2. They loathed to drink
   HWV 609 Fuga V a-Moll[7]
7. He smote all the first born of Egypt
   HWV 605 Fuga I g-Moll
11. He led them through the deep
   HWV 232 „Dixit Dominus“: 6. Dominis a dextris/ *in nationibus*
12. But the waters overwhelmed their enemies
   HWV 98 „Cuopre tal volta il cielo“: 2. Tuona balena
   HWV 105 „Dietro l'orme fugaci“: 4. Venti, fermate
   HWV 255 „The Lord is my light“: 10. It is the Lord that ruleth
15. I will sing unto the Lord
   HWV 196 Duetto „Tacete, ohimè, tacete“

[2] Schering, A.: Händel und der protestantische Choral. In: Händel-Jb., 1. Jg., 1928, S. 27ff. Vgl. auch Weismann, W.: Choralzitate in Händels Oratorien. In: Händel-Ehrung der DDR Halle 11.–19. April 1959, Konferenzbericht, Leipzig 1961, S. 173ff.

[3] Schering, A.: Geschichte des Oratoriums, Leipzig 1911, S. 275.

[4] Als Komposition von G. Reutter senior ediert in: DTÖ, Bd. 13/2, S. 74.

[5] Veröffentlicht in: Toccates & Suites pour le Clavessin, Amsterdam: Etienne Roger (ca. 1698), bzw. in: A Second Collection of Toccates, Volluntarys, and Fugues, London: J. Walsh, 1719. Neudruck in: DTB II/2, 1901, S. 32f. Zu diesem Nachweis vgl. Taylor, S.: The Indebtedness of Handel to works by other Composers, Cambridge 1906, S. 76f.; Gudger, W. D.: A Borrowing from Kerll in „Messiah“. In: The Musical Times, vol. 118, 1977, S. 1038f.

[6] D (ddr) Dlb. Vgl. Serauky, W.: Musikgeschichte der Stadt Halle. Bd. II, 1. Halbband: Musikbeilagen und Abhandlungen, Halle und Berlin 1940, S. 68; Serauky III, S. 172; Baselt, B.: F. W. Zachow und die protestantische Kirchenkantate. In: 11. Händelfestspiele Halle (Saale) 1962, Programmheft, S. 45ff. Notenbeispiel bei Thomas, G.: Friedrich Wilhelm Zachow (Kölner Beiträge zur Musikforschung Bd. XXXVIII), Regensburg 1966, S. 180ff.

[7] Angeregt durch eine Fuga in d-Moll von Johann Pachelbel, DTB, VI/1, Leipzig 1903, S. 42.

Die Uraufführung am 4. April 1739 hatte folgende Besetzung: Sopran: Elisabeth Duparc detta La Francesina, Alti: William Savage, Robinson (Knabenalt), Tenor: John Beard, Bässe: Thomas Reinhold, Gustav Waltz. Auch diese Aufführung wurde „with several Concertos on the Organ, and particularly a new one" (HWV 295 F-Dur) angekündigt.[8]
Für die nächsten Aufführungen am 11. und 17. April 1739 fügte Händel Sologesänge ein. In Autograph und Direktionspartitur sind die Stellen für diese Interpolationen jeweils angemerkt: Nach „Egypt was glad"(9): „Through the land Sa Frances. N 1" (= HWV 52 Athalia, Nr. 18b), nach „But the waters overwhelmed" (12): „N 2 Angelico Splendor ex B Sa Frances.", nach „Thy right hand hath dashed in pieces" (19, T. 52): „N 3 Cor fedele ex G Sa Francesina" anstelle von „The people shall hear" (25): „N 4 La speranza la costanza Sa Frances." (= Parodie von „Tua bellezza, tua dolcezza"). Diese drei italienischen Arien wurden aus HWV 50b Esther (Fassung 1737) übernommen.
In der nächsten Saison fand nur noch eine Aufführung am 1. April 1740 statt. Danach ließ Händel „Israel in Egypt" liegen und verwandte lediglich eine Reihe von Sätzen daraus in anderen Werken, wie in HWV 62 Occasional Oratorio. Erst 1756 (17. und 24. März) wurde „Israel in Egypt" wieder in London aufgeführt, diesmal jedoch in einer neuen Fassung. Händel gestaltete Part I des Werkes völlig neu; das Funeral Anthem HWV 264 ersetzte er durch Sätze aus HWV 62 Occasional Oratorio (Chor „The Lord hath given strength unto his people" als Parodie von Nr. 13. Be wise at length, und Arie 39a. May balmy peace") und aus HWV 67 Solomon (Chor 1. Your harps and cymbals ring, Accompagnato 4. Almighty pow'r, Arie 6. Sacred raptures cheer my breast, Rezitativ „Blest be the Lord" und Arie 8. What though I trace each herb and flow'r, Rezitativ „Prais'd be the Lord" und Arie 16. When the sun o'er yonder hills). Außerdem wurde die Arie „Hope a pure and lasting treasure" (= Parodie von „Cor fedele spera sempre") aus HWV 50b Esther (20) nach Nr. 13 in „Israel" gesungen. In dieser Form ist das Werk noch zweimal — am 4. März 1757 und am 24. Februar 1758 — in London aufgeführt worden. Außerhalb Londons sind Aufführungen von „Israel in Egypt" in Oxford[9] (ca. 1743) und Dublin (1744/45) nachweisbar.
Nach Händels Tod führte J. C. Smith junior die Aufführungstradition von „Israel in Egypt" fort; er ließ eine neue Direktionspartitur anlegen [D (brd) Hs, M $\frac{C}{262^a}$] und fügte eine Reihe von neuen Sätzen ein,

die zum größten Teil Parodien von Opernarien Händels darstellten (Übersicht bei Clausen, S. 162).

Literatur

Bischoff, L.: Das Oratorium „Israel in Egypten" von Händel und dessen Entstehung. In: Neue Berliner Musikzeitung, 19. Jg., 1865, S. 204 f.; Chrysander III, S. 59 ff.; Chrysander, F.: Mendelssohn's Orgelbegleitung zu Israel in Aegypten. In: Jahrbücher für musikalische Wissenschaft, Bd. 2, Leipzig 1867, S. 249 ff.; Clausen, S. 160 ff.; Dean, S. 311 ff., 317 f., 527; Deutsch, S. 469, 478 ff.; Flower, p. 255 ff./ S. 228 ff.; Godehart, G.: Einführung in Händels „Israel". In: Göttinger Händelfestspiele 1961, Programheft, S. 13, 16; Herbage, S. 90 ff.; Heuß, A.: Israel in Egypten. In: Programmbuch zum Händel-Fest in Berlin 1906, Berlin 1906, S. 11 ff.; Heuß, A.: Israel in Ägypten. In: Fest- und Programmbuch zum 2. Händelfest in Kiel 1928, Leipzig 1928, S. 29; Hicks, A.: An Auction of Handeliana. In: The Musical Times, vol. 114, 1973, S. 892; Lang, p. 310 ff./ S. 279 ff.; Larsen, S. 72 ff.; Leichtentritt, S. 370 ff.; Macfarren, G. A.: Israel in Egypt; an oratorio … with an analysis, London 1857; Mann, A.: Zu Händels Exodus. In: Göttinger Händel-Fest 1972, Programmheft, S. 53 ff.; Prout, E.: Urio's Te Deum und Handel's Use Thereof. In: Monthly Musical Record, 1. Jg., Nov. 1871, S. 139 ff.; Prout, E.: Handel's Obligation to Stradella. In: Monthly Musical Record, 1. Jg., Dec. 1871, S. 154 ff.; Rolland, R.: Les „Plagiats" de Haendel. In: Revue Musicale, 6. Jg., Paris 1910, S. 283 ff., 419 f.; Schoelcher, S. 208 ff.; Schering, A.: Geschichte des Oratoriums, Leipzig 1911, S. 273 ff.; Serauky III, S. 139 ff.; Siegmund-Schultze, S. 114 ff.; Smither II, S. 226 ff.; Streatfeild, S. 278 ff. Taylor, S.: The Indebtedness of Handel to works by other Composers, Cambridge 1906; Young, S. 91 ff.
Beschreibung des Autographs: Lbm: Catalogue Squire, S. 47 f.

[8] London Daily Post, April, 4th, 1739.
[9] Undatiertes Libretto in GB Lbm: Israel in Egypt, An oratorio. By Mr. Handel. — Oxford, Leon Lichfield, William Cross.

55. L'Allegro, il Penseroso ed il Moderato

Oratorio in three parts nach John Milton (1632), bearbeitet und um „Il Moderato" ergänzt von Charles Jennens

Besetzung: Soli: Sopr., Alto, Ten., Basso. Chor: S.; A.; T.; B. Instrumente: Fl. trav. I, II; Ob. I, II; Fag. I, II; Cor.; Trba. I, II; Timp.; Carillon; V. solo (bzw. Vc. solo); V. I, II, III; Va.; Org.; Cont. ChA 6. – HHA I/16. – EZ: London, 19. Januar bis 4. Februar 1740. – UA: London, 27. Februar 1740, Theatre Royal, Lincoln's Inn Fields

Part I

L'ALLEGRO

1. Accompagnato. Ten.

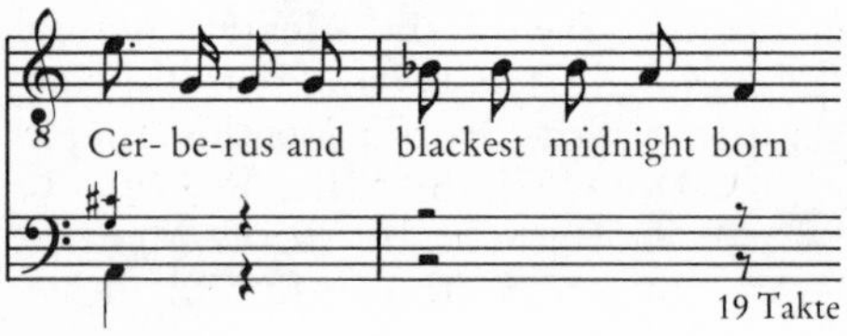

IL PENSEROSO

2a, b. Accompagnato. Sopr./Alto

L'ALLEGRO

3. Air. Sopr.

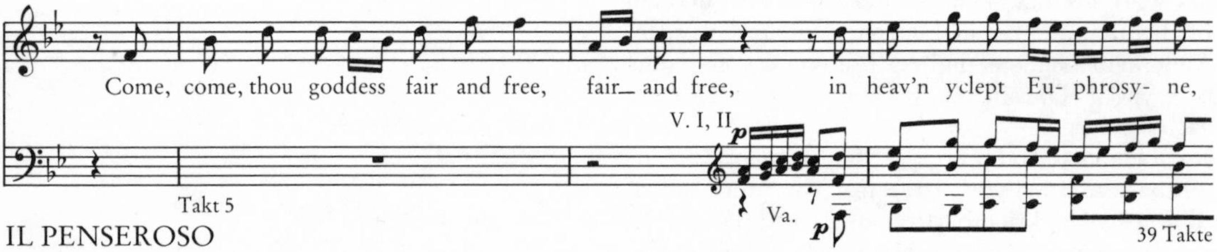

IL PENSEROSO

4a. Air. Sopr.

4b. Air. Alto

L'ALLEGRO

5. Air and Chorus. Ten.; S.; A.; T.; B.

6. Air und Chorus. Ten.; S.; A.; T.; B.

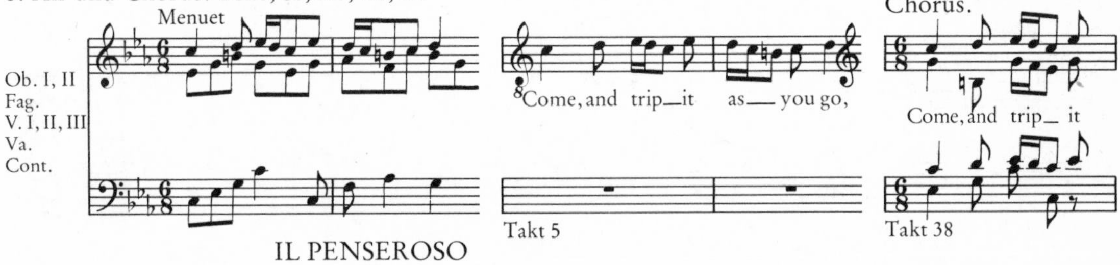

IL PENSEROSO

7. Accompagnato. Sopr.

8. Arioso. Sopr.

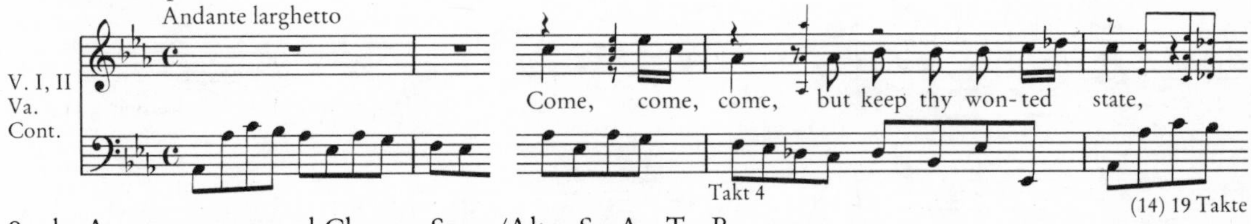

9a, b. Accompagnato and Chorus. Sopr./Alto; S.; A.; T.; B.

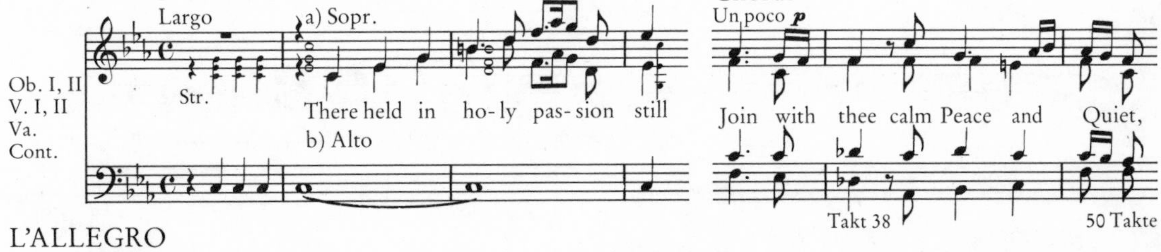

L'ALLEGRO

Recitative. Ten.; Sopr.

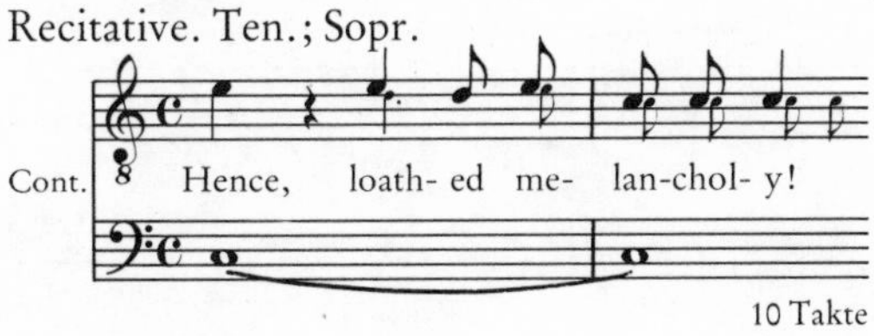

10. Air. Sopr.

Mirth, ad- mit me of thy crew,
Takt 17
88 Takte
D.c. Ritornello

IL PENSEROSO

11. Accompagnato. Sopr.

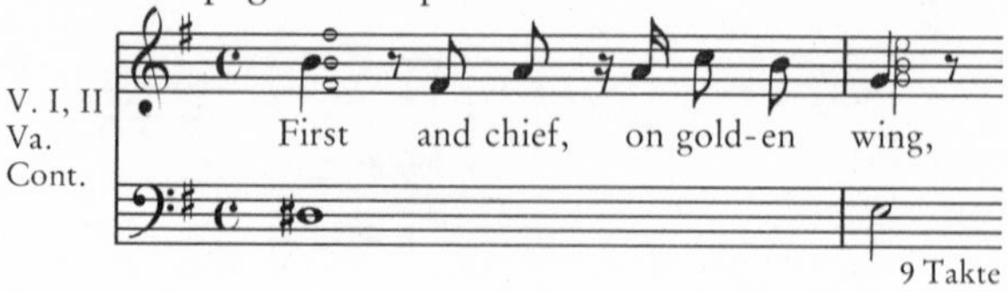
V. I, II
Va.
Cont.
First and chief, on gold-en wing,
9 Takte

12. Air. Sopr.

Andante
Fl. trav. I
Fl. trav. I, II
V. I, II
Va.
Cont.
tasto solo
pp
ad lib.
Sweet bird,
Takt 22

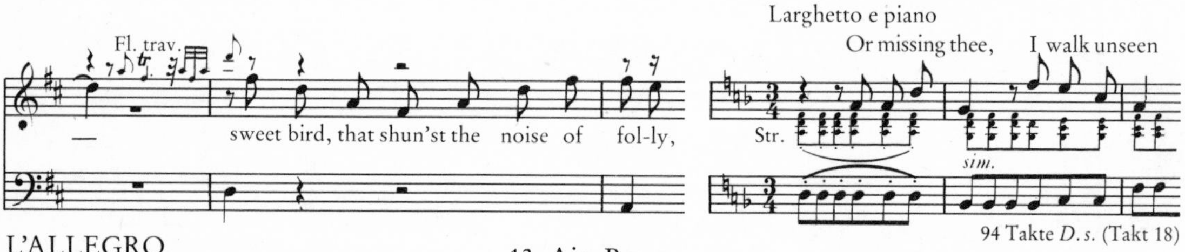
Fl. trav.
sweet bird, that shun'st the noise of fol-ly,
Larghetto e piano
Or missing thee, I walk unseen
Str.
sim.
94 Takte D.s. (Takt 18)

L'ALLEGRO

Recitative. Basso

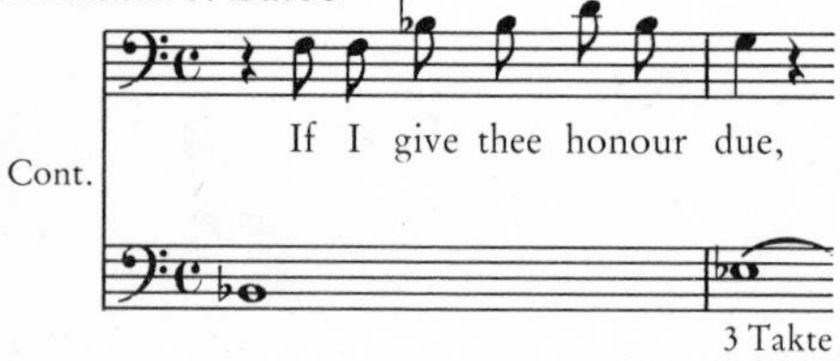
Cont.
If I give thee honour due,
3 Takte

13. Air. Basso

Allegro
Cor.
V. I, II, III
Va.
Cont.
Str.
pp
Mirth, ad-mit me
p
Takt 20

col Cor.
of thy crew,
91 Takte

IL PENSEROSO

14. Air. Sopr.

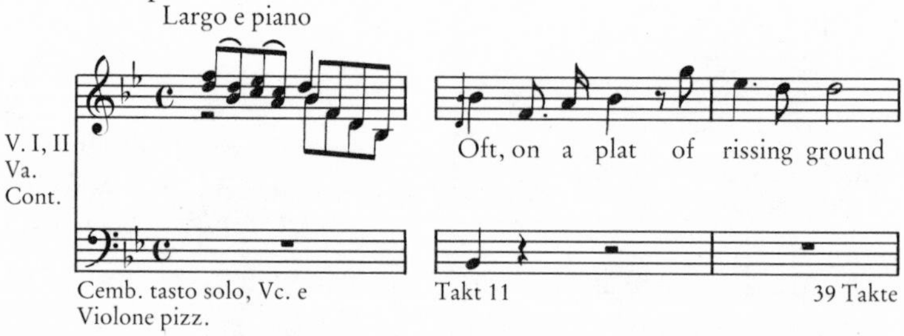
Largo e piano
V. I, II
Va.
Cont.
Oft, on a plat of rissing ground
Cemb. tasto solo, Vc. e Violone pizz.
Takt 11
39 Takte

15. Air. Sopr. (o Ten.)

Larghetto
V. I, II
unis.
Cont.
Far from all re- sort of mirth,
Takt 14
111 Takte

L'ALLEGRO

Recitative. Sopr. (o Ten.)

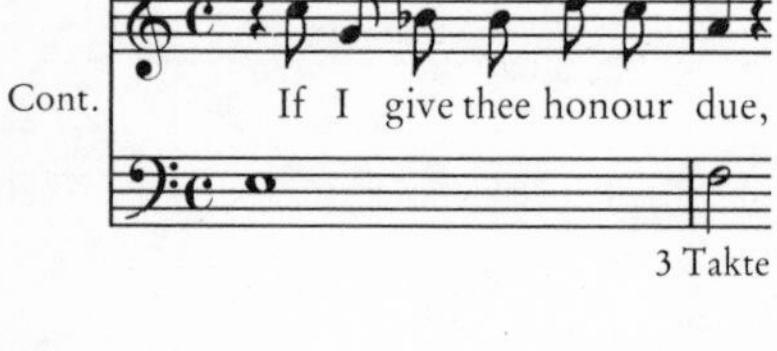
Cont.
If I give thee honour due,
3 Takte

16. Air. Ten. (o Sopr.)

Siciliana
V. I, II
Va.
Cont.
Let me wander not un-

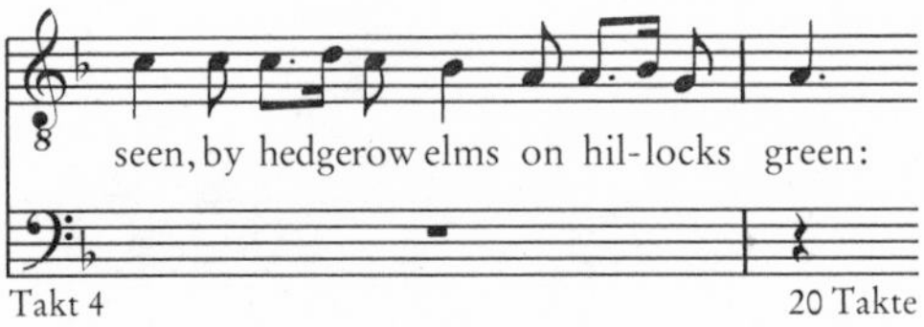

17. Air. Sopr.

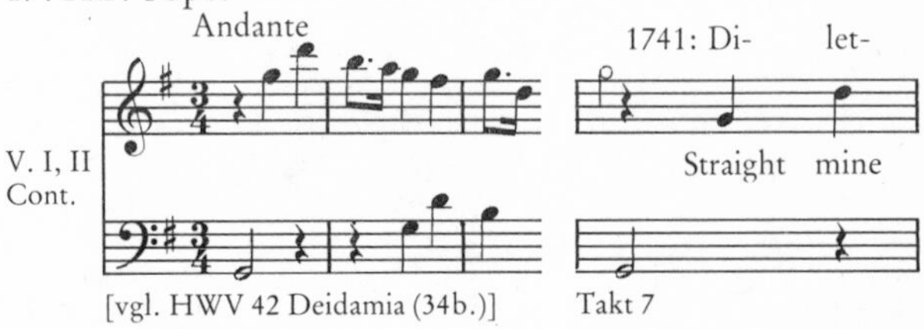

18a, b, c. Accompagnato.

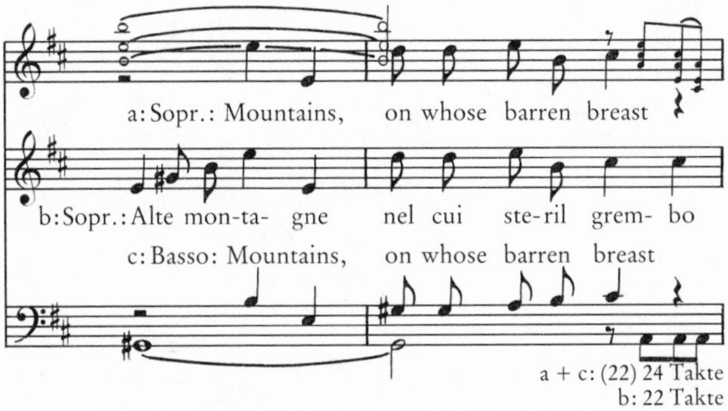

19a. Air and Chorus. Sopr. (o Ten.); S.; A.; T.; B.

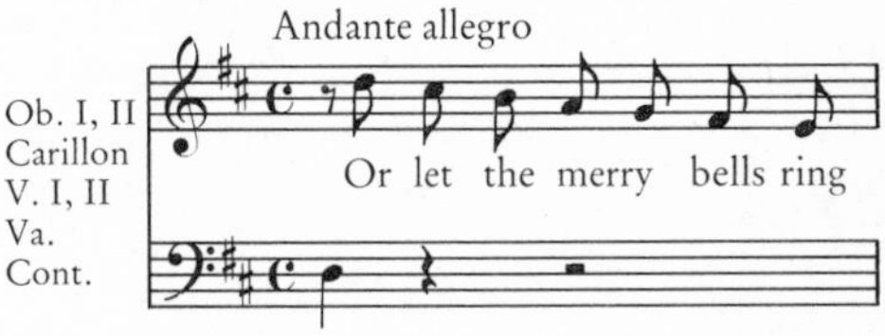

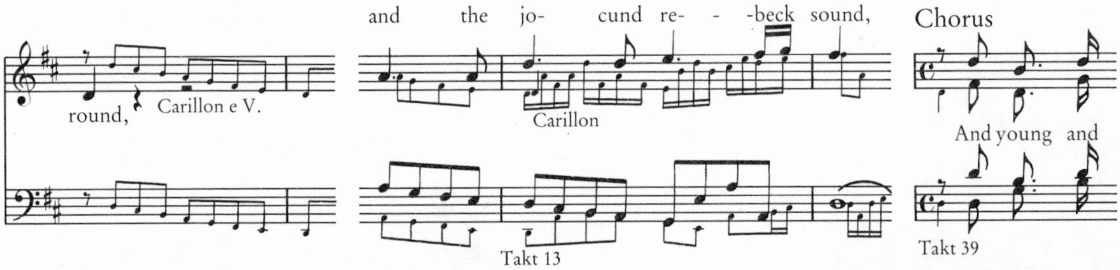

19b. Air und Chorus. Sopr.; S.; A.; T.; B.

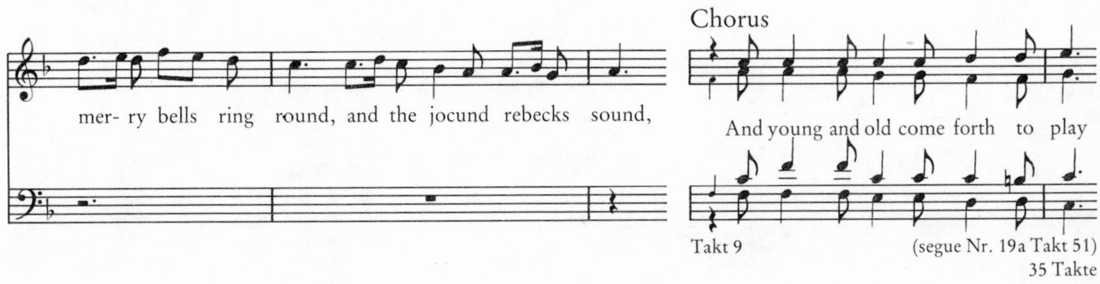

Part II

IL PENSEROSO

20a, b. Accompagnato. Sopr./Alto

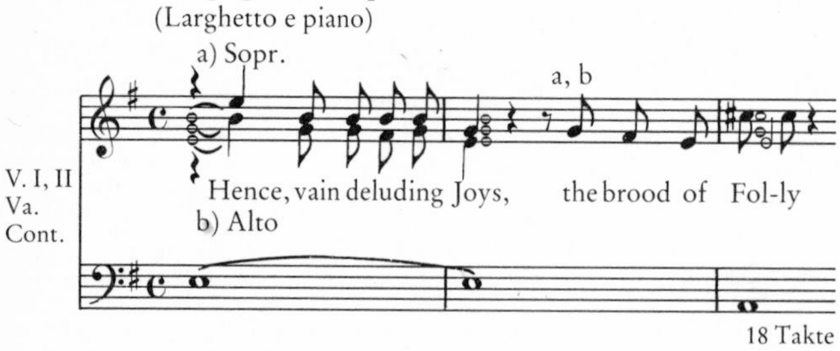
(Larghetto e piano)
a) Sopr.
a, b
V. I, II
Va.
Cont.
Hence, vain deluding Joys, the brood of Fol-ly
b) Alto
18 Takte

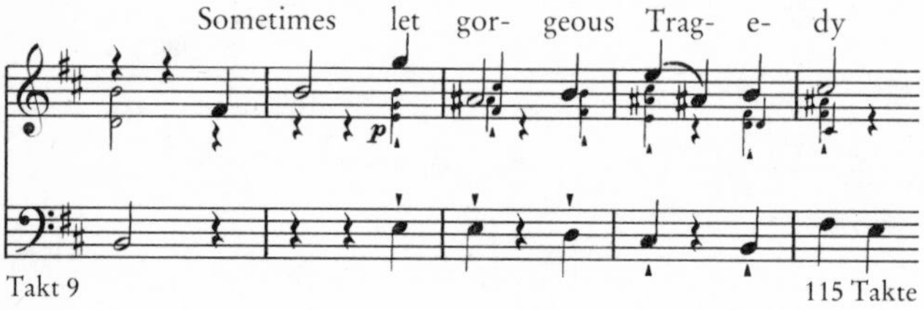
Sometimes let gor- geous Trag- e- dy
p
Takt 9
115 Takte

Sometimes let gor- geous Trag- e- dy
p
Takt 9
115 Takte

21a. Air. Sopr.

Larghetto e piano
V. I, II
Va.
Cont.

21b. Air. Alto

(Larghetto)
V. I, II
Va.
Cont.

22. Air. Sopr.

Largo
b) V. solo
Vc. solo
(o V. solo)
V. I, II
unis.
Va.
Cont.
a) Vc. solo

But oh! Sad vir-gin that thy pow'r might raise
Takt 12
48 Takte

Recitative. Sopr.

Cont.
Thus, Night, oft see me in thy pale career,
3 Takte

L'ALLEGRO

23. Chorus. S.; A.; T.; B.

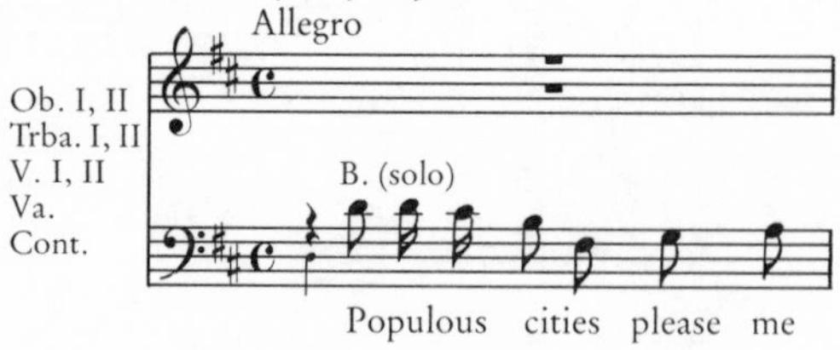
Allegro
Ob. I, II
Trba. I, II
V. I, II
Va.
Cont.
B. (solo)
Populous cities please me

Ob.
Str.
p
and the bu- sy hum of men,
then,
p
(Tutti)
f
Populous cities please us then
f
Takt 7

with store of ladies whose bright eyes

Takt 27 82 Takte *D. c.*

24. Air. Ten. (o Sopr.)

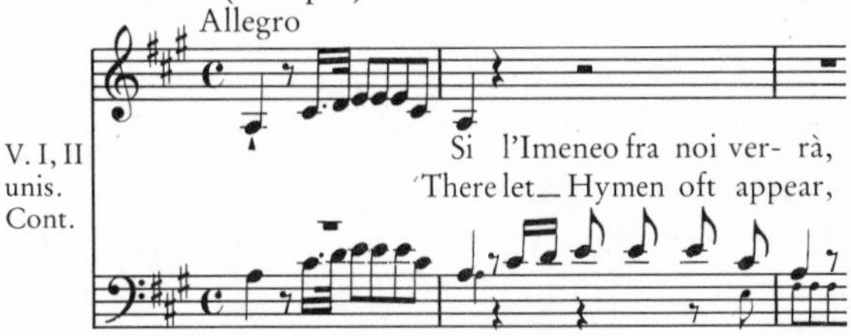
Allegro
V. I, II
unis.
Cont.
Si l'Imeneo fra noi ver- rà,
There let_ Hymen oft appear,

59 Takte

IL PENSEROSO

25a. Accompagnato. Sopr.

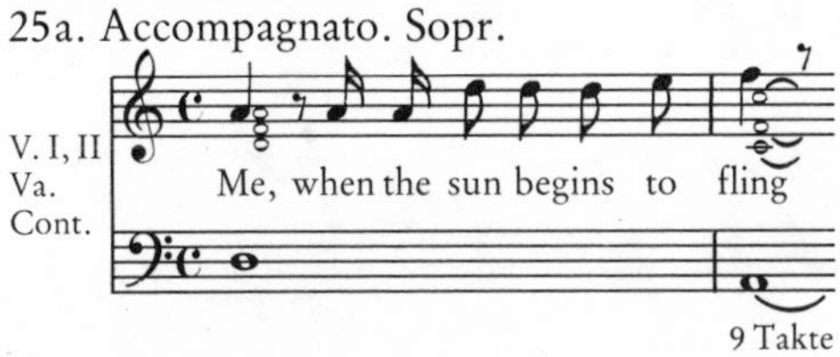
V. I, II
Va.
Cont.
Me, when the sun begins to fling

9 Takte

26a. Air. Sopr.

Largo e pianissimo
V. I, II
Va.
Cont.
Hide me_ from day's gar- ish_ eye,

72 Takte

25b. Accompagnato. Alto

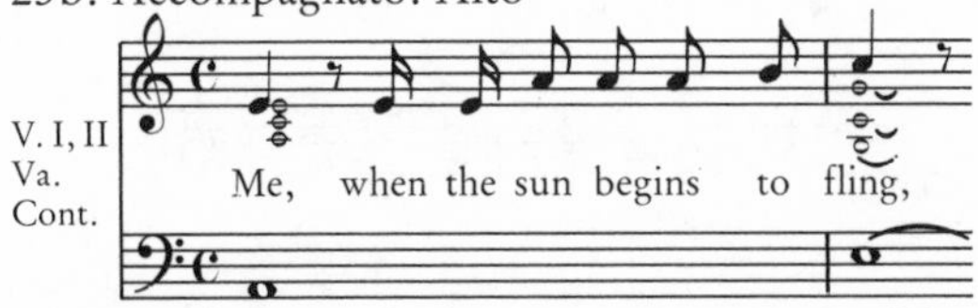
V. I, II
Va.
Cont.
Me, when the sun begins to fling,

9 Takte

26b. Air. Alto

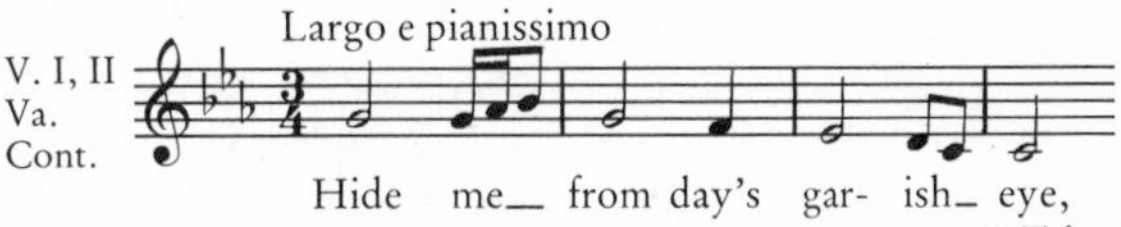
Largo e pianissimo
V. I, II
Va.
Cont.
Hide me_ from day's gar- ish_ eye,

72 Takte

L'ALLEGRO

27. Air. Ten.

Pomposo
V. I, II
unis.
Cont.
I'll to the welltrod stage a- non if Johnson's
simile

Takt 3

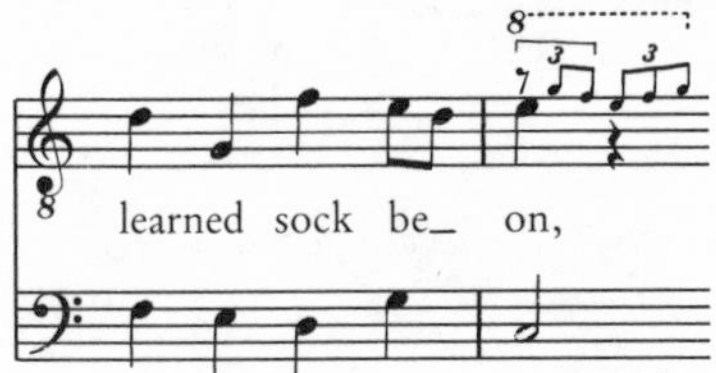
learned sock be_ on,

60 Takte

28. Air. Sopr.

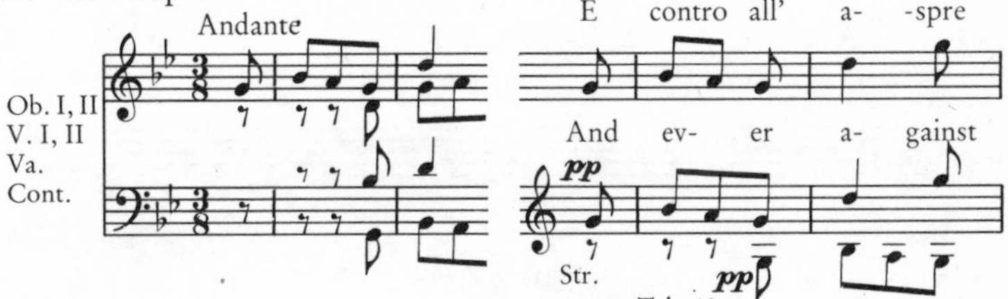
Andante
Ob. I, II
V. I, II
Va.
Cont.
E contro all' a- -spre
And ev- er a- gainst
pp
Str.
pp

Takt 13

cu-re o- gnor
eat- ing cares

102 Takte

29a. Air. Sopr. (o Ten.)

Allegro
V. I, II
Va.
Cont.
Lo stesso Or- feo_ po-
Or- pheus self_ may
p

Takt 13

sar___ po- trà
heave___ his head,

71 Takte

29b. Air. Basso

Allegro
12
V. I, II
Va.
Cont.
Or- pheus self_ may heave_ his head,

71 Takte

30. Air and Chorus. Ten.; S.; A.; T.; B.

IL PENSEROSO
Recitative. Sopr.

Cont.
But let my due feet nev-er fail
9 Takte

31. Chorus. S.; A.; T.; B.

Grave
Ob. I, II
Fag.
V. I, II
Va.
Cont.
There let the pealing or- gan blow
Organo etc. et Basson grosso
19 Takte

32. a. Air. Sopr.

Largo
Cont.
May at last my wea- ry age
Takt 4
37 Takte (attacca il Coro Nr. 33, Takt 12)

32b. Air. Alto

Largo
Cont.
3
May at last my wea- ry age
38 Takte

Organo ad lib. il soggetto della fuga seguente

33. Solo and Chorus. Sopr.; S.; A.; T.; B.

A tempo ordinario
Ob. I, II
V. I, II
Va.
Cont.
These plea- sures, Melan- chol-y, give, and I with thee will choose to live,
Chorus
live
A.
col V. II
These plea- sures, Mel- an- chol- y give,
T.
col. Va.
and we with thee will choose to live,
Takt 12
70 Takte

Part III

34. Accompagnato. Basso

V. I, II
Va.
Cont.

Hence, boast not ye pro- fane

8 Takte

35. Air. Basso

Andante larghetto

V. I, II
unis.
Cont.

Come, with native lus-tre shine, Moder-ation, grace di- vine,

81 Takte *(attacca)*

36. Accompagnato and Chorus. Basso; S.; A.; T.; B.

Ob. I, II
V. I, II
Va.
Cont.

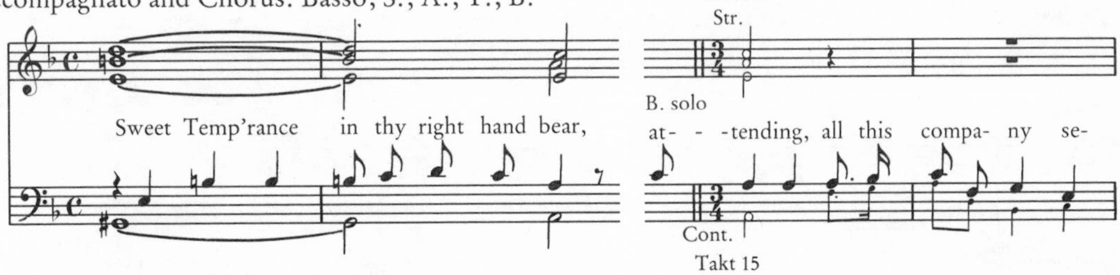
Chorus
Str.
Sweet Temp'rance in thy right hand bear,
B. solo
at- - -tending, all this compa- ny se-
Cont.

Takt 15

Tutti
rene join to fill thy beauteous train; all this company se- rene

59 Takte

37. Air. Sopr.

Allegro

Ob. I, II
V. I, II
unis.
Cont.

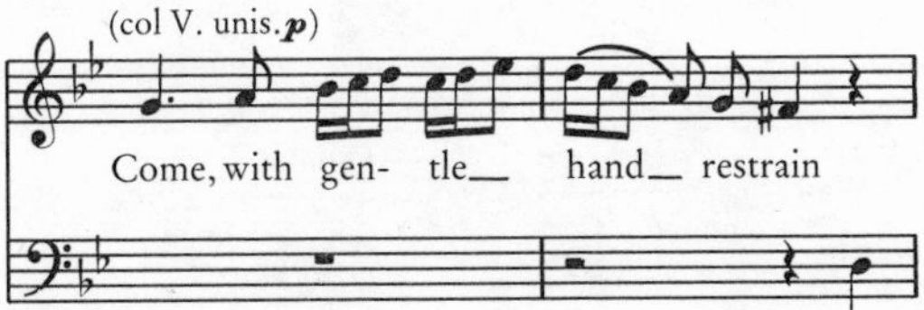
(col V. unis. p)
Come, with gen- tle hand restrain

Takt 9 38 Takte *D. c. Rit.*

Recitative. Ten. (o Sopr.)

Cont.

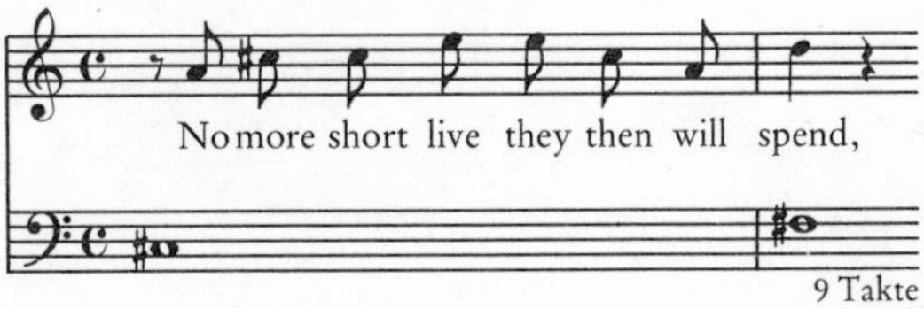
No more short live they then will spend,

9 Takte

38. Air. Ten. (o Sopr.)

Larghetto

Ob. I, II
V. I, II
unis.
Cont.

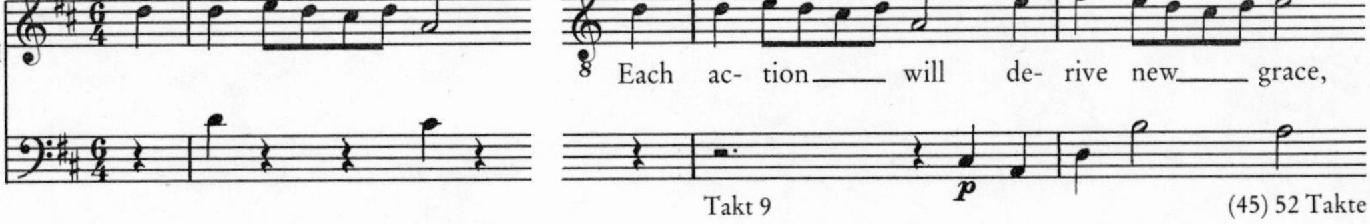
Each ac- tion will de- rive new grace,
p

Takt 9 (45) 52 Takte

39. Duet. Sopr.; Ten.

Aria. Sopr.

40. Chorus. S.; A.; T.; B.

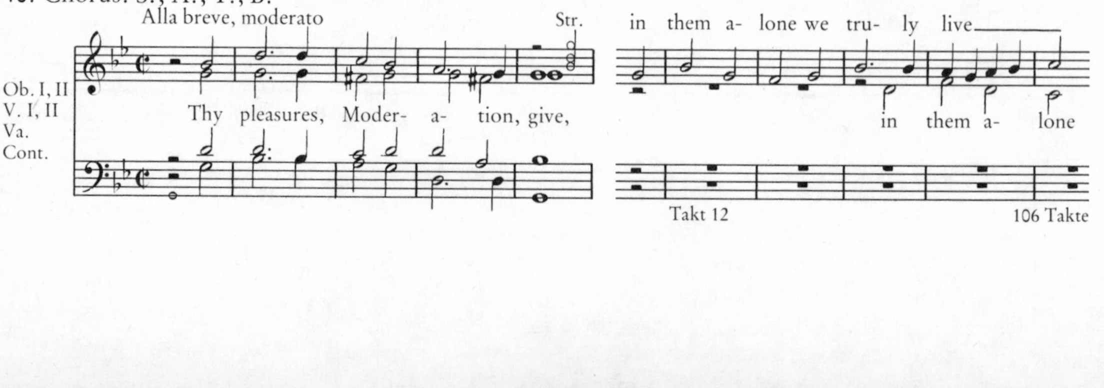

Quellen

Handschriften: Autographe: GB Lbm (R. M. 20. d. 5., ohne Nr. 12, T. 22 ff., Rezitativ u. Arie Nr. 13, Nr. 14, Rezitativ u. Arie Nr. 16; R. M. 20. f. 11., f. 1–4: Accompagnato „L'insaziabil fantasia" u. Arie „Troppo audace" für Andreoni 1741), Cfm (30 H 8, p. 33–34: Skizze für Nr. 33).

Abschriften: D (brd) Hs (Direktionspartitur M $\frac{A}{1002}$) – GB BENcoke (3 Ex.), Cfm (Barrett-Lennard-Collection), Lbm (R. M. 18. d. 8.; R. M. 19. c. 4.; Egerton 2941, mit HWV 328 Concerto grosso op. 6 Nr. 10 d-Moll; R. M. 19. b. 1., St. für Sopr. I,/ II, Alto, Ten., Basso; R. M. 19. e. 10., St. für V. I, II, Va., Vc.), Mp [MS 130 Hd4, Part.: v. 189; St.: v. 29(3)–31(3), 33(3), 34(2), 35(3), 36(2), 37(3)–40(3), 42(3)–45(3), 353(12)] – US BETm (LMisc. 17D, datiert 1740/44), Cu (MS. 437, vol. 24, St. für Trba. II) Ws (St. für Trba. I). Arien: GB BENcoke (Part., Nr. 17, 18^{a}, 15), Cfm (30 H 15, p. 38: Carillon-St. für Nr. 19^{a}; 32 G 13: Nr. 5), Lbm (R. M. 18. c. 11., f. 137–167: „Additions in L'Allegro il Penseroso ed il Moderato" für 1741: Nr. 9, 15, 17, 18^{a}, 21^{a}, 29^{a}, 32^{a}, Accompagnato „L'insaziabil fantasia", Arie „Troppo audace", Nr. 38, 18^{c}; R. M. 19. a. 2., f. 52: Nr. 20^{a}; R. M. 19. d. 10., f. 78–97: Nr. 9^{a}, 15, 17, 18^{a}, 21^{a}, 29^{a}, 32^{a}; Add. MSS. 11 518, f. 58–71: Walsh-Druck von Nr. 3, 5 und 6 mit hs. ergänzten Chören), Ob (Mus. c. 107, f. 43–44: Nr. 6 in a-Moll).

Drucke: L'Allegro, il Penseroso, ed il Moderato. The words taken from Milton. Set to musick by Mr Handel. – London, J. Walsh (1740); — ib. (1741); — ib. (1747); — ... NB. The songs number'd have instrumental parts for concerts – printed in Mr Handel's 400 selected oratorio songs. – ib, J. Walsh (1764); L'Allegro, il Pensieroso, ed il Moderato. The words taken from Milton. Set to musick by Mr Handel, to which is added his additional songs. – London, W. Randall; — ib., H. Wright; L'Allegro, il Penseroso, ed il Moderato. Composed by Mr Handel, for the voice, harpsichord, and violin, with the chorusses in score. – London, Harrison & Co.; Harrison's edition, corrected by Dr Arnold. The overture and songs in L'Allegro, il Penseroso, ed il Moderato; for the voice, harpsichord, and violin. Composed by Mr Handel. – London, Harrison & Co.; L'Allegro, il Pensieroso, ed il Moderato, the words taken from Milton; the musick composed in the year 1739. By G. F. Handel. – London, Arnold's edition, No. 150–153 (ca. 1795); L'Allegro, ed il Penseroso, composed by G. F. Handel, arranged for the organ or piano forte, by Dr. John Clarke of Cambridge. – London, S. J. Button, J. Whitaker; Songs in L'Allegro ed il Penseroso. The words taken from Milton, set to musick by Mr Handel. – London, J. Walsh (3 verschiedene Ausgaben); Songs in L'Allegro ed il Penseroso. 2^{d} collection. – London, J. Walsh; — s. l., s. n.; Additional songs in L'Allegro il Penseroso by Mr Handel (p. 19–24 aus: The British Orpheus. A collection of favourite English songs, No. II). – (London, J. Walsh, 1742); Come and trip it as you go. Sung by Mr Beard. – s. l., s. n.; Come and trip it as you go. La aria dell' L'Allegro, il Pensero (!), ed il Moderato del S^{r}. Handel. – s. l., s. n.; Come come thou goddess. A favourite song by Handel, in L'Allegro. – London, H. Wright; Come, thou goddess. Song (In: The Lady's Magazine, March, 1789). – (London), s. n.; Come thou goddess, with an accompaniment for the piano forte, from L'Allegro, il Penseroso, ed il Moderato. – London, Bland & Weller; Haste thee, Nymph. L'Allegro. – (London), J. Bland; — London, A. Bland & Weller; Hide me from day's garish eye, with an accompaniment for the piano forte, from L'Allegro, il Penseroso, ed il Moderato. – London, Bland & Weller; Let me wander not unseen. Sung by Mr Beard in L'Allegro e Penseroso, by Mr Handel. – s. l., s. n.; — ... a favourite song by Mr. Handel. – London, H. Wright; — ... set by Mr Handle (!). – s. l., s. n.; — London, R. Falkener; — s. l., s. n.; — London, J. Bland; — ib., Bland & Weller; — Glasgow, John McFadyen; — ... as sung by Mr Dignum, in L'Allegro, il Penseroso. – London, R. Birchall; — ib., Longman, Clementi & Co.; — ... sung by Mrs Harrison at the Concert of antient music. – ib., Smart's Music warehouse; Oft on a plat of rising ground. Il Penseroso. – (London), J. Bland; — A favourite song. – ib, H. Wright; — ib., Longman, Clementi & Co.; Oft on a plat. L'Allegro, il Pensieroso, composed by Handel, sung by Mr Nield at the concert of antient music. – ib., Smart's Music warehouse; Or let the merry bells. A favourite song in L'Allegro il Penseroso. Set by Mr Handel. – s. l., s. n.; — (In: The Lady's Magazine, April, 1785). – (London), s. n.; — s. l., s. n.; — (London), J. Bland; — London, Bland & Weller; Sweet bird, in L'Allegro il Penseroso. Handel. – London, G. Walker; — ib., J. Dale; — ib., E. Riley; — s. l., s. n.; There let Hymen oft appear. Song (In: The Lady's Magazine, Oct., 1789). – (London), s. n. – The Works of Handel, printed for the members of the Handel Society, vol. 2, ed. I. Moscheles, London 1843/44.

Libretto: L'Allegro, il Penseroso, ed il Moderato. In three parts. Set to musick by Mr. Handel. – London, J. and R. Tonson, 1740[1] (Ex: GB BENcoke, Lbm); — ib., J. and R. Tonson, 1740; — ib., J. and R. Tonson, 1741 (Ex.: GB Mp); L'Allegro, ed il Penseroso. By Milton. And a song for St. Cecilia's Day. By Dryden. Set to musick by George Frederick Handel. – London, J. and R. Tonson, o. J. (1741); L'Allegro, il Penseroso ed il Moderato. In three parts. Set to musick by Mr. Handel. – (Dublin), Printed in the year 1741 (Ex.: EIRE Dublin Corporation, Gilbert Collection – GB Lbm); — Dublin, 1742; L'Allegro, ed il Penseroso. By Milton. And a song for St. Ce-

[1] Mit Hinweisen auf die Einfügung von 2 Concerti grossi und einem Orgelkonzert vor Part III.

cilia's day. By Dryden. Set to musick by George Frederick Handel. – London, J. and R. Tonson, S. Draper, 1754 (Ex.: GB BENcoke, Lbm – US PRu, Hall Collection).

Bemerkungen

Der Text zu „L'Allegro, il Penseroso ed il Moderato" wurde von Charles Jennens nach den Poemen „L'Allegro" und „Il Penseroso" von John Milton (1632, veröffentlicht 1633/37) zusammengestellt. Jennens erweiterte das Werk jedoch um den dritten Teil „Il Moderato". Das geschah ausdrücklich auf Verlangen Händels, wie Jennens in einem Brief an Edward Holdsworth vermerkte (s. A. Hicks). Über die Bearbeitungstendenzen von Jennens äußern sich W. Dean (S. 320) und J. S. Hall (s. Krit. Bericht zu HHA I/16, S. 42). Händel gab dem 3. Teil auch selbst den Titel „Il Moderato", wie Jennens (Brief vom 4. 2. 1742) nachträglich bestätigte.

Händel komponierte den von Jennens vorgelegten Text (er wurde von J. C. Smith noch ohne die Nr. 9^{a}, 15, 17, 18^{a}, 21^{a}, 29 und 32^{a} kopiert und der Londoner Zensur eingereicht[2]) in zwei Etappen. Zunächst entstand eine Fassung in drei Teilen[3] ohne diese eben angeführten Textnummern, die in einem „L'Additione" genannten Anhang des Autographs (f. 60 ff.) mit zwei weiteren Ergänzungen (Nr. 28 und 30) 1741 hinzugefügt wurden. Diese erste Fassung mit ausschließlich englischem Text und ohne die *Additional Songs* diente als Grundlage für die Aufführungen am 27. Februar, 6., 10., 14. März und 23. April 1740 in London sowie am 23. Dezember 1741, 13. Januar und 17. März 1742 in Dublin. Zusätzlich wurden zwei nicht näher bezeichnete Concerti grossi aus op. 6 (als Ouverture und Einleitung zum zweiten Teil) und ein Orgelkonzert (vermutlich HWV 306 op. 7 Nr. 1 B-Dur) als Vorspiel zu „Il Moderato" eingefügt. Händel mußte dabei auf die Mitwirkung einer Altstimme verzichten; dementsprechend war das Werk zuerst nur mit Sopran, Tenor und Baß besetzt (London: Penseroso: Elisabeth Duparc detta La Francesina, Sopr.; Allegro: The Boy, Sopr., John Beard, Tenor, Thomas Reinhold, Baß; Moderato: William Savage, Baß. Dublin: Penseroso: Christina Maria Avoglio, Sopran; Allegro bzw. Moderato; James Baileys, Tenor, John Mason, Baß).

Bald nach der ersten Aufführung ersetzte Händel Nr. 19^{b} durch Nr. 19^{a}; Nr. 22, in London mit obligatem Violoncello besetzt, wurde in Dublin 1741/42 mit Violine (von M. Dubourg) gespielt. Für die ersten Londoner Aufführungen 1741 (31. Januar, 7. und 21. Februar), die wieder im Theatre Royal Lincoln's-Inn-Fields stattfanden, verpflichtete Händel folgende Sänger: Soprane: Elisabeth Duparc detta La Francesina, Signora Monza, Miss Edwards, Signor Andreoni (Soprankastrat); Tenor: Mr. Corfe; Bässe: Thomas Reinhold, William Savage. Diesmal wurden die *Additional Songs* eingegliedert sowie wiederum zwei Concerti grossi und ein Orgelkonzert als Einleitung zu den drei Teilen des Werkes gespielt. Die Gesänge des Penseroso führten die Sopranistinnen Duparc und Monza aus; letztere erhielt Nr. 9^{a}, 15, 21^{a} und 32^{a} sowie Nr. 38 in „Il Moderato" (in Oktavtransposition und erweiterter Form) zugeteilt. In die Nummern des Allegro teilten sich der Tenor Corfe, die Sopranistin Edwards (Nr. 6, 16, 27) und der Soprankastrat Andreoni, dessen Partie ins Italienische übertragen wurde und der fünf Additional airs zugewiesen erhielt (17, 18^{b}, 29^{a}; Part III; Accompagnato „L'insaziabil fantasia" und Arie „Troppo audace"). Reinhold und Savage teilten sich in die Baßpartie.

In der vierten Londoner Aufführung (am 8. April 1741) wurde „Il Moderato" weggelassen und dafür als dritter Teil HWV 76 Ode for St. Cecilia's Day gegeben. Auf Grund eines undatierten Librettos, das J. S. Hall (s. KB. S. 60 f.) dieser Aufführung zuordnet, wird angenommen, daß hierbei nur Francesina, Edwards, Corfe, Savage und Reinhold mitwirkten. Die Fassung der aufgeführten Teile I und II orientierte sich danach an der Erstfassung von 1740, ohne die Additional Songs, und schloß mit Nr. 33 vor der Cäcilien-Ode.

Die letzten Aufführungen des Werkes unter Händels Leitung fanden in London am 18. März 1743, am 23. Mai 1754 und am 21. Februar 1755, jeweils in Covent Garden, statt. Allen drei Aufführungen ist gemeinsam, daß – wie schon 1741 – „Il Moderato" durch die Cäcilien-Ode ersetzt wurde. Die Londoner Presse (Daily Advertiser, March, 18, 1743) kündigte die erste Aufführung mit folgendem Wortlaut an: „L'Allegro ed Il Penseroso. With Additions. And Dryden's Ode on St. Cecilia's Day. A Concerto on the Organ. And a Solo on the Violin by Mr. Dubourg". Besetzung: Sopran: Kitty Clive, Christina Maria Avoglio; Alt: Susanna Maria Cibber; Tenor: John Beard, Thomas Lowe; Baß: Thomas Reinhold, William Savage. Die wichtigste Änderung bei diesen Aufführungen bestand darin, daß erstmals die Altistin Mrs. Cibber mitwirkte, für die sämtliche Altfassungen (Nr. 2^{b}, 4^{b}, 20^{b}, 21^{b}, 25^{b}, 26^{b} und 32^{b}) bestimmt waren. Die anderen Nummern wurden unter die mitwirkenden Solisten aufgeteilt (Übersicht bei Clausen, S. 107 f., und J. S. Hall, KB, S. 61 f.).

Die Aufführungen 1754/55 boten die gleiche Fassung, wieder mit der Cäcilien-Ode als 3. Teil. Während für 1755 keine Sänger belegt werden können, vermerkt die Direktionspartitur für 1754 die Namen von Giulia Frasi und Christina Passerini (Soprane),

[2] Ms. in US Sm. Vgl. Hall, KB zu HHA I/16, S. 41.

[3] Die Daten über den Kompositionsverlauf lauten im Autograph: f. 1^{r}: „♀ (= Freitag, muß heißen Sonnabend). Jan. 19, 1740", f. 22^{v}: „Fine della Parte prima. Jan: 25. 1740. ♀ (= Freitag)", f. 43^{r}: „Fine della parte 2da. Fevrier 2. 1740", f. 59^{r}: „S. D. G. G F Handel. Fevrier ☽ (= Montag) 4. 1740 ♄ (= Sonnabend) 9 dito".

Gaetano Guadagni (Altkastrat) und John Beard (Tenor) als Solisten; Namen von Bassisten sind nicht erwähnt.

J. Ch. Smith junior setzte die Aufführungstradition von „L'Allegro" später fort; die letzte Aufführung vor Händels Tod am 1. März 1759 „for the Benefit of Signora Frasi" fand schon ohne Händels Beteiligung statt. Sie gliederte den 3. Teil „Il Moderato" wieder ein, und der Organist John Stanley spielte ein Orgelkonzert von Händel. Neben Frasi sangen John Beard und der Bassist Wass.

In der Musik zu „L'Allegro" lassen sich folgende thematische Entsprechungen zu anderen Werken Händels nachweisen:

17. Straight mine eye
    HWV 42 Deidamia: 34[b]. Non vuo' perdere l'istante
30. These delights if thou canst give (T. 30)
    HWV 6 Agrippina: 4. L'alma mia fra le tempeste
    HWV 78 „Ah crudel! nel pianto mio": Sinfonia
    HWV 47 La Resurrezione: 29. Dia si lode in cielo, in terra
    HWV 72 Aci, Galatea e Polifemo: 20. Chi ben ama ha per oggetti
    HWV 7[a] Rinaldo (1. Fassung): 10. Molto voglio
    HWV 13 Muzio Scevola: 18. Sì sarà più dolce amore
    HWV 29 Ezio: 12[a]. Sinfonia (T. 2/3)
    HWV 64 Joshua: 24. Heroes when with glory burning
    HWV 468 Air A-Dur für Cembalo
33. These pleasures, Melancholy, give
    HWV 200 „Quel fior che all'alba ride": L'occaso ha nell'aurora

Literatur

Chrysander III, S. 122 ff.; Clausen S. 104 ff.; Dean, S. 319 ff.; Deutsch, S. 494 ff.; Flower, p. 262 f., 339/S. 238 ff.; Gumprecht, O.: Händel's Cantate „Frohsinn und Schwermut". In: Echo, 11. Jg., Berlin 1861, S. 17 f.; Hall, J. S./Hall, M.: L'Allegro, il Penseroso ed il Moderato. Kritischer Bericht zu HHA, Serie I, Bd. 16, Leipzig 1969; Herbage, S. 141 ff.; Heuß, A.: Frohsinn und Schwermut. In: Fest- und Programm-Buch zum 3. Händelfest in Halle 1929, Leipzig 1929, S. 25 ff.; Hicks, A.: An Auction of Handeliana. In: The Musical Times, vol. 114, 1973, S. 892; Hudson, F.: The New Bedford MS Part-books of Handel's L'Allegro. In: Notes, vol. 33, 1977, S. 531 ff.; Lang, p. 316 f./S. 285 ff.; Leichtentritt, S. 381 ff.; Moscheles, I.: L'Allegro, il Pensieroso ed il Moderato. Preface and Text. Ausgabe der Handel-Society, London 1844; P., J.: Händel, L'allegro, il pensieroso ed il moderato, oratorische Composition in der Clavierbearbeitung von Robert Franz, und deren Verhältnis zu Händel's großen Oratorien. In: Musikalisches Wochenblatt (hrsg. von Fritsch), 5. Jg., Leipzig 1874, S. 131 ff.; Rudolph, J.: Idylle und Pastorale. I. L'Allegro ed il Penseroso. In: Händel-Festspiele Halle 7.–10. Juni 1958, Programmheft, S. 23 ff.; Schering, A.: Geschichte des Oratoriums, Leipzig 1911, S. 276 ff.; Schoelcher, S. 229 ff.; Serauky III, S. 250 ff.; Siegmund-Schultze, S. 117 f.; Streatfeild, S. 163 f., 282 f.

Beschreibung der Autographe: Lbm: Catalogue Squire, S. 8 ff., 98. – Cfm: Catalogue Mann, Ms. 258, S. 176. – Hall, Krit. Bericht, S. 3 ff.

56. Messiah

Oratorio in three parts nach Bibeltexten

Textfassung: Charles Jennens

Besetzung: Soli: Sopr., Alto I, II, Ten., Basso. Chor: S. I, II; A.; T.; B. Instrumente: Ob. I, II; Fag. I, II; Trba. I, II; Timp.; V. I, II; Va.; Cont. ChA 45. – HHA I/17. – EZ: London, 22. August bis 14. September 1741. – UA: Dublin, 13. April 1742, Music Hall, Fishamble Street
(NB.: Die Vermerke *senza* bzw. *con rip.* gelten nur für die Aufführung 1749)

Part I

1. Sinfony

Ob. I, II
V. I, II
Va.
Cont.

2. Accompagnato. Ten.

V. I, II
Va.
Cont.

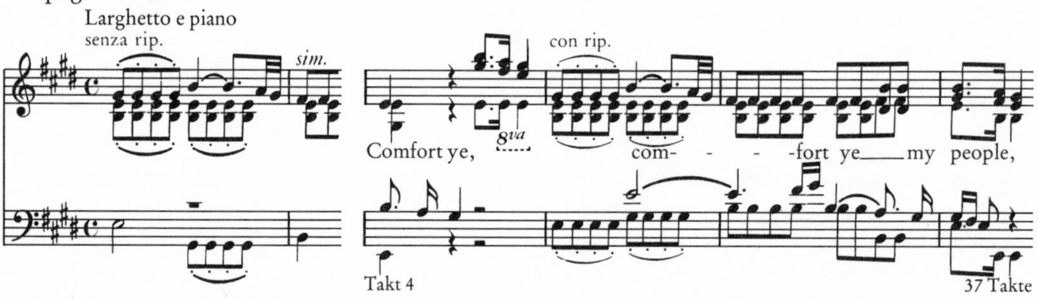

3. Air. Ten.

V. I, II
Va.
Cont.

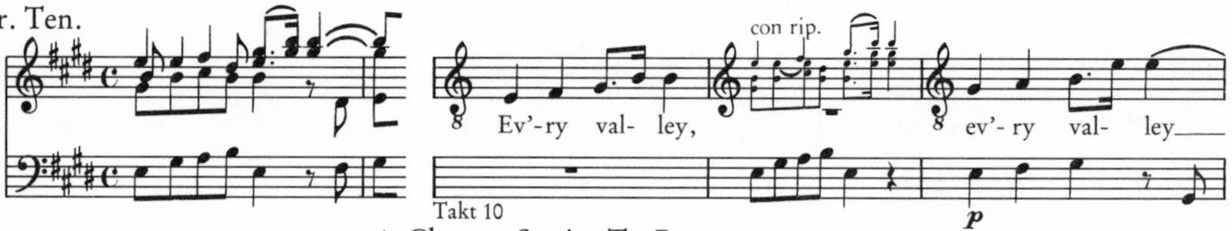

4. Chorus. S.; A.; T.; B.

5. Accompagnato. Basso

V. I, II
Va.
Cont.

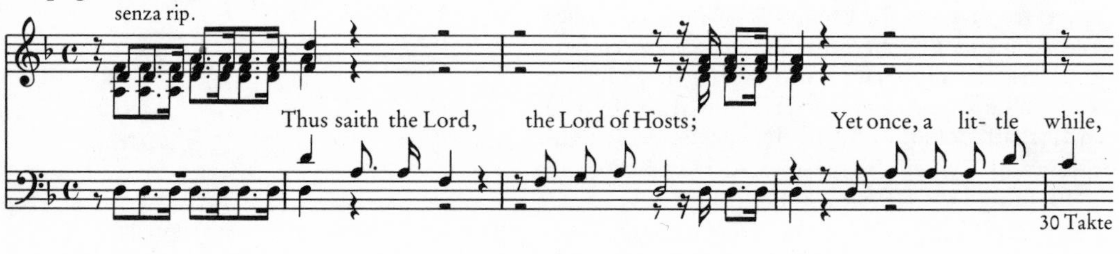

6a. Air. Basso

[Autograph: Un tono più alto ex E for Mr. Low in Tenor Cliff]

6b. Recitative. Basso (1742)

6c. Air. Alto (1750)

7. Chorus. S.; A.; T.; B.

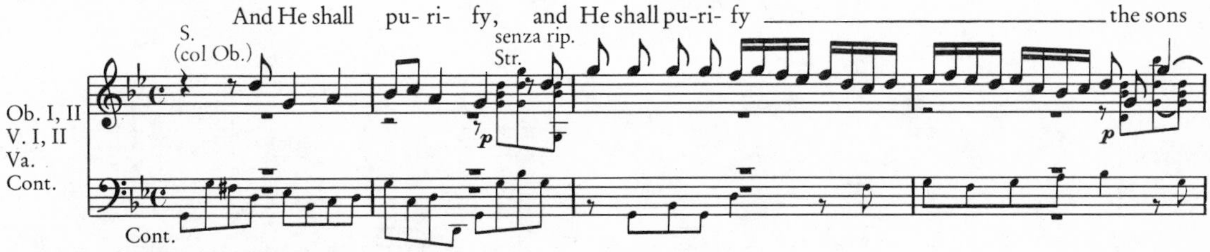

[vgl. HWV 154, HWV 192]

Recitative. Alto

8. Air and Chorus. Alto

Andante
V. I, II
Cont.
senza rip.
tr
Alto
p
O thou that tell-est good tidings to Zi- on,
p
Takt 13

Chorus. S.; A.; T.; B.

O thou that tell-est good tidings to Zi- on, good ti- - -dings to Je- ru- sa- lem,
Ob. I, II
V. I, II
Va.
Cont.
O thou that tell-est good ti-dings to Zi- on,
Takt 102
O thou that tell-est good tidings to Zi- on, good ti- dings to
145 Takte

9. Accompagnato. Basso

Andante larghetto
senza rip.
V. I, II
Va.
Cont.
p
For behold, dark- ness shall cov- er the earth,
p
Takt 6
23 Takte

10. Air. Basso

Larghetto
senza rip.
V. I, II
Va.
Cont.
Str. unis.
Cont.
p
Basso col Cont.
The peo- ple that walk- ed in dark- - - -ness,
Takt 5
63 Takte

11. Chorus. S.; A.; T.; B.

Andante allegro
Ob. I, II
V. I, II
Va.
Cont.
[vgl. HWV 189]
For un- to us a Child is born, un-to us a Son is
p
Str.
Cont.
Takt 7
giv- en,
for un- to us a Child is born
For un- to us a Child is born, un- to us
Takt 13

12. Pifa.

Larghetto e mezzo piano

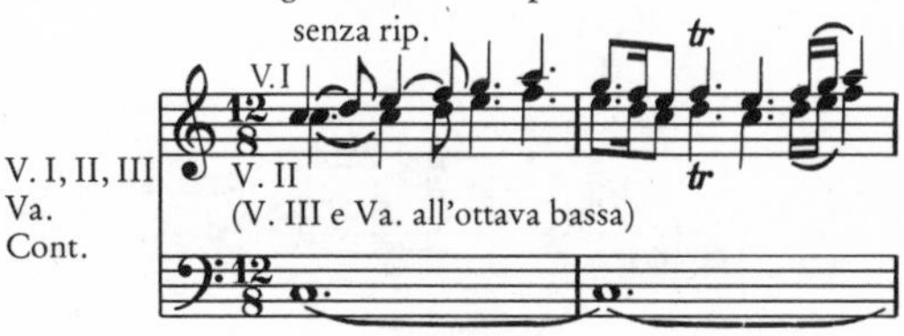

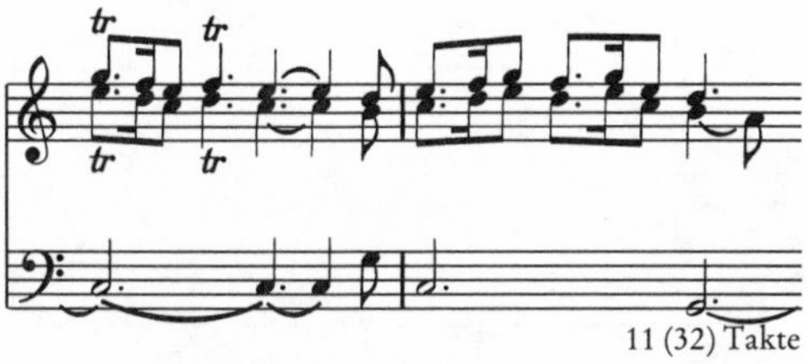

Recitative. Sopr.

13a. Accompagnato. Sopr.

Andante

13b. Arioso. Sopr. (1743)

Andante

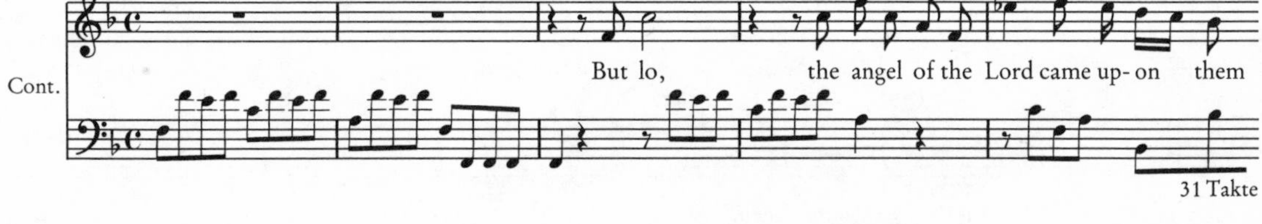

Recitative. Sopr.

14. Accompagnato. Sopr.

Allegro

And sud- den-ly there was with the an- gel a mul- ti-tude

Takt 4 8 Takte

15. Chorus. S.; A.; T.; B.

Allegro

Trba. da lontano e un poco piano

V. I, II
Va.
Ob. I, II
Trba. I, II
V. I, II
Va.
Cont.
Glo- ry to God, glo- ry to God in the high- - - - - -

Str.
p
est, and peace on earth,

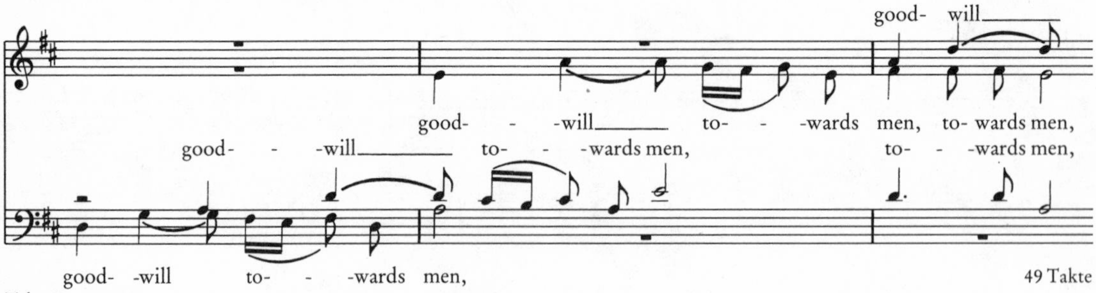
good- will
good- -will to- - -wards men, to- wards men,
good- - -will to- - -wards men, to- - -wards men,
good- -will to- - -wards men,

Takt 18 49 Takte

16a. Air. Sopr.

Allegro

V. I, II
Cont.
(con Fag.)
Rejoice, re- joice, re- joice great-ly,

Takt 9 113 (69) Takte

16b. Air. Sopr.; (1745)

Allegro

senza rip.
V. I, II
Cont.
(con Fag.)
Rejoice, re-joice, re-joice, greatly,
Takt 9 p
108 Takte

A. Recitative. Sopr.

Cont.
Then shall the eyes of the blind be open'd,
8 Takte

17a. Air. Sopr.

Larghetto e piano

V. I, II
Va.
Cont.

He shall feed His flock like a shep- - - -herd:
Takt 4
56 Takte

17b. Air. Alto (1742/49, F-Dur)

17c. Duet. Sopr.; Alto

B. Recitative. Alto (1742/49)

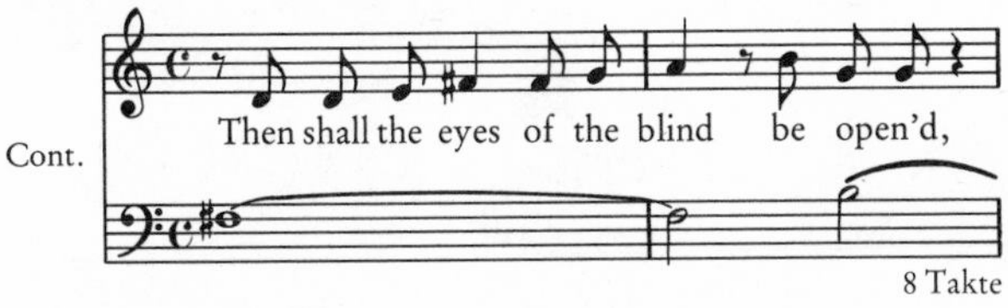
Cont.
Then shall the eyes of the blind be open'd,
8 Takte

Larghetto e piano

V. I, II
Va.
Cont.

Alto
He shall feed His flock like a shep- -herd,
Takt 5
b: 25 Takte

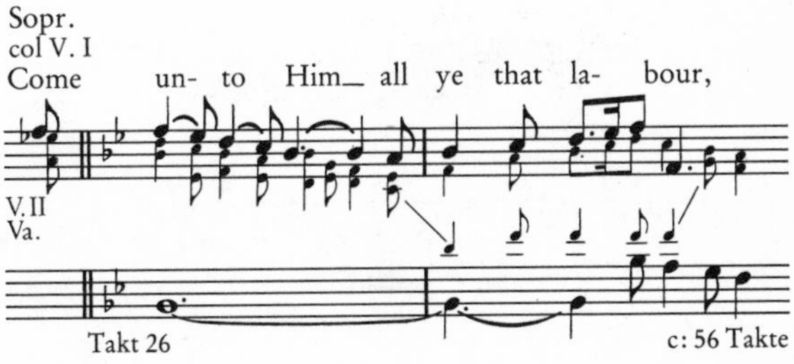
Sopr.
col V. I
Come un- to Him all ye that la- bour,
V. II
Va.
Takt 26
c: 56 Takte

18. Chorus. S.; A.; T.; B.

Allegro

His yoke is eas- - - - - - - -y, His burthen is light,
Ob. I, II
V. I, II
Va.
Cont.
51 Takte

[vgl. HWV 192]

Part II

19. Chorus. S.; A.; T.; B.

Largo

20. Air. Alto

Largo

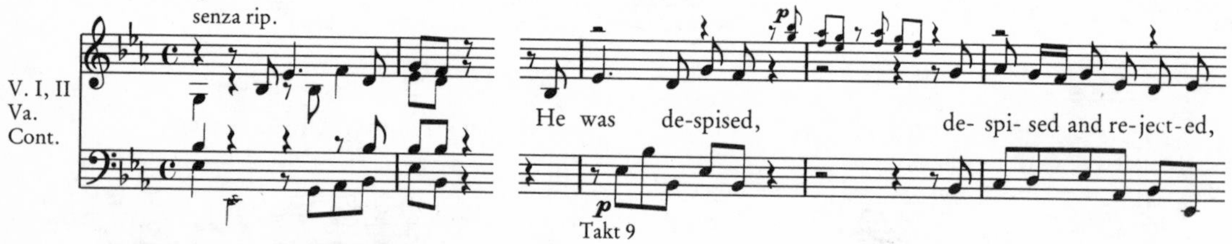

21. Chorus. S.; A.; T.; B.

Largo e staccato

22. Chorus. S.; A.; T.; B.

Alla breve, moderato

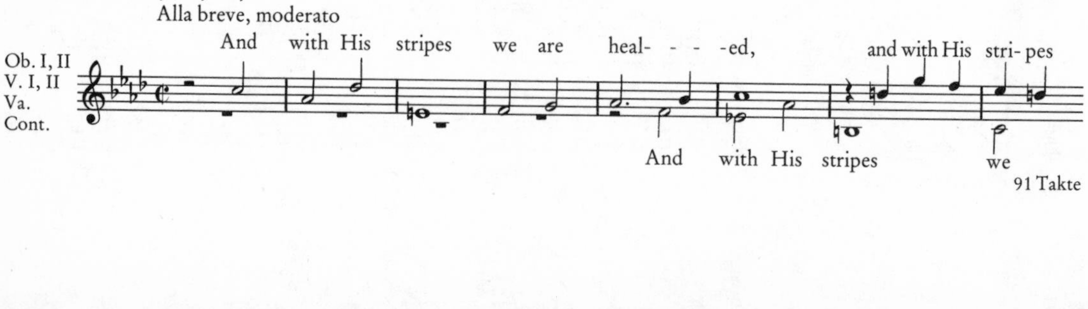

23. Chorus. S.; A.; T.; B.

Allegro moderato

Ob. I, II
V. I, II
Va.
Cont.

con rip.
have gone a- stray,
All we like sheep, all we like sheep, have gone a- stray,
Cont.

[vgl. HWV 189]

we have turn- - - - - - - - - - - - - -ed ev'- ry one
we have turn- - -ed we have turn- (ed)
Cont.

Takt 11 — 92 Takte

24. Accompagnato. Ten.

Larghetto

V. I, II
Va.
Cont.

senza rip.
All they that
Takt 4

see Him, laugh Him to scorn;

11 Takte

25. Chorus. S.; A.; T.; B.

Allegro

Ob. I, II
V. I, II
Va.
Cont.

He trusted in God that He would de-

liv-er Him, let Him de- liv-er Him, if He de- light in Him,

63 Takte

26. Accompagnato. Ten.

Largo

senza rip.

V. I, II
Va.
Cont.

Thy re- buke hath

bro- ken His heart;

18 Takte

27. Arioso. Ten.

Largo e piano

senza rip.

V. I, II
Va.
Cont.

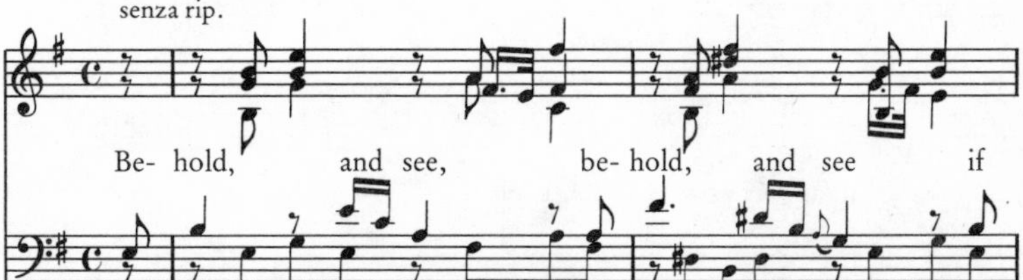
Be- hold, and see, be- hold, and see if

there be an- y sor- row
15 Takte
28. Accompagnato. Ten.
senza rip.
V. I, II
Va.
Cont.
He was cut off out of the land of the li- ving;
5 Takte
29. Air. Ten.
Andante larghetto
senza rip.
V. I, II
Cont.
But Thou didst not leave His soul in hell,
Takt 6
43 Takte
30. Chorus. S. I, II; A.; T.; B.
A tempo ordinario
senza rip
Ob. I, II
V. I, II
Va.
Cont.
(con strom.)
S. I
S. II, A.
Lift up your heads, O ye — gates, and be ye lift up, ye
Takt 5
ev- er- la- sting doors,
77 Takte
Recitative. Ten.
Cont.
Un- to which of the an- gels said He at a- ny time:
5 Takte
31. Chorus. S.; A.; T.; B.
Allegro
Tutti
Ob. I, II
V. I, II
Va.
Cont.
V. I, II
Let all the an- gels of God — wor- - ship Him,
let
let all the
all the an- gels of God,
an- -gels of God,
37 Takte
32a. Air. Basso
Allegro
V. I, II
Cont.
(con Fag.)
Thou art gone up on
Takt 11
high, thou art gone up on high,
V.
p
B.
thou hast led captiv- i- ty captive,
124 Takte

32b. Air. Alto (1743 / 1749)

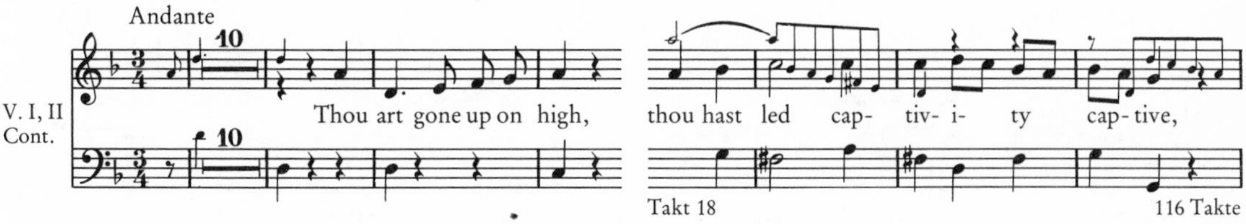
Andante
V. I, II
Cont.
10
Thou art gone up on high, thou hast led cap- tiv- i- ty cap- tive,
Takt 18
116 Takte

32c. Air. Alto (1750)

Larghetto
V. I, II
Cont.
10
Thou art gone up on high, Thou art gone up on high,
116 Takte

32d. Air. Sopr.; (transponiert nach g-Moll)

33. Chorus. S.; A.; T.; B.

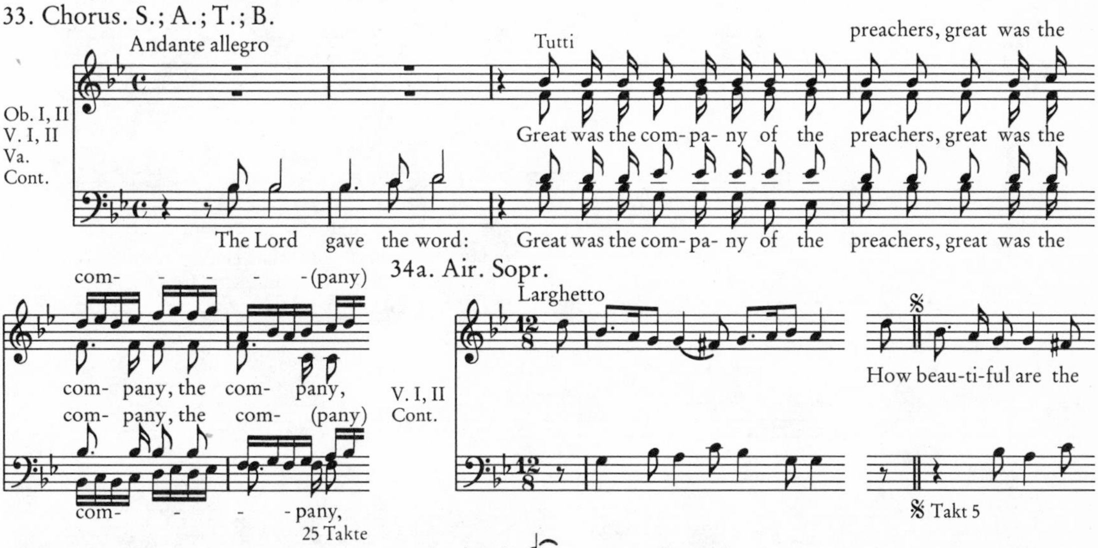
Andante allegro
Ob. I, II
V. I, II
Va.
Cont.
Tutti
preachers, great was the
Great was the com- pa- ny of the preachers, great was the
The Lord gave the word: Great was the com- pa- ny of the preachers, great was the
com- - - - - -(pany)
com- pany, the com- pany,
com- pany, the com- (pany)
com- - - - - pany,
25 Takte

34a. Air. Sopr.

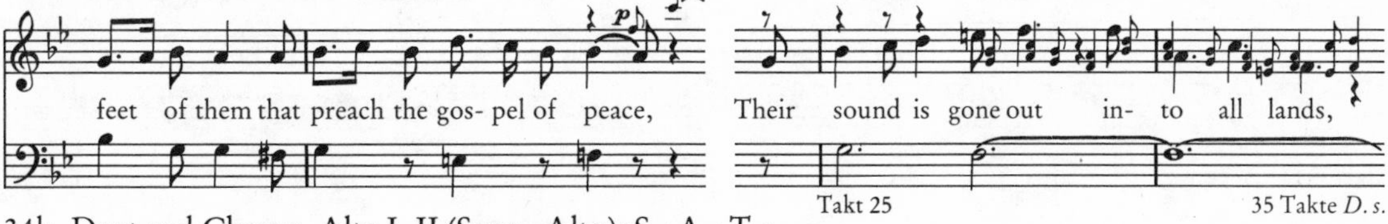
Larghetto
V. I, II
Cont.
How beau-ti-ful are the
Takt 5
feet of them that preach the gos- pel of peace, Their sound is gone out in- to all lands,
Takt 25
35 Takte D. s.

34b. Duet and Chorus. Alto I, II (Sopr., Alto); S.; A.; T.; B.; (1742 / 1743)

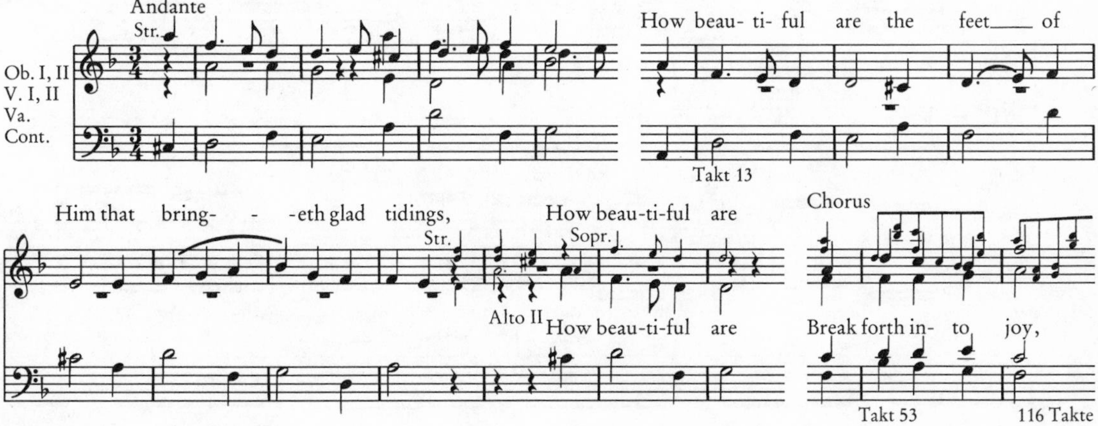
Andante
Str.
Ob. I, II
V. I, II
Va.
Cont.
Alto I
How beau- ti- ful are the feet of
Takt 13
Him that bring- - -eth glad tidings, How beau-ti-ful are
Str.
Sopr.
Alto II
How beau-ti-ful are
Chorus
Break forth in- to joy,
Takt 53
116 Takte

35a. Arioso. Ten.; (1743)

Andante larghetto
Cont.
Their sound is gone out, their sound is gone out in-to all lands,
23 Takte

34c. Air. Sopr. (1745)

Larghetto
V. I, II
Cont.
How beau- ti- ful are the feet of them that preach
Takt 5
24 Takte

35b. Chorus. S.; A.; T.; B. (1745)

A tempo ordinario
Ob. I, II
V. I, II
Va.
Cont.
Str.
Their sound is gone out in- to all lands, their sound is gone out
Their sound is gone out in- to all lands,
Their sound is gone out, their sound
Their sound is gone out,
and their words un- to the ends of the world,
and their words un- to the ends of the world, un- to the ends
Takt 14
38 Takte

34d. Air. Alto; (1751)

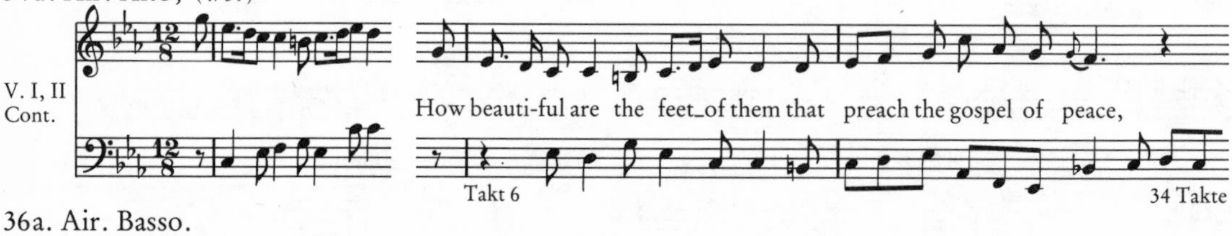
V. I, II
Cont.
How beauti-ful are the feet of them that preach the gospel of peace,
Takt 6
34 Takte

36a. Air. Basso.

Allegro
senza rip.
V. I, II
Va.
Cont.
Why do the
Takt 15
na- - - - -tions so fu- -rious- ly rage to- - -geth- -er,
96 Takte

36b. Air. Basso; (T. 1-38: s. Nr. 36a) (1742)

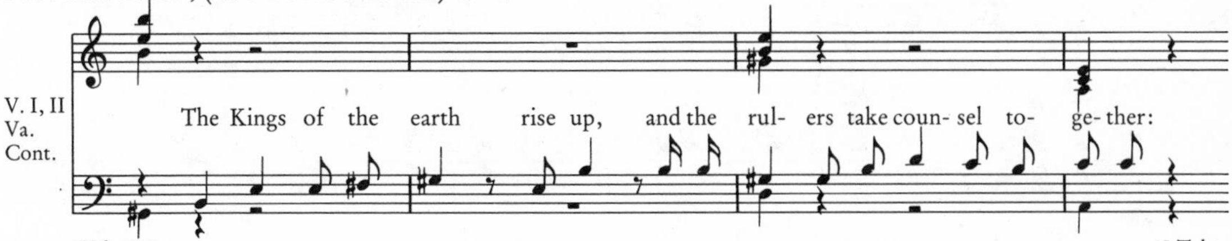
V. I, II
Va.
Cont.
The Kings of the earth rise up, and the rul- ers take coun- sel to- ge- ther:

[Takt 39]

45 Takte

37. Chorus. S.; A.; T.; B.

Allegro e staccato

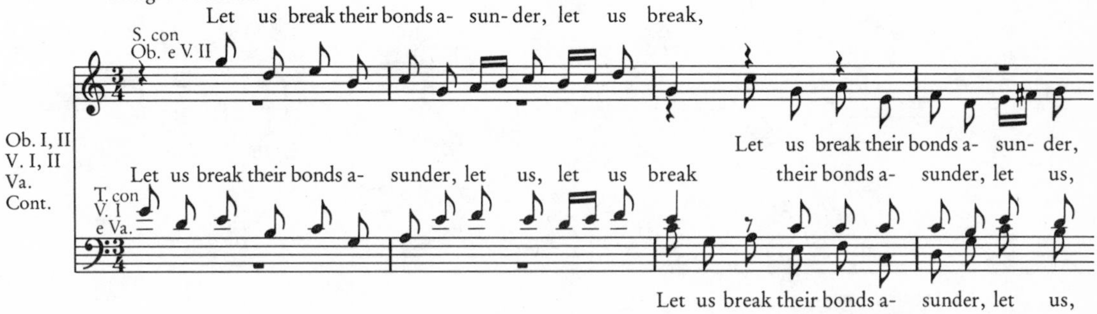
Let us break their bonds a- sun- der, let us break,
S. con Ob. e V. II
Ob. I, II
V. I, II
Va.
Cont.
Let us break their bonds a- sun- der,
Let us break their bonds a- sunder, let us, let us break their bonds a- sunder, let us,
T. con V. I e Va.
Let us break their bonds a- sunder, let us,

Takt 10

67 Takte

Recitative. Ten.

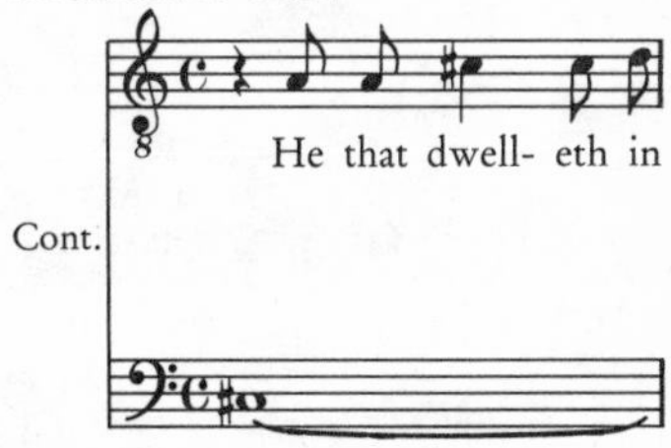
He that dwell- eth in
Cont.

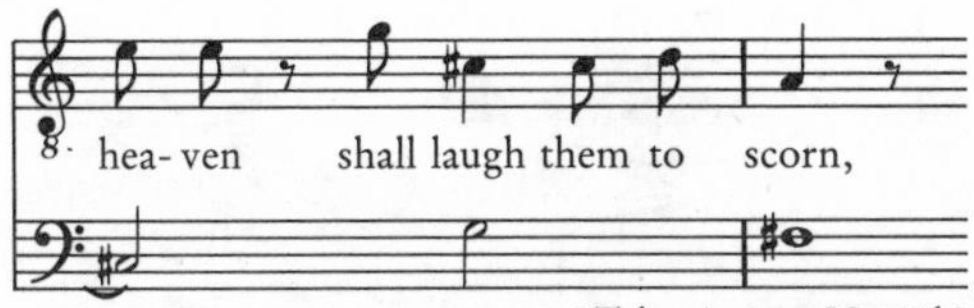
hea- ven shall laugh them to scorn,

4 Takte (attacca Nr. 38b)

38a. Air. Ten.

Andante

senza rip.

V. I, II
Cont.

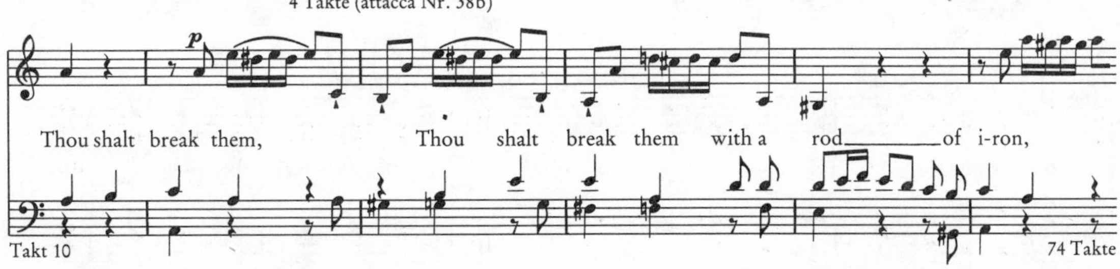
Thou shalt break them, Thou shalt break them with a rod of i-ron,

Takt 10

74 Takte

38b. Recitative. Ten.; (1742)

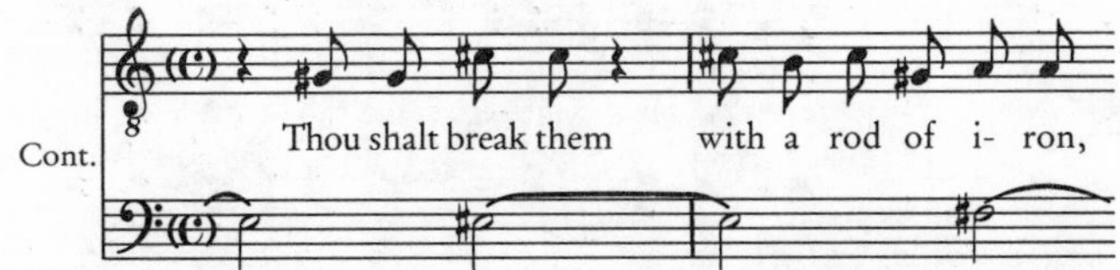
Cont.
Thou shalt break them with a rod of i- ron,

4 Takte

39. Chorus. S.; A.; T.; B.

Allegro

senza rip.

Cont.

Part III

40. Air. Sopr.

Larghetto
senza rip.
tr
V. I, II
Cont.
(con Fag.)
I know that my Re- deem- er liv- eth,
Takt 19
p
164 Takte

41. Chorus. S.; A.; T.; B.

Grave
(a cappella)
Allegro
(con strom.)
Ob. I, II
V. I, II
Va.
Cont.
Since by man came death, since by man came death, by man came
al- so the res- ur- rec- tion of the dead,
Grave
(a cappella)
For as in Ad- am all die,
Cont.
Takt 17
Allegro
for as in A- dam all die, even so in Christ shall all be made a- live,
Takt 23
37 Takte

42. Accompagnato. Basso

43a, b. Air. Basso

Pomposo, ma non allegro

Recitative. Alto

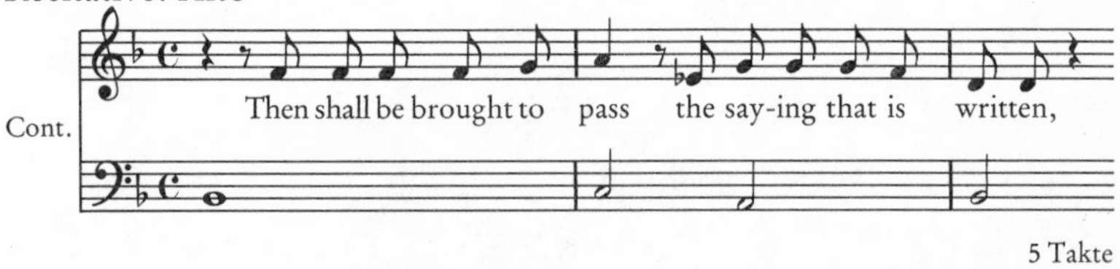

44a, b. Duet. Alto; Ten.

Andante

45. Chorus. S.; A.; T.; B.

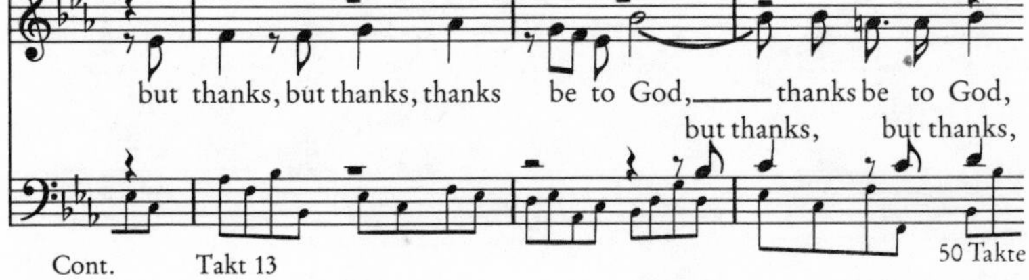

46a. Air. Sopr.

Larghetto

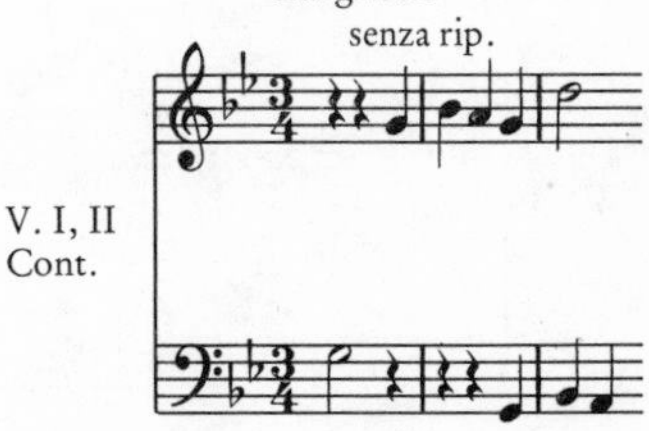

47. Chorus. S.; A.; T.; B.

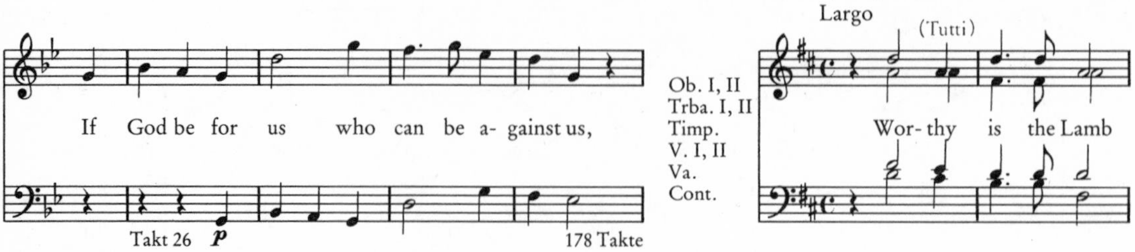
If God be for us who can be a- gainst us,
Takt 26
p
178 Takte
Largo
(Tutti)
Ob. I, II
Trba. I, II
Timp.
V. I, II
Va.
Cont.
Wor- thy is the Lamb

Andante
that was slain, and hath re- deem- ed us to God by His blood, to re-ceive po-wer,

Larghetto
Bless- ing and hon-our, glory and pow'r be un- to Him, be un- to Him that sit- teth up-on the
Takt 24

48. Chorus. S.; A.; T.; B.

Allegro moderato
Ob. I, II
Fag.
Trba. I, II
Timp.
V. I, II
Va.
Cont.
thro-ne, and un- to the Lamb,
71 Takte
A- - - - - -men, A- - - - - -

A- - - - - - - - - - -men,
- -men, A- - - - - - - - - - - - - - - - - -men,
88 Takte

Anhang

(5.) Accompagnato. Basso

A tempo ordinario (Grave)
V. I, II
Va.
Cont.
Va.
p
Thus saith the Lord, the Lord of Hosts;
32 Takte

Quellen

Handschriften: Autographe: GB Lbm (R. M. 20. f. 2., ohne T. 37–97 der Symphony Nr. 1 und Takt 1–13 von Nr. 2), Cfm (30 H 13, p. 58: Skizzen zu Nr. 20, 31, 37 und 48).

Abschriften: D (brd) Hs (M $\frac{A}{1030}$, Direktionspartitur nach 1759) – EIRE Dm (einzige Quelle für Rezitativ Nr. 6^b), Dtc (Ms. D. 5. 20.) – GB BENcoke (3 Ex., darunter Sterndale Bennett Ms.), Cfm (Barrett-Lennard-Collection; 24 F 17: Nr. 44), Ckc (Rw. MS. 200; Rw. MS. 8.), Cu, Lam, Lbm (R. M. 18. b. 10.; R. M. 18. e. 2.; Egerton 2937; Add. MSS. 5062; Add. MSS. 39774; R. M. 19. d. 1.: Klavierauszug von Ch. Jennens für Nr. 1–15, T. 1–36; R. M. 19. a. 2., f. 54–66: Alterations in Messiah, Nr. 6^c, 32^b, 36), Lu, London: Thomas Coram Foundation (MS. 111 bis 113, Part., St, des früheren Foundling Hospital), Mp [MS 130 Hd4, Part.: v. 198–200, St.: v. (142(2) bis 144(2), 145, 146(2)–149(2), 201–204, 247(6)–248(6), 353], T (MS. 346–347, Direktionspartitur 1742–1759 mit autographen Zusätzen) – US BETm (PSB 15), NYpm (Mary Flagler Carey Collection: Ouseley-Copy, Partiturabschrift aus dem Besitz von Hugo Goldschmidt, s. Rosenbach Company, Katalog, Philadelphia 1946), Wc (M 2000. H 22 M 28 P 2 case: St., book 2^d–13th; M 2105. H 13 S 7 P 2 case: Songs, St. f. V. II, Va., Vc, Cont.).

Faksimile-Ausgaben: a) Autograph: 1. Sacred Harmonic Society, Exeter Hall, London 1868; 2. Deutsche Händelgesellschaft, hrsg. von F. Chrysander, Hamburg 1892. b) Direktionspartitur: Handel's Conducting Score of Messiah, Reproduced in Facsimile from the Manuscript in the Library of St. Michael's College, Tenbury Wells. London: Scolar Press 1974.

Drucke: Songs in Messiah, an oratorio set to musick by Mr Handel. – London, J. Walsh (4 verschiedene Ausgaben); The songs in Messiah, an oratorio. – London, J. Walsh (5 verschiedene Ausgaben); The songs in Messiah. – s. l., s. n.; Messiah an oratorio in score as it was originally perform'd. Compos'd by Mr Handel to which are added his additional alterations. – London, Randall & Abell (6 verschiedene Ausgaben); — ib., H. Wright (3 verschiedene Ausgaben); — ib., Preston; Messiah a sacred oratorio in score with all the additional alterations composed in the year 1741. By G. F. Handel. – London, Arnold's edition, No. 9–13 (1787/88); The overture and songs in the Messiah for the harpsichord or piano forte composed by Mr Handel. – ib., J. Bland; The overture and songs in the oratorio of the Messiah for the harpsichord or piano-forte. – ib., J. Bland; The overture and songs in Messiah, for the harpsichord or piano forte composed by Mr Handel. – ib., F. Linley; The Messiah; an oratorio. Composed by Mr Handel, for the voice, harpsichord, and violin; with the chorusses in score. – ib., Harrison & Co. (= New Musical Magazine, No. 2–6, 1784); The Messiah; an oratorio. Composed by Mr Handel, for the German-flute. – ib., Harrison and Co.; Harrison's edition, corrected by Dr Arnold. The overture and songs in the Messiah, an oratorio; for the voice, harpsichord, and violin. Composed by Mr Handel. – ib., Harrison and Co.; The overture, songs and recitatives; in the Messiah: a sacred oratorio. Composed by G. F. Handel. – ib., Harrison, Cluse, & Co.; The sublime oratorio of the Messiah ... for the voice & piano forte, with the chorusses in score. – ib., G. Walker; The Messiah ... arranged for the organ or pianoforte, by Dr. John Clarke of Cambridge. – ib., S. J. Button & J. Whitaker; Messiah: an oratorio ... set to musick by Mr. Handel ... a new edition. – ib., E. Johnson, W. Russel; Auszug der vorzüglichsten Arien, Duette und Choere aus Georg Friedrich Haendels Messias und Judas Maccabaeus, in claviermäßiger Form, von Johann Adam Hiller. – Dresden und Leipzig, J. G. I. Breitkopf, 1789; Händel's Oratorium: Der Messias, im Clavierauszuge von C. F. G. Schwencke mit deutschem Texte von Klopstock und Ebeling. – Hamburg, Johann August Böhme (1809); New edition Messiah an oratorio. (In score). As it was originally performed, composed by Mr Handel, to which are added his additional alterations. – London, Bland & Weller; N° 10. The overture, pastoral symphony and chorusses in the sacred oratorio of Messiah, composed by G. F. Handel, 1741, and arranged for the organ or piano forte by Wm Crotch. – London, R. Birchall; [8 (10)] Grand Chorusses from Mr Handel's oratorio of the Messiah, adapted for the organ or harpsichord and voice, book I^{st} (2^d). – ib., J. Bland; Eight grand chorusses ... of the Messiah, adapted for the organ, harpsichord and voice. – ib., Bland & Weller; —ib., Thomas Preston; The chorusses with the proper cues to each of them in the sacred oratorio of the Messiah. – s. l., s. n. (Samuel Arnold), St.; — Birmingham, James Kemson, 1780; — Pimlico, John Ashley; Overture in the Messiah. – London, G. Walker; But lo! the angel of the Lord came upon them. Air (in: The Lady's Magazine, 1789, supplement). – s. l., s. n.; But thou didst not. – London, J. Bland; — ib., Bland & Weller; But who may abide the day. – ib., J. Bland; — ib., G. Walker; Comfort ye my people. E'vry valley shall be exalted. Messiah. – (London), J. Bland; — ib., A. Bland & Weller; Comfort ye my people. – Dublin, John Lee, Edmund Lee; Comfort ye my people. Ev'ry valley. – London, F. Linley; Comfort ye my people. – ib., J. Dale; Ev'ry valley. Air (in: The Lady's Magazine, Jan., 1789). – sl. l., s. n.; — London, J. Dale; For behold darkness. – (London), J. Bland; For unto us a child is born. Messiah. – London, Bland & Weller; Glory to God in the highest. – (London), G. Walker; The grand chorus (Hallelujah) in the Messiah, adapted for the voice, organ, harpsichord and pianoforte. – London, W. Randall; — ib., H. Wright; Hallelujah chorus. – ib., A. Bland & Weller; — Dublin, John Mc Calley; – London, W. Boag; The Hallelujah Chorus from the oratorio of the Messiah, composed by G. F. Handel, arranged for two performers on the piano forte by T. Haigh. – ib., Goulding, d'Almaine, Potter & Co.; Hallelujah, the grand chorus, arranged as a duet, for two performers on one piano forte. – ib., R. Birchall; Handel's Hallelujah in the Messiah, and grand coronation anthem; to which are prefix'd two new fugues; the whole adapted & composed for 2 performers on one organ or harpsichord by J. Marsh. – ib., R. Bremner; — ib., Preston & Son.; He shall feed his flock. – (London), J. Bland; — London, A. Bland & Weller; — ib., G. Walker; He was despised. Messiah. – (London, J. Bland; — (London), J. Dale; He was despised, in the Messiah. – London, G. Walker; How beautiful are the feet. Song (in: The Lady's Magazine, Feb., 1774). – s. l., s. n.; — ... (in: The Lady's Magazine, Jan., 1784). – s. l., s. n.; — ... (in: The Lady's Magazine, Jan., 1790). – s. l., s. n.; — London, J. Bland; — ib., A. Bland & Weller; If God is for us. – (London), J. Bland; I know that my Redeemer. – (London), J. Bland; — ... a favourite song. – London, A. Bland & Weller; — ib., G. Walker; — (London), J. Dale; — (London), W. Gawler; O death, where is thy sting. – (London), J. Bland; — ... Duet. – London, A. Bland & Weller; O thou that tellest good (tidings to Zion). – (London), J. Bland; — London, Bland & Weller; O Thou that tellest, in the Messiah. – (London), G. Walker; Rejoyce greatly. Messiah. – (London), J. Bland; The trumpet shall sound. – (London), J. Bland; — London, A. Bland & Weller; — ib., F. Linley; — (London), T. Gladman; Thou art gone up on high. – (London), J. Bland; Thou shalt break them. – (London), J. Bland; Why do the nations. – (London), A. Bland & Weller. – The Works of Handel, printed for the members of the Handel Society, vol. 10/11, ed. E. F. Rimbault, London 1850.

G. F. Händel's Oratorium: Der Messias, nach W. A. Mozart's Bearbeitung (Teil 1–3). – Leipzig, Breitkopf & Härtel (1803); The Messiah. An oratorio ... accompaniments for wind instruments added by W. A. Mozart ... revised and arranged with a compressed accompaniment for the piano forte or organ, by J. Addison. – London, Goulding & D'Almaine; Chorstimmen zum Oratorium: Der Messias von G. F. Händel. Nach Mozarts Bearbeitung, und mit deutschem und neu hinzugefügtem Lateinischem Texte. – Bonn, N. Simrock, No. 2679; Der Messias, Oratorium von G. F. Händel (Klass. Werke ält. u. neuerer Kirchenmusik in ausgesuchten Chorstimmen 17te Lieferung). – Berlin, Trautwein & Co.

Libretto: Messiah. An Oratorio compos'd by Mr. Handel. Majora canamus ... – Dublin. George Faulkner, 1742; Messiah. An Oratorio. At it is perform'd at the Theatre-Royal in Covent-Garden. Set to musick by Mr. Handel. Majora canamus ... – London, J. Watts, B. Dod, 1749 — ib., 1750; — ib., 1755 bis 1759.

Bemerkungen

Das Oratorium „Messiah" entstand zwischen dem 22. August und dem 14. September 1741 (Part I wurde am 28. August, Part II am 6. September und Part III am 12. September beendet). Händels Eintragungen über Beginn und Abschluß der Komposition im Autograph lauten: f. 1r: „♄ (= Sonnabend) angefangen den 22. August 1741.", f. 130v: „S. D. G. Fine dell'Oratorio G. F. Handel. ♄ Septembr 12. 1741. Ausgefüllet den 14. dieses."

Das aus dem Alten und Neuen Testament zusammengestellte Libretto (Übersicht u. a. bei R. M. Myers, Appendix A, S. 291), das in seiner rein biblisch-kontemplativen Haltung eine Sonderstellung unter Händels Oratorientexten einnimmt, stammt von Charles Jennens. Er benutzte die Weissagungen der Propheten des Alten Testaments über das Kommen des Messias als Ankündigung und Erläuterung der Ereignisse, über die von den Evangelisten des Neuen Testaments berichtet wird. Obwohl gelegentlich bestritten wurde, daß Jennens der einzige Textautor sei[1], widersprechen dem jedoch einige Briefstellen Händels, in denen die Urheberschaft von Jennens am „Messiah"-Text nachdrücklich bestätigt wird (s. die Briefe vom 29. Dezember 1741 und 9. September 1742 bei Deutsch, S. 530 und 554). Auch von Jennens selbst gibt es mehrere Äußerungen über seine Arbeit. In einem noch unveröffentlichten Brief vom Juli 1741 schreibt er[2]: „Handel says he will do nothing next Winter, but I hope I shall perswade him to set another Scripture collection I have made for him, & perform it for his own Benefit in Passion week. I hope he will lay out his whole Genius & Skill upon it, that the Composition may excell all his former Compositions, as the Subject excells every other Subject. The Subject is Messiah ..." Über die Zusammenarbeit beider Autoren während der Entstehung des Werkes unterrichtet eine weitere Briefstelle, in der Jennens dem obengenannten Adressaten folgendes mitteilt: „I shall show you a collection I gave Handel, call'd Messiah, which I value highly, & he has made a fine Entertainment of it, tho' not near so good as he might & ought to have done. I have with great difficulty made him correct some of the grossest faults in the composition, but he re-

[1] Nach Ansicht von William Hone (The Every-Day-Book: and Table Book, London 1827, vol. III, part 2, Sp. 651) soll nicht nur Jennens' Sekretär Pooley sondern auch Händel selbst an der Auswahl und Kompilation der Schriftstellen beteiligt gewesen sein. Dies übernahmen auch Flower und Weinstock u. a. in ihre Händel-Biographien. In der revidierten Ausgabe seines Buches 1959 (S. 271, Anm. 2) nahm Flower diese Annahme zurück.

[2] Brief an Edward Holdsworth vom 10. Juli 1741. Vgl. Hicks, A.: An Auction of Handeliana. In: The Musical Times, vol. 114, 1973, S. 892. Die Jennens-Holdsworth-Briefe erwarb Mr. Gerald Coke, Bentley, dem für die freundlichst gewährte Erlaubnis zur Benutzung seiner Sammlung herzlich gedankt sei.

tained his overture obstinately in which there are some passages far unworthy of Handel but more unworthy of the Messiah" (Deutsch, S. 622, Brief vom 30. August 1745). Händel hatte den Wünschen nach Änderung einzelner Stellen vermutlich schon 1744 zugestimmt, denn in einem Brief vom 19. Juli schreibt er abschließend an Jennens: „Be pleased to point out these passages in the Messiah which you think require altering" (Deutsch, S. 592).

Im Hinblick auf den Entstehungsanlaß des „Messiah" neigt man neuerdings zu der Ansicht (u. a. P. H. Lang, s. Lit.), daß das Werk von vornherein für karitative Zwecke bestimmt gewesen und als eine Art Auftragswerk dreier Dubliner Wohltätigkeitsorganisationen anzusehen sei. Dem entspricht eine Anzeige in „Faulkner's Dublin Journal" vom 10. April 1742 (s. Deutsch, S. 545) über die bevorstehende Aufführung des Werkes durch die Vermittlung von „well-wishers to this Noble and Grand Charity for which this oratorio was composed..." Jennens, den Händel über sein Vorhaben im Unklaren gelassen hatte, war enttäuscht, daß das Oratorium nicht seine Uraufführung in London haben sollte (vgl. seinen Brief an Edward Holdsworth vom 2. Dezember 1741, GB BENcoke), und sandte Händel die auf allen Titelblättern der verschiedenen Librettoausgaben abgedruckten Einleitungsworte „Majora canamus..." nach, die nach Vergils *Bucolica* (Ecloge IV), 1. Timotheus III: 16 und Col. II:3 zusammengestellt sind.

Die Einladung, eine Reihe von Konzerten in der irischen Hauptstadt zu veranstalten, erhielt Händel von William Cavendish, 3. Duke of Devonshire und Lord Lieutenant von Irland, der im Februar 1741 in London gewesen war. Händel kam am 18. November 1741 in Dublin an und begann bald darauf mit seinen Konzerten. Die Uraufführung von „Messiah" wurde in „Faulkner's Dublin Journal" vom 27. März 1742 mit folgenden Worten angekündigt: „For the Relief of the Prisoners in the several Gaols, and for the Support of Mercer's Hospital in Stephen's Street, and of the Charitable Infirmary on the Inn's Quay, on Monday the 12th of April will be performed at the Musick Hall in Fishamble Street, Mr. Handel's new Grand Oratorio, called *The Messiah*". Sie erfolgte (nach der öffentlichen Generalprobe am 9. April) aber erst am 13. April 1742, unter Mitwirkung von etwa 20 Chorsängern der Dubliner Hauptkirchen Christ Church und St. Patrick's Cathedral (wo Jonathan Swift zu dieser Zeit das Amt des Dean bekleidete) sowie der Musiker der beiden großen Musikvereine Academy of Music und Charitable Musical Society unter Leitung des Geigers Matthew Dubourg. Solisten waren Christina Maria Avoglio (Sopran)[3], Susanna Maria Cibber (Alt) sowie die Mitglieder der Dubliner Kathedralchöre William Lamb (Countertenor), Joseph Ward (Alt), James Bailey (Tenor), John Hill und John Mason (Baß). Der Reinertrag dieses Konzerts in der überfüllten Neale's Musick Hall in der Fishamble Street in Höhe von 400 £ kam drei Wohltätigkeitsorganisationen zugute. Die zweite Aufführung am 3. Juni 1742, diesmal zugunsten Händels, brachte ebenfalls einen großen Erfolg. Vor seiner Rückreise nach London (am 14. August 1742) übergab Händel der Charitable Musical Society eine Abschrift der Messias-Partitur, die später in den Besitz von Mercer's Hospital überging.

Für die Uraufführung in Dublin, rekonstruierbar aufgrund des erhaltenen Textbuches und der Dubliner Direktionspartitur, hatte Händel seine im Autograph vorliegende Erstfassung wesentlich umgestaltet. Während an den Rezitativen und Chören nur wenig geändert wurde, zeigen die Solonummern stärkere Eingriffe in die ursprüngliche kompositorische Struktur (Übersicht bei J. P. Larsen, Handel's Messiah, Kap. 3, S. Shaw, Companion, und J. Tobin, Handel's Messiah, Kap. 3, sowie Krit. Bericht zu HHA I, Bd. 17). Eine „definitive" Version des Werkes hat es nach Larsens Meinung niemals gegeben.

Aufführungen in London fanden am 23., 25. und 29. März 1743 in Coventgarden mit den Solisten Christina Maria Avoglio, Miss Edwards und Catherine Clive, Sopran, Susanna Maria Cibber, Alt, John Beard, Tenor, und Thomas Reinhold, Baß, am 16. Februar 1744 durch die Academy of Antient Music sowie am 9. und 11. April 1745 (Haymarket Theatre) unter Händels Leitung mit Elisabeth Duparc detta La Francesina (Sopran), Miss Robinson (Mezzosopran), Susanna Maria Cibber (Alt), John Beard (Tenor) und Thomas Reinhold (Baß) statt. Für die in diesen Aufführungen gebotenen Fassungen wurden von Händel wiederum Änderungen vorgenommen, die zum Teil auch auf kritische Bemerkungen von Jennens zurückzuführen sind.

In London, wo das Werk zunächst nicht unter dem eigentlichen Titel, sondern bis 1745 nur als „A new sacred oratorio" aufgeführt wurde, hatte es anfangs wenig Erfolg. Erst am 23. März 1749 erschien es wieder auf Händels Spielplan, jetzt als „Messiah", in der Besetzung mit Giulia Frasi (Sopran), einem Knabensopran (the Boy), Caterina Galli (Mezzosopran), Thomas Lowe (Tenor) und Thomas Reinhold (Baß). Eine eigentliche Aufführungstradition für „Messiah" entwickelte sich jedoch erst ab 1750, als Händel begann, das Werk jeweils Jahr für Jahr im Schlußkonzert seiner Oratorienaufführungen der Frühjahrssaison kurz vor der Unterbrechung des Konzertlebens durch die Fastenzeit zu geben. Seinen eigentlichen Durchbruch erzielte „Messiah" mit der denkwürdigen Aufführung am 1. Mai 1750 zum Besten des Foundling Hospital (begründet von Thomas Coram) in der neuerbauten Kapelle dieses Waisenhauses. Händel führte es in folgender Besetzung auf: Giulia Frasi (Sopran), Caterina Galli (Mezzosopran),

[3] Eine zweite Sopranistin, Mrs. Maclain (McLean) sang vermutlich nur in der zweiten Aufführung am 3. Juni 1742.

Gaetano Guadagni (Altkastrat), Thomas Lowe (Tenor), Thomas Reinhold (Baß).
Von 1752 an wurde es dann regelmäßig zugunsten dieser Institution aufgeführt. Für diese Jahre bis zu Händels Tod lassen sich folgende Sänger, zum Teil aus den Rechnungsunterlagen des Foundling Hospital bestätigt, nachweisen: 1754: Giulia Frasi und Christina Passerini (Sopran), Caterina Galli (Mezzosopran), John Beard (Tenor), Robert Wass (Baß). 1758: Giulia Frasi (Sopran), Cassandra Frederick und Isabella Young-Scott (Mezzosopran), John Beard (Tenor), Samuel Champness und Mr. Wass (Baß). 1759: Giulia Frasi (Sopran), Isabella Young-Scott (Mezzosopran), Signor Ricciarelli (Altkastrat), John Beard (Tenor), Samuel Champness (Baß).
Händel vermachte dem Foundling Hospital noch zu Lebzeiten (in einem Nachtrag zu seinem Testament vom 4. April 1757) eine Partitur und ein komplettes Stimmenmaterial. Mit den Orchesterstimmen aus der Aylesford-Collection (GB Mp) sind es die einzigen aus dem 18. Jahrhundert überlieferten, wenn auch niemals benutzten Stimmen zu „Messiah". Kamen für die Dubliner Uraufführung nur die dort zur Verfügung stehenden Musiker in Betracht, hatte Händel, wie die Abrechnungen des Foundling Hospital zeigen, später in London eine offensichtlich größere Besetzung von 14 Violinen, 6 Violen, 3 Violoncelli, 2 Kontrabässen, 4 Oboen, 4 Fagotten, 2 Trompeten, 2 Hörnern und Pauken sowie – neben „the children of the King's Chapel" unter Bernard Gates – etwa 12 Tenören und Bässen im Chor zur Verfügung.
Die letzte „Messiah"-Aufführung, der Händel selbst beiwohnen konnte, erfolgte am 6. April 1759 in Coventgarden.
Die „Messias"-Bearbeitungen des späten 18. und 19. Jahrhunderts (von J. A. Hiller, W. A. Mozart, R. Franz u. a.) gehen auf keine direkten Aufführungstraditionen Händels mehr zurück.
Für folgende Sätze lassen sich thematische Entsprechungen in anderen Werken Händels nachweisen:

2. Comfort ye, my people
   HWV 46^a Il Trionfo del Tempo: 13. Crede l'uom ch'egli rigore
   HWV 6 Agrippina: 29. Vaghe fonti
   HWV 13 Muzio Scevola: 6. Volate più dei venti (T. 28 ff.)
   HWV 386^b Triosonate h-Moll op. 2 Nr. 1: 3. Satz (Largo) bzw.
   HWV 386^a Variante c-Moll: 3. Satz (Andante)
   HWV 71 The Triumph of Time and Truth: 15. Mortals think that Time
7. And He shall purify[4]
   HWV 154, HWV 192 „Quel fior che all'alba ride": 3. L'occaso ha nell'aurora
   HWV 66 Susanna: 35. Righteous Daniel/Hence we found the paths of truth (T. 29 ff.)
10. The people that walked in darkness
   HWV 41 Imeneo: 5^b. Di cieca notte allor
11. For unto us a child is born
   HWV 7^a Rinaldo (1. Fassung): 17. Venti turbini, prestate
   HWV 189 Duett „No, di voi non vuò fidarmi": No, di voi
18. His yoke is easy
   HWV 192 Duett „Quel fior che all'alba ride": Que fior che all'alba
23. All we like sheep
   HWV 189 Duett „No, di voi non vuò fidarmi": So per prova
44. O death, where is thy sting? bzw. 45. But thanks be to God
   HWV 193 Duett „Se tu non lasci amore": Se tu non lasci amore

Die Chöre „And the glory of the Lord" (4) sowie „Lift up your heads" (30) übernahm Händel als Instrumentalsätze in die Concerti a due Cori B-Dur HWV 332 (2. Satz: Allegro ma non troppo) bzw. F-Dur HWV 333 (3. Satz: A tempo giusto).
Das Kontrasubjekt des Chores „Let all the angels of God" (31) entlehnte Händel der Canzona 6 in G von Johann Kaspar Kerll (DTB, II/2, 1901, S. 36 f., No. 14)[5], das Ritornellthema der Arie „Thou shalt break them" (38) der Oper „Il Numitore" (1720) von Giovanni Porta (Arie „Torni, o sole", Ritornello)[6].

Literatur
Bairstow, E. C.: Handel's Oratorio „The Messiah", London 1928, ^{2}/1956; Benson, J. A.: Handel's Messiah: The Oratorio and its History, London 1923; Burney IV, S. 1005 ff.; Burney, Ch.: An Account of the Musical Performances in Westminster-Abbey, and the Pantheon. In: Commemoration of Handel, London 1785; Burrows, D.: Handel's Performances of Messiah: The Evidence of the Conducting Score. In: Music & Letters, vol. 56, 1975, S. 319 ff.; Chrysander, F.: Die Originalstimmen zu Händels „Messias". In: Jb. der Musikbibliothek Peters, 2. Jg., 1896, S. 9 ff.; Chrysander F.: Bemerkungen zu dem Aufsatze von W. G. Cusins über Händel's Messias. In: Allgemeine Musikalische Zeitung, 10. Jg., Leipzig 1875, S. 481 ff.; Chrysander, F.: Zelter über Hän-

[4] Vgl. Telemann, G. Ph.: Der Harmonische Gottesdienst, Teil II, Kantate auf Rogate „Deine Toten werden leben", Hamburg 1725/26, in: G. Ph. Telemann, Musikalische Werke, Bd. III, hrsg. von G. Fock, Kassel und Basel 1953, S. 236 ff. Vgl. auch die Skizze in GB Lbm (R. M. 20. g. 14., f. 51^r)

[5] Gudger, W. D.: A Borrowing from Kerll in „Messiah". In: The Musical Times, vol. 118, 1977, S. 1038 f. Vgl. auch Mann, A.: Eine Kompositionslehre Händels. In: Händel-Jb., 10./11. Jg., 1964/65, S. 35 ff., besonders S. 55 f.; Mann, A.: Aufzeichnungen zur Kompositionslehre. Aus den Handschriften im Fitzwilliam Museum Cambridge, HHA, Supplement Bd. 1, Leipzig und Kassel 1978, S. 51.

[6] Gudger, W. D.: Skizzen und Entwürfe für den Amen-Chor in Händels' „Messias". In: Händel-Jb., 26. Jg., 1980, S. 83 ff., Notenbsp. 4, S. 104.

del's Messias und Mozart's Bearbeitung desselben. In: Allgemeine Musikalische Zeitung, 12. Jg., Leipzig 1877, S. 340ff.; Chrysander F.: Goethes und Zelters Correspondenz über Händels Messias. In: Allgemeine Musikalische Zeitung, 12. Jg., 1877, S. 353ff.; Clausen, S. 172ff.; Culwick, J. C.: Handel's Messiah: Discovery of the Original Word-Book used at the First Performance in Dublin, April 13, 1742; with some Notes, Dublin 1891; Cuming, G.: The Text of Messiah. In: Music & Letters, vol. 31, 1950, S. 226ff.; Cummings, W. H.: The Messiah. In: The Musical Times, vol. 44, 1903, S. 16ff., 184; Cusins, W. G.: Handel's Messiah. An examination of the original and of some contemporary MSS, London 1874; Deutsch, S. 521, 542ff.; Edwards, F. G.: Handel's Messiah. Some Notes on its History and First Performance. In: The Musical Times, vol. 43, 1902, S. 713ff.; Flood, W. H. G.: Crow St. Music, Dublin, from 1730 to 1754. In: SIMG, 11. Jg., 1909/10, S. 442ff.; Flood, W. H. G.: Fishamble St. Music Hall, Dublin, from 1741 to 1777. In: SIMG, 14. Jg., 1912/13, S. 51ff.; Flower, p. 269ff./S. 245ff.; Hall, J. S.: The New Messiah Manuscript. In: The Musical Times, vol. 102, 1961, S. 711, 780; Herbage, S. 95ff.; Herbage, J.: Messiah, London 1948; Lang, p. 332ff./S. 300ff.; Larsen, J. P.: Gibt es eine definitive Version von Händels „Messias"? In: Kongreßbericht IGM, Basel 1949, S. 178ff.; Larsen, J. P.: Handel's Messiah. Origins, Composition, Sources, Copenhagen 1957; Larsen, J. P.: „Wort-Ton-Probleme" in Händels „Messias". In: Händel-Jb., 22./23. Jg., 1975/76, S. 53ff.; Leichtentritt, S. 388ff.; Mann, A.: Messiah – The verbal Text. In: Festskrift Jens Peter Larsen, København 1972, S. 181ff.; Mann, A.: Bass Problems in „Messiah". In: Studies in Renaissance and Baroque Music in Honour of Arthur Mendel, Kassel, Hackensack, N. J. 1974, S. 359ff.; Myers, R. M.: Handel's Messiah. A Touchstone of Taste, New York 1948; Percival, A. D.: Dublin. In: MGG, Bd. III, Kassel 1953; Rudolph, J.: Die historischen Bezüge des Messias. In: Händel-Jb., 13./14. Jg. 1967/68, S. 43ff.; Schering, A.: Geschichte des Oratoriums, Leipzig 1911, S. 278ff.; Schoelcher, S. 241ff.; Seiffert, M.: Die Verzierung der Sologesänge in Händel's Messias. In: SIMG, 8. Jg., 1906/07, S. 581ff.; Seiler, R.: Die Ariengestaltung in Händels Messias, Diss. phil. (maschinenschriftl.) Erlangen 1947; Serauky III, S. 633ff.; Shaw, H. W.: Handel's Messiah, London 1948; Shaw, H. W.: John Matthew's Manuscript of Messiah. In: Music & Letters, vol. 39, 1958, S. 101ff.; Shaw, H. W.: Handel's Messiah: A Study of selected contemporary word-books. In: Musical Quarterly, vol. 45, 1959, S. 208ff.; Shaw, H. W.: An inaccessible Messiah Manuscript (Goldschmidt). In: The Music Review, 23. Jg., No. 2, 1962, S. 109ff.; Shaw, H. W.: Handel's Conducting Score of Messiah. Tenbury 1962; Shaw, H. W.: The „Sterndale Bennett" Manuscript Score of „Messiah". In: Music & Letters, vol. 44, 1963, S. 118ff.; Shaw, H. W.: The Story of Handel's Messiah 1741–1784, London, 1963; Shaw, H. W.: A Textual and Historical Companion to Handel's Messiah, London 1965; Siegmund-Schultze, S. 120ff.; Siegmund-Schultze, W.: Zwei Händelsche Kammerduette und „Der Messias". In: Programmheft der Händelfestspiele Halle 7. bis 10. Juni 1958, S. 75ff.; Siegmund-Schultze, W.: Über die ersten Messias-Aufführungen in Deutschland. Mit 3 Anhängen. Anhang I: Die Textfassungen von J. G. Herder, F. G. Klopstock und J. A. Hiller. Anhang II: J. A. Hiller, aus: Der Messias von G. F. Händel. Nebst angehängten Betrachtungen darüber, zur Ankündigung einer zweyten Aufführung, in der Paulinerkirche zu Leipzig, Freytags, den 11. May, 1787. Anhang III: Wilhelm Heinse, Messias, ein Oratorium von Händel, aus dem Roman *Hildegard von Hohenthal* (1796). In: Händel-Jb., 6. Jg., 1960, S. 51ff.; Siegmund-Schultze, W.: Die musikalischen Quellen des Messias. In: G. F. Händel. Thema mit 20 Variationen, Halle 1965, S. 89ff.; Siegmund-Schultze, W.: Die musikalische Gedankenwelt des Messias. In: Händel-Jb., 13./14. Jg., 1967/68, S. 25ff.; Siegmund-Schultze, W.: Die Arienwelt des „Messias". In: Festskrift Jens Peter Larsen, København 1972, S. 189ff.; Smith, W. C.: The Earliest Edition of Handel's Messiah. In: The Musical Times, vol. 46, 1925, S. 985ff.; Smith, W. C.: Handel's Messiah: Recent Discoveries of Early Editions. In: The Musical Times, vol. 82, 1941, S. 427ff.; Smith, W. C.: Concerning Handel. His Life and Works, London 1948; Smither II, S. 248ff.; Steglich, R.: Betrachtung des Händelschen Messias. In: Händel-Jb., 4. Jg., 1931, S. 15ff.; Stenzl, J.: Über den Großaufbau und die Bedeutung von Händels „Messias". In: Neue Zeitschrift für Musik, 135 Jg., 1974, S. 732ff.; Streatfeild, S. 165ff., 284ff.; Tobin, J.: A new Messiah Manuscript. In: The Musical Times, vol. 102, 1961, S. 711, 780; Tobin, J.: HHA, Serie I, Bd. 17, Der Messias, Kritischer Bericht, Leipzig 1965; Tobin, J.: Handel's Messiah. A Critical Account of the Manuscript Sources and Printed Editions, London 1969; Townsend, H.: An Account of the Visit of Handel to Dublin, Dublin 1852; Weinstock, H.: Handel, New York 1946; Young, S. 98ff.

Beschreibung der Autographe: Lbm: Catalogue Squire, S. 52. – Cfm: Catalogue Mann, Ms. 263, S. 211f. – Tobin, KB zu HHA I/17.

57. Samson

Oratorio in three acts nach „Samson Agonistes“ und anderen Werken von John Milton

Textfassung: Newburgh Hamilton

Besetzung: Soli: 4 Soprani (Dalila, Israelitish Woman, Philistine Woman, Virgin), Alto (Micah), 4 Tenori (Samson, Philistine, Israelitish Man, Messenger), 2 Bassi (Manoa, Harapha). Chor: C. I, II; A.; T. I, II; B. Instrumente: Fl. trav. I, II; Ob. I, II; Fag. I, II; Cor. I, II; Trba. I, II; Tromb. I, II; Timp.; V. I, II, III; Va.; Vc.; Org.; Cont.
ChA 10. – HHA I/18. – EZ: London, September bis 29. Oktober 1741, Überarbeitung beendet am 12. Oktober 1742. – UA: London, 18. Februar 1743, Theatre Royal, Coventgarden

Symfony.

Takt 57

46 Takte

[vgl. HWV 307 op. 7 Nr. 2 A-Dur (Allegro)]
58 (60) Takte *D. s.* (Takt 9)

Menuet.

64 Takte *D. s.* (Takt 17)

Act I

Scene I. Samson, blind and in chains. Chorus of the Priests of Dagon celebrating his festivals at a distance.

Recitative. Samson

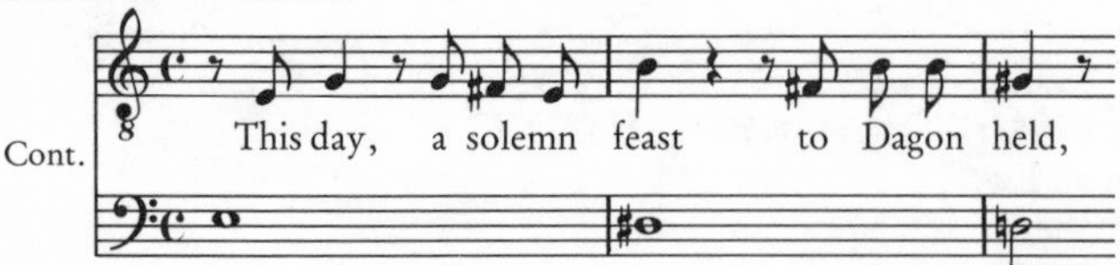
Cont.
This day, a solemn feast to Dagon held,

9 Takte

1. Chorus of Philistines. C.; A.; T.; B.

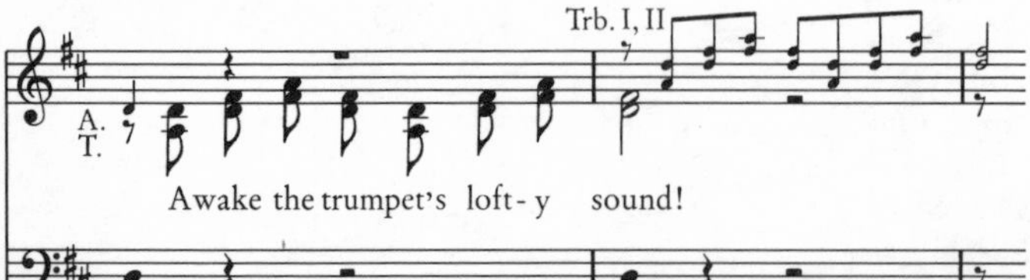

Takt 3
51 Takte

2. Air. Philistine woman

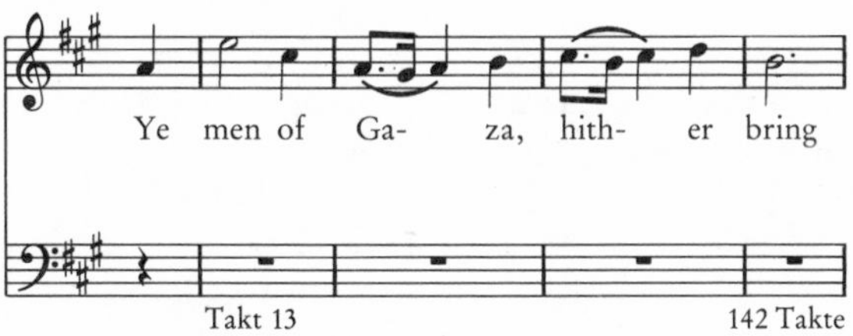
Ye men of Ga- za, hith- er bring
Takt 13
142 Takte

3. Chorus of Philistines. C.; A.; T.; B.

Allegro
Trba. I, II
Timp.
V. I, II
Va.
Cont.
A.
A-wake the trumpet's lof- ty
T.

Trba. I, II
Awake the trumpet's lof- ty sound,
sound! a- wake the trumpet's lof- ty sound,
13 Takte

4. Air. Philistine

Allegro
V. I, II
unis.
Cont.

Loud as the thun- der's aw-ful voice,
Takt 9
(95) 80 Takte

5. Air. Philistine woman

Allegro
V. I, II
Cont.

Then free from sor- row, free from thrall,
Takt 7
Si replica segue il Coro 2.do (No. 3)
63 Takte

Recitative. Samson

Cont.
Why by an an-gel was my birth foretold,
15 Takte

6. Air. Samson

Largo e staccato
V. I, II
Va.
Cont.
f

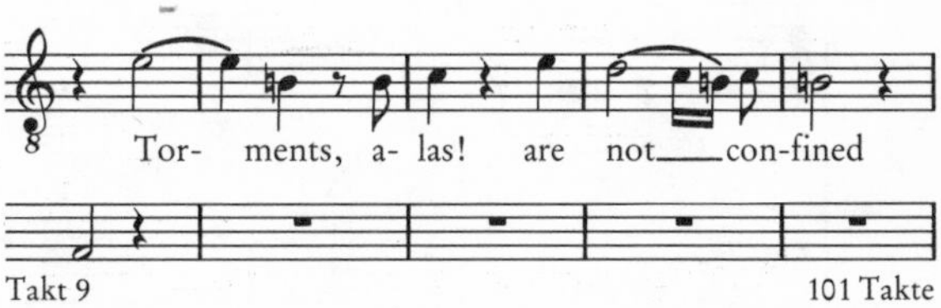
Tor- ments, a- las! are not con-fined
Takt 9
101 Takte

Scene II

Recitative. Micah

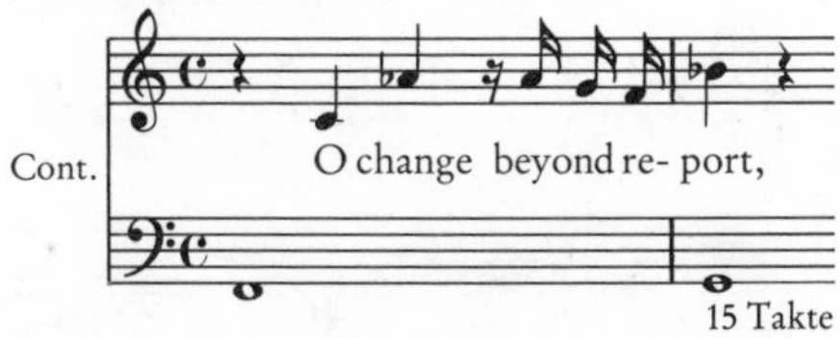
Cont.
O change beyond re- port,
15 Takte

7. Air. Micah

Largo
V. I, II
unis.
Cont.
O mir- ror
Takt 10

of our fick- -le state,
122 (71) Takte

Recitative. Samson; Micah

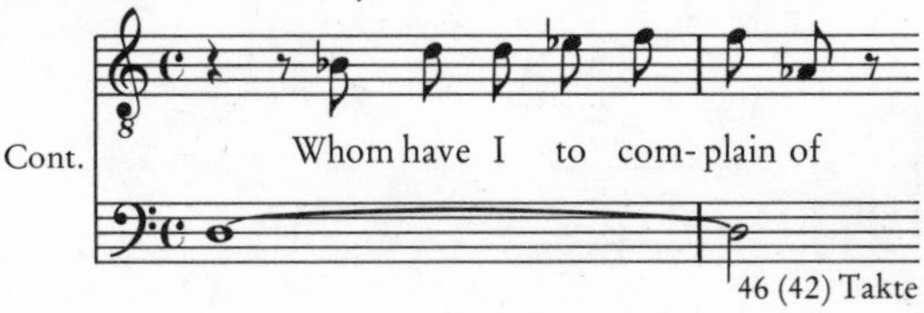
Cont.
Whom have I to com- plain of
46 (42) Takte

8. Air. Samson

Larghetto e staccato

V. I, II
Cont.
To- tal e- clipse! no sun, no moon, all dark,
Takt 6
36 Takte

9. Accompagnato. Micah

Largo e piano

V. I, II
Va.
Cont.
Since light so neces-sary is to life,
13 Takte

10. Chorus of Israelites. C.; A.; T.; B.

A tempo ordinario

Ob. I, II
V. I, II
Va.
Cont.
O first cre- at- ed beam!

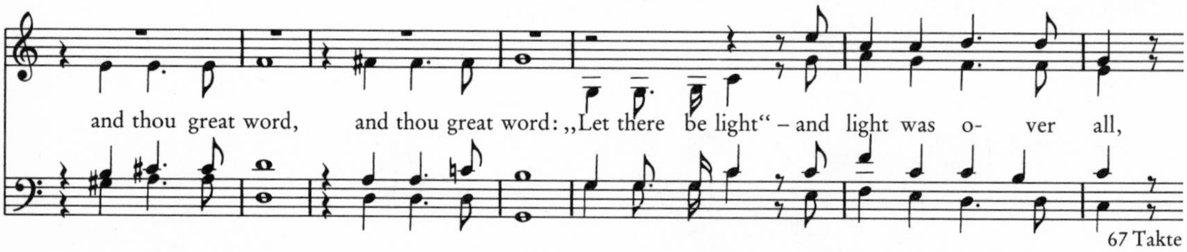
and thou great word, and thou great word: ,,Let there be light" – and light was o- ver all,
67 Takte

Recitative. Samson; Micah

Samson

Cont.
Ye see, my friends, how woes enclose me round:

Scene III

(Recitative.) Manoa; Micah

Manoa

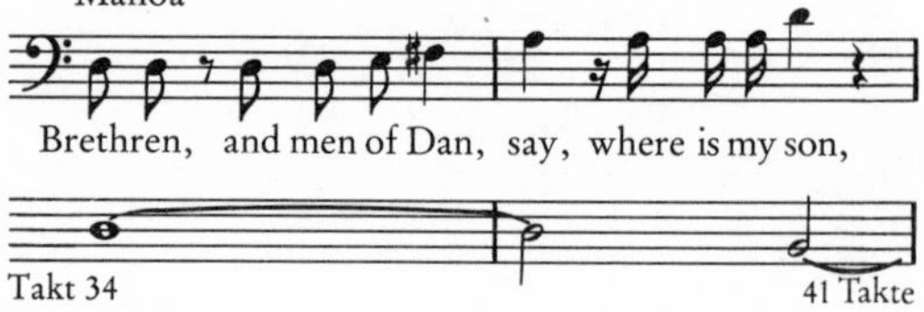
Brethren, and men of Dan, say, where is my son,
Takt 34
41 Takte

11. Accompagnato. Manoa

Largo e piano

V. I, II
Va.
Cont.
Oh mis- er- a- ble change! is this the man,
13 Takte

A. Recitative. Micah

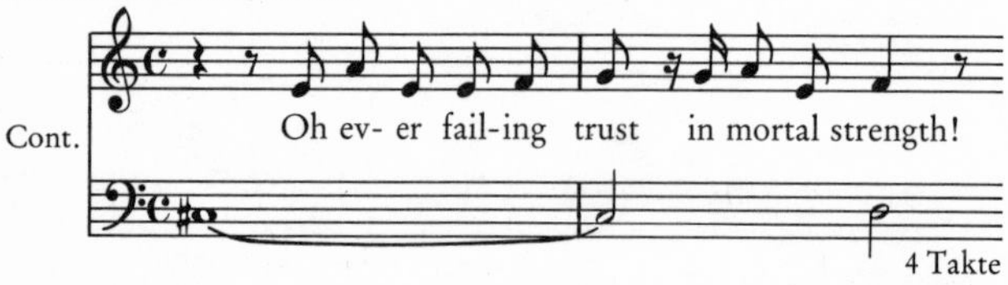
Cont.
Oh ev- er fail-ing trust in mortal strength!
4 Takte

12a. Air. Micah

Andante larghetto

V. I, II
unis.
Cont.

God of our fa- thers,
Takt 8
100 Takte

B. Recitative. Israelitish man

Cont.
Oh ev- er fail-ing trust in mortal strength!
4 Takte

12b. Air. Israelitish man

Larghetto
V. I, II unis.
Cont.
God of our fa- thers,
Takt 8
85 Takte

13. Chorus of Israelites. C.; A.; T.; B.

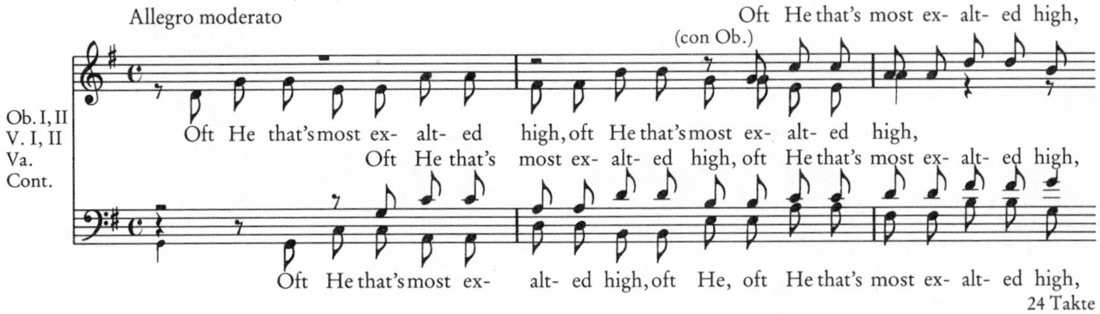
Allegro moderato
Oft He that's most ex- alt- ed high,
(con Ob.)
Ob. I, II
V. I, II
Va.
Cont.
Oft He that's most ex- alt- ed high, oft He that's most ex- alt- ed high,
Oft He that's most ex- alt- ed high, oft He that's most ex- alt- ed high,
Oft He that's most ex- alt- ed high, oft He, oft He that's most ex- alt- ed high,
24 Takte

14. Accompagnato. Manoa

V. I, II
Va.
Cont.
The good we wish for, of- ten proves our bane.
17 Takte

15. Air. Manoa

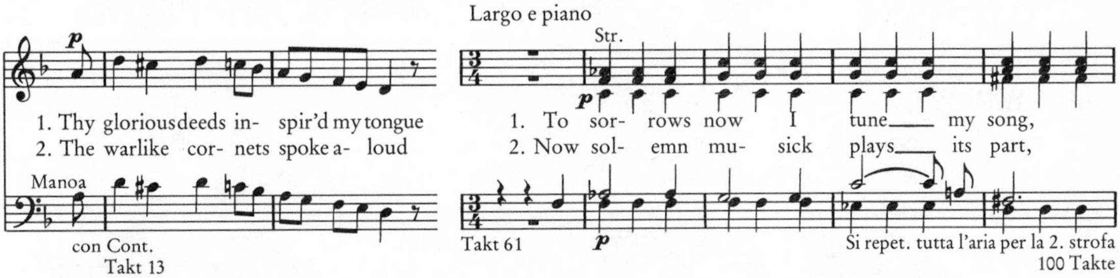
Allegro
V. I, II
V. I, II
Va.
Cont.
p
1. Thy glorious deeds in- spir'd my tongue
2. The warlike cor- nets spoke a- loud
Manoa
con Cont.
Takt 13
Largo e piano
Str.
p
1. To sor- rows now I tune my song,
2. Now sol- emn mu- sick plays its part,
Takt 61
p
Si repet. tutta l'aria per la 2. strofa
100 Takte

Recitative. Samson; Manoa

Samson
Cont.
Justly these evils have befall'n thy son;
27 Takte

16. Accompagnato. Samson

V. I, II
Va.
Cont.
My griefs for this for- bid mine eyes to close.
17 Takte

17. Air. Samson

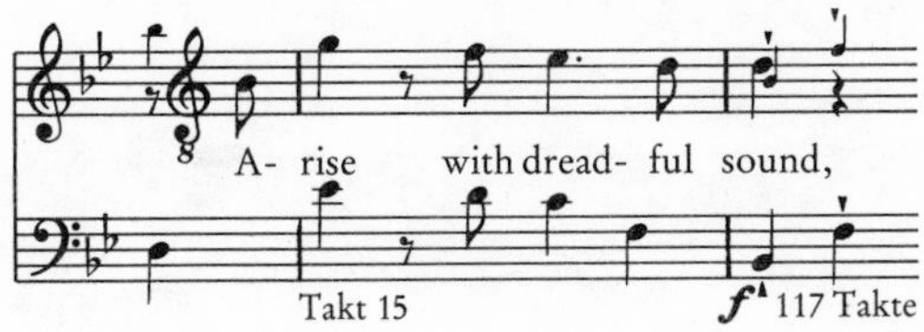
Allegro
V. I, II unis.
Cont.
Why does the God of Is- rael sleep?
p
Takt 11
Cbb. p
A- rise with dread- ful sound,
Takt 15
f
117 Takte

Recitative. Micah

Cont.
There lies our hope! true prophet may'st thou be,
6 Takte

18. Chorus of Israelites. C.; A.; T.; B.

Allegro moderato
Ob. I, II
V. I, II
Va.
Cont.
Then shall they know, that He whose name Je- ho- - -vah is a- lone,
Then shall they know, that He whose name was
was ev- er the Most High,
ev- er the Most High, and still the same, and still the same,
Takt 22
61 Takte

Recitative. Manoa; Samson

Manoa
Cont.
For thee, my dearest son,
29 Takte
attacca

19. Accompagnato. Samson

V. I, II
Va.
Cont.
My ge-nial spir-its droop, my hopes are flat;
12 Takte

20. Air. Micah

Adagio
V. I, II
unis.
Cont.
Then long e-ter- ni- ty shall greet,
[= HWV 132. Mi palpita il cor (1.)]
Andante
Takt 14
no more of earth- -ly joys,
Larghetto
Takt 36
Joys that are
Takt 44

pure, sin- cere- ly good,
152 Takte

21. Chorus of Israelites. C.; A.; T.; B.

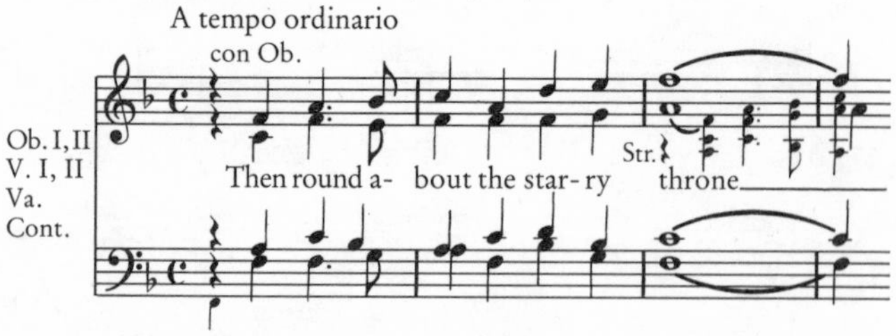
A tempo ordinario
con Ob.
Ob. I, II
V. I, II
Va.
Cont.
Str.
Then round a- bout the star-ry throne

and tri-umph o- ver Death, and thee,
and tri-umph o- ver Death, and thee, oh Time, and tri- umph o- ver Death,
Takt 24
51 Takte

Act II

Scene I

Recitative. Manoa; Samson

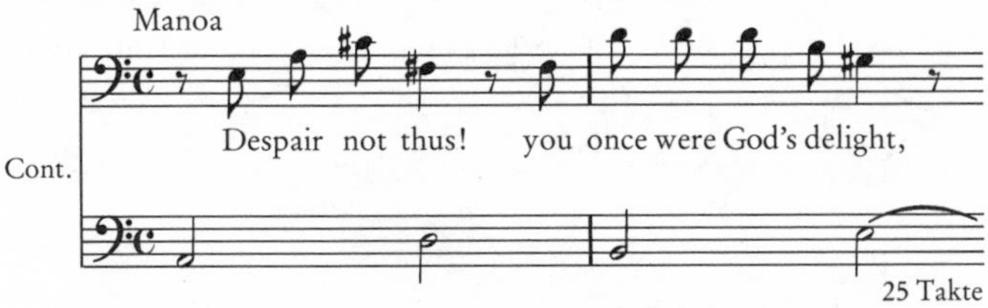
Manoa
Despair not thus! you once were God's delight,
Cont.
25 Takte

22. Air. Manoa

Allegro
V. I, II
unis.
Cont.

p
Just are the ways of God to man,
p
Takt 11
80 Takte

Recitative. Samson; Micah

Samson
My ev- ils hope-less are!
Cont.
9 Takte

23. Air. Micah

Largo
tr
V. I, II
Va.
Cont.
Re-

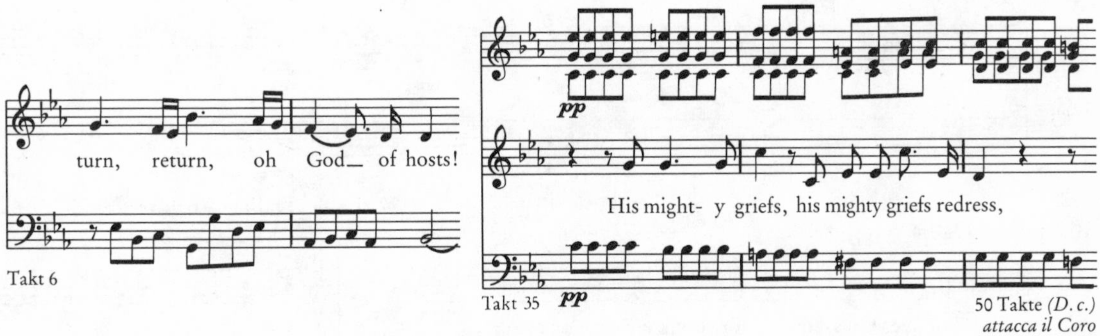
turn, return, oh God_ of hosts!
Takt 6
pp
His might- y griefs, his mighty griefs redress,
Takt 35 pp
50 Takte (D. c.)
attacca il Coro

24. Solo and Chorus of Israelites. Micah; C.; A.; T.; B.

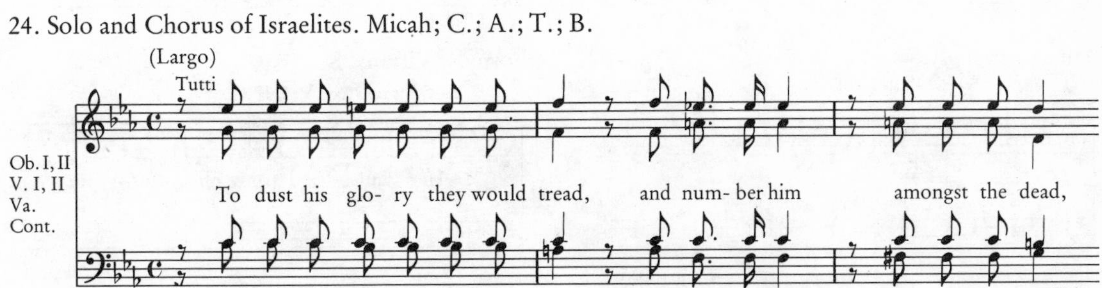
(Largo)
Tutti
Ob. I, II
V. I, II
Va.
Cont.
To dust his glo- ry they would tread, and num- ber him amongst the dead,
37 Takte

Scene II

A. Recitative. Micah; Samson; Dalila

Micah
Cont.
But who is this? that so bedeck'd and gay,
69 Takte

B. Recitative. Micah; Samson; Dalila

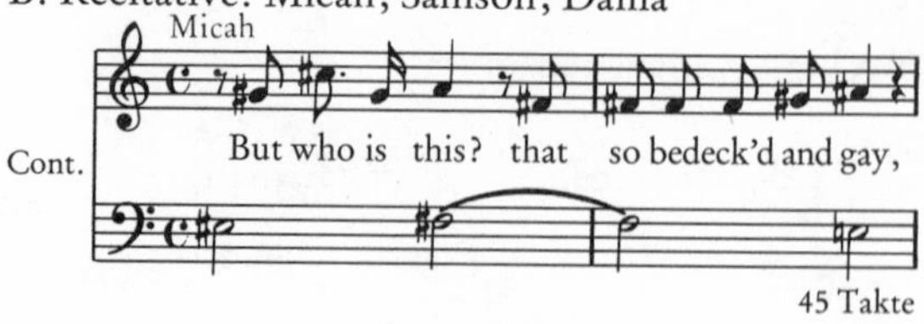
Micah
Cont.
But who is this? that so bedeck'd and gay,
45 Takte

25a. Air. Dalila

Larghetto
V. I, II unis.
Cont.
With plain- tive notes and
[Autograph: Sigra Avolio, un tono più basso ex G]
Takt 11
p

am'- - rous moan,
103 Takte

25b. Air. Virgin of Dalila

Larghetto
V. I, II unis.
Cont.
9
With plain- tive notes and am'- rous moan,
103 Takte

(Recitative.) Dalila

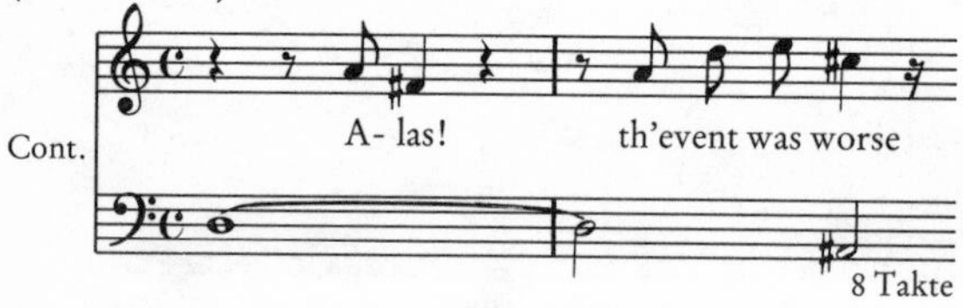
Cont.
A- las! th'event was worse
8 Takte

Recitative. Samson

Cont.
Did love constrain thee? no!
10 Takte

26. Air. Samson

Larghetto
V. I, II
Va.
Cont.
Your charms to ru- -in led the way,
Takt 5
34 Takte

Recitative. Dalila

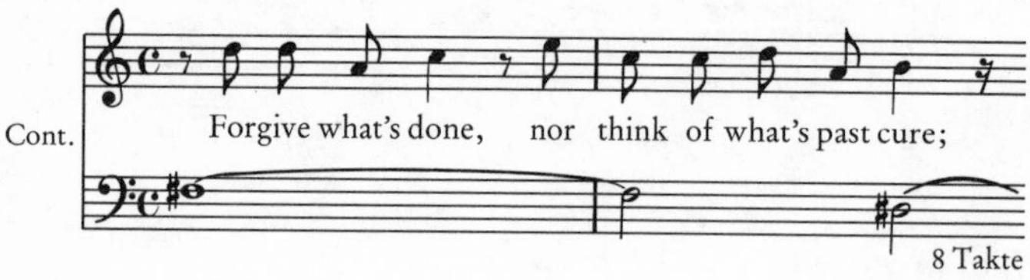
Cont.
Forgive what's done, nor think of what's past cure;
8 Takte

27. Duet. Dalila; Virgin

Larghetto
V. I, II
Va.
Cont.

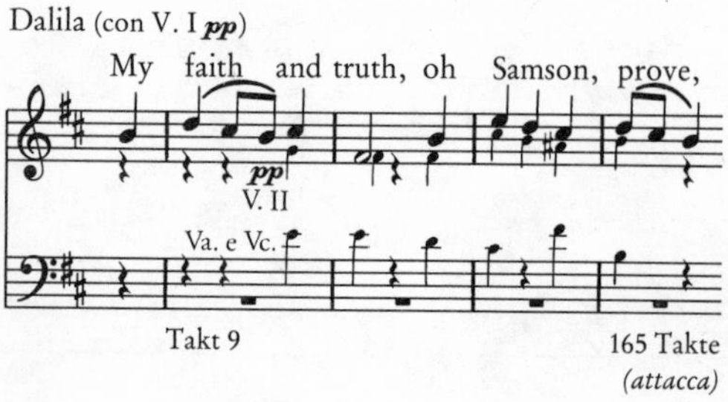
Dalila (con V. I pp)
My faith and truth, oh Samson, prove,
pp
V. II
Va. e Vc.
Takt 9
165 Takte
(attacca)

28. Chorus of Virgins. S.

Tutti Soprani (con V. I, II unis.)
V. I, II
Va.
Cont.
Her faith and truth, oh Samson, prove,
44 Takte

29. Air. Dalila

Larghetto

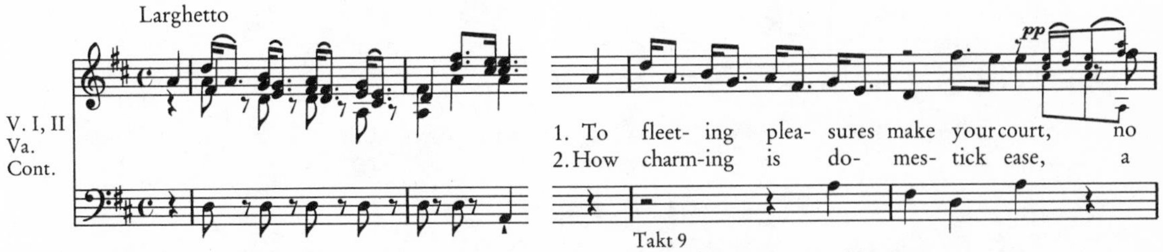
V. I, II
Va.
Cont.
1. To fleet- ing plea- sures make your court, no
2. How charm-ing is do- mes- tick ease, a
pp

Takt 9

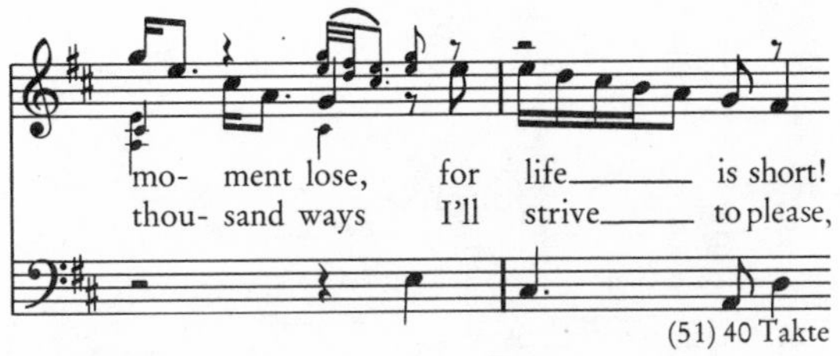
mo- ment lose, for life is short!
thou- sand ways I'll strive to please,

(51) 40 Takte

Repet. 28. Chorus of Virgins, sotto e si scriva.
Poi segue la 2da strofa di Dalila ,,How charming", poi si replica di nuova per la terza volta The Chorus of Virgins e si scriva a tutto nella partitura, poi attacca il Recitativo qui di Samson.

Recitative. Samson; Dalila

Samson
Ne'er think of that! I know thy warbling charms,
Cont.

32 Takte

30. Duet. Dalila; Samson

Allegro

V. I, II
unis.
Va.
Cont.
Va. e Vc.
Dalila
Trai-tor to love! I'll sue no more for pardon scorn'd,
Va., Vc.
p
p

Takt 11

A: 104 Takte *D. c. dal segno la seconda volta senza Ritornello attacca il Recit. di Micah ,,She's gone".*
B: 45 Takte

Scene III

Recitative. Micah; Samson

Micah
She's gone! a serpent ma- ni- fest;
Cont.

6 Takte

31a. Air. Micah

Andante allegro

V. I, II
Cont.
It

[Autograph: Ex D in Soprano for Miss Edwards]

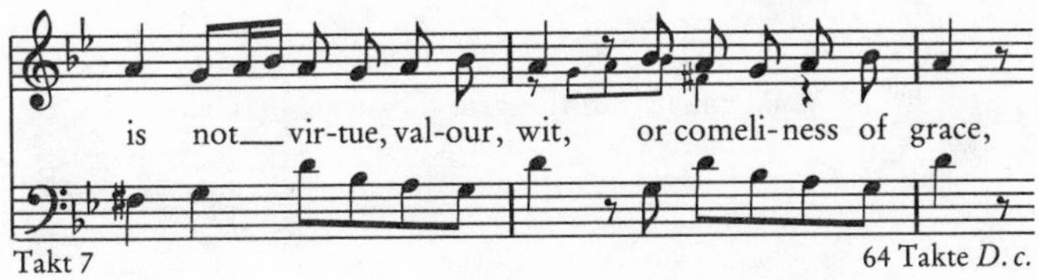
is not vir-tue, val-our, wit, or comeli-ness of grace,

Takt 7 64 Takte *D. c.*

31b. Air. Micah; (1745)

V. I, II
unis.
Cont.

[Autograph: For Guadagni ex D un tono più basso]
[vgl. HWV 62 (9.)]

Fly from the cleaving mischief, fly,

Takt 9 84 Takte *D. c.*

Recitative. Samson

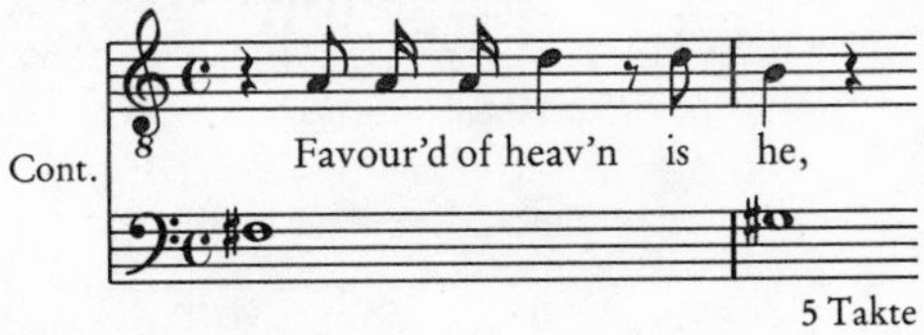
Cont.
Favour'd of heav'n is he,

5 Takte

32. Chorus of Israelites. C.; A.; T.; B.

Ob. I, II
V. I, II
Va.
Cont.

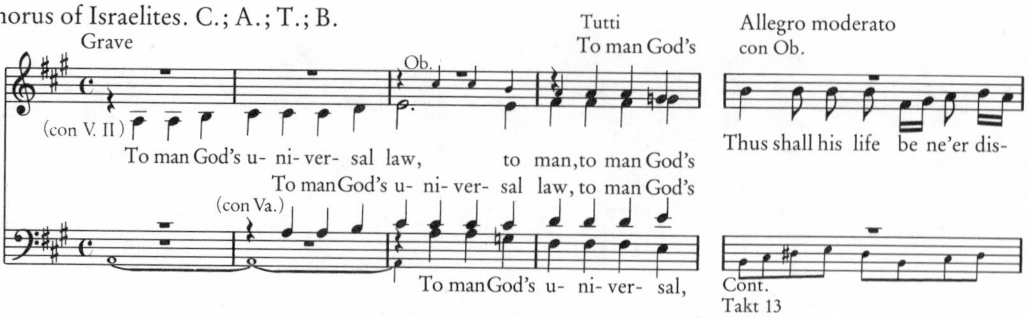
Grave
Tutti
Allegro moderato
con Ob.
Ob.
(con V. II)
To man God's u- ni- ver- sal law, to man, to man God's
To man God's u- ni- ver- sal law, to man God's
(con Va.)
To man God's u- ni- ver- sal,
Thus shall his life be ne'er dis-
Cont.
Takt 13

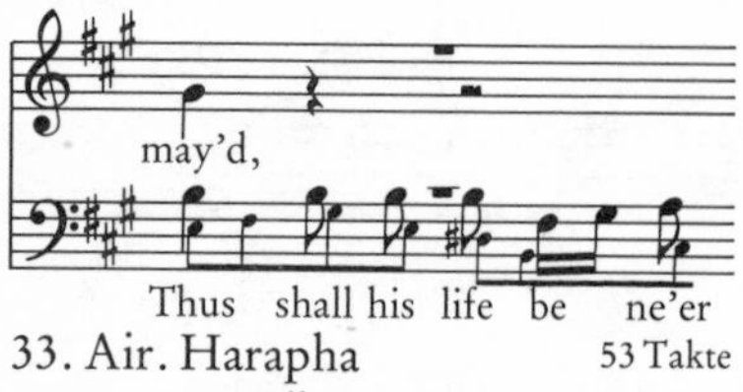
may'd,
Thus shall his life be ne'er
53 Takte

Scene IV

Recitative. Micah; Harapha; Samson

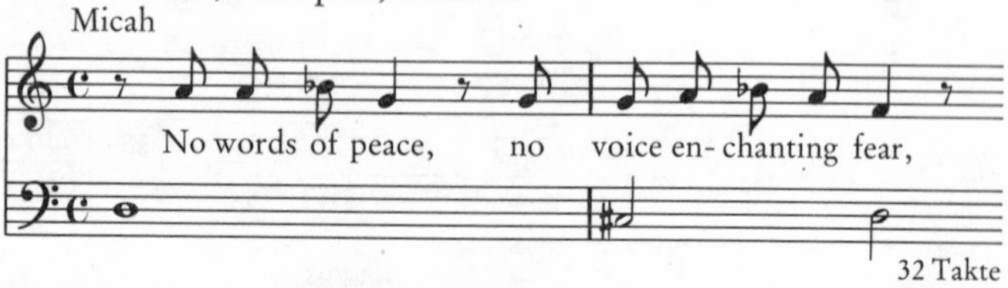
Micah
No words of peace, no voice en- chanting fear,
32 Takte

33. Air. Harapha

V. I, II
unis.
Cont.

Allegro
(V. colla parte all'ottava p)
Honour and arms scorn such a foe,
Takt 13
94 Takte D. s.

A. Recitative. Samson

Cont.

Who could withstand me, single and unarm'd?
16 Takte

B. Recitative. Samson

Cont.

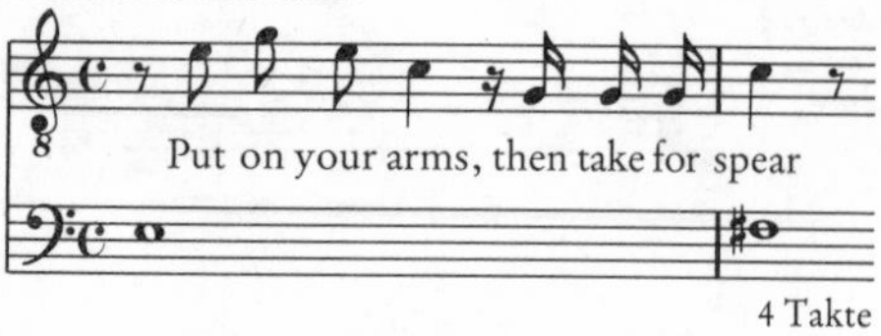
Put on your arms, then take for spear
4 Takte

34. Air. Samson

V. I, II
unis.
Cont.

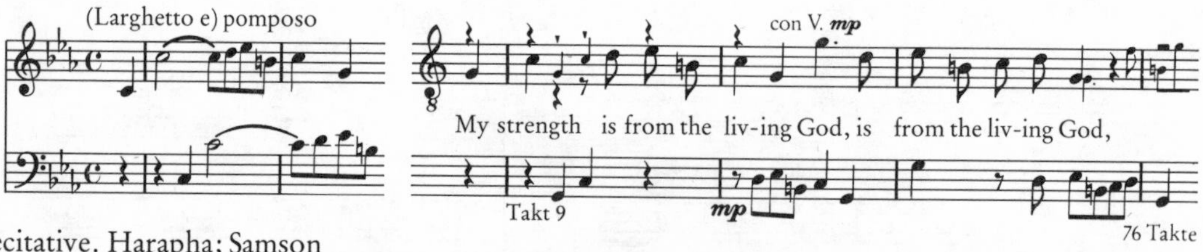
(Larghetto e) pomposo
con V. mp
My strength is from the liv-ing God, is from the liv-ing God,
Takt 9
mp
76 Takte

A. Recitative. Harapha; Samson

Cont.

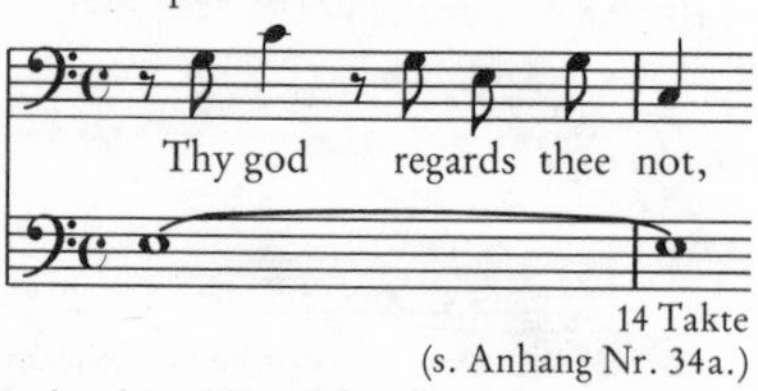
Harapha
Thy god regards thee not,
14 Takte
(s. Anhang Nr. 34a.)

B. Recitative. Samson; Harapha

Cont.

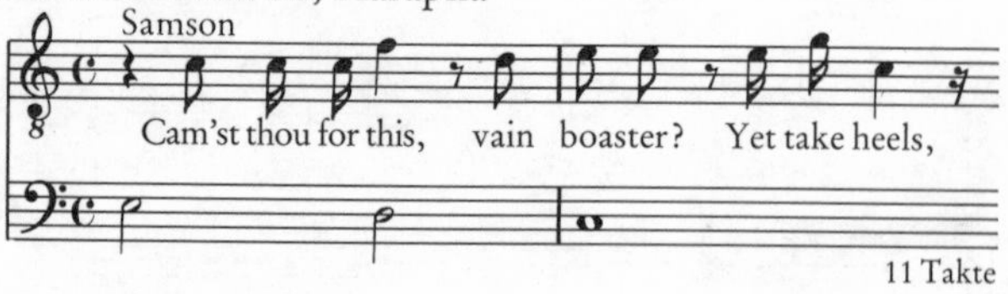
Samson
Cam'st thou for this, vain boaster? Yet take heels,
11 Takte

C. Recitative. Harapha; Samson

Cont.

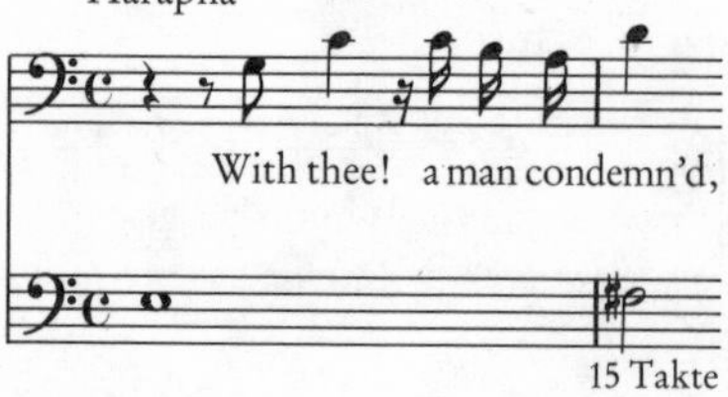
Harapha
With thee! a man condemn'd,
15 Takte

35. Duet. Samson; Harapha

V. I, II
unis.
Cont.

Allegro
Go, baf-fled coward,
Samson
Takt 9

Recitative. Micah

go, go, baf-fled coward, go,

63 Takte

Cont. Here lie the proof: if Dagon be thy God,

14 Takte

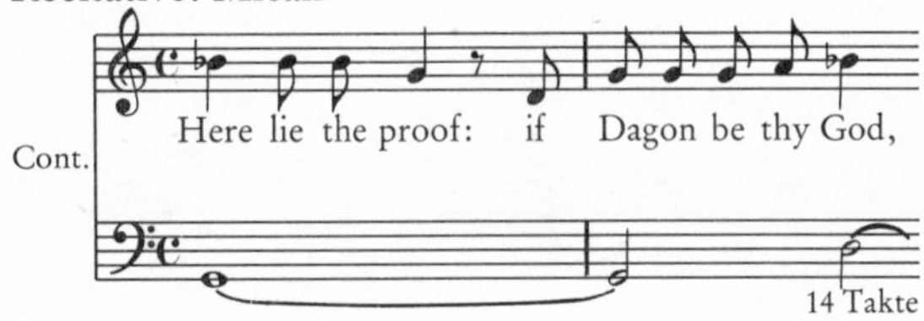

36. Chorus of Israelites. C. I, II; A.; T. I, II; B.

Grave

Ob. I, II
V. I, II
Va.
Cont.

Hear, Ja-cob's God, Je- ho- vah, hear Je- ho- vah, hear!

Hear, Ja-cob's God, Je- ho- vah, hear!

Cont. Hear, Ja- cob's God, Je- ho- vah, hear!

50 Takte

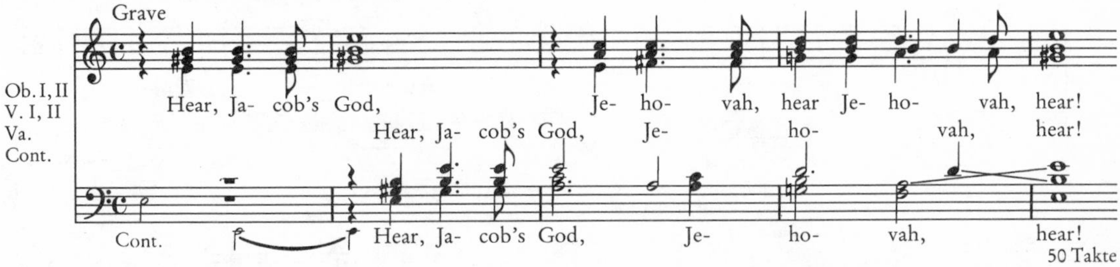

Recitative. Harapha

Cont. Dagon, a-rise! at-tend thy sa-cred feast!

4 Takte Segue il Coro

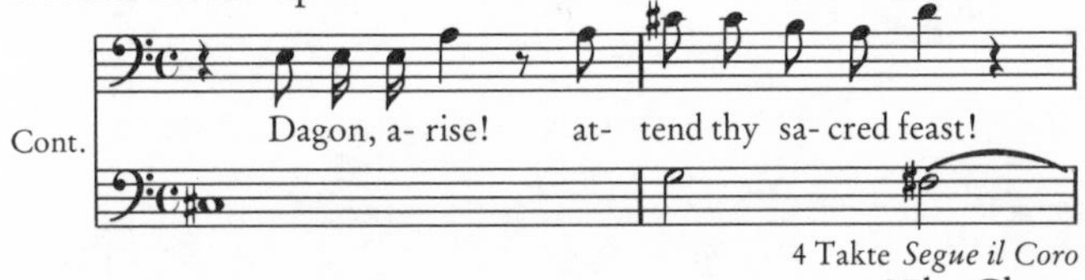

37a. Air. Philistine

Allegro

V. I, II
unis.
Cont.

37b. Chorus of Philistines. C.; A.; T.; B.

Allegro

To song and dance we____ give__ the day,

150 Takte D. s.

Ob. I, II
Cor. I, II
V. I, II
Va.
Cont.

V. I, II

Takt 17

To song and dance,____ to song and dance,____

con Ob.

To song and dance,____ to song and dance we give the day,

Takt 5

51 Takte

38. Chorus of Israelites and Philistines. Dalila; Samson;
 Manoa; Harapha; C. I, II; A.; T. I, II; B.

Allegro
Str.

Ob. I, II
Trba. I, II
Timp.
V. I, II
Va.
Cont.

Ob. e V. I, II

Fix'd in his ev- er- lasting seat,

Takt 17 Cont.

C. I, II col Ob.

Je- ho- vah, great Da-gon,

T. I, II

Takt 25 Manoa

con V. I, II

rules the world____

Takt 33 (196) 166 Takte

Act III

Scene I

(39.) Air. Micah (1754)

V. I, II
unis.
Cont.
9
3
How great and man- y per- ils do en- fold

[= HWV 61 Occasional Oratorio (21a.)]

86 Takte

Recitative. Micah; Samson; Harapha

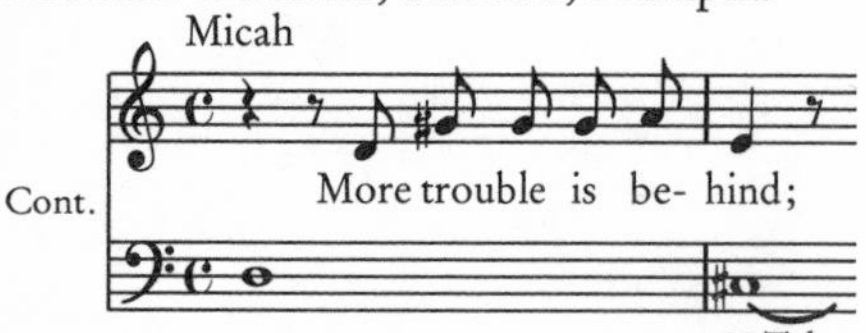
Micah
Cont.
More trouble is be- hind;

28 Takte

39. Air. Harapha

Pomposo
(con V. unis. all'ottava)
V. I, II
unis.
Cont.
Pre- sum- ing slave, pre- sum- ing

slave, to move their wrath!

109 Takte

Recitative. Micah; Samson

Micah
Cont.
Re- flect then, Samson, matters now are strain'd

15 Takte

40. Chorus of Israelites. C.; A.; T.; B.

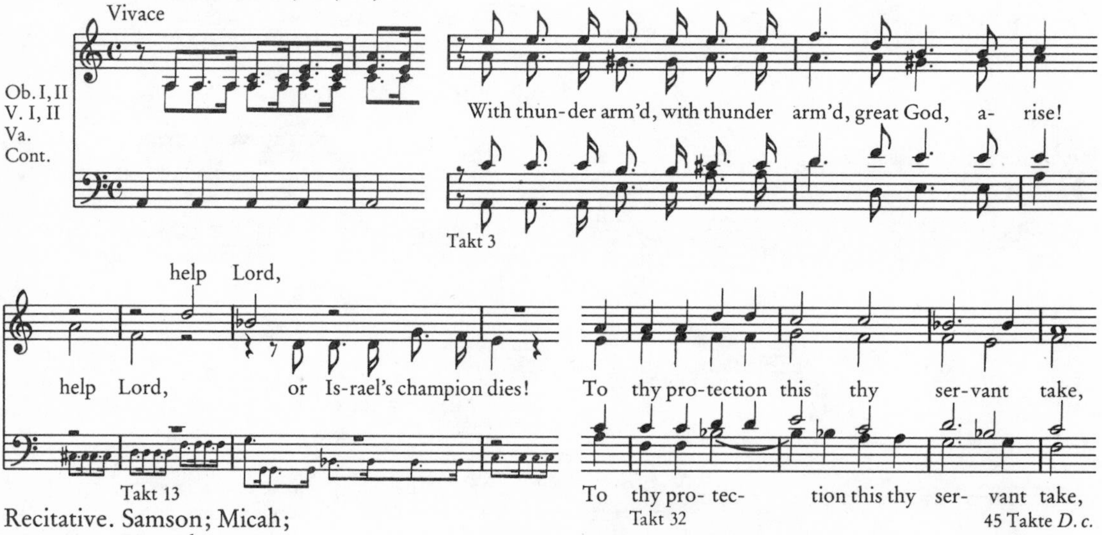
Vivace
Ob. I, II
V. I, II
Va.
Cont.
With thun- der arm'd, with thunder arm'd, great God, a- rise!
Takt 3
help Lord,
help Lord, or Is-rael's champion dies!
Takt 13
To thy pro-tection this thy ser-vant take,
To thy pro- tec- tion this thy ser- vant take,
Takt 32

45 Takte *D. c.*

Recitative. Samson; Micah; Harapha

Samson
Cont.
Be of good courage;

41. Accompagnato. Samson

Samson
then shall I
V. I, II
Va.
make
Je- hovah's glory known!
Cont.
Takt 37

45 Takte

42. Air. Samson

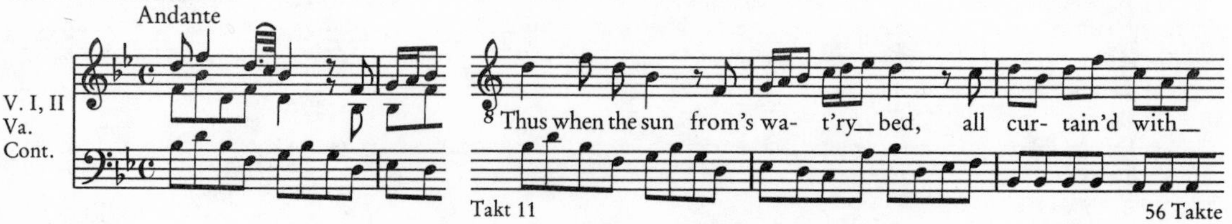
Andante
V. I, II
Va.
Cont.
Thus when the sun from's wa- t'ry bed, all cur- tain'd with
Takt 11

56 Takte

43. Accompagnato. Micah

9 Takte

44. Air. Micah

Takt 11

45. Chorus of Israelites. C.; A.; T.; B.

attacca il Coro Takt 42 (76) 66 Takte

Scene II

Recitative. Micah; Manoa

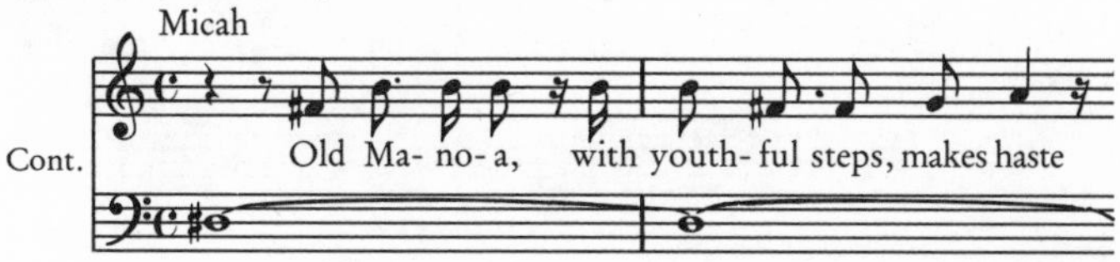

9 Takte

46. Air. Philistine

47. Chorus of Philistines. C.; A.; T.; B.

Takt 10 120 Takte *attacca il Coro* Takt 18

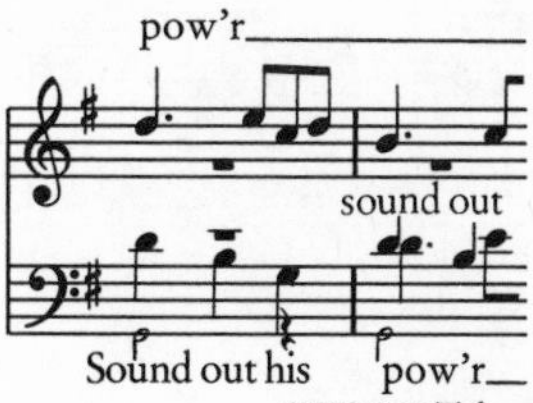

(137) 105 Takte

Recitative. Manoa; Micah

13 Takte

48. Air. Manoa

Takt 9 42 Takte

Recitative. Micah; Manoa

5 Takte *(attacca)*

49. Symphony

Presto
V. I, II unis.
Va.
Cont.
col Va.
12 Takte

Recitative. Manoa

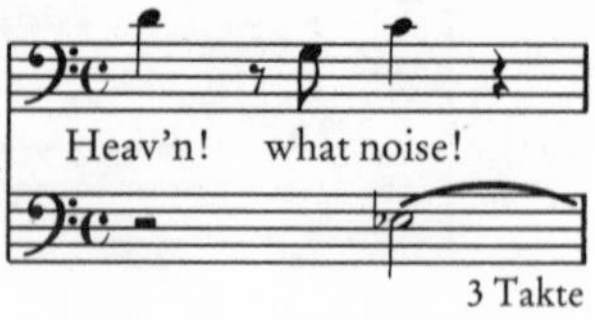
Cont.
Heav'n! what noise!
3 Takte

50. Chorus of Philistines. C.; A.; T.; B.

Presto
Str.
Ob. I, II
V. I, II
Va.
Cont.
con Ob.
Oh
Hear us, our God, hear us!
Hear us, our God!

Ob.
hear us, our God!
Hear us, oh hear our cry
37 Takte

Recitative. Micah; Manoa

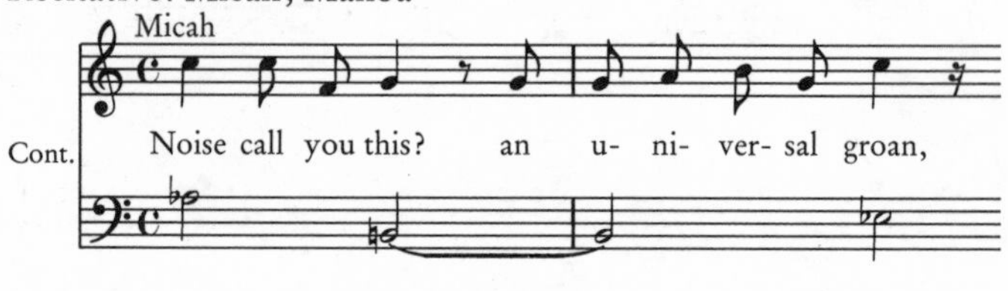
Micah
Cont.
Noise call you this? an u- ni- ver- sal groan,

Scene III

(Recitative.) Messenger; Micah; Manoa

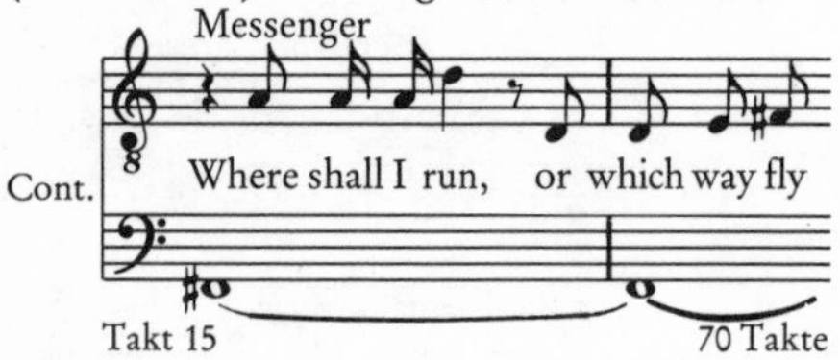
Messenger
Cont.
Where shall I run, or which way fly
Takt 15
70 Takte

51. Air. Micah

Largo assai
V. I, II
Va.
Cont.
con Org.
Ye sons of Is-rael, now la-
Org. solo
Takt 3

52. Chorus of Israelites. C.; A.; T.; B.

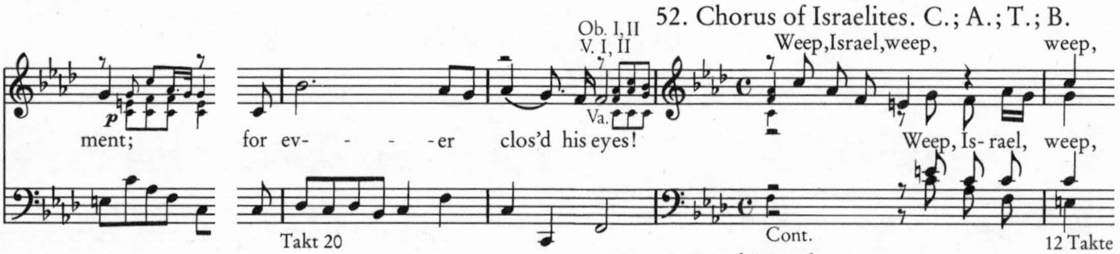
p
ment;
for ev- - - - -er clos'd his eyes!
Takt 20
Ob. I, II
V. I, II
Va.
Weep, Israel, weep, weep,
Weep, Is- rael, weep, weep,
Cont.
12 Takte

Recitative. Manoa

Cont.
Proceed we hence to find this bod- y soak'd
9 Takte

53a. A Dead March.

Lentement
(senza Fl.)
Fl. trav. I, II
Tromb. I, II
Timp.
V. I, II
Va.
Org.
Cont.
Timp.
[vgl. HWV 59 Joseph (11.)]

36 Takte

53b. A Dead March. (1749)

Grave
Fl. trav. I, II
Cor. I, II
Trba. I, II
Timp.
V. I, II
Va.
Org.
Cont.
Cor.
Trba.
V. I, II
Va.
mp
Cont. e Timp.
[= HWV 53 Saul (77b.)]
32 Takte

Recitative. Micah; Manoa

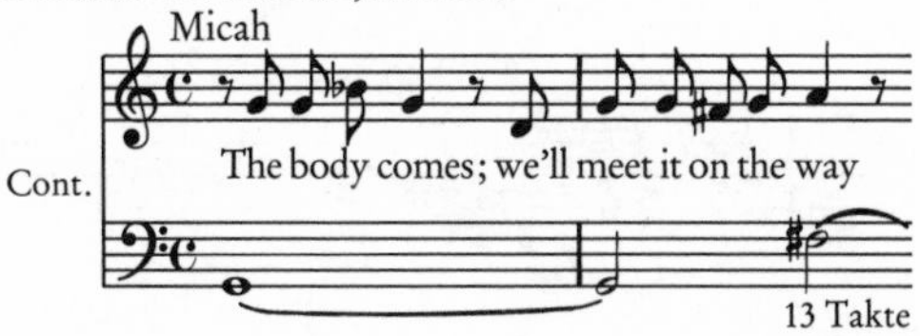
Micah
The body comes; we'll meet it on the way
Cont.
13 Takte

54. Soli and Chorus of Israelites. Manoa; Israelitish woman; C. I, II; A.; T.; B.

Largo

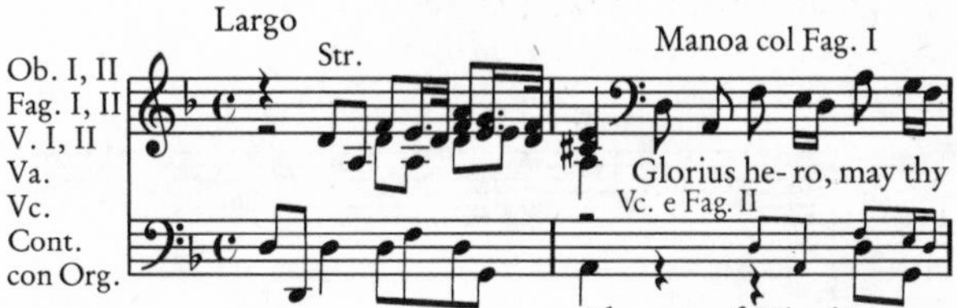
Ob. I, II
Fag. I, II
V. I, II
Va.
Vc.
Cont.
con Org.
Str.
Manoa col Fag. I
Glorius he- ro, may thy
Vc. e Fag. II

grave peace and honour ev- er have;

(Accompagnato)

An Israelitish woman

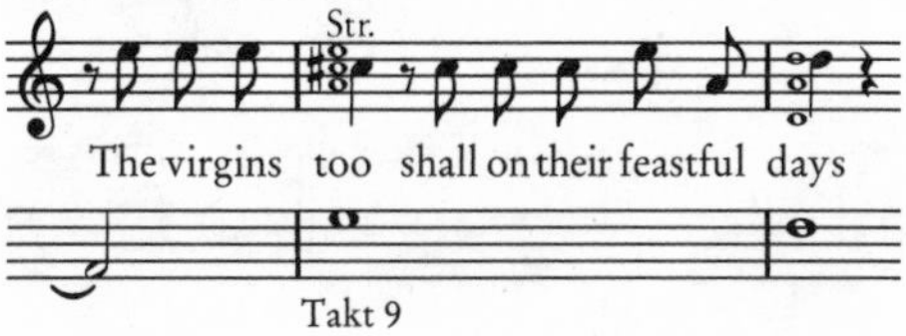
Str.
The virgins too shall on their feastful days
Takt 9

Chorus of Virgins. C. I, II; A.

Bring the
V. I, II
Va.
Vc.
con Org.
Takt 14

laurels, bring the bays,
Bring the bays,

An Israelitish woman

Adagio

May ev'ry hero fall like thee,
Takt 19

Chorus of Virgins. C. I, II; A.

Largo

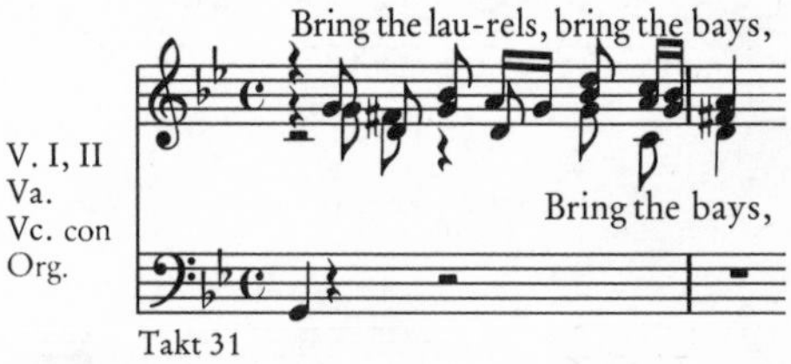
Bring the lau-rels, bring the bays,
V. I, II
Va.
Vc. con
Org.
Bring the bays,
Takt 31

Chorus of Israelites

Tutti
Glo- rious he- ro, may thy grave
Takt 36
54 Takte

Recitative. Manoa; Micah

Manoa
Come, come! no time for la- men- ta- tion now,
Cont.
17 Takte

55. Air. Israelitish woman

Andante

Str.
Trba.
V. I, II
Va.
Cont.
Let the bright Se- raphim in burn- ing row,
Takt 9
76 Takte

56. Chorus of Israelites. C.; A.; T.; B.

Ob. I, II
Trba. I, II
V. I, II
Va.
Cont.
Let their ce- les- tial concerts all u- nite, let their ce- les- tial concerts all u- nite,
Ob. I, II
con V. II
ev- er to sound his praise
ev- er to sound his praise, to sound his praise in
75 Takte

Anhang

(7a.) Chorus of Israelites. C.; A.; T.; B.

A tempo ordinario e staccato
Str.
Ob. I, II
V. I, II
Va.
Cont.
O mir-ror of our
O mir-ror
Cont.
O mir-ror of our fick- le state,
Takt 6
fick- le state, o mir- ror
from highest glo- ry fall'n so low,
O mir- ror of our
of our fick- le state,
from highest glo- ry fall'n so
o
Cont.
Takt 27

(24a.) Chorus of Israelites. C.; A.; T.; B.

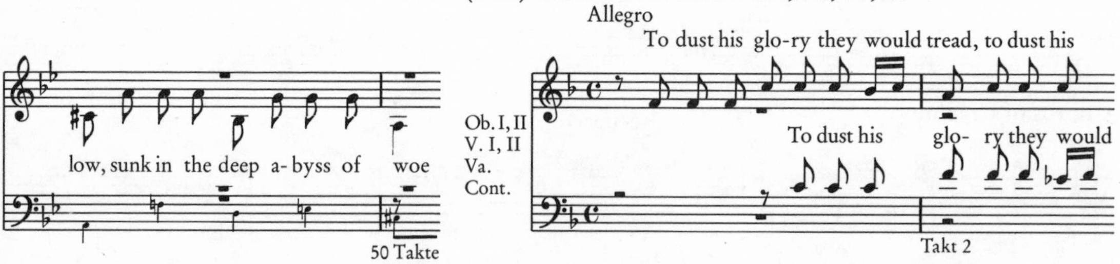
Allegro
To dust his glo-ry they would tread, to dust his
low, sunk in the deep a- byss of woe
50 Takte
Ob. I, II
V. I, II
Va.
Cont.
To dust his glo- ry they would
Takt 2

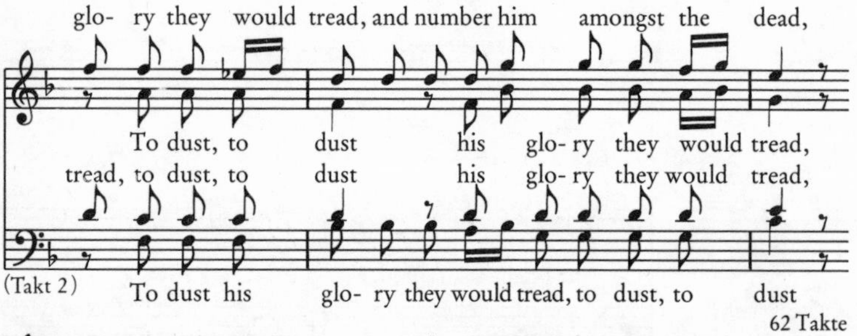
glo- ry they would tread, and number him amongst the dead,
To dust, to dust his glo- ry they would tread,
tread, to dust, to dust his glo- ry they would tread,
(Takt 2)
To dust his glo- ry they would tread, to dust, to dust
62 Takte

(34a.) Air. Samson

Allegro
V. I, II
unis.
Cont.

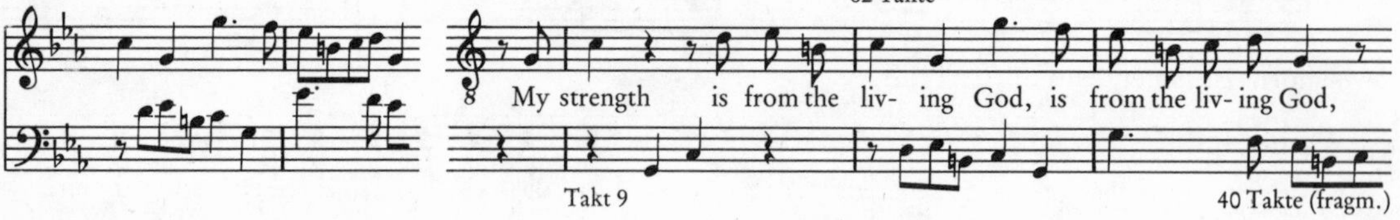
My strength is from the liv- ing God, is from the liv- ing God,
Takt 9
40 Takte (fragm.)

Quellen

Handschriften: Autographe: GB Lbm (R. M. 20. f. 6., ohne Nr. 9; R. M. 20. f. 3., f. 32: Nr. 31[b] für Miss Robinson, 1745), Cfm (30 H 9, p. 15–19: Skizzen zu Nr. 55, 18, 38, 53[a], 25[a], 46/47, 37 und 30; p. 20: Nr. 9).

Abschriften: D (brd) Hs (Direktionspartitur $M\frac{A}{1048}$; $M\frac{B}{1632}$, Druck der Arien von Benjamin Cooke mit hs. Ergänzungen der Rezitative und Chöre) – GB BENcoke, Cfm (Barrett-Lennard-Collection; 32 G 13: Ouverture für Cembalo), Ckc (Mann-Collection: „J. H. scripsit 1743"), Lbm (R. M. 18. e. 3.; Egerton 2938; Add. MSS. 37 323: Act I, 37 324: Act II, 37 325: Act III), Mp [MS 130 Hd4, St.: v. 275(2)–

290(2), 247(4), 248(4), 351(2), 352(2), 353(5)] Shaftesbury Collection (v. 64, Kopie von J. C. Smith sen.) – J Tn – US BETm (LMisc. 14, fragm.), Wc (M 2000. H 22 S 22 P 2 case, St., book 2d–15th; M 2105. H13 S 7 P 2 case: Songs, St. für V. II, Va., Vc., Cont.)
Drucke: Samson. An oratorio, the words taken from Milton, set to musick by Mr Handel. – London, J. Walsh [1743 in drei Teilen erschienen: I, S. 1–30; II, S. 2–8, 39–74; III, S. 75–91; A Table of songs] (5 verschiedene Ausgaben); — ib. [178 S.] (2 verschiedene Ausgaben); Samson. An oratorio, in score as it was originally compos'd by Mr Handel. The words taken from Milton. – London, Willm. Randall (2 verschiedene Ausgaben); — ib., H. Wright; Samson. A sacred oratorio in score, the words taken from Milton, the musick composed in the year 1742, by G. F. Handel. – London, Arnold's edition, No. 49 bis 54 (1789); Samson; an oratorio. The words taken from Milton. Composed by Mr Handel, for the voice, harpsichord, and violin. With the chorusses in score (In: The New Musical Magazine, No. 56–61, ca. 1785). – London, Harrison & Co.; Harrison's edition, corrected by Dr Arnold. The overture and songs in Samson, an oratorio. For the voice, harpsichord, and violin. Composed by Mr Handel. – London, Harrison & Co.; The overture and songs in the oratorio of Sampson, for the harpsichord or pianoforte. – London, J. Bland; The overture, choruses, symphonies & marches, in Samson, a sacred oratorio, the words taken from Milton, the music composed in the year 1742, adapted for the organ or piano forte by W. Crotch. – London, R. Birchall; Samson ... arranged for the organ or piano forte by Dr. John Clarke, Cambridge. – London, S. J. Button & J. Whitaker; Overture in Samson. – (London), J. Bland; Overture to Samson. – London, G. Walker; — (London), Longman, Clementi and Co.; — ... arranged for two performers on the piano forte or organ, by T. Essex. – London, R. Birchall; God of our fathers. – London, A. Bland & Weller; Honour and arms. – (London), J. Bland; How willing my paternal (love). Samson. – London, J. Bland; Joys that are pure. – London, Bland & Weller; Let ye bright Seraphims. A favourite song sung by Mrs Vincent at Vauxhall & Marybone. – s. l., s. n.; Let the bright Seraphims. Samson. – (London), J. Bland; — (London), G. Walker; Loud as the Thunder's. Samson. – (London), J. Bland; My faith and truth. Sampson. – (London), J. Bland; My strength. Samson. – London, J. Bland; O mirror of our fickle state. Samson. – London, J. Bland; Return, o God of hosts. Samson. – London, J. Bland; — (London), Bland & Weller; — An non ... voler mio ben. A favourite song sung by Sigr Pacchiarotti in the opera Alessandro nell'Indie [= Rossane, 1743 ff.]. NB. The music from the oratorio Samson. – London, William Randall; — ... (ah non voler mio ben) (Aus: A select collection of ... songs, duetts ... from operas). – Edinburgh, John Corri, C. Elliot; The holy one of Israel. Sampson. – London, J. Bland; Then free from sorrow. Samson. – London, J. Bland; The long eternity. Sampson. – (London), J. Bland; Thy glorious deeds. Samson. – (London), J. Bland; To fleeting pleasures (In: The Lady's Magazine, ca. 1780). – (London), s. n.; Torments alas! Samson. – (London), J. Bland; To song and dance. Samson. – London, J. Bland; To song and dance, in Samson. – ib., G. Walker; Total eclipse. A song (In: The Lady's Magazine, 1781, supplement). – (London), s. n.; — (In: The Lady's Magazine, March, 1784). – (London), s. n.; — (London), J. Bland; — London, Bland & Weller; — (London), Goulding & Co.; — ... [zusammen mit: Gentle airs, aus: Athalia]. – London, H. Wright; With plaintive notes. – London, Bland & Weller; Why does the God of Israel.. Samson. – (London), J. Bland; Your charms to ruin. – London, Bland & Weller. – The Works of Handel, printed for the members of the Handel Society, vol. 13, ed. E. F. Rimbault, London 1853.
Libretto: Ms. – Autograph von Newburgh Hamilton in US Sm. *Drucke:* A. Samson. An oratorio. As it is perform'd at the Theatre Royal in Covent-Garden. Alter'd and adapted to the stage from the Samson Agonistes of John Milton. Set to musick by George Frederick Handel. – London, J. and R. Tonson, 1743 [VIII + 28 S., mit Vorwort von Hamilton] (Ex.: F Pc – GB BENcoke, Ckc, En, Mp); B. — ib., 1743 [32 S.] (Ex.: GB Lbm); C. — ib., 1743 [IV + 9–32 S.] (Ex.: F Pc); D. — ib., 1743 [24 S.] (Ex.: GB BENcoke, Mp – US PRu); — ib., J. and R. Tonson and S. Draper, 1749 (Ex.: F Pc – GB BENcoke, Ckc, Lcm); — ib, 1750 (Ex.: US Cu); — ib., 1752 (Ex.: F Pc – GB Ob – US PRu); — ib., 1753 (Ex.: US BE); — ib., 1754 (Ex.: F Pc – GB En, Lcm); — ib., J. and R. Tonson, 1759 (Ex.: F Pc – GB BENcoke); – ib., 1759 (Ex.: GB Lbm).

Bemerkungen

Die Idee, John Miltons Poem (nach dem Buch der Richter, Kap. 16) „Samson Agonistes" (1671) als Vorwurf für ein Oratorienlibretto zu benutzen, stammt von Newburgh Hamilton. Durch den Erfolg von „L'Allegro ed il Penseroso" und dem Oratorium Händels insgesamt angeregt, bot er Händel mit seiner Bearbeitung der Dichtung Miltons eine Textgrundlage, die von vornherein den musikalischen Forderungen der neuen Kunstform entsprechen sollte. Über die Gründe für seine Stoffwahl und über seine Bearbeitungstendenzen äußerte sich Hamilton ausführlich im Vorwort zur ersten Ausgabe (A) des Librettos (in Auszügen wiedergegeben bei W. Dean, S. 328 f.): „In adapting this Poem to the stage, the recitative is taken almost wholly from *Milton,* making use only of those parts in his long work most necessary to preserve the spirit of the subject, and justly connect it. In the airs and chorus's which I was oblig'd to add, I have interspers'd several lines, words, and expressions borrowed from some of his smaller poems, to make the whole as much of a piece as possible: Tho' I reduc'd the original to so short an entertainment, yet being thought too long for the proper time of a representation, some recitative must be left out in the performance, but printed in its place, and mark'd to distinguish it." Die hier erwähnten anderen Werke, die für das Libretto von Hamilton[1] herangezogen wurden, waren Miltons Nachdichtungen und Paraphrasen der Psalmen, die Passion sowie „On Time", „On Morning of Christ's Nativity", „Epitaph on the Marchioness of Winchester" und „At a Solemn Music" (Übersicht s. Dean, S. 330).

Das für die Londoner Zensur bestimmte, 36 Seiten umfassende eigenschriftliche Exemplar des Textbuches von Hamilton mit Zusätzen Händels ist erhalten (US SM). Es diente gleichzeitig als Vorlage für den Druck des Librettos durch J. und R. Tonson. Wie W. Dean nachweisen konnte, überlieferte die hier niedergelegte Fassung bereits das Ergebnis der Überarbeitung vom Oktober 1742.

Händel vertonte „Samson" im ersten Entwurf fast unmittelbar nach Abschluß von HWV 56 Messiah, noch vor Beginn seiner Irland-Reise. Er notierte im Autograph folgende Daten für die einzelnen Akte der Komposition: f. 54v: „End of the first Act Sept. 29, 1741"; f. 108v: „End of the second Act ☉ (= Sonntag) Octobr. 11, 1741"; f. 140v: „Fine dell'Oratorio [= durchgestrichen] London. G. F. Handel. ♃ (= Donnerstag) Octobr 29. 1741".

Bereits vor der Vertonung der Rezitative nahm Händel eine Reihe von Änderungen vor, die zwei Neufassungen (Nr. 24 und 34), den Einschub von „My faith and truth" (27) als Duett sowie Kürzungen der Nummern 30, 38, 45 und 47 betrafen. In seiner Urgestalt fehlten dem Werk das Menuet der Ouverture und die Nummern 1, 4, 5, 7, 20, 37, 46, 55 und 56. Von Nr. 25 lag nur die Fassung in A-Dur, von Nr. 31 die in g-Moll vor.

Nach der Rückkehr aus Irland im Herbst 1742 beschäftigte sich Händel erneut mit der „Samson"-Partitur und nahm eine Reihe von Zusätzen, Neuvertonungen und Umstellungen vor (s. Dean, S. 346f., 361ff.; Clausen, S. 212f.). Den Abschluß der Überarbeitung notierte Händel auf f. 149 des Autographs: „S. D. G. G. F. Handel, Octobr 12. 1742." In dieser Phase wurden die Arien auf die 1742/43 engagierten Sänger, die bei der Uraufführung mitwirken sollten, entsprechend den jeweiligen Stammcharakteren verteilt und zum Teil neugeschrieben oder transponiert. Auch das Accompagnato „Since light so necessary is to life" (9), das nicht im Hauptautograph, sondern in GB Cfm (30 H 9, p. 20) enthalten ist, kam noch hinzu.

Besetzung der Uraufführung (18. Februar 1743 in Coventgarden): Samson: John Beard, Dalila: Kitty Clive, Micah: Susanna Maria Cibber, Manoa: William Savage, Harapha: Thomas Reinhold, Philistine und Israelite Man: Thomas Lowe, Philistine und Israelite Women: Miss Edwards und Christina Maria Avoglio. Händel verteilte die Arien der Philister und Israeliten nach folgendem Muster: Lowe sang Nr. 4, Rezitativ und Arie Nr. 12b, Nr. 37a und Nr. 46. Edwards Nr. 5, den Part der Jungfrau in Nr. 27, Nr. 31a (in d-Moll) und das Sopransolo in Nr. 54, Avoglio Nr. 2, 25b und 55. Händel spielte wiederum ein Orgelkonzert (vermutlich HWV 307 op. 7 Nr. 2 A-Dur), später (ab 2. März) folgte noch „a Solo on the violin by Mr. Dubourg".

Bereits innerhalb der ersten Aufführungsserie wurde „Samson" in einer veränderten, stark gekürzten Fassung gegeben, zu der ein neues Textbuch (1743, Ausgabe C) gedruckt wurde. Neben umfangreichen Kürzungen in den Rezitativen wurden eine Reihe von Sätzen gestrichen (Nr. 4, 5, 6, 9, 12, 14, 15 sowie Nr. 22, die Händel auch in spätere Aufführungen niemals wieder einfügte).

Die nächsten Aufführungen (am 24. und 29. Februar 1744, dokumentiert durch Libretto 1743, Ausgabe D) wiesen ebenfalls starke Kürzungen auf. Händel änderte während der 9 verschiedenen Spielzeiten, in denen er „Samson" in London aufführte, fortwährend die Fassung (Zusammenstellung der einzelnen Änderungen s. Dean, Appendix H).

1744 traten zum Teil andere Sänger bei Händel auf; in der Direktionspartitur vermerkte er außer *Reinhold* die Namen von *Francesina* (Elisabeth Duparc) als Dalia, Daniel *Sullivan* (Countertenor) als Micah und Esther *Young* (als Philistine bzw. Israelite Woman).

1745 sang Miss Robinson (Tochter von Ann Turner Robinson) die Altpartie des Micah und vermutlich eine der Philisterinnen oder Israelitinnen. Sie erhielt eine neue Arie (31b. Fly from the cleaving mischief), die für diese Gelegenheit komponiert wurde, und die sich heute fälschlich im Autograph von HWV 62 Occasional Oratorio (GB Lbm, R. M. 20. f. 3., f. 32f.) befindet.

In der Spielzeit 1749 besetzte Händel die Partien mit folgenden Sängern: Samson: Thomas Lowe, Dalila, Philistine und Israelite Woman, Israelite Man: Giulia Frasi, Micah, Israelite und Philistine Woman: Caterina Galli. Harapha und Manoa: Thomas Reinhold. Seit März 1749 ersetzte der „Dead March" aus HWV 53 Saul den ursprünglich für „Samson" komponierten Trauermarsch (53a).

In der Saison 1750 übernahm der Altkastrat Gaetano Guadagni die Partie des Micah. Für ihn setzte Händel die Altfassung der Arie „God of our fathers" (12a) wieder ein und transponierte „Fly from the cleaving mischief" (31b) nach D-Dur.

Die Besetzung der Aufführungen 1752 und 1753 ist nicht bekannt. 1754 sang Christina Passerini die Philistine und Israelite Women; für Micah (vermutlich von ihr und Galli gesungen) wurde die Arie „How

[1] Ch. Jennens vermerkte in seinem Exemplar des Walsh-Druckes von „Samson" (GB Mp, B. R. f. 530 Hd665) sarkastisch: „mix'd with Nonsense by Hamilton ...".

great and many perils" (Act III, Scene I) aus HWV 62 Occasional Oratorio in „Samson" übernommen.

1755 war die Besetzung vermutlich folgende: Samson: John Beard, Dalila, Israelite und Philistine Women: Giulia Frasi, Micah: Isabella Young, Manoa und Harapha: Samuel Champness. Auch die Besetzung der letzten Aufführungen vor Händels Tod, die im März 1759 stattfanden, ist nicht bekannt.

Auch in „Samson" ließ Händel sich von Werken anderer Komponisten anregen, verzichtete aber weitgehend (Nr. 20 entstammte Händels Kantate HWV 132 „Mi palpita il cor") auf Parodien eigener Werke. Folgenden Sätzen liegen Werke anderer Komponisten[2] zugrunde:

Ouverture: Erstes Allegro
 G. Ph. Telemann: Musique de table, 1. Production, Quartett G-Dur (Vivace) bzw. 3 Production, Suite B-Dur (Conclusion)
 T. Muffat: Componimenti musicali, Suite VI G-Dur (Fantaisie)

Ouverture: Zweites Allegro
 T. Muffat: Componimenti musicali, Suite VI G-Dur (La Coquette). Vgl. auch HWV 307 Orgelkonzert op. 7 Nr. 2 A-Dur, 3. Satz (Allegro)

Ouverture: Menuet
 R. Keiser: Claudius (Hamburg 1703), Minuet

10. O first created beam/To thy dark servant
 G. Legrenzi: Motette „Intret in conspectu tuo"[3]
18. Then shall they know/Was ever the most high
 E. d'Astorga: Stabat mater: Ut ardeat cor meum
29. To fleeting pleasures
 G. Porta: Numitore (London 1720)[4]: Arie „Quando mai pieto", Ritornello
34. My strength is from the living God (Teil des Ritornells)
 G. Porta: Numitore: Arie „Nascer mi sento", Ritornello
35. Go, baffled coward, go
 G. Porta: Numitore: Duett „Il ciel le piante", Ritornello
36. Hear, Jacob's God
 G. Carissmi: Jephte: Plorate filiae Israel
41. Then shall I make Jehovah's glory known (instrumentales Zwischenspiel)
 G. Porta: Numitore: Ouverture
44. The Holy One of Israel (Teile des Ritornells)
 G. Porta: Numitore: Arie „Vado a pugnar", Ritornello
55. Let the bright Seraphims (Ritornello)
 G. Porta: Numitore: Arie „Gran Nume dei pastori", Ritornello

[2] Notenbsp. bei Dean, S. 334–337.

[3] Kopie Händels in GB Lbm (R. M. 20. g. 10., f. 14–22: „Motetto, à 6 voci per ogni tempo ex Ψ 79. Del E. D. Giovanni Legrenzi di D. Giovanna fran." f. S. I, II, III, A., T., B. und Basso continuo.

[4] Mit diesem Werk eröffnete Händel am 2. April 1720 die erste Spielzeit der Royal Academy of Music. Vgl. Knapp, J. M.: Handel, the Royal Academy of Music and its first Opera Season. In: The Musical Quarterly, vol. 45, 1959, S. 145 ff.

Literatur

Clausen, S. 212 ff.; Dean, S. 326 ff.; Dean, W.: Handel and Newburgh Hamilton. In: The Musical Times, vol. 113, 1972, S. 148; Deutsch, S. 522, 557 ff.; Flower, p. 278 ff./S. 253 ff.; Herbage, S. 101 ff.; Heuß, A.: Händels Samson in der Bearbeitung von F.. Chrysander. In: ZIMG, 10. Jg., 1908/09, S. 110 ff.; Lang, p. 395 ff./S. 357 ff.; Leichtentritt, S. 405 ff.; Loewenthal, R.: Handel and Newburgh Hamilton. New references in the Stratford Papers. In: The Musical Times, vol. 112, 1971, S. 1063 f.; Naumann, E.: Händel's Samson. In: Echo, 4. Jg., Berlin 1854, S. 405 ff., 413 f.; Ritter, A. G.: Samson. Oratorium von G. F. Händel. In: Euterpe, 4. Jg., Erfurt 1844, S. 49 ff.; Rimbault, E. F.: Samson, Preface und Text, Ausgabe der Handel Society, London 1853; Rudolph, J.: „Samson" – ein Oratorium des Sieges. In: Händelfestspiele Halle, 23.–27. April 1960, Programmheft, S. 31 ff.; Rudolph, J.: Das Bild des Volkshelden bei Händel. In: Händel-Jb., 18./19. Jg., 1972/73, S. 77 ff.; Schoelcher, S. 278 f.; Seiffert, M.: G. Ph. Telemann's „Musique de Table" als Quelle für Händel. In: Bulletin de la Société „Union musicologique", 4. Jg., 1. H., La Haye 1924, S. 1 ff.; Schering, A.: Geschichte des Oratoriums, Leipzig 1911, S. 282 ff.; Serauky, W.: Zu G. F. Händels „Samson". In: Händel-Fest 1953, Festschrift, Halle 1953, S. 51 ff.; Serauky III, S. 832 ff.; Siegmund-Schultze, S. 135 ff.; Siegmund-Schultze, W.: Die Großform des Händelschen Oratoriums (am Beispiel Samson). In: G. F. Händel, Thema mit 20 Variationen, Halle 1965, S. 63 ff.; Siegmund-Schultze, W.: „Samson" und „Salomo", zwei oratorische Meisterwerke G. F. Händels. In: 25. Händelfestspiele der DDR Halle 1976, Programmheft, S. 26 ff.; Siegmund-Schultze, D.: Die Samson-Gestalt bei Milton und Händel. In: Händel-Jb., 18./19. Jg., 1972/73, S. 9 ff.; Smith, W. C.: „Samson": The Earliest Editions and Handel's Use of the Dead March. In: The Musical Times, vol. 79, 1938, S. 581 (dasselbe in: Händel-Jb., 3. Jg., 1957, S. 105 ff., 172 ff.); Smither II, S. 269 ff.; Streatfeild, S. 174 f., 303 f.; Strehl, R.: Händels Oratorium „Samson". In: Göttinger Händelfestspiele 1963, Programmheft, S. 32. ff.

Beschreibung der Autographe: Lbm: Catalogue Squire, S. 68 ff., 54. – Cfm: Catalogue Mann, Ms. 259, S. 182 ff. – Dean, S. 361 ff.

58. Semele

Oratorio in three acts (nach der Oper „Semele“, 1706) von William Congreve

Textfassung: Bearbeiter unbekannt

Besetzung: Soli: 2 Soprani (Semele, Iris), 3 Alti (Athamas, Ino, Juno), 2 Tenori (Jupiter, Apollo), 3 Bassi (Cadmus, Somnus, High Priest). Chor: C.; A.; T.; B. Instrumente: Ob. I, II; Fag. I, II; Cor. I, II; Trba. I, II; Timp.; V. I, II, III; Va.; Vc. I, II; Org.; Cont.
ChA 7. – HHA I/19. – EZ: London, 3. Juni bis 4. Juli 1743. – UA: London, 10. Februar 1744, Theatre Royal, Coventgarden

Ouverture

Gavotte

Act I

Scene I

1. Accompagnato. Priest

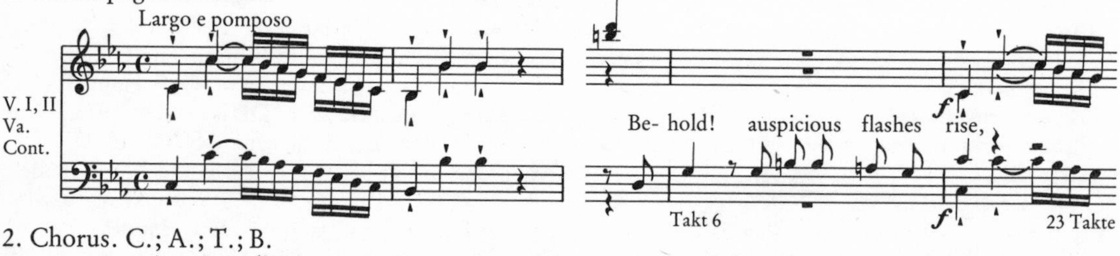

2. Chorus. C.; A.; T.; B.

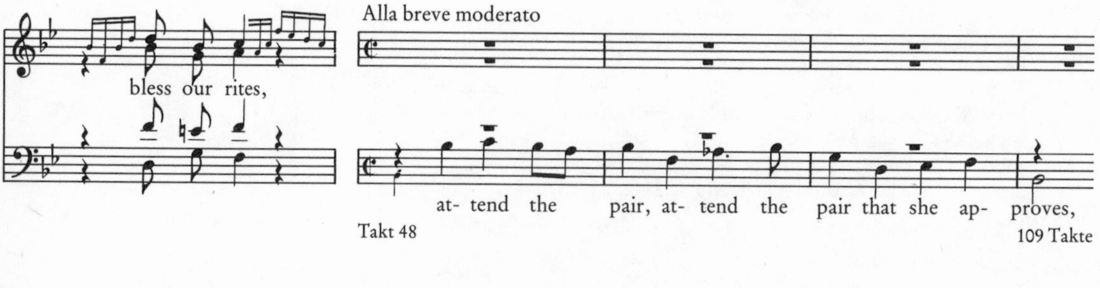

3. Recitative and Arioso. Cadmus; Athamas

Cadmus
Arioso e larghetto
V. I, II
Va.
Cont.
Daughter, o- bey, hear and o- bey!
in- vent no new de-
Takt 5

Athamas
O hear a faithful
lay, invent now new de- lay!
21 Takte

4. Accompagnato. Semele

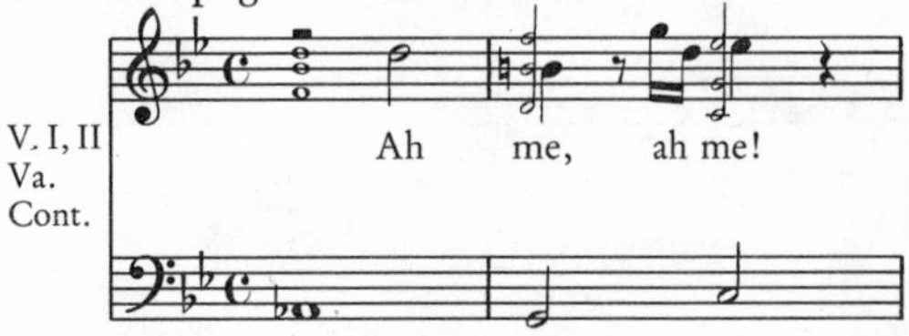
V. I, II
Va.
Cont.
Ah me, ah me!

what refuge
(17 Takte) attacca

5. Air. Semele

Larghetto andante
e sempre piano
Oh Jove! in pit- - -y
V. I, II
Va.
Cont.
Takt 18
68 Takte

6. Air. Semele

Andante
V. I
V. II
V. I, II
Va.
Cont.
The morning lark to mine accords his note,
Takt 10
74 Takte D. s.
(Autogr.: Un tono più basso ex F)

Recitative. Athamas

Cont.
See, she blushing turns her eyes;
6 Takte

7. Air. Athamas

Allegro
V. I, II
unis.
Cont.
Hymen, haste!
Takt 9

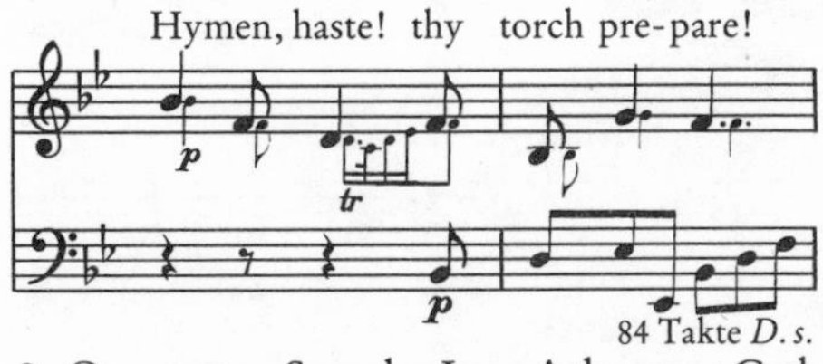
Hymen, haste! thy torch pre-pare!
84 Takte D. s.

Recitative. Ino; Athamas; Semele

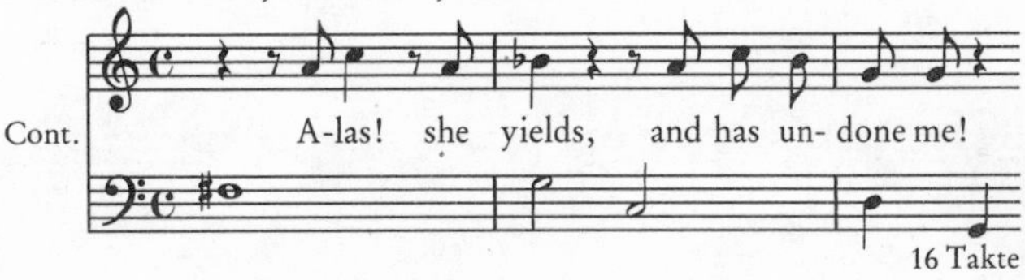
Cont.
A-las! she yields, and has un- done me!
16 Takte

8. Quartetto. Semele; Ino; Athamas; Cadmus

Andante larghetto
V. I, II
Va.
Cont.
Cadmus:
Why dost thou thus un- time- ly grieve,
Takt 7

Ino: Of all; but all, I_ fear, in_vain!
p
Takt 21
p V. I
Semele: Can
Athamas: Can I thy woes re- lieve?
p V. II
Takt 25
p

I_ assuage thy pain?
44 Takte

9. Chorus. C.; A.; T.; B.

Allegro
Ob. I, II
Timp.
V. I, II
Va.
Cont.
Str.
(Tutti)
Avert these o- mens, all ye pow'rs,
Timp.
92 Takte

10. Accompagnato. Cadmus

V. I, II
V. I, II
Va.
Cont.
Va.
Again aus- picious flashes rise,

p
A-gain the sickly flame decaying dies:
Takt 6
p
11 Takte

Recitative. Athamas

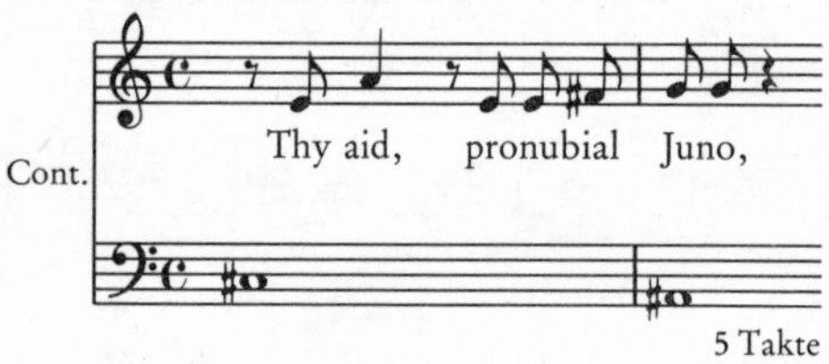
Thy aid, pronubial Juno,
Cont.
5 Takte

11. Chorus. C.; A.; T.; B.

Presto
V. I e Va.
Ob. I, II
Timp.
V. I, II
Va.
Cont.
Str.
V. II
Timp.

Cease, cease your vow's, 'tis im-pious to pro- ceed;
Takt 3
19 Takte

Scene II

Recitative. Athamas

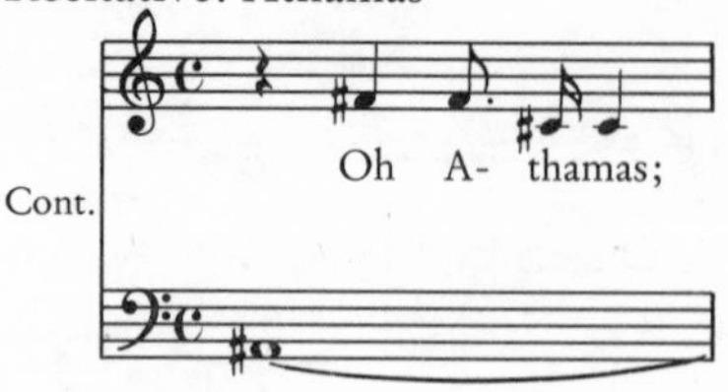
Oh A- thamas;
Cont.

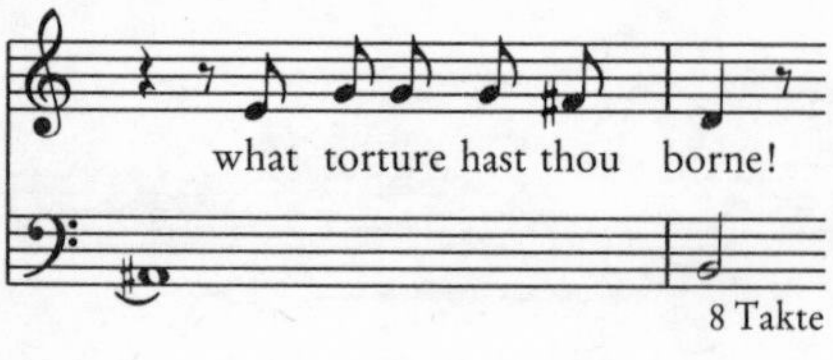
what torture hast thou borne!
8 Takte

12. Air. Ino

Larghetto
V. I, II
unis.
Vc.
Cont.
Turn, hopeless lov- er,
Vc. ed Org.
Takt 11
p

turn — thy eyes,
131 Takte D. s.

Recitative. Athamas

Cont.
She weeps! the gentle maid
7 Takte

13. Air. Athamas

Largo
V. I, II
unis.
Cont.

Your tuneful voice my tale would tell, in pity of my sad de- spair,
Takt 11
p
67 Takte D. s.

Recitative. Ino; Athamas

Cont.
Too well I see, thou wilt not
15 Takte

14. Duetto. Ino; Athamas

Andante larghetto
V. I, II
Va.
Cont.
Ino: You've undone me, look not on me,

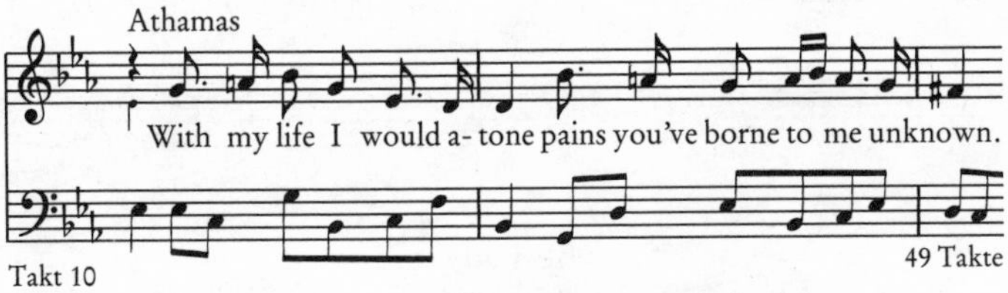
Athamas
With my life I would a- tone pains you've borne to me unknown.
Takt 10
49 Takte

Scene III

Recitative. Cadmus; Athamas

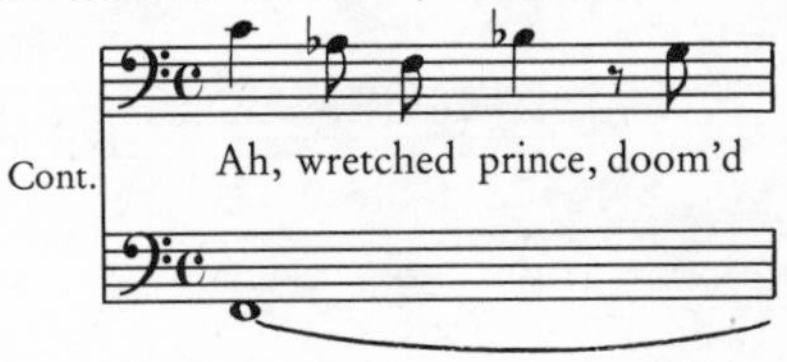
Cont.
Ah, wretched prince, doom'd

to disas- trous love!
11 Takte

15. Accompagnato. Cadmus

V. I, II
Va.
Cont.
Wing'd with our fears, and pious haste, from Juno's fane we fled.
21 Takte

Recitative. Athamas; Ino

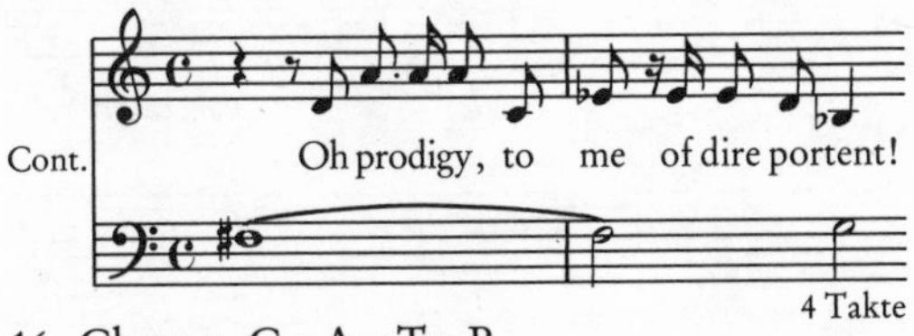
Cont.
Oh prodigy, to me of dire portent!
4 Takte

Scene IV

Recitative. Cadmus

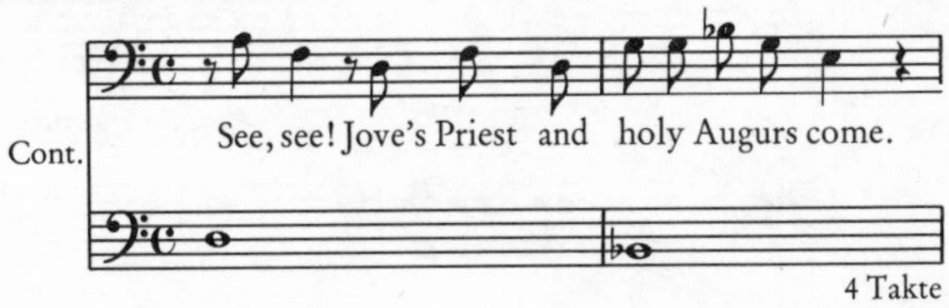
Cont.
See, see! Jove's Priest and holy Augurs come.
4 Takte

16. Chorus. C.; A.; T.; B.

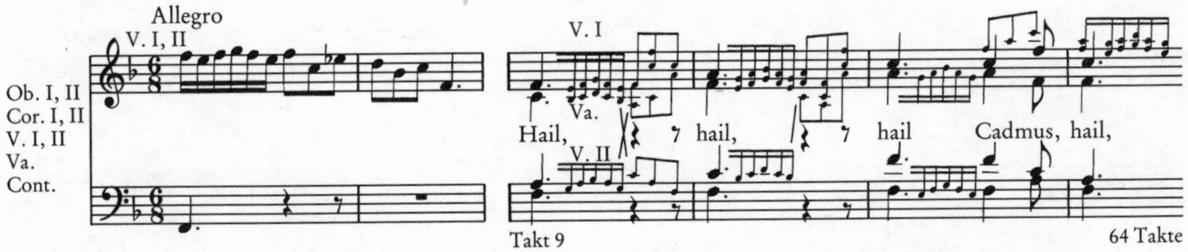
Allegro
V. I, II
Ob. I, II
Cor. I, II
V. I, II
Va.
Cont.
V. I
Va.
V. II
Hail, hail, hail Cadmus, hail,
Takt 9
64 Takte

17. Air. Semele

Alla Gavotta
V. I, II
unis.
Cont.
End-less plea- sure, endless plea- sure, endless
p
p
Takt 12

love Se- me- le en- joys a- bove,
107 Takte (attacca)

18. Chorus. C.; A.; T.; B.

Ob. I, II
Cor. I, II
V. I, II
Va.
Cont.
(a-)bove.
Endless plea- sure, endless love,
63 Takte

Act II

Scene I

19. Symphony

V. I, II
unis.
V. III e Va.
Cont.
50 Takte

Recitative. Juno; Iris

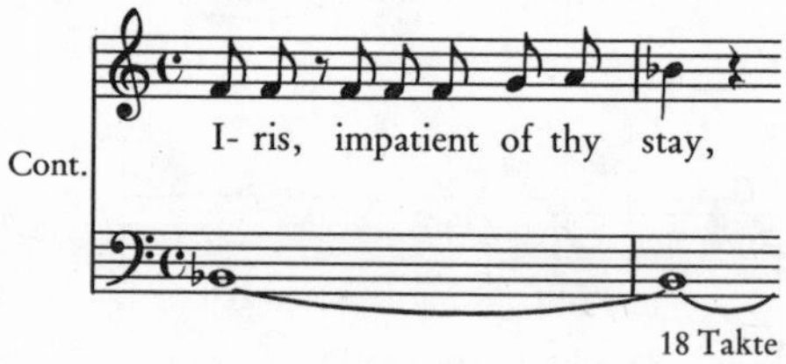
Cont.
I- ris, impatient of thy stay,
18 Takte

20. Air. Iris

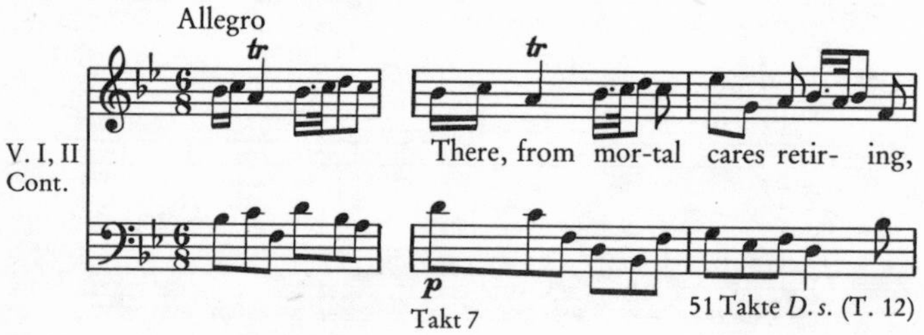
Allegro
V. I, II
Cont.
There, from mor-tal cares retir- ing,
p
Takt 7
51 Takte D. s. (T. 12)

Recitative. Juno

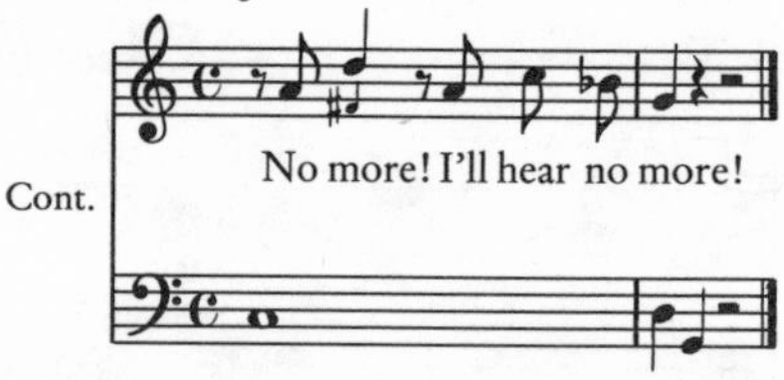
Cont.
No more! I'll hear no more!

21. Accompagnato. Juno; Iris

Concitato ma pomposo
V. I, II
Va.
Cont.
Juno
A-wake, Satur-nia, from thy lethar-gy!
Iris
Hear, migh-ty

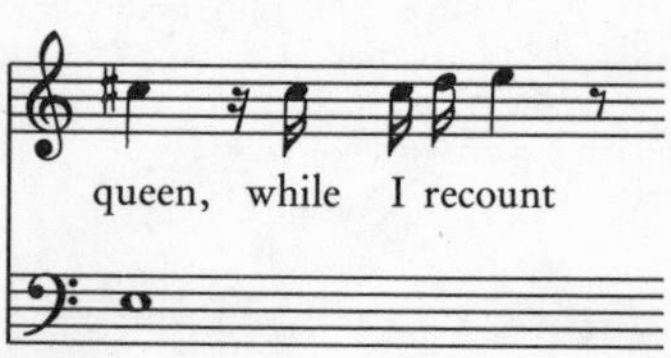
queen, while I recount
Takt 26
41 Takte

22. Air. Juno

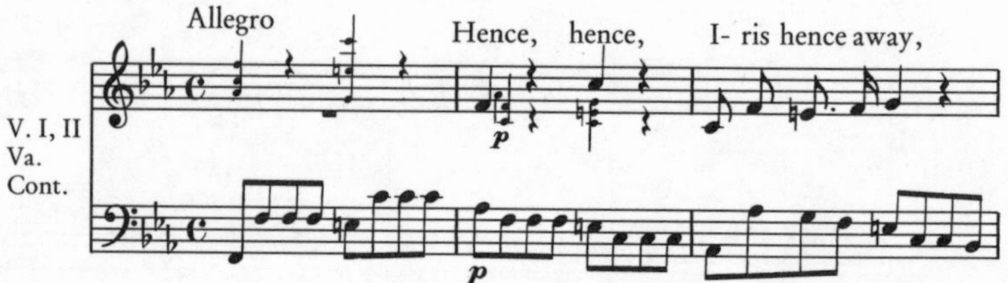
Allegro
V. I, II
Va.
Cont.
Hence, hence, I- ris hence away,
p
p
63 Takte D. c.

Scene II

23. Air. Semele

Largo
Cont.
Oh sleep, oh sleep, why dost thou leave me?
[Autogr.: Un mezzo tono più basso ex D#]
Takt 5
28 Takte

Scene III

Recitative. Semele

Cont.
Let me not an-oth-er moment
7 Takte

24. Air. Jupiter

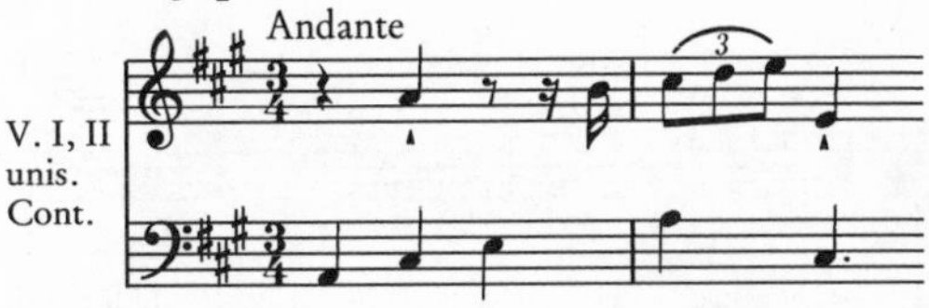

Lay your doubts and fear a- side,
Takt 13
p
69 Takte D. s.

Recitative. Jupiter

Cont.
You are mor-tal and re- quire
7 Takte

25. Air. Semele

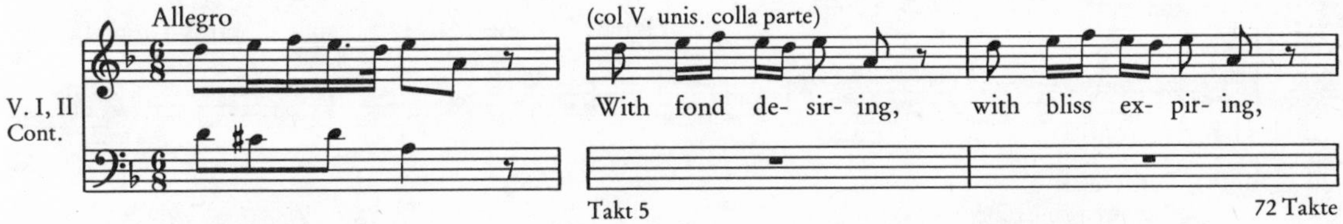
Allegro
V. I, II
Cont.
(col V. unis. colla parte)
With fond de- sir- ing, with bliss ex- pir- ing,
Takt 5
72 Takte

26. Chorus. C.; A.; T.; B.

Recitative. Semele; Jupiter

Semele
Jupiter
Cont.
Ah me! Why sighs my Semele?
25 Takte

27. Air. Jupiter

Allegro ma non troppo
V. I, II
unis.
Cont.
I must with speed a- muse her, lest she too much ex- plain,
p
Takt 9
60 Takte D. c.

28. Chorus. C.; A.; T.; B.

Recitative. Jupiter; Semele

By my command now at this instant
Cont.
23 Takte

29. Air. Jupiter

Largo e pianissimo per tutto

V. I, II
Va.
Cont.
Where'er you
Cont.
Takt 2

walk, cool gales shall fan the glade;
(Takt 2)
(32) 26 Takte D. c.

Scene IV

Recitative. Semele; Ino

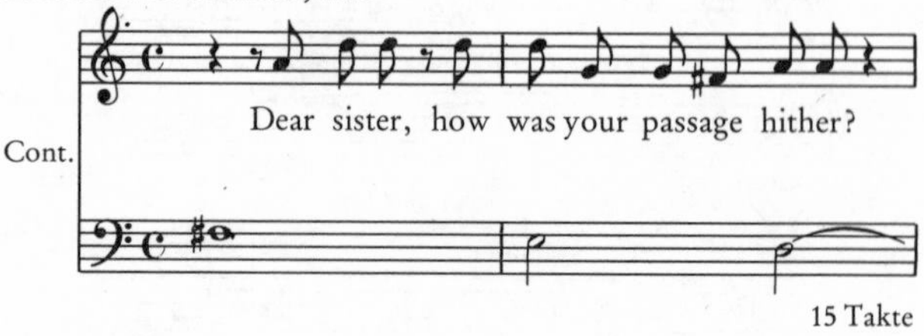
Cont.
Dear sister, how was your passage hither?
15 Takte

30. Air. Ino

Larghetto e pianissimo

V. I, II
Va.
Cont.
But hark! the heav'n- ly sphere turns round,
Takt 5
24 Takte

31. Duetto. Semele; Ino

Grave e pianissimo

Andante
Semele: Pre- pare, pre- pare then, ye
Semele: Each sacred minstrel
V. I, II
Va.
Cont.
Ino: Prepare, pre- pare then, ye
Takt 8

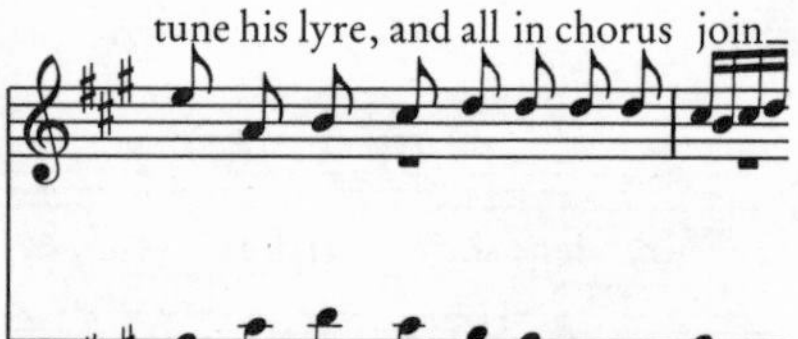
tune his lyre, and all in chorus join
36 Takte

32. Chorus. C.; A.; T.; B.

A tempo ordinario

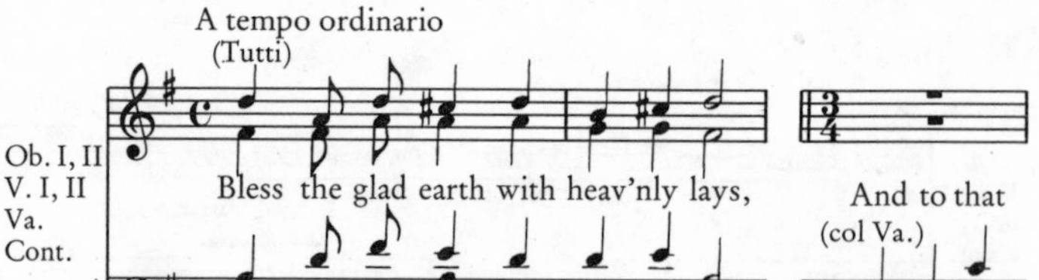
(Tutti)
Ob. I, II
V. I, II
Va.
Cont.
Bless the glad earth with heav'nly lays,
And to that
(col Va.)
Takt 5

(col V. I)
that all appear di- vine
(col V. II)
And to that pitch th'e- ter- nal accents raise
pitch th'e- ter- nal accents raise,
101 Takte

Act III

Scene I

33. (Symphony)

34. Accompagnato. Juno; Iris

35. Air. Somnus

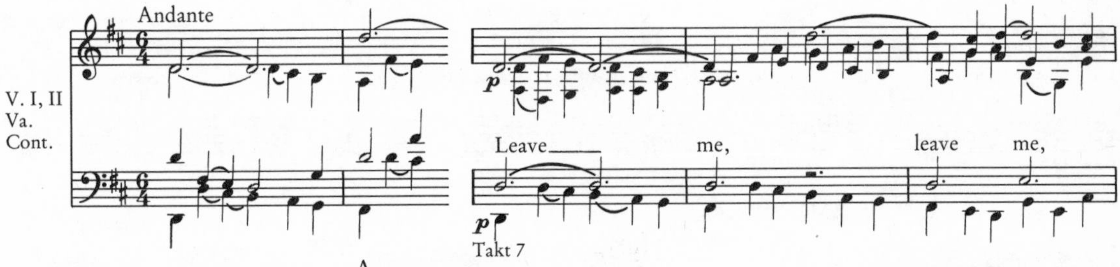

A. B. Recitative. Juno; Somnus

36. Air. Somnus

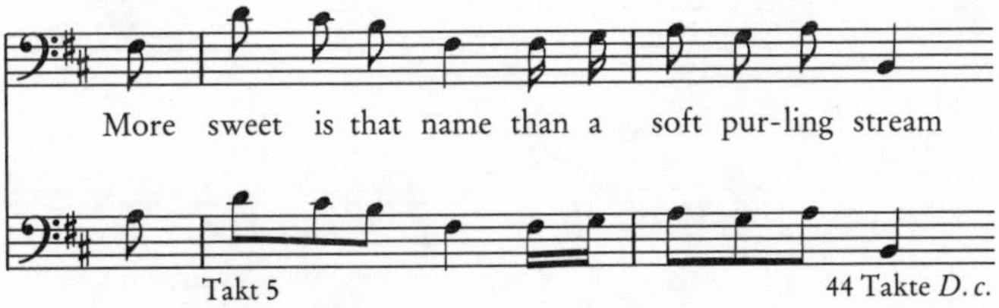

A. B. Recitative. Juno; Somnus

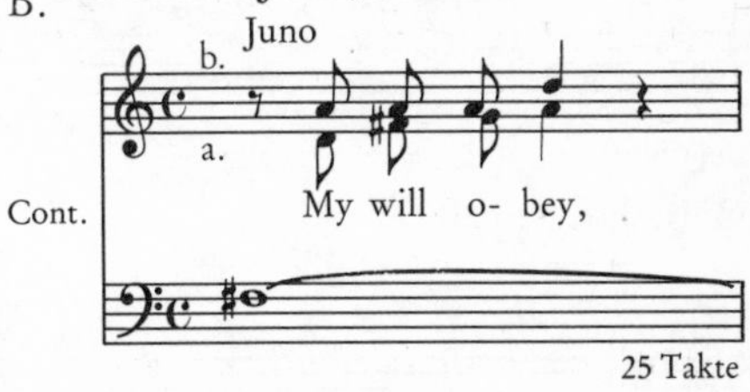

37. Duetto. Juno; Somnus

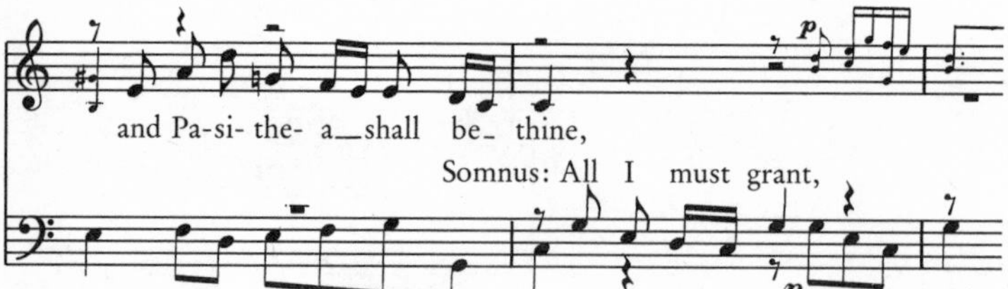
and Pa-si- the- a_shall be_ thine,
Somnus: All I must grant,
p
p

30 Takte

Scene II

38. Air. Semele

Largo

Cont.

My rack- ing thoughts by no kind slumbers freed,

Takt 4

28 Takte

Scene III

Recitative. Juno; Semele

Juno

Cont.

Thus shap'd like I-no,

Juno

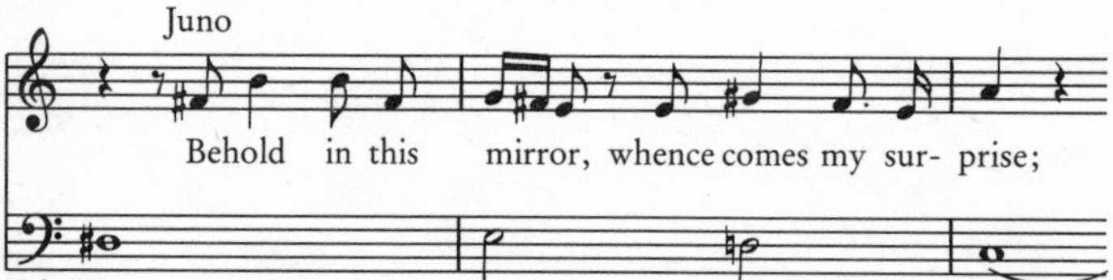
Behold in this mirror, whence comes my sur- prise;

Takt 19

26 Takte

A. Recitative. Semele

Cont.

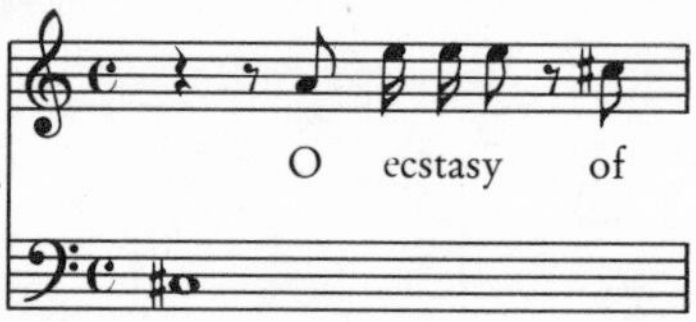
O ecstasy of

happiness,

4 Takte

39a. Air. Semele

Allegro

V. I, II unis.
Cont.

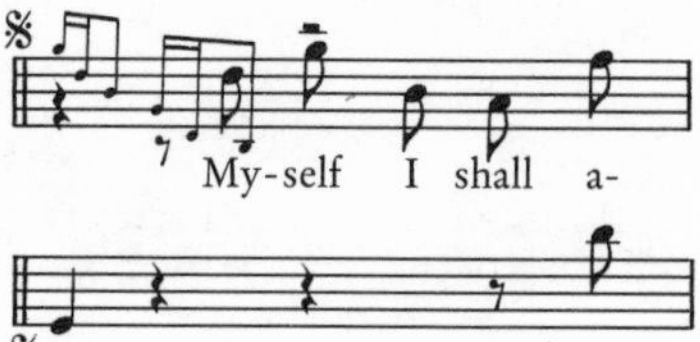
My-self I shall a-

Takt 7

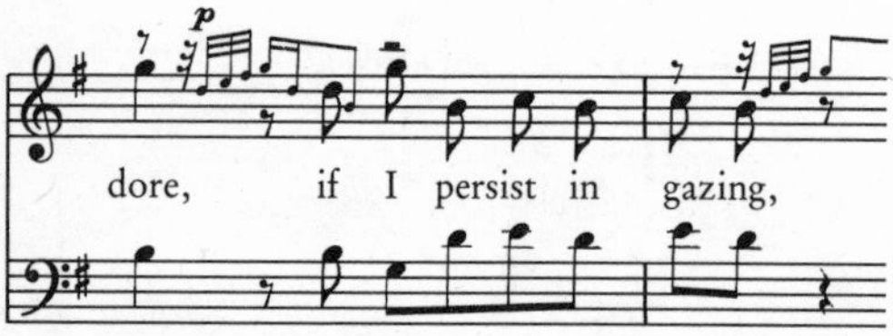
p
dore, if I persist in gazing,

78 Takte *D. s.*

B. Recitative. Semele

Cont.

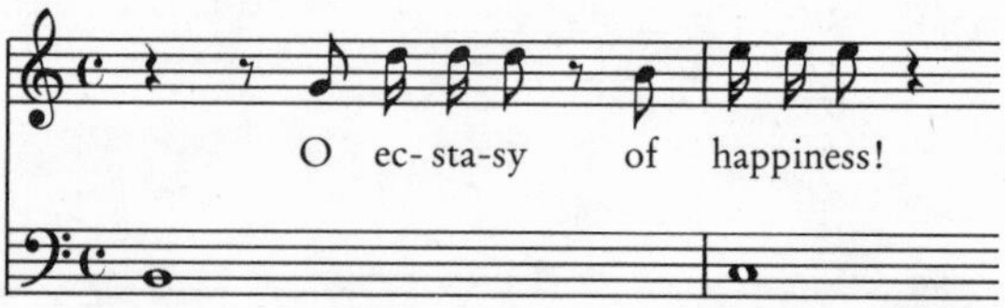
O ec- sta-sy of happiness!

4 Takte

39b. Air. Semele

Allegro

6
Myself I shall a- dore

78 Takte *D. s.*

Recitative. Juno; Semele

Juno

Cont.

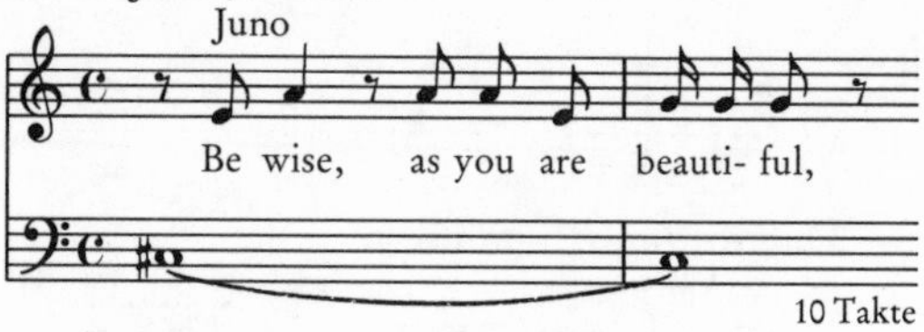
Be wise, as you are beauti- ful,

10 Takte

40. Accompagnato. Juno

V. I, II
Va.
Cont.

Conjure him by his oath not to approach your bed

21 Takte

41. Air. Semele

Alla Siciliana, ma andante
tr
V. I, II
Va.
Cont.
Thus let my thanks be pay'd, thus let_my arms embrace thee,
pp
pp
Takt 3
27 Takte

Recitative. Juno; Semele

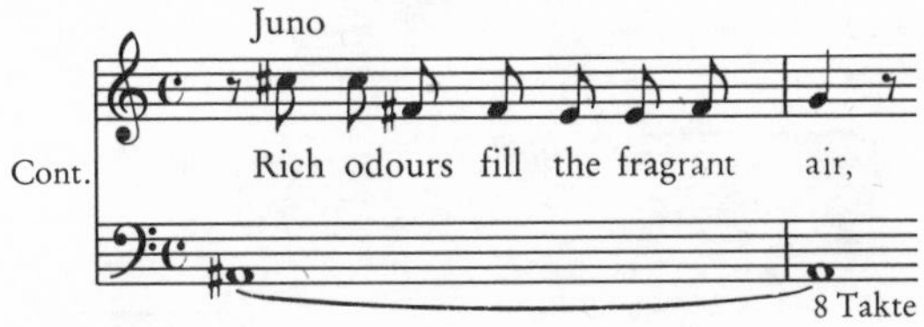
Juno
Cont.
Rich odours fill the fragrant air,
8 Takte

Scene IV

42. Air. Jupiter

Larghetto
V. I, II
Va.
Cont.
Come to my
Takt 9

arms, my lovely fair,
74 Takte

Recitative. Jupiter

Cont.
Oh Se-mele! why art thou thus in- sensible?
(attacca)

43. Air. Semele

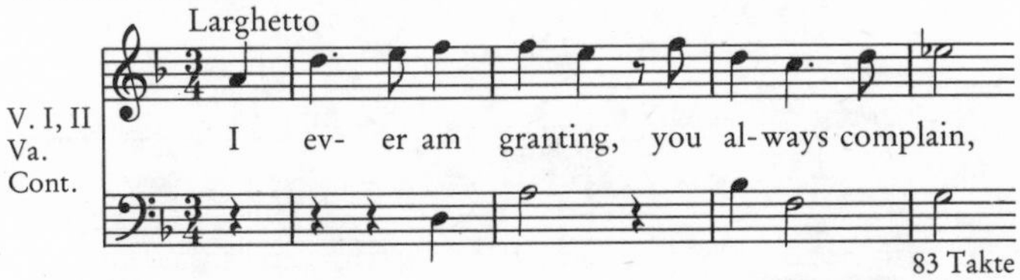
Larghetto
V. I, II
Va.
Cont.
I ev- er am granting, you al-ways complain,
83 Takte

Recitative. Jupiter; Semele

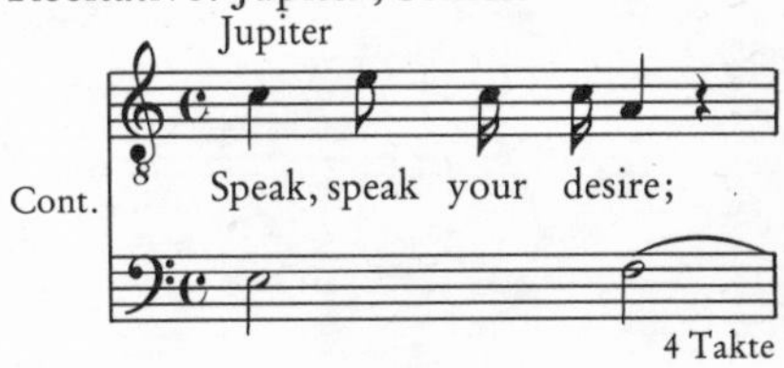
Jupiter
Cont.
Speak, speak your desire;
4 Takte

44. Accompagnato. Jupiter

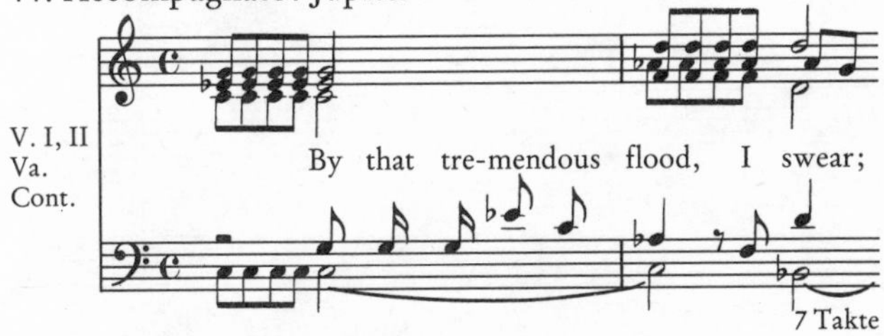
V. I, II
Va.
Cont.
By that tre-mendous flood, I swear;
7 Takte

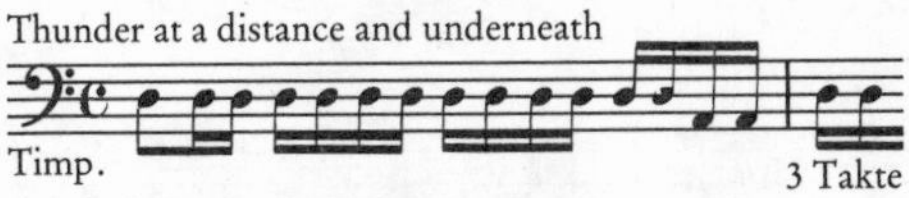
Thunder at a distance and underneath
Timp.
3 Takte

Recitative. Semele; Jupiter

Semele
Cont.
You'll grant what I re- quire?
3 Takte

45. Accompagnato. Semele

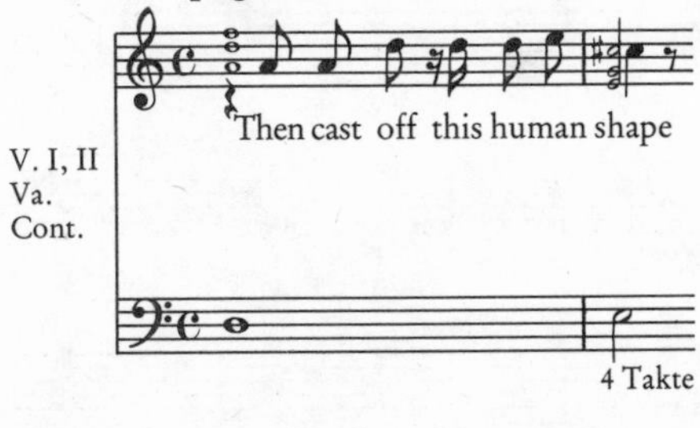
V. I, II
Va.
Cont.
Then cast off this human shape
4 Takte

46. Air. Jupiter

Allegro
V. I, II
Va.
Cont.
Ah! take heed what you press!
48 Takte

47. Air. Semele

Scene V

48. Accompagnato. Jupiter

Scene VI

49. Air. Juno

Scene VII

50. Arioso. Semele

Scene VIII

Recitative. Ino

51. Chorus. C.; A.; T.; B.

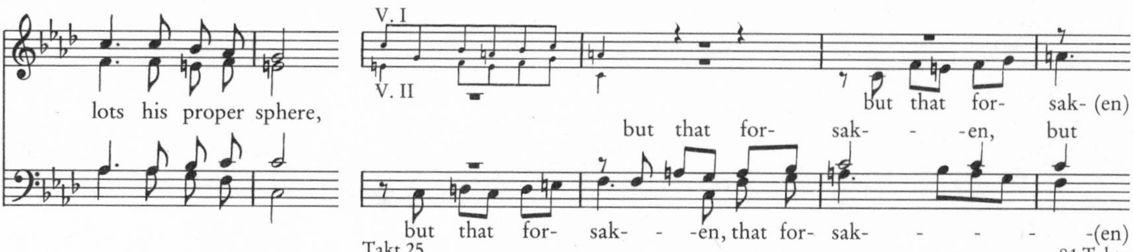
V. I
V. II
lots his proper sphere,
but that for- sak- (en)
but that for- sak- - -en, but
but that for- sak- - -en, that for- sak- - - - - -(en)
Takt 25

81 Takte

52. Air. Athamas

Allegro

V. I, II unis.
Va.
Cont.
Despair no more shall wound me,
Takt 9

Recitative. Ino; Cadmus; Athamas

Ino
Cont.
How I was hence remov'd,
14 Takte

since you so kind do prove
Takt 12

72 Takte *D. c.*

Recitative. Cadmus

Cont.
See from a-bove the bellying clouds descend,
4 Takte

Scene IX (the last)

53. Sinfonia

Ob. I, II
V. I, II
Va.
Cont.
tr
18 Takte

54. Accompagnato. Apollo

V. I, II
Va.
Cont.
Apol-lo

comes, to relieve your care,
12 Takte

55. Chorus. C.; A.; T.; B.

A tempo ordinario

Str.
Ob. I, II
Trba. I, II
Timp.
V. I, II
Va.
Cont.
Happy, hap-py!
Takt 4

Happy, happy, hap-py, happy shall we be, and free from care, from care, from sor- row free
Cont.
Takt 8

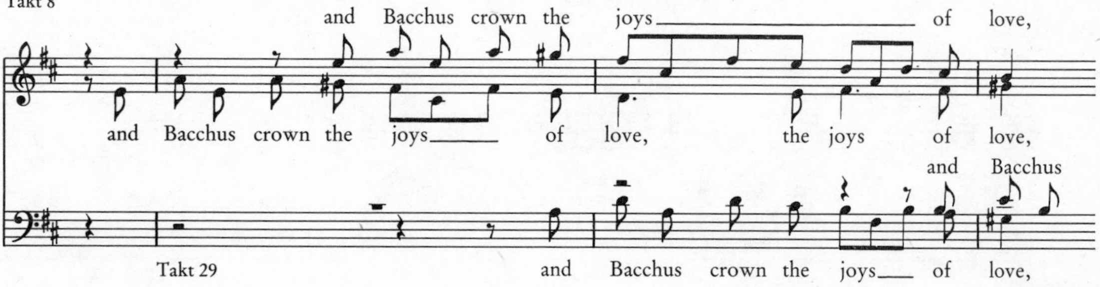
and Bacchus crown the joys of love,
and Bacchus crown the joys of love, the joys of love,
and Bacchus
and Bacchus crown the joys of love,
Takt 29

91 Takte

Anhang

Act I, Scene I

(1.) Accompagnato. Priest or Cadmus

(3.) Recitative and Arioso. Cadmus; Athamas

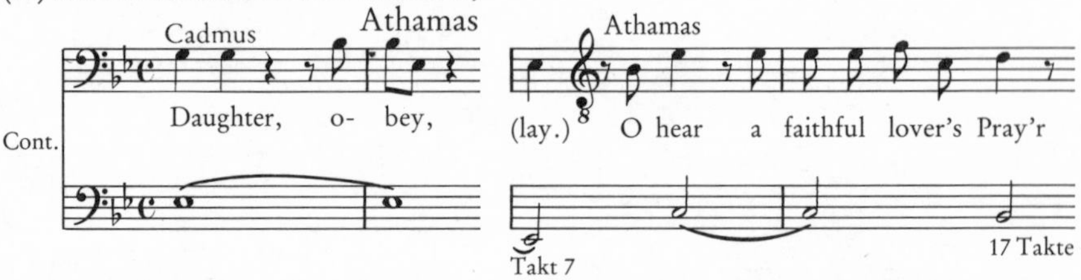

(6a.) Air. Ino

(7.) Air. Athamas

(12.) Recitative. Ino

Act II, Scene II

(23.) Air. Cupid

your silk- y wings,
Allegro
Dance a- round her, while I wound her
V. I colla voce
V. II
Va., Vc.
Takt 91
Va. ut Violone
and with plea- sure fill her dreams
Larghetto
f
Takt 124

Scene IV
(32.) Chorus. C.; A.; T.; B.

131 Takte D. s.
Grave
Va.
C.
Ob. I, II
V. I, II
Va.
Cont.
A.
Bless the glad earth with heav'- nly lays,
T.
B.

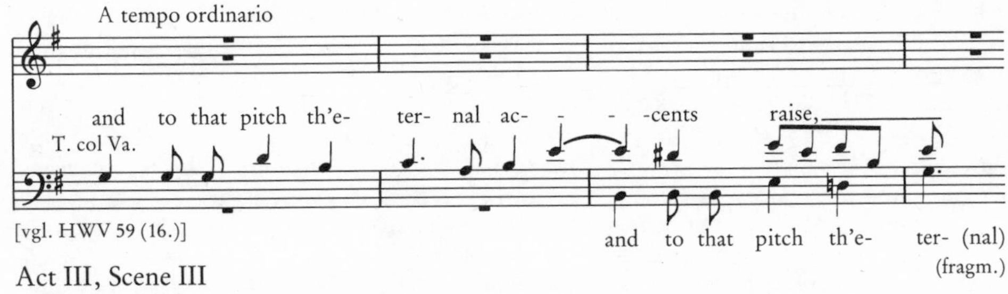
A tempo ordinario
and to that pitch th'e- ter- nal ac- - -cents raise,
T. col Va.
[vgl. HWV 59 (16.)]
and to that pitch th'e- ter- (nal)
(fragm.)

Act III, Scene III
Air. Juno

Allegro
V. I, II
Va.
Cont.
Be- hold in this
Takt 9
mir- ror, be- hold in this mir- ror whence comes my sur- prise
82 Takte

Scene IX
(55.) Chorus. C.; A.; T.; B.

Allegro
Cor. I, II
V. I, II
Va.
Cont.
Then Mortals be merry and scorn the blind Boy, your hearts from his arrows strong wine shall defend.

[vgl. HWV 226] 6 Takte (fragm.)

Quellen
Handschriften: Autographe: GB Lbm (R. M. 20. f. 7.; R. M. 20. c. 2., f. 42–43: Sinfonia[1] Nr. 19), Cfm (30 H 9, p. 35–36: Entwurf für Nr. 34, Beginn in Lbm, R. M. 20. f. 7., f. 80^v).
Abschriften: D (brd) Hs (Direktionspartitur M $\frac{A}{1050}$) – GB Lbm (R. M. 18. e. 4.; R. M. 19. d. 6.; R. M. 19. b. 3.: 7 Vokalstimmen für Juno, Jupiter, Iris, Cadmus, Ino, Semele, Athamas; R. M. 19. e. 10.: St. für V. I, II, Va., Vc.; R. M. 19. a. 2., f. 39^v–43^r: Ouverture für Cemb.), Mp (MS 130 Hd4, v. 299) – US Wc (M 2.1. H 22 S 4 case, Part. a. d. Besitz des Earl of Fitzwilliam).
Drucke: Semele as it is perform'd at the Theatre Royal in Covent Garden, set to musick by Mr Handel. – London, J. Walsh (3 verschiedene Ausgaben); Harrison's edition, corrected by Dr Arnold. The overture and songs in Semele; an oratorio, for the voice, harpsichord, and violin. Composed by Mr Handel. – London, Harrison & Co.; Semele. A dramatick performance in score, the words altered from Congreve, the musick composed in the year 1743 by G. F. Handel. – London, Arnold's edition, No. 24–28 (1788); I must with speed amuse her. Song (In: The Lady's Magazine, April, 1971). – (London), s. n.; O sleep, why dost thou leave me? A song (In: The Lady's Magazine, June, 1784). – (London), s. n.; — s. l., s. n.; — ... from the opera of Semele. – London, R. Falkener; — ... as sung by Mr. Harrison in the oratorio of Semele, composed by G. F. Handel. – London, R. Birchall; The morning lark. Semele. – (London), J. Bland; There, from mortal cares retiring. Song (In: The Lady's Magazine, Nov., 1787). – (London), s. n.; Turn, hopeless lover. Song (In: The Lady's Magazine, Aug., 1794). – (London), s. n.; Where'er you walk. – (London), H. Wright; Wher'er you walk, cool gales. – London, G. Walker; — ... Sung by Mr Harrison. – (London), J. Bland; — (In: A select collection of the most admir'd songs composed by G. F. Handel, harmonized for various voices ... by M. P. King). – London, Phipps & Co.
Libretto: Ms. in US SM. *Drucke:* A. The story of Semele. As it is perform'd at the Theatre-Royal in Covent-Garden. Alter'd from the Semele of Mr. William Congreve. Set to musick by Mr. George Frederick Handel. – London, J. and R. Tonson, 1744 [Februar] (Ex.: F Pc – GB BENcoke, Lbm, Lcm – US SM); B. Semele. With additions. As it is perform'd at the King's Theatre in the Hay-Market ... – London, J. and R. Tonson, S. Draper, 1744 [Dezember] (Ex.: F Pa).

Bemerkungen
Das Libretto der englischen Oper „Semele" (nach Ovid, Metamorphoses III, 261 f.) von William Congreve Musik: John Eccles, 1706) wurde für Händel von einem unbekannten Bearbeiter (W. Dean, S. 368, vermutet N. Hamilton) vorbereitet, der Kürzungen vornahm, mehrere Einzelgesänge des Originaltextes dem Chor übertrug (Nr. 2, 9, 11, 16), den Text Congreves an mehreren Stellen erweiterte (Nr. 52, 55, sowie in verschiedenen Rezitativen) und Chor- und Arientexte aus anderen Dichtungen Congreves hinzufügte (Nr. 6, 26, 28, 30–32, 38, 51).
Aus dem Autograph ist zu ersehen, daß eine Reihe von Sätzen bereits vor der Überarbeitung der Partitur ausgeschieden (Nr. 6^a, 23, „Behold in this mirror" des Anhangs) oder neu vertont (Nr. 1, 7, 9, 32, 34 und 55), transponiert (Nr. 6, 23, 39, 47 und 49) umgestaltet wurde. Letzteres betraf vor allem die gesamte Partie des Athamas, die – ursprünglich von Händel für Tenor bestimmt – für den Countertenor Sullivan in die Altlage versetzt und dabei stark überarbeitet wurde. Folgende Daten notierte Händel während der Arbeit im Autograph: f. 1: „♃ (= Donnerstag). angefangen den 3. June 1743"; f. 47^v: „☽ (= Montag), 20 June 1743"[2]; f. 117: „G. F. Handel London ☽ July 4. 1743. Völlig geendiget".
Händel führte „Semele nur in zwei aufeinanderfolgenden Spielzeiten am 10., 15., 17. und 22. Februar in Coventgarden, und am 1. und 8. Dezember 1744 im Haymarket-Theatre auf, für die jeweils besondere Textbücher gedruckt wurden. Händel kündigte das Werk nicht als Oper an, sondern ließ es „after the manner of an Oratorio"[3] aufführen. Als Solisten der Februar-Aufführungen wirkten mit:

[1] Fälschlich in das Autograph von HWV 23 Riccardo I. eingebunden.

[2] Beendigung von Act I.
[3] London Daily Post, 10th February, 1744. S. Deutsch, S. 581.

Semele: Elisabeth Duparc detta La Francesina, Jupiter und Apollo: John Beard, Athamas: Daniel Sullivan, Juno und Ino: Esther Young, Iris: Christina Maria Avoglio, Cadmus, High Priest und Somnus: Thomas Reinhold.
Für die zweite Serie der Aufführungen im Dezember 1744 mußte Händel infolge von Neubesetzungen in seinem Sängerensemble Änderungen vornehmen. Über die Besetzung ist nur bekannt, daß Miß Robinson (Mezzosopran) die Rolle der Ino übernahm, für die Händel den Part höher legte. Eine ähnliche Veränderung der Tessitur wurde für die Partien der Juno und des Athamas nötig; letztere erklang vermutlich in der Tenorfassung. Einige der Sänger, zumindest die Vertreter von Juno und Athamas, müssen italienischer Herkunft gewesen sein, denn Händel fügte in diese Partien fünf italienische Arien aus Opern ein, die an folgender Stelle in ihrer Originaltonart gesungen wurden:

Juno
Act II, Scene I:
22. Hence, Iris, hence away – HWV 36 Arminio: 22. Fatto scorta
Act III, Scene III:
(vor Rezitativ „Behold in this mirror") – HWV 37 Giustino: 14. Non si vanti un alma audace
Act III, Scene VI:
49. Above measure – HWV 37 Giustino: 25. Verdi lauri, cingetemi

Athamas
Act I, Scene II:
13. Your tuneful voice – HWV 34 Alcina: 20. Mi lusinga il dolce affetto
Act I, Scene III:
(nach Rezitativ „Oh prodigy") – HWV 36 Arminio: 10. Posso morir

Für Ino und Iris fügte Händel zwei englische Arien ein („See, she blushing turns her eyes" nach Nr. 6, ein ursprünglich im Autograph auf f. 19 gestrichener Satz, s. Anhang Nr. 6[a], sowie „Somnus rise, thy self forsake" in Act II, Scene I, nach Nr. 21, Musik verloren). Außerdem wurden einige Passagen in den Rezitativen gekürzt.
Für folgende Sätze verwendete Händel thematisches Material aus anderen Werken:
20. There, from mortal cares retiring
HWV 17 Giulio Cesare in Egitto: 32. Dal fulgor di questa spada
39. Myself I shall adore (T. 45 f.)
HWV 17 Giulio Cesare in Egitto: 40. Da tempeste il legno
49. Above measure
HWV 115 „Fra pensieri quel pensiero": 1. Fra pensieri
HWV 5 Rodrigo: 36[b]. Io son vostro, o luci belle
HWV 119 „Io langiusco fra le gioje": 7. Col valor d'un braccio forte
HWV 8[a] Il Pastor fido (1. Fassung): 22. Secondaste al fine, o stelle
HWV 18 Tamerlano: Anhang 16[a]. Cerco in vano di placare
HWV 23 Riccardo I.: 20. Dell'onor di giuste imprese

Anhang
Come, Zephyr, come
HWV 60 Hercules: 18. How blest the maid
(55.) Then mortals be merry
HWV 226 „The morning is charming"
Der Chor „Lucky omens" (2) wurde von Händel in HWV 332 Concerto a due Cori B-Dur als 5. und 6. Satz (A tempo ordinario/Alla breve, Moderato) eingefügt, den im Autograph auf f. 72[v] gestrichenen Chor „Bless the glad earth/and to that pitch" (Anhang 32, T. 3 ff.) übernahm er in HWV 59 Joseph (16. Hail, thou youth/Zaphnat Egypt's fate foresaw, T. 43 ff.)

Literatur
Abert, H.: Semele, Oratorium von G. F. Händel, in der Neugestaltung von A. Rahlwes, Leipzig 1913, Einführung; Clausen, S. 224 ff.; Dahnk-Baroffio, E.: Die Geschichte von Semele. In: Göttinger Händelfestspiele 1965, Programmheft, S. 15 ff.; Dean, S. 365 ff.; Dean, W.: Congreve's „Semele". In: Music & Letters, vol. 44, 1963, S. 417; Dean, W.: Ur-Semele. In: The Musical Times, vol. 105, 1964, S. 524 f.; Deutsch, S. 570, 581 f.; Flower, p. 285 ff./S. 260 ff.; Herbage, S. 144 ff.; Heuß, A.: Das Semele-Problem bei Congreve und Händel. In: ZIMG, 15. Jg., 1913/14, S. 143 ff.; Hiekel, H.-O.: Georg Friedrich Händels Semele. In: Göttinger Händelfestspiele 1965, Programmheft, S. 19 ff.; Lang, p. 407 ff./S. 368 ff.; Langley, H.: Congreve and Handel. In: The Listener, 24. Februar 1955, S. 357; Lawrence, J. T.: Handel's „Semele". In: Musical Opinion, Jg. 1900, Juni-Heft; Leichtentritt, S. 418 ff.; Lincoln, St.: The first Setting of Congreve's „Semele". In: Music & Letters, vol. 44, 1963, S. 103 ff.; Rackwitz, W.: Händels „Semele". In: 12. Händelfestspiele Halle (Saale) 1963, Festschrift, S. 16 ff.; Schering, A.: Geschichte des Oratoriums, Leipzig 1911, S. 314 f.; Schoelcher S. 287 f.; Serauky IV, S. 17 ff.; Siegmund-Schultze, S. 137 f.; Smither II, S. 280; Squire, W. B.: Handel's „Semele". In: The Musical Times, vol. 66, Febr. 1925, No. 984; Streatfeild, S. 179 f., 307 ff.; Trowell, B.: Congreve and the 1744 Semele libretto. In: The Musical Times, vol. 111, 1970, S. 993 f.; Young, P. M.: Handel, London^2/1948, S. 168 ff.
Beschreibung der Autographe: Lbm: Catalogue Squire: S. 63, 77 ff. – Cfm: Catalogue Mann, Ms. 259, S. 185. – Dean, S. 395 ff.

59. Joseph and his Brethren

Oratorio in three parts von James Miller

Besetzung: Soli: 2 Soprani (Benjamin, Asenath), Mezzosoprano (Joseph), 3 Alti (Potiphera, Phanor, High Priest, auch Sopr.), 2 Tenori (Simeon, Judah), 2 Bassi (Pharaoh, Reuben). Chor: C.; A.; T.; B. Instrumente: Fl. trav. I, II; Ob. I, II; Fag.; Trba. I, II, III (Principal); Timp.; V. I, II, III; Va.; Org.; Cont.
ChA 42. – HHA I/20. – EZ: London, August bis September 1743. – UA: London, 2. März 1744, Theatre Royal, Coventgarden

Symphony

Menuet

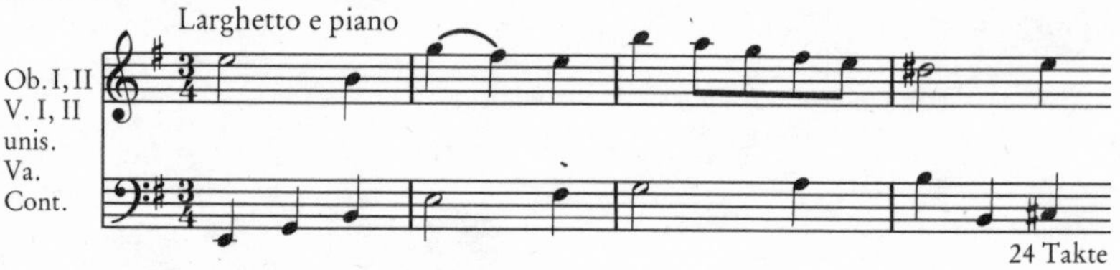

Part I

Scene I. A Prison. Joseph reclining in a melancholy posture.

1a, b. Air. Joseph

2a, b. Accompagnato. Joseph

V. I, II
Va.
Cont.
But where-fore thus? whence Heav'n these bit- ter bonds?
Takt 78 (63)

(Air.) Joseph

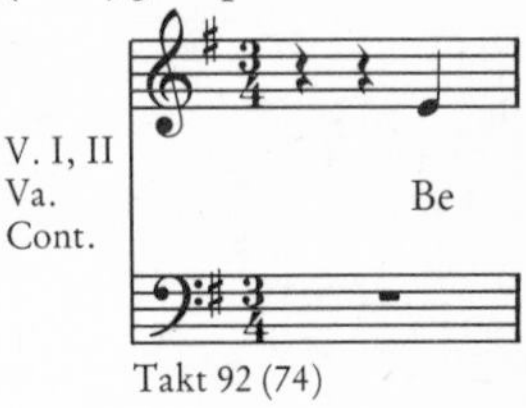

firm, my soul!
149 (116) Takte
(Da capo dal segno e si scriva)

Scene II

A.
B. Recitative. Phanor; Joseph

Cont.
Jo-seph, thy fame has reach'd great Pharaoh's ear;
15 Takte

C. Recitative. Phanor; Joseph (1757)

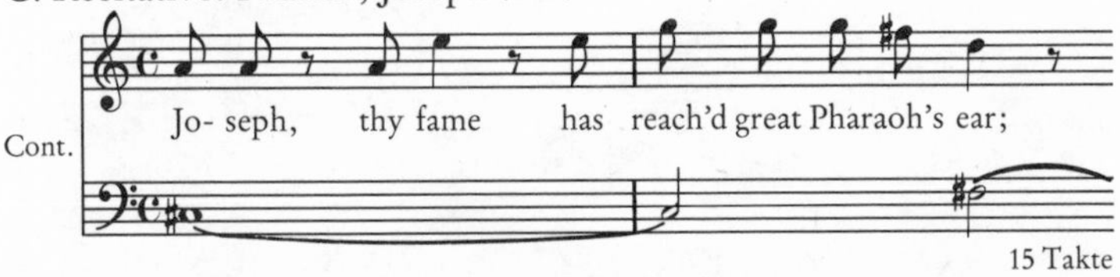
Cont.
Jo- seph, thy fame has reach'd great Pharaoh's ear;
15 Takte

3a, b. Air. Joseph

Largo

Come, di- vine in- spir- er, come, make my hum- ble breast thy home,
Takt 5
Takt 8
46 Takte D. s.

3c. Air. Joseph (1768)

Largo

V. unis.
Cont.
4
Come, di-vine in- spir- er, come!
46 Takte D. s.

A. Recitative. Phanor; Joseph

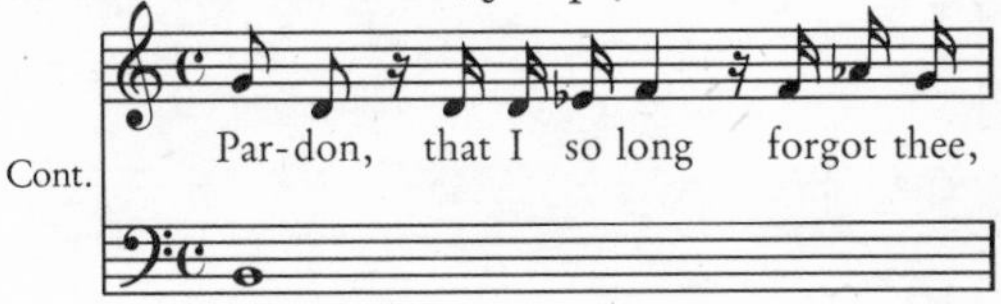
Cont.
Par-don, that I so long forgot thee,

Joseph!
18 Takte

B. Recitative. Phanor (Sopr.); Joseph (1757)

Cont.
Pardon, that I so long forgot thee, Joseph!
18 Takte

4a. Air. Phanor

Largo

tr
In- grat- i- tude's the queen of crimes, for all the rest are of her train,
Takt 6
54 Takte

4b. Air. Phanor (1751)

Largo
V. I, II
unis.
Cont.
5
Ingrat-i- tude's the queen of crimes,
54 Takte

4c. Air. Phanor (Sopr.) (1757)

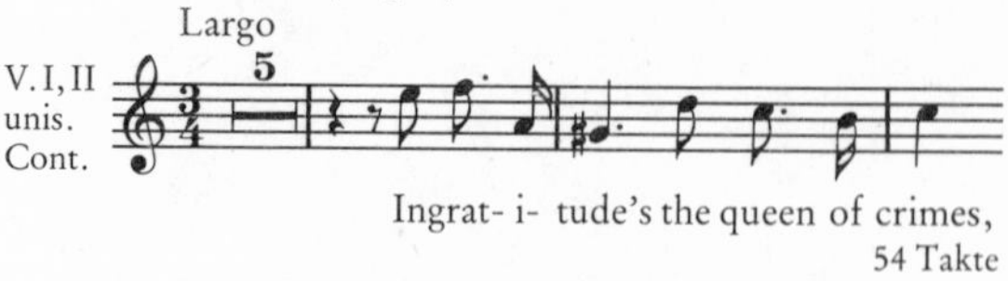
Largo
V. I, II
unis.
Cont.
5
Ingrat- i- tude's the queen of crimes,
54 Takte

Scene III. A Room of State in Pharaoh's Palace.

Recitative. Pharaoh; Joseph

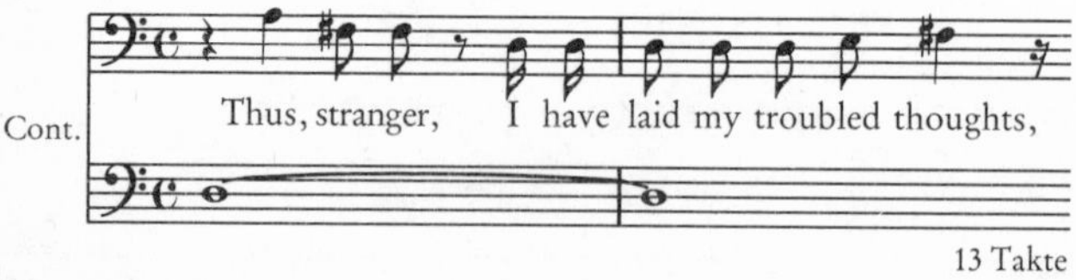
Cont.
Thus, stranger, I have laid my troubled thoughts,
13 Takte

5. Chorus of Egyptians.
C.; A.; T.; B.

A tempo ordinario e staccato
Ob. I, II
V. I, II
Va.
Cont.

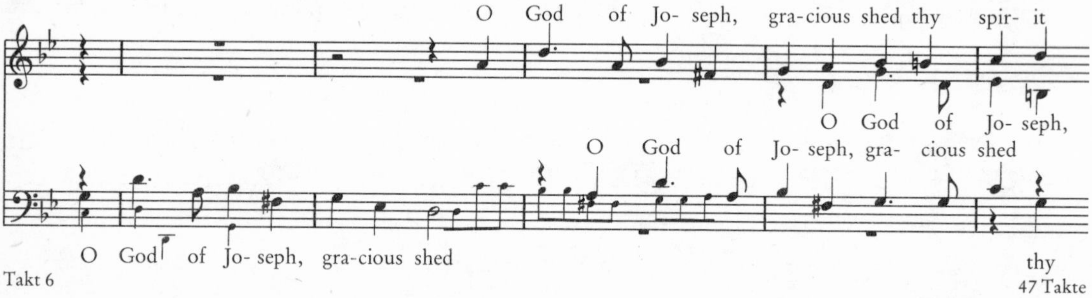
O God of Jo- seph, gra-cious shed thy spir- it
O God of Jo- seph,
O God of Jo- seph, gra- cious shed
O God of Jo- seph, gra-cious shed
thy
Takt 6
47 Takte

6a. Accompagnato. Joseph

Allegro
V. I, II
Cont.
Adagio e piano
Takt 10
Pharaoh, thy dreams are one…
The Lord Je- ho- vah in vi- sion shew's
Takt 17
43 Takte

B. Recitative. Joseph (1747)

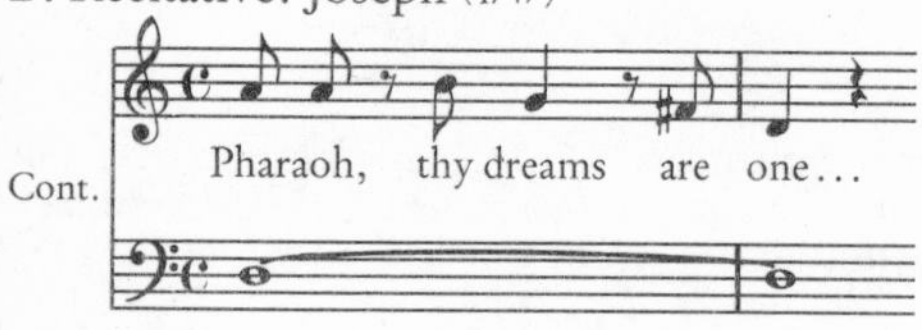
Cont.
Pharaoh, thy dreams are one…

6b. Accompagnato. Joseph

The seven fat cattle, and full ears of corn,
V. I, II
Va.
Cont.
Takt 6
22 Takte

Recitative. Pharaoh; Joseph

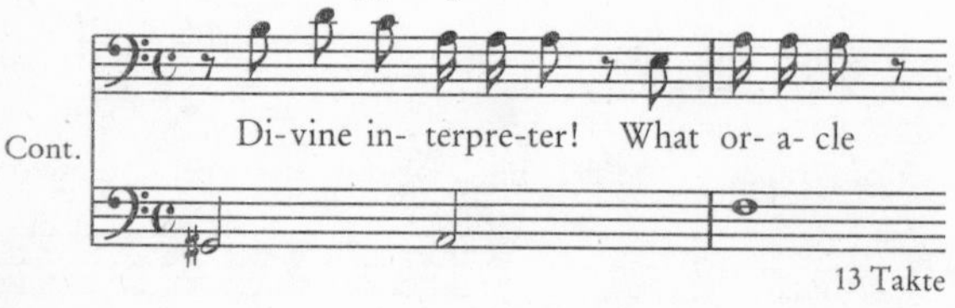
Cont.
Di-vine in- terpre-ter! What or- a- cle
13 Takte

7. Air. Asenath

Largo
V. I, II
Va.
Cont.

(Autogr.: un mezzo tono ex Dis)
(un mezzo tono più basso)

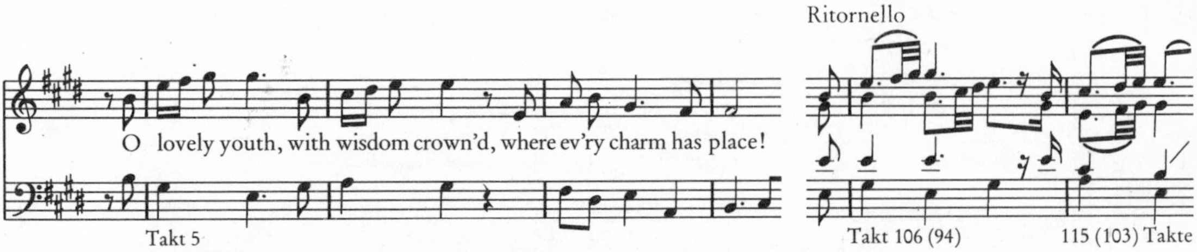
O lovely youth, with wisdom crown'd, where ev'ry charm has place!
Takt 5
Ritornello
Takt 106 (94)
115 (103) Takte

Recitative. Pharaoh
(putting his Ring on Joseph's Finger)

Cont.
Wear, worthy man, this Ro-yal sig-net wear,
10 Takte (attacca il Coro)

8. Chorus. C.; A.; T.; B.
(con Ob. e V. I)

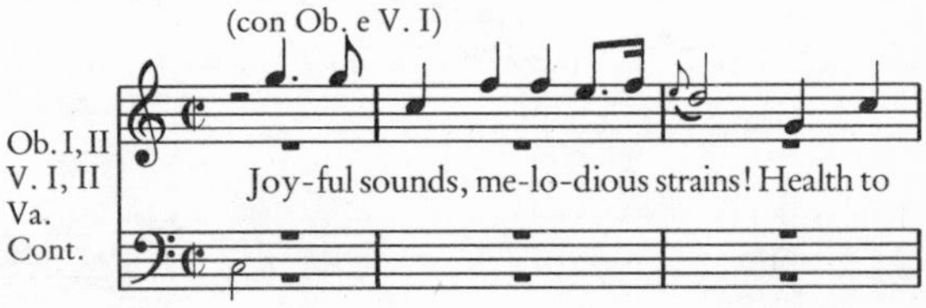
Ob. I, II
V. I, II
Va.
Cont.
Joy-ful sounds, me-lo-dious strains! Health to

E- gypt is the theme. Joy- ful sounds,
89 Takte

Scene IV
Recitative. Asenath

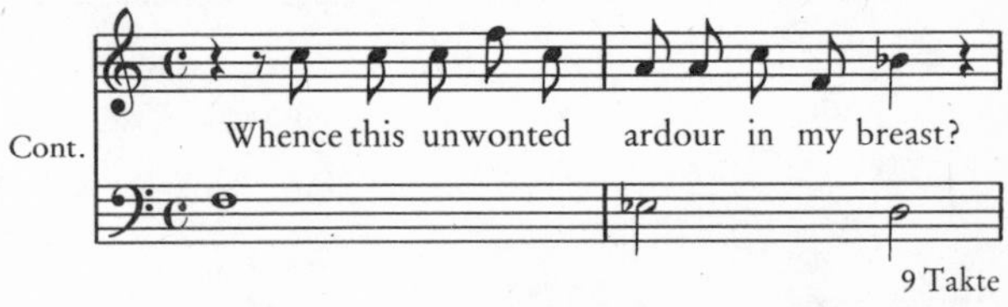
Cont.
Whence this unwonted ardour in my breast?
9 Takte

9. Air. Asenath

Andante
V. I, II
Cont.
I feel a spread- -ing flame
Takt 11
V. I, II
78 Takte D. c.

Recitative. Joseph

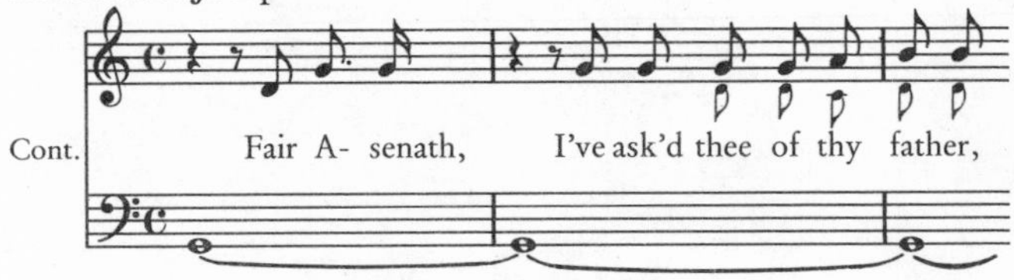
Cont.
Fair A- senath, I've ask'd thee of thy father,

Scene V
(Recitative.) Pharaoh; Potiphera
(High Priest); Joseph

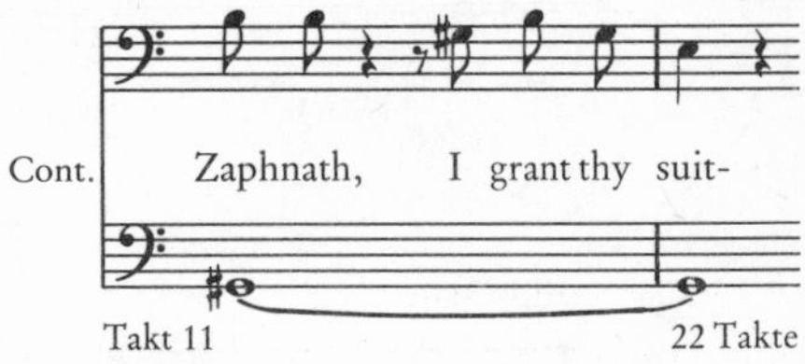
Cont.
Zaphnath, I grant thy suit-
Takt 11
22 Takte

10. Duet. Asenath; Joseph
(Andante non presto)
Larghetto

V. I
V. II
Fl. trav. I, II
V. I, II
Cont.
Vc.
Joseph
Ce- les- tial vir- gin!
pp
Takt 25

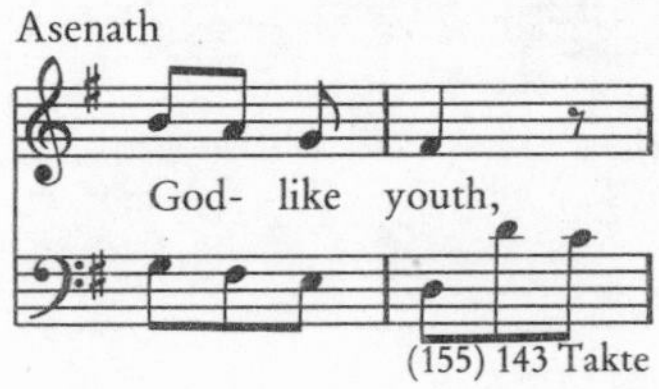
Asenath
God- like youth,
(155) 143 Takte

Recitative. Pharaoh

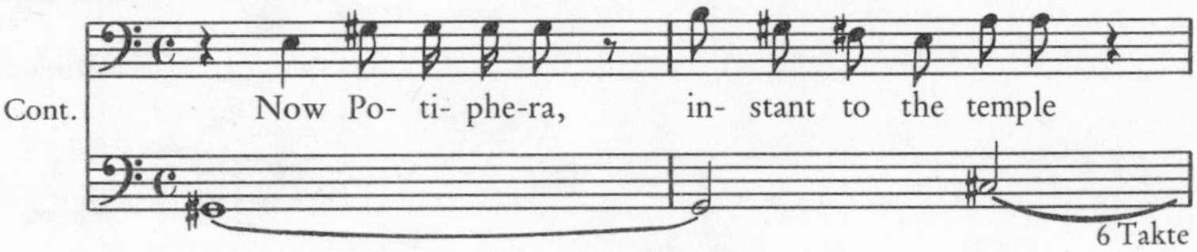
Cont.
Now Po- ti- phe-ra, in- stant to the temple
6 Takte

A March with Trump., Kettle Drums & c.ª during the Procession.

11. March

Trba. I, II
Timp.
Ob. I, II
V. I, II
Va.
Cont.
Timp.

[vgl. HWV 57 (53a.)]

20 Takte

Scene VI. A Temple (the High Priest joining the hands of Joseph and Asenath at the Altar).

A.
B. Recitative: High Priest

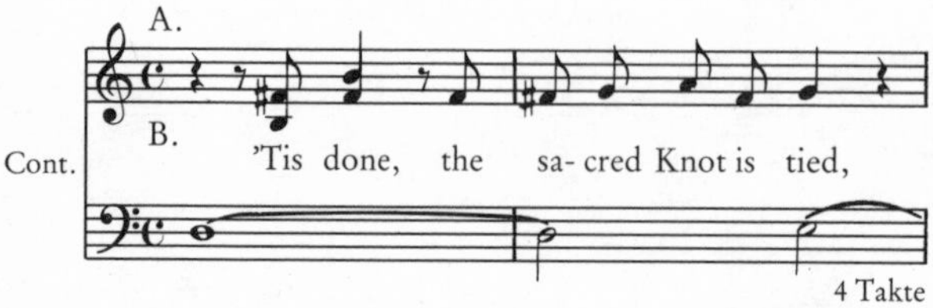

A.
B.
Cont.
'Tis done, the sa- cred Knot is tied,

4 Takte

A: Segue il Coro Nr. 13
B: Segue Air Nr. 12

12. Air. High Priest; (1751)

A tempo ordinario

V. I, II
unis.
Cont.

[= HWV 65. Alexander Balus (27.)]

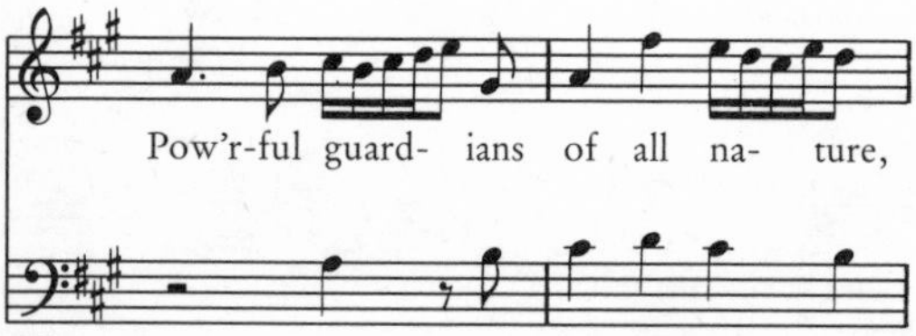

Pow'r-ful guard- ians of all na- ture,

Takt 9

52 Takte *D. s.* (T. 18)

13. Chorus. C.; A.; T.; B.

A tempo ordinario, un poco allegro

Ob. I, II
V. I, II
Va.
Cont.
Immor- tal pleasures crown this pair,

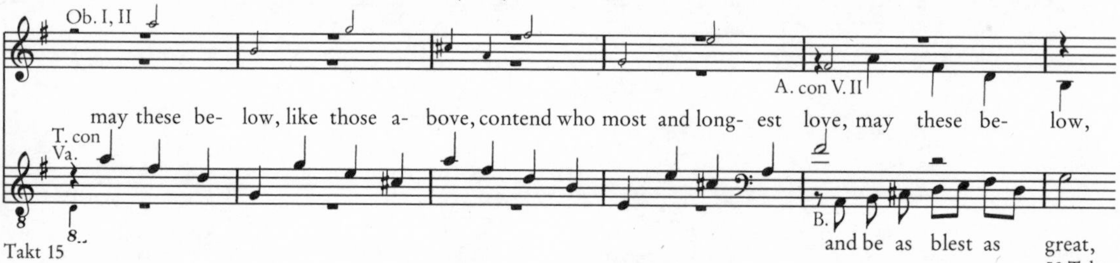

Ob. I, II
A. con V. II
may these be- low, like those a- bove, contend who most and long- est love, may these be- low,
T. con Va.
B.
and be as blest as great,

Takt 15

53 Takte

Recitative. Pharaoh

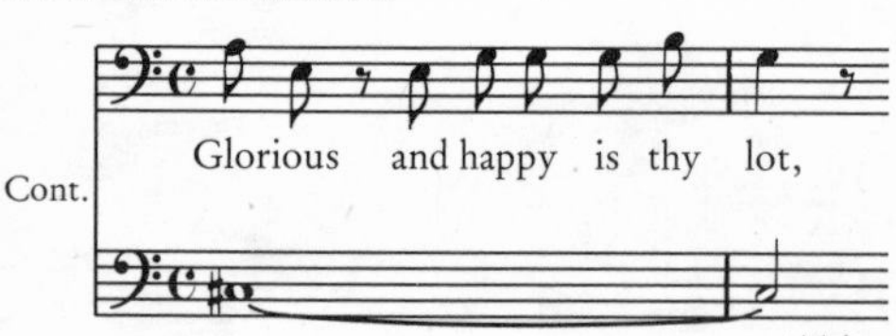

Cont.
Glorious and happy is thy lot,

4 Takte

14. Air. Pharaoh

Ob. e V. I, II
Ob. I, II
Fag.
Trba.
V. I, II
Va.
Cont.
Trba. e Va.

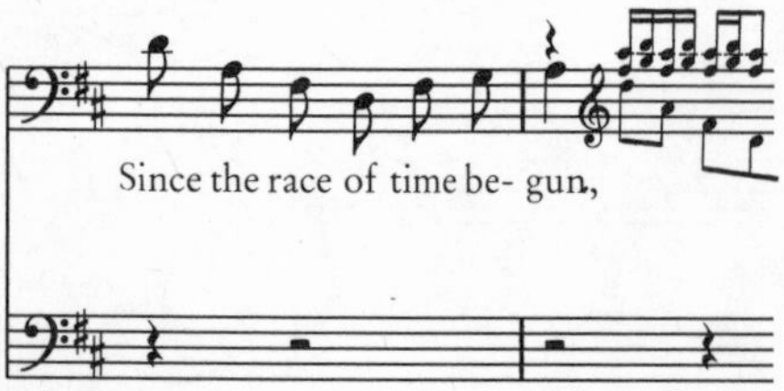

Since the race of time be- gun,

Takt 9

(attacca il Coro)

15. Chorus. C.; A.; T.; B.

(Tutti)

Ob. I, II
Trba. I, II
Timp.
V. I, II
Va.
Org.
Cont.
Swift our numbers, swiftly roll, swift, swiftly,
Pharaoh:

Takt 61 ...crown'd

120 Takte

Part II

Scene I

16. Chorus of Egyptians. C.; A.; T.; B.

Andante larghetto
Ob. I, II
V. I, II
Va.
Cont.
Hail, hail, thou youth, by Heav'n belov'd,
Takt 9
now thy won- - -drous wisdom's prov'd
now thy won- - -drous,
Cont.
Takt 13
Un poco allegro
Zaphnath Egypt's fate foresaw,
T. e Va.
Takt 43
[vgl. HWV 58 (Anhang 32)]
Zaphnath E- gypt's
fate
and snatch'd her from the fam- (ine's jaw)
and snatch'd her from the fam- - - -ine's jaw,
and snatch'd her from the fam- - - -ine's jaw,
Takt 66
99 Takte

A. Recitative. Phanor; Asenath

Cont.
How vast a theme has Egypt for applause!
25 Takte

B. Recitative. Phanor (Sopr.); Asenath

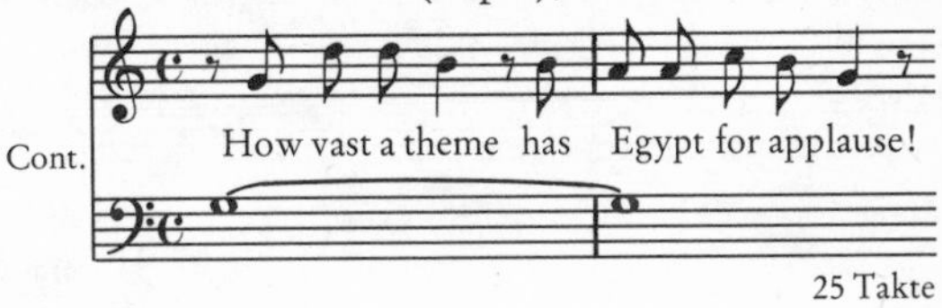
Cont.
How vast a theme has Egypt for applause!
25 Takte

17a, b. Air. a) Asenath
b) Phanor (1757)

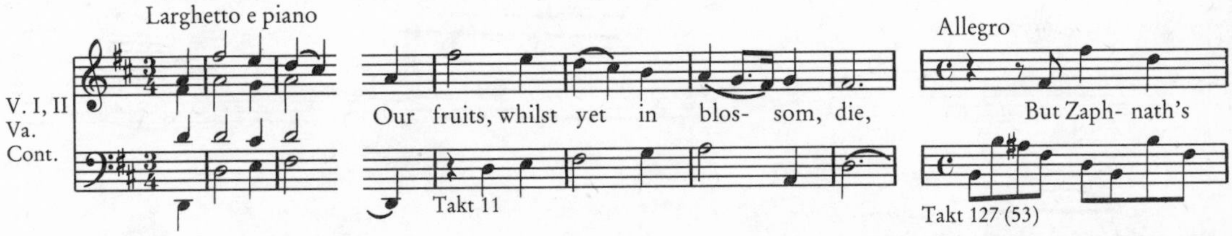
Larghetto e piano
V. I, II
Va.
Cont.
Our fruits, whilst yet in blos- som, die,
Takt 11
Allegro
But Zaph- nath's
Takt 127 (53)

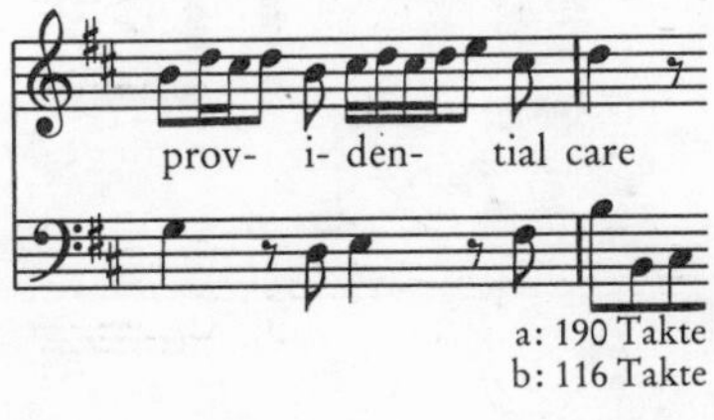
prov- i- den- tial care
a: 190 Takte
b: 116 Takte

A. Recitative. Phanor

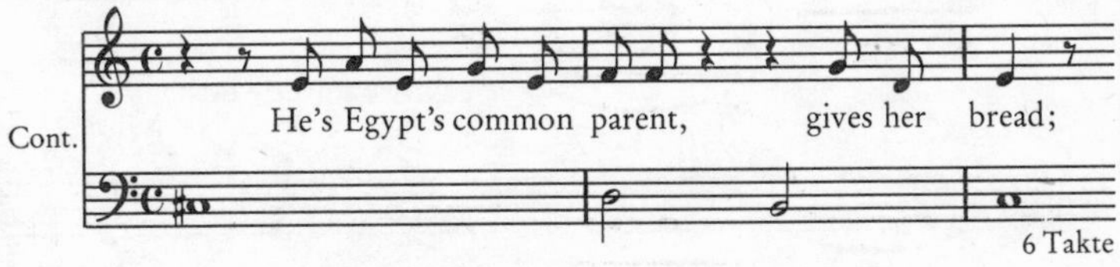
Cont.
He's Egypt's common parent, gives her bread;
6 Takte

B. Recitative. Phanor (Sopr.)

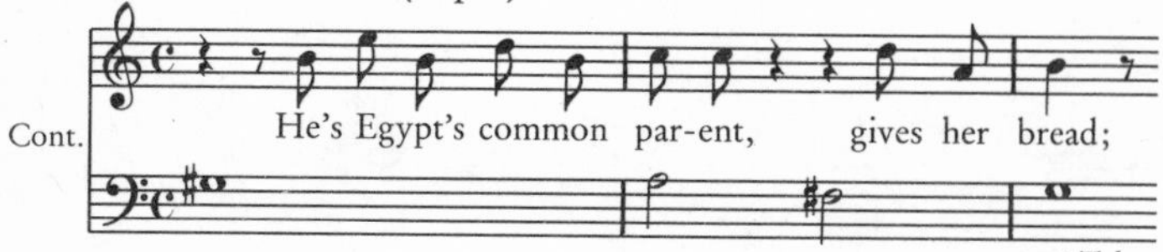
Cont.
He's Egypt's common par-ent, gives her bread;

6 Takte

18. Chorus. C.; A.; T.; B.

Allegro vivace

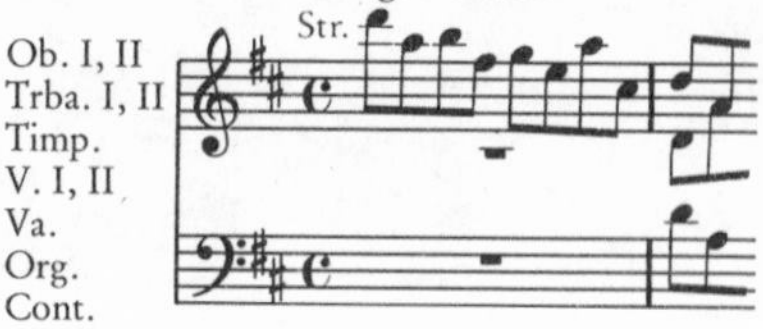
Str.
Ob. I, II
Trba. I, II
Timp.
V. I, II
Va.
Org.
Cont.

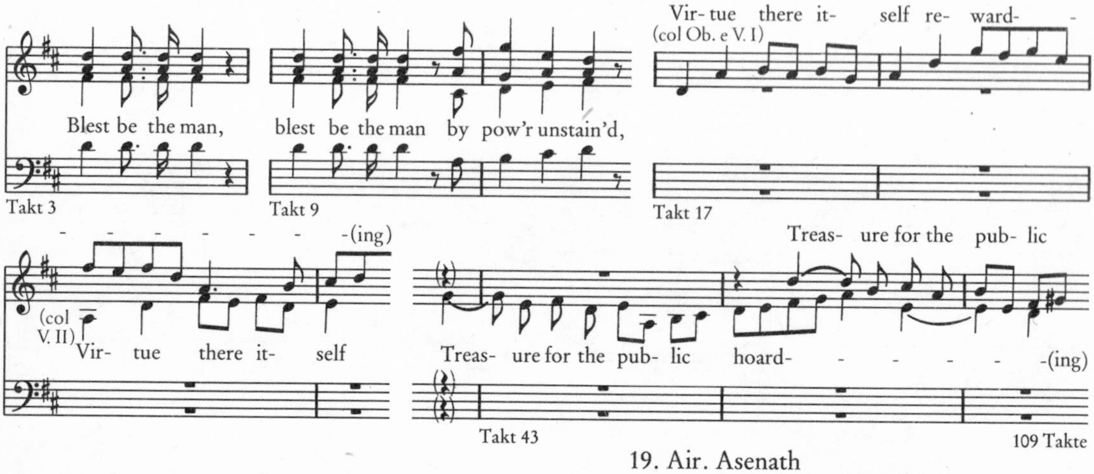
Blest be the man,
blest be the man by pow'r unstain'd,
Takt 3
Takt 9
Vir-tue there it- self re- ward- -
(col Ob. e V. I)
Takt 17
- - - - - - - -(ing)
(col V. II)
Vir- tue there it- self
Treas- ure for the pub- lic
Treas- ure for the pub- lic hoard- - - - - - -(ing)
Takt 43
109 Takte

Recitative. Asenath; Phanor

Cont.
Phanor, we mention not his highest glo-ry!

29 Takte

19. Air. Asenath

Larghetto e piano

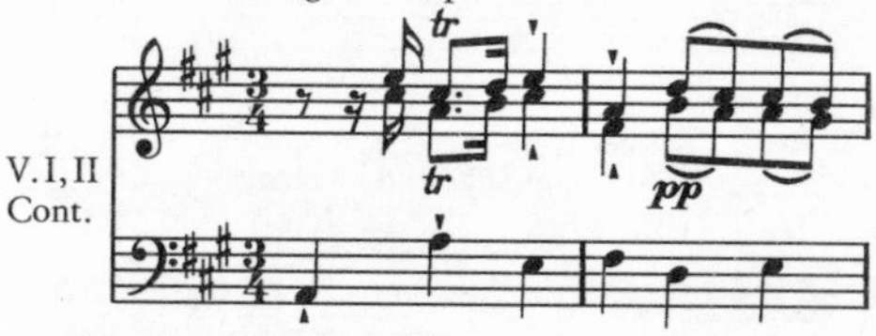
V. I, II
Cont.
tr
pp

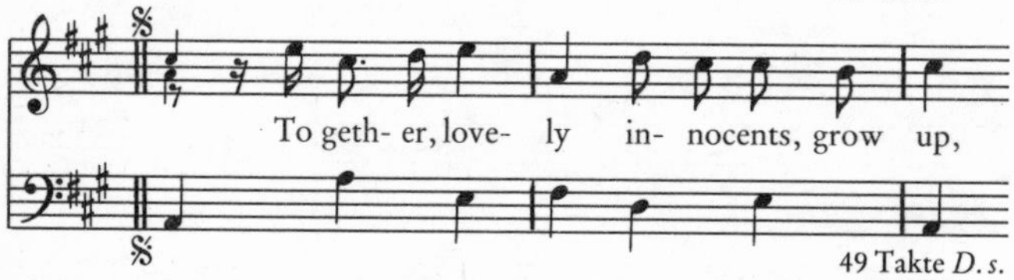
To geth- er, love- ly in- nocents, grow up,
49 Takte D. s.

Recitative. Asenath

Cont.
He then is si- lent,

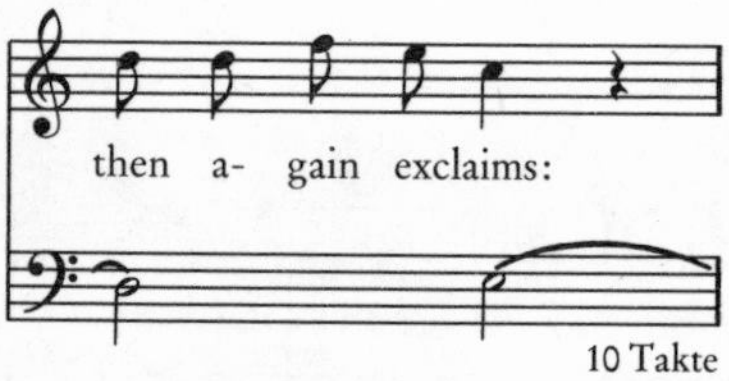
then a- gain exclaims:

10 Takte

Scene II. Simeon in prison

20. Accompagnato. Simeon

Largo e staccato

V. I, II
Va.
Cont.
tr

Adagio e piano
p
pp
f
Where are these Brethren...
Why this base de- lay?
Takt 11
31 Takte

21. Arioso. Simeon

Allegro

V. I, II
Va.
Cont.
Remorse, con- fusion, horror,
Takt 9
(52) 49 Takte

Scene III

A.
B. Recitative. Phanor; Joseph

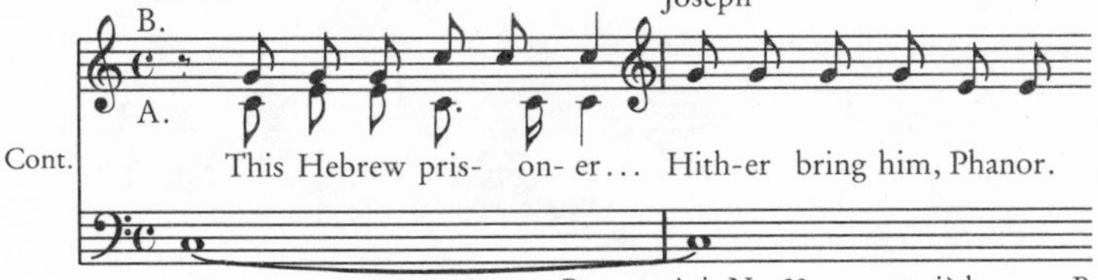
Phanor
B.
A.
Joseph
Cont.
This Hebrew pris- on- er… Hith-er bring him, Phanor.

B: segue Aria Nr. 23 un tono più basso ex B
9 Takte

22. Accompagnato. Joseph

V. I, II
Va.
Cont.
Ye de- par- ted

hours, what happier moments have I seen!
30 Takte

23. Air. Joseph

Larghetto

V. I, II
Va.
Cont.

pp
The pea- sant tastes the sweets of life, un- -wounded by its cares,
p
Takt 9

Andante

But grandeur's bulk- y nois- y joys
Takt 51
79 Takte D. s.

Recitative. Joseph; Simeon

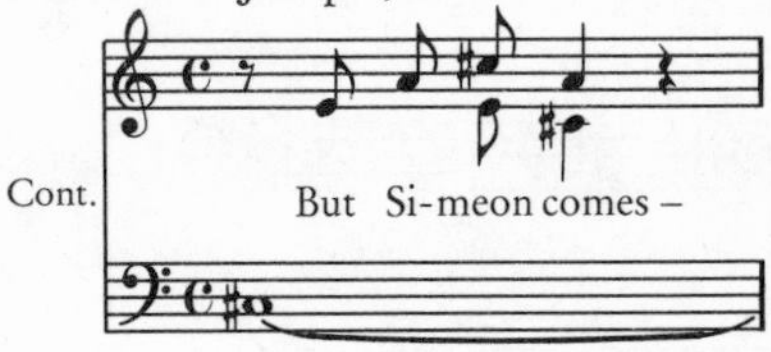
Cont.
But Si-meon comes –

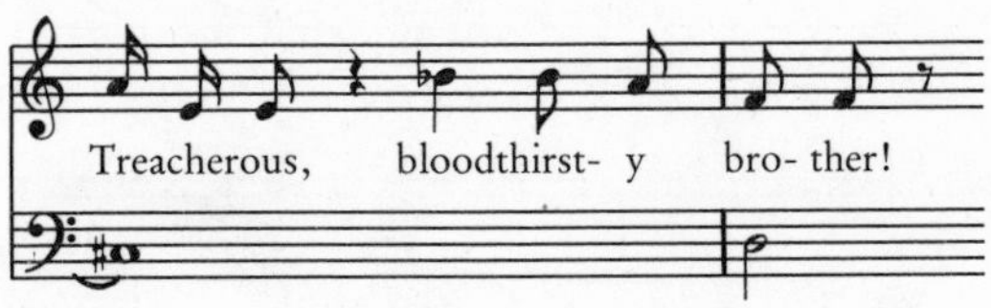
Treacherous, bloodthirst- y bro- ther!

Scene IV

(Recitative.) Simeon; Joseph

Simeon
Cont.
I trem- ble at his pre- sence!
Takt 17
85 Takte

24. Air. Simeon

Scene V

Recitative. Joseph; Asenath

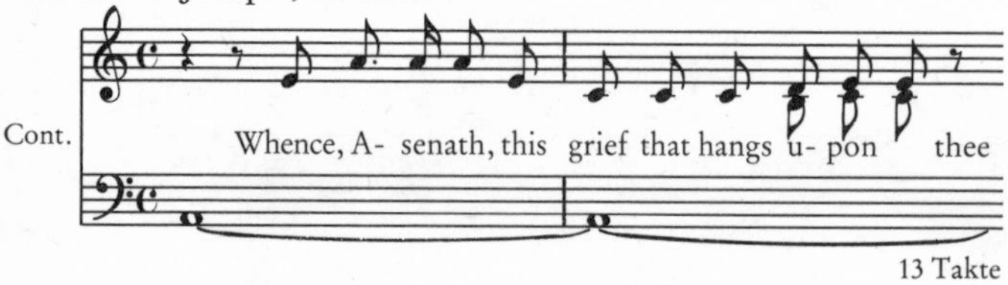

25. Air. Asenath

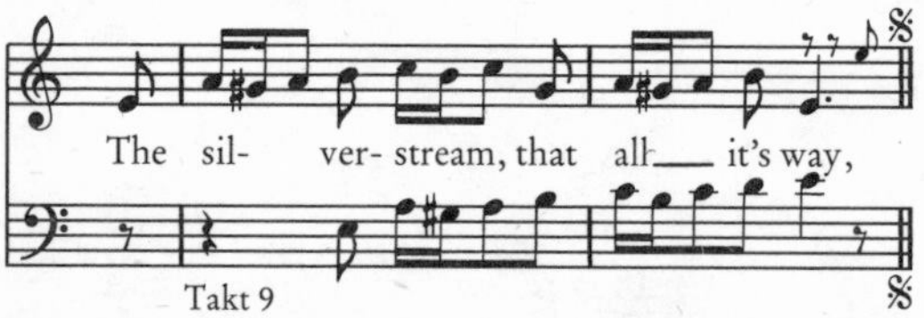

Recitative. Asenath; Joseph

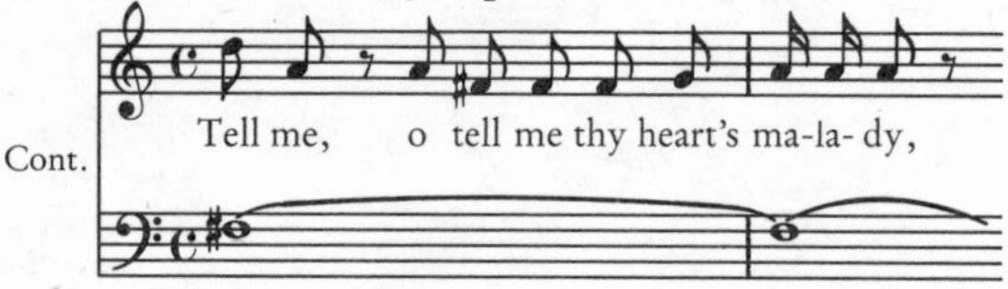

Scene VI

(Recitative.) Phanor; Judah

26. Air. Judah

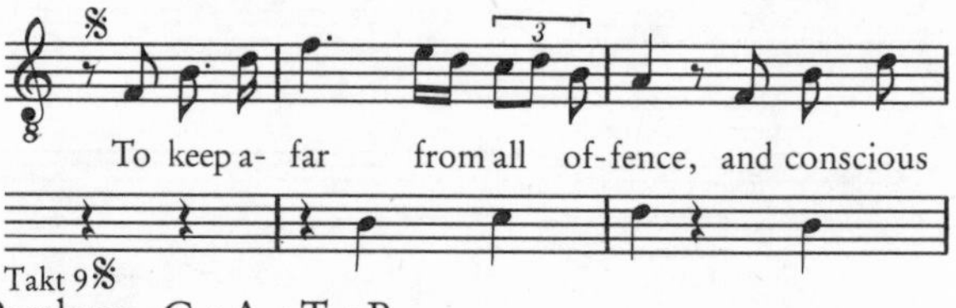

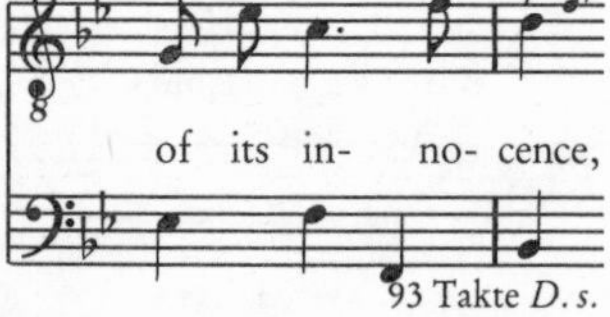

27. Chorus of the Brethren. C.; A.; T.; B.

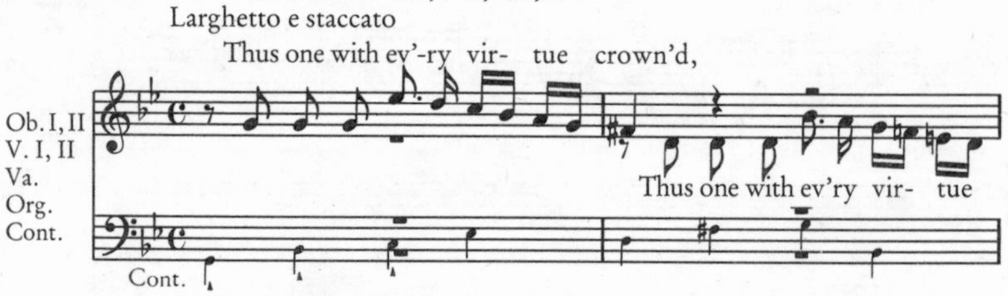

Recitative. Reuben

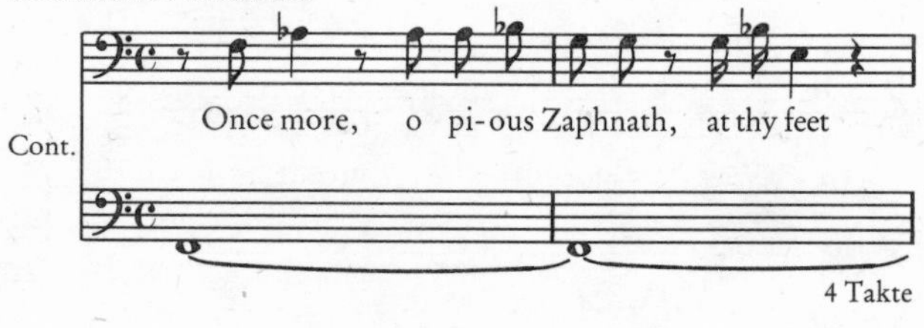

28. Accompagnato. Judah

V. I, II
Va.
Cont.
Our reverend Sire in- treats thee to ac-cept
23 Takte

A. B. Recitative. Benjamin; Joseph; Judah

Cont.
This kiss, my gracious

Lord, comes wash'd with tears.
25 Takte

29. Arioso. Benjamin

Larghetto e pianissimo
Thou deign'st to call thy ser- vant son,
(V. I colla parte)
V. I, II
Va.
Cont.
(Vc.) senza Bassi
56 Takte

A. B. Recitative. Joseph; Benjamin; Reuben; Judah

Cont.
(Sweet innocence! divine simpli- ci- ty!)
25 Takte

30. Chorus. C.; A.; T.; B.

Grave (Tutti)
Ob. I, II
V. I, II
Va.
Org.
Cont.
O God, who in thy heav'nly

hand
A tempo ordinario, ma larghetto
Thou knowst our wants
Thou knowst our wants be- fore our pray'r
Takt 21
O let us not con-
Takt 33

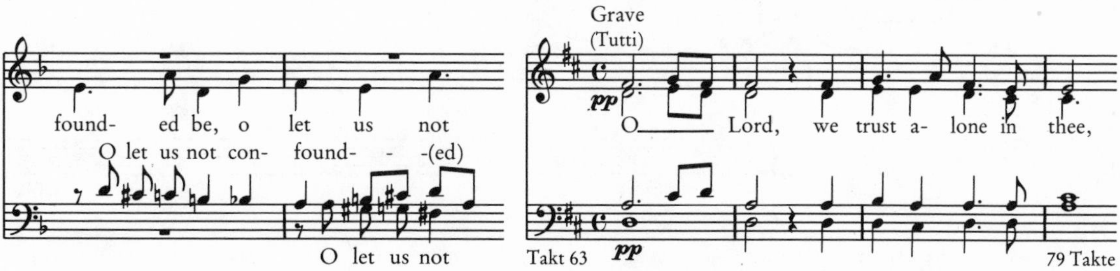
found- ed be, o let us not
O let us not con- found- - -(ed)
O let us not
Grave
(Tutti)
pp
O Lord, we trust a- lone in thee,
Takt 63
pp
79 Takte

Part III

31. Symphony.

Allegro
V. I, II
unis.
V. III
Va.
Cont.
52 Takte

Scene I

A. B. Recitative. Asenath; Phanor

Cont.
What say'st thou, Phanor? Prove these strangers then
(col V. I pp all'ottava)
10 Takte

32a. Air. Phanor

Larghetto
V. I, II
Cont.

The wan- ton fa- vours of the great are like the scatter'd seed when sown;
Takt 4
28 Takte

32b. Air. Phanor (1751)

Allegro ma non troppo
V. I, II
Cont.
12
Though on rap-id whirlwind's wing
[= HWV 66 Susanna, (27.)]
72 Takte D. s.

32c. Air. Phanor (1757)

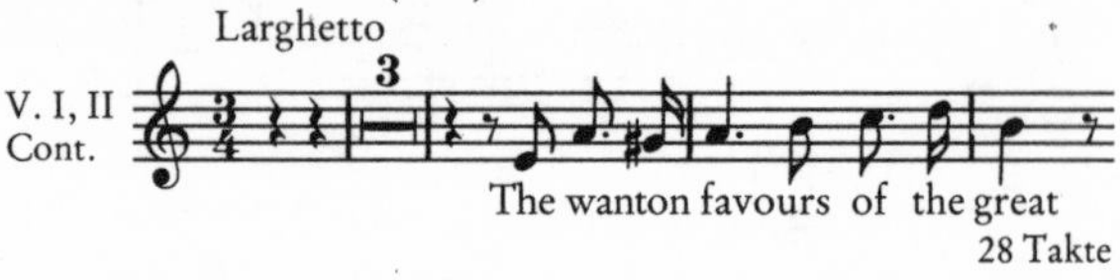
Larghetto
V. I, II
Cont.
3
The wanton favours of the great
28 Takte

Scene II

A. B. Recitative. Asenath; Joseph

Cont.
Whence so disturb'd, my Lord?
16 Takte

33. Air. Asenath

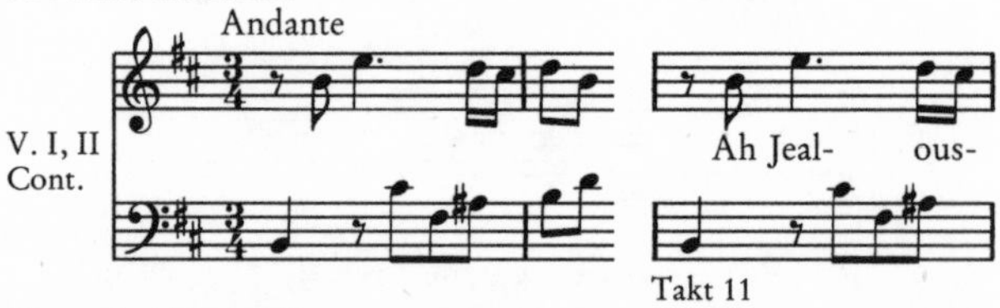
Andante
V. I, II
Cont.
Ah Jeal- ous-
Takt 11

y, thou pel- - -i- -can!
104 Takte D. s.
(Takt 19)

Recitative. Joseph; Asenath

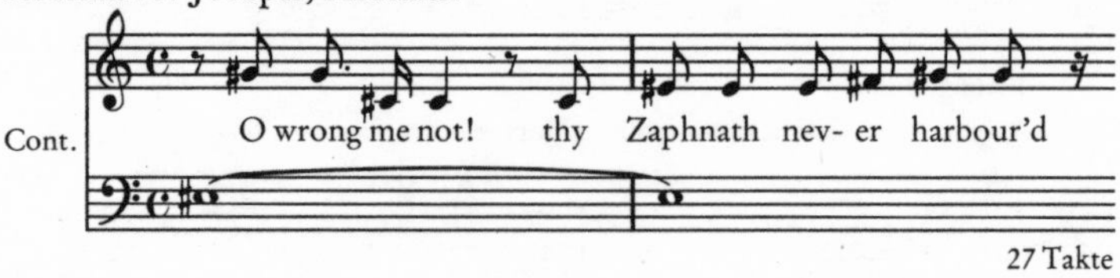
Cont.
O wrong me not! thy Zaphnath nev- er harbour'd
27 Takte

34a. Air. Joseph

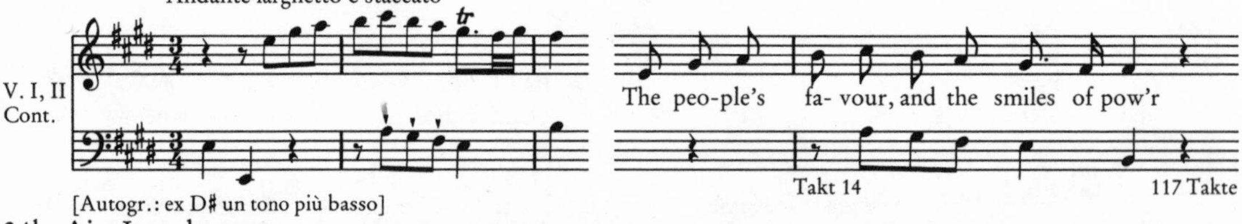
Andante larghetto e staccato
V. I, II
Cont.
tr
The peo-ple's fa- vour, and the smiles of pow'r
Takt 14
117 Takte
[Autogr.: ex D# un tono più basso]

34b. Air. Joseph (1768)

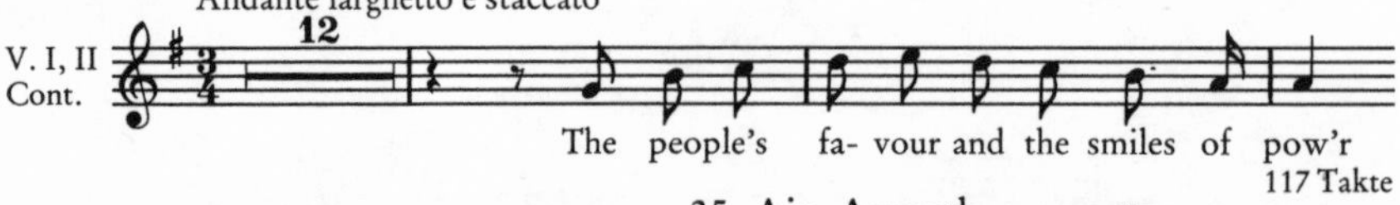
Andante larghetto e staccato
V. I, II
Cont.
12
The people's fa- vour and the smiles of pow'r
117 Takte

Recitative. Asenath

Cont.
Art thou not Zaphnath?
8 Takte

35. Air. Asenath

Allegro
V. I, II
Va.
Cont.
Pro- phet- ic
Takt 15

131 (124) Takte *D. s.*

A. B. Recitative. Joseph

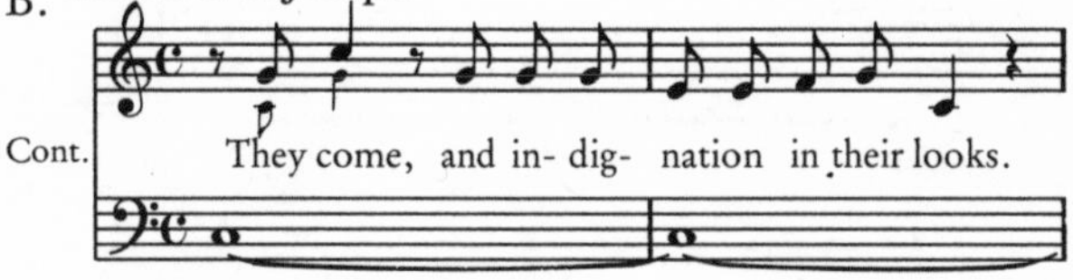
Cont.
They come, and in- dig- nation in their looks.

Scene III

(Recitative.) Simeon; Phanor; Joseph

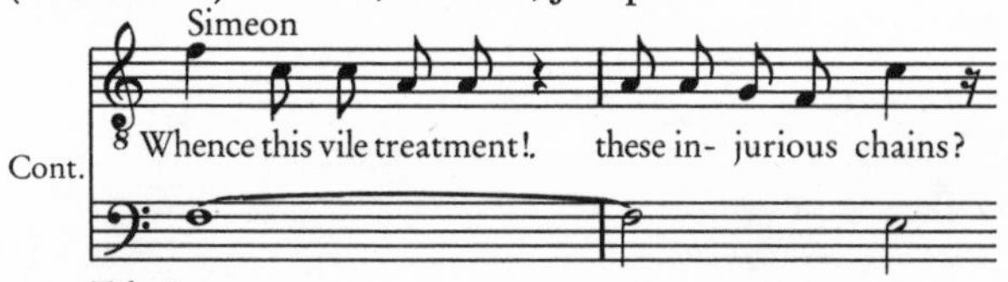
Simeon
Cont.
Whence this vile treatment!. these in- jurious chains?

Takt 5

Scene IV

(Recitative.) Phanor; Joseph; Benjamin

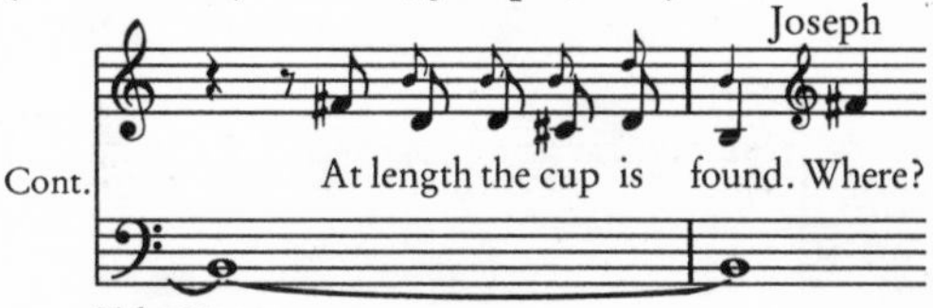
Joseph
Cont.
At length the cup is found. Where?

Takt 20

Phanor
Hid, my Lord,

33 Takte

36a. Accompagnato. Benjamin

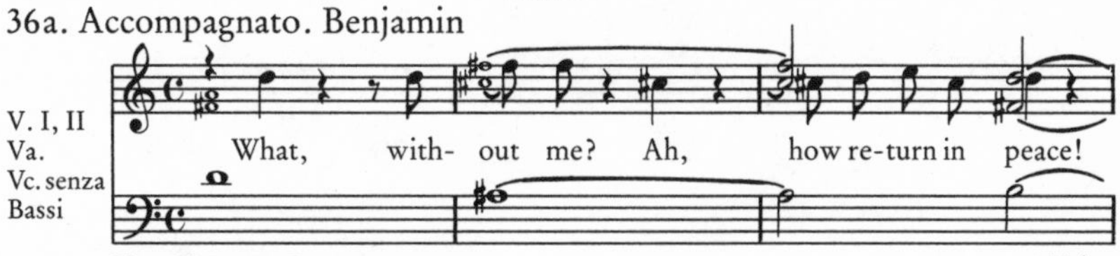
V. I, II
Va.
Vc. senza Bassi
What, with- out me? Ah, how re-turn in peace!

Vc. e Va. senza Basso

13 Takte

36b, c. Accompagnato. Benjamin

V. I, II
Va.
Cont.
b.
c.
What! with- out me? Ah! how re- turn in peace!

13 Takte

c: Segue il Duet 37b.

37a. Duet. Benjamin; Joseph

Andante larghetto e piano

Benjamin: O pit- y! not to myself-
V. I, II
Va.
Cont.
Joseph: (Ah! I must not hear.) (Be blind, my eyes.)

Tutti Bassi ma piano

28 Takte

37b. Duet. Benjamin; Joseph

Andante larghetto e piano

Benjamin: O pit- y!
V. I, II
Va.
Cont.
Joseph: (Ah! I must not hear.)

28 Takte

A. B. Recitative. Joseph; Simeon; Reuben

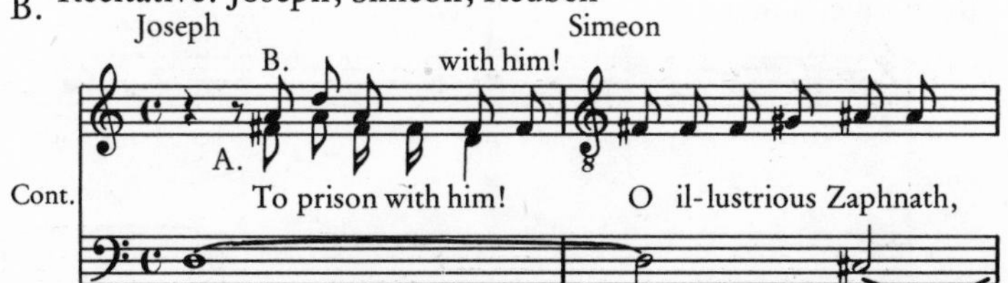
Joseph
B.
with him!
A.
Simeon
Cont.
To prison with him! O il-lustrious Zaphnath,
(attacca)

38. Accompagnato. Simeon; Reuben

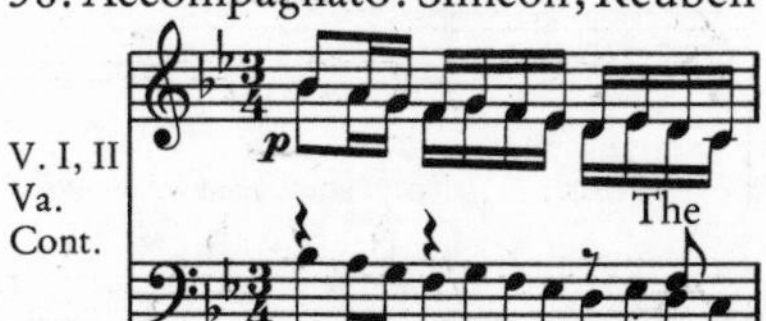
V. I, II
Va.
Cont.
p
The

Takt 16

man who flies the wretched, nor will hear them,
29 Takte

Recitative. Reuben

Cont.
What counsel can we take?
7 Takte

39. Arioso. Simeon

Lento
V. I, II
Va.
Cont.
O gra- cious God, we mer-it well this scourge;
13 Takte

40. Chorus. C.; A.; T.; B.

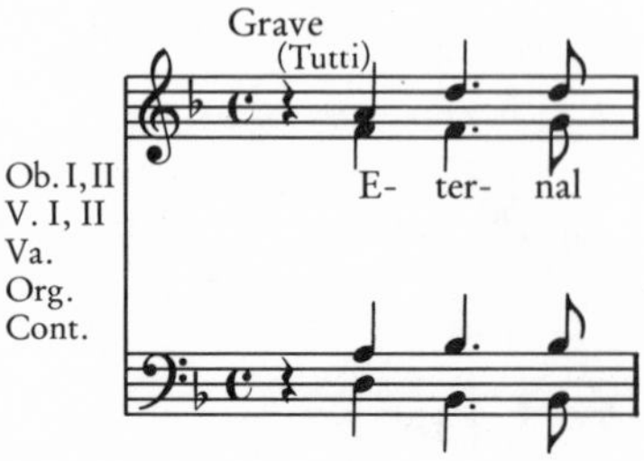
Grave
(Tutti)
Ob. I, II
V. I, II
Va.
Org.
Cont.
E- ter- nal

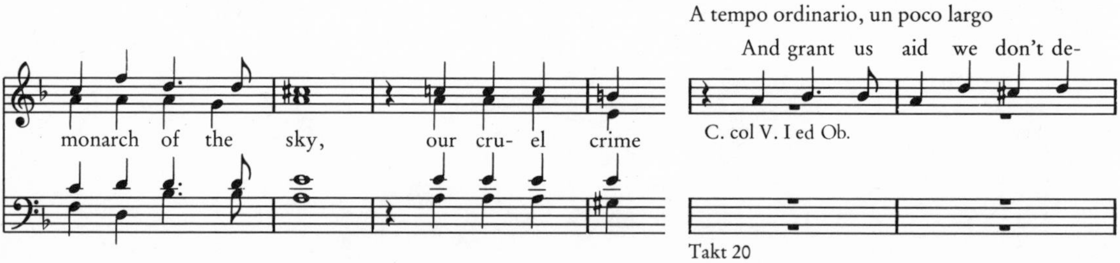
monarch of the sky, our cru- el crime
A tempo ordinario, un poco largo
And grant us aid we don't de-
C. col V. I ed Ob.
Takt 20

serve, and grant,
And grant us aid we don't de- serve,
T. e Va.
61 Takte

Recitative. Simeon

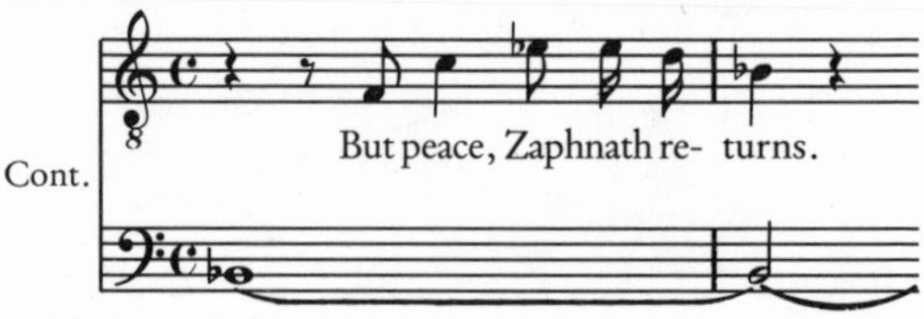
Cont.
But peace, Zaphnath re- turns.

Scene V

(Recitative.) Joseph; Simeon; Judah

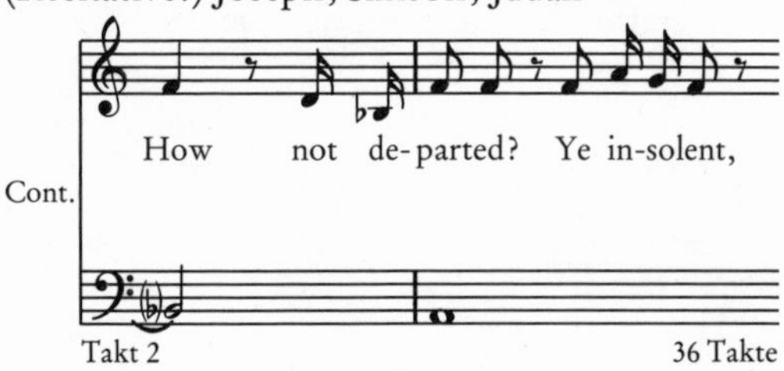
Cont.
How not de-parted? Ye in-solent,
Takt 2
36 Takte

41. Arioso. Simeon

Largo e staccato
V. I, II
Va.
Cont.
Thou had'st, my Lord, a fa- ther
dolce

un poco forte
once, perhaps hast now –
35 Takte

Recitative. Simeon

Cont.
Give, give him up the lad
Concitato
la- bour and
Takt 7

42. Accompagnato. Simeon; V. I, II; Va.; Cont.

Recitative. Joseph; Benjamin; Simeon; Judah; Reuben

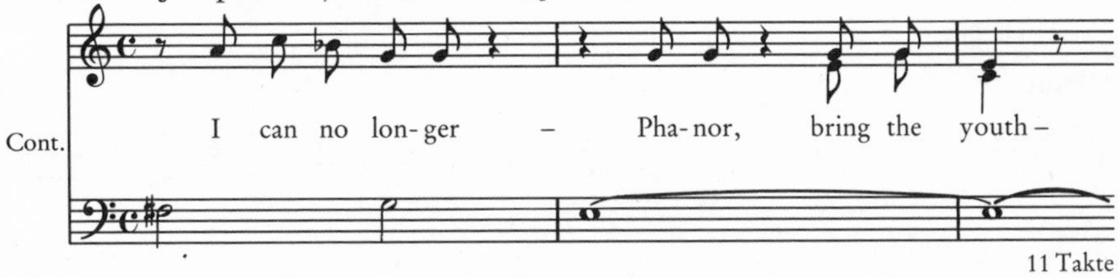

Recitative. Benjamin; Joseph; Simeon; Judah; Reuben

Scene VI

Recitative. Asenath; Joseph

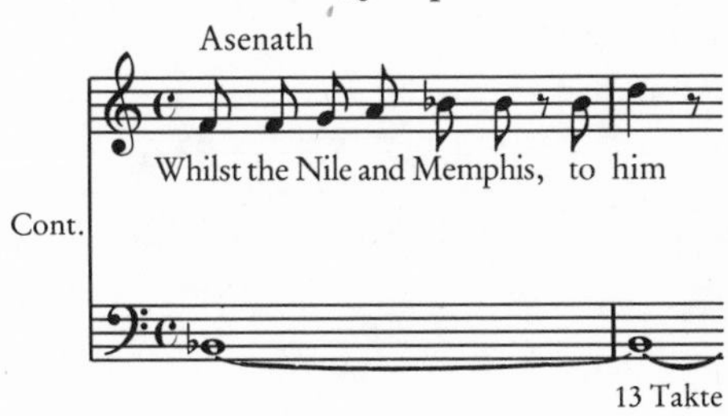

43a. Duet. Asenath; Joseph

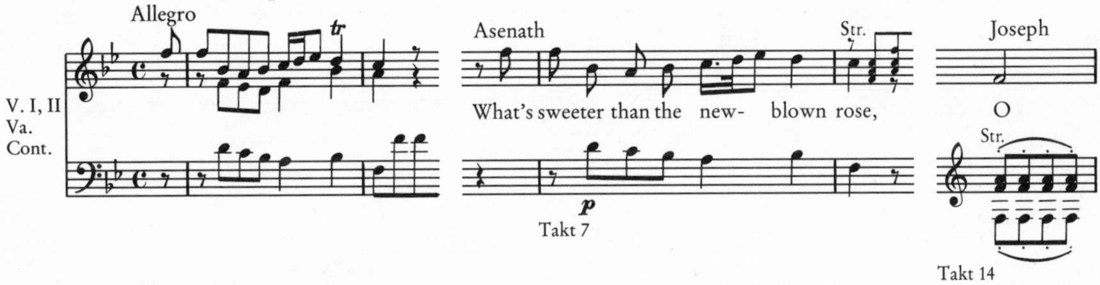

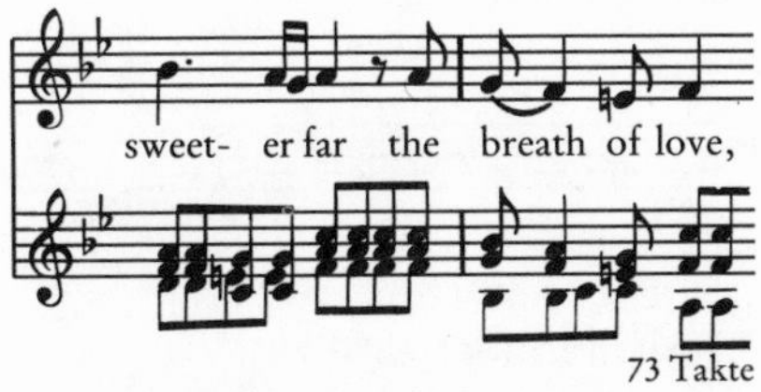

43b. Air. Asenath (1744)

A. Recitative. Joseph

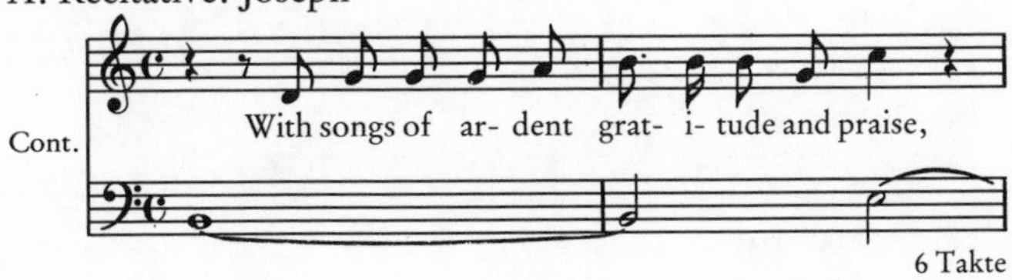

B. Recitative. Joseph

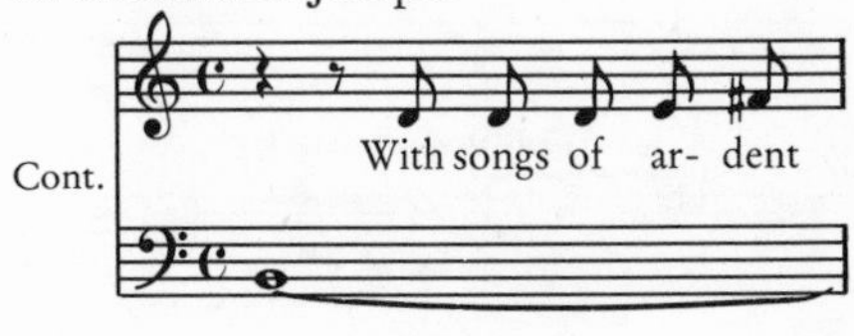

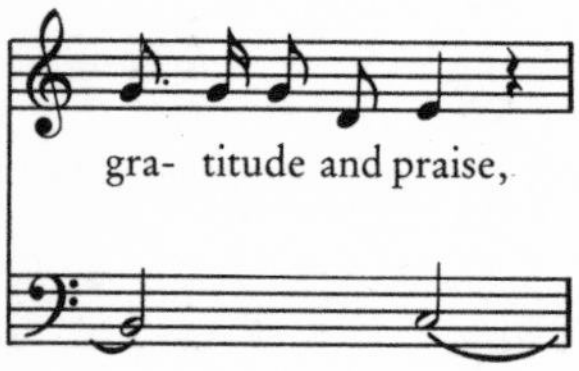

44. Chorus. C. I, II; A.; T.; B.

[= HWV 265. Dettingen Anthem]

48 Takte

Anhang

Menuet

[= HWV 420]

40 Takte

Part I; Scene IV

Recitative. Asenath

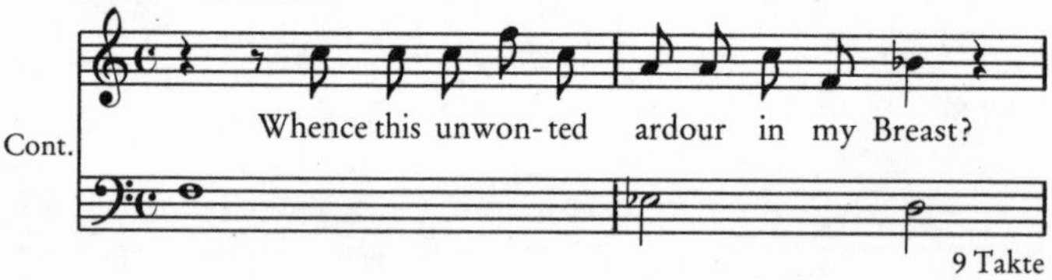
Cont.
Whence this unwon-ted ardour in my Breast?

9 Takte

(9.) Air. Asenath

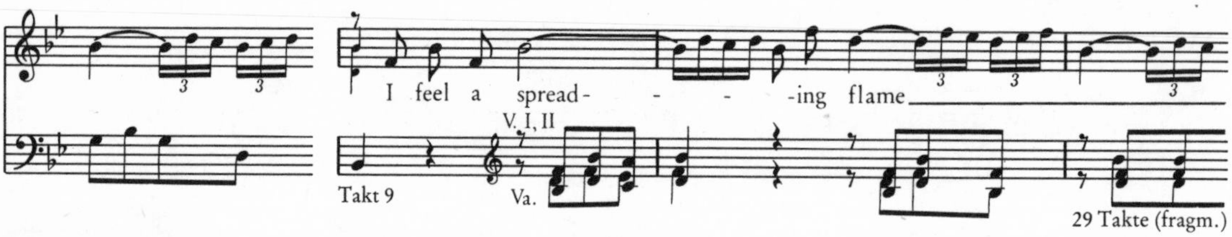
I feel a spread- - - -ing flame
V. I, II
Va.

Takt 9

29 Takte (fragm.)

(17.) Air. Phanor

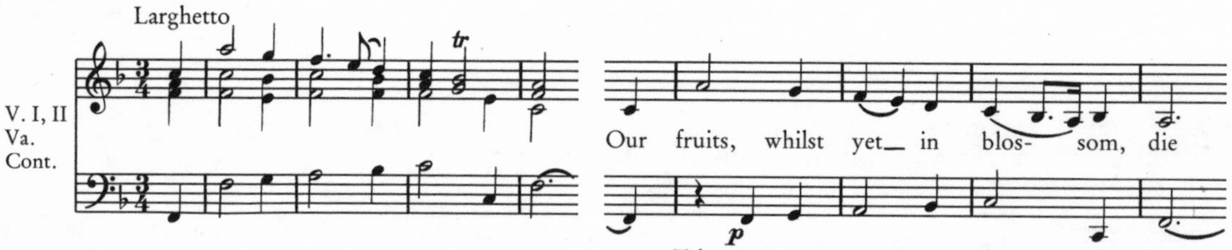

Takt 11

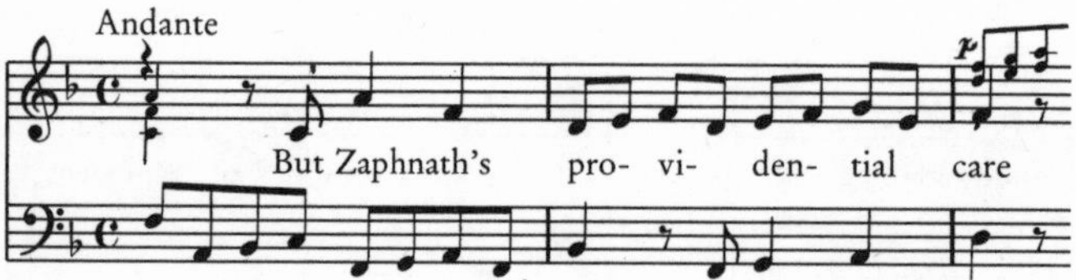
Andante
But Zaphnath's pro- vi- den- tial care

Takt 50

77 Takte (fragm.)

(17.) Air. Phanor; (Galli, 1751)

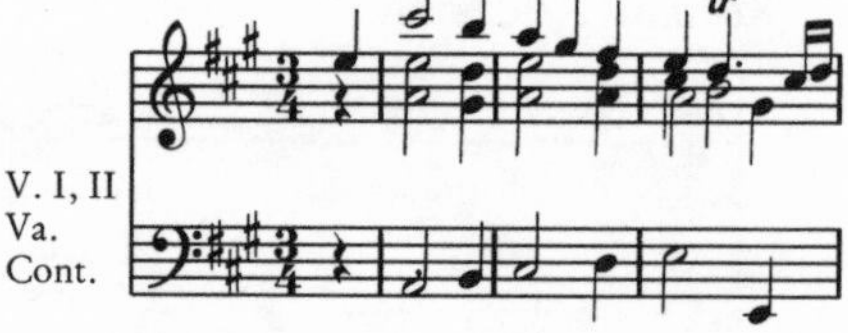

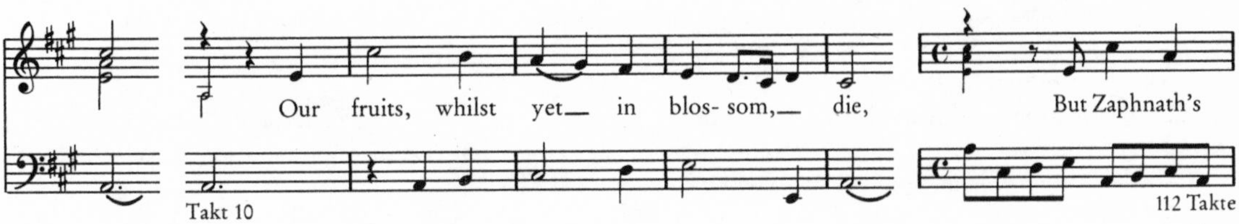
Our fruits, whilst yet— in blos- som,— die,
But Zaphnath's
Takt 10
112 Takte

Part II

Scene IV. (nach Nr. 24)
Recitative. Joseph

Cont.
Be gone- a- way- thou'rt baneful to my eye,
5 Takte
(exit Simeon)

(32.) Air. Phanor
Larghetto

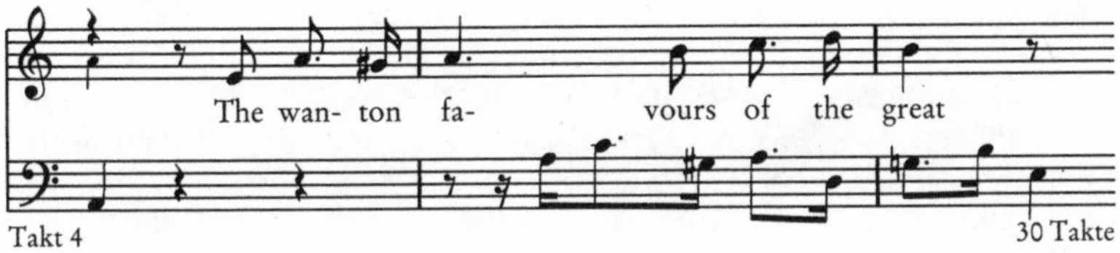
The wan- ton fa- vours of the great
Takt 4
30 Takte

Quellen

Handschriften: Autographe: GBLbm (R. M. 20. e. 10., ohne Menuet der Ouverture und ohne Atto III, Scene VI, Nr. 43[a,b])[1], Cfm [30 H 9, p. 21–33: Rezitativ und Arie Anhang (9.), Menuet (Anhang), Anhang (17.) A-Dur, Anhang (32.)].

Abschriften: D (brd) Hs (Direktionspartitur M $\frac{A}{1025}$) – GB BENcoke, Cfm (Barrett-Lennard-Collection), Ckc, Lbm (R. M. 18. e. 8.; Egerton 2939; R. M. 19. a. 2., f. 67–78: „Additional Songs in the Oratorio of Joseph", Nr. 17[a], 43[b]), Mp [MS 130 Hd4, Part.: v. 151, St.: v. 152(1)–165(1), 247(7), 248(7), 249(4), 353(6); „Songs in the Oratorio of Joseph": St.: v. 240(3)–243(3), 244(2)] – US Cu (Ms. 437, St. für Bassone secondo), PRu (Hall-Collection, vol. X der Sammlung von Frederick, Prince of Wales), Wc (M 2. 1. H 2 case: v. 7, B. II, Reuben).

Drucke: Joseph and his brethren. An oratorio set to musick by Mr Handel. – London, J. Walsh; — ib.; Joseph. An oratorio in score, composed by Mr Handel. – London, H. Wright; Harrison's edition, corrected by D[r] Arnold. The overture and songs in Joseph and his brethren; an oratorio. For the voice, harpsichord, and violin. Composed by M[r] Handel. – London, Harrison & Co.; Joseph, a sacred oratorio; in score, composed in the year 1746. By G. F. Handel. – London, Arnold's edition, No. 107–111 (ca. 1792); The overture and songs in: Joseph, for the harpsichord or piano-forte. – London, J. Bland; Celestial virgin! Godlike youth. – London, A. Bland & Weller; Come, divine inspirer, come. Air (In: The Lady's Magazine, 1797, supplement). – (London), s. n.; — ... a favourite song. – London, H. Wright; The silver stream. Joseph. – (London), J. Bland; What's sweeter than. Joseph. – (London), J. Bland; — London, A. Bland & Weller; — (London), G. Walker; — ... a duet as sung by M[r] & Mrs Harrison, in: Joseph. – London, Goulding & Co.

Librettto: Joseph and his brethren. A sacred drama. As it is perform'd at the Theatre-Royal in Covent-Garden. The musick by Mr Handel. – London, J. Watts, B. Dod, 1744 (Ex.: GB BENcoke, Ckc, Lbm); — ib., 1747 [für 1755] (Ex.: F Pc – GB Lcm); — ... Set to Musick by Mr Handel. – ib., J. Watts, 1757 (Ex.: F Pc – GB Lbm).

Bemerkungen

Händel komponierte „Joseph and his Brethren" auf einen Text (nach 1. Buch Mose, Kap. 39–45) des Geistlichen James Miller (1708–1744), der einige Jahre zuvor Komödien für Londoner Theater geschrieben hatte.[2] Das Autograph enthält folgende

[1] Über den mutmaßlichen Verbleib des Duetts, das 1965 Londoner Antiquaren angeboten wurde, s. Clausen, S. 166, Anm. 4.

[2] Bereits 1737 hatte Händel für die Schauspielerin und Sängern Kitty Clive den Song HWV 228[11] „I like the am'rous youth that's free" auf einen Text Millers komponiert, der als Einlage in dessen Komödie „The Universal Passion" im Drury Lane Theatre aufgeführt wurde.

Daten über den Kompositionsverlauf: Part I: f. 41r: „London, G. F. Handel ♀ (= Freitag) August 26. 1743. völlig geendiget", Part II: f. 94r: „Fine della parte 2d ☽ (= Montag) September 12. 1743. völlig". Das Datum über die Beendigung der Komposition fehlt, da das Autograph nach der 5. Szene von Part III abbricht. Auch Charles Jennens, dem wir mehrere Ergänzungen von Kompositionsdaten verdanken, vermerkte in seinem Partiturexemplar (GB BENcoke) nur diese beiden Daten. Als Abschluß (44) des Werkes übernahm Händel den Schlußchor (5) aus dem kurz zuvor entstandenen Dettingen Anthem HWV 265 „The King shall rejoice".

Das Autograph von „Joseph" zeigt mehrfach Revisionen des urprünglichen Notentextes. Viele Textstellen Millers blieben unvertont. Bevor die Direktionspartitur geschrieben wurde, schied Händel mehrere Sätze aus, komponierte einige neu (Nr. 9, 17, 43a,b, das Menuet der Ouverture sowie die Sinfonie Nr. 31) und nahm eine Reihe von Transpositionen und Kürzungen in Arien und Rezitativen vor (Übersicht bei Dean, S. 408 ff.).

Die Uraufführung fand am 2. März 1744 in folgender Besetzung statt: Joseph: Daniel Sullivan, Asenath: Elisabeth Duparc detta La Francesina, Simeon und Judah: John Beard, Pharaoh und Reuben: Thomas Reinhold, Benjamin: the Boy (Knabensopran), Phanor[3]: vermutlich Esther Young. Drei weitere Aufführungen folgten am 7., 9. und 14. März 1744. In der nächsten Spielzeit wiederholte Händel das Werk am 15. und 22. März 1745 im Haymarket-Theatre[4]. Die Besetzung ist nicht bekannt. In den Aufführungen der Spielzeit 1747 (20. und 25. März in Coventgarden) sang Caterina Galli die Titelpartie, die Händel für sie zum Teil höher transponiert hatte.

Eine für 1751 geplante Aufführung mußte verschoben werden; Händel übernahm dafür je einen Satz aus HWV 65 Alexander Balus für den Priester (12) und HWV 66 Susanna für Phanor (32b) und plante, wie W. Dean (S. 409 f.) vermutet, die Eingliederung der a-Moll-Fassung von „The wanton favours" (Anhang 32) in Act II, Scene I, für Galli, die den Part des Phanor singen sollte.

Weitere Aufführungen folgten am 28. Februar 1755 und am 9. März 1757. Die Partien von Joseph, Phanor, Benjamin und Potiphera (High Priest) wurden für verschiedene Stimmlagen eingerichtet und mehrfach transponiert (Übersicht bei Clausen, S. 164 ff.).

Das Thema des Chores „Joyful sounds" (8) entnahm Händel der Serenata „Qual prodigio" (Sinfonia, 2. Satz) von Alessandro Stradella (s. ChA, Suppl. 3).

Auch mehrere eigene Kompositionen boten ihm motivische Anregungen:

11. March
    HWV 57 Samson: 53a. Dead March
16. Hail, thou youth/Zaphnat Egypt's fate foresaw (T. 43 ff.)
    HWV 58 Semele: Anhang 32. Bless the glad earth/ and to that pitch (T. 3 ff.)
27. Thus one with ev'ry virtue crown'd
    HWV 248 „Have mercy upon me": 2. Have mercy, Ritornello
44. We will rejoice
    HWV 265 „The King shall rejoice": 5. We will rejoice

Literatur

Clausen, S. 163 ff.; Dean, S. 398 ff.; Deutsch, S. 571, 585 ff.; Flower, p. 288 ff./S. 263 ff.; Herbage, S. 104 ff.; Hiekel, H.-O.: G. F. Händels Oratorium „Joseph". In: Göttinger Händelfestspiele 1969, Programmheft, S. 82 ff.; Lang, p. 419 f./S. 380; Leichtentritt, S. 431 ff.; Schering, A.: Geschichte des Oratoriums, Leipzig 1911, S. 286 ff.; Schoelcher, S. 285 ff.; Serauky IV, S. 145 ff.; Siegmund-Schultze, S. 130 f.; Smither II, S. 280 ff.; Streatfeild, S. 308 f.; Young, S. 129 ff.
Beschreibung der Autographe: Lbm: Catalogue Squire, S. 49 f. – Cfm: Catalogue Mann, Ms. 259, S. 184 f. – Dean, S. 412 f.

[3] Im Autograph zunächst ursprünglich als „Chief Butler", ab Part II als *Ramse* oder *Ramsey* bezeichnet und später zu *Phanor* korrigiert.

[4] Zur gleichen Zeit wurde in Coventgarden ebenfalls ein Oratorium mit dem Titel „Joseph" von William Defesch aufgeführt. S. Dean, S. 407.

60. Hercules

A Musical Drama (Oratorio) in three acts von Thomas Broughton (nach „Trachiniai“ von Sophokles und „Metamorphoses“ von Publius Ovidius Naso)

Besetzung: Soli: 3 Soprani (Dejanira, Iole, 1. Oechalian), Alto (Lichas), Ten. (Hyllus), 3 Bassi (Hercules, 1. Trachinian, Priest of Jupiter). Chor: C.; A.; T.; B. Instrumente: Ob. I, II; Cor. I, II; Trba. I, II; Timp.; V. I, II, III; Va.; Cont.
ChA 4. – HHA I/22. – EZ: London, 19. Juli bis 21. August 1744. – UA: London, 5. Januar 1745, King's Theatre, Haymarket

Ouverture

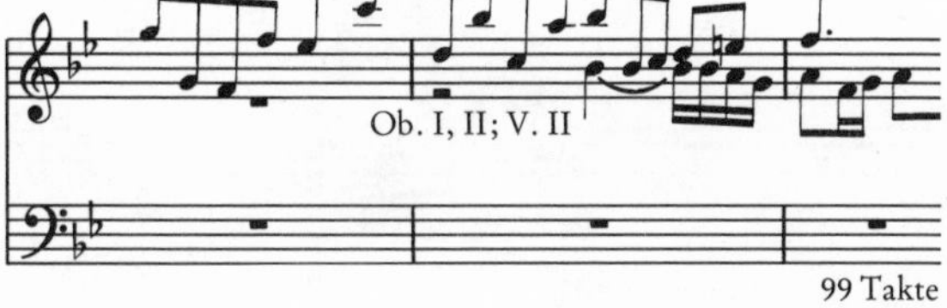

Menuetto

Act I

Scene I

1. Accompagnato. Lichas

2. Air. Lichas

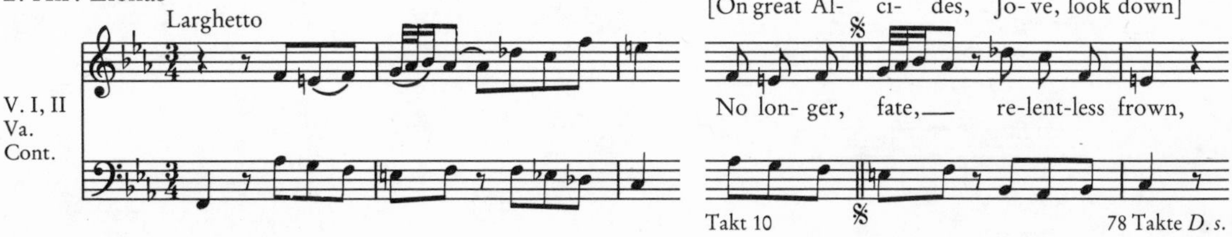

3. Accompagnato. Dejanira

4. Air. Dejanira

Recitative. Lichas; Dejanira

The world, when day's ca- reer— is run,

Cont. Princess! be comforted, and hope the best:

Takt 10 53 Takte

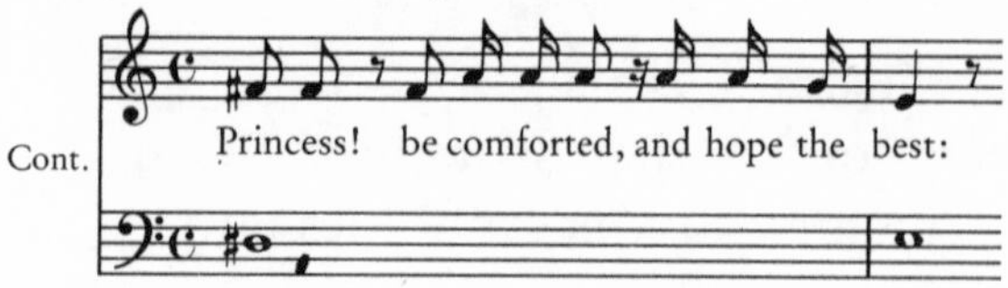

Scene II
(Recitative.) Dejanira; Hyllus; Lichas

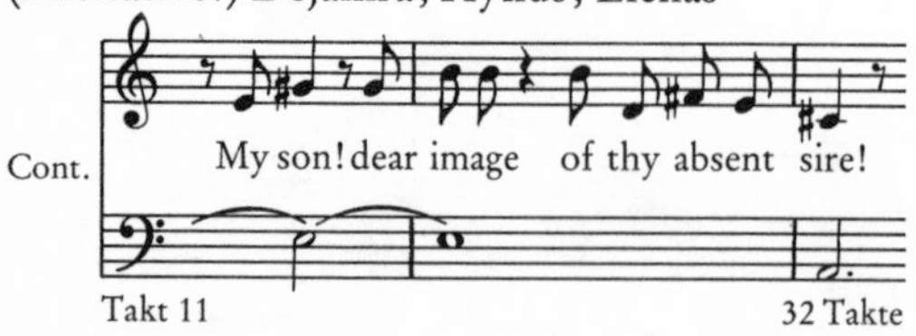

Cont. My son! dear image of thy absent sire!

Takt 11 32 Takte

5. Air. Hyllus
Pomposo

V. I, II
Va.
Cont.

I feel, I feel the god, I feel, I feel the god,

Takt 5

he swells my breast,

Recitative. Hyllus; Dejanira

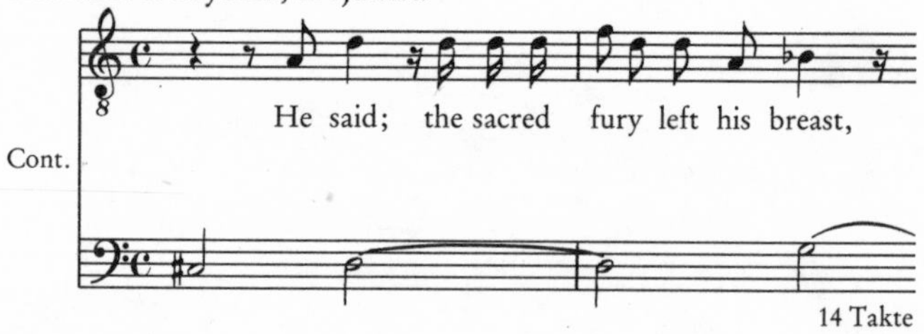

Cont. He said; the sacred fury left his breast,

36 Takte 14 Takte

6a. Air. Dejanira
Largo

V. I, II
Va.
Cont.

There, there in myrtle shades reclin'd to

Takt 5

streams that thro' E-lysium wind,

6b. Air. Dejanira
Largo

V. I, II
Va.
Cont.

4

There, there in myrtle shades reclin'd,

(36) 28 Takte 28 Takte

Recitative. Hyllus

Cont. Despair not; but let ris- ing hope

13 Takte

7. Air. Hyllus
Andante larghetto e staccato

V. I, II
Va.
Cont.

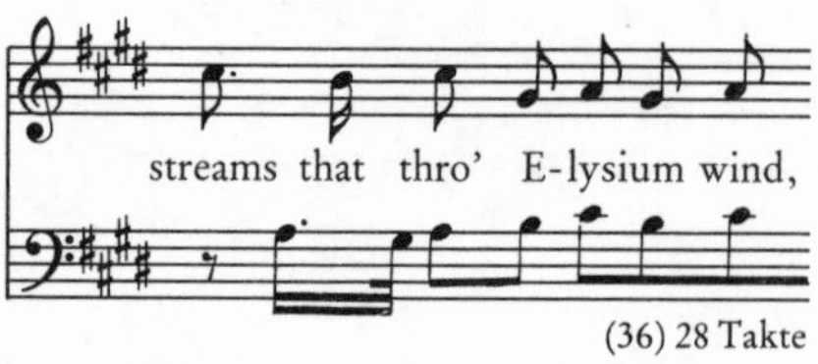

p
Where congeal'd the northern streams, bound in i- - -cy fet-ters, stand,
Takt 11
80 Takte

8. Chorus. C.; A.; T.; B.

Largo
(Tutti)
Ob. I, II
V. I, II
Va.
Cont.
Oh fil- ial pi- e-ty! oh gen'- rous love!
Andante
Immortal fame at-
Takt 33

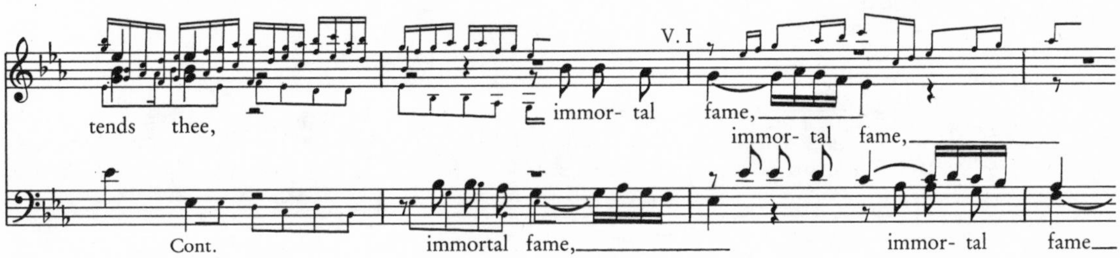
tends thee,
immor- tal
V. I
fame,
immor- tal fame,
Cont.
immortal fame,
immor- tal fame

B.
Cont.
and pitying heav'n, and pitying heav'n befriends thee,
Takt 53
Largo
Oh fil- ial pi- e-ty!
Takt 121
132 Takte

Scene III

Recitative. Lichas; Dejanira

Cont.
Banish your fears! Alc- mena's godlike son lives,
12 Takte

9. Air. Dejanira

Allegro
V. I, II
unis.
Cont.

(V. colla parte)
Be- gone, my fears, fly, hence, a- way, like clouds
Takt 7
58 Takte D. c.

Recitative. Lichas; Hyllus; Dejanira

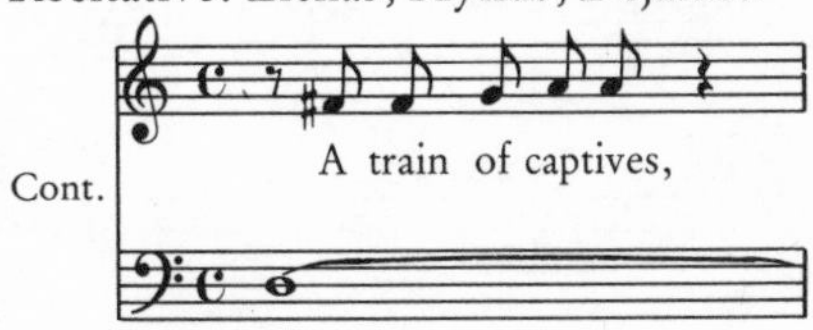
Cont.
A train of captives,

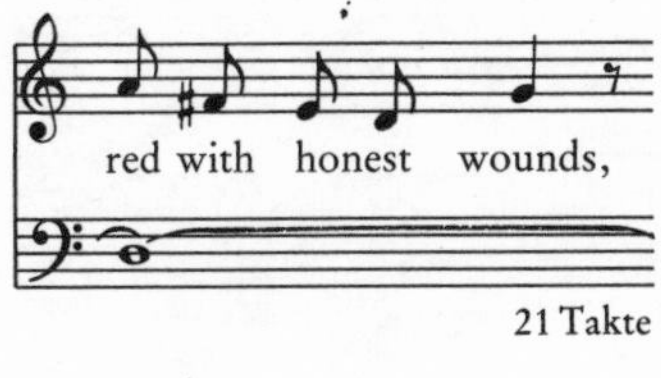
red with honest wounds,
21 Takte

10. Air. Lichas

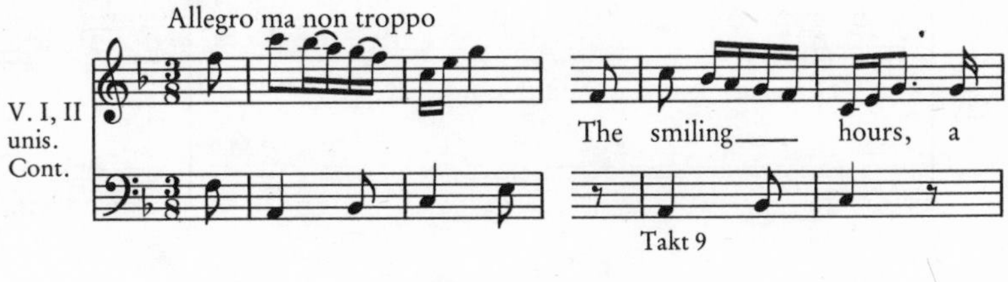
Allegro ma non troppo
V. I, II
unis.
Cont.
The smiling hours, a
Takt 9

11. Chorus. C.; A.; T.; B.

Andante allegro
joyful__ train,
119 Takte D. c.
Ob. I, II
V. I, II
Va.
Cont.
Let none despair, let none despair, relief__ may come though late,
Ten.
Cont.

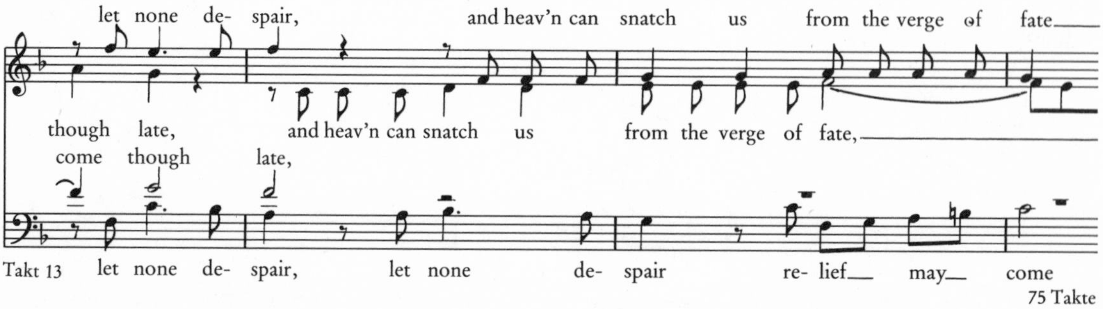
let none de- spair, and heav'n can snatch us from the verge of fate__
though late, and heav'n can snatch us from the verge of fate,
come though late,
Takt 13 let none de- spair, let none de- spair re- lief__ may__ come
75 Takte

Scene IV

Recitative. Iole; 1. Oechalian

Cont.
Ye faith- ful followers of the wretched I- o- le,
27 Takte

12. Air. Iole

Larghetto andante
V. I, II
Cont.

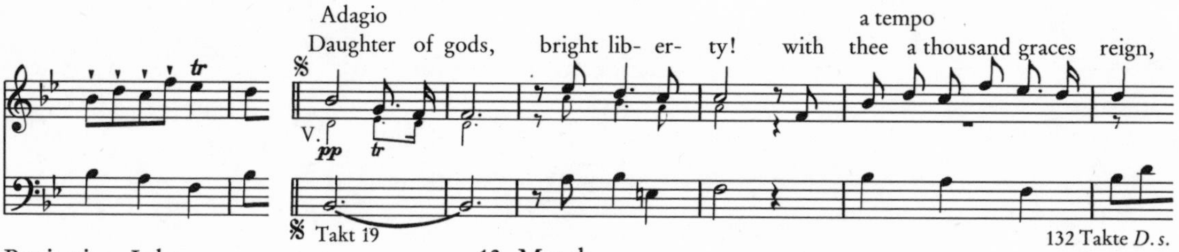
Adagio
Daughter of gods, bright lib- er- ty!
a tempo
with thee a thousand graces reign,
V.
pp
tr
Takt 19
132 Takte D. s.

Recitative. Iole

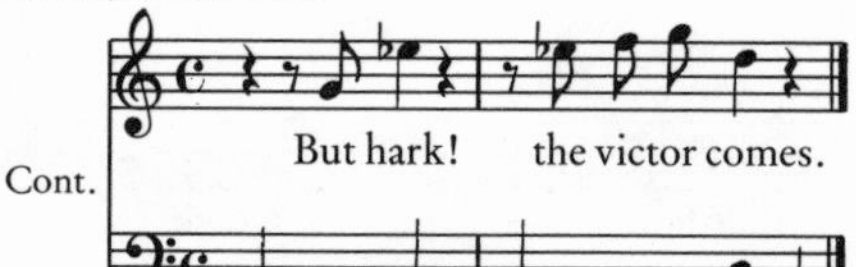
Cont.
But hark! the victor comes.

13. March

Ob. I, II
Trba. I, II
Timp.
V. I, II
Va.
Cont.
Timp.

26 Takte

Recitative. Hercules

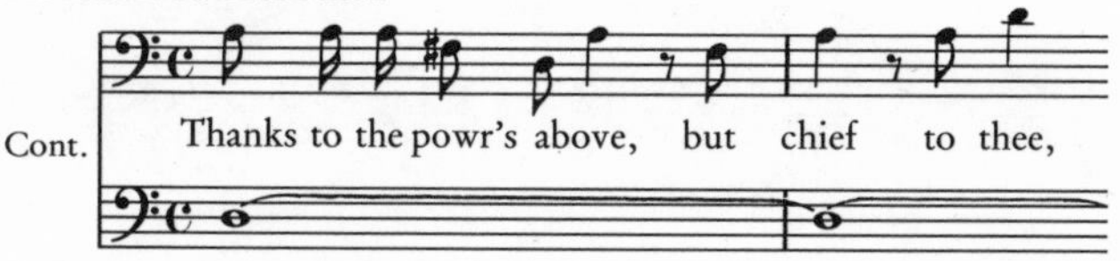
Cont.
Thanks to the powr's above, but chief to thee,

Scene V

(Recitative.) Hercules; Iole

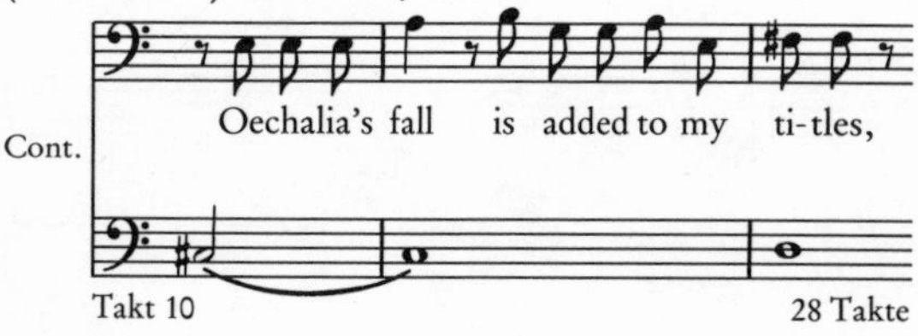
Cont.
Oechalia's fall is added to my ti- tles,
Takt 10
28 Takte

14. Air. Iole

Larghetto e mezzo piano
V. I, II
Va.
Cont.

My father! ah! methinks I see the sword inflict the dead- ly wound;
Takt 8

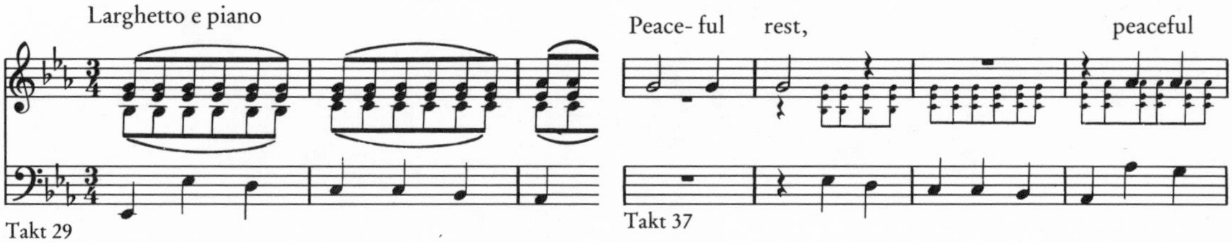
Larghetto e piano
Peace- ful rest, peaceful
Takt 29
Takt 37

rest, dear par- -ent_ shade,
98 Takte

Scene VI
Recitative. Hercules

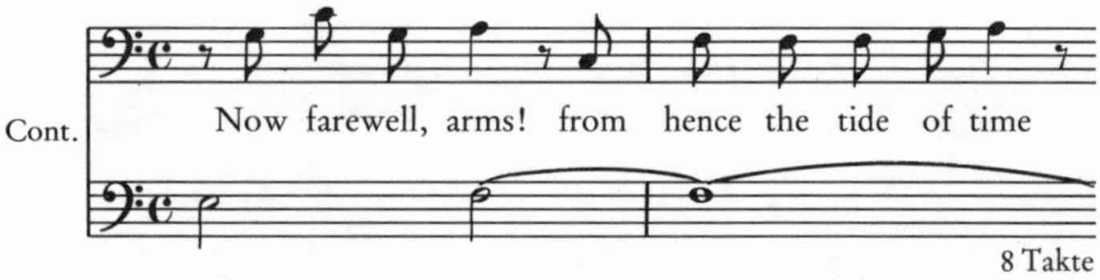
Cont.
Now farewell, arms! from hence the tide of time
8 Takte

15. Air. Hercules

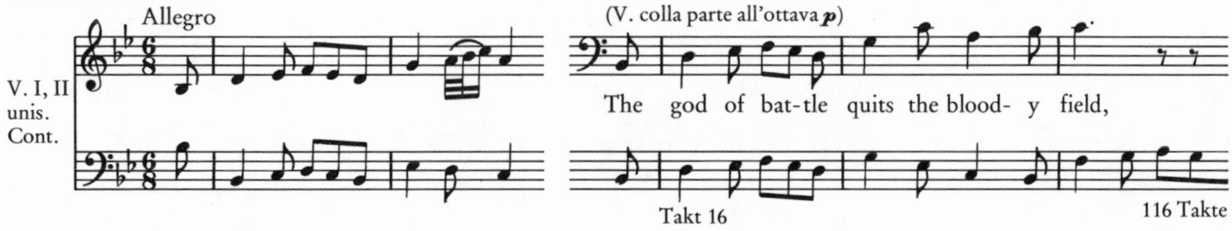
Allegro
V. I, II
unis.
Cont.
(V. colla parte all'ottava p)
The god of bat-tle quits the blood- y field,
Takt 16
116 Takte

16. Chorus. C.; A.; T.; B.

Allegro ma non presto
Str.
Ob. I, II
Trba. I, II
Timp.
V. I, II
Va.
Cont.
Ob.
Str.
Crown with festal pomp the day, crown,
Takt 9

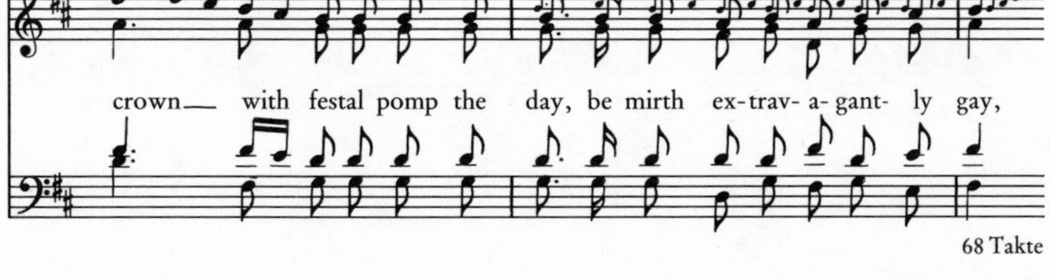
Trba. I
crown_ with festal pomp the day, be mirth ex-trav- a- gant- ly gay,
68 Takte

Act II

Scene I

17. Symfonie

Allegro
V. I, II
Va.
Cont.
34 Takte

Recitative. Iole

Cont.
Why was I born a

princess rais'd on high,
6 Takte

18. Air. Iole

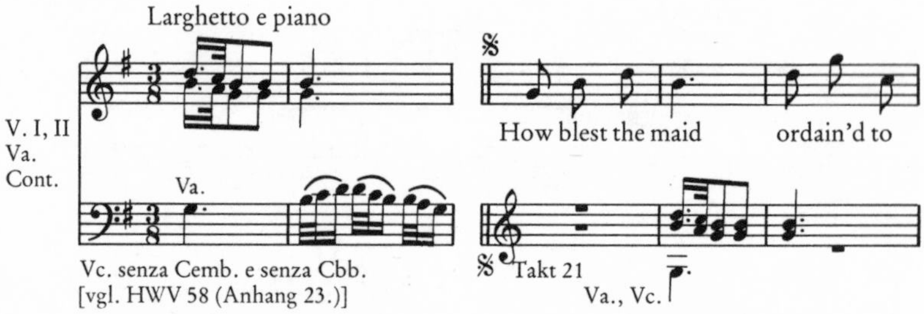
Larghetto e piano
V. I, II
Va.
Cont.
Va.
How blest the maid ordain'd to
Vc. senza Cemb. e senza Cbb.
[vgl. HWV 58 (Anhang 23.)]
Takt 21
Va., Vc.

dwell, with sweet con- tent in humble cell,
Andante larghetto
though low, yet happy in that
Takt 103

low es- tate,
122 Takte D. s.

Scene II

Recitative. Dejanira; Iole

Cont.
It must be so! fame speaks a-loud my wrongs,
14 Takte

19. Air. Dejanira

Larghetto
V. I, II
Cont.
When beauty sorrow's liv'ry wears, our passions take the fair-one's part,
Takt 3
25 Takte D. s.

Recitative. Iole; Dejanira

Cont.
Whence this un-just sus- spicion?
25 Takte

20. Air. Iole

Andante
V. I, II
Cont.

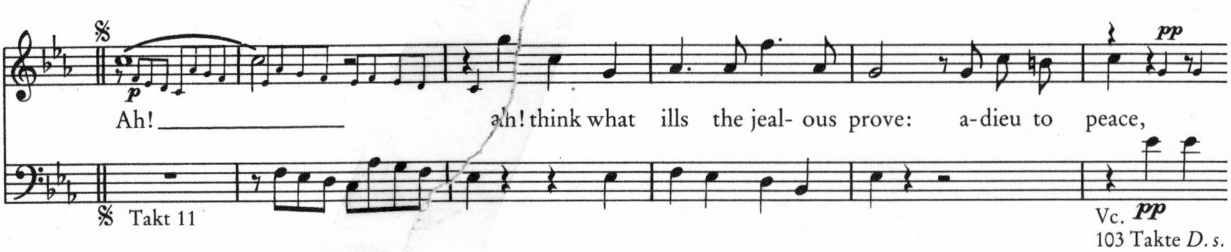

Recitative. Dejanira

Recitative. Lichas; Dejanira

21. Air. Lichas

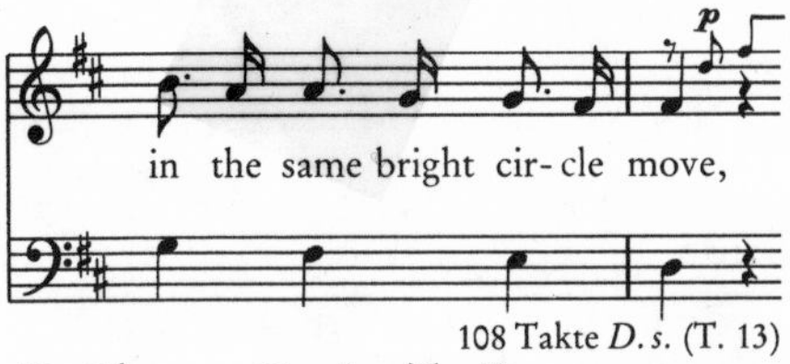

Recitative. Dejanira; Lichas

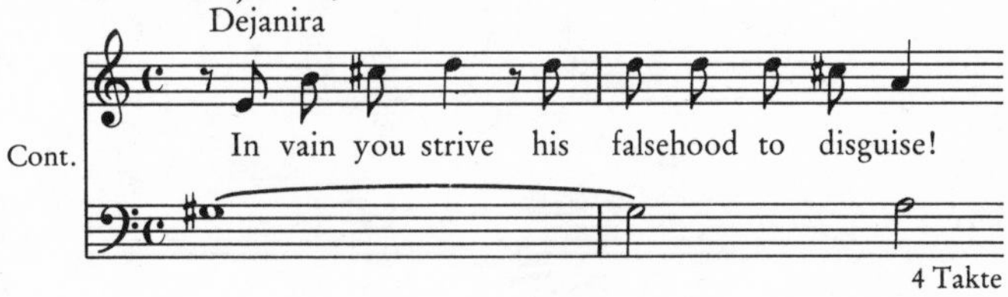

22. Chorus. C.; A.; T.; B.

light as float- - - (ing)
- - - - (ing)
Largo
Jeal- ou- sy! jeal- ou- sy! in- fer- nal pest,
Takt 118
140 Takte
Scene III
Recitative. Hyllus; Iole
Cont.
She knows my passion, and has heard me breath
43 Takte
Banish love from thy breast, 'tis a woman- ish guest,
Takt 11
90 Takte D. s. (T. 14)
23. Air. Iole
Allegro
V. I, II unis. Cont.
Recitative Hyllus
Cont.
Forgive a passion,
which re- sistless sways
3 Takte
24. Air. Hyllus
Siciliana
Larghetto
V. I, II unis. Cont.
From coe- le- stial seats de -
Takt 5
scen- ding, joys di- vine a- while sus- pending,
36 Takte D. c.
25. Chorus. C.; A.; T.; B.
Andante
Ob. I, II V. I, II Va. Cont.
Str.
Wan- - -ton god of am- -o- rous fires, wish- es, sighs and
Wan- - -ton god of amorous fires, wish- es, sighs and
Takt 5
Cont.
soft desires,
soft desires,
65 Takte
Scene IV
Recitative. Dejanira; Hercules
Cont.
Yes, I congra- tu- late your ti- tles,
13 Takte
26. Air. Hercules
Allegro
Ob. I, II V. I, II Va. Cont.
Ob. I, II
Fag. senza Vc.

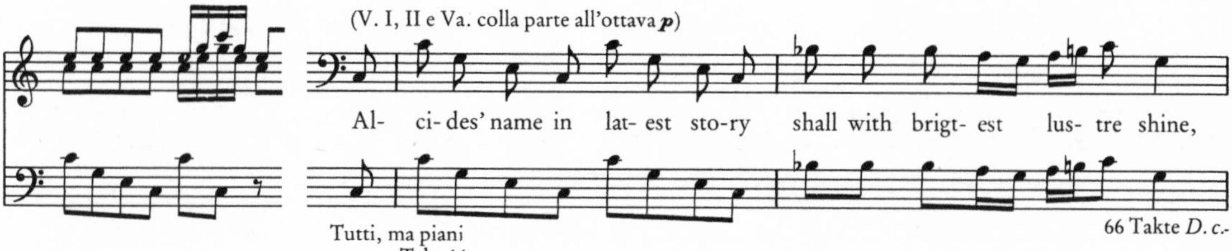

Takt 11

66 Takte *D. c.*

Recitative. Dejanira

Cont.
Oh glorious pattern of he-ro-ic deeds!

10 Takte

27. Air. Dejanira

Andante

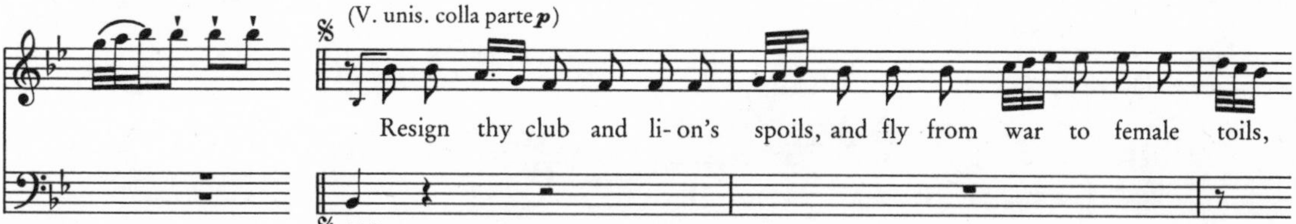
(V. unis. colla parte p)
Resign thy club and li- on's spoils, and fly from war to female toils,

Takt 9

65 Takte *D. s.*

Recitative. Hercules; Dejanira

Cont.
You are de-cei- ved! some villain has bely'd

25 Takte

28. Air. Dejanira

Larghetto e mezzo piano

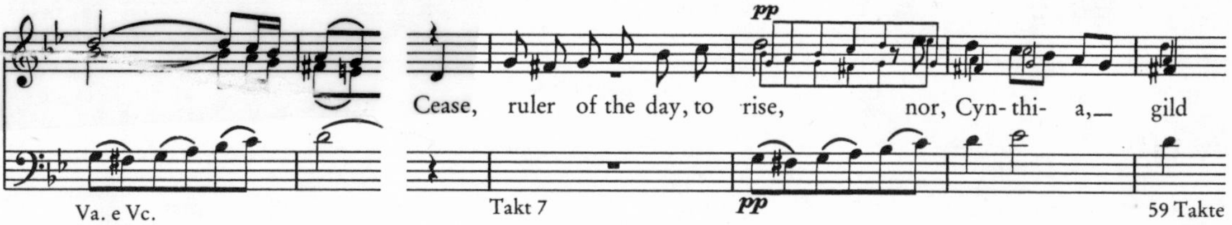

Cease, ruler of the day, to rise, nor, Cyn- thi- a, gild

Takt 7

59 Takte

A. B. Recitative. Dejanira; Lichas

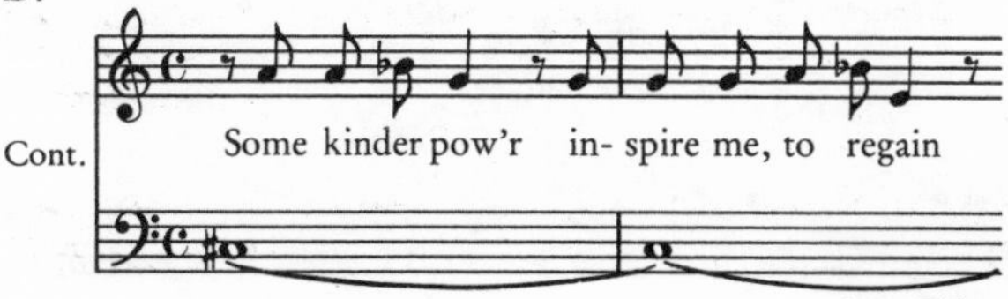
Cont.
Some kinder pow'r in- spire me, to regain

A: 22 Takte
B: 28 Takte

29. Air. Lichas

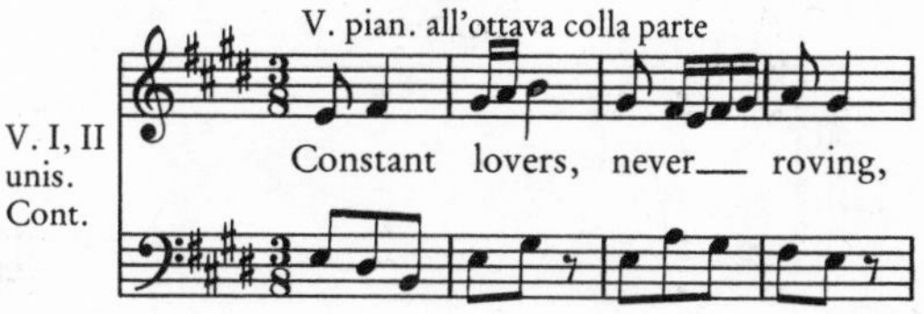

Constant lovers, never roving,

76 Takte

Recitative. Dejanira

Cont.
But see, the princess I- o-le! – Retire!

5 Takte

Scene V

Recitative. Dejanira; Iole

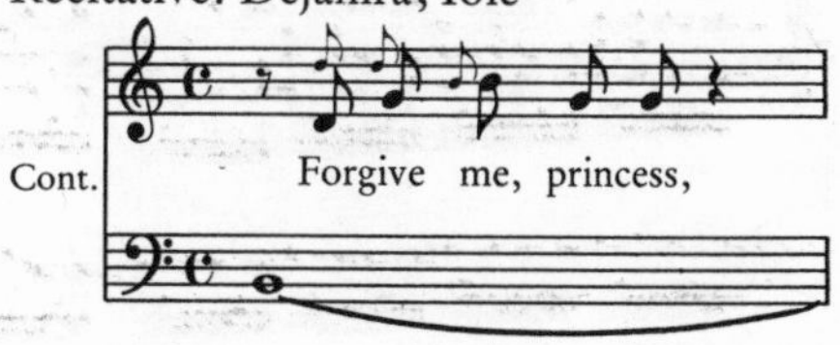

Forgive me, princess,

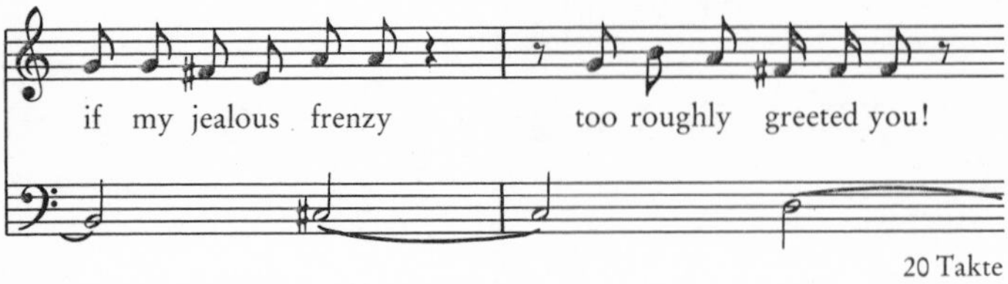
if my jealous frenzy too roughly greeted you!
20 Takte

30. Duet. Iole; Dejanira

Allegro

V. I, II
Va.
Cont.

Dejanira
Joys, joys of freedom,
Takt 25
169 Takte

Recitative. Dejanira

Cont.
Fa-ther of Hercu- les, great Jove, succeed
4 Takte

31. Chorus. C.; A.; T.; B.

(Tutti)
Love and Hy- men, hand in hand, come, re- store the nuptial band!
Takt 11
114 Takte D. s.

Act III

Scene I

32. Symfony

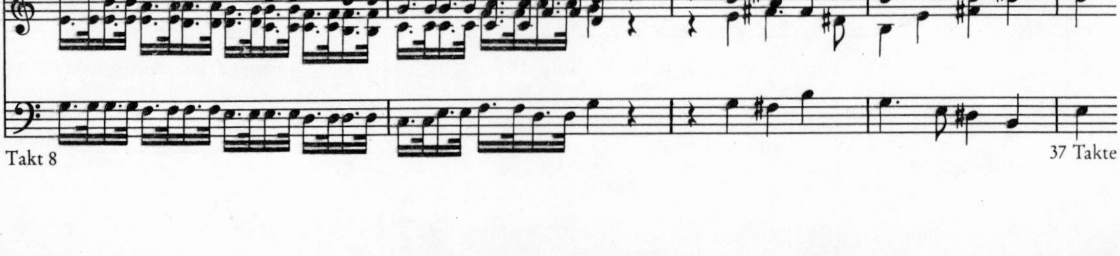
Largo e piano
Takt 8
37 Takte

Recitative. Lichas; 1. Trachinian

Cont.
Ye sons of Trachin, mourn your valiant chief,
33 Takte

33. Air. Lichas

Largo
V. I, II unis.
Cont.
Oh scene, oh scene of unexampled

woe,
52 Takte

Recitative. 1. Trachinian

Cont.
Oh fa-tal jealousy! Oh cruel recompence of virtue,
4 Takte

34. Chorus. C.; A.; T.; B.

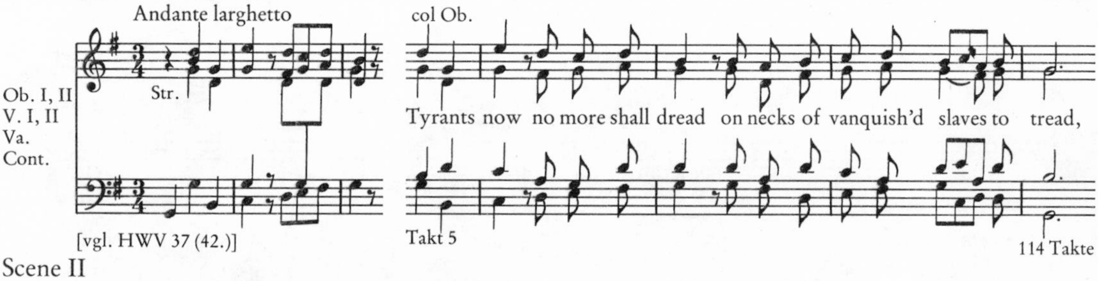
Andante larghetto
Ob. I, II
V. I, II
Va.
Cont.
Str.
col Ob.
Tyrants now no more shall dread on necks of vanquish'd slaves to tread,
[vgl. HWV 37 (42.)]
Takt 5
114 Takte

Scene II

35. Accompagnato. Hercules

Concitato
V. I, II
Va.
Cont.
Oh Jove! what land is this,

what clime accurst,
Concitato
Takt 12

I rage I rage, I rage
Takt 18
57 Takte

Recitative. Hyllus

Cont.
Great Jove! relieve his pains!

36. Accompagnato. Hercules; Hyllus

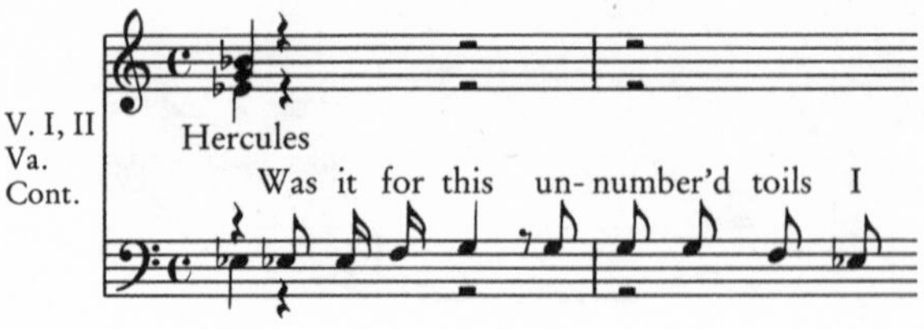
V. I, II
Va.
Cont.
Hercules
Was it for this un-number'd toils I

bore? Oh Ju-no and Eurys- theus,
34 Takte

37. Air. Hyllus

Andante
V. I, II, III
Va.
Cont.

Let not fame the tidings spread to proud Oe- -cha- -lia's conquer'd wall,
Takt 11
98 Takte D. c.

Scene III

38. Accompagnato. Dejanira

V. I, II
Va.
Cont.
Where shall I fly! where hide this guilty head?
Concitato
See! see! they
Takt 22

come! A- lecto with her snakes!
Lento e piano
Hide me, hide me
Takt 45

Scene IV

Recitative. Dejanira; Iole

39. Air. Iole

Scene V

Recitative. Priest of Jupiter; Dejanira

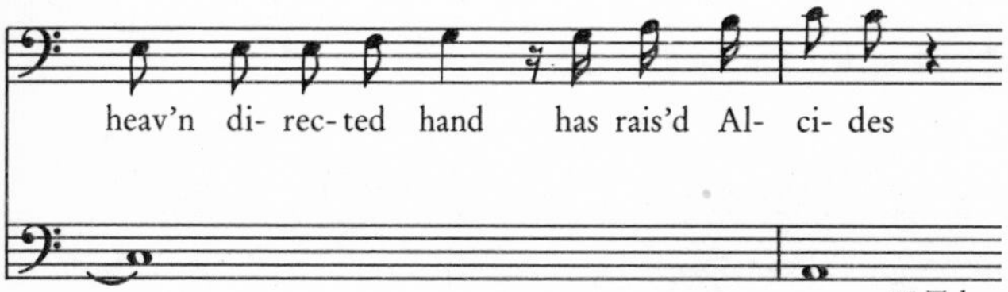
heav'n di- rec- ted hand has rais'd Al- ci- des

25 Takte

40. Accompagnato. Priest of Jupiter

Slow

V. I, II
Va.
Cont.

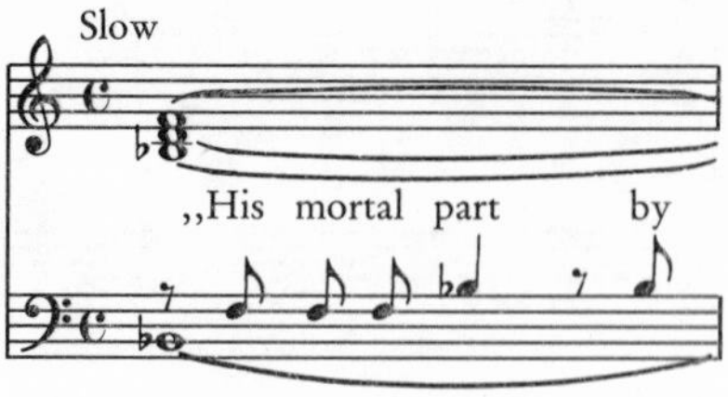
,,His mortal part by

eating fires consum'd,

6 Takte

41. Air. Lichas (Priest)

Andante

V. I, II
unis.
Cont.

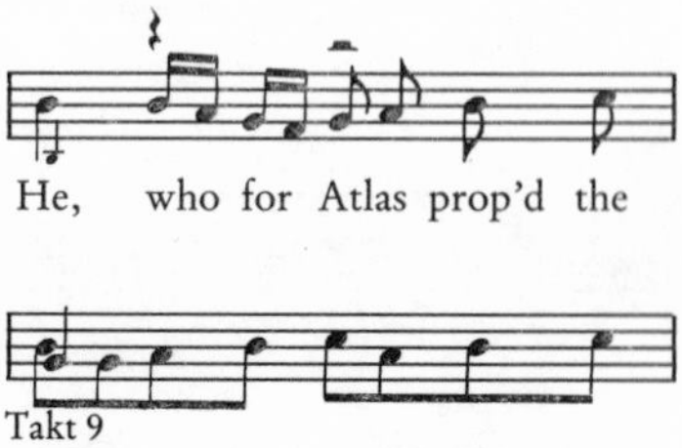
He, who for Atlas prop'd the

Takt 9

sky, now sees the sphere beneath him lie,

51 Takte

42. Recitative and Accompagnato. Dejanira; Priest of Jupiter

V. I, II
Va.
Cont.

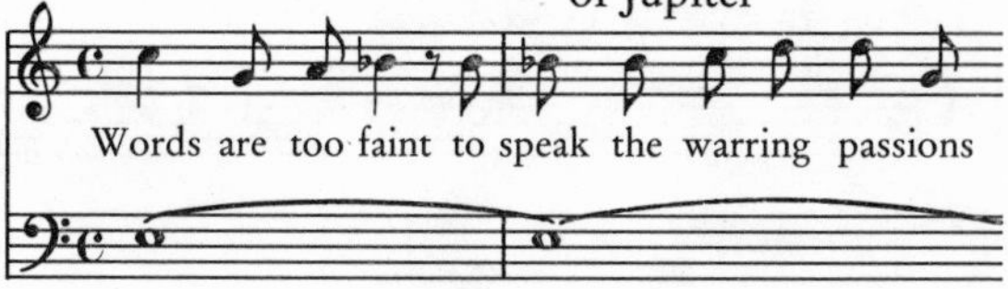
Words are too faint to speak the warring passions

(Accompagnato)

p
Priest: Hy- men with pu- rest joys of love shall crown Oe- cha- lia's prin- cess

Takt 11

14 Takte

Recitative. Hyllus; Iole

Cont.

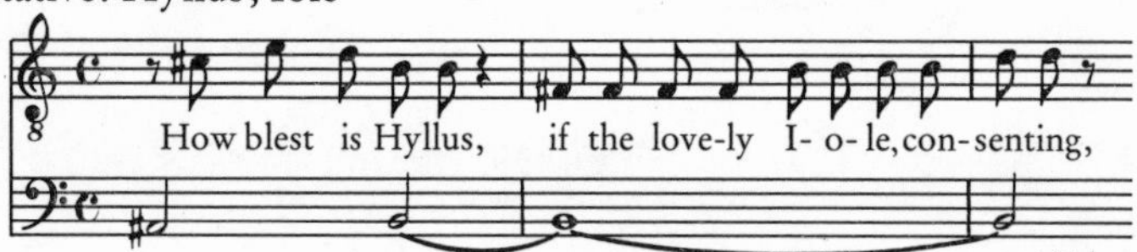
How blest is Hyllus, if the love-ly I- o- le, con- senting,

6 Takte

43. Duet. Iole; Hyllus

Allegro

V. I, II
Va.
Cont.

Iole: Oh prince, whose virtues all__ admire,

Takt 19

208 Takte

Recitative. Priest of Jupiter

Cont.

Ye sons of freedom, now, in ev'ry clime,

6 Takte

44. Chorus. C.; A.; T.; B.

Allegro ma non troppo

Ob. I, II
Cor. I, II
V. I, II
Va.
Cont.

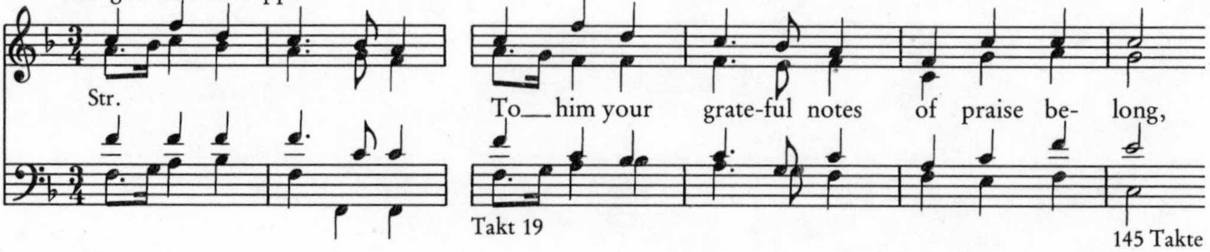
Str.
To__ him your grate-ful notes of praise be- long,

Takt 19

145 Takte

Anhang

Act II, Scene II

(Recitative.) Iole; Dejanira; (vor Nr. 19)

Iole
Dejanira
Cont.
A- las! What mean you?
Well- dis-sembled ignorance!
Takt 15
31 Takte

Quellen

Handschriften: Autographe: GB Lbm (R. M. 20. e. 8.), Cfm (30 H 13, p. 79: Skizze zu Nr. 23; 30 H 12, p. 12: Skizzen für Nr. 20, Ritornell; 30 H 9, p. 38: Skizze für Nr. 21).

Abschriften: D (brd) Hs (Direktionspartitur M $\frac{A}{1021}$) – GB BENcoke (Part.; St. f. Ouverture), Cfm (Barrett-Lennard-Collection), En (BH. 115), Lbm (R. M. 18. e. 6.; R. M. 19. a. 6.: St. für Trachinian und Priest of Jupiter; R. M. 19. a. 11.: St. für Iole), Mp [MS 130 Hd4, Part.: v. 132, St.: v. 110(4), 111(4), 112(5), 113(5), 115(5), 214(2)–223(2)].

Drucke: Hercules in score. Compos'd by Mr Handel. – London, J. Walsh (3 verschiedene Ausgaben); Harrison's edition, corrected by Dr Arnold. The overture and songs in Hercules; an oratorio. For the voice, harpsichord, and violin. Composed by Mr Handel. – London, Harrison & Co.; Hercules. An oratorio in score, composed in the year 1744. By G. F. Handel. – London, Arnold's edition, No. 34–39 (ca. 1788/89); Ah, think what ills. Hercules. – (London), J. Bland; Constant lovers. Hercules (In: The Lady's Magazine, Nov., 1778). – (London), s. n.; — (In: The Lady's Magazine, July, 1787). – (London), s. n.; My breast with tender pity swells. Song (In: The Lady's Magazine, July, 1798). – (London), s. n.; When beauty sorrow's livery wears. Song (In: The Lady's Magazine, July, 1799). – (London), s. n.

Libretto: Hercules. A musical Drama. As it is perform'd at the King's Theatre in the Hay-Market. The musick by Mr Handel. – London, J. and R. Tonson, S. Draper, 1745 (Ex.: F Pc – GB BENcoke, Ckc, Lbm – US Cn, SM); —... As it is perform'd at the Theatre-Royal in Covent-Garden. The Musick by Mr Handel. – London, J. Roberts, 1749 (Ex.: GB BENcoke, Ckc, Lbm); — ib. [1752] (Ex.: F Pc – GB En, Lbm).

Bemerkungen

Das Libretto zu „Hercules" stammt von dem Geistlichen Thomas Broughton (1704–1774), der sich dabei – wie im Vorwort vermerkt ist – auf die Tragödie „Die Trachinierinnen" von Sophokles sowie auf Stellen aus den „Metamorphoses" (lib. IX) von Ovid stützte.

Händel arbeitete knapp vier Wochen an der Vertonung des Textes. Die Daten für die Komposition der einzelnen Akte lauten im Autograph wie folgt: Act I: f. 1: „angefangen July 19. ♃ (= Donnerstag) 1744", f. 47v: „geendiget dies. 1 Akt July 30 ☽ (= Montag) 1744". Act II: f. 94v: „Fine dell' Atto 2do Agost. 11. 1744. ♄ (= Sonnabend)". Act III: f. 133: „Fine. London. Agost. 17 ♀ (= Freitag). 1744." Das Datum über die Eintragung „völlig geendiget..." (vermutlich 21. August) wurde beim späteren Einbinden abgetrennt. Unmittelbar darauf begann Händel bereits mit der Vertonung von HWV 61 Belshazzar.

Während der Arbeit an „Hercules" war sich Händel anscheinend über die Besetzung noch nicht schlüssig, denn zwischen August und Dezember 1744 revidierte er die Partitur mehrfach, indem er die Partie des Lichas (ursprünglich nur eine kleine Nebenrolle für Tenor) für die Altistin Susanna Maria Cibber umschrieb und beträchtlich erweiterte. Die Sätze Nr. 1, 2, 10, 21, Rezitativ und Arie Nr. 29, Nr. 33 und 41 sowie die betreffenden Rezitativstellen wurden für Mrs. Cibber neu komponiert; auch der Librettist Broughton mußte textliche Erweiterungen vornehmen. Infolge dieser Einfügungen in die ursprünglich geplante Fassung wurden dafür andere Rezitativstellen, die Instrumentalsätze Nr. 13, 17, 32 und der Schlußchor (44) gekürzt sowie Nr. 25 und 28 gestrichen.

Für die Uraufführung[1] am 5. Januar 1745 war folgende Besetzung vorgesehen: Hercules: Thomas Reinhold, Dejanira: Miss Robinson, Iole: Elisabeth Duparc detta La Francesina, Hyllus: John Beard, Lichas: Susanna Maria Cibber. Da jedoch Mrs. Cibber erkrankte und nicht auftreten konnte, mußte Händel die Partitur erneut ändern. Die Partie des Lichas wurde teils gestrichen (Nr. 2, 41), teils transponiert anderen Rollen zugeordnet (Hyllus erhielt Nr. 10 in B-Dur, Nr. 21 in F-Dur anstelle von 24 und Nr. 33 in a-Moll, Iole Nr. 29 in A-Dur). Erst in der zweiten Aufführung am 12. Januar konnte Mrs. Cibber ihre Partie singen.

In den Aufführungen am 24. Februar und 1. März

[1] „Hercules" wurde nicht als Oratorium, sondern als „A Musical Drama" angekündigt (*General Advertiser,* 5th January, 1745). Vgl. Deutsch, S. 601.

1749, für die Händel keine Altistin zur Verfügung hatte, verzichtete er auf die Partie des Lichas völlig und kürzte weitere Stellen (Übersicht bei Dean, S. 431). Vermutliche Besetzung: Thomas Reinhold (Hercules), Caterina Galli (Dejanira), Giulia Frasi (Iole) und Thomas Lowe (Hyllus).
Die Aufführung am 21. Februar 1752 erfolgte in der Fassung von 1749. Zusätzlich wurden Nr. 13 und Teile von Nr. 35 und 36 gestrichen. Anstelle von Nr. 30 bis 31 wurde die Sopran-Arie mit Chor „Still caressing und caress'd" aus HWV 45 Alceste[2] gesungen. Vermutlich wirkten Frasi, Galli und Beard wieder in der Aufführung mit; die genaue Besetzung ist nicht bekannt.
Für die Ouverture (1. und 2. Satz) verwendete Händel Themen aus G. Ph. Telemanns „Musique de Table" (3. Production, Suite B-Dur, Ouverture, bzw. 2. Production, Suite D-Dur, Conclusion[3]), die auch für den Chor Nr. 16 die melodische Anregung bot (2. Production, Suite D-Dur, Ouverture). Die Symphony von Act II (17) geht auf ein eigenes melodisches Modell zurück, das Händel bereits in HWV 18 Tamerlano (Anhang 31^{b}. Nel mondo e nell'abisso) bzw. HWV 23 Riccardo I. (32. Nel mondo e nell'abisso) sowie in HWV 330 Concerto grosso op. 6 Nr. 12 h-Moll (2. Satz, Allegro) verarbeitet hatte. Die Melodie der Arie „How blest the maid" (18) entstammt der Arie „Come, Zephyrs, come" aus HWV 58 Semele (Anhang 23).

Literatur

Clausen, S. 155f.; Dean, S. 414ff.; Deutsch, S. 592ff.; Flower, p. 291/S. 266ff.; Herbage, S. 147ff.; Herbage, J.: Handel's „Hercules". In: The Musical Times, vol. 97, 1956, S. 319; Heuß, A.: Die Arie „Mein Vater" aus dem Oratorium „Herakles". In: Programm-Buch zum Händel-Fest in Berlin 1906, S. 80f.; Hirsch, H.: Händels „Herakles". In: Göttinger Händeltage 1964, Programmheft, S. 6ff.; Lang, p. 421ff./S. 381.; Leichtentritt, S. 452ff.; Licht, B.: Einführung in Herakles. In: Programmbuch zum Arbeiter-Händel-Fest 1926 in Leipzig, Leipzig 1926, S. 19ff.; Rackwitz, W.: Die Herakles-Gestalt bei Händel. In: Festschrift zur Händel-Ehrung der DDR 1959, Leipzig 1959, S. 51ff.; Rolland, R.: Héracles de Haendel à la Societé G.-F. Haendel. In: Mercure Musical et Bulletin francais de la Societé International de Musique, 5. Jg., Paris 1909, S. 613ff.; Rolland, R.: Héracles de Haendel. In: Händel-Jb., 9. Jg., 1963, S. 21ff.; Schering, A.: Geschichte des Oratoriums, Leipzig 1911, S. 315ff.; Serauky IV, S. 218ff.; Siegmund-Schultze, S. 138f.; Siegmund-Schultze, W.: Aufbau und Gehalt des Oratoriums „Herakles". In: 13. Händelfestspiele Halle (Saale) 1964, Programmheft, S. 25ff.; Siegmund-Schultze, W.: Die Dejanira-Szene im Oratorium Hercules. In: G. F. Händel, Thema mit 20 Variationen, Halle 1965, S. 105ff.; Smither II, S. 284f.; Steglich, R.: Ouverture zum Oratorium „Herakles" (Besprechung der Ausgabe von A. Schering). In: Händel-Jb., 5. Jg., 1933, S. 127f.; Streatfeild, S. 309ff.
Beschreibung der Autographe: Lbm: Catalogue Squire, S. 37ff. – Cfm: Catalogue Mann, Ms. 263, S. 216, 202, 185 – Dean, S. 433.

[2] Bereits ein Jahr zuvor war dieser Satz mit geändertem Text („Turn thee, youth, to joy and love") in HWV 69 The Choice of Hercules gesungen worden.
[3] Seiffert, M.: G. Ph. Telemann's „Musique de Table" als Quelle für Händel. In: Bulletin de la Société „Union Musicologique", 4. Jg., 1. Heft, 1924, S. 23f.

61. Belshazzar

Oratorio in three acts von Charles Jennens

Besetzung: Soli: Sopr. (Nitocris), Mezzosoprano (Cyrus), Alto (Daniel), 2 Tenori (Belshazzar, Arioch), 2 Bassi (Gobrias, Messenger). Chor: C. I, II; A.; T. I, II; B. Instrumente: Ob. I, II; Fag.; Trba. I, II; Timp.; V. I, II, III; Va.; Cont.
ChA 19. – HHA I/21. – EZ: London, 23. August bis 23. Oktober 1744. – UA: London, 27. März 1745, King's Theatre, Haymarket

Ouverture

Act I

Scene I

1a. Accompagnato ed Arioso. Nitocris

1b. Recitative. Nitocris (1758)

2. Air. Nitocris

Recitative. Nitocris

Recitative. Nitocris; Daniel

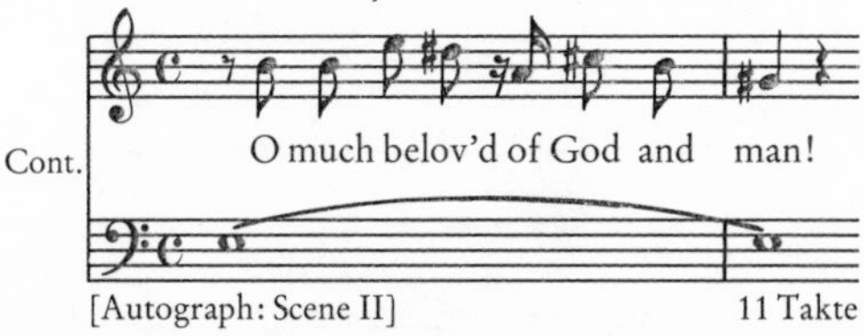

3a, b. Air. Daniel

Scene II [III]

4. Chorus of Babylonians. C.; A.; T.; B.

Recitative. Gobrias; Cyrus

5. Accompagnato. Gobrias

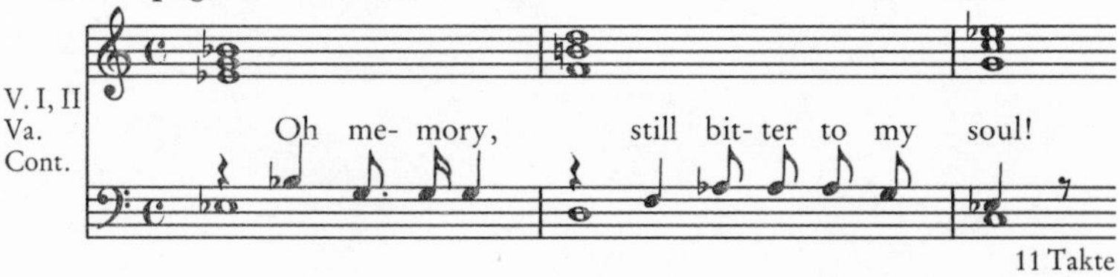

6a. Air. Gobrias

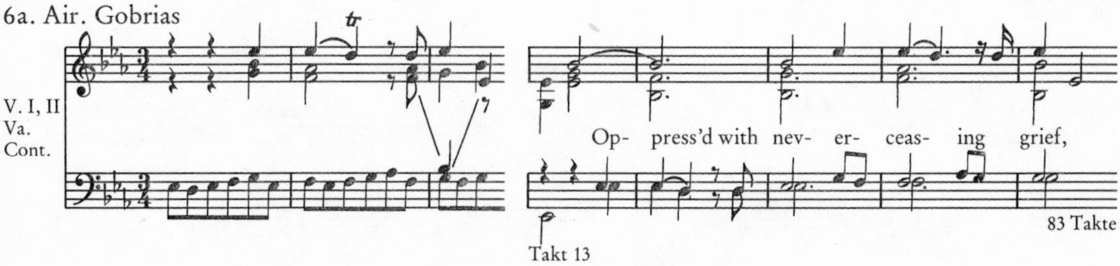

6b. Air. Gobrias (Ten.) (1745)

Larghetto
tr
p
V. I, II
Va.
Cont.
Op- press'd with nev- er- ceas- ing grief,
p
Takt 11
95 Takte

6c. Air. Gobrias (1751)

Larghetto
tr
p
V. I, II
Va.
Cont.
Op- press'd with nev- er- ceas- ing grief,
Takt 11
95 Takte

7. Air. Cyrus

Allegro
tr
tr
V.
V. I, II
unis.
Cont.
Dry those un-a-vail-ing tears,
haste your just re- venge to_
Takt 9
Takt 12

speed;
51 Takte

Recitative. Cyrus

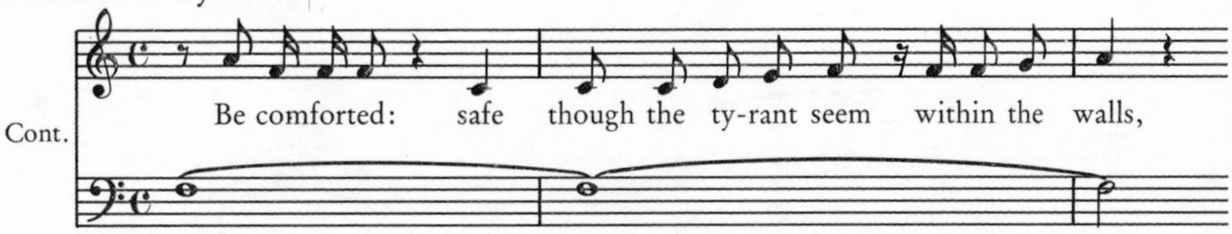
Cont.
Be comforted: safe though the ty-rant seem within the walls,

8. Accompagnato. Cyrus

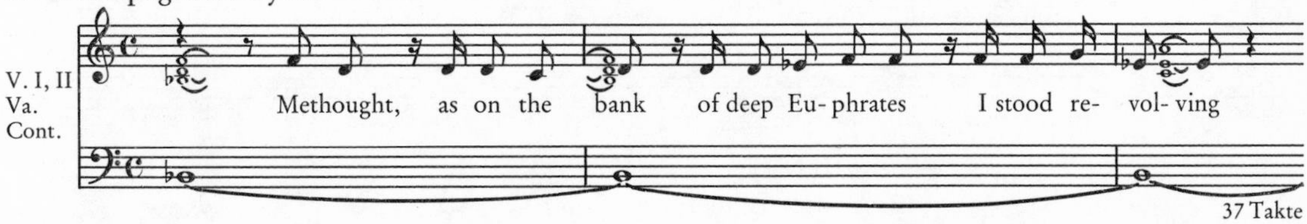
V. I, II
Va.
Cont.
Methought, as on the bank of deep Eu- phrates I stood re- vol- ving
37 Takte

Recitative. Cyrus; Gobrias

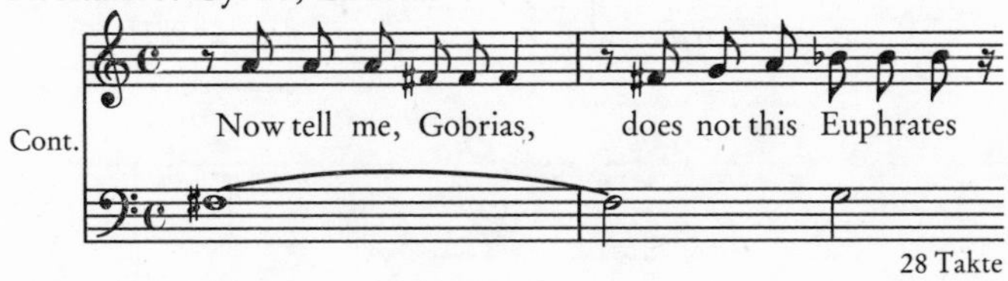
Cont.
Now tell me, Gobrias, does not this Euphrates
28 Takte

9. Air. Gobrias (1745: Cyrus)

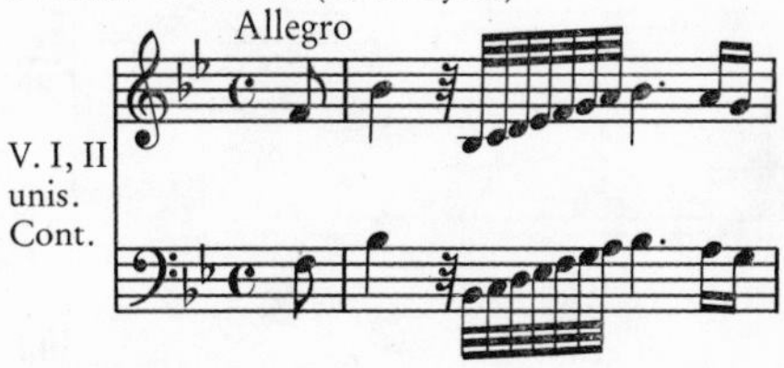
Allegro
V. I, II
unis.
Cont.

Be- hold the monstrous hu- man beast, be- hold the monstrous
p
p
Takt 11

hu- man beast wal- lowing in ex- cessive feast!
55 Takte D. s.

A. Recitative. Cyrus

Cont.
Can you then think it

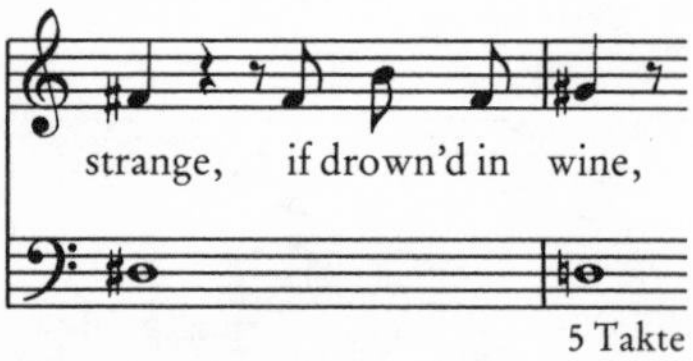
strange, if drown'd in wine,
5 Takte

B. Recitative. Cyrus

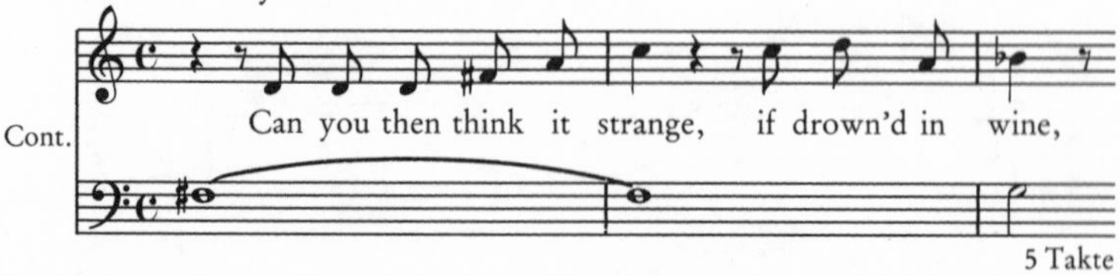
Cont.
Can you then think it strange, if drown'd in wine,
5 Takte

10. Air. Cyrus

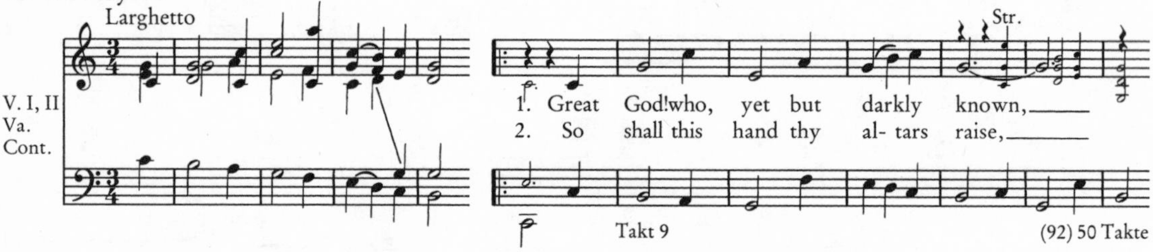
Larghetto
V. I, II
Va.
Cont.
Str.
1. Great God! who, yet but darkly known,
2. So shall this hand thy al- tars raise,
Takt 9
(92) 50 Takte

Recitative. Cyrus

Cont.
My friends be confident, and boldly enter
15 Takte

11. Chorus. C.; A.; T.; B.

(Tutti)
Ob. I, II
V. I, II
Va.
Cont.
All empires upon God de- pend,

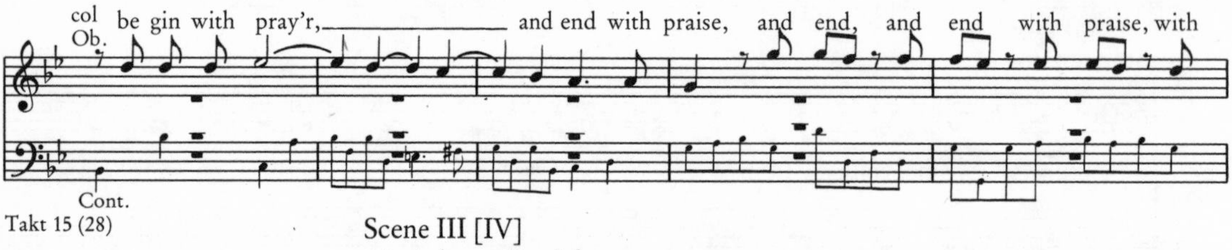
col Ob.
be gin with pray'r, and end with praise, and end, and end with praise, with
Cont.
Takt 15 (28)

praise
(87) 74 Takte

Scene III [IV]

12. Arioso. Daniel

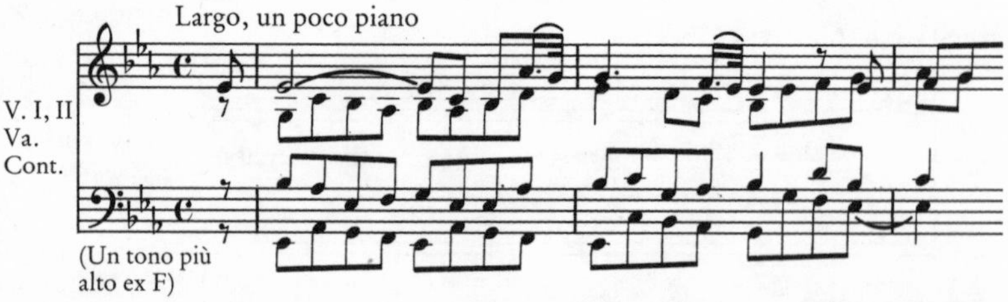
Largo, un poco piano
V. I, II
Va.
Cont.
(Un tono più alto ex F)

Oh sa- - -cred, sa-cred or- a-cles of truth! Oh liv-ing spring of purest joy,
Takt 9
52 (49) Takte D. s. (T. 23/24)

13. Accompagnato. Daniel

Recitative. Daniel

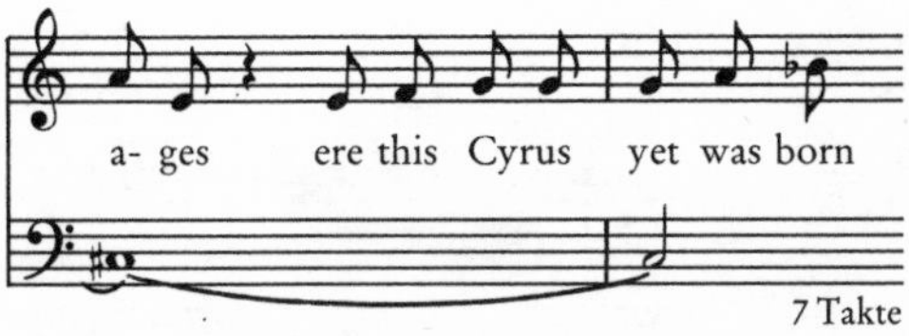

14. Accompagnato. Daniel

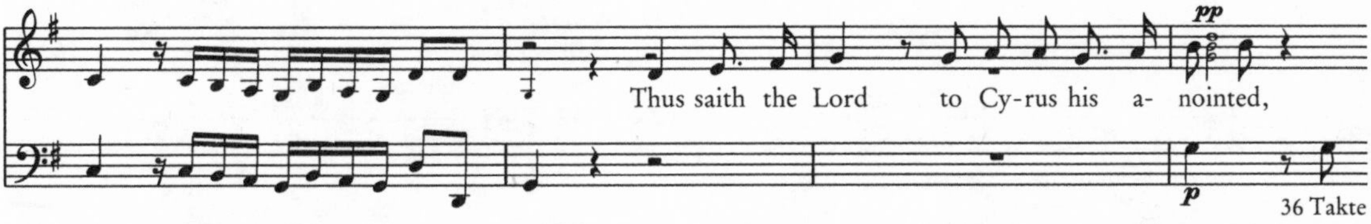

15. Chorus. C.; A.; T.; B.

Scene IV [V]

16. Air. Belshazzar

Let fes- tal joy tri- umphant reign!

217 Takte D. s. (T. 97)

Recitative. Belshazzar; Nitocris

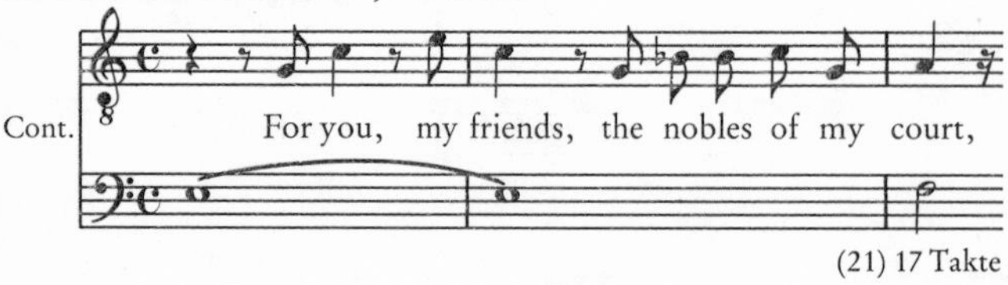
Cont.
For you, my friends, the nobles of my court,
(21) 17 Takte

17a. Air. Nitocris

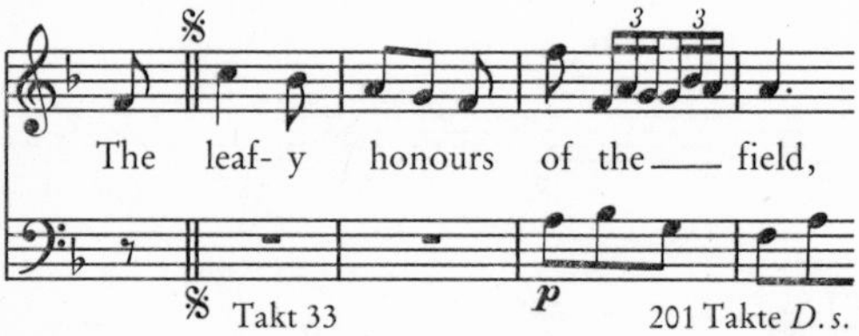
The leaf- y honours of the field,
Takt 33
p
201 Takte D. s.

17b. Air. Nitocris (1751)

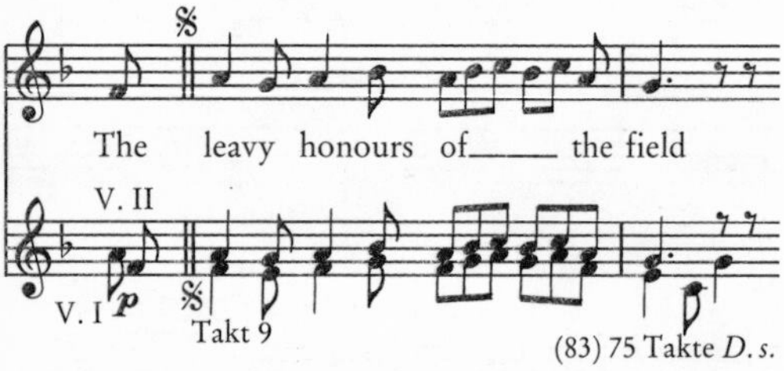
The leavy honours of the field
V. II
V. I p
Takt 9
(83) 75 Takte D. s.

A. B. Recitative. Belshazzar; Nitocris

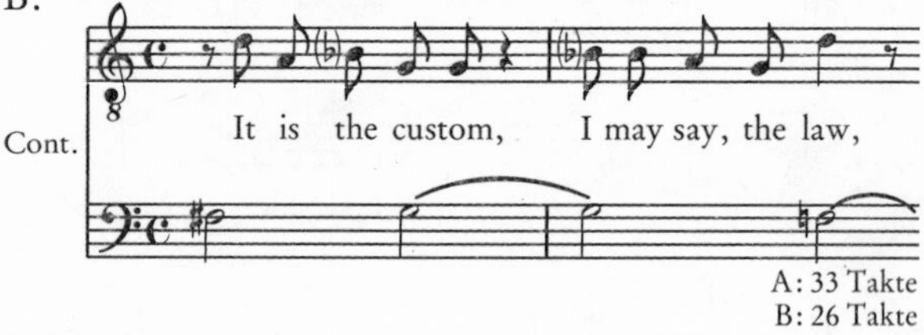
Cont.
It is the custom, I may say, the law,
A: 33 Takte
B: 26 Takte

18. Chorus of Jews. C. I, II; A.; T. I, II; B.

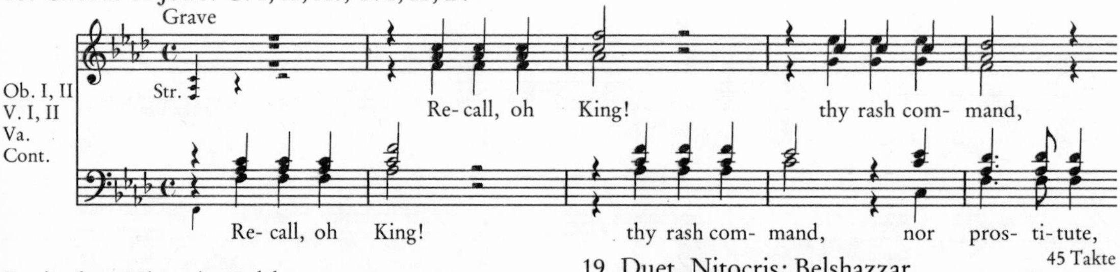

Re- call, oh King! thy rash com- mand,
Re- call, oh King! thy rash com- mand, nor pros- ti- tute,

Recitative. Nitocris; Belshazzar

Cont.
They tell you true; nor can you be to learn
30 Takte

19. Duet. Nitocris; Belshazzar

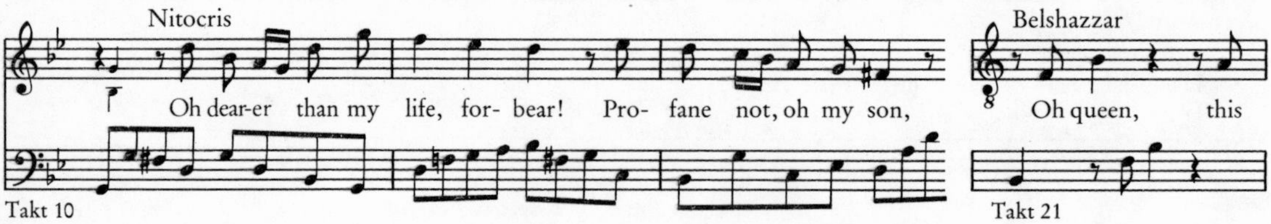
Nitocris
Oh dear-er than my life, for- bear! Pro- fane not, oh my son,
Takt 10
Belshazzar
Oh queen, this
Takt 21

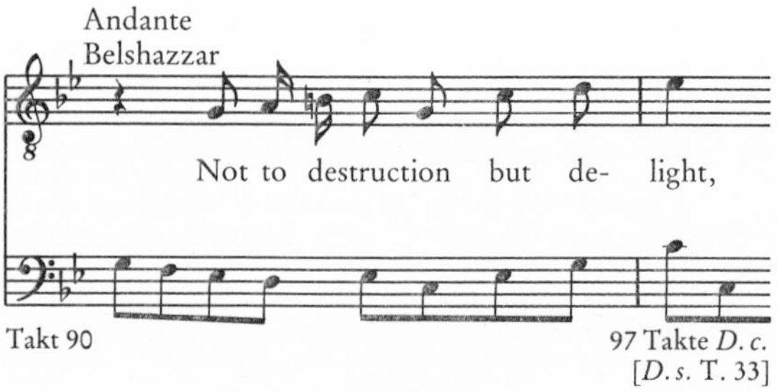

20. Chorus of Jews. C. I, II; A.; T. I, II; B.

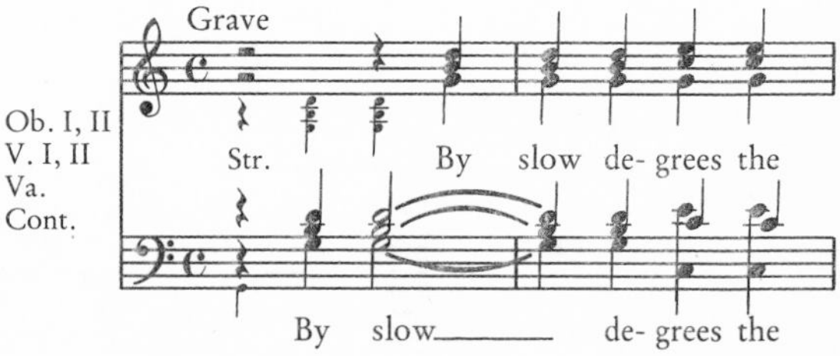

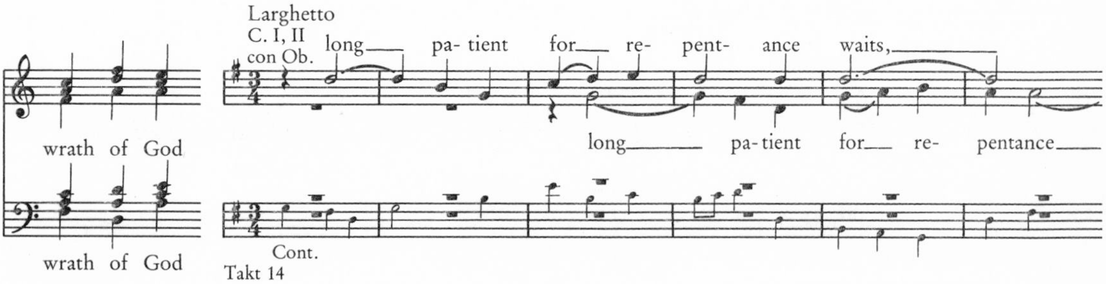

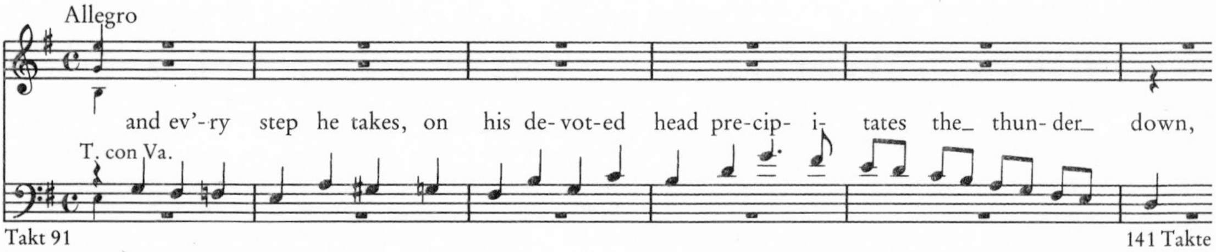

Act II

Scene I

21. Chorus. C.; A.; T.; B.

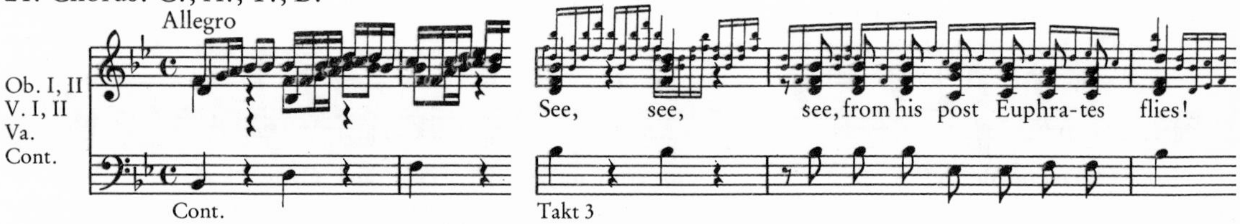

22. Semichorus I. C. I, II; A.

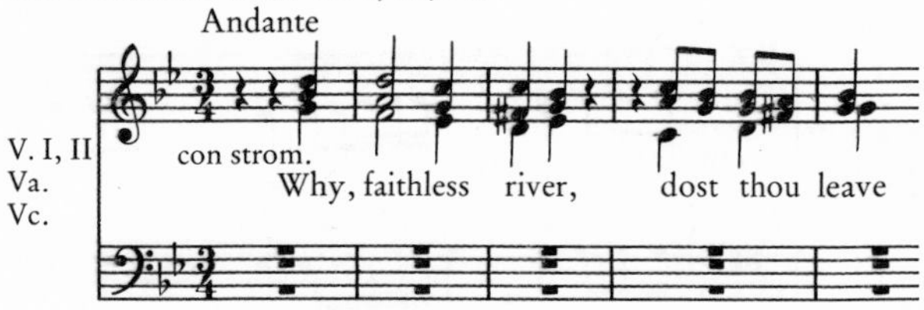

sight!

39 Takte

Recitative. Belshazzar

Cont.

Call all my Wise Men, Sorcerers, Chalde- ans,

7 Takte

30. Symphonie. (1745)

Allegro Postillions.

Ob. I, II
V. I, II, III
Va.
Cont.

69 Takte

Recitative. Belshazzar

Cont.

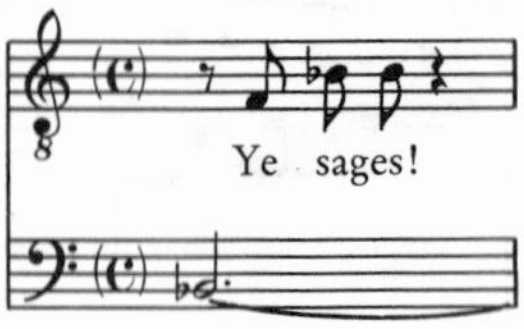
Ye sages!

welcome always to your King,

11 Takte

31. Trio. Wise Men (A.; T.; B.)

Cont.

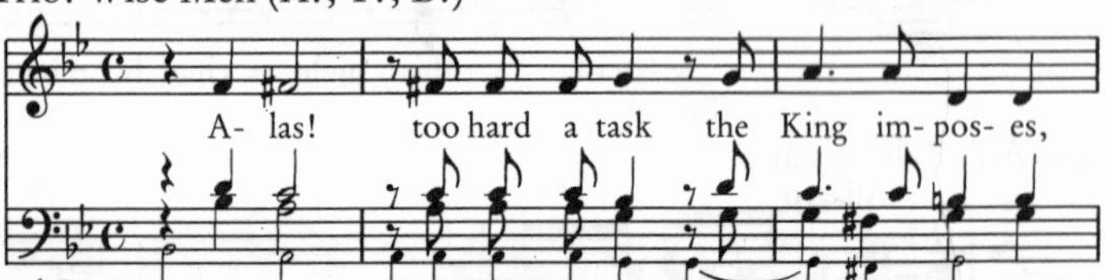
A- las! too hard a task the King im- pos- es,

col Org.
senza strom.

5 Takte

32. Chorus. C.; A.; T.; B.

Largo

Ob. I, II
V. I, II
Va.
Cont.

Oh miser-y! oh terror! hopeless grief!
nor God nor man affords relief!

22 Takte

A. Recitative. Nitocris

Cont.

Oh King, live for- ever! Let not thy heart

18 Takte

B. Recitative. Nitocris

Cont.

Though all thy wise men fail thee:

15 Takte

C. Recitative. Nitocris (1758)

Cont.

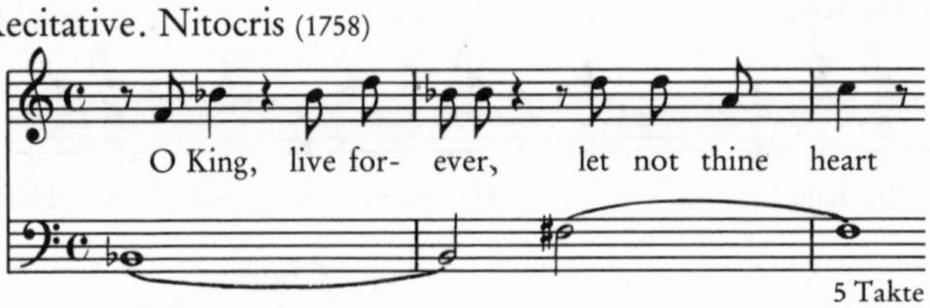
O King, live for- ever, let not thine heart

5 Takte

32a. Air. Nitocris (1758)

Larghetto

Fl. I, II
Ob. I, II
Fag.
Cor. I, II
V. I, II
Va.
Cont.

Fl. I, II
e V. I
V. II
Va.
Ob. I, Cor. I
Fag. col Cont.

[vgl. HWV 63 Judas Maccabaeus (27b.)]

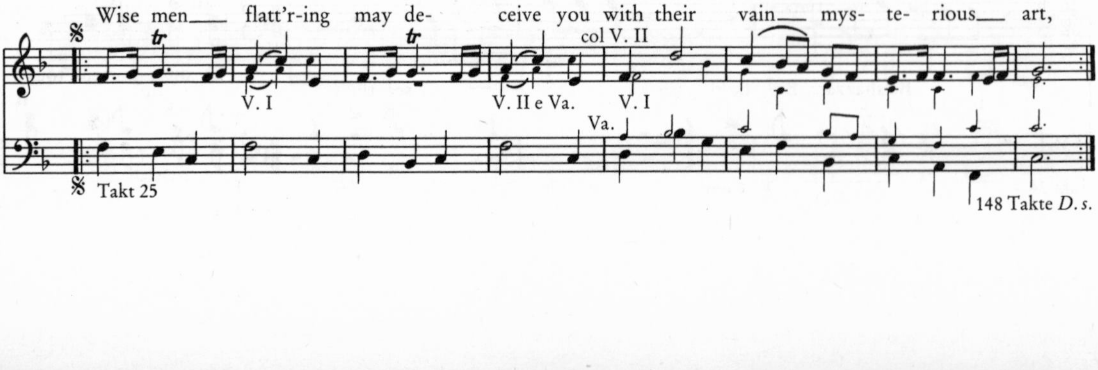
Wise men flatt'r-ing may de- ceive you with their vain mys- te- rious art,
V. I
V. II e Va.
col V. II
V. I
Va.
Takt 25

148 Takte *D. s.*

Recitative. Belshazzar
Cont.
Art thou that Daniel of the Jewish captives?
10 Takte
33. Air. Daniel
Andante
V. I, II unis.
Cont.
No! to thyself thy trif- les
[1745: Un tono più alto ex G]
be, or take thy rich rewards who will,
41 Takte
34. Accompagnato. Daniel
V. I, II
Va.
Cont.
Yet, to o- bey
his dred command, who vindi- cates his honour now:
6 Takte
35. Accompagnato. Daniel
V. I, II
Va.
Cont.
The most high God, o
King, gave to thy Grand Sire a Kingdom,
10 Takte
36. Accompagnato. Daniel
V. I, II
Va.
Cont.
Thou, o King, hast lifted up thyself
From Him the hand was sent, by his appointment these words are writ-ten: MENE, MENE,
Takt 19
Adagio
TEKEL, UPHARSIN: which I thus interpret. ME- - - -NE: The
God, whom thou hast thus dis-honour'd,
45 Takte
Recitative. Nitocris
Cont.
Oh sentence too se-vere! and yet too sure!
5 Takte

37. Air. Nitocris

Largo
V. I, II
Cont.
unis.
Re- gard, oh son, my flowing tears, proofs of ma-ter-nal love:
pp
Takt 7
39 Takte D. s.

Scene III

38. Air. Cyrus

Recitative. Cyrus

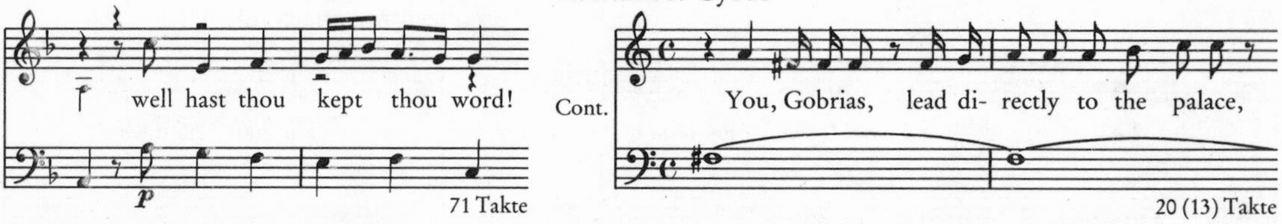
well hast thou kept thou word!
71 Takte
Cont.
You, Gobrias, lead di- rectly to the palace,
20 (13) Takte

39a, b. Chorus. C.; A.; T.; B.

Allegro
V. I
V. II
Ob. I, II
Trba. I, II
Timp.
V. I, II
Va.
Cont.
(Tutti)
Oh glorious prince, oh glorious
Takt 5
oh glorious prince!
prince, oh glorious prince!
thrice happy they born to en- joy thy fu- ture sway,
thrice happy they born to en- joy
oh glorious prince!
oh glorious prince!
a: 59 Takte
col Ob.
The jars of na- -tions soon
col V. II
The jars of na- -tions soon would cease,
The jars of na- -tions soon would cease, the jars
col Va.
b: Takt 42
The jars of na- -tions soon would cease,
Allegro
A. col V. I
would stretch their reign from shore to shore, and war and slav'ry be no more
b: Takt 66
b: 131 Takte

Act III

Scene I

40a. Air. Nitocris

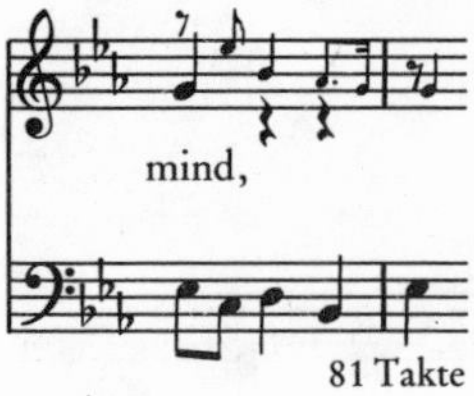

40b. Air. Nitocris (1751)

Recitative. Nitocris; Daniel

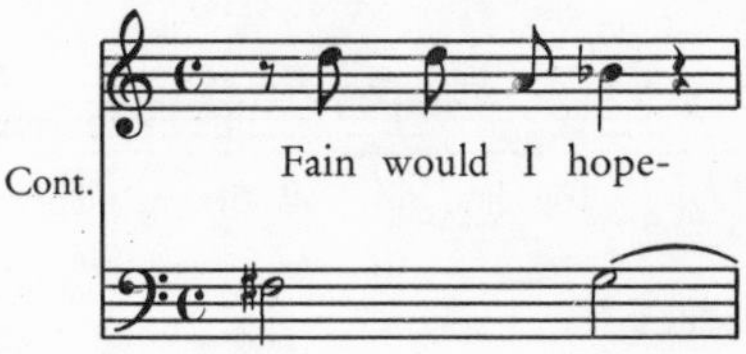

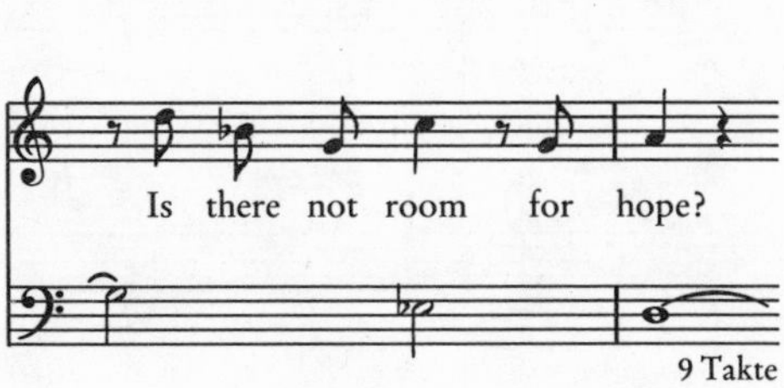

(40c.) Air. Nitocris (1758)

41. Air. Daniel

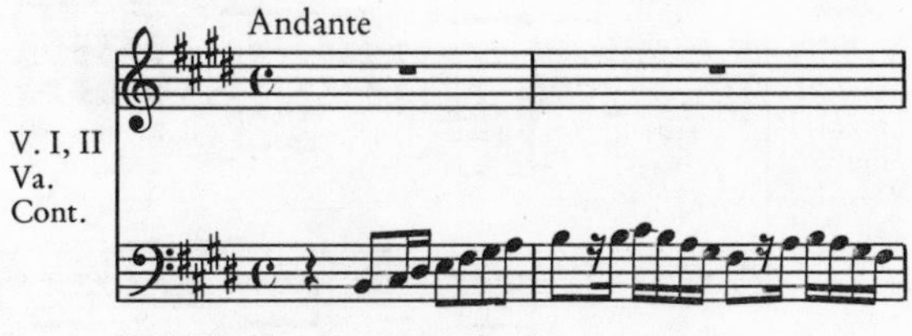

[1745: Ex G una terza maggiore]

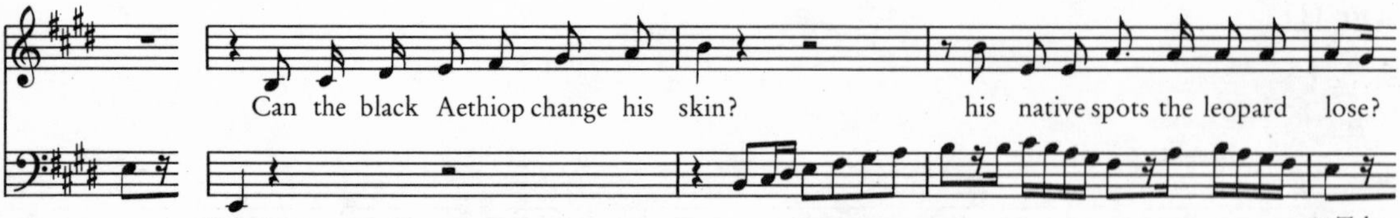
Can the black Aethiop change his skin? his native spots the leopard lose?

Takt 4 44 Takte

A.
B. Recitative. Nitocris; Arioch; Messenger

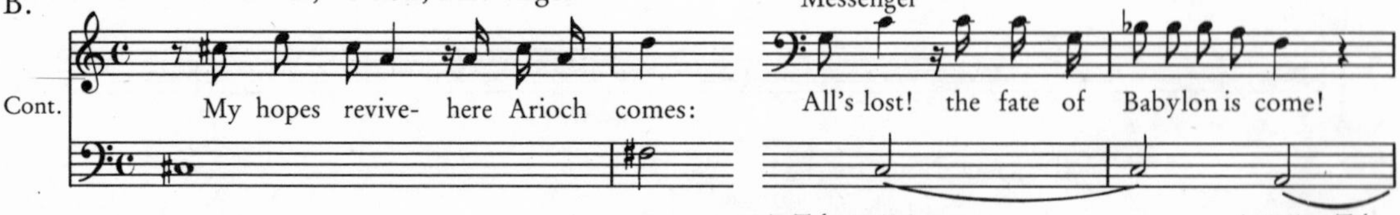
Cont.
My hopes revive- here Arioch comes:
Messenger
All's lost! the fate of Babylon is come!

A: Takt 30 (14)
B: Takt 3

A: (23) 43 Takte
B: 16 Takte

42. Chorus of Jews. C.; A.; T.; B.

A tempo ordinario
Ob. I, II
V. II col Canto
Bel boweth down! Nebo stoopeth! Nebo stoopeth! how is Se- sach ta- ken!
Ob. I, II
V. I, II
Va.
Cont.
Bel boweth down! Nebo stoo- peth!
Bel boweth down! Nebo stoopeth! how is Se- sach ta- ken!
Bel boweth down!

and thou dost all thy plea- - - (sure)
and thou dost all thy plea- - - - - - - - - - - - - - - - - -(sure)

Takt 9 34 Takte

Scene II

43. Air. Belshazzar

Con spirito
V. I, II
Va.
Cont.
p
I thank thee, Se- sach, I thank thee Sesach;
p

Takt 9 40 Takte *(attacca)*

A Martial Symphony, during which a Battle is suppos'd, in which Belshazzar is slain.

44. Symphony.

Allegro
Ob. I, II
Trba. I, II
Timp.
V. I, II
Va.
Cont.
Trba.
Timp.

24 Takte

Scene III

45a. Air. Gobrias

Largo
V. I, II
Va.
Cont.
p
To pow'r im-

mortal my first thanks are due;
16 Takte

(45b.) Recitative. Gobrias; (1745)

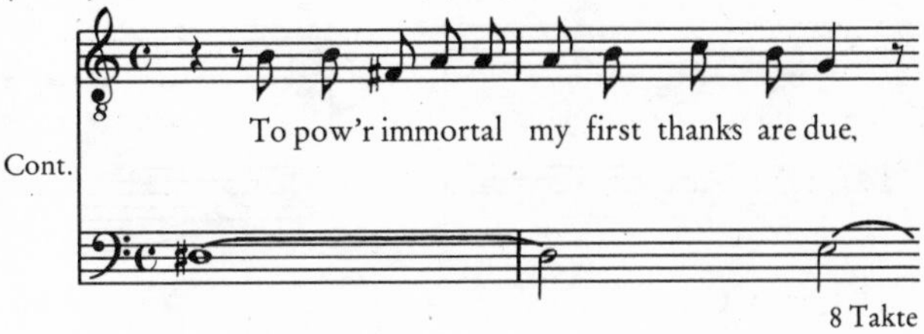
Cont.
To pow'r immortal my first thanks are due,
8 Takte

45c. Air. Gobrias; (1751)

Larghetto
V. I, II
Va.
Cont.
mp
To pow'r im-mor- tal my first thanks are_ due
Takt 7
77 Takte

Recitative. Cyrus

Cont.
Be it thy care, good Gobrias,
7 Takte

46. Air. Cyrus

Trba. I, II
Ob. I, II
V.
Ob. I, II
Trba. I, II
Timp.
V. I, II
Va.
Cont.

De-structive War, thy lim- its_ know; here, ty-rant Death, thy ter- rors end.
Takt 9
p
65 Takte

47a. Duet. Nitocris; Cyrus

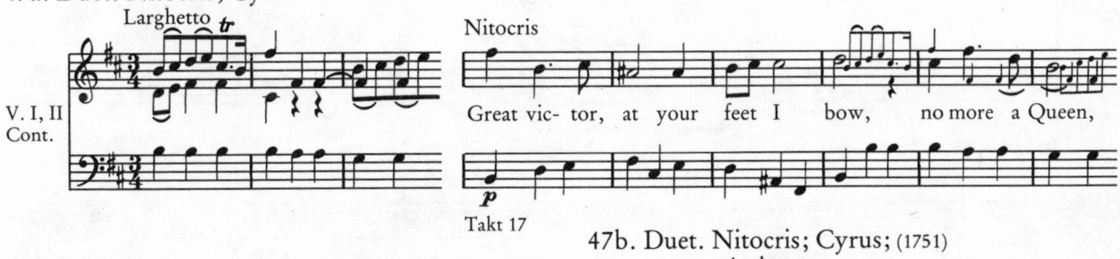
Larghetto
tr
V. I, II
Cont.
Nitocris
Great vic- tor, at your feet I bow, no more a Queen,
p
Takt 17

Cyrus
Rise, virtuous queen, com- pose your mind,
Takt 47
134 Takte

47b. Duet. Nitocris; Cyrus; (1751)

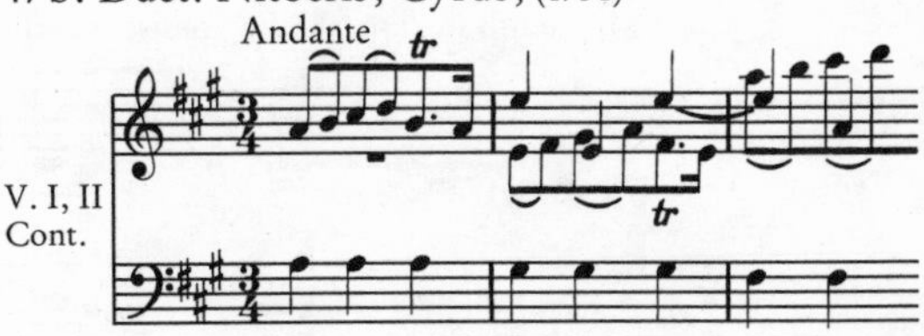

Nitocris
Great vic- tor, at your feet I bow, no more a queen,
Takt 17
Cyrus
Rise, virtuous queen, com-
Takt 41

Recitative. Cyrus; Daniel

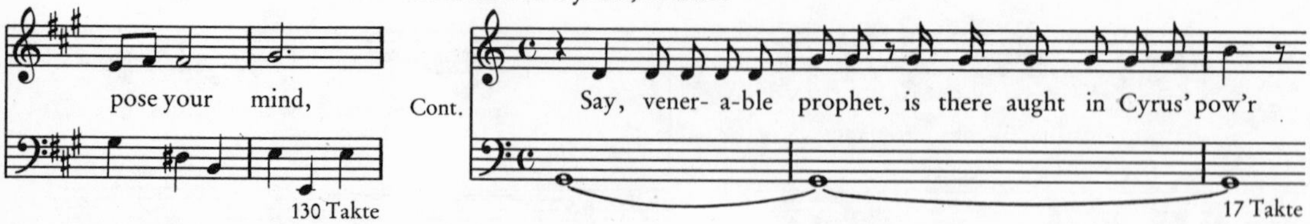
pose your mind,
130 Takte
Cont.
Say, vener- a-ble prophet, is there aught in Cyrus' pow'r
17 Takte

48. Chorus. C.; A. I, II; T.; B.

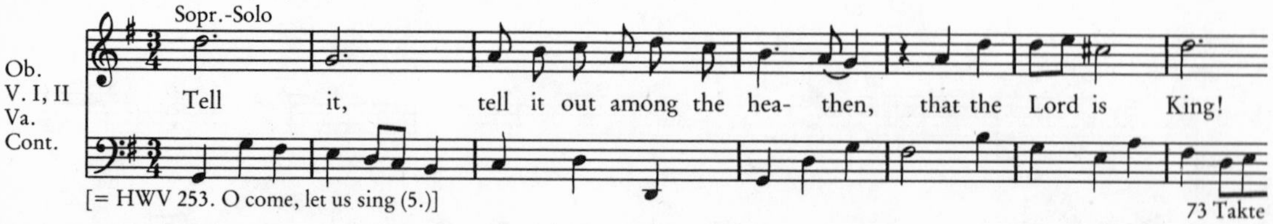
Sopr.-Solo
Ob.
V. I, II
Va.
Cont.
Tell it, tell it out among the hea- then, that the Lord is King!
[= HWV 253. O come, let us sing (5.)]
73 Takte

49a. Accompagnato. Cyrus

V. I, II
Va.
Cont.
Yes, I will build thy cit-y, God of Is-ra-el! Hear, holy, people!
23 Takte

49b. Accompagnato. Cyrus (1751)

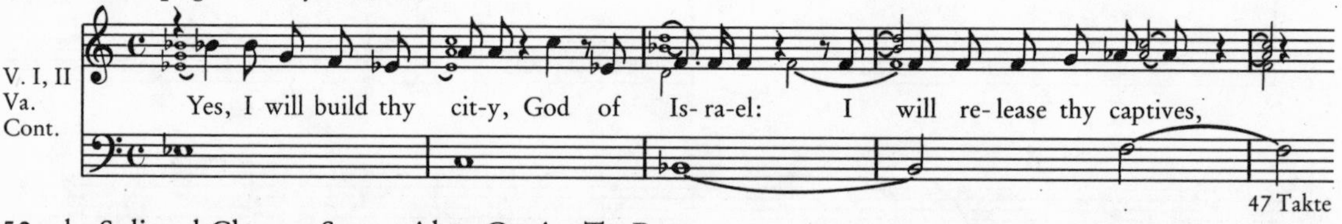
V. I, II
Va.
Cont.
Yes, I will build thy cit-y, God of Is-ra-el: I will re-lease thy captives,
47 Takte

50a, b. Soli and Chorus. Sopr.; Alto; C.; A.; T.; B.

Andante
Ob.
Str.
Alto-Solo
Ob.
V. I, II
Va.
Cont.
I will mag-nify thee, oh God my King,
Takt 12
[= HWV 250b. I will magnify thee (1., 6.)]
Sopr.-Solo
My mouth shall speak the praise of the Lord,
and let all flesh give thanks unto his holy
Takt 49 (39)
Takt 55 (45)
name for ev- er and ev- er, Amen,
a- men, amen,
a- men,
(ev-)er!
Alto Solo
a- -men, a- -men, a- men,
a- -men, a-men,
a- - - - -
Amen,
Cont.
a- -men, a- -men,
Takt 75 (65)
105 (95) Takte

Quellen

Handschriften: Autographe: GB Lbm (R. M. 20. d. 10., ohne Rezitativ und Accompagnato Nr. 5, Rezitativ und Chor Nr. 48, 49^{a}, 50; R. M. 20. f. 12., f. 39–42: Nr. 17^{b}, f. 43: Entwurf für „The leavy Honours of the field" in G-Dur[1]), Cfm (30. H. 9., p. 38: Skizzen zu Nr. 40 und dem Allegro der Ouverture).

Abschriften: D (brd) Hs (Direktionspartitur $M\frac{A}{1009}$) – GB BENcoke (Part.; 4 Str.-St. für die Ouverture), Cfm (Barrett-Lennard-Collection), Lbm (R. M. 18. e. 5.; R. M. 19. a. 2., f. 79–115: „Additions and Alterations in Belshazzar", Nr. 3^{a}, 10, 39^{b}, 40^{b}, 45^{b}, 47^{b}, 49^{b}; R. M. 19. e. 8., f. 55^{v}–60: Nr. 17^{b}), Mp [MS 130 Hd4, St.: v. 152(2)–165(2), 247(8), 248(8), 353(7); „Additions in the Oratorio of Belshazzar": St.: v. 112(6), 113(6), 115(6), 214(3)–220(3), 222(3), 223(3)], T – US PRu (Hall-Collection, vol. VIII der Sammlung von Frederick, Prince of Wales).

Drucke: Belshazzar. An oratorio set to musick by Mr Handel. – London, J. Walsh (4 verschiedene Ausgaben); Belshazzar. An oratorio in score, composed by Mr Handel. – London, Wright & Co.; Harrison's edition, corrected by Dr Arnold. The overture and songs in Belshazzar; an oratorio. For the voice, harpsichord, and violin. Composed by Mr Handel. – London, Harrison & Co.; Belshazzar. A sacred oratorio, in score. Composed in the year 1743 by G. F. Handel. – London, Arnold's edition, No. 68–72 (1790); Handels' Songs selected from his oratorios. For the harpsichord, voice, hoboy, or German flute. vol. V. – London, J. Walsh [enthält u. a. 32^{a}. Wise men flatt'ring und 40^{c}. Fain would I know]; A Grand Collection of celebrated English songs introduced in the late oratorios compos'd by M^{r}. Handel. – London, J. Walsh [Part. von Nr. 32^{a} und 40^{c}]. – The Works of Handel, printed for the members of the Handel Society, vol. 8/9, ed. G. A. Macfarren, London 1847/48.

Libretto: Ms. – Libretto in US SM. *Drucke:* Belshazzar. An oratorio. As it is perform'd at the King's Theatre in the Hay-Market. The musick by Mr Handel. – London, J. Watts, B. Dod, 1745 (Ex.: F Pc – GB BENcoke, En, Lbm); Belshazzar an oratorio. As it is perform'd at the Theatre Royal in Covent-Garden. The musick by Mr Handel. – ib., 1751 (Ex.: GB BENcoke, Ckc, Mp – US BE); — ib., [1758, datiert 1751] (Ex.: F Pc – GB Ckc, Lbm).

Bemerkungen

Über Händels Vertonung von „Belshazzar" unterrichten die 5 Briefe, die er am 9. Juni, 19. Juli, 21. August, 13. September und 2. Oktober 1744 an Charles Jennens richtete (s. Deutsch, S. 590 ff.). Danach hatte ihm Jennens die Fertigstellung des Librettos vermutlich im Frühsommer zugesagt; bevor sich Händel auf eine Urlaubsreise begab (9. Juni), fragte er bei Jennens nach, der ihm den Text darauf aktweise zusandte (19. Juli, 21. August, 2. Oktober).

Händels Briefe geben einen ziemlich exakten Bericht über die Vorschläge, die beide Autoren bei der Arbeit an dem Werk einander machten; Händel beklagte sich dabei nur über die Länge des Textes, den er, wie er schrieb, entscheidend kürzen mußte, ohne die Poesie zu sehr zu beeinträchtigen.

Die Daten der Briefe geben auch den zeitlichen Umriß für die Fertigstellung der Komposition. Zwei Tage nach Vollendung von HWV 60 Hercules begann Händel mit der Arbeit an „Belshazzar". Im Autograph sind folgende Daten überliefert: Act I: f. 1: „angefangen den 23. Agost. 1744 ♃ (= Donnerstag)", f. 82: „Fine della parte prima. ☽ (= Montag) $Septemb^{r}$ 3. 1744. den 15. dieses völlig"; Act II: f. 130^{v}: „Fine della Parte Seconda", f. 134^{v}: „Fine della Parte 2da ☽ (= Montag) $Septemb^{r}$ 10. 1744." Eine Eintragung über die Fertigstellung des III. Aktes fehlt; Jennens vermerkte in seinem Exemplar der Mainwaring-Biographie den 23. Oktober 1744 als endgültigen Abschlußtag.

Jennens stellte die Fabel für sein Libretto aus verschiedenen historischen Quellen zusammen. Neben den Geschichtswerken von Herodot (Histories apodexis I, 185 ff.) und Xenophon (Kyru paideia IV, 6, VII, 13) verarbeitete er den biblischen Bericht über die Erscheinung der Flammenschrift beim Sesachfest (Daniel, Kap. 5) in einer freien Paraphrase (Act II, Scene II). Außerdem benutzte er weitere Bibelstellen (Jesaja, Kap. 13, und Jeremia, Kap. 25).

Händel plante, wie er in dem Brief vom 2. Oktober 1744 an Jennens berichtete, den Einsatz folgender Sänger: Nitocris: Francesina, Cyrus: Miss Robinson, Daniel: Mrs. Cibber, Belshazzar: Mr. Beard, Gobrias: Mr. Reinhold. Infolge einer Erkrankung von Mrs. Cibber mußte Händel jedoch kurz vor der Uraufführung am 27. März 1745 die Rollen anders verteilen und dafür mehrere Änderungen vornehmen. Es sangen nunmehr: Nitocris: Elisabeth Duparc detta La Francesina, Cyrus: Thomas Reinhold, Daniel: Miss Robinson, Belshazzar und Gobrias: John Beard. Da Miss Robinson eine höhere Stimmlage als Mrs. Cibber besaß, legte Händel den Part des Daniel höher; die Musik der Partie des Gobrias wurde für Tenor umgeschrieben (Arien Nr. 6^{b} in G-Dur, Nr. 45 als Rezitativ) bzw. an andere Personen verteilt (Nr. 9 sang Reinhold als Cyrus, dessen Partie ebenfalls mehrfach in der Tessitur geändert wurde).

1745 folgen nur noch zwei Aufführungen (am 29. März und 23. April), teils wegen des geringen Publikumszuspruches, teils wegen Händels wieder stark angegriffener Gesundheit; außerdem stand ihm das Haymarket-Theater nicht mehr zur Verfügung.

„Belshazzar" wurde von Händel in den Spielzeiten 1751 (22. und 27. Februar) und 1758 (22. Februar),

[1] Vgl. HWV 45 Alceste, Anhang, in Händel-Handbuch, Bd. I, S. 511.

jeweils im Coventgarden-Theater, wiederholt. Über die Besetzungen sind keine Einzelheiten bekannt. In der Direktionspartitur werden folgende Sänger genannt: 1751: Giulia Frasi (Nitocris), Caterina Galli (Daniel); vermutlich wirkten Thomas Lowe (Belshazzar), Thomas Reinhold (Gobrias) und der Altkastrat Gaetano Guadagni (Cyrus) ebenfalls bei dieser Aufführung mit. 1758: Giulia Frasi (Nitocris), Cassandra Frederick (Daniel), Samuel Champness (Gobrias); John Beard sang die Titelpartie und Isabella Young den Cyrus.

Die von Händel vorgenommenen Änderungen für diese Aufführungen sind im Thematischen Verzeichnis angemerkt. Zusätzlich kürzte Händel verschiedene Rezitative und strich die Arien 1ᵃ und 2 der ersten Szene des I. Aktes.

In der letzten Aufführung 1758, angekündigt „with new Additions and Alterations", ersetzte Händel Nr. 1^a durch die Rezitativfassung Nr. 1^b, mit der die Arie Nr. 2 eingeleitet wurde; weiterhin fügte er die beiden Arien für Nitocris „Wise men, flatt'ring" (32^a) und „Fain would I know" (40^c) ein, die beide auf ältere Vorlagen zurückgehen[2]. „Wise men, flatt'ring" wurde für die Februaraufführung von „Belshazzar" 1758 geschrieben und erst danach im März des gleichen Jahres in HWV 63 Judas Maccabaeus übernommen, nicht umgekehrt, wie in älteren Veröffentlichungen (einschließlich ChA 22) vielfach behauptet wird.

Für folgende Sätze entlehnte Händel motivisches Material aus früheren Werken:

17^a. The leafy honours
  HWV 33 Ariodante: 17. Musette

17^b. The leavy honours
  HWV 45 Alceste: 11^a. Come, Fancy, empress of the brain

21. See from his post Euphrates flies
  HWV 186 „Fronda leggiera e mobile"
  HWV 332 Concerto a due cori B-Dur: 3. Satz (Allegro), ca. 1746/47

28. Let the deep bowl
  HWV 83 „Arresta il passo": 7. Al dispetto di sorte crudele
  HWV 15 Ottone: 2^a. Giunt' in porto
  HWV 33 Ariodante: 7. Volate amori

48. Tell it out among the heathen
  HWV 253 „O come, let us sing": 5. Tell it out

$50^{a,b}$. I will magnify thee
  HWV 288 Sonata (Concerto) à 5 B-Dur: 1. Satz (Andante)
  HWV 250^a „I will magnify thee": 1. Sinfonia
  HWV 250^b „I will magnify thee": 1. I will magnify thee; 6. My mouth shall speak
  HWV 302^a Konzert Nr. 3 B-Dur für Oboe und Streicher: 3. Satz (Andante)
  HWV 396 Sonata op. 5 Nr. 1 A-Dur: 1. Satz (Andante)
  HWV 580 Sonata (Larghetto) g-Moll

Das Thema der Symphonie „Allegro Postillions" (30) entnahm Händel der „Musique de Table" (3. Production, Suite B-Dur, Postillions) von G. Ph. Telemann.

Literatur

Clausen, S. 120 ff.; Dean, S. 434 ff.; Deutsch, S. 590 ff., 610 ff.; Flower, p. 290 f./S. 256 f.; Herbage, S. 107 ff.; Lang, p. 429 ff./S. 388 ff.; Leichtentritt, S. 439 ff.; Schoelcher, S. 288 ff.; Serauky IV, S. 309 ff.; Siegmund-Schultze, S. 142; Smither II, S. 284 ff.; Streatfeild, S. 182 ff., 312 ff.; Young, S. 136 ff.
Beschreibung der Autographe: Lbm: Catalogue Squire, S. 18 f., 98. – Cfm: Catalogue Mann, Ms. 259, S. 185. – Dean, S. 458 f.

[2] „Wise men, flatt'ring": HWV 96 „Cor fedele" (11. Amo Tirsi, ed a Fileno, T. 9), HWV 6 Agrippina (47. Se vuoi pace, T. 9), HWV 49^a Acis and Galatea (8. As when the dove), HWV 12^a Radamisto (1. Fassung, 11. Dopo torbide procelle). „Fain would I know": HWV 425 Air E-Dur.

62. Occasional Oratorio

Oratorio in three parts nach der Übersetzung der Psalmen von John Milton und Texten von Edmund Spenser

Textfassung: Newburgh Hamilton

Besetzung: Soli: 2 Soprani, Ten., Basso. Chor: C. I, II; A. I, II; T. I, II; B. I, II. Instrumente: Ob. I, II; Fag. I, II; Cor. I, II; Trba. I, II, Principale; Timp.; V. I, II; Va.; Vc.; Org.; Cont.
ChA 43. – HHA I/23. – EZ: London, Januar/Februar 1746. – UA: London, 14. Februar 1746, Theatre Royal, Coventgarden

Ouverture

Adagio

A. Menuet

B. Marche

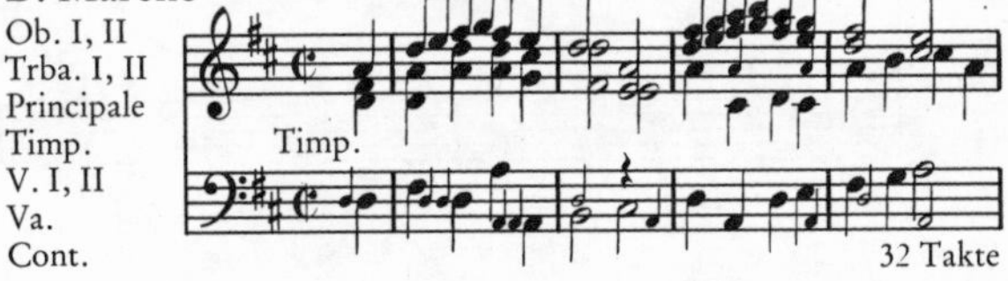

Part I

1. Recitative accompanied. Basso

2. Chorus. C.; A.; T.; B.

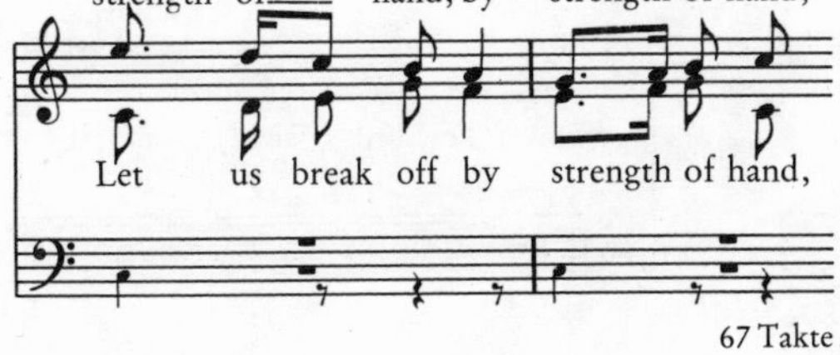

3a. Air. Tenore

3b. Accompagnato. Tenore

4. Chorus. C.; A.; T.; B.

5. Air. Tenore

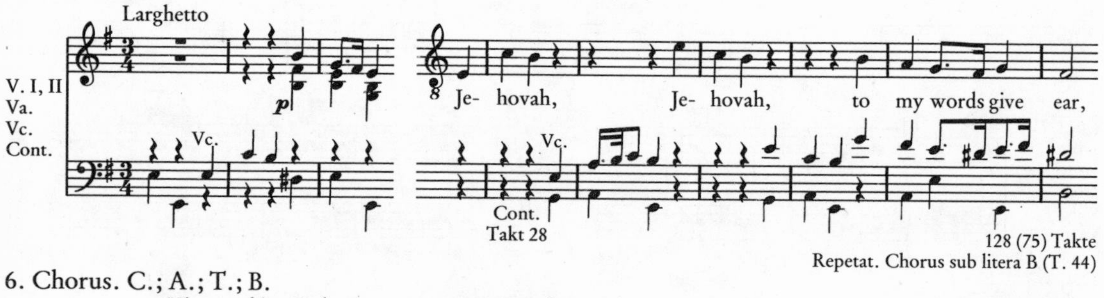

6. Chorus. C.; A.; T.; B.

Recitative. Basso

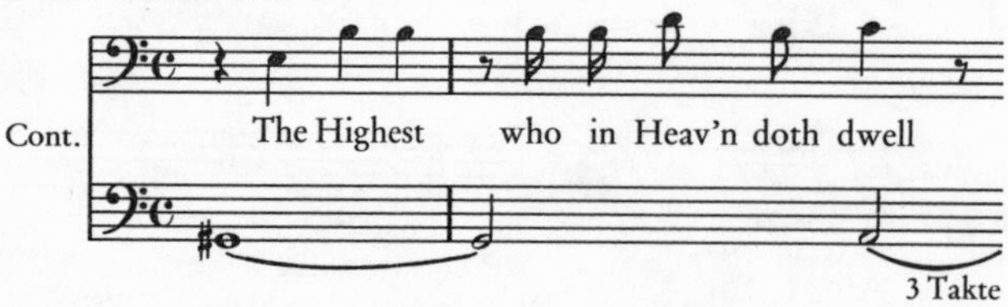

7. Air. Soprano

Recitative. Basso

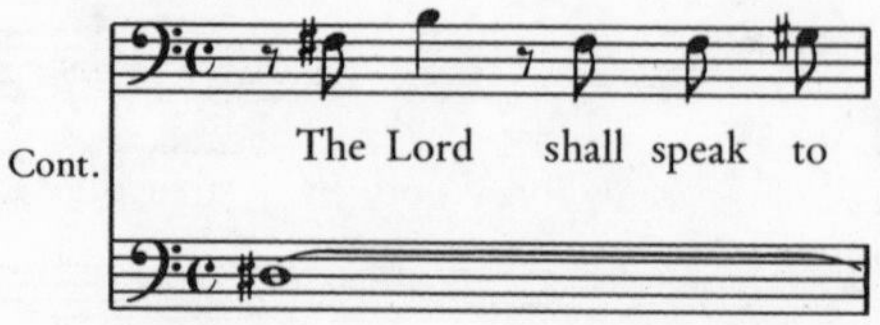

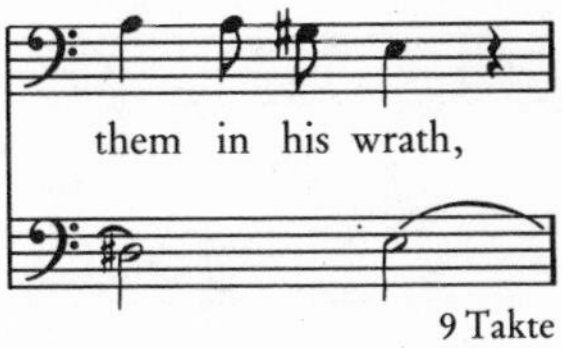
them in his wrath,
9 Takte

8a, b. Air. Soprano

Largo
Cont.
O___ who shall pour in-
Takt 5

to_ my swollen eyes
a: 27 Takte
b: 41 Takte

8c. Accompagnato. Soprano (nach 1759)

V. I, II
Va.
Cont.
Je- ho-vah, Lord! how great, how wond'rous great,
9 Takte

8d. Air. Soprano (nach 1759)

Andante larghetto
V. I, II
Va.
Cont.
4
Lord, God of Hosts, to whom the pray'r of con-trite souls___ is dear,
62 Takte D. s.

[= HWV 34 Alcina (20.)]

9.a, b. Air. Soprano

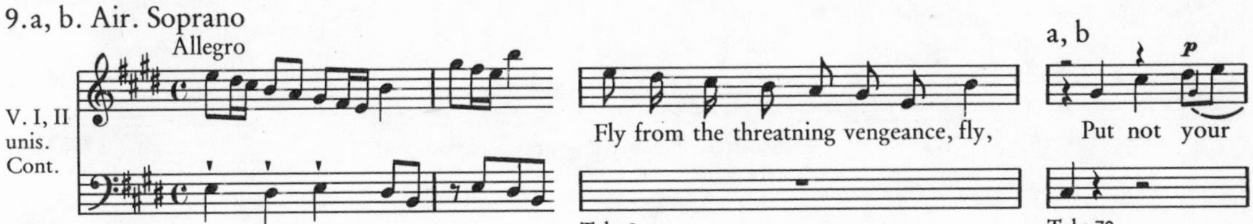
Allegro
V. I, II
unis.
Cont.
Fly from the threatning vengeance, fly,
Takt 9
a, b
p
Put not your
Takt 70

[= HWV 57 Samson (31b.)]

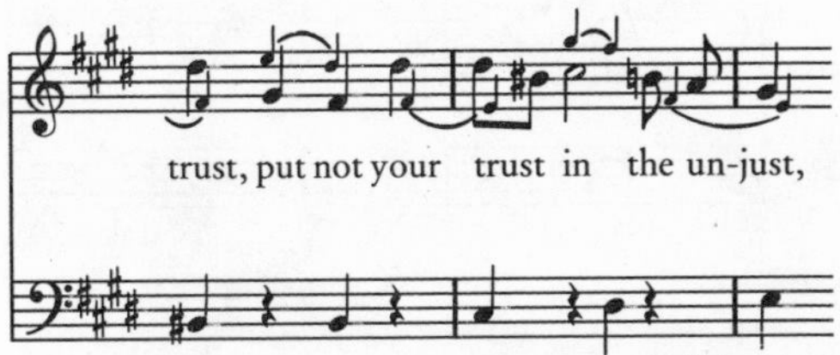
trust, put not your trust in the un-just,
a: 89 Takte
b: 96 Takte D. c.

10. Accompagnato. Basso

V. I, II
Va.
Cont.
Humbled with fear and awful rev-er-ence,
15 Takte

11. Air. Basso

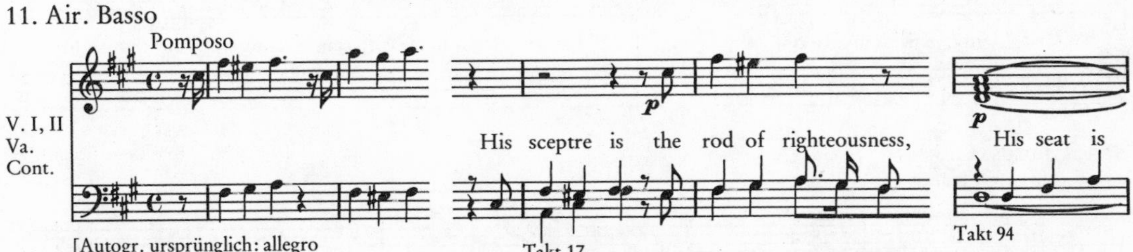
Pomposo
V. I, II
Va.
Cont.
p
His sceptre is the rod of righteousness,
p
His seat is
Takt 17
Takt 94

[Autogr. ursprünglich: allegro ma non troppo]

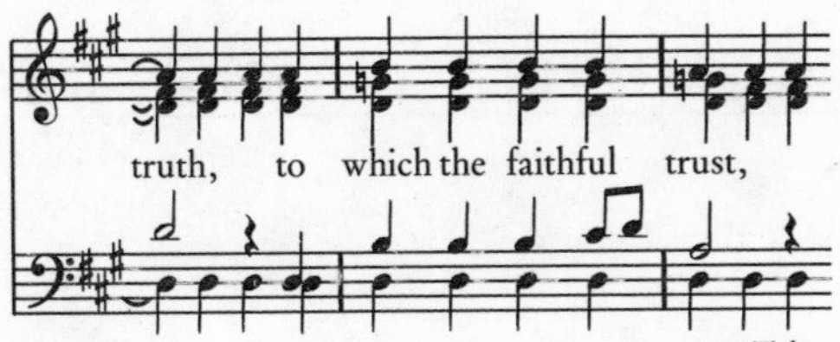
truth, to which the faithful trust,
168 Takte

12. Air. Soprano

Larghetto
Cont.
Be wise,
Takt 12

13. Chorus. C.; A.; T.; B.

14. Air. Tenore

Recitative. Tenore

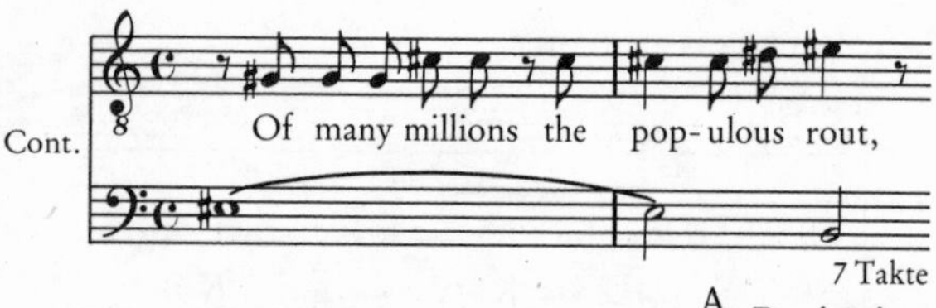

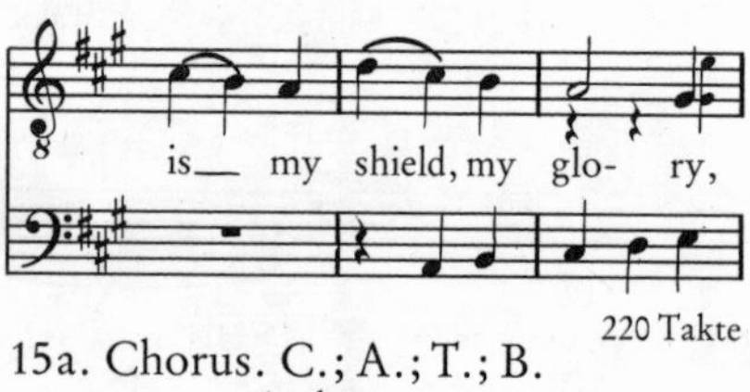

A. B. Recitative. Basso

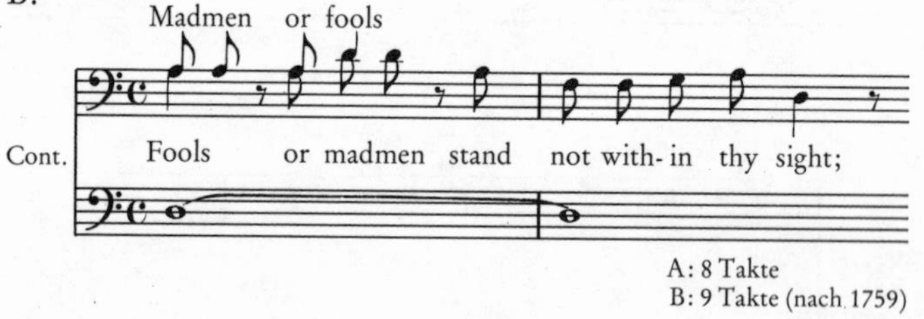

15a. Chorus. C.; A.; T.; B.

15b. [HWV 263 „Sing unto God, ye Kingdoms of the earth" (Wedding-Anthem 1736)] (nach 1759)

[1] Textfassung für HWV 266 und HWV 54 (Fassung 1756).

Part II

16a. Air. Soprano

Largo

V. I, II
Va.
Cont.

O lib-er-ty, thou choic-est trea-sure, seat of

Takt 4

[= HWV 63 Judas Maccabaeus (9.)]

virtue, source of pleasure!

22 Takte

16b. Air. Soprano (nach 1759)

Allegro

V. I, II
unis.
Cont.

15
O lib-er-ty! thou god- dess bright,

[= HWV 19 Rodelinda (10.)]

76 Takte *D. s.*

A. Recitative. Soprano

Cont.

Who trusts in God, should ne'er despair.

6 Takte

B. Recitative. Soprano (nach 1759)

Cont.

Methinks, prophetic

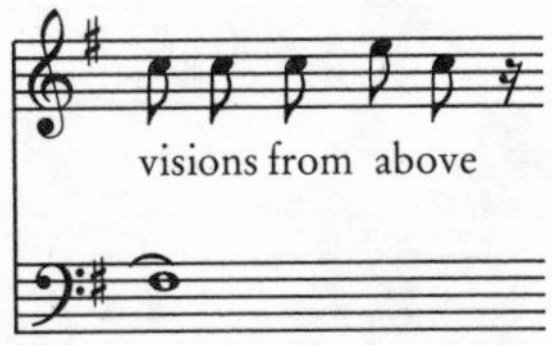
visions from above

5 Takte

17a. Air. Soprano

Allegro

V. I, II
Cont.

Prophe- tic visions strike my eye,

Takt 9

114 Takte *D. c.*

17b. Air. Soprano (nach 1759)

Allegro

Tutti

Ob. I, II
V. I, II
Va.
Cont.

12
War— with sul- len steps re- tir- ing,

[= HWV 26 Lotario (12.)]

98 Takte *D. s.*

18a, b. Chorus. C. I, II; A. I, II; T. I, II; B. I, II

A tempo ordinario

Ob. I, II
Trba. I, II
Timp.
V. I, II
Va.
Cont.
con Org.

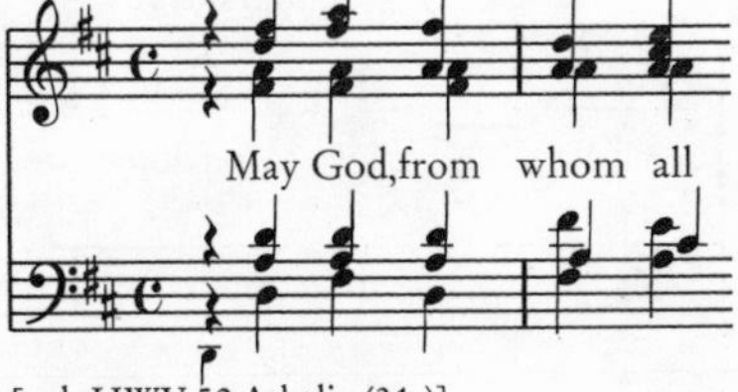
May God, from whom all

[vgl. HWV 52 Athalia (31.)]

Solo

mer-cies spring,
b.
a.
With firm u- nit-ed hearts we all

Takt 16

Cont.

83 Takte

Recitative. Tenore

Cont.

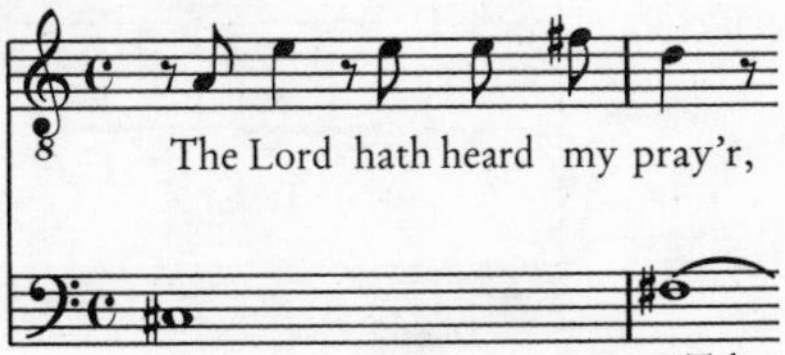
The Lord hath heard my pray'r,

9 Takte

19a. Air. Tenore

A tempo giusto
V. I, II
Va.
Cont.
Then will I__ Je- ho- vah's praise,
p
[= HWV 44 (1.)]
Takt 13
60 Takte

19b. Air. Soprano (Tenore); (nach 1759)

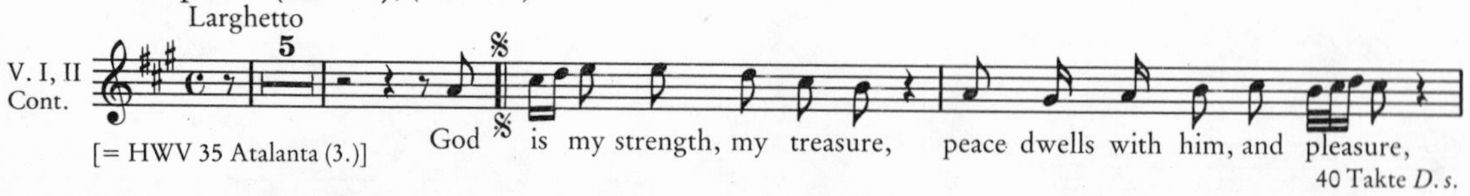
Larghetto
V. I, II
Cont.
5
God is my strength, my treasure, peace dwells with him, and pleasure,
[= HWV 35 Atalanta (3.)]
40 Takte D. s.

20. Chorus. C.; A.; T.; B.

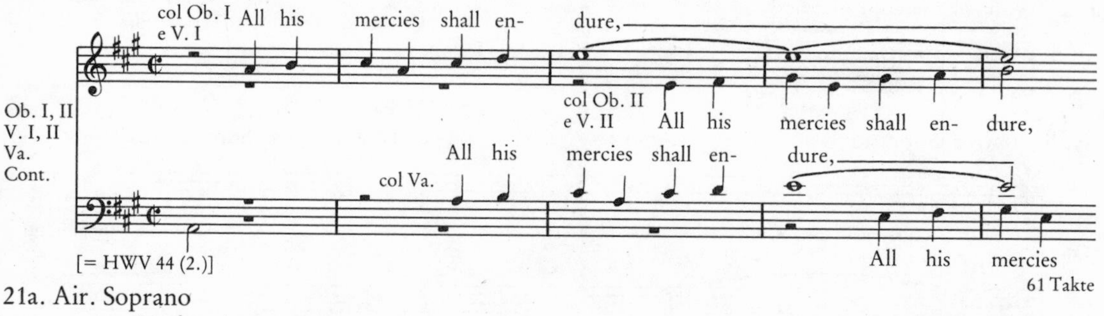
col Ob. I
e V. I
All his mercies shall en- dure,
Ob. I, II
V. I, II
Va.
Cont.
col Ob. II
e V. II
All his mercies shall en- dure,
All his mercies shall en- dure,
col Va.
All his mercies
[= HWV 44 (2.)]
61 Takte

21a. Air. Soprano

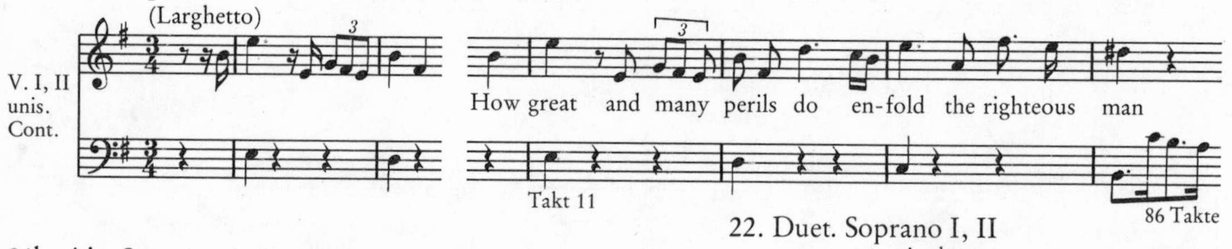
(Larghetto)
V. I, II
unis.
Cont.
3
How great and many perils do en-fold the righteous man
Takt 11
86 Takte

21b. Air. Soprano (nach 1759)

Andante larghetto
V. I, II
Va.
Cont.
2
Why, ah why do Mortals er-ring,
[= HWV 34 Alcina (7.)]
45 Takte D. c.

22. Duet. Soprano I, II

Andante
V. I, II
Cont.

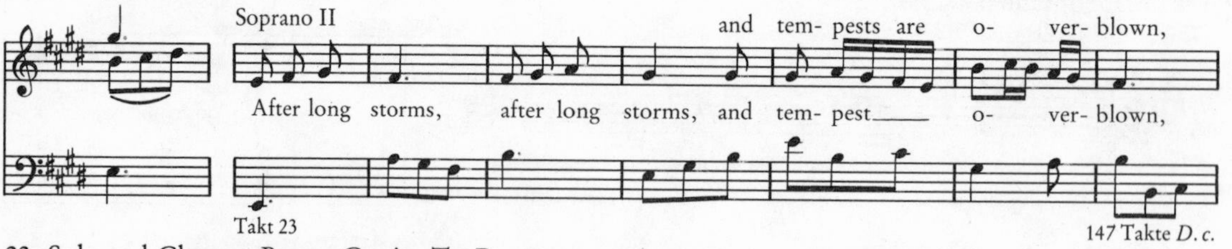
Soprano II
and tem- pests are o- ver- blown,
After long storms, after long storms, and tem- pest__ o- ver- blown,
Takt 23
147 Takte D. c.

23. Solo and Chorus. Basso; C.; A.; T.; B.

Largo
Trba.
Ob. I, II
Trba. I, II
Principale
Timp.
V. I, II
Va.
Cont.
Str.
p
Solo: To God, our strength, sing
Takt 21

24a. (7.) Air. Tenore

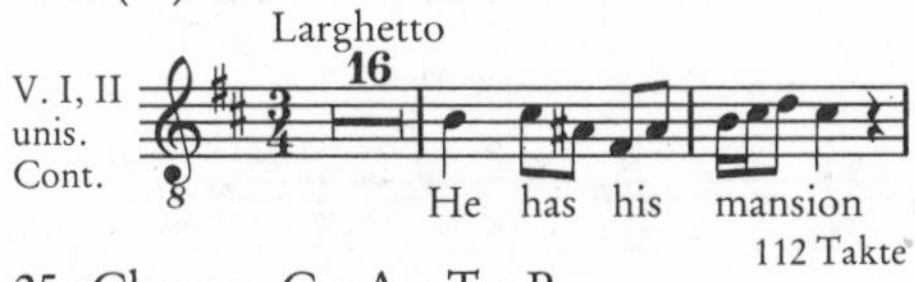

24b. Air. Soprano (nach 1759)

[= HWV 20 Scipione (10.)] 72 Takte *D. c.*

25. Chorus. C.; A.; T.; B.

Part III

26. Sinfonia

[= HWV 319 Concerto grosso op. 6 Nr. 1]

27. Musette

[= HWV 324 Concerto grosso op. 6 Nr. 6, 3. Satz]

28. Chorus. Coro I: C. I; A. I; T. I; B. I; Coro II: C. II; A. II; T. II; B. II

[= HWV 54 Israel in Egypt (15.)]

29a. Air. Soprano (1747)

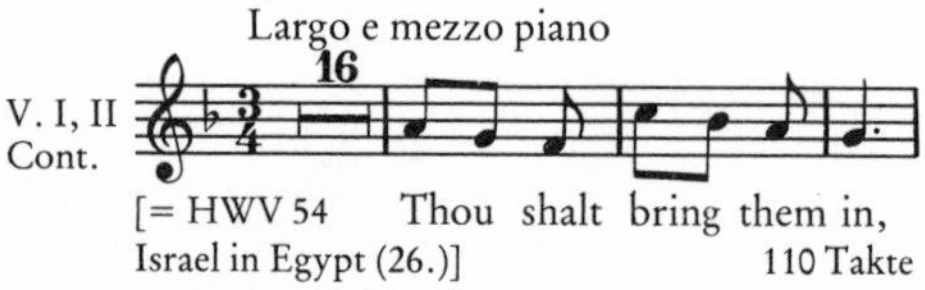

[= HWV 54 Israel in Egypt (26.)]

29b. Air. Soprano (nach 1759)

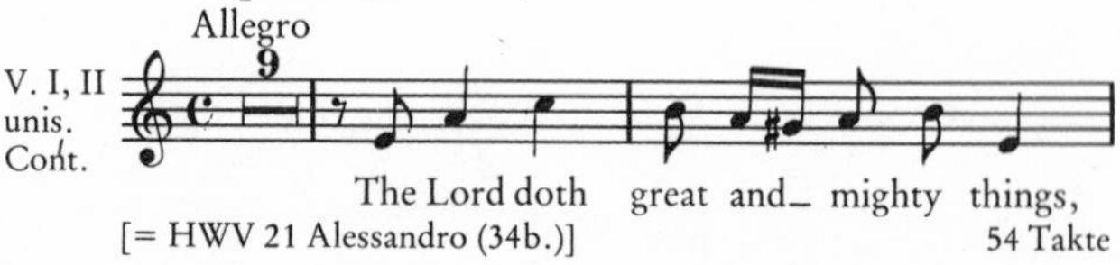

[= HWV 21 Alessandro (34b.)]

30. Chorus. Coro I: C. I; A. I; T. I; B. I; Coro II: C. II; A. II; T. II; B. II

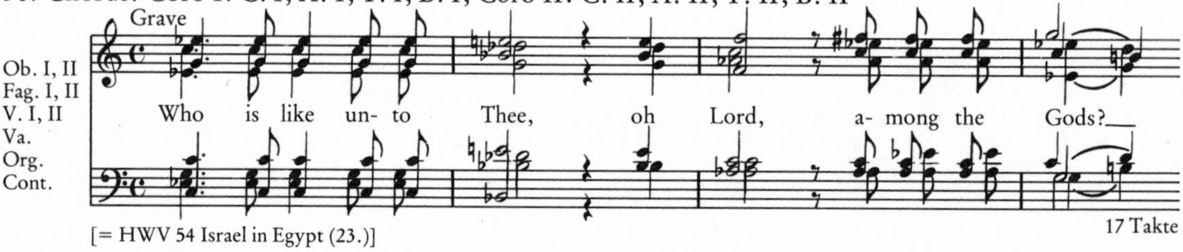

[= HWV 54 Israel in Egypt (23.)]

31. Chorus. Coro I: C. I; A. I; T. I; B. I; Coro II: C. II; A. II; T. II; B. II

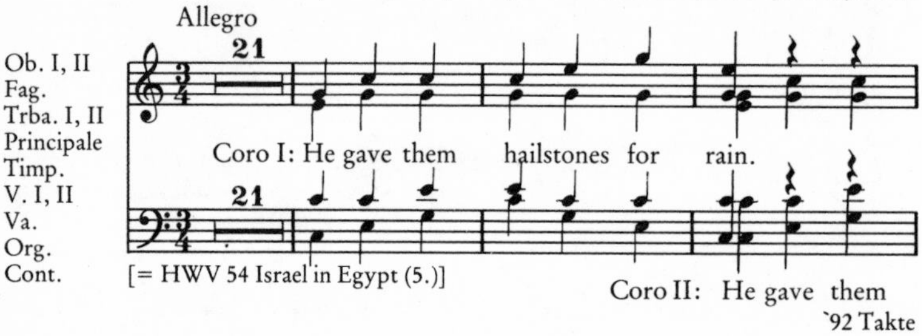

[= HWV 54 Israel in Egypt (5.)]

32. Air. Soprano

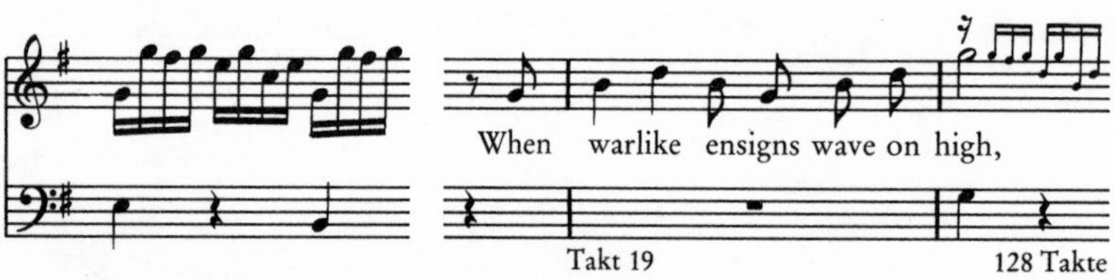

A. Recitative. Tenore

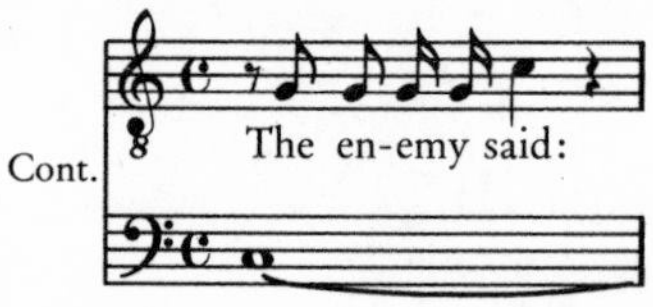

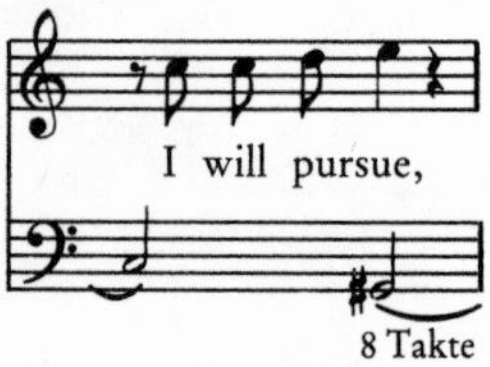

B. Recitative. Tenore (nach 1759)

33a. Air. Tenore

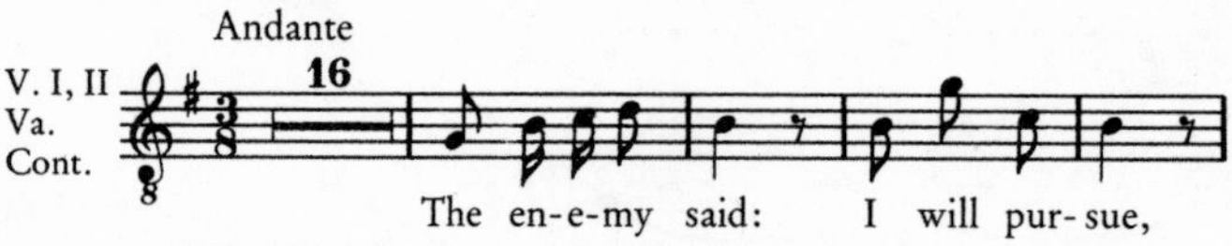

[= HWV 54 Israel in Egypt (21.)]

33b. Air. Soprano (nach 1759)

[= HWV 15 Ottone (18.)]

vic- tors who_ sub- du- ing,
114 Takte D. c.

34. Air. Basso

Allegro ma non troppo
V. I, II unis.
Cont.

V. unis.
con Cont.
The sword that's drawn in vir- tue's cause, the sword that's drawn in_ vir- tue's cause
Takt 11
68 Takte

35. Chorus. C.; A.; T.; B.

(Tutti)
col Ob. I
Ob. I, II
Trba. I, II
Principale
Timp.
V. I, II
Va.
Cont.
col Ob. II
Mil- lions un- born___ shall bless___ the_ hand that gave,___ that gave___ de-
Mil- lions un- born___ shall bless___ the hand___ that gave___ de-

liv'- rance to the land,
liv'- rance to the land,
27 Takte

Recitative. Soprano

When Is- ra-el, like the bounteous Nile,
Cont.
8 Takte

36. Air. Soprano

V. I, II unis.
Cont.
When Is- ra-el, like_ the boun- teous Nile
Takt 9
94 Takte

37. Air. Tenore

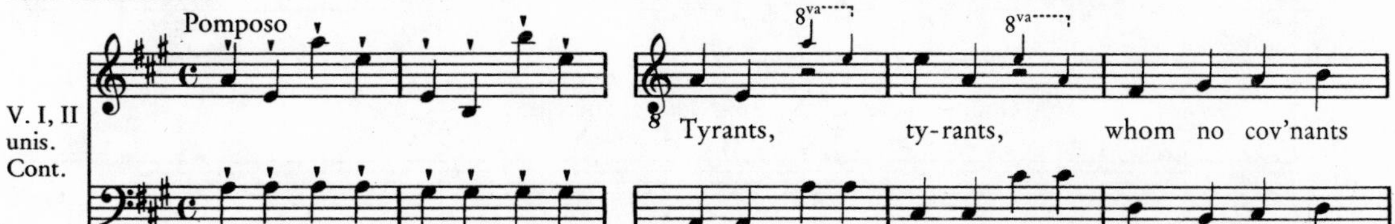
Pomposo
V. I, II unis.
Cont.
8va
Tyrants, ty-rants, whom no cov'nants
Takt 13

bind,

110 Takte

38. Accompagnato. Soprano

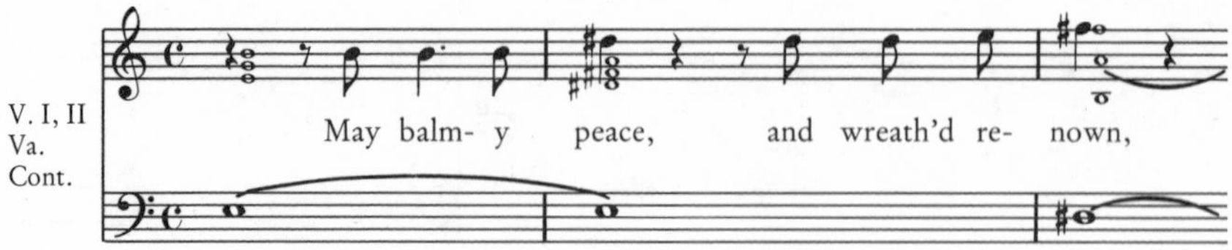
V. I, II
Va.
Cont.
May balm- y peace, and wreath'd re- nown,

8 Takte

39a. Air. Soprano

Andante larghetto

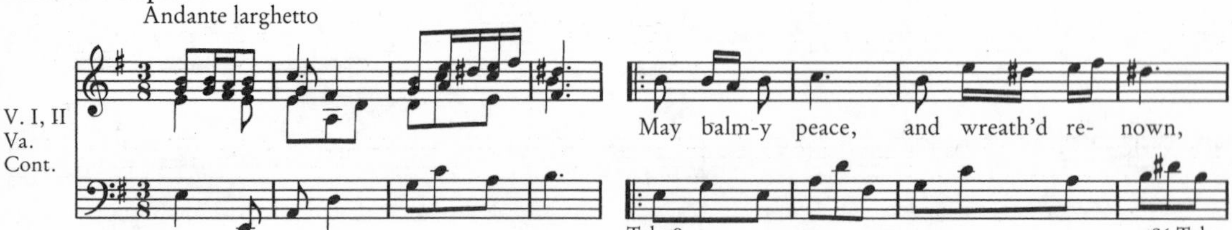
V. I, II
Va.
Cont.
May balm-y peace, and wreath'd re- nown,

[= HWV 44 (3.)] Takt 9 86 Takte

39b. Air. Soprano

Allegro

Ob. I, II
V. I, II
unis.
Va.
Cont.
14
Calm peace ap- -pear- -ing, each pros-pect clear- -ing,

[= HWV 34 Alcina (15.)] 105 Takte *D. c.*

40. Chorus (Anthem). C. I, II; A. I, II; T.; B. I, II

V. I
Ob. I, II
Fag. I, II
Trba. I, II, III
Timp.
V. I, II, III
Va.
Org.
Cont.
Ob. I, II
V. II, III; Va.
Fag. I, II
Bles- sed, bles- sed are all they,

[= HWV 50b. Esther (25.), HWV 258 Coronation Anthem I.] Takt 23

A tempo ordinario

God save the King, long live the King,

Takt 31 89 Takte

Anhang

(23a.) Air. Basso

Largo

Str.
Ob.
V. I
Ob. I, II
V. I, II
Va.
Cont.
tr
To God, our strength, sing loud and clear,

32 Takte (fragm.)

A./B. Recitative. Basso

(32.) Air. Sopr.

Quellen

Handschriften: Autographe: GB Lbm (R. M. 20. f. 3., ohne Nr. 38–40; R. M. 20. h. 5., f. 1–3: Nr. 40; R. M. 20. f. 12., f. 1: Nr. 18), Cfm (30 H 9, p. 39–52: Teil von Nr. 9, Skizzen zu Nr. 17[a] und dem Marche der Ouverture, Nr. 32, Rezitativ „The enemy said", Skizze zur Nr. 34).

Abschriften: D (brd) Hs (Direktionspartitur M $\frac{A}{1033}$) – GB BENcoke, Cfm (Barrett-Lennard-Collection), Lbm (R. M. 18. e. 7.), Mp [MS 130 Hd 4, Part.: v. 213, St.: v. 110(5), 111(5), 112(8), 113(8), 114(4), 115(8), 214(5)–220(5), 221(4), 222(5), 223(5), 224(3), 248(12), 265(12)].

Drucke: The Occasional Oratorio as it is perform'd at the Theatre Royal in Covent Garden set to musick by M[r] Handel. – London, J. Walsh (3 verschiedene Ausgaben 1746–1748); The Occasional Oratorio in score, composed by M[r] Handel. – London, Wright & Co.; Harrison's edition, corrected by D[r] Arnold. The overture and songs in the Occasional Oratorio; for the voice, harpsichord, and violin. Composed by M[r] Handel. – London, Harrison & Co.; The Occasional Oratorio in score, composed in the year 1745. By G. F. Handel. – London, Arnold's edition, No. 99–105 (ca. 1791); The overture to the Occasional Oratorio, for a full band, composed by M[r] Handel. – London, H. Wright; Overture in the Occasional Oratorio. – (London), Randall; — (London), J. Bland; — London, A. Bland & Weller; — s. l., s. n.; — (London), Longman, Clementi & Co.; — London, Goulding & Co.; — ib., T. Gladman; Overture to the Occasional Oratorio, as a duet for two performers, on one piano forte or organ, arranged ... by T. Essex. – London, R. Birchall; May balmy peace. – (London), J. Bland; — ... (In: The Lady's Magazine, Feb., 1794). – (London), s. n.; Thee will I, Jehovah, praise. Occasional Oratorio. – (London), J. Bland; — ... (In: The Lady's Magazine, Jan., 1974). – (London), s. n.; When warlike ensigns. Occasional Oratorio. – (London), J. Bland.

Libretto: Ms. – Libretto (fragm.) in US SM. *Drucke:* A new Occasional Oratorio. As it is perform'd at the Theatre-Royal in Covent-Garden. The words taken from Milton, Spenser, &c. And set to musick by Mr Handel. – London, J. and R. Tonson, S. Draper, 1746 (Ex.: F Pc – GB BENcoke – US NH, SM).

Bemerkungen

Händels Komposition des „Occasional Oratorio" steht in engem Zusammenhang mit den historischen Ereignissen des Jahres 1745, der schottischen Rebellion und dem Bürgerkrieg. Das Autograph des Werkes überliefert keine Daten über die genaue Entstehungszeit. Auf der ersten Seite steht lediglich der Vermerk „Ouverture the Occasional Oratorio Anno 1746". Händel muß das Werk zwischen Jahresbeginn und Anfang Februar 1746 geschrieben haben.

Den Text bearbeitete Newburgh Hamilton, wie in einem Brief von Charles Jennens vom 3. März

1746 belegt ist[1]. Thomas Morell, Librettist von HWV 63 Judas Maccabaeus, der gelegentlich als Autor angesehen wurde, weil Händel die Arie „O Liberty, thou choicest treasure" (16[a]) aus dem Libretto von „Judas Maccabaeus" zuerst im „Occasional Oratorio" verwendet hatte (s. Dean, S. 461 f.), kommt dafür nicht in Betracht. Der Text ist eine Zusammenstellung von Bibelzitaten, John Miltons Psalmparaphrasen und Dichtungen von Edmund Spenser[2] nach dem Vorbild von HWV 56 Messiah und HWV 54 Israel in Egypt, aus dem nicht weniger als 5 Sätze (Nr. 28, 29[a], 30, 31 und 33[a]) textlich und musikalisch für den 3. Teil des „Occasional Oratorio" übernommen wurden.

Aus dem Autograph geht deutlich Händels Arbeitsweise hervor. Während Part I bis auf die Arien Nr. 7 und 9, die aus früheren Werken entlehnt wurden, in einem Zuge komponiert und niedergeschrieben wurde, enthält Part II bereits 4 Sätze aus anderen Werken; Part III schließlich besteht zum größten Teil aus Entlehnungen, die Händel in seinem Autograph nicht ausschrieb, sondern den Kopisten nur mit entsprechenden Hinweisen für die Anfertigung der Direktionspartitur darauf verwies (s. Clausen, S. 177).

Im einzelnen übernahm Händel folgende Sätze aus anderen Werken:

Ouverture – Menuet
HWV 351 Fireworks Music (1749): 6. Satz (Menuet II)

7. He has his mansions fix'd on high
HWV 44 „There in blissful shade": 5. There youthful Cupid

9. Fly from the threatning vengeance
HWV 57 Samson: 31[b]. Fly from the cleaving mischief[3]

15[a]. God found them guilty
HWV 333 Concerto a due Cori F-Dur: 6. Satz (A tempo ordinario)

16[a]. O liberty, thou choicest treasure
HWV 63 Judas Maccabaeus: 9. O liberty

18[a,b]. May God, from whom all mercies spring
HWV 52 Athalia: 31. Around let acclamation ring

19[a]. Then will I Jehovah's praise
HWV 44 „There in blissful shade": 1. There in blissful shade

20. All his mercies shall endure
HWV 44 „There in blissful shade": 2. Happy plains

26. Sinfonia
HWV 319 Concerto grosso op. 6 Nr. 1 G-Dur: 1. Satz (A tempo giusto)

27. Musette
HWV 324 Concerto grosso op. 6 Nr. 6 g-Moll: 3. Satz (Musette: Larghetto)

28. I will sing unto the Lord
HWV 54 Israel in Egypt: 15. I will sing unto the Lord

29[a]. Thou shalt bring them in
HWV 54 Israel in Egypt: 26. Thou shalt bring them in

30. Who is like unto thee
HWV 54 Israel in Egypt: 23. Who is like unto thee

31. He gave them hailstones
HWV 54 Israel in Egypt: 5. He gave them hailstones

33[a]. The enemy said
HWV 54 Israel in Egypt: 21. The enemy said

39[a]. May balmy peace
HWV 44 „There in blissful shade": 3. There sweetest flowers

40. Blessed are al they/God save the King
HWV 258 „Zadok the Priest": Zadok the Priest/ God save the King

In der Partitur des „Occasional Oratorio" finden sich außerdem folgende Zitate bzw. Entlehnungen musikalischer Themen aus Werken anderer Komponisten: Das Allegro der Ouverture basiert auf G. Ph. Telemanns „Musique de Table" (3. Production, Ouverture)[4], A. Stradellas Serenata „Qual prodigio" (9. Amor sempr'è avezzo)[5] bot Händel Material für Arie und Chor „Be wise at length" (12, 13), in der Arie „Prophetic visions strike my eye" (17[a]) zitiert er bei der Textstelle (T. 17 ff.) „war shall cease, welcome peace" ein Motiv aus Th. A. Arnes „Rule, Britannia"[6] (bereits in Nr. 1 bei „uplift with pow'r" anklingend, vgl. Herbage, S. 111), in „To God our strength" (23, bei „Prepare the hymn") klingt die zweite Melodiezeile des Luther-Chorals „Ein feste Burg" an[7], für den B-Teil (T. 59 ff.) griff Händel auf Themen aus Telemanns „Musique de Table" bzw. Johann Kriegers „Neue musicalische Ergetzlichkeit" (Frankfurt und Leipzig 1684, II. Teil, Nr. 22, Lied vom Clavichordium)[8] zurück.

[1] S. Hicks, A.: An Auction of Handeliana. In: The Musical Times, vol. 114, 1973, S. 892. Die Korrespondenz befindet sich jetzt in der Sammlung von Mr. Gerald Coke, Bentley.

[2] U. a. aus „The Fairy Queen", „Hymn of Heavenly Beauty", „Tears of the Muses". Vgl. Hicks, A.: Artikel Handel (Works). In: The New Grove. Dictionary of Music & Musicians, 6th edition, vol. 8, S. 118.

[3] Die Arie „Fly from the cleaving mischief" wurde 1745 für eine Neufassung von HWV 57 Samson für Miss Robinson komponiert und befindet sich zusammen mit der geänderten Fassung im Autograph des „Occasional Oratorio", f. 32–34. Die Worte „the love beguiles by artful whiles" gehören zur „Samson"-Fassung (T. 70–87). W. Dean (S. 351) ist der Ansicht, daß die „Samson"-Arie fälschlich in das Autograph des „Occasional Oratorio" eingebunden wurde.

[4] Seiffert, M.: G. Ph. Telemann's „Musique de Table" als Quelle für Händel. In: Bulletin de la Société „Union Musicologique", 4. Jg., 1924, S. 24 f.

[5] ChA, Supplemente 3, S. 28 f. Vgl. auch Nr. 9.

[6] Schoelcher, S. 297 ff.

[7] Schering, A.: Händel und der protestantische Choral. In: Händel-Jb., 1. Jg., 1928, S. 36 f.

[8] Seiffert, M., a. a. O., S. 26 f.

Händel hatte das „Occasional Oratorio“ als persönlichen Beitrag zur Stärkung des patriotischen Gefühls der Engländer im Hinblick auf die Abwehr der schottischen Aggression unter Charles Edward Stuart komponiert und aufgeführt. Nachdem am 15. Dezember 1745 der Rückzug des Kronprätendenten erfolgt war, dessen Vormarsch zeitweise sogar London bedroht hatte, feierte man bereits den Duke of Cumberland, Sohn König Georgs II., als Befreier. Diese historischen Hintergründe der Werkgeschichte werden deutlich aus einem Brief des Geistlichen William Harris vom 8. Februar 1746 (s. Streatfeild, S. 191, Deutsch, S. 629f.), in dem es heißt: „Yesterday morning I was at Handel's house to hear the rehearsal of his new occasional Oratorio. It is extremely worthy of him ... He has but three voices for his songs – Francesina, Reinhold, and Beard – his band of music is not very extraordinary – Du Feche[9] is his first fiddle, and for the rest I really could not find out who they were, and I doubt his failure will be in this article. The words of his Oratorio are scriptural but taken from various parts, and are expressive of the rebel's flight, and our pursuit of them. Had not the Duke carried his point triumphantly, this Oratorio could not have been brought on. It is to be performed in public next Friday.“
Nach Pressemeldungen vom 31. Januar und 8. Februar kündigte Händel das Werk im *General Advertiser* vom 14. Februar 1746 (Deutsch, S. 630) seinen Subskribenten, denen er aus den genannten politischen Gründen 1745 nicht genügend Konzerte hatte bieten können, mit folgender Anzeige an: „At the Theatre-Royal in Covent-Garden, this Day, will be perform'd A New Occasional Oratoio. With a New Concerto on the Organ ...“ Die Aufführung erfolgte in der von Harris erwähnten Besetzung der Solopartien mit Elisabeth Duparc detta La Francesina (Sopran), John Beard (Tenor) und Thomas Reinhold (Baß). Konzertmeister war Willem de Fesch. Das Werk wurde am 19. und 26. Februar wiederholt und auch in der folgenden Saison (am 6., 11. und 13. März 1747) aufgeführt. Die Sopranpartien sangen jetzt Elisabetta de Gambarini und Caterina Galli. Die Alternativfassungen von Nr. 3^b und 18^b wurden bereits während der Saison 1746 eingefügt; 1747 kamen Nr. 8^b, 9^b und 29^a hinzu[10].

Weitere Aufführungen des „Occasional Oratorio“ fanden während Händels Lebzeit nicht mehr statt; Teile des Werkes wurden jedoch von Händel in andere Oratorien eingefügt. Die von J. C. Smith junior veranstalteten Aufführungen nach Händels Tod brachten zum Teil Kürzungen, zum Teil aber auch Erweiterungen des Werkes durch Parodien von Opernarien, die im Thematischen Verzeichnis an den entsprechenden Stellen vermerkt sind (Übersicht s. Clausen, S. 178f.).

Literatur

Clausen, S. 176ff.; Dean, S. 460ff.; Deutsch, S. 629ff.; Flower, p. 294ff./S. 269ff.; Herbage, S. 110ff.; Lang, p. 441ff./S. 400ff.; Leichtentritt, S. 463ff.; Rudolph, J.: Der Auftrag. Zur Aufführung des Gelegenheits-Oratoriums bei den Händelfestspielen 1962. In: 11. Händelfestspiele Halle (Saale) 1962, Programmheft, S. 17ff.; Schering, A.: Geschichte des Oratoriums, Leipzig 1911, S. 293f.; Schoelcher, S. 295ff., 302f.; Serauky IV, S. 423ff.; Siegmund-Schultze, S. 128f.; Siegmund-Schultze, W.: Eine Händelsche Melodie („O liberty“). In: G. F. Händel, Thema mit 20 Variationen, Halle 1965, S. 37ff.; Smither II, S. 295ff.; Streatfeild, S. 190ff., 313f.; Young, S. 150ff.
Beschreibung der Autographe: Lbm: Catalogue Squire, S. 53ff., 12f., 97. – Cfm: Catalogue Mann, Ms. 259, S. 185f.

[9] Willem de Fesch (1687–1761), seit 1732 in London als Oratorienkomponist und Violinvirtuose tätig.

[10] Die in den Walsh-Drucken von 1747 (s. Smith, W. C.: Handel. A Descriptive Catalogue of the Early Editions, London 1960, S. 130, Nr. 2) veröffentlichten Einlage-Arien „May heaven attend her“ (p. 73–75, aus HWV 51 Deborah, Anhang 27) für Francesina und „Ah, canst thou but prove me“ (p. 76–78, aus HWV 52 Athalia, Nr. 19) für Reinhold lassen sich nicht mit Sicherheit an bestimmten Stellen des Werkes einordnen, da auch im Handexemplar (vgl. Clausen, S. 177) keine Vermerke darüber zu finden sind.

63. Judas Maccabaeus

Oratorio in three acts von Thomas Morell

Besetzung: Soli: Sopr. (First Israelitish Woman), 4 Mezzosoprani (Second Israelitish Woman, Israelitish Man, Priest, Messenger), Ten. (Judas Maccabaeus), 2 Bassi (Simon, The Jewish Ambassador to Rome Eupolemus). Chor: C. I, II; A.; T.; B. Instrumente: Fl. I, II; Fl. trav. I, II; Ob. I, II; Fag. I, II; Cor. I, II; Trba. I, II, III; Timp.; V. I, II, III; Va.; Vc.; Cbb.; Org.; Cemb.

ChA 22. – HHA I/24. – EZ: London, 8./9. Juli bis 11. August 1746. – UA: London, 1. April 1747, Theatre Royal, Coventgarden.

Ouverture

Act I

Chorus of Israelites, Men and Women, lamenting the death of Mattathias, father of Judas Maccabaeus.

1. Chorus. C.; A.; T.; B.

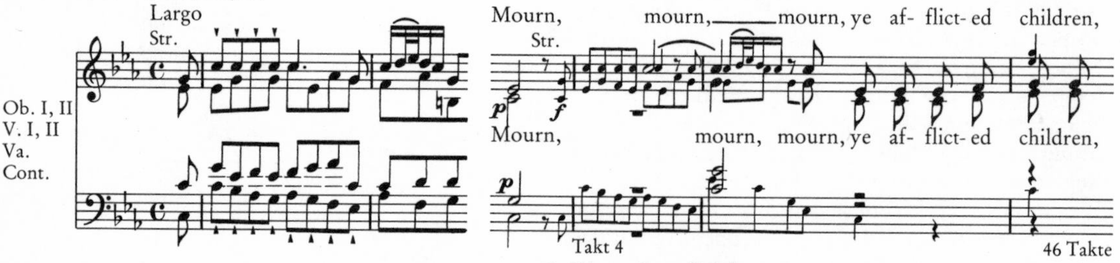

Recitative. Israelitish man; Israelitish woman

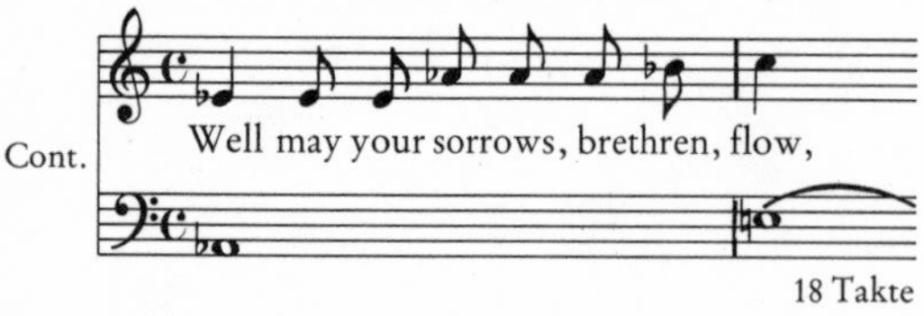

2. Duet. Israelitish woman; Israelitish man

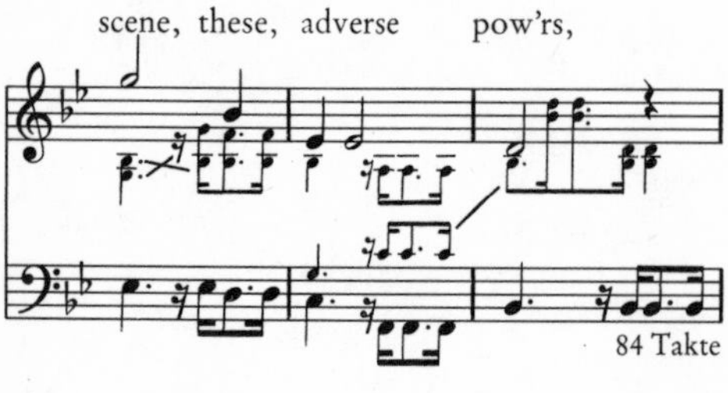

3. Chorus. C.; A.; T.; B.

A. Recitative. Simon

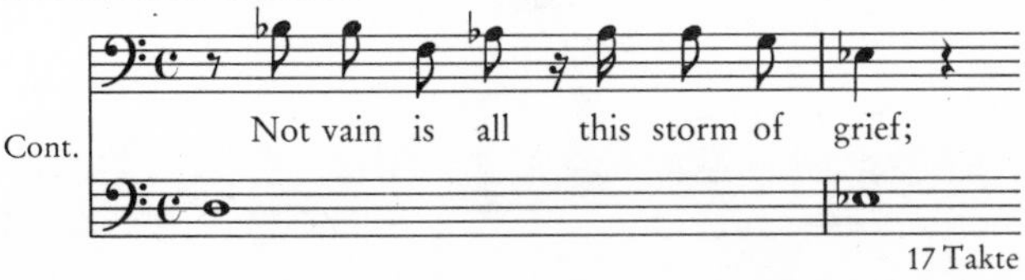

4a. Air. Simon

[Autograph: ex G♯ una terza più alto, im Discant. Israelitish Woman]

B. C. Recitative. Israelitish Man

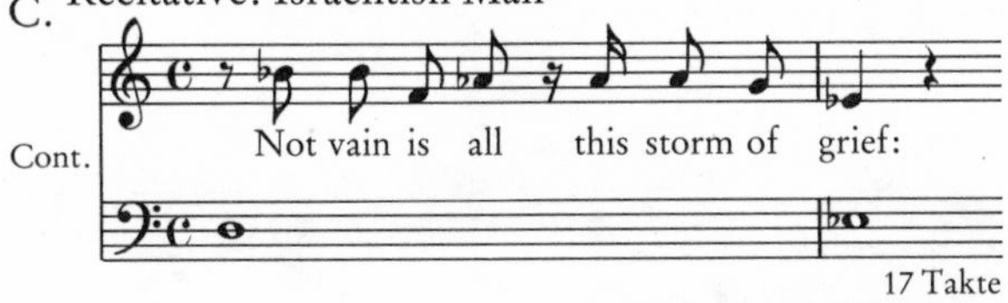

4b. Air. Israelitish Woman

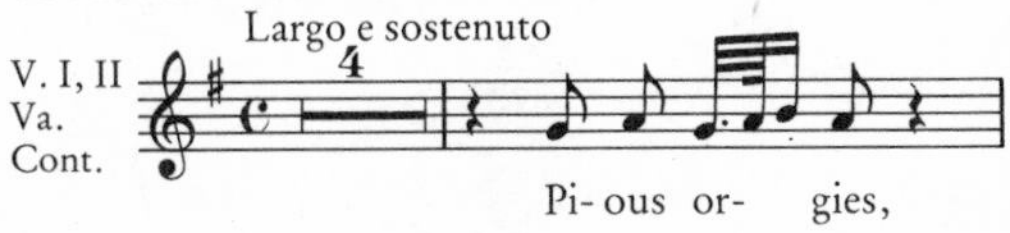

4c. Air. Israelitish Woman

5. Chorus. C.; A.; T.; B.

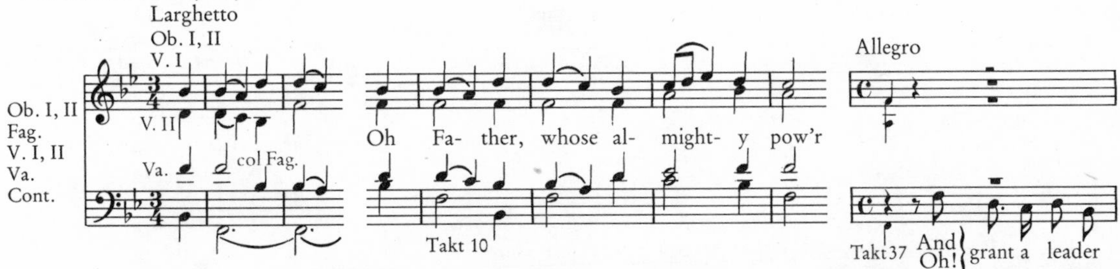

6. Accompagnato. Simon

7. Solo and Chorus. Simon; C.; A.; T.; B.

Recitative. Judas Maccabaeus

8. Air. Judas Maccabaeus

Recitative. Israelitish Woman

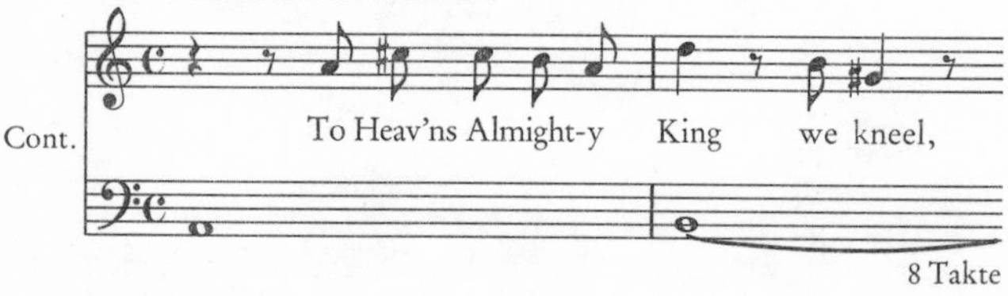

9. Air. Israelitish Woman

[= HWV 62. Occasional Oratorio (16.)]

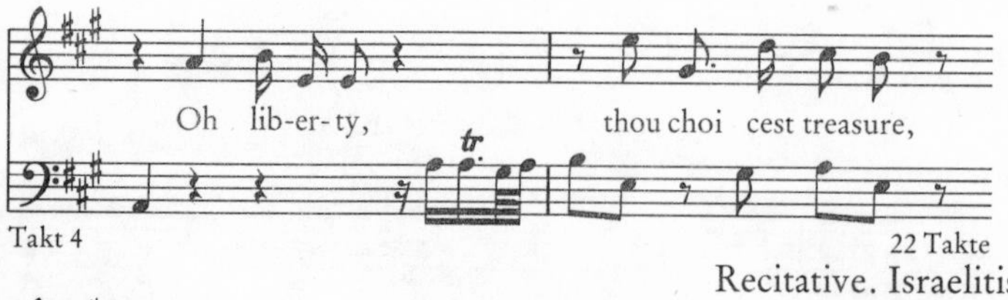

10. Air. Israelitish Woman

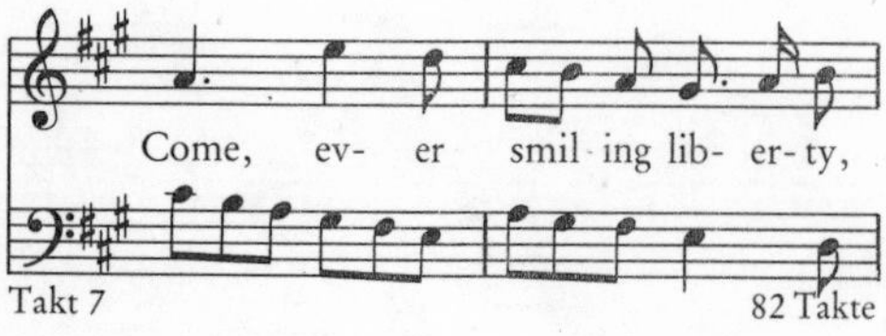

Recitative. Israelitish Man

11. Air. Israelitish Man

Andante larghetto

V. I, II
Cont.
'Tis lib- -er-ty, dear lib- er- ty alone,
45 Takte

12. Duet. Israelitish Woman; Israelitish Man

(Andante)

Come, e- ver
V. I, II
Cont.

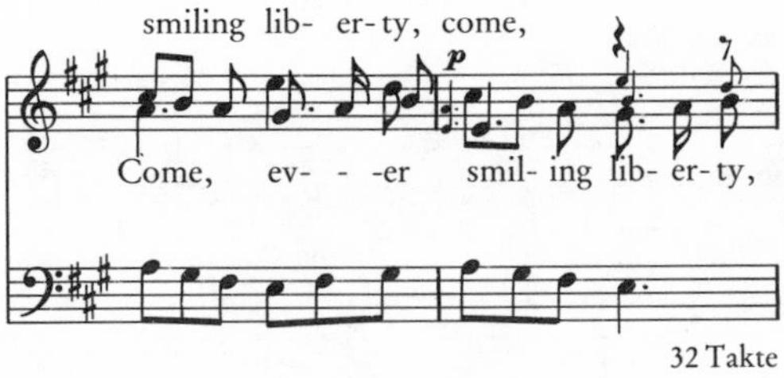
smiling lib- er- ty, come,
Come, ev- - -er smil- ing lib- er- ty,
32 Takte

13. Chorus. C.; A.; T.; B.

Allegro

Str.
Ob.
Ob. I, II
V. I, II
Va.
Cont.
Lead on, lead on, lead
Lead on, lead on, lead on, lead

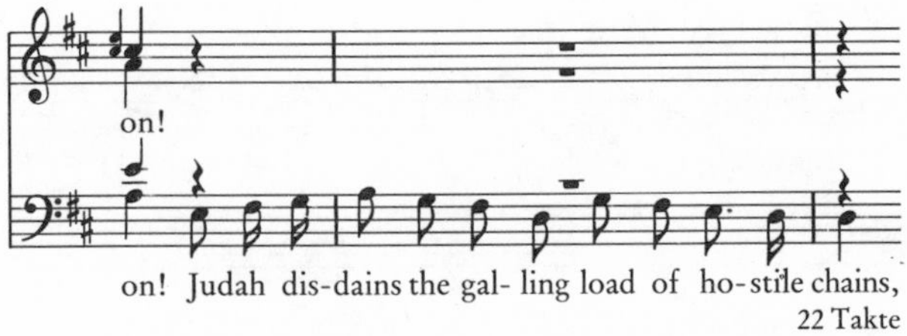
on!
on! Judah dis-dains the gal- ling load of ho-stile chains,
22 Takte

14. Recitative and Accompagnato. Judas Maccabaeus

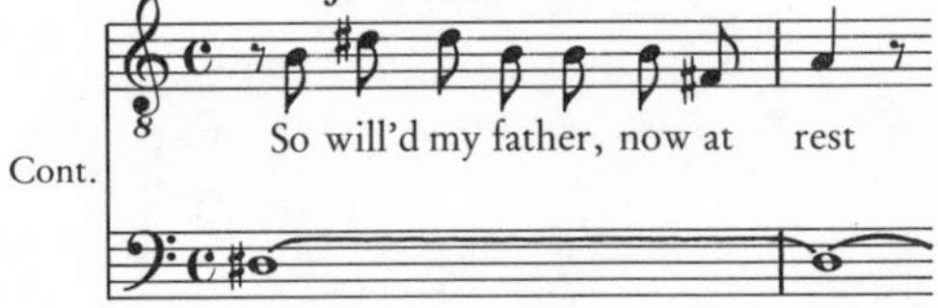
Cont.
So will'd my father, now at rest

V. I, II
Va.
We come, we come! oh see, thy sons pre-pare
Takt 15
23 Takte

15. Semichorus. A.; T.; B.

Allegro

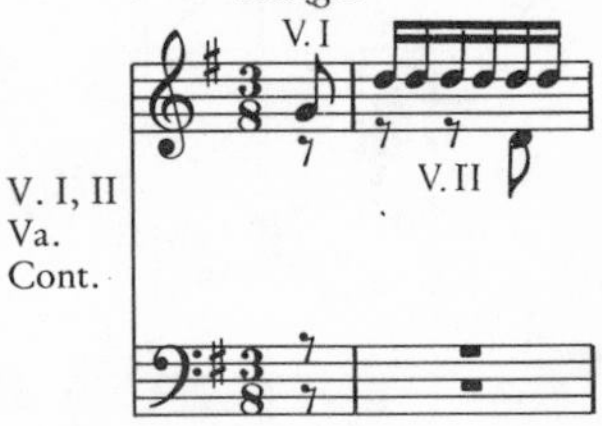
V. I
V. II
V. I, II
Va.
Cont.

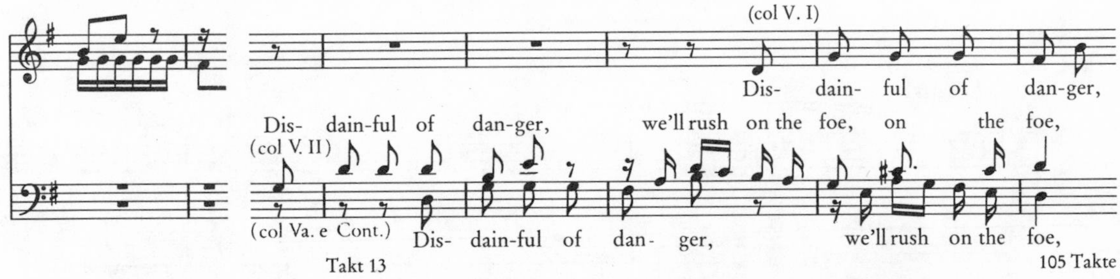
(col V. I)
Dis- dain- ful of dan-ger,
Dis- dain-ful of dan-ger, we'll rush on the foe, on the foe,
(col V. II)
(col Va. e Cont.)
Dis- dain-ful of dan- ger, we'll rush on the foe,
Takt 13
105 Takte

Recitative. Judas Maccabaeus

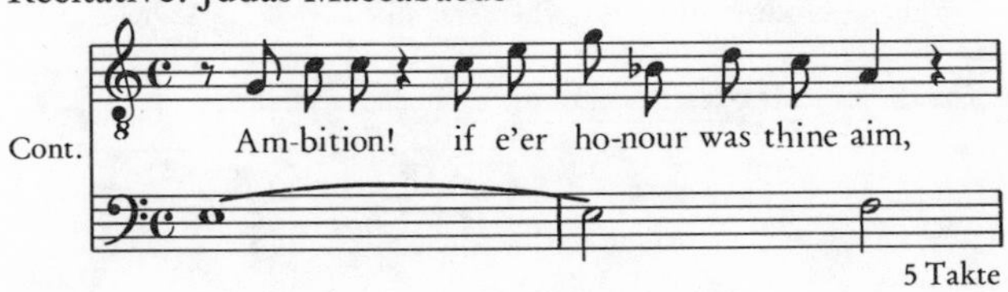
Cont.
Am-bition! if e'er ho-nour was thine aim,
5 Takte

16. Air. Judas Maccabaeus

Allegro

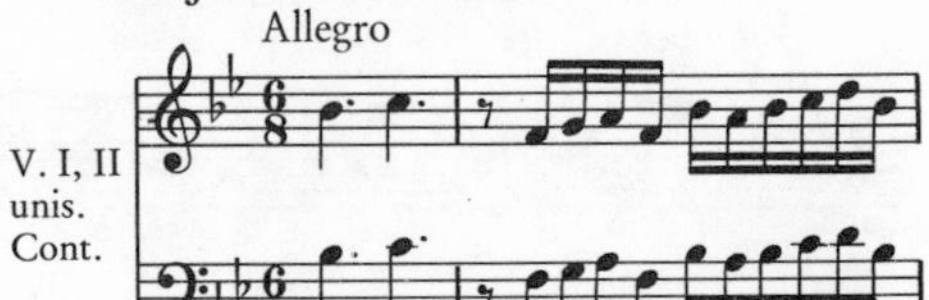
V. I, II
unis.
Cont.

No, no un- hallow'd de- sire our breasts shall in- spire,
Takt 5
70 Takte

Recitative. Israelitish Man (1750)

Cont.
Oh Ju- das,

may thy just pur- suits
4 Takte

(16a.) Air. Israelitish Man (1750)

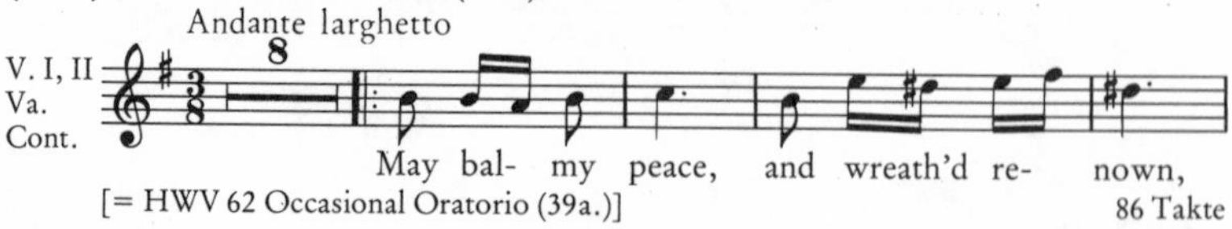
Andante larghetto
V. I, II
Va.
Cont.
8
May bal- my peace, and wreath'd re- nown,
86 Takte

[= HWV 62 Occasional Oratorio (39a.)]

(16b.) Air. Israelitish Woman (1758)

Ob. I, II
Fag.
V. I, II
Va.
Cont.
V. I, II
Va.
Fag.
Str.
p
Far brighter than the morn- ing thy glorious name a-
Va.
p (senza Fag.)
Takt 21

dor- - - - -(ing)
146 Takte D. s.

Recitative. Israelitish Man (1750)

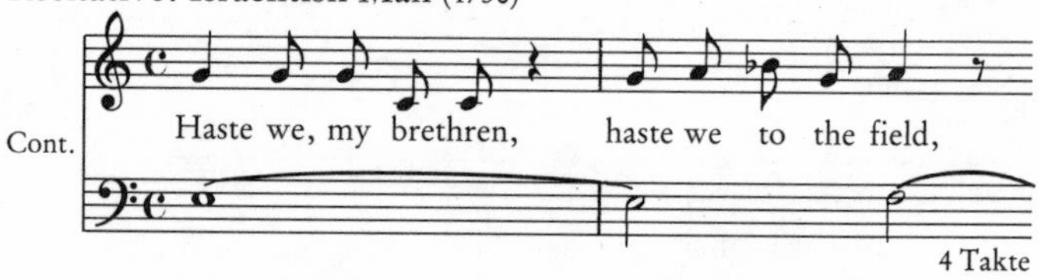
Cont.
Haste we, my brethren, haste we to the field,
4 Takte

17. Chorus. C.; A.; T.; B.

A tempo giusto
Hear us, oh Lord, oh Lord, on Thee we call
Ob. I, II
V. I, II
Va.
Cont.
Hear us, oh Lord, oh Lord, hear us, oh Lord,
Hear, hear us, oh Lord, oh Lord,
Hear,
81 Takte

Act II

18. Chorus. C.; A.; T.; B.

Allegro
V. I
V. II
Va.
Cont.
Ob. I, II
V. I, II
Va.
Cont.
Str.
Fall'n is the foe, fall'n is the foe; so fall Thy foes,
Takt 13

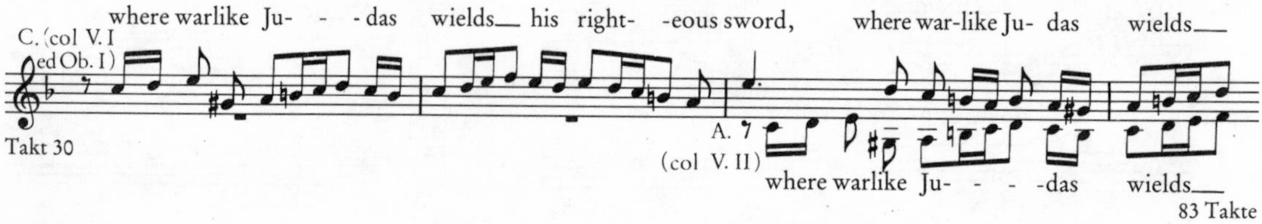
where warlike Ju- - - das wields his right- -eous sword, where war-like Ju- das wields
C. (col V. I ed Ob. I)
Takt 30
A.
(col V. II)
where warlike Ju- - - -das wields
83 Takte

Recitative. Israelitish Man

Cont.
Vic- to-rious he- ro! Fame shall tell,
13 Takte

19. Air. Israelitish Man

Allegro
V. I, II
unis.
Cont.
So rap- id thy
Takt 25

course is, not num- ber- less for-ces
137 Takte D. s.

A. Recitative. Israelitish Man (1750)

Cont.
Well may we hope our

freedom to re- ceive,
4 Takte

20a. Aria. Israelitish Man (1750)

Andante
V. I, II
unis.
Cont.
14
Flow- ing joys do now surround me
[= HWV 50b. Esther (4.)]
47 Takte D. s. (T. 18)

B. Recitative. Israelitish Man (1758)

Cont.
Well may we hope our freedom to receive,
4 Takte

20b. Duet and Chorus. Israelitish Woman; Israelitish Man; C. I, II; A.; T.; B. (1758)

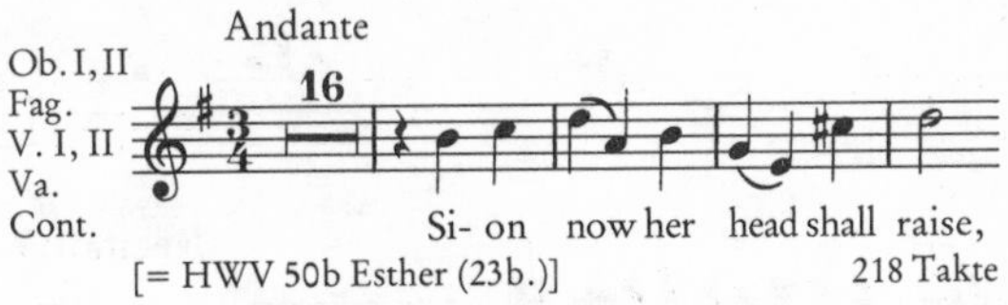
Andante
Ob. I, II
Fag.
V. I, II
Va.
Cont.
16
Si- on now her head shall raise,
[= HWV 50b Esther (23b.)]
218 Takte

21. Air. Israelitish Woman

Andante
Ob. I, II
V. I, II
Ob. I, II
V. I, II, III
Va.
Cont.
V. III
Va.
From

Recitative. Israelitish Woman

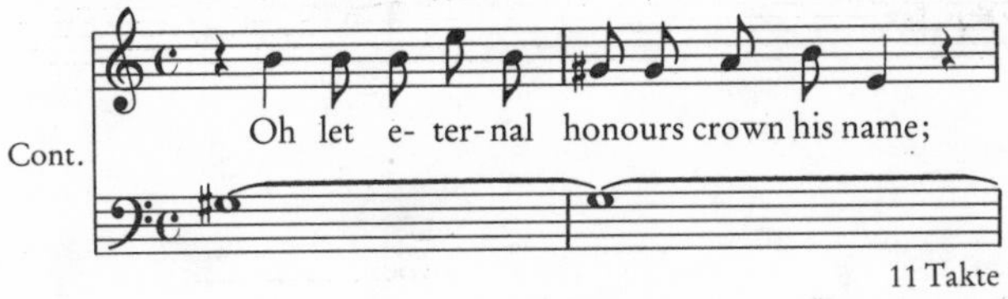
Cont.
Oh let e- ter- nal honours crown his name;
11 Takte

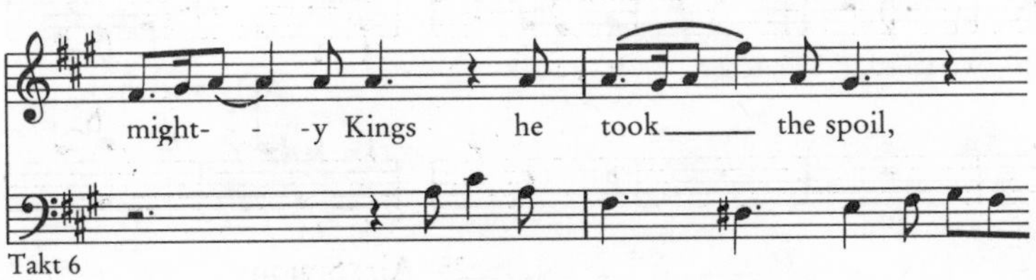
might- -y Kings he took the spoil,
Takt 6

Allegro
Ju- dah re- joic-
Takt 51

- eth,
68 Takte D. c.

22. Duet and Chorus. Israelitish Woman; Israelitish Man; C.; A.; T.; B.

Allegro
Ob. I, II
V. I, II
Va.
Cont.

Israelitish Man
Hail, hail, hail, Ju- de- a,__ hap-py land,
Takt 6
Tutti
Ju-de- a,__ happy land!
Hail, hail, Ju- de- a,__ happy land, Ju- de- a,__
Takt 28
56 Takte

Recitative. Judas Maccabaeus

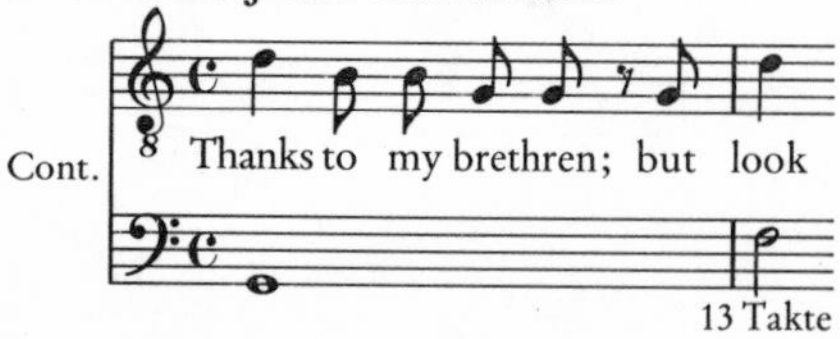
Cont.
Thanks to my brethren; but look
13 Takte

23. Air. Judas Maccabaeus

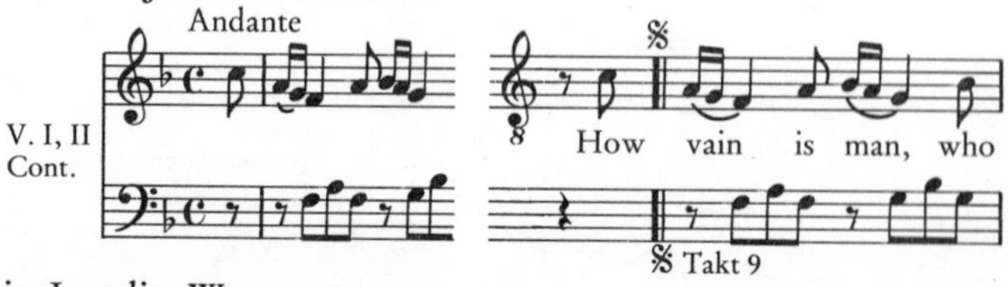
Andante
V. I, II
Cont.
How vain is man, who
Takt 9

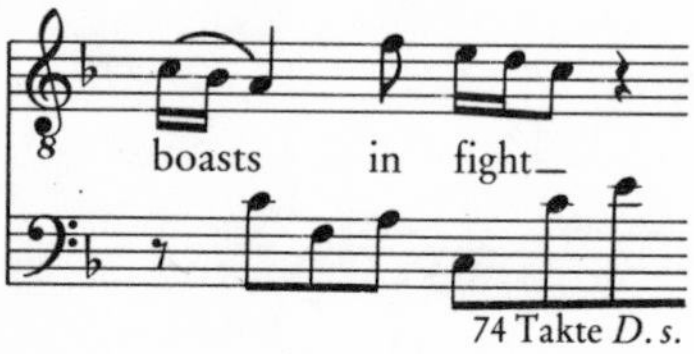
boasts in fight__
74 Takte D. s.

(23.) Air. Israelite Woman (1758)

Ob. I, II
Fag.
V. I, II
Va.
Cont.
Fag.
[vgl. HWV 6 Agrippina (41.)]

Great in wis-dom, great__ in__ glo- ry,
Takt 9
Ob. I, II
V. I
V. II
Va.
V. I, II
Takt 113

128 Takte

Recitative. Israelitish Messenger

Cont.
Oh Ju- das, oh my brethren! new scenes
14 Takte

24. Solo and Chorus.
Israelitish Woman; C.; A.; T.; B.

Largo
Ob. I, II
V. I, II
Va.
Cont.
Vc.
Israelitish Woman
Ah! wretched, wretched Is- ra-el!
Takt 14
Solo
woe.__
Ah! wretched,__
Takt 54

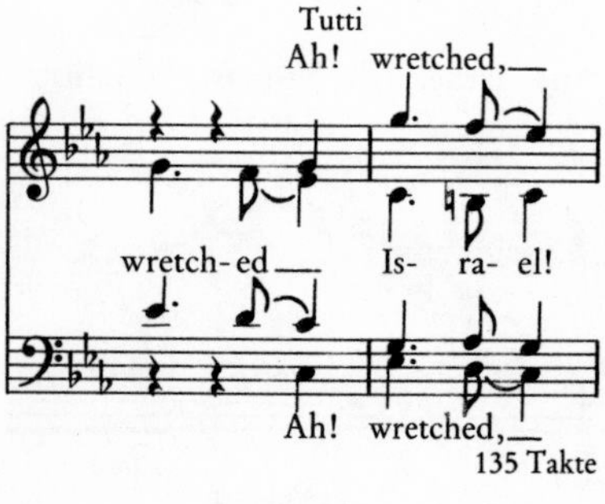
Tutti
Ah! wretched,__
wretch-ed__ Is- ra- el!
Ah! wretched,__
135 Takte

Recitative. Simon

Be com-forted,
Cont.
11 Takte

25. Air. Simon

Allegro
V. I, II
unis.
Cont.

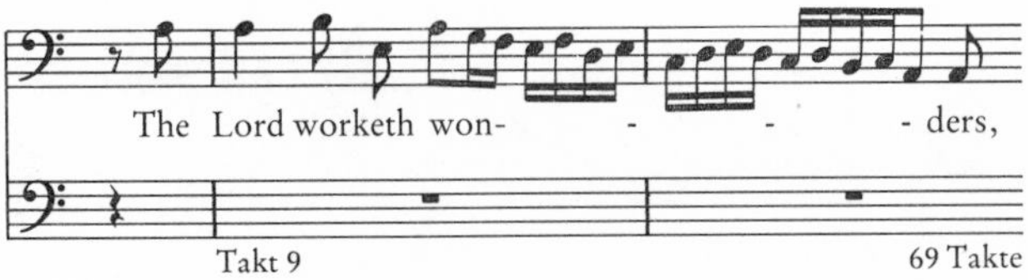
The Lord worketh won- - - - ders,
Takt 9
69 Takte

Recitative. Judas Maccabaeus

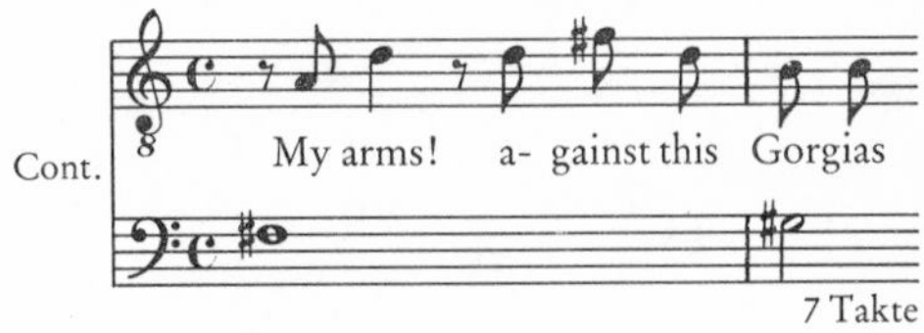
Cont.
My arms! a- gainst this Gorgias
7 Takte

26. Solo and Chorus. Judas Maccabaeus; C.; A.; T.; B.

Allegro
Judas
Tutti
Ob. I, II
Trba. I, II, III
Timp.
V. I, II
Va.
Cont.
Sound an a- larm, sound an a- larm! your sil- ver trumpets sound, We
hear, we hear, we hear, we hear the pleas- ing, dreadful call,
we
Takt 83
132 Takte

A. Recitative. Simon

Cont.
Enough! To Heav'n we leave the rest.
13 Takte

27a. Air. Simon

Larghetto
V. I, II
unis.
Cont.

With pi- ous hearts, and brave as pi- ous,
Takt 9
77 Takte

B. Recitative. Israelitish Man; Israelitish Woman

Cont.
Ye worshippers of God,
21 Takte

27b. Air. Israelitish Woman (1758)

Larghetto
Fl. I, II
Ob. I, II
Cor. I, II
V. I, II
Va.
Cont.
24
Wise men, flat- -t'ring may de- - - -ceive us
[= HWV 61. Belshazzar, Add. air]
110 Takte D. s.

28. Duet and Chorus. Israelitish Woman; Israelitish Man; C.; A.; T.; B.

Andante
V. I
V. II
Ob. I, II
V. I, II
Va.
Cont.
Israelitish Woman
Oh! nev- er, nev- er bow we down, oh! nev- er, nev- er
Takt 9

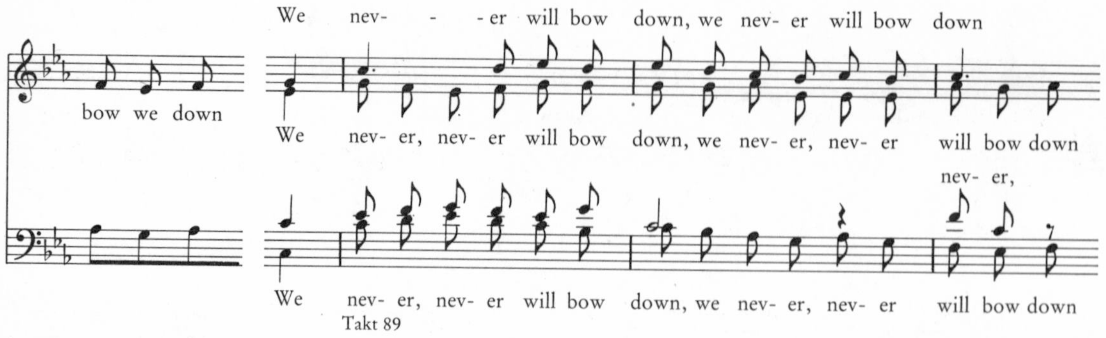
We nev- - -er will bow down, we nev- er will bow down
bow we down
We nev- er, nev- er will bow down, we nev- er, nev- er will bow down
nev- er,
We nev- er, nev- er will bow down, we nev- er, nev- er will bow down
Takt 89

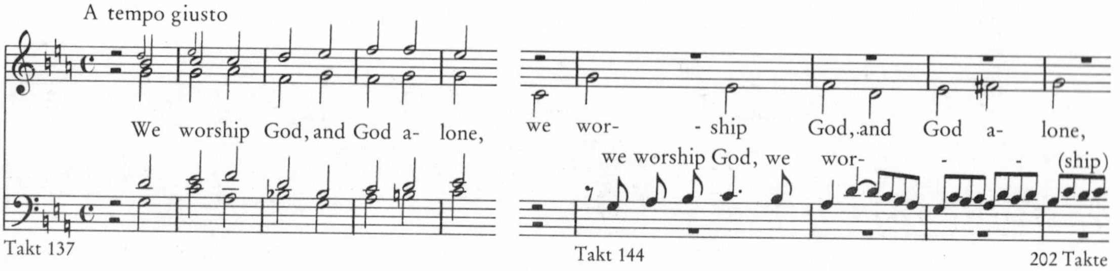
A tempo giusto
We worship God, and God a- lone,
we wor- - ship God, and God a- lone,
we worship God, we wor- - - (ship)
Takt 137
Takt 144
202 Takte

Act III

29. Air. Israelitish Man (Priest)

Andante larghetto
V. I, II
Va.
Cont.
Fa- - -ther of Heav'n!
from thy e- ter- nal throne,
Takt 8
Takt 11
66 Takte

30. Accompagnato. Israelitish Man (1751: Simon)

See, see yon flames, that from the al- tar broke,
V. I, II
Va.
Cont.
a tempo
8 Takte

Recitative. Israelitish Woman

Cont.
Oh grant it, Heav'n, that

our long woes may cease,
9 Takte

31. Air. Israelitish Woman

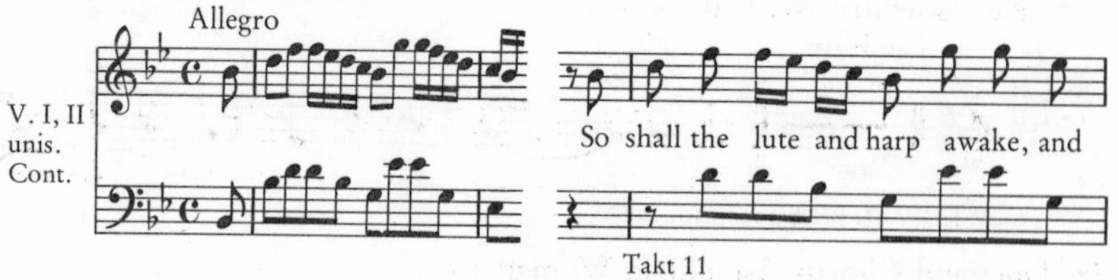
Allegro
V. I, II
unis.
Cont.
So shall the lute and harp awake, and
Takt 11

A. B. Recitative. Israelitish Messenger

sprightly voice sweet des- cant run,
106 Takte
Cont.
From Caphar- salam-a, on ea- gle wings I fly,

A: 27 Takte (seque Nr. 33)
B: 14 Takte

A. Air. Israelitish Messenger (1748, 1756)

A tempo ordinario

V. I, II
unis.
Cont.
8
Pow'rful guard- ians of all na- ture,

[= HWV 65. Alexander Balus (27.)] 52 Takte *D. s.* (T. 18)

B. Air. Israelitish Messenger (1750)

Larghetto

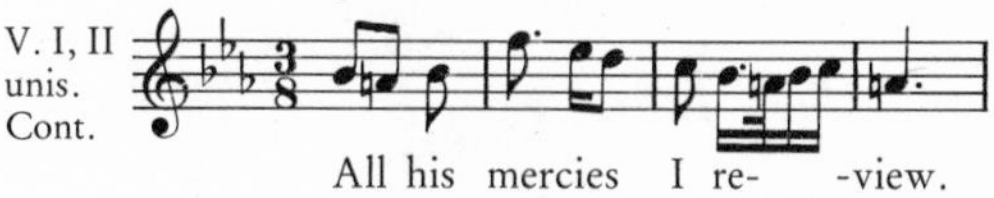
V. I, II
unis.
Cont.
All his mercies I re- -view.

[= HWV 52. Athaliah (23.)] 152 Takte

Air. Israelitish Woman (1748)

Allegro

Ob. I, II
V. I, II
Va.
Cont.
5
Happy, oh, thrice happy we,

[= HWV 64. Joshua (30.)] 50 Takte *D. s.* (T. 13)

(A. Recitative.) Messenger

Cont.
Yet more, Ni-ca-nor lies with thousands slain,
(Takt 14)

14 Takte
(segue Nr. 33)

(B. Recitative.) Messenger (1750)

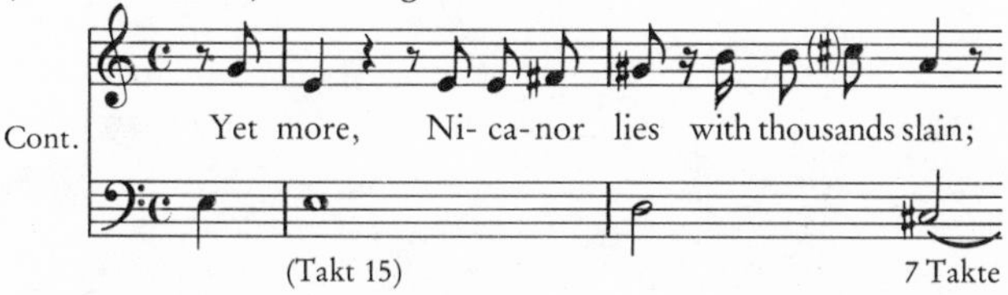
Cont.
Yet more, Ni- ca- nor lies with thousands slain;
(Takt 15)

7 Takte

(B. Recitative.) Messenger

Cont.
But lo! the conqueror comes;
(Takt 22)

6 Takte

A. Chorus of Youths. C. I, II; A.; Cor. I, II; Org. (1750)
B. Duet.C. I, II; Fl. trav. I, II; Org.
C. Chorus.C.; A.; T.; B.; Fl. trav. I, II; Ob. I, II; Cor. I, II; Timp.; V. I, II; Va.; Cont.

See the conqu'ring he- - - -ro comes!

[= HWV 64. Joshua (35.–37.)]
A: 32 Takte
B: 24 Takte
C: 16 Takte *D. c.*

32a. March. (1750)

32 Takte

32b. March. Side Drum

Un poco presto

32 Takte

33. Chorus.C.; A.; T.; B.

Allegro

Ob. I, II
Trba. I, II, III
Timp.
V. I, II
Va.
Cont.

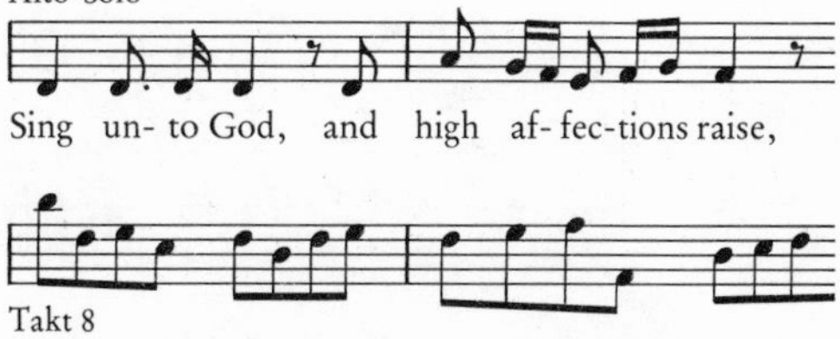
Alto-Solo
Sing un- to God, and high af- fec-tions raise,
Takt 8

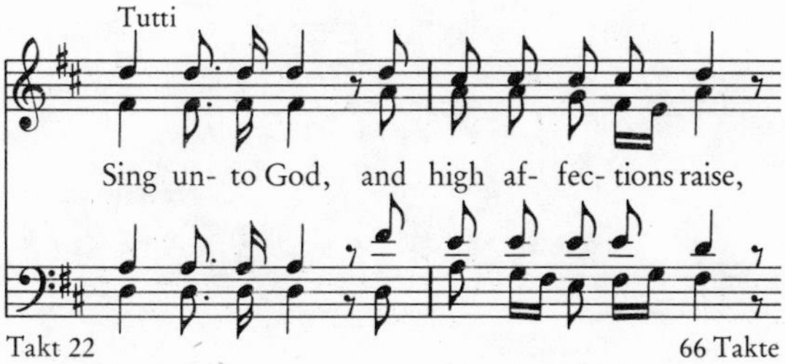
Tutti
Sing un- to God, and high af- fec- tions raise,
Takt 22

66 Takte

Recitative. Judas Maccabaeus

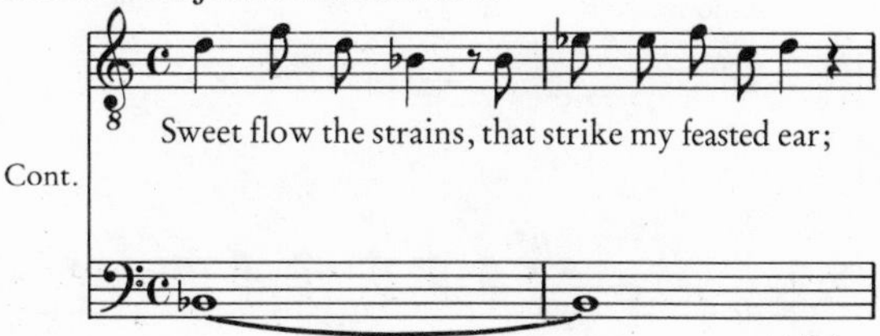
Cont.
Sweet flow the strains, that strike my feasted ear;

16 Takte

34. Air. Judas Maccabaeus

Andante larghetto
Trba.
Ob. I, II
Trba.
V. I, II
Va.
With hon-our let de-sert be crown'd,
Takt 9
53 Takte

Recitative. Eupolemus

Peace to my country-men;
Cont.
13 Takte

Air. Israelitish Woman (1748)

Allegro
9
V. I, II
Cont.
[= HWV 64. Joshua (38.)]
Oh! had I Ju-bal's lyre
70 Takte

35. Chorus. C.; A.; T.; B.

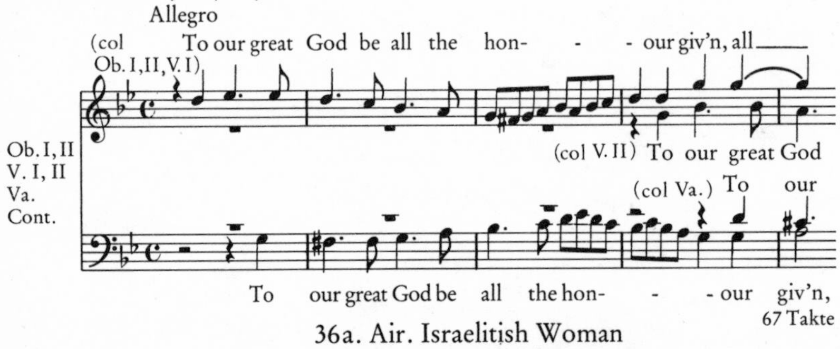

Allegro
(col Ob. I, II, V. I)
To our great God be all the hon- - - our giv'n, all
Ob. I, II
V. I, II
Va.
Cont.
(col V. II) To our great God
(col Va.) To our
To our great God be all the hon- - - our giv'n,
67 Takte

Recitative. Israelitish Woman

Cont.
Again to earth let

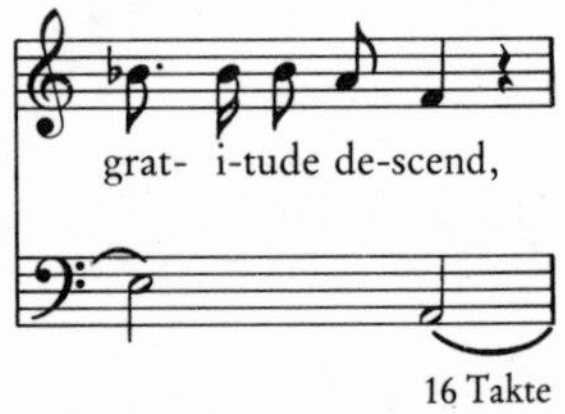

grat- i-tude de-scend,
16 Takte

36a. Air. Israelitish Woman
36b. Duet. Israelitish Woman; Israelitish Man

Allegro
Fl. trav. I, II
V. I, II
Va.
Cont.
Fl. trav. I
Oh love-ly peace, with plen-ty crown'd,
Takt 13
a: 107 Takte D. s.
b: 124 Takte

37. Solo and Chorus. Simon; C.; A.; T.; B.

Andante allegro
Str.
Ob. I, II
Trba. I, II, III
Timp.
V. I, II
Va.
Cont.
Simon (Eupolemus)
Re-joice, oh Ju-dah! and, in songs di-vine,
Takt 15

Allegro
Chorus
Takt 47 Hal- le- lu- jah, a- men, a-men, hal-le- lu- jah, a- men
Oh Ju- dah, re- joice, re- joice,
Takt 60
83 Takte

Anhang

(4.) Dead March

Quellen

Handschriften: Autographe: GB Lbm (R. M. 20. e. 12.), Cfm (30 H 9, p. 53–54: Nr. 9; 30 H 10, p. 26: Marche Nr. 32ᵃ)[1]

Abschriften: D (brd) Hs (Direktionspartitur $M\frac{A}{1026}$) – GB Cfm (Barrett-Lennard-Collection; 30 H 15, p. 105–108: Arie „Great in wisdom"), DRc (MS. E 35 [II], fragm.), Lbm (R. M. 18. f. 1,; R. M. 18. f. 10.), Lcm (Ms. 250), Mp [MS 130 Hd4, Part.: v. 173, St.: v. 174(1)–186(1), 243(4), 244(3), 247(9), 248(9), 353(8). Arien: Nr. 7, St.: v. 59(12), 60(9), Nr. 10, 12, St.: v. 59(9), 60(6), 59(11), 60(8), Nr. 9, St.: v. 59(10), 60(7). Concerto F-Dur HWV 334: Part.: v. 300(2), St.: v. 83(4), 244(4), 354(5), 355(5), 356(3), 357(2), 358(4), 359(4), 360(3)–363(3), 364(2)–367(2). March Nr. 32ᵇ: Part.: v. 300(3), St.: v. 354(6), 355(6), 359(5), 361(4)–363(4), 364(3), 365(3)] – US Cu (MS. 437, St. für Bassone II), Wc (M 2. 1. H 2 case: v. 4: Alto II, v. 6: Ten. II; M 2000. H 22 J 82 P 2 case: St., book 2ᵈ–15ᵗʰ; M 2105. H 13 S 7 P 2 case: Songs, St. f. V. II, Va., Vc., Cont.)

Drucke: Judas Macchabaeus. An oratorio set to musick by Mʳ Handel. – London, J. Walsh (4 verschiedene Ausgaben); Judas Macchabaeus. An oratorio, in score, as it was originally perform'd composed by Mʳ Handel with his additional alterations. – London, William Randall; — ib., H. Wright; — ib., Preston; The overture and songs in Iudas Maccabaeus for the harpsichord or piano forte. Composed by Mʳ Handel. – London, I. Bland; Judas Maccabaeus; an oratorio. Composed by Mʳ Handel, for the voice, harpsichord, and violin; with the chorusses in score. – London, Harrison & Co.; Harrison's edition, corrected by Dʳ Arnold. The overture and songs in Judas Maccabaeus, an oratorio; for the voice, harpsichord, and violin. Composed by Mʳ Handel. – London, Harrison and Co.; Judas Macchabaeus. A sacred oratorio in score with all the additional alterations, composed in the year 1746 by G. F. Handel. – London. Arnold's edition, No. 39–43 (ca. 1789); Judas Maccabaeus. A sacred oratorio, for the voice, and piano-forte. Composed by G. F. Handel. – London, Harrison, Cluse & Co.; A Grand Collection of celebrated English songs introduced in the late oratorios compos'd by Mʳ Handel. – London, J. Walsh [Part. von Nr. 16ᵇ und 23]; Auszug der vorzüglichsten Arien, Duette und Chöre aus Georg Friedrich Händels Messias und Judas Maccabäus, in claviermässiger Form, von Johann Adam Hiller. – Dresden-Leipzig, J. G. I. Breitkopf, 1789; Judas Maccabaeus ... arranged for the organ or piano forte by Dr. John Clarke, Cambridge. – London, Clementi, Colard & Davis; Handel's Oratorium Judas Maccabäus, nach Mozarts Bearbeitung, im Clavier-Auszuge von Ludwig Hellwig. – Hamburg, J. A. Böhme (1820); — Bonn-Köln, N. Simrock (1820); — Wien, P. Mechetti (1820); Judas Maccabäus. Oratorium von G. F. Händel. Im Clavier-Auszuge von J. H. Clasing. – Hamburg, A. Cranz (1820); Eight grand chorusses from the oratorio of Judas Maccabaeus, adapted for the organ or harpsicord. – London, J. Bland; — ib., Preston; Ah! wretched Israel. Judas Maccabaeus. – (London), J. Bland; — London, F. Linley; Arm, arm, ye brave. – (London), A. Bland & Weller; — (London), J. Bland; — ... (In: The Lady's Magazine, March, 1793). – (London), s. n.; — London, F. Linley; — ib., R. Birchall; — ib., Diether; Call forth thy pow'rs. Judas Macca-

[1] Vgl. auch GB Lbm (Autograph des Orgelkonzerts HWV 305ᵃ in Add. MSS. 30310, f. 51ᵛ), wo dieser *March* mit der Tempobezeichnung *Allegro* als Schlußsatz erscheint. Vgl. F. Hudson (Lit.), S. 121.

baeus. – (London), J. Bland; Come ever-smiling liberty. Judas Maccabaeus. – (London), J. Bland; — London, F. Linley; — ib., R. Birchall; — (London), G. Walker; Disdainful of danger we'll rush on the foe. A trio. As sung by Messers Harrison, Knyvett & Bartleman, in Judas Maccabaeus. – London, R. Birchall; [Far brighter than the morning]. In: Handel's songs selected from his oratorios. For the harpsicord, voice, hoboy, or German flute. vol. V. – London, J. Walsh (1759, No. 328); Father of heav'n. – (London), A. Bland & Weller; — London, F. Linley; From mighty kings. Judas Maccabaeus. – (London), J. Bland; — (London), A. Bland & Weller; From mighty Kings. Sung by M[r] Braham in Judas Maccabaeus. – London, G. Walker; — s. l, s. n.; [Great in wisdom, great in glory]. In: Handel's songs selected from his oratorios ... vol. V. – London, J. Walsh (1759, No. 327); Hail! Judaea, happy land. Duetto (In: The Lady's Magazine, April, 1778). – (London), s. n.; — (London), J. Bland; — London, F. Linley; How vain is man. Judas Maccabaeus. – (London), J. Bland; — (London, Bland & Weller); 'Tis liberty. – London, A. Bland & Weller; — (London), J. Bland; March in Judas Macchabaeus. – (London), A. Bland & Weller; — London, R. Falkener; No unhallow'd desire. Judas Maccabaeus. – London, J. Bland; To heav'ns almighty king. O liberty, thou choicest treasure. Judas Maccabaeus. – (London), W. Randall; — O liberty, thou choicest treasure. Song ... sung by Madame Mara (In: The Lady's Magazine, Aug., 1787). – (London), s. n.; — London, J. Bland; — ib., F. Linley; — (London), Bland & Weller; Liberty. A song in Judas Maccabaeus. – London, R. Falkener; O lovely peace. Duetto. Judas Macchabaeus. – London, J. Bland; — ib., G. Walker; — Philadelphia, G. Willig; Oh never bow we down. Judas Maccabeus. – (London), J. Bland; — London, F. Linley; Pious orgies. From: Judas Maccabaeus. – London s. n.; — ... (In: The Lady's Magazine, 1776, supplement). – (London), s. n.; — London, A. Bland & Weller; — (London, W. Randall); — ... as sung by M[rs] Harrison, in Judas Maccabeus. – London, R. Birchall; — ... sung in Judas Maccabeus. – ib., G. Goulding; — (London), G. Walker; — ... sung by M[rs] Harrison at the concert of antient music. – London, Smart's Music Warehouse; — ... (aus: A select collection of ... songs, duetts ... from operas). – Edinburgh, J. Corri, C. Elliot; To George and Charlott, happy pair. On the birth of His Royal Highness the Prince of Wales, Aug[t] 12, 1762, the musick by M[r] Handel ... sung by M[r] Lowe at the theatre in the Haymarket ... at the performance of Alexander's Feast [zur Melodie von „See the conqu'ring hero comes"]. – s. l., s. n.; See brave Keppel. Conquering hero. The hon[ble] Augustus Keppel, or Victory triumphant o'er a formidable foe. – (London, Longman & Broderip); So rapid thy course is. Judas Maccabaeus. – London, J. Bland; So shall the lute. Judas Maccabaeus. – (London), J. Bland; — (London), A. Bland & Weller; — London, F. Linley; Sound an alarm. Judas Maccabeus. – (London), J. Bland; – London, F. Linley; — ib., A. Bland & Weller; The Lord worketh wonders. Judas Maccabeus. – (London), J. Bland; Wise men flatt'ring. An additional song in Iudas Macchabaeus by Sig[ra] Frazi. – s. l., s. n.; — ... an additional favorite song in Judas Macchabaeus. – s. l., s. n.; — (London), J. Bland; — London, G. Walker; With honour let desert. Judas Maccabaeus. – London, J. Bland; With pious hearts. Song (In: The Lady's Magazine, Jan., 1797). – (London, s. n.). – The Works of Handel, printed for the members of the Handel Society, vol. 14, ed. G. A. Macfarren, London (ca. 1855).

Libretto: Ms. – Libretto in US SM. *Drucke:* Judas Macchabaeus. A sacred drama. As it is perform'd at the Theatre-Royal in Covent-Garden. The musick by Mr Handel. – London, John Watts, B. Dod, 1747 [16 S.] (Ex.: F Pc); — ib. (Ex.: GB Ckc); — ib. [1748, 17 S.] (Ex.: GB Lcm, Mp); — ib. [1750, 16 + 1 S.] (Ex.: GB Lcm); Judas Macchabaeus ... Set to musick by Mr Handel. – London. J. Watts, B. Dod, 1751 [28 S.] (Ex.: F Pc – GB Ob – US NH); — ib. [1752–1754, 24 S.] (Ex.: F Pc – GB BENcoke, Lbm – US PRu); Judas Macchabaeus ... The musick compos'd by Mr Handel. – London, J. Watts, B. Dod, 1756 [20 S.] (Ex.: F Pc – GB Ckc); — ib., 1757 [–1758, 20 S.] (Ex.: GB Ckc, Lbm).

Bemerkungen

1745 begann Händels Zusammenarbeit mit Thomas Morell (1703–1784) als Textdichter, die bis zum Ende seiner schöpferischen Tätigkeit dauerte. Das Libretto zu „Judas Maccabaeus" entstand vermutlich bereits Ende 1745 (W. Dean, S. 461 f.); das ergibt sich aus der Erklärung über die Aufnahme der Arie „O liberty, thou choicest treasure" (9) in der Erstausgabe des Textbuches zu „Judas Maccabaeus", die Morell mit folgender Fußnote versah: „The following Air was design'd, and wrote for this Place, but it got I know not how, into the *Occasional Oratorio*, and was there incomparably set, and as finely executed." Der Text muß demnach vorgelegen haben, bevor Händel mit der Arbeit am „Occasional Oratorio" begann. Aus einem weiteren Brief[2] Morells ist zu schließen, daß Händel ihn 1746 oder auch schon Ende 1745 auf Empfehlung von Frederick Prince of Wales um das Libretto ersuchte. Im gleichen Brief schildert Morell seine Zusammenarbeit mit Händel an diesem Werk und gibt jenen berühmten Bericht, wie Händel – am Cembalo improvisierend – den Chor „Fall'n is the foe" (18) skizzierte.

Zunächst sollte das Oratorium wohl dazu dienen, die patriotischen Gefühle der Engländer gegen das

[2] S. Deutsch, S. 851 f. Der Brief kann frühestens aus dem Jahre 1769 stammen (vgl. Dean, S. 461, Anm. 1), also lange nach Händels Tod, woraus sich die nicht ganz exakten zeitlichen Angaben Morells erklären.

Vordringen des Kronprätendenten Charles Edward Stuart mit seinen schottischen Gefolgsleuten auf die Hauptstadt anzuregen; später, nach dem Rückzug der Schotten und dem Vormarsch der Engländer bis zum entscheidenden Sieg bei Culloden (16. April 1746), „the plan of *Judas Maccabaeus* was designed as a compliment to the Duke of Cumberland upon his returning victorious from Scotland", wie Morell in seinem Brief bezeugt.

Als Textquellen dienten Morell das 1. Buch der Makkabäer (Kap. 2–8) und die „Antiquitates" des jüdischen Geschichtsschreibers Flavius Josephus (XII, 6–10).

Im Autograph finden sich folgende Daten über die Arbeit an „Judas Maccabaeus": Act I: f. 1: „Ouverture Oratorio Judah Maccabeus. angefangen den 9 July ♂ 1746. od. den 8 ☽ dieses"[3]; f. 56: „Fine dell' Atto primo G. F. H. July 21. ☽ (=Montag) 1746. 22 ♂ (=Dienstag) völlig", Act II: f. 57: „♀ (=Freitag) 25 July 17(46)"; f. 98v: „Fine dell'atto 2d. G. F. H. ♄ (=Sonnabend). Agost. 2. 1746 völlig." Act III: f. 131v: „S. D. G. Fine dell Oratorio G. F. H. Agost. 11 ☽ (=Montag). 1746. völlig geendiget." Von besonderem Interesse sind Händels Vermerke über die Aufführungsdauer der einzelnen Akte, die er jeweils an den oben angeführten Stellen des Autographs angab; für Act I und II sind jeweils 40, für Act III 25 Minuten vermerkt[4].

Die Fassung des Werkes bei der Uraufführung entspricht im wesentlichen der Satzfolge des Autographs; vor der Uraufführung nahm Händel jedoch noch einige Änderungen (Kürzungen bzw. Erweiterungen, Tempoänderungen) vor, die im Autograph angemerkt sind (s. Dean, S. 480). So wurden Rezitativ „Not vain is man" und Arie „Pious orgies" (4) für Sopran nach G-Dur transponiert, Rezitativ „To Heav'ns Immortal King" und Arie „O liberty" (9) aus dem „Occasional Oratorio" eingefügt (Händels Autograph befindet sich in der Direktionspartitur von „Judas Maccabaeus" auf f. 46–47) und die Arie „Oh lovely peace" (36a) zum Duett (36b) umgestaltet. Der nur fragmentarisch erhaltene „Dead March" (Anhang 4) wurde zunächst als dritter Satz der Ouverture entworfen und noch vor der Uraufführung wieder gestrichen, wobei vermutlich das Blatt mit der Fortsetzung verlorenging.

Die Uraufführung am 1. April 1747 (Wiederholung am 3. April) wurde im *General Advertiser* (s. Deutsch, S. 638) mit folgender Notiz angekündigt: „At the Theatre Royal ... this Day ... will be perform'd a New Oratorio, call'd *Judas Maccabaeus*. With a New Concerto." Dieses Concerto, über dessen Gestalt man lange im Unklaren war, erwies sich, wie F. Hudson darlegte, als das Concerto a due cori F-Dur HWV 334, von dem Autograph und Abschriften (Part. und St.) erhalten sind. Es diente vermutlich als Einleitungsmusik zum III. Akt, dessen kürzere Aufführungsdauer diesen Schluß nahelegt, obwohl es in Libretto und Direktionspartitur dafür keinerlei Hinweis gibt. Besetzung: Judas Maccabaeus; John Beard, Simon und Eupolemus: Thomas Reinhold, First Israelite Woman: Elisabetta de Gambarini, Second Israelite Woman, Israelite Man bzw. Priest: Caterina Galli.

Vier weitere Aufführungen folgten am 8., 10., 13. und 15. April 1747, für die eine neue Ausgabe des Librettos erschien, die mit „additions" angekündigt wurde. Dazu gehörten Nr. 9, 36b und 32. Eine Reihe von Sätzen, die sich nicht im Autograph befinden, kamen bei späteren Wiederholungen des Werkes hinzu.

Die nächste Saison brachte zwei Aufführungszyklen; während die Aufführungen am 26. Februar, 2. und 4. März 1748 die Fassung von 1747 boten, wurden die drei folgenden (am 1., 4. und 7. April) wieder mit „additions" versehen, die auf einem Einlageblatt des Librettos von 1747 zwischen S. 14 und 15 vermerkt sind. Es handelt sich dabei um die Sätze „Powerful guardians" aus HWV 65 Alexander Balus (UA: 23. März 1748), „Happy, oh, thrice happy we", „See the conqu'ring hero comes" und „Oh! had I Jubal's lyre", sämtlich aus HWV 64 Joshua (UA: 9. März 1748). Für die inzwischen aus dem Ensemble ausgeschiedene Sopranistin Gambarini übernahm Giulia Frasi die Partie der 1. Israelitin.

Von 1750 bis 1759 führte Händel „Judas Maccabaeus" jährlich auf und fügte ständig neue Sätze aus anderen Werken ein, teils um bestimmte Sänger seines Ensembles besonders herauszustellen, teils um dem Publikum die ihm inzwischen populär gewordenen Lieblingssätze aus anderen Werken in neuem Zusammenhang zu bieten (s. Dean, S. 475).

In die Aufführungen im März 1750 und 1751 fügte Händel mehrere Sätze für den Altkastraten Gaetano Guadagni ein, der jetzt die Partie des Israelite Man (bzw. Israelitish Messenger) sang. Das für diese Aufführungen verwendete Libretto von 1747 verzeichnet auf einem Einlageblatt zwischen S. 6 und 7 folgende Sätze: Act I: Rezitativ „O Judas may thy just pursuits", Arie „May balmy peace"[5] (HWV 62 Occasional Oratorio) anstelle von „Pow'rful guardians" und Rezitativ „Haste we, my Brethren";

[3] Muß *Mittwoch* oder *Dienstag* heißen.

[4] Morells Bemerkung im Libretto (Anmerkung zum Rezitativ des Boten „From Capharsalama" in Act III, „... had introduced several incidents more apropos, but it was thought they would make it too long and were therefore omitted") bezieht sich augenscheinlich auf Kürzungen in diesem Teil, bevor Händel mit der Vertonung begann. Es ist deshalb anzunehmen, daß das „Concerto" in F-Dur als Einleitung zu Act III gespielt wurde.

[5] Anstelle der zunächst geplanten Arie „Endless fame" aus HWV 50b Esther (2. Fassung), die zusammen mit dem Rezitativ „O Judas, may thy just pursuits inspire" später noch einmal in den undatierten Libretti für 1752/54 und 1756 erscheint (vgl. Dean, S. 477 f.).

Act II: Rezitativ „Well may we hope" und Arie „Flowing joys" (HWV 50b Esther); Act III: Arie „All his Mercies I review" (HWV 52 Athalia, Mittelteil des Duetts „Cease thy anguish"), Chor „See, the conqu'ring Hero comes" (HWV 64 Joshua) und „The March" (32).

Die Fassungen der Jahre 1752 bis 1757 folgen im wesentlichen dem Wortlaut des Librettos von 1751, lassen jedoch die Einlagen für Guadagni unberücksichtigt. 1756 wurde die Arie „Pow'rful guardians" (nach Nr. 31) wieder eingefügt.

Die Aufführungen am 3. und 8. März 1758, angekündigt „with new additions and alterations", brachten wiederum eine Reihe neuer Sätze, die in folgender Reihenfolge verzeichnet sind: Act I: Arie „Far brighter than the morning"[6] (16b); Act II: Duett und Chor „Sion now her head shall raise"[7] (aus HWV 50b Esther, Fassung 1757), Arie „Great in wisdom, great in glory" (eine Adaptation der Arie „Tacerò" aus HWV 6 Agrippina) nach Nr. 23, und Arie „Wise men, flatt'ring" (komponiert als *Additional air* für die Aufführung am 22. Februar 1758 von HWV 61 Belshazzar); Act III: Eliminierung von „Pow'rful guardians". Besetzung[8]: Judas Maccabaeus: John Beard, Simon: Samuel Champness, First Israelite Woman: Giulia Frasi, Second Israelite Woman: Isabella Young-Scott, Israelite Man: Cassandra Frederick, Chorführer: Joseph Baildon.

Die letzten Aufführungen zu Händels Lebzeit fanden am 23. und 28. März 1759 in Coventgarden statt. Neben den 33 Aufführungen in den eigenen Londoner Abonnementskonzerten vergab Händel die Rechte für 21 weitere Wiederholungen des Werkes an verschiedene Konzertvereinigungen in den englischen Provinzen und in Irland. „Judas Maccabaeus" erwies sich somit als eines der erfolgreichsten Oratorien Händels (Übersicht s. Dean, Appendix C, S. 636f.).

Die Bearbeitung von „Judas Maccabaeus", die vielfach W. A. Mozart[9] zugeschrieben wurde, stammt von Joseph Starzer, der 1779 im Auftrage Gottfried van Swietens eine Neuinstrumentierung des Werkes vornahm[10].

Für eine Anzahl von Sätzen aus „Judas Maccabaeus" ließ Händel sich durch Werke anderer Komponisten anregen. Der Allegro-Teil der Ouverture, der auf den Schlußteil des Kammerduetts HWV 194 „Sono liete fortunate" (Textabschnitt „Non avran mai la possanza di staccarle") zurückgeht, bezieht seine rhythmische Gliederung aus dem Concerto F-Dur (Vivace) der „Musique de Table" (2. Production) von Georg Philipp Telemann[11]. Während die Chöre „Mourn, ye afflicted children" (1) und „For Sion lamentation make" (3) von Werken Carl Heinrich Grauns angeregt worden sein sollen[12], stammt das Thema des March (32) aus den „Componimenti musicali" (Suite VI, G-Dur, Air) von Theophil Muffat[13]. Die beiden 1758 eingefügten Arien „Great in wisdom" (23) und „Wise men, flatt'ring" (27b) sind Bearbeitungen eigener früherer Werke. „Great in wisdom" verwendet Motive aus HWV 6 Agrippina (41. Tacerò, pur che fedele) und HWV 239 „O qualis de coelo sonus" (3. Gaude, tellus benigna), „Wise men, flatt'ring" besitzt thematische Substanzgemeinschaft mit einer ganzen Reihe von Werken (HWV 96 „Cor fedele": 11. Amo Tirsi ed a Fileno, HWV 6 Agrippina: 47. Se vuoi pace und 29. Vaghe fonti, Ritornello, HWV 49a Acis and Galatea: 8. As when the dove, und HWV 12a Radamisto: 11. Dopo torbide procelle), wie W. Dean (S. 469f.) an Beispielen nachwies.

Literatur

Clausen, S. 167ff.; Dean, S. 460ff.; Deutsch, S. 633f., 851ff.; Flower, p. 296ff./S. 271ff.; Herbage, S. 113ff.; Hiekel, H.-O.: Händels Judas Makkabaeus. In: Göttinger Händeltage 1966, Programmheft, S. 18ff.; Hiekel, H.-O.: Zu Händels Judas Makkabaeus. In: Göttinger Händel-Fest 1977, Programmheft, S. 47ff.; Hudson, F.: Das Concerto in Judas Maccabaeus identifiziert. In: Händel-Jb., 20. Jg., 1974, S. 119ff.; Lang, p. 443ff./S. 402ff.; Leichtentritt, S. 468ff.; M., W.: Dr. Thomas Morell. In: Göttinger Händel-Fest 1971, Programmheft, S. 15f.; Schoelcher, S. 303f.; Serauky IV, S. 475ff.; Siegmund-Schultze, S. 132f.; Smither II, S. 300ff.; Streatfeild, S. 192ff., 314ff.; Young, S. 152ff.

Beschreibung der Autographe: Lbm: Catalogue Squire, S. 50f. – Cfm: Catalogue Mann, Ms. 259, S. 186. – Dean, S. 480f.

6 „Far brighter than the morning" soll nach Schoelcher für HWV 61 Belshazzar geschrieben worden sein, doch gibt es dafür keinen näheren Hinweis. Zum Ursprung der Melodie vgl. HWV 5 (33).

7 „Sion now her head shall raise", nach Motiven einer Arie von G. Buononcini mit dem Text „Peno, e l'alma fedele" (GB Cfm, 24 F 13), und „Wise men, flatt'ring" sollen nach Burney und Morell Händels letzte Kompositionen gewesen sein, die er in seinen letzten Lebensjahren J. C. Smith diktiert habe. Vgl. Burney, Ch.: Sketch of the Life of Handel, London 1785; deutsch unter dem Titel: Dr. Karl Burney's Nachricht von Georg Friedrich Händel's Lebensumständen ... Aus dem Englischen übersetzt von Johann Joachim Eschenburg, Berlin und Stettin 1785, S. XL.

8 Vgl. Tagebuch von John Baker (Deutsch, S. 795) vom 2. März 1758 mit einer Schilderung über eine Probe in Händels Haus in Brook Street.

9 S. Klavierauszug von L. Hellwig, Hamburg 1820 (s. unter *Drucke*).

10 Zu Starzer vgl. MGG, Bd. 12 (E. Badura-Skoda), Kassel 1965, Sp. 1190ff.; Bernhardt, R.: Aus der Umwelt der Wiener Klassiker, Frh. Gottfried van Swieten (1734–1803). In: Der Bär (Jb. Breitkopf & Härtel), Leipzig 1929/30, S. 74ff., bes. S. 148f.

11 Seiffert, M: G. Ph. Telemann's „Musique de Table" als Quelle für Händel. In: Bulletin de la Société „Union Musicologique", 4. Jg., 1924, S. 25f.

12 W. Dean, Appendix E, S. 645, Anm. 1.

13 ChA, Supplemente 5.

64. Joshua

Oratorio in three acts von Thomas Morell (?)

Besetzung: Soli: Sopr. (Achsah), Alto (Othniel), 2 Tenori (Joshua, Angel), Basso (Caleb). Chor: C.; A.; T.; B. Instrumente: Fl. trav. I, II; Ob. I, II; Fag. I, II; Cor. I, II; Trba. I, II, III; Tamburo; Timp.; V. I, II, III; Va.; Org.; Cont.
ChA 17. – HHA I/26. – EZ: London, 19. Juli bis 19. August 1747. – UA: London, 9. März 1748, Theatre Royal, Coventgarden

Part I

Introduzione a tempo di Ouverture

Ob. I, II
V. I, II unis.
V. III
Va.
Cont.

Tutti f

33 Takte

1. Chorus. C.; A.; T.; B.

A tempo ordinario

Ob. I, II
Fag. I, II
V. I, II
Va.
Cont.

Str.

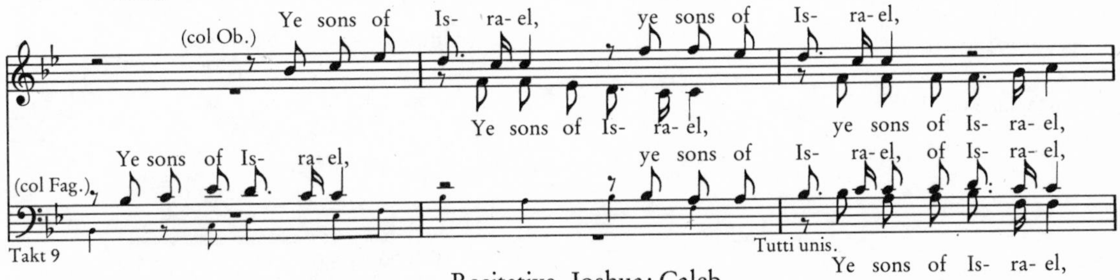
(col Ob.)
Ye sons of Is- ra- el, ye sons of Is- ra- el,
Ye sons of Is- ra- el, ye sons of Is- ra- el,
(col Fag.)
Ye sons of Is- ra- el, ye sons of Is- ra- el, of Is- ra- el,
Tutti unis.
Ye sons of Is- ra- el,

Takt 9

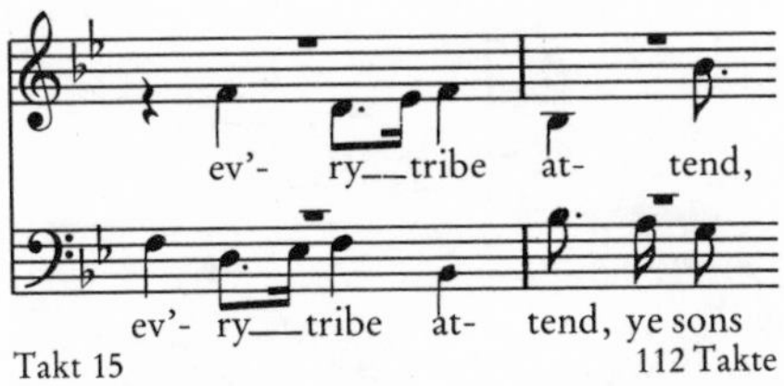
ev'- ry tribe at- tend,
ev'- ry tribe at- tend, ye sons

Takt 15 112 Takte

Recitative. Joshua; Caleb

Cont.

Behold, my friends, what vast rewards are giv'n

23 Takte

2. Air. Caleb

Allegro moderato

Ob. I, II
V. I, II
Va.
Cont.

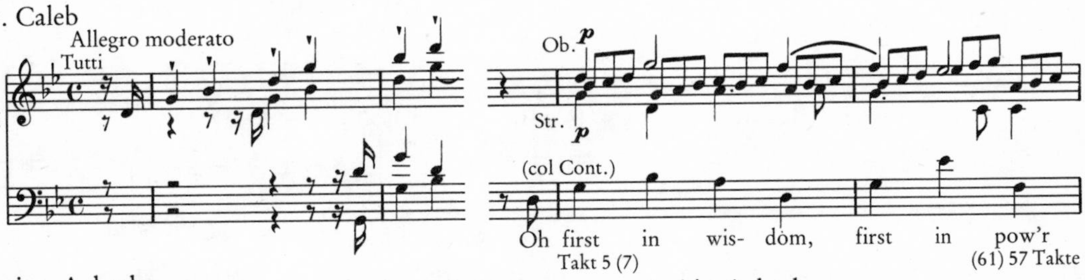
Tutti
Ob. p
Str. p
(col Cont.)
Oh first in wis- dom, first in pow'r

Takt 5 (7) (61) 57 Takte

Recitative. Achsah

Cont.

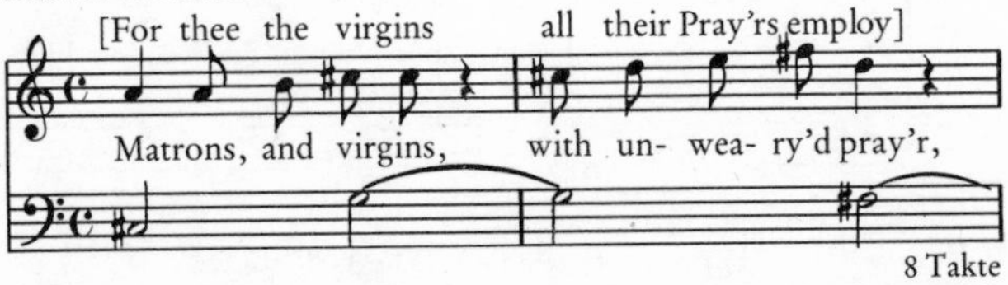
[For thee the virgins all their Pray'rs employ]
Matrons, and virgins, with un- wea- ry'd pray'r,

8 Takte

3. Air. Achsah

Larghetto

V. I, II
Va.
Cont.

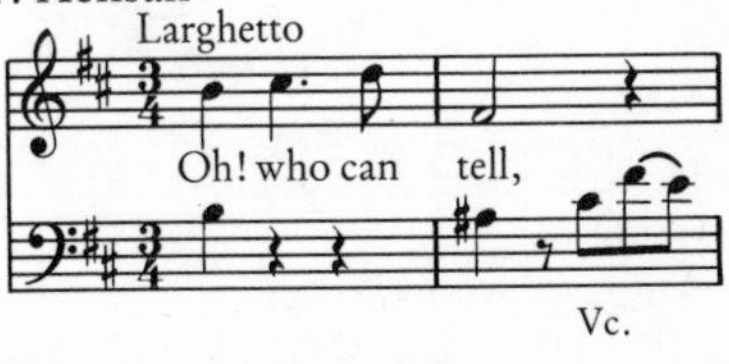
Oh! who can tell,

Vc.

oh! who can hear of Egypt,

(146) 141 Takte

Recitative. Joshua

Cont.

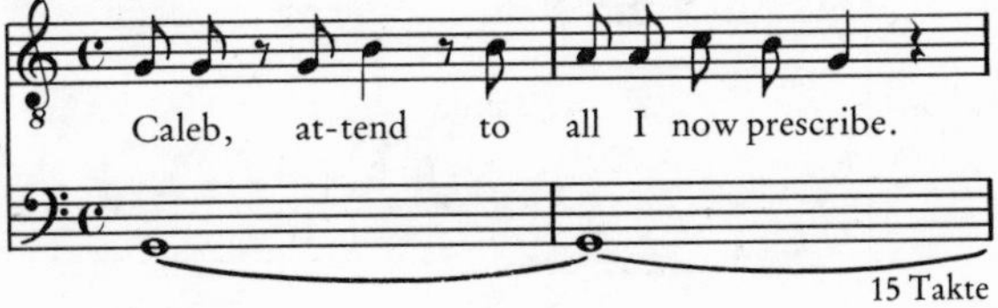
Caleb, at-tend to all I now prescribe.

15 Takte

4. Solo and Chorus. Joshua; C.; A.; T.; B.

Allegro
Joshua
Chorus
(senza strom.)
Ob. I, II
V. I, II
Va.
Cont.
To long pos- ter- i- ty we here re- cord
in wat'-ry heaps af-
Takt 9

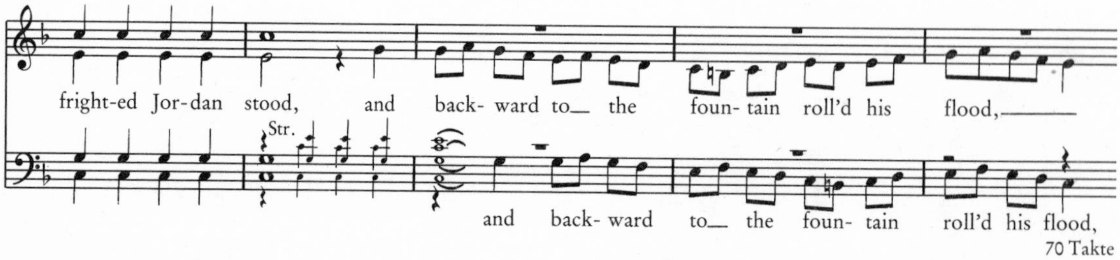
fright-ed Jor-dan stood, and back- ward to the foun- tain roll'd his flood,
Str.
and back- ward to the foun- tain roll'd his flood,
70 Takte

5. Accompagnato. Joshua

V. I, II
Va.
Cont.
So long the mem-o-ry shall last
8 Takte

6. Air. Joshua

Andante
V. I, II
Va.
Cont.
p
[vgl. HWV 104 (1.)]

While Kedron's brook to Jor- - - -dan's stream its sil- ver tribute pays,
Takt 7
p
65 Takte

Recitative. Othniel

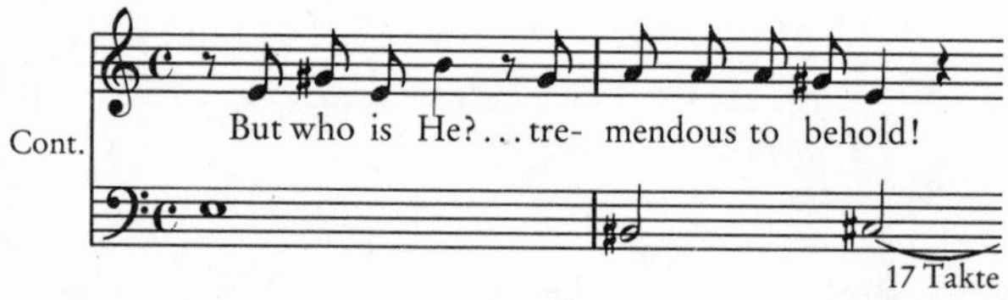
Cont.
But who is He?... tre- mendous to behold!
17 Takte

7. Air. Othniel

Largo
V. I, II
Cont.
un poco p
Vc. senza Cbb.

Aw- ful, pleas- ing be- ing, say,
Takt 12
p
73 Takte

Recitative. Angel; Joshua

Cont.
Jo-shu-a, I come com- mission'd from on high,
11 Takte

8. Accompagnato. Angel

V. I, II
Va.
Cont.
Leader of Is-ra-el, 'tis the Lord's decree,
19 Takte

Recitative. Joshua

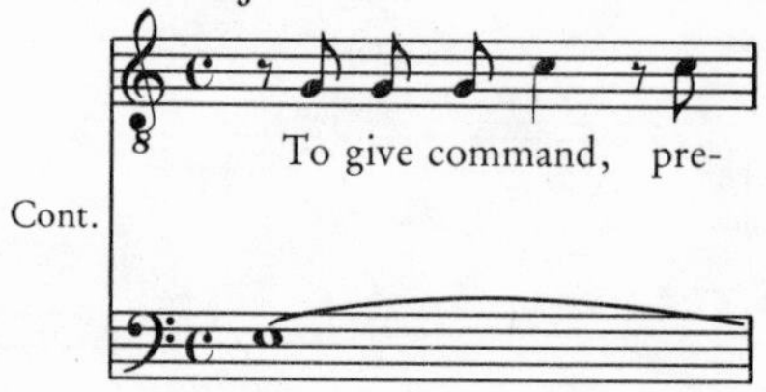
Cont.
To give command, pre-

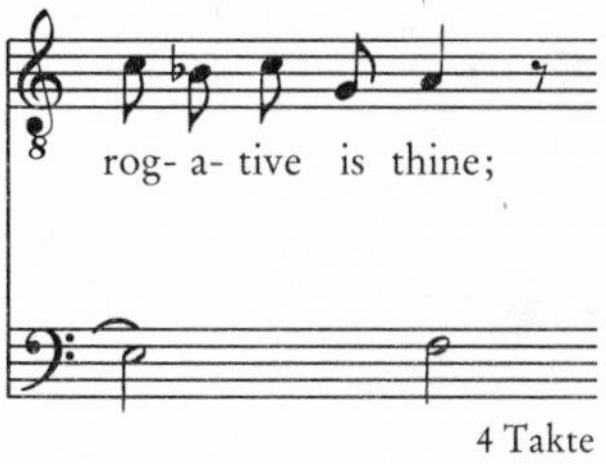
rog- a- tive is thine;
4 Takte

9. Air. Joshua

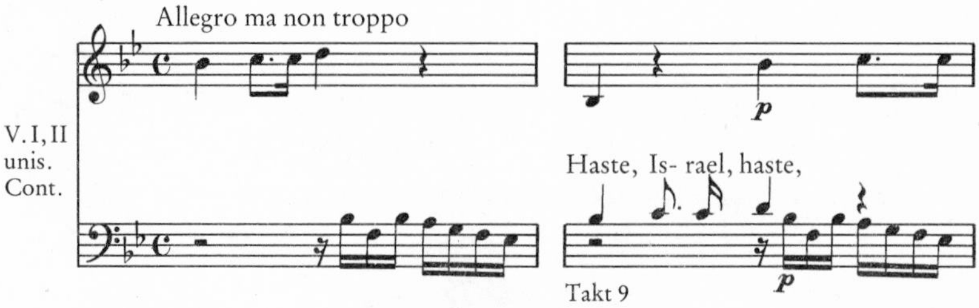
Allegro ma non troppo
V. I, II unis.
Cont.
Haste, Is- rael, haste,
Takt 9

haste, Is- rael, haste, your glitt'ring arms prepare!
62 Takte

10. Chorus. C.; A.; T.; B.

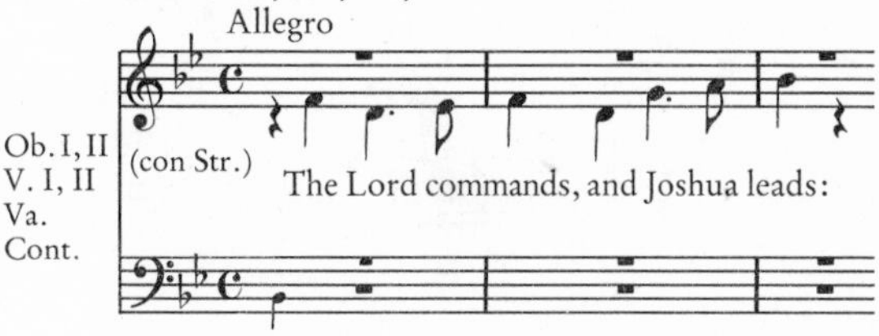
Allegro
Ob. I, II
V. I, II
Va.
Cont.
(con Str.)
The Lord commands, and Joshua leads:

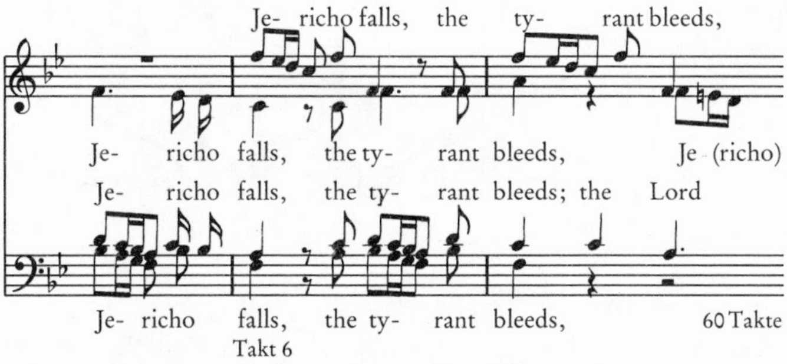
Je- richo falls, the ty- rant bleeds,
Je- richo falls, the ty- rant bleeds, Je (richo)
Je- richo falls, the ty- rant bleeds; the Lord
Je- richo falls, the ty- rant bleeds,
Takt 6
60 Takte

11. Accompagnato. Othniel; Achsah

Largo
V. I, II
Va.
Cont.

Othniel
In these blest scenes, where constant pleasure reigns,
V. I
Takt 5
32 Takte

Recitative. Othniel; Achsah

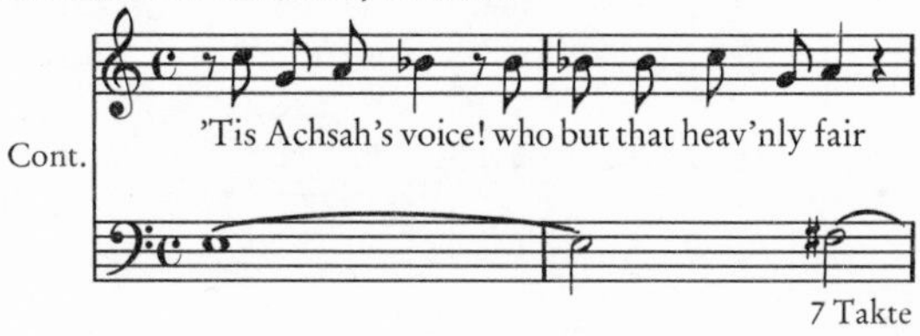
Cont.
'Tis Achsah's voice! who but that heav'nly fair
7 Takte

12. Arioso. Othniel; Achsah

Larghetto e piano
Othniel: Hail, lovely virgin of this bliss- ful bow'r!
(col V. I)
V. I, II
Va.
Cont.
8 Takte

13. Air. Achsah

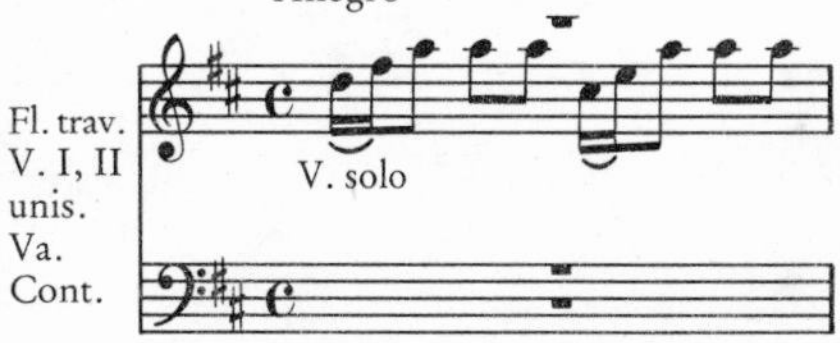
Allegro
Fl. trav.
V. I, II unis.
Va.
Cont.
V. solo

Fl. trav.
Tutti
Va.

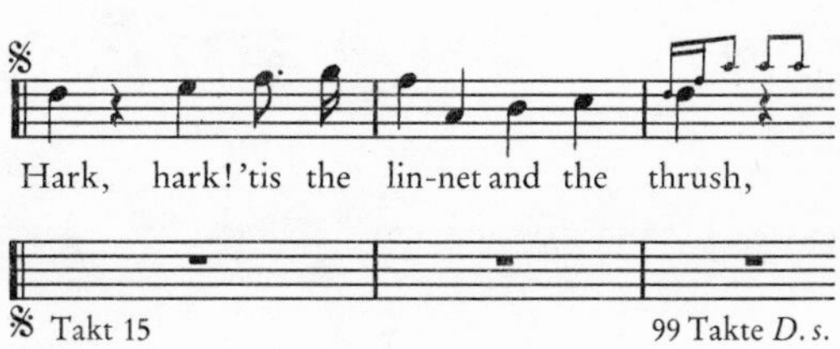
Hark, hark! 'tis the lin-net and the thrush,
Takt 15
99 Takte D. s.

Recitative. Othniel

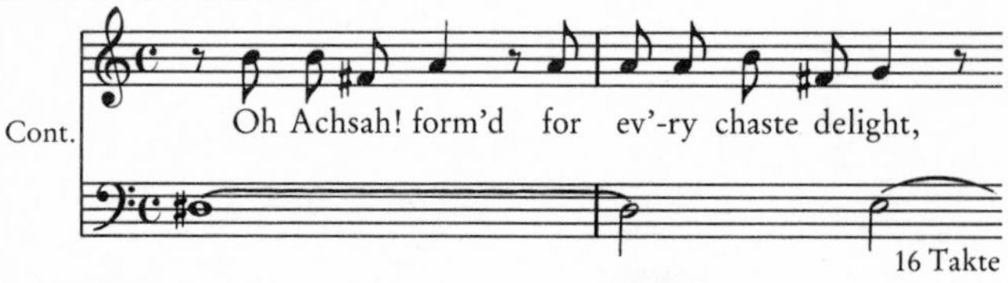
Cont.
Oh Achsah! form'd for ev'-ry chaste delight,
16 Takte

14. Duet. Achsah; Othniel

Andante
V. I, II
Cont.

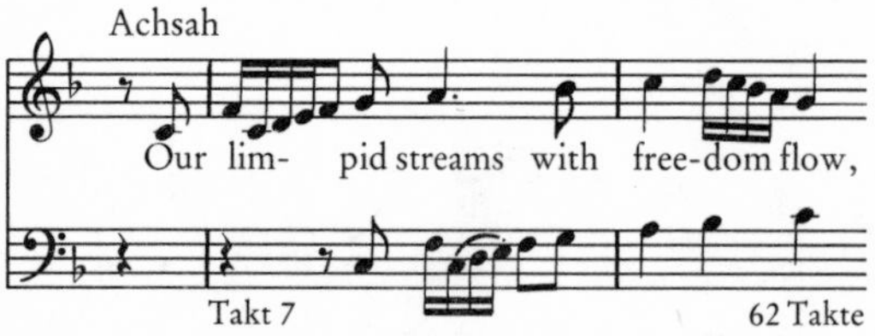
Achsah
Our lim- pid streams with free-dom flow,
Takt 7
62 Takte

Trumpets flourish
etc.

Recitative. Othniel

Cont.
The trumpet calls:
8 Takte

15. Chorus. C.; A.; T.; B.

Allegro
May all the host of heav'n attend him round!
Tutti
Ob. I, II
V. I, II
Va.
Cont.
May all the host of heav'n at- tend him round,
36 Takte

Part II

Recitative. Joshua

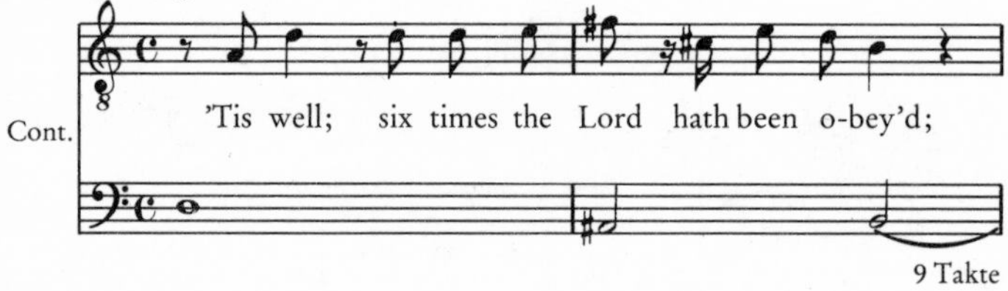
Cont.
'Tis well; six times the Lord hath been o-bey'd;
9 Takte

16. March

Grave, very slow
Ob. I, II
Trba. I, II
Cor. I, II
Timp.
V. I, II
Va.
Cont.
Timp.

(a Solemn march during the Circumvection of the Ark of the Covenant.)

24 Takte

17. Solo and Chorus. Joshua; C.; A.; T.; B.

Allegro
Trba. I
Ob. I, II
Trba. I, II
Cor. I, II
Timp.
V. I, II
Va.
Cont.

Joshua
Glo- - - - - - - -(ry)
p
Takt 25

Tutti
Glo- ry to God,
Takt 41

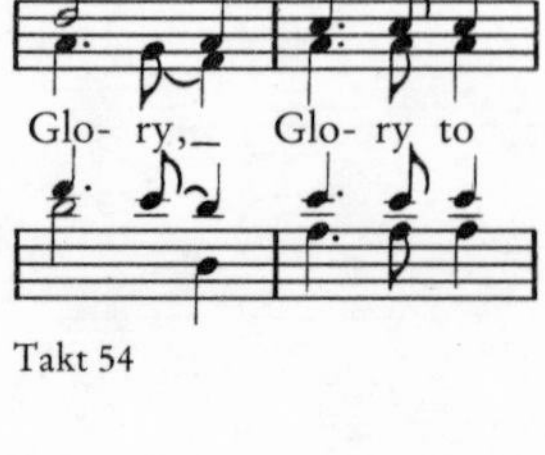
Glo- ry, Glo- ry to
Takt 54

Andante
con Str.
God! the strong cemented walls,
The nations trem- - -ble,
Glo- ry to God,
Takt 122
Takt 151
187 Takte

Recitative. Caleb

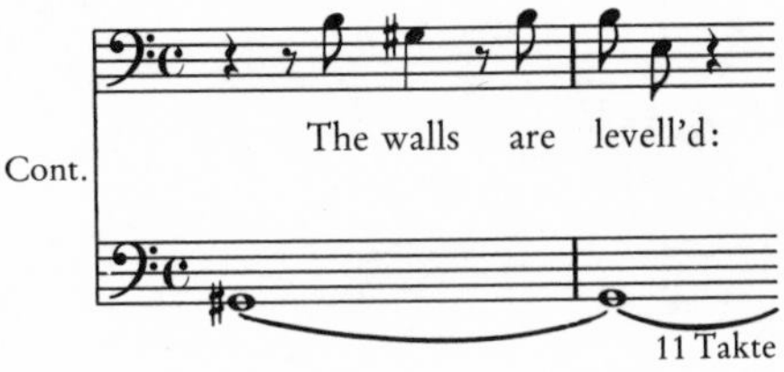
Cont.
The walls are levell'd:
11 Takte

18. Air. Caleb

Allegro
V. I, II unis.
Cont.
See, the raging flames a-
Takt 11

rise,
80 Takte

19. Air. Achsah

Larghetto
V. I, II
Cont.
To van- i- ty
Takt 11

and earth- -ly pride,
93 Takte

The Passover
Recitative. Joshua

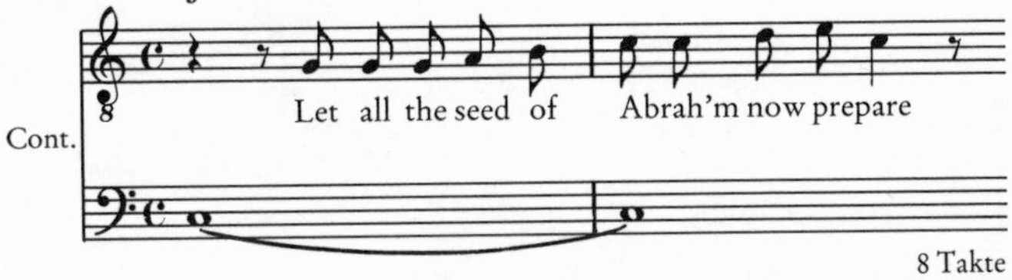
Cont.
Let all the seed of Abrah'm now prepare
8 Takte

20. Solo and Chorus. Joshua; C.; A.; T.; B.

Andante
V. I, II
Ob. I, II
Trba. I, II
Cor. I, II
Timp.
V. I, II
Va.
Cont.
Va.
Joshua solo
Almighty rul- er of the skies!
Takt 3
Chorus
The mercy
-fice.

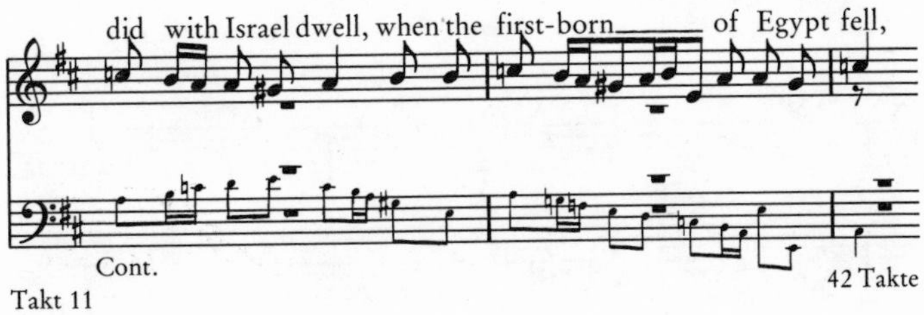
did with Israel dwell, when the first-born of Egypt fell,
Cont.
Takt 11
42 Takte

Recitative. Caleb

Cont.
Joshua, the men, dispatch'd
17 Takte

21. Chorus. C.; A.; T.; B.

Largo
Fl. trav. I, II; V. I
Fl. trav. I, II
V. I, II
Va.
Cont.
V. II
un poco p
How soon, how soon our tow'r- ing hopes are
Takt 3

The foe pre-vails,
The foe
cross'd!
27 Takte

Recitative. Joshua

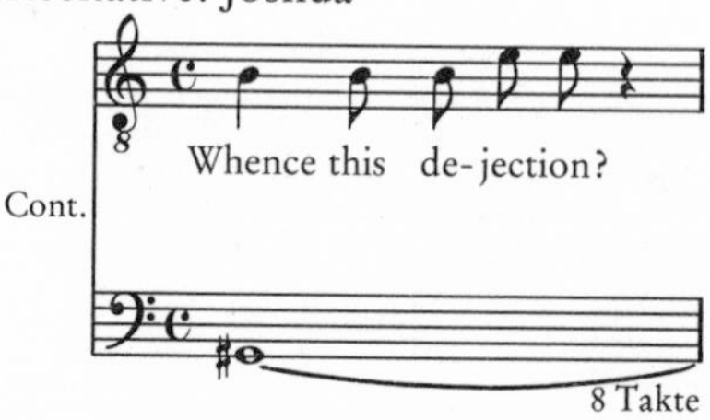
Cont.
Whence this de- jection?
8 Takte

22. Air. Joshua

Allegro
V. I, II
unis.
Cont.

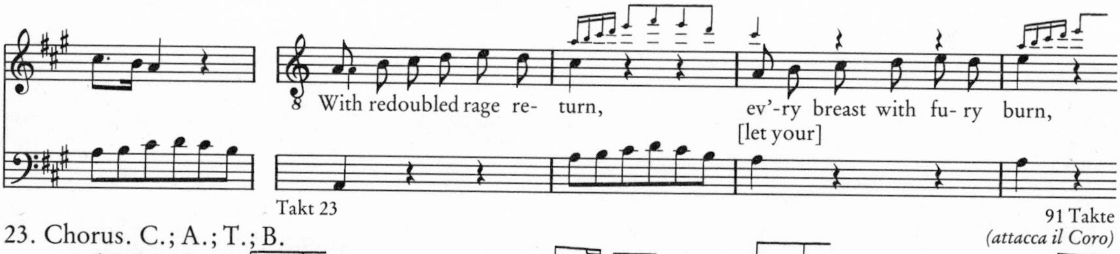
With redoubled rage re- turn, ev'-ry breast with fu- ry burn,
[let your]
Takt 23
91 Takte
(attacca il Coro)

23. Chorus. C.; A.; T.; B.

Ob. I, II
V. I, II
Va.
Cont.
We with re- dou-bled rage re- turn, we with re- dou-bled rage re- turn,
Takt 92
135 Takte

Recitative. Othniel

Cont.
Now give the ar-my breath;
8 Takte

24. Air. Othniel

A tempo di Gavotta, ma non troppo presto
Ob. solo
Ob. I, II
V. I, II
Va.
Cont.
Heroes,

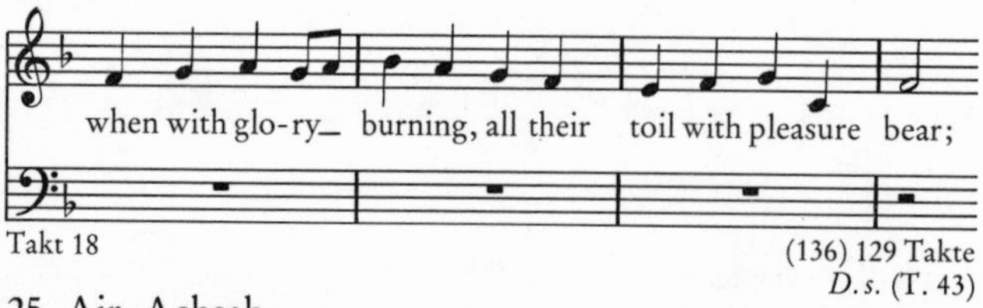
when with glo-ry burning, all their toil with pleasure bear;
Takt 18
(136) 129 Takte
D.s. (T. 43)

Recitative. Achsah

Cont.
Indulgent Heav'n hath heard
8 Takte

25. Air. Achsah

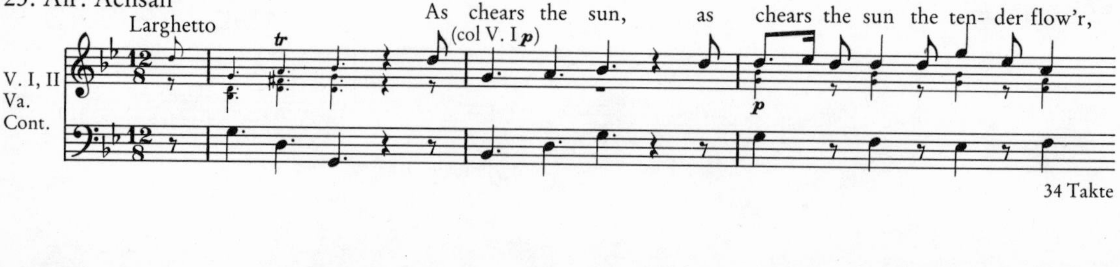
Larghetto
As chears the sun, as chears the sun the ten- der flow'r,
(col V. I p)
V. I, II
Va.
Cont.
34 Takte

Recitative. Caleb; Othniel

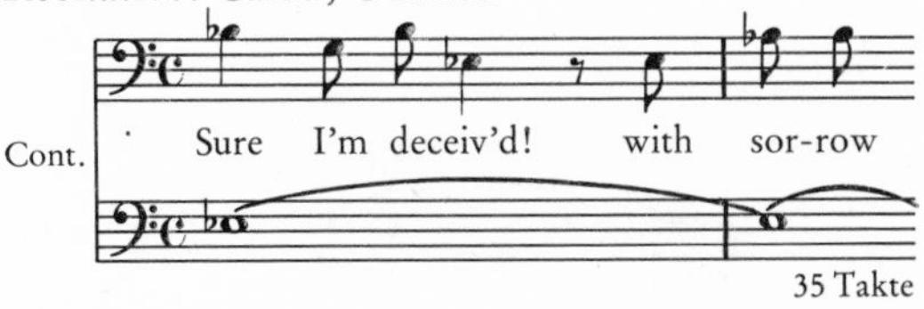
Cont.
Sure I'm deceiv'd! with sor-row
35 Takte

26. Air. Othniel

Andante larghetto
(𝄋)
V. I, II
Va.
Cont.
(𝄋)

Nations, who in fu- ture sto- ry would re- cor- ded be with glo- ry
Takt 6
39 Takte

Recitative. Joshua

Cont.
Brethren and friends, what joy this scene im- parts,
12 Takte
(Flourish of warlike instruments)
etc.

27. (Sinfonia)
[Libretto; Warlike Symphony]

Ob. I, II
Trba. I, II, III
Timp.
V. I, II
unis.
Va.
Cont.
Ob.
V.
Va.
Trbe.
[vgl. HWV 23 Riccardo (Anhang 25.)]
37 Takte

Recitative. Caleb

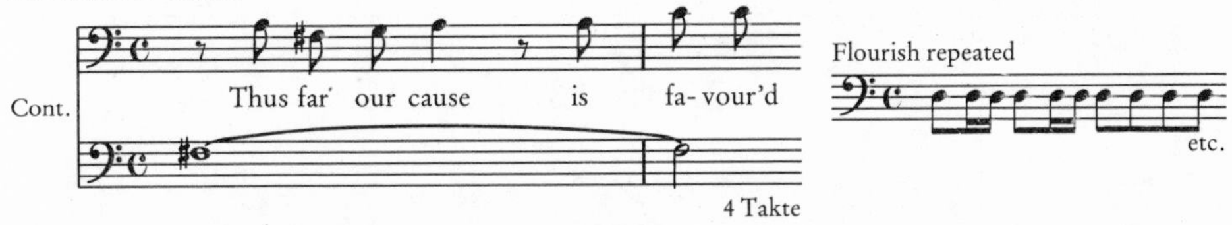
Cont.
Thus far our cause is fa- vour'd
4 Takte
Flourish repeated
etc.

28. Solo and Chorus. Joshua; C.; A.; T.; B.

Allegro
V. I, II unis.
Ob. I, II
Trba. I, II
Cor. I, II
Timp.
V. I, II, III
Va.
Cont.
Un poco p
Joshua: Oh! thou bright orb,
Takt 6
Chorus
Ob.
V. I
the list'n-ing sun
Be- hold! the list'n-ing sun the voice o- beys, the list'n- ing sun
the list'n-ing sun the voice o- beys,
the list'ning sun the voice o- beys,
Takt 19
60 Takte

Part III

29. Chorus. C.; A.; T.; B.

Allegro
V. I, II
Ob. I, II
V. I, II
Va.
Cont.
Va.
Hail!
hail, mighty Joshua,
Takt 9

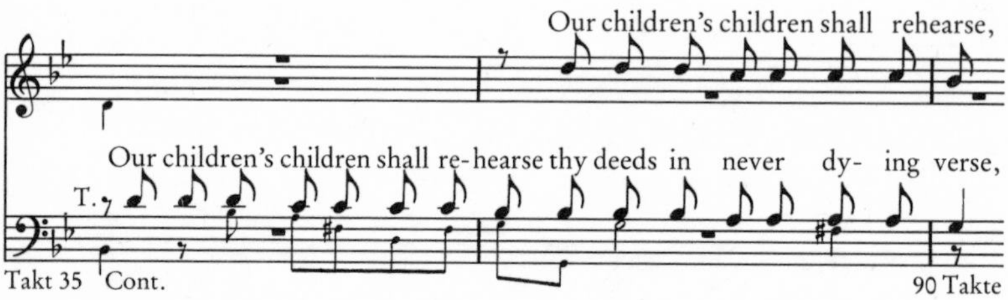
Our children's children shall rehearse,
Our children's children shall re-hearse thy deeds in never dy- ing verse,
T.
Takt 35 Cont.
90 Takte

30. Air. Achsah

Allegro
Ob. I, II
V. I, II
Va.
Cont.

Happy, oh, thrice happy we, hap-py, happy,
[Happy, hap-py to ex- cess]
Takt 6
p
50 Takte D. s. (T. 13)

Recitative. Joshua; Caleb

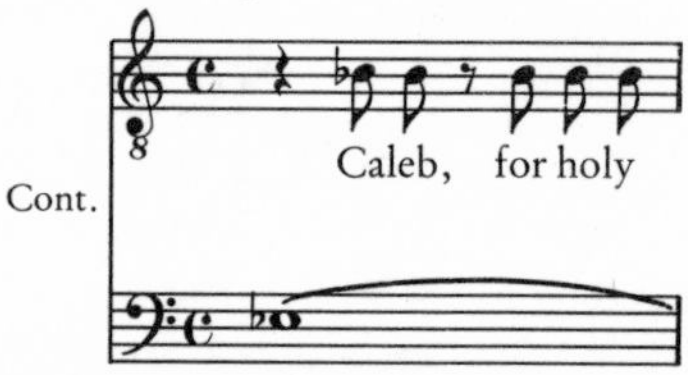
Cont.
Caleb, for holy

E- le- a- zer send,
46 Takte

31. Air. Caleb

Largo
V. I, II
Va.
Cont.
Un poco p
p
Shall I in Mamre's fer- tile plain
Takt 5
25 Takte (attacca il Coro)

32. Chorus. C.; A.; T.; B.

Ob. I, II
V. I, II
Va.
Cont.
For all these mercies we will sing
Takt 26
44 Takte

Recitative. Othniel; Caleb

Cont.
Oh Ca-leb, fear'd by foes,
24 Takte

33. Air. Othniel

Allegro
V. I, II
unis.
Cont.
Place dan-ger around me, the storm I'll de- spise,
Takt 6
31 Takte D. s. (T. 8)

34. Chorus. C.; A.; T.; B.

Grave
Fa-ther of mer- cy, hear the pray'r we make,
(con strom.)
Ob. I, II
V. I, II
Va.
Cont.
Fa-ther of mercy,
34 Takte

Recitative. Joshua

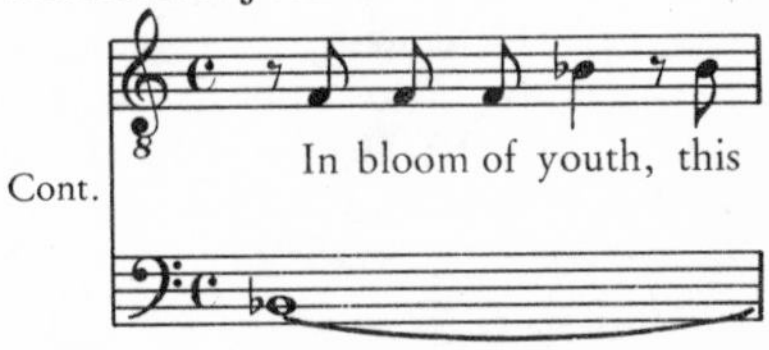
Cont.
In bloom of youth, this

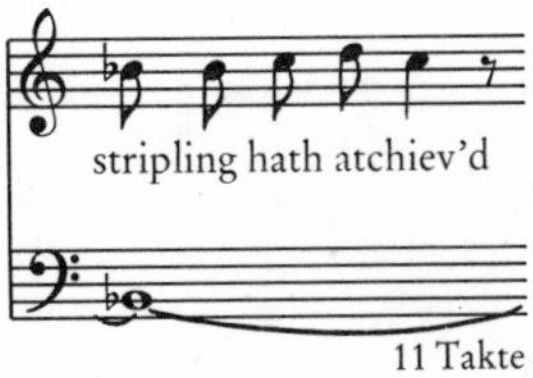
stripling hath atchiev'd
11 Takte

35. Chorus of Youths. C. I, II; A.

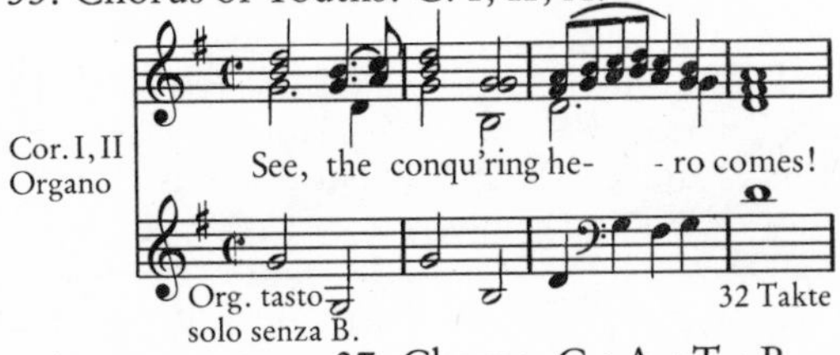
Cor. I, II
Organo
See, the conqu'ring he- - ro comes!
Org. tasto solo senza B.
32 Takte

36. Duet. Sopr. I, II

(con Fl. trav. all'ottava)
Fl. trav. I, II
Organo
See, the
Org.

god-like youth ad-vance!
24 Takte

37. Chorus. C.; A.; T.; B.

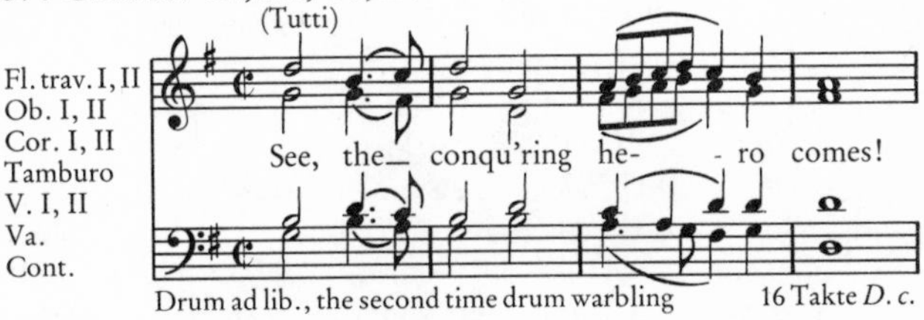
(Tutti)
Fl. trav. I, II
Ob. I, II
Cor. I, II
Tamburo
V. I, II
Va.
Cont.
See, the conqu'ring he- - ro comes!
Drum ad lib., the second time drum warbling
16 Takte D. c.

Recitative. Caleb; Othniel; Achsah

Cont.
Welcome, my son! my Othniel, good and great!
16 Takte

38. Aria. Achsah

Allegro
V. unis.
V. I, II
Cont.
[vgl. HWV 236, HWV 237 (7.)]

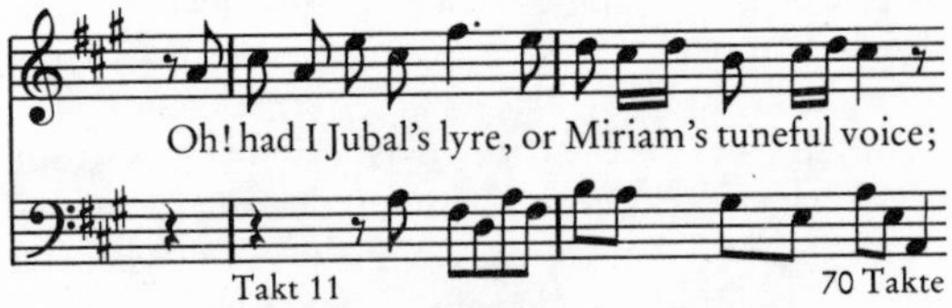
Oh! had I Jubal's lyre, or Miriam's tuneful voice;
Takt 11
70 Takte

Recitative. Othniel

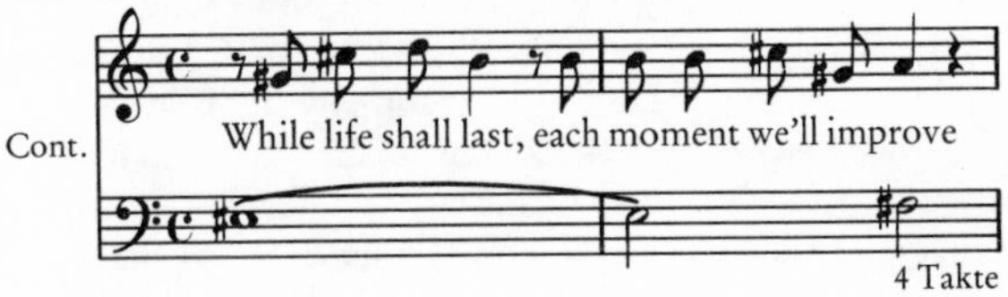
Cont.
While life shall last, each moment we'll improve
4 Takte

39. Duet. Achsah; Othniel

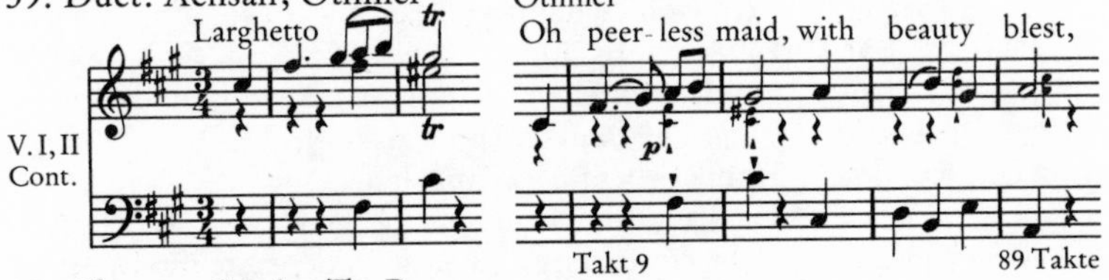
Larghetto
V. I, II
Cont.
Othniel
Oh peer-less maid, with beauty blest,
Takt 9
89 Takte

Recitative. Caleb

Cont.
While lawless tyrants,
12 Takte

40. Chorus. C.; A.; T.; B.

A tempo ordinario
(Tutti)
Ob. I, II
Trba. I, II
Cor. I, II
Timp.
V. I, II
Va.
Cont.
The great Je- hovah is our aw- - ful theme, sublime in ma- jesty,
su-blime in
sublime in ma- jesty,
35 Takte

Quellen

Handschriften: Autographe: GB Lbm (R. M. 20. e. 11., ohne Nr. 27; R. M. 20. g. 12., f. 73^{v}: Introduzione als „Air lentement"), Cfm (30 H 9, p. 61–66: 4 Takte des Ritornello zu Nr. 22, Nr. 35–37 als „March for the Fife" in D-Dur, Introduzione als „March for the Fife" C-Dur, Skizzen zu Nr. 25 und Nr. 28).

Abschriften: D (brd) Hs (Direktionspartitur $M\frac{A}{1027^{a}}$; $M\frac{A}{1027}$, nur Rezitative und Chöre) – GB BENcoke, Cfm (Barrett-Lennard-Collection), DRc (MS. Mus. D. 8), Lbm (R. M. 18. f. 3.), Mp [MS 130 Hd4, Part.: 1. Ex. v. 166, 2. Ex. v. 167–169; St.: v. 170, 171, 174(2)–178(2), 180(2), 181(2), 183(2) bis 186(2), 247(10), 248(10), 353(9)] – US PRu (Hall-Collection, St. f. V. II), Wc (M 2000. H 22 J 62 P 2 case, St., book 2^{d}–15th).

Drucke: Joshua an oratorio. Set to musick by Mr Handel. – London, J. Walsh (3 verschiedene Ausgaben, 1748–1749); Joshua an oratorio in score as it was originally composed by Mr Handel. – London, W^{m}. Randall; — ib., H. Wright; Joshua; an oratorio. Composed by Mr Handel, for the voice, harpsichord, and violin. With the chorusses in score. – London, Harrison and Co.; Harrison's edition, corrected by Dr Arnold. The overture and songs in Joshua; an oratorio, for the voice, harpsichord, and violin. Composed by Mr Handel. – London, Harrison & Co.; Joshua, a sacred oratorio, in score; composed in the year 1747 by G. F. Handel. – London, Arnold's edition, No. 56–60 (1789); Awful, pleasing being, say. Song (In: The Lady's Magazine, Aug., 1778). – (London), s. n.; Hark, hark, 'tis the linnet. As sung at the oratorios Joshua. – London, G. Walker; Nations, who in future story. Song (In: The Lady's Magazine, July, 1794). – (London), s. n.; Oh! had I Jubal's lyre. – London, J. Dale; — . . . sung by Mrs Billington at the Theatre Royal Covent Garden. – London, J. Bland; — ib., R. Falkener; — s. l., s. n.; — London, J. Dale; — (London), J. Bland; — London, W. Boag; — (London), W. Cope; [Oh! who can tell]. – s. l., s. n.; See, the Conqu'ring hero comes. Chorus of youths in Joshua. – (London), W. Randall; — (London), J. Bland; — London, A. Bland & Weller; — (London), G. Walker; Shall I in Mamre's fertile plain. Sung in: Joshua. – London, G. Walker.

Libretto: Ms. – Libretto in US SM. *Drucke:* Joshua. A sacred drama. As it is perform'd at the Theatre-Royal in Covent-Garden. Set to musick by George-Frederick Handel, Esq. – London, J. and R. Tonson, S. Draper, 1748 (Ex.: F Pc – GB BENcoke, Ckc, Lcm – US PRu, SM); — . . . Set to musick by Mr Handel. – ib., 1752 (Ex.: F Pc – GB BENcoke, Ckc, En, Lbm, Ob); — ib., 1754 (Ex.: F Pc – GB BENcoke, Lbm, Lcm).

Bemerkungen

„Joshua" entstand zwar erst nach HWV 65 Alexander Balus, wurde aber eher aufgeführt und bildet nach stofflicher und formaler Gestaltung ein unmittelbares Gegenstück zu HWV 63 Judas Maccabaeus, dessen Erfolg für Händel die Anregung zur Behandlung des ähnlich gearteten Sujets bot. Das Libretto wird ebenfalls Thomas Morell zugeschrieben. Der ungenannte Textautor entnahm die Handlung dem Buch Josua des Alten Testaments und fügte eine Liebesaffäre hinzu, die in der Vorlage nicht enthalten ist.

Händels Vertonung des Textes entstand in knapp einem Monat. Das Autograph nennt folgende Daten: Part I: f. 2: „19. July 1747. ☉ (= Sonntag)[1] angefangen.", f. 43: „30. July 1747"; Part II: f. 79: „Fine dell^{a} parte 2da agost. 8 ♄ (= Sonnabend) 1747"; Part III: f. 104^{v}: „S. D. G. G. F. Handel London Agost. 18. 1747 ♂ (= Dienstag). Agost 16. ☿ (= Mittwoch) 1747 völlig geendiget."

Das Autograph zu „Joshua" zeigt keine wesentlichen Änderungen oder Umstellungen der ursprünglichen Satzfolge (Entwürfe zu einzelnen Sätzen s. GB Cfm, 30 H 9, p. 61–66). Gelegentlich hat Händel bei der erneuten Überarbeitung einzelne Textstellen geändert (im Thematischen Verzeichnis durch eckige Klammern gekennzeichnet).

Nur die Arie „Hark! ,tis the linnet" (13) zeigt Spuren einer späteren Revision. Bereits das Ritornellthema mit dem Wechselspiel zwischen Violine und Querflöte unterlag einer Änderung: ursprünglich sollte die Querflöte in Takt 2 anstelle der Wiederholung des Violinmotivs ein anderes Motiv erhalten, das dem 2. Takt von HWV 328 Concerto grosso op. 6 Nr. 10 d-Moll, 6. Satz (Allegro moderato: Gavotte) entsprach, aber dann gestrichen wurde. Diese Arie schrieb Händel in zwei Fassungen aus; neben der zweiteiligen Form (Dal segno-Arie), deren B-Teil gleichfalls revidiert wurde, existiert im Autograph (f. 36^{v}) eine verkürzte Fassung, die nur aus dem A-Teil besteht, aber später nicht berücksichtigt wurde. Mehrere Änderungen der ursprünglichen Tempobezeichnungen (das Allegro von Nr. 14 wurde zu Andante, in Nr. 25 *alla Siciliana* zu Larghetto) zeugen von einer sorgfältigen Aufführungsvorbereitung. Die Paukenstimmen zu Nr. 17, 28 und 40 fügte Händel ebenfalls später hinzu.

Die „Warlike Symphony" (27) ist in der Erstfassung nicht enthalten; sie wurde in der Direktionspartitur (als Basso-continuo-Stimme notiert) aus der verworfenen Urfassung der Oper HWV 23 Riccardo I. (Anhang 25) übernommen.

Eine merkwürdige Rolle spielt die Instrumentaleinleitung[2] zu „Joshua". Während Händel sie in den

[1] Nicht *Montag* wie in Catalogue Squire, S. 50.

[2] Sie erscheint unter der Bezeichnung „Air lentement" außerdem als 2. Satz in der Sinfonia HWV 347 B-Dur (Autograph: *GB* Lbm, R. M. 20. g. 12., f. 71–73^{v}). Diese

autographen Entwürfen zu HWV 67 Solomon zitiert, plante er demgegenüber, vermutlich für die Aufführungen 1752, die dreisätzige „Solomon"-Ouverture als Einleitung zu „Joshua" zu übernehmen (Autograph zu „Joshua", f. 1v: „the Fugue of Solomon" – Notenincipit der beiden Anfangstakte – „and the Courante").
Bei der Uraufführung von „Joshua" am 9. März 1748, angekündigt „with a new Concerto" (vermutlich HWV 332), wurde die Arie „Oh first in wisdom" (2) gestrichen. Besetzung: Joshua: Thomas Lowe, Caleb: Thomas Reinhold, Othniel: Caterina Galli, Achsah: Signora Casarini. Das Werk wurde in dieser Spielzeit noch dreimal (am 11., 16. und 18. März) gegeben und 1752 (am 5., 14. und 19. Februar) wiederholt.
Die Besetzung der Aufführung am 22. März 1754 war: John Beard (Joshua), Mr. Wass (Caleb), Caterina Galli (Othniel) und Giulia Frasi (Achsah). Eine zusätzliche Rolle (Israelitin) erhielt die Sopranistin Christina Passerini[3], für die Händel mehrere Sätze aus dem „Occasional Oratorio" mit leichten Textänderungen übernahm („Prophetic visions strike my eye" nach Nr. 9, „When warlike ensigns wave on high" nach Nr. 17 und „When Israel, like the bounteous Nile" nach Nr. 20). Zwei weitere Einfügungen waren das Solo mit Chor „Now, before our ravish'd eyes" (nach Nr. 1, vermutlich die Parodie eines älteren Werkes, Musik nicht erhalten) und die Arie „May balmy peace" aus dem „Occasional Oratorio" (vor Nr. 35) für Joshua.
Neben einigen Aufführungen in der Provinz (Salisbury 1754, Oxford 1756) wurde „Joshua" noch zweimal (1755 und 1759) in London dargeboten, doch vermutlich ohne Beteiligung Händels.
Eine Anzahl von Sätzen aus „Joshua" geht auf Werke anderer Komponisten sowie auf frühere Kompositionen Händels zurück:

Introduzione
 Th. Muffat: Componimenti musicali: Suite I C-Dur (Adagio)
6. While Kedron's brook
 HWV 104 „Del bel idolo mio": 1. Formidabil gondoliero
15. May all the host of heav'n attend
 HWV 237 „Laudate pueri" (2. Fassung): 3. A solis ortu
 HWV 253 „O come let us sing": 9. There is sprung up a light
16. March
 Th. Muffat: Componimenti musicali: Suite I C-Dur (Rigaudon)

Sinfonia sollte vermutlich ursprünglich als Einleitung zu „Joshua" dienen; später bildete Händel daraus das Orgelkonzert HWV 311 op. 7 Nr. 6 B-Dur.

[3] Händel wurde mit dieser Sängerin und ihrem Mann Giuseppe Passerini, einem Geiger, durch Telemanns Vermittlung bekannt (vgl. Händels Brief an Telemann vom 25. Dezember 1750 bei Deutsch, S. 696).

17. Glory to God
 HWV 237 „Laudate pueri (2. Fassung): 8. Gloria patri
17. Glory to God, T. 122 ff.: The nations tremble
 HWV 255 „The Lord is my light": 6. For who is God/The earth trembled
18. See, the raging flames arise
 HWV 22 Admeto: Amor ed impietà (Add. song, März 1727)
24. Heroes when with glory burning[4]
 HWV 78 „Ah crudel! nel pianto mio": Sinfonia
 HWV 47 La Resurrezione: 29. Dia si lode in cielo
 HWV 72 Aci, Galatea e Polifemo: 20. Chi ben ama ha per oggetti
 HWV 7a Rinaldo (1. Fassung): 10. Molto voglio
 HWV 13 Muzio Scevola: 18. Si sarà più dolce amore
 HWV 29 Ezio: 12a Sinfonia (T. 2 f.)
 HWV 55 L'Allegro, il Penseroso ed il Moderato: 30. These delights if thou canst give (T. 30 f.)
 HWV 468 Air A-Dur für Cembalo
27. Sinfonia
 HWV 23 Riccardo I.: Anhang 25
35.–37. See the conqu'ring hero comes
 Chanson „La changement" (La jeune Nanette), aus: Nouveau Recueil de Chansons choisies III, La Haye 1731[5]
38. Oh! had I Jubal's lyre
 HWV 236 „Laudate pueri" (1. Fassung): 7. Qui habitare facit
 HWV 237 „Laudate pueri" (2. Fassung): 7. Qui habitare facit

Literatur
Clausen, S. 167; Dean, S. 498 ff.; Deutsch, S. 642 ff.; Herbage, S. 118 ff.; Hiekel, H.-O.: Handels Oratorium „Josua". In: Göttinger Händeltage 1964, Programmheft, S. 20 ff.; Lang, p. 453 ff./S. 411 ff.; Leichtentritt, S. 487 ff.; Schering, A.: Geschichte des Oratoriums, Leipzig 1911, S. 297 ff.; Schoelcher, S. 308 ff.; Serauky V, S. 77 ff.; Siegmund-Schultze, S. 133; Siegmund-Schultze, W.: Die dramatischen Werke der Händel-Festspiele 1954. In: Händel-Fest 1954 Halle, Festschrift, Leipzig 1954; Smither II, S. 313 ff.; Streatfeild, S. 198 f., 317 f.; Young, S. 160 ff.
Beschreibung der Autographe: Lbm: Catalogue Squire, S. 44, 50. – Cfm: Catalogue Mann, Ms. 259, S. 186 f. – Dean, S. 510

[4] Von Händel einem Duett M. A. Cestis bzw. einer Arie A. Scarlattis entlehnt („Cara e dolce libertà"). Vgl. Chrysander I, S. 197 ff.

[5] Vgl. Friedländer, M.: Das deutsche Lied im 18. Jahrhundert, Stuttgart und Berlin 1902, Bd. I, 2. Teil, Nr. 226. S. auch Serauky IV, S. 535 f.

65. Alexander Balus

Oratorio in three acts
von Thomas Morell

Besetzung: Soli: 2 Soprani (Aspasia, Cleopatra), Alto (Alexander Balus), Ten. (Jonathan), 2 Bassi (Ptolomee, Courtier). Chor: C.; A.; T.; B. Instrumente: Fl. trav. I, II; Ob. I, II; Fag. I, II; Cor. I, II; Trba. I, II; Timp.; Arpa; Mandolino; V. concertato; V. I, II, III; Va.; Vc. I, II; Cbb.; Org.; Cemb.
ChA 33. – HHA I/25. – EZ: London, 1. Juni bis 4. Juli 1747. – UA: London, 23. März 1748, Theatre Royal, Coventgarden.

Ouverture

Part I

Alexander Balus returning from the Conquest of Demetrius, King of Syria.

1. Chorus of Asiatics. C.; A.; T.; B.

Recitative. Alexander Balus; Jonathan

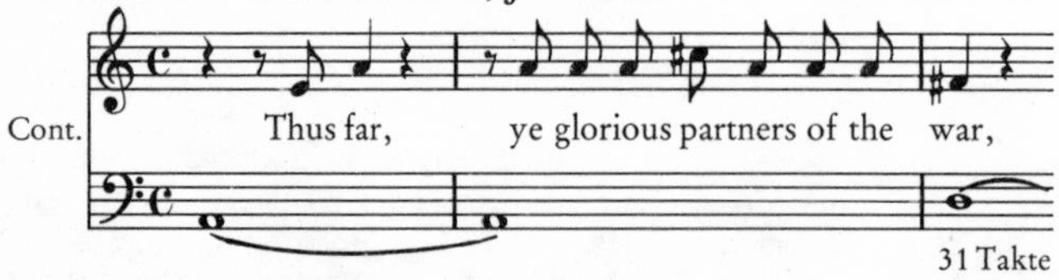

2. Air. Jonathan

Flourish of trumpets

Recitative. Ptolomee

Cont.
And thus let happy Egypt's King
9 Takte

3. Air. Ptolomee

Allegro
Ob. I, II
Fag.
V. I, II
Va.
Cont.
Thrice happy the
Takt 13

monarch, whom na- tions con- tend,
198 Takte

Recitative. Cleopatra

Cont.
Congratu- la-tion to our father's friend
9 Takte

4. Air. Cleopatra

Andante
Fl. trav. I, II
Fag.
Arpa
Mandolino
V. I, II
Va.
Vc. I, II
Cbb.
Org.
Str.
Hark, hark, hark! he
Arpa e
Mand.
Takt 17

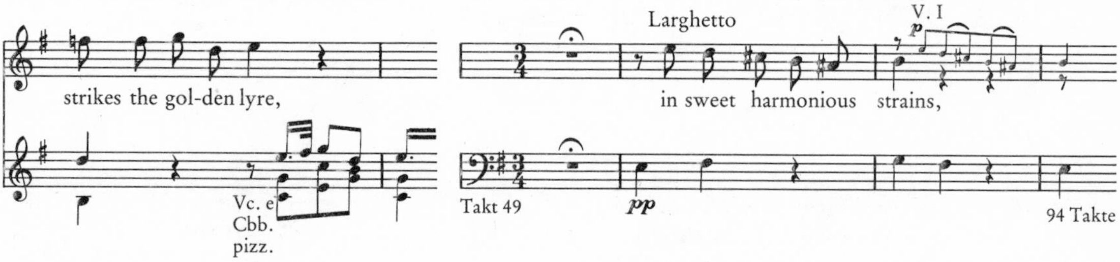
strikes the gol-den lyre,
Vc. e
Cbb.
pizz.
Larghetto
V. I
in sweet harmonious strains,
Takt 49
94 Takte

Recitative. Alexander Balus

Cont.
Be it my chief ambition there to rise,
4 Takte

5. Air. Alexander Balus

Larghetto
Ob.
Ob. I, II
V. I conc.
V. I, II, III rip.
Va.
Cont.
Fair vir-tue shall charm me,
[= HWV 47 La Resurrezione (5.)]
61 Takte

6. Chorus of Asiatics. C.; A.; T.; B.

Allegro
Ob. I, II
Cor. I, II
V. I, II
Va.
Cont.
Ye happy na-tions round,
Takt 15

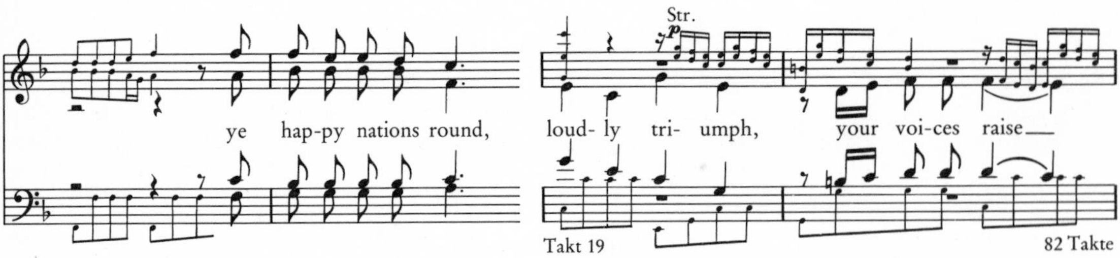

A. Recitative. Alexander Balus

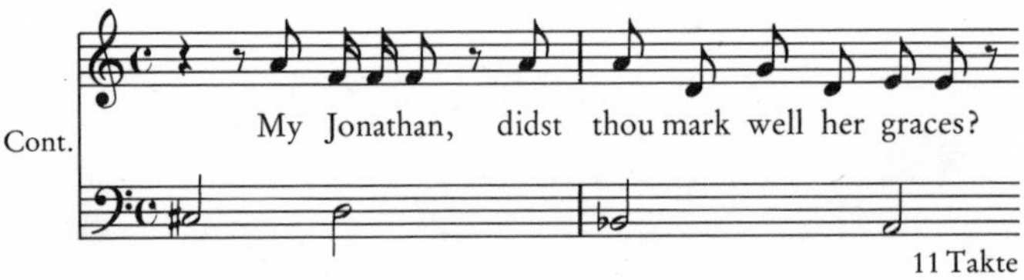
Cont.
My Jonathan, didst thou mark well her graces?
11 Takte

B. Recitative. Alexander Balus (1751/54)

thou mark well her graces?
11 Takte

7a. Air. Alexander Balus

Andante
V. I, II
unis.
Cont.
Oh, what re- sistless charms are giv'n
Takt 16
165 Takte

7b. Air. Alexander Balus (1751/54)

8. Air. Cleopatra

Subt- le love, with fan- - cy viewing, rapt'- rous joys on joys en- su- ing,
Takt 6
39 Takte D. s.

Recitative. Cleopatra

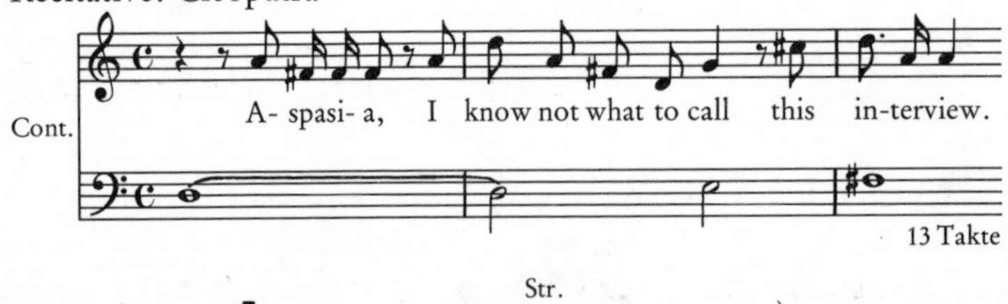
Cont.
A- spasi- a, I know not what to call this in-terview.
13 Takte

9. Air. Cleopatra

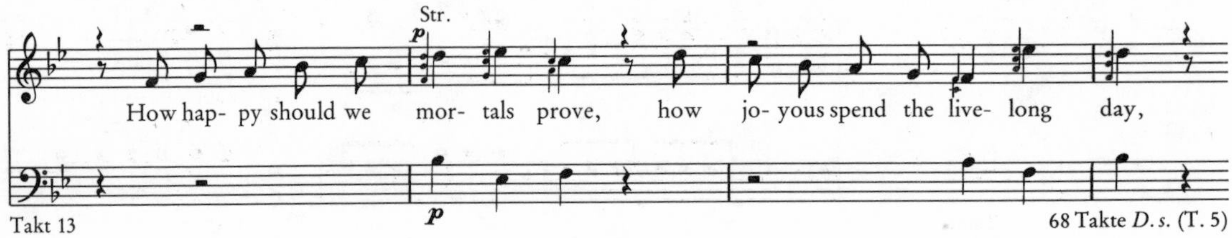
Str.
How hap- py should we mor- tals prove, how jo- yous spend the live- long day,
Takt 13
68 Takte D. s. (T. 5)

A. Recitative. Aspasia

Cont.
Check not the pleasing accents of thy tongue
9 Takte

B. Recitative. Aspasia

Cont.
Check not the pleasing accents of thy tongue
9 Takte

10. Air. Aspasia

Tutti únis.
Ob. I, II
V. I, II
Cont.
So shall the sweet at- trac-tive smile, winning gra- ces,
Takt 5
62 Takte

Recitative. Cleopatra; Aspasia

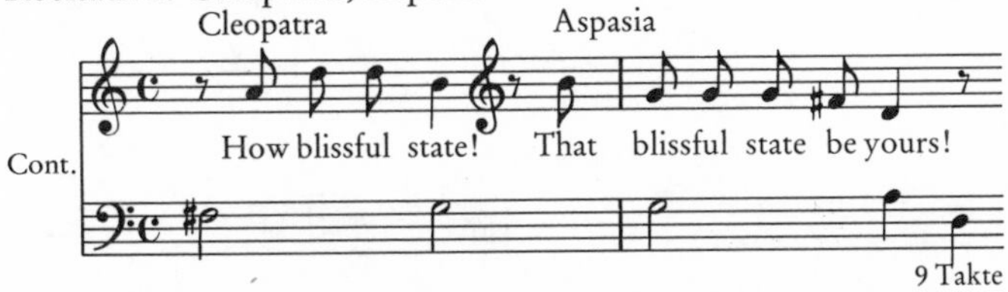
Cleopatra
Aspasia
Cont.
How blissful state! That blissful state be yours!
9 Takte

11. Duet. Cleopatra; Aspasia

Allegro
V. I, II
unis.
Va.
Cont.
Va.
Cont.

Cleopatra
O, what plea- sures, past ex- pressing,
Takt 9
Aspasia
All is joy, and
Takt 21

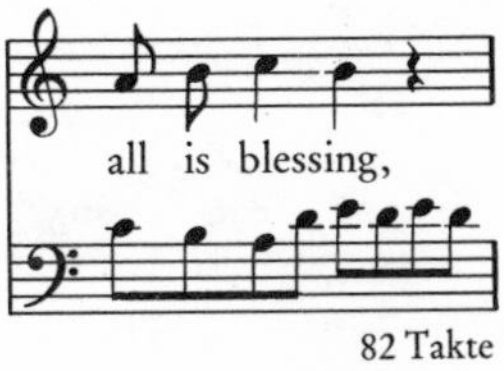
all is blessing,
82 Takte

A. B. Recitative. Jonathan; Alexander Balus

Cont.
Why hangs this heavy gloom upon the brow of Syria's monarch,
A: 18 Takte
B: 15 Takte
(seque Nr. 13)

12. Air. Alexander Balus

Larghetto andante
Ob. I, II
V. I, II
Va.
Cont.
Heroes may boast their might-y deeds, and talk of
Takt 21

conquest,
Allegro moderato
Fly swift on bor- row'd wings of love,
Takt 133
(Tempo I)
Tutti
f
Takt 156

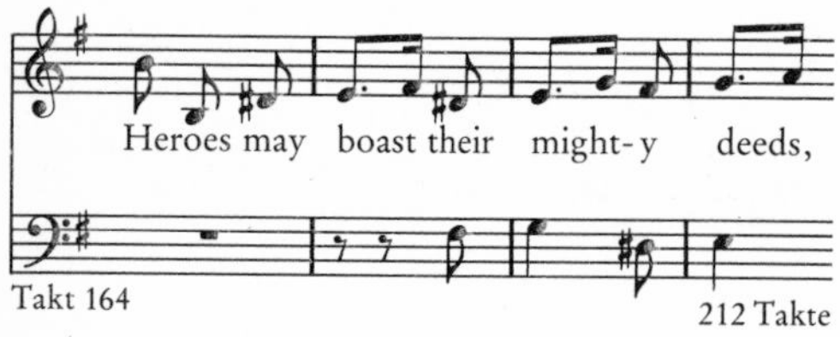
Heroes may boast their might-y deeds,
Takt 164
212 Takte

13. Air. Alexander Balus

[Fu- ry with red sparkling eyes]
Might-y love now calls to arm,
Takt 17
[1751/54: 100 Takte]
Let to harsh discordant sound, but love and joy
Takt 100
119 Takte D. s. (T. 48)

Recitative. Jonathan

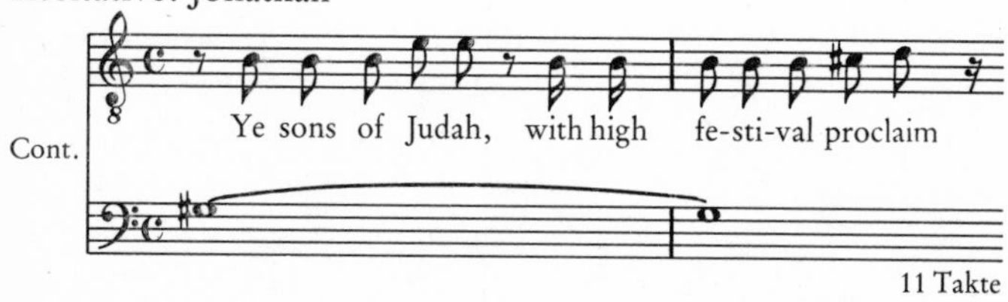
Cont.
Kind hope, thou u-ni-ver- sal friend,
Ye sons of Judah, with high fe-sti-val proclaim
11 Takte

14. Air and Chorus. Jonathan; C.; A.; T.; B.

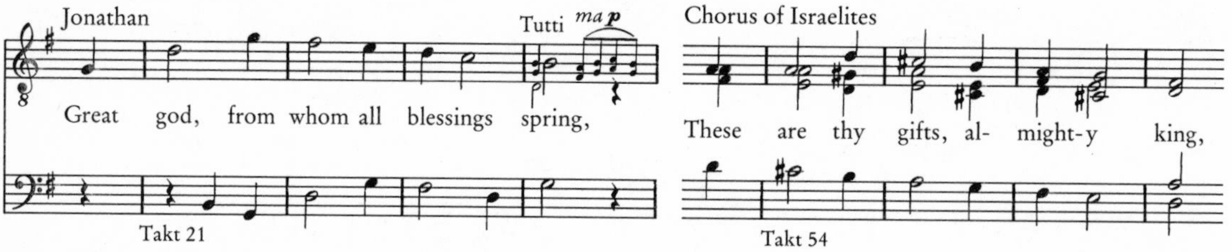
Jonathan
Great god, from whom all blessings spring,
Tutti
ma p
Takt 21
Chorus of Israelites
These are thy gifts, al- might-y king,
Takt 54

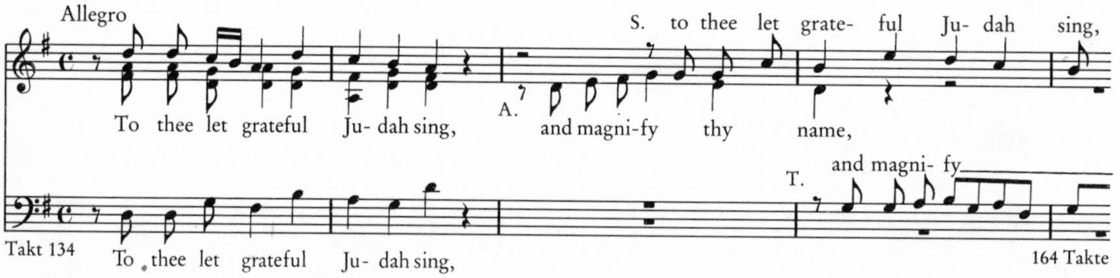
Allegro
S. to thee let grate- ful Ju- dah sing,
To thee let grateful Ju- dah sing,
A.
and magni-fy thy name,
and magni- fy
T.
Takt 134
To thee let grateful Ju- dah sing,
164 Takte

Part II

15. Air. Alexander Balus

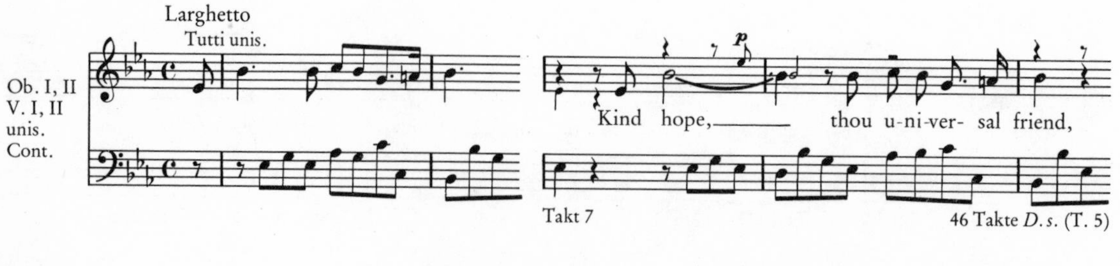

Recitative. Jonathan; Alexander Balus

Cont.
Long, long and happy live the King!

13 Takte

16. Air. Alexander Balus

Allegro

V. I, II
unis.
Cont.
O Mithra, with

Takt 14

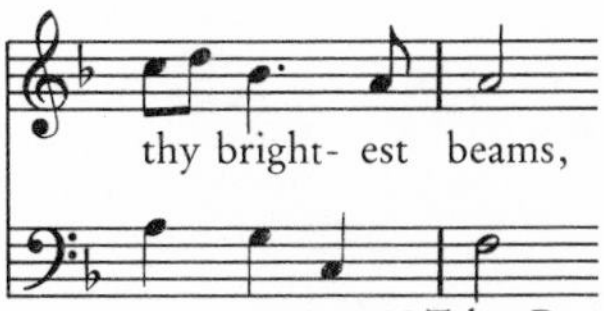
thy bright- est beams,

93 Takte *D. s.*

A.
B. Recitative. A sycophant Courtier; Alexander Balus; Jonathan

Cont.
Stay, my dread sovereign, and let just revenge secure thy throne!

A: 32 Takte
B: 21 Takte
[seque Nr. 18]

17. Air. Jonathan

Allegro

V. I, II
unis.
Cont.
Hateful man! thy sland'rous tongue throws in vain the poison'd dart,

Takt 14 — 90 Takte *D. s.* (T. 40)

18. Chorus of Israelites. C.; A.; T.; B.

Larghetto e staccato

Ob. I, II
V. I, II
Va.
Cont.
Str.
Str.
O ca- lum- ny, on vir- tue waiting,

Takt 22 — Cont. — 142 Takte

Recitative. Cleopatra

Cont.
Ah! whence these dire fore - bodings of the mind?

12 Takte

19. Air. Cleopatra

Andante larghetto

V. I, II
Va.
Cont.
Tost from

Takt 16

thought to thought I rove,

235 Takte
[194 Takte *D.s.* T. 108]

A. Recitative. Aspasia

Cont.
Give to the winds, fair

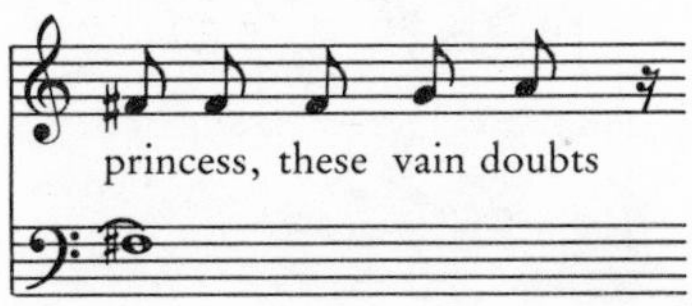
princess, these vain doubts

8 Takte

B. Recitative. Aspasia (1751/54)

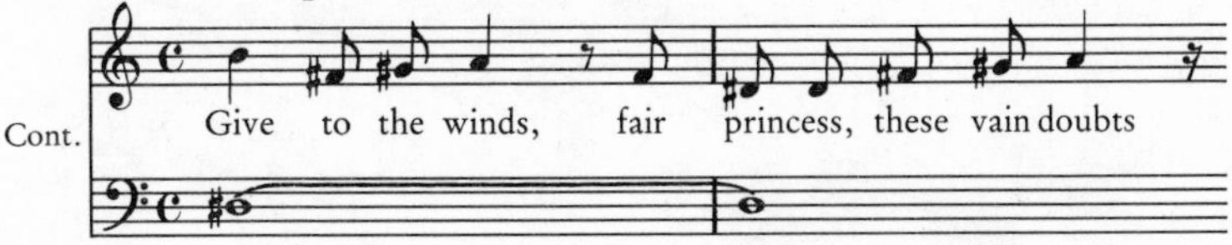
Cont.
Give to the winds, fair princess, these vain doubts

9 Takte (seque Nr. 26)

20. Air. Aspasia

V. I, II
Cont.

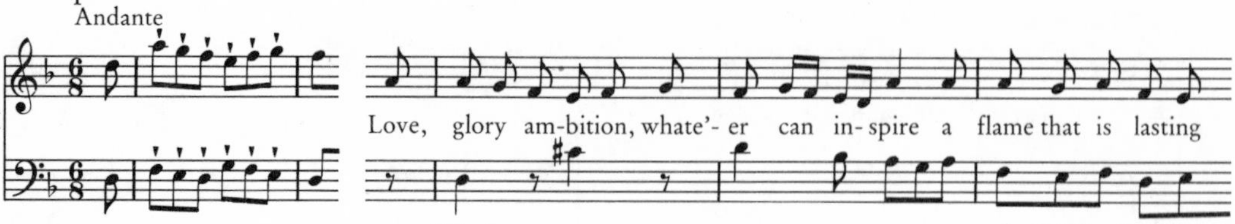
Andante
Love, glory am-bition, whate'- er can in- spire a flame that is lasting

Takt 9 54 Takte *D. s.* (T. 20)

Recitative. Ptolomee

Cont.

Thus far my wishes thrive.

21 Takte

21. Air. Ptolomee

V. I, II
Va.
Cont.

Allegro
V. I, II
p
Vir- tue,

Takt 5

thou i- -de- -al name, all thy hon- ours I dis- claim,

79 Takte *D. s.* (T. 28)

Accompagnato. Jonathan (1751/54)

V. I, II
Va.
Cont.

Ye happy people, with loud accents speak

[= HWV 45. Alceste (2.)] 8 Takte

Soli and Chorus. C.; A.; T.; B. (1751/54)

Ob. I, II
Trba. I, II
V. I, II
Va.
Cont.

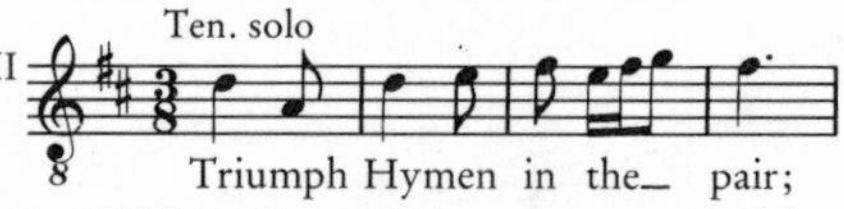
Ten. solo
Triumph Hymen in the pair;

[= HWV 45. Alceste (3.)] 144 Takte

Recitative. Alexander Balus; Cleopatra

Cont.

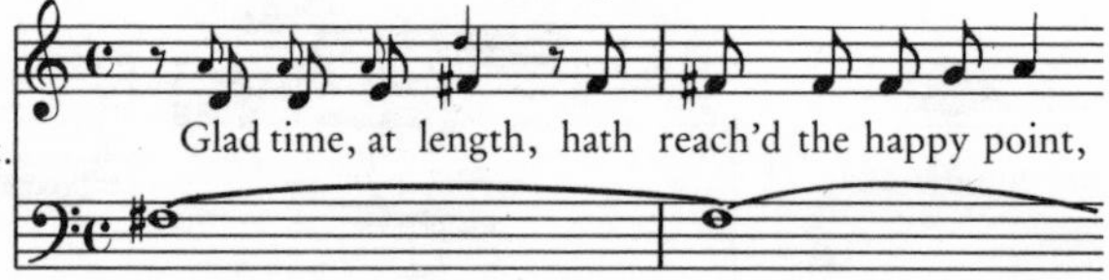
Glad time, at length, hath reach'd the happy point,

14 Takte

22. Duet. Alexander Balus; Cleopatra

V. I, II
unis.
Va.
Cont.

Allegro

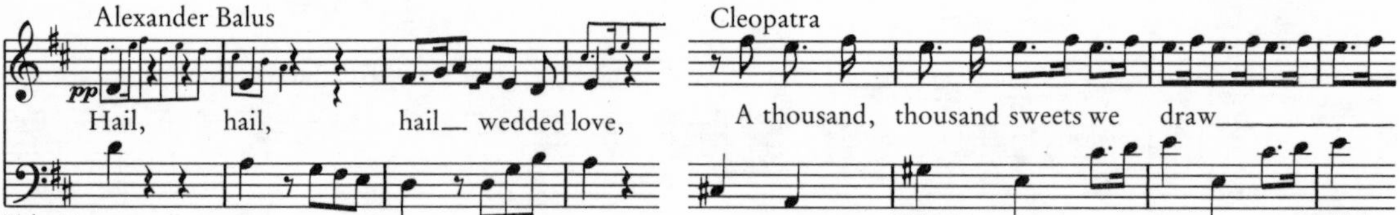
Alexander Balus
pp
Hail, hail, hail wedded love,
Cleopatra
A thousand, thousand sweets we draw

Takt 11 Takt 29 121 Takte

23. Chorus of Asiatics. C.; A.; T.; B.

Ob. I, II
Cor. I, II
Trba. I, II
Timp.
V. I, II
Va.
Cont.

Allegro ma non troppo
Trba. I

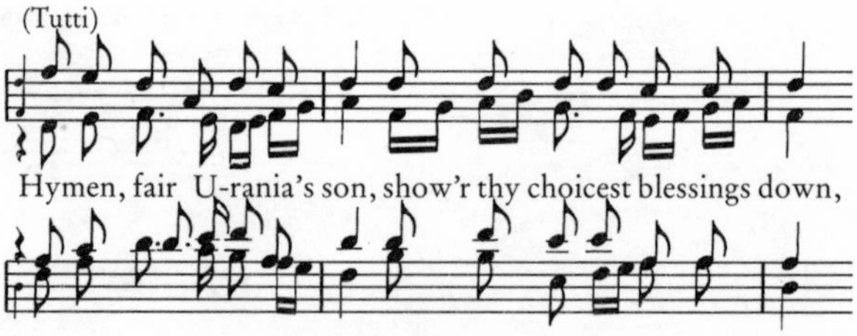
(Tutti)
Hymen, fair U-rania's son, show'r thy choicest blessings down,

Takt 13 52 Takte

Part III

24. Sinfonia

A tempo ordinario
Ob. I senza V.
Ob. I, II
Fag.
V. I, II
Va.
Cont.
26 Takte

Recitative. Cleopatra

Cont.
'Tis true, instinctive

nature seldom points
9 Takte

25. Air. Cleopatra

Larghetto
V. I, II con sord.
V. I, II con sord.
Va. con sord.
Vc. pizz.
Va. con sord.
Vc. pizz.
Here a-
p

mid the shad-y woods, fragrant flow'rs and cry-stal floods,
Takt 9
61 Takte (attacca)

26. Quintet. Cleopatra; Ruffians (C.; A.; T.; B.)

Allegro
Cleopatra: here
Ob. I, II
V. I, II
Va.
Cont.
Entra Coro
A.
The
Takt 62
B. Mistaken queen!

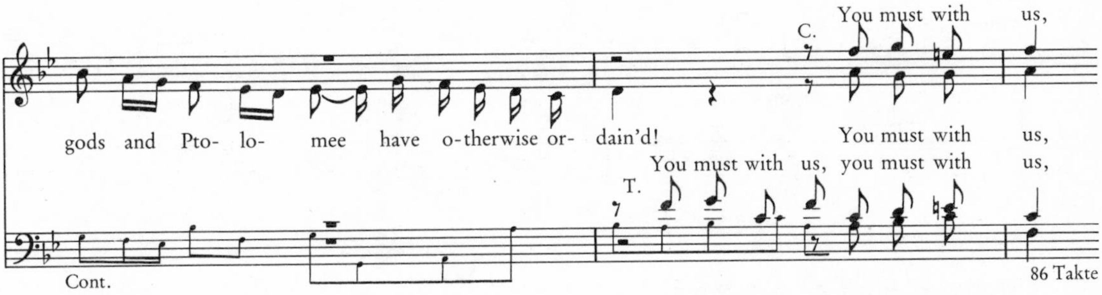
gods and Pto- lo- mee have o-therwise or- dain'd!
C.
You must with us,
You must with us,
T.
You must with us, you must with us,
Cont.
86 Takte

Recitative. Alexander Balus

Cont.
Ah! was it not my Cle- o- pa-tra's voice?
12 Takte

27. Air. Alexander Balus

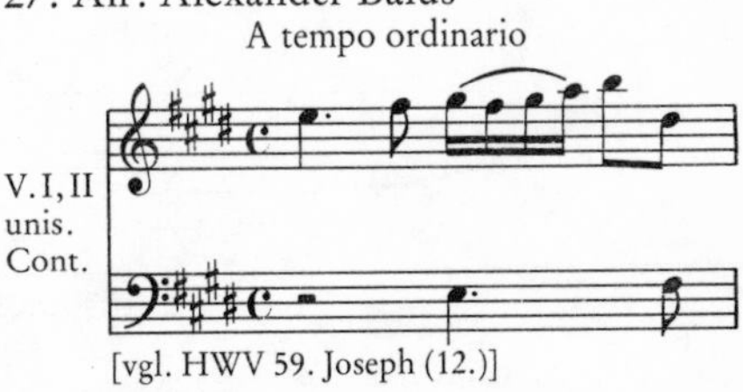
A tempo ordinario
V. I, II
unis.
Cont.
[vgl. HWV 59. Joseph (12.)]

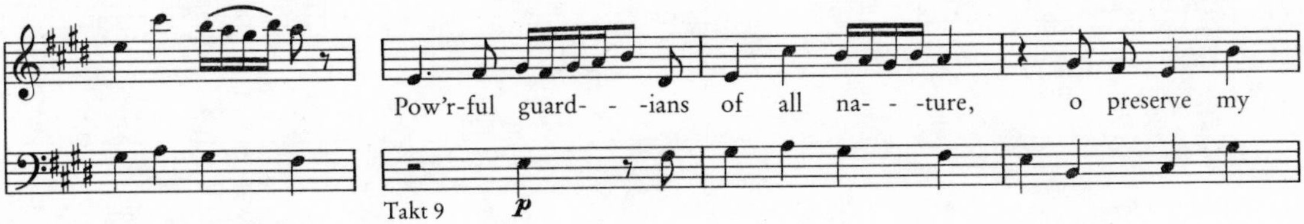
Pow'r-ful guard- - -ians of all na- - -ture, o preserve my
Takt 9
p

beau- teous love,
p

52 Takte *D. s.* (T. 18)

Recitative. Jonathan; Alexander Balus; Aspasia

Cont.

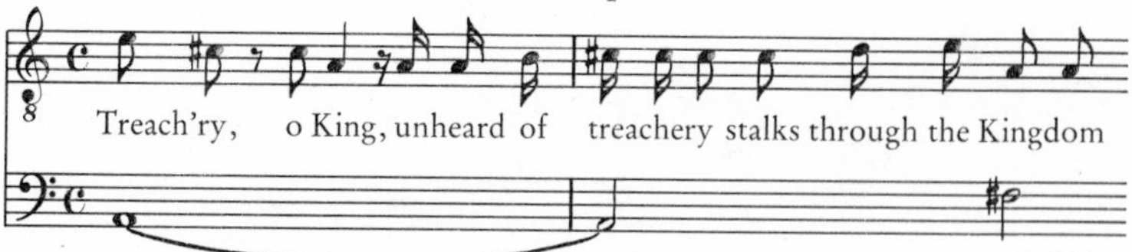
Treach'ry, o King, unheard of treachery stalks through the Kingdom

29 Takte

28. Air. Alexander Balus

Presto

V. I, II
Va.
Cont.

Fu-ry, fu- ry, with red spark-ling eyes

Takt 13

That re- venge may give some ease,
p
Larghetto
or cold death a kind re- lease

Takt 68

Takt 73

101 Takte *D. s.*

Recitative. Aspasia

Cont.

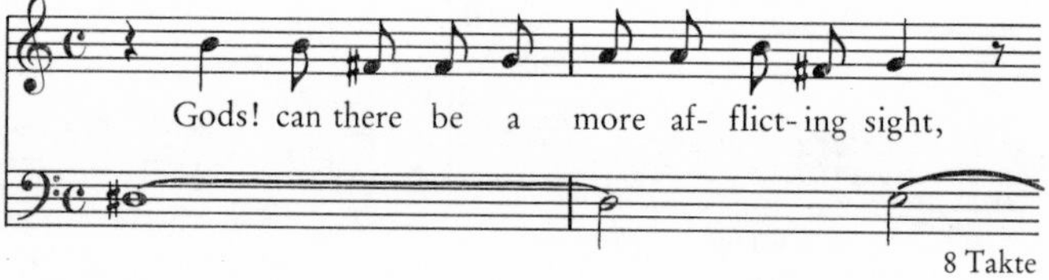
Gods! can there be a more af- flict- ing sight,

8 Takte

29. Air. Aspasia

A tempo ordinario, allegro ma non troppo

Ob. I, II
V. I, II
Cont.

Tutti
unis.

Strange re- verse of hu- man fate, might- y joy, and might- y woe!

Takt 17

70 Takte

A.
B. Recitative. Jonathan

Cont.

May he return with laurel'd vic-tory

A: 8 Takte
(seque Nr. 30)
B: 6 Takte
(seque Air „Guardian angels")

(29a.) Air. Jonathan (1751/54)

Allegro

V. I, II
unis.
Cont.

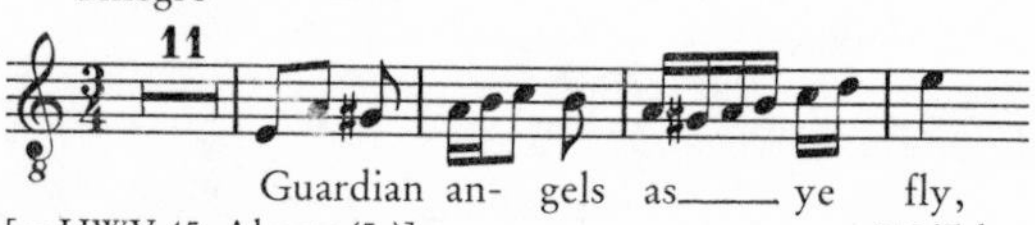
11
Guardian an- gels as ye fly,

[= HWV 45. Alceste (5.)]

213 Takte

Recitative. Jonathan (1751/54)

Cont.

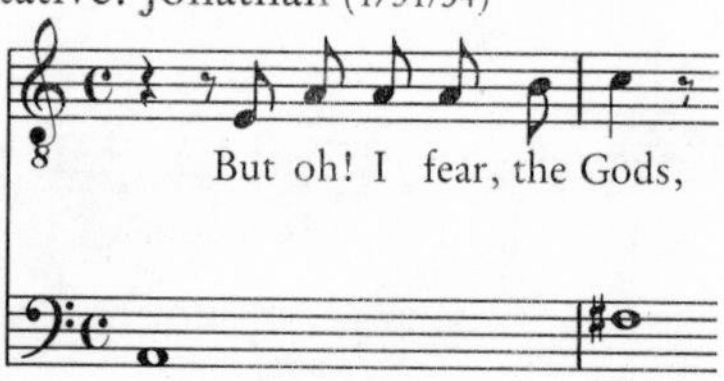
But oh! I fear, the Gods,

6 Takte

30. Air. Jonathan

Larghetto

V. I, II
Va.
Cont.

mp
To

Takt 10

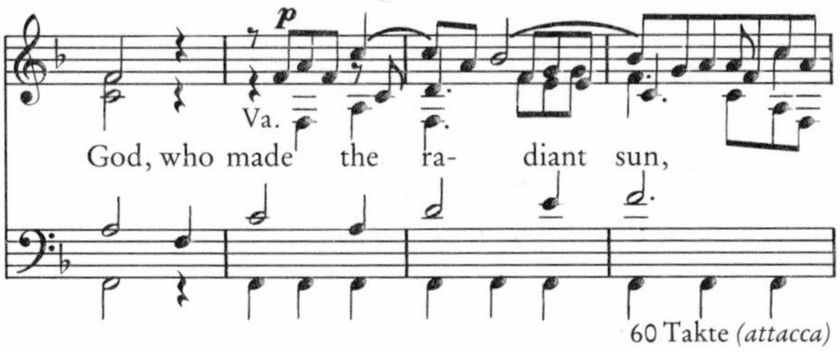
Va.
God, who made the ra- diant sun,
60 Takte (attacca)

31. Chorus of Israelites. C.; A.; T.; B.

A tempo ordinario
Ob. I, II
V. I, II
Va.
Cont.
Sun, moon, and stars, and all ye

host of heav'n
Allegro
On his cre- - a- - - -(ting)
On his cre- -a- - - - - - - - - -(ting)
Takt 20
102 Takte

Recitative. Ptolomee; Cleopatra

Cont.
Yes- he was false, my daughter, false to you,
24 Takte

32. Accompagnato. Ptolomee

V. I, II
Va.
Cont.
Ungrateful

child, by ev'-ry sa-cred pow'r,
9 Takte

33. Air. Ptolomee

Allegro
Ob. solo
V. I, II
unis.
Cont.
O

sword, and thou, all- daring hand,
Takt 5
45 Takte D.c.

34. Accompagnato. Cleopatra

Shall Cle- o- pa-tra ev- er smile a-
VI, II
Va.
Cont.

gain? Oh no!
11 Takte

Recitative. Messenger

Cont.
Ungrateful tidings to the royal ear, I bring, o Queen
25 Takte

35. Arioso. Cleopatra

Larghetto
Fl. trav.
Fag.
V. I, II
Va.
Cont.
O take me from this hate- ful light: tor-ture end me, death be- friend me,

Recitative. Another Messenger; Cleopatra

Cont.
Forgive, o Queen, the messenger of ill!
21 Takte

36. Accompagnato. Cleopatra

Lento e piano
Calm thou my soul, kind I- sis, with a no- ble scorn of life,
V. I, II
Va.
Cont.
7 Takte

37. Air. Cleopatra

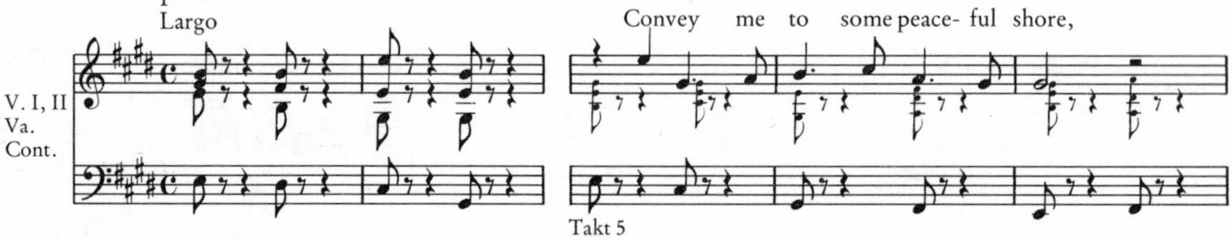

where no tu- multu- ous bil- lows roar,
33 Takte

Recitative. Jonathan

Cont.
My-ste-rious are thy

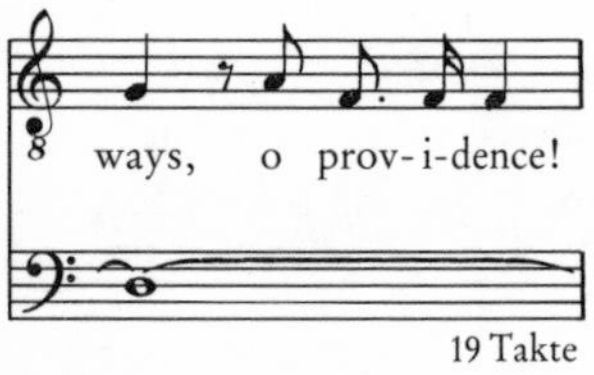
ways, o prov- i-dence!
19 Takte

38. Solo and Chorus of Israelites. Jonathan; C.; A.; T.; B.

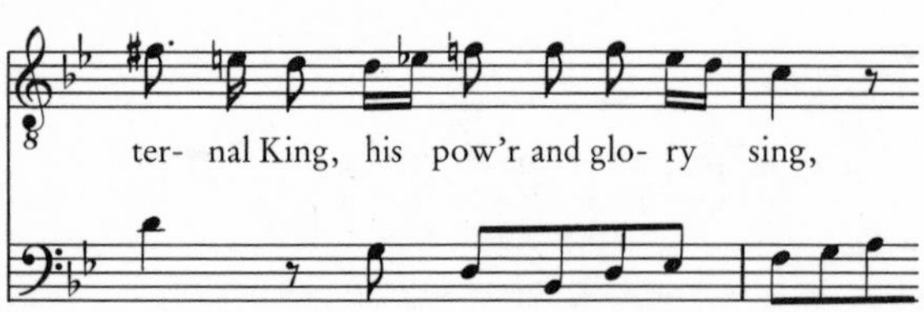
ter- nal King, his pow'r and glo- ry sing,

Chorus
Str.
Ye ser- vants of th'e- ter- nal King,
Takt 18
Cont.

A-men, a- - - - - - men, al- le- lu- jah, al- le- lu- ja,
A-men, a- - - -
Takt 29
61 Takte

Anhang

(13.) Air. Alexander Balus

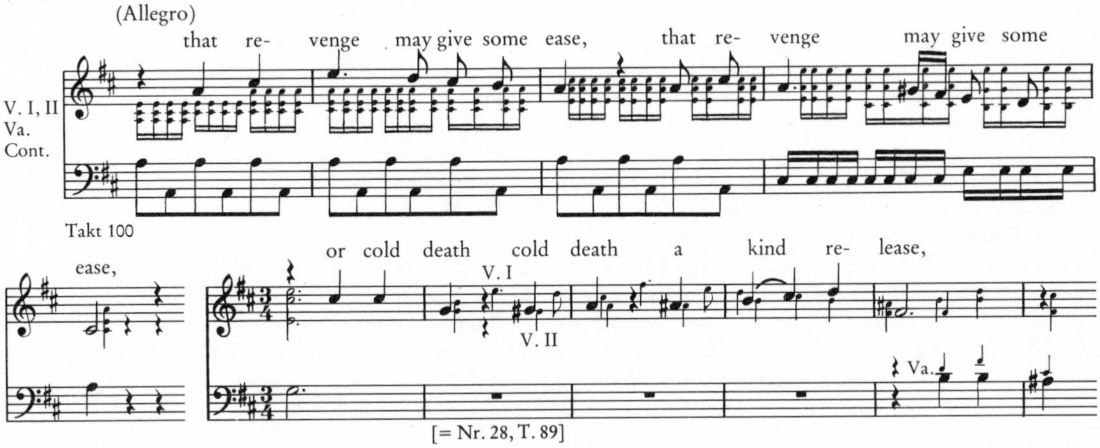
(Allegro)
that re- venge may give some ease, that re- venge may give some
V. I, II
Va.
Cont.
Takt 100
ease,
or cold death cold death a kind re- lease,
V. I
V. II
Va.
[= Nr. 28, T. 89]

Quellen

Handschriften: Autographe: GB Lbm (R. M. 20. d. 3.), Cfm (30 H 2, p. 34: Nr. 1 als „La Marche" für 2 Hörner und Continuo; 30 H 9, p. 56–58: Harfenstimme für Nr. 4, p. 59–60: Skizze für Nr. 7[a]).

Abschriften: D (brd) Hs (Direktionspartitur $M\frac{A}{1001}$; $M\frac{A}{1001^a}$, enthält nur Rezitative und Chöre) – GB Cfm (Barrett-Lennard-Collection), Lbm (R. M. 18. f. 2.), Mp [MS 130 Hd4, Part.: v. 27; St.: v. 174(3) bis 178(3), 179(2), 180(3)–182(2), 183(3)–186(3), 247(11), 248(11), 351(3), 352(3), 353(10)] – US PRu (Hall-Collection, vol. XIII aus der Sammlung von Frederick, Prince of Wales).

Drucke: Songs in Alexander Balus. – London, J. Walsh, April 19, 1748; Alexander Balus an oratorio set to musick by M[r] Handel. – London, J. Walsh; Alexander Balus. An oratorio in score composed by M[r] Handel. – London, H. Wright; Alexander Balus. An oratorio in score; composed in the year, 1747, by G. F. Handel. – London, Arnold's edition, No. 160–164 (ca. 1795); Convey me to some peaceful shore. Song (In: The Lady's Magazine, July, 1785). – (London), s. n.; Here, amid the shady woods. Song (In: The Lady's Magazine, January, 1779). – (London), s. n.; —... (In: The Lady's Magazine, August, 1785). – (London), s. n.; How happy shou'd we mortals prove. Song (In: The Lady's Magazine, Sept., 1788). – (London), s. n.; —... (In: The Lady's Magazine, Sept., 1792). – (London), s. n.; Pow'rful guardians. – (London), J. Phillips; — ib., J. Bland; Powerful guardians. – London, R. Falkener; Strange reverse of human fate (In: The Lady's Magazine, March, 1800). – (London), s. n.

Libretto: Ms. – Libretto (Autograph Morells mit Eintragungen Händels) in US SM. *Drucke:* Alexander Balus an oratorio. As it is perform'd at the Theatre-Royal in Covent-Garden. Set to musick by George-Frederick Handel, Esq. – London, John Watts, B. Dod, 1748 (Ex.: F Pa, Pc – GB BENcoke, Ckc, En, Lbm, Lcm – US SM); —... Set to musick by Mr Handel. – ib., 1751 [1754] (Ex.: F Pc – GB BENcoke, Ckc, En, Mp, Ob – US BE).

Bemerkungen

Der Erfolg von HWV 63 Judas Maccabaeus veranlaßte Händel, noch im gleichen Jahr (1747) ein weiteres Libretto bei Thomas Morell in Auftrag zu geben.

Morell berichtet in einem Brief (s. Deutsch, S. 851 f.) über die Entstehung von „Alexander Balus" und fügt hinzu, daß er wiederum, wie schon bei „Judas Maccabaeus", auf die biblische Vorlage Makkabäer (I, 10–11) zurückgegriffen habe. Wie W. Dean (S. 483 f.) nachwies, zeigt Morells Text zum Teil wörtliche Anlehnungen an Dichtungen Miltons, Shakespeares und anderer englischer Theaterautoren sowie an verschiedene von Händel bereits vertonte Oratorientexte.

Händel komponierte „Alexander Balus" in knapp vier Wochen. Folgende Daten sind im Autograph vermerkt: Part I: f. 3: angefangen den 1 June, 1747"; Part II: f. 74[v]: „Fine della parte 2[d] völlig geendiget ☿ (= Mittwoch) Juin, 24, 1747"; Parte III: f. 113: „S. D. G. G. F. Handel. London y[e] 30 Juin. ♂ (= Dienstag). 1747. völl: 4. July. ♄ (= Sonnabend). 1747."

Bei der Arbeit an „Alexander Balus" nahm Händel mehrfach Änderungen des Textes[1], der Instrumentation, der Tempobezeichnungen sowie Umstellungen von Sätzen vor. Im ersten Entwurf stan-

[1] Zwei frühere Textversionen des ersten Rezitativs „Thus far, ye glorious partners of the war" lauteten z. B. ursprünglich: „Thus far, my countrymen, the God on high hath crown'd our arduous labours with success" bzw. „Thus far, my countrymen, your arduous Toils have reap'd the Fruits of Victory and Fame ..."

den die Arien „Fair virtue shall charm me" (5) und „Mighty love" (13, zuerst auf den Text „Fury with red sparkling eyes" komponiert) in Part III, wobei die erstere Arie dann durch „Pow'rful guardians" (27) ersetzt wurde, die als nachträgliche Einfügung auf den Leersystemen am unteren Blattrand von „Fair virtue" (Autograph, f. 80–83) erscheint. Außerdem wurde die Partitur um das Rezitativ vor Nr. 5 „Be it my chief ambition", die Arie „Subtle love" (8) sowie Jonathans Solo „Ye servants of th'eternal King" (38, T. 5 ff.) erweitert; gleichzeitig setzte Händel Nr. 5 und Nr. 13[2] durch verbale Anweisungen an ihre jetzige Stelle. Die Ouverture scheint nachträglich für das Werk aus einer anderen Quelle adaptiert worden zu sein[3], da die Beschaffenheit des für sie benutzten Papiers gegenüber dem des Hauptautographs einen deutlichen Unterschied erkennen läßt.

Die Uraufführung, für den 23. März 1748 „with a new Concerto" (vermutlich HWV 333) angekündigt, hatte folgende Besetzung: Alexander Balus: Caterina Galli, Cleopatra: Signora Casarini, Aspasia: Signora Sibilla, Jonathan: Thomas Lowe, Ptolomee: Thomas Reinhold. Weitere Aufführungen fanden am 25. und 30. März statt.

Da der Kronprinz am 20. März 1751 verstarb, mußte eine für diesen Monat geplante Wiederholung des Werkes abgesetzt werden. Erst für 1754 (1. und 6. März) sind weitere Aufführungen nachweisbar. Die Solopartien sangen: Alexander Balus: Christina Passerini (Sopran), Cleopatra: Giulia Frasi, Aspasia: Caterina Galli (Mezzosopran), Jonathan: John Beard, Ptolomee: Mr. Wass. Auf Grund der veränderten Besetzung richtete Händel die Partien des Alexander Balus für Sopran und die der Aspasia für Mezzosopran ein. Dadurch wurden mehrere Änderungen und Transpositionen nötig (s. Clausen, S. 101 f., Dean, S. 494), die vor allem folgende Sätze betrafen: In der Partie der Aspasia erhielt Galli die Arien Nr. 15, 27 (für Nr. 20) und 8 (nach G-Dur transponiert); in der Titelpartie ersetzte Händel Nr. 12 durch die Arie „Mighty love"(13), die aus ihrer früheren Position (vor Nr. 17) herausgelöst wurde. Die Partie des Jonathan erhielt drei neue Arien („Ye happy people", die Arie mit Chor „Triumph, Hymen" nach Nr. 21 und „Guardian angels" nach Nr. 29), die aus der nicht aufgeführten Schauspielmusik HWV 45 Alceste (dort als Nr. 2, 3 und 5, letztere mit dem Originaltext „Ye swift minutes as ye fly") entnommen wurden.

[2] Nr. 13 sollte bereits 1748 vor Nr. 17 stehen, wie aus dem Rezitativ „Stay, my dread sovereign" (nach T. 21) hervorgeht.

[3] W. Dean (S. 486, Anm. 2) vermutet, Händel habe dafür eine ältere, schon längere Zeit vorher vorliegende Komposition benutzt. Dies könnte zumindest für den langsamen 1. Teil zutreffen, der in transponierter Fassung die Einleitung zu HWV 332 Concerto a due Cori B-Dur bildet und vermutlich kurz vor „Alexander Balus" komponiert wurde.

Händel verwendete bei der Vertonung von „Alexander Balus" Themen aus früheren Kompositionen für folgende Sätze:

1. Flush'd with conquest (Ritornello)
   HWV 417 La Marche D-Dur
5. Fair virtue shall charm me
   HWV 122 „La terra è liberata": 8. Deh lascia addolcire
   HWV 47 La Resurrezione: 5. D'amor fu consiglio
8. Subtle love
   HWV 121[a] „L'aure grate": 1. L'aure grate il fresco rio
13. Mighty love now calls to arm (Ritornello)
   HWV 47 La Resurrezione: 3. Disseratevi, oh porte d'averno (Ritornello)
14. Great God, from whom all blessings spring
   HWV 48 Brockes-Passion: 6[a]. Wir wollen alle eh' erblassen
   HWV 50[a] Esther (1. Fassung): 4. Shall we of servitude complain
18. O calumny (Ritornello)
   GWV 15 Ottone: 24[c]. Non tardate a festeggiar
   HWV 37 Giustino: 20. Per me dunque il ciel non ha
28. Fury with red sparkling eyes
   HWV 47 La Resurrezione: 23. Vedo il ciel
31. Sun, moon, and stars/Oh this creating power (T. 20 ff.)
   HWV 57 Samson: 18. Then shall they know

Literatur

Clausen, S. 100 ff.; Dean, S. 482 ff.; Dean, W.: Handel's „Alexander Balus". In: The Musical Times, vol. 93, 1952, S. 351 ff.; Deutsch, S. 648 ff.; Gerlach, R.: Das Oratorium „Alexander Balus" von G. F. Händel. In: Göttinger Händel-Fest 1972, Programmheft, S. 30 ff.; Herbage, S. 115 ff.; Knapp, J. M.: The Hall Handel Collection. In: The Princeton University Library Chronicle, vol. 36, No. 1, Autumn 1974, S. 2 ff., bes. S. 11; Lang, p. 450 ff./S. 408 ff.; Leichtentritt, S. 479 ff.; Schering, A.: Geschichte des Oratoriums, Leipzig 1911, S. 299 ff.; Serauky V, S. 13 ff.; Siegmund-Schultze, S. 134 f.; Smither II, S. 306 ff.; Steglich, R.: Über Händels „Alexander Balus". In: (Neue) Zeitschrift für Musik, 95. Jg., Leipzig 1928, S. 65 ff.; Streatfeild, S. 316 f.; Young, S. 155 ff.
Beschreibung der Autographe: Lbm: Catalogue Squire, S. 5 f. – Cfm: Catalogue Mann, Ms. 259, S. 186. – Dean, S. 496 f.

66. Susanna

Oratorio in three acts

Libretto: Verfasser unbekannt

Besetzung: Soli: 3 Soprani (Susanna, Daniel, Attendant), Mezzosoprano (Joacim), Ten. (1st Elder), 3 Bassi (Chelsias, 2d Elder, Judge). Chor: C.; A.; T.; B. Instrumente: Ob. I, II; Fag.; Trba. I, II; V. I, II; Va. I, II; Cont.

ChA 1. – HHA I/28. – EZ: London, 11. Juli bis 24. August 1748. – UA: London, 10. Februar 1749, Theatre Royal, Coventgarden

Overture

Act I

1. Chorus of Israelites. C.; A.; T.; B.

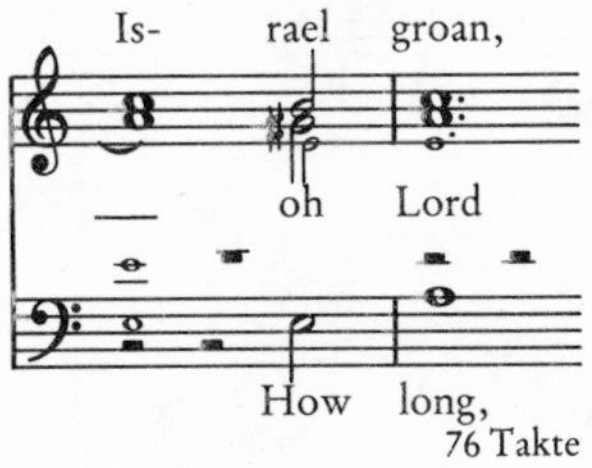

Recitative. Joacim

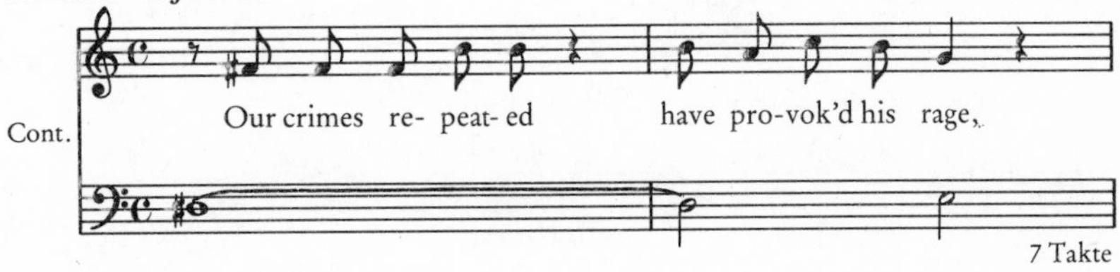

2. Air. Joacim

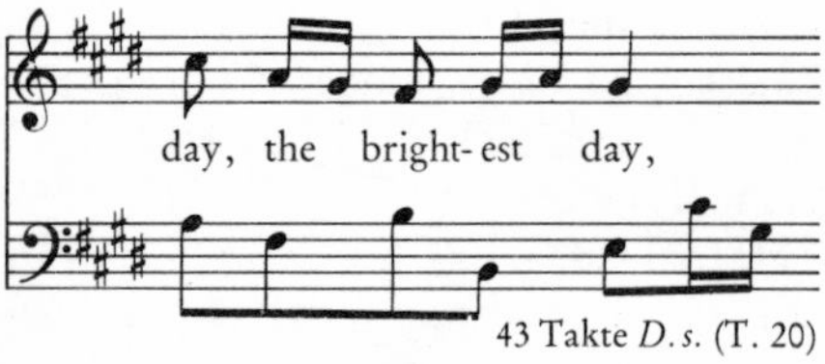
day, the bright- est day,
43 Takte *D.s.* (T. 20)

Recitative. Susanna

Cont.
Oh Jo- a- cim! when thou art by,
7 Takte

3. Duet. Susanna; Joacim

Allegro moderato

senza rip. per tutto
V. I, II
Cont.
Joacim
When thou art nigh, my pulse beats high and rap- tures swell my breast.
Takt 19
194 Takte

Recitative. Chelsias

Cont.
Lives there in Baby-lon so bless'd a pair?
8 Takte

4. Air. Chelsias

A tempo giusto

Ob. I
V. I
Ob. I, II
V. I, II
Va.
Cont.
senza rip.
per tutto
Ob. II
V. II

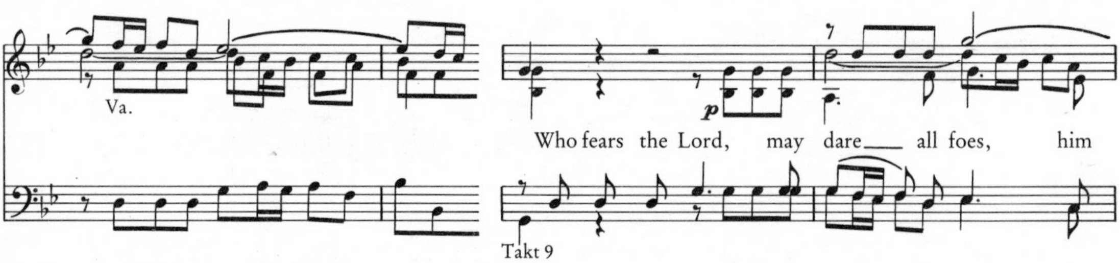
Va.
Who fears the Lord, may dare all foes, him
Takt 9

safe- - -ly shrowds
106 Takte

Recitative. Joacim

Cont.
A flame like mine, so faith-ful and so pure,
8 Takte

5. Air. Joacim

Grazioso

senza rip.
V. I, II
Cont.
When first I saw my lovely maid, be- neath the cit- ron's shade,
Takt 7
48 Takte *D.c.*

Recitative. Susanna

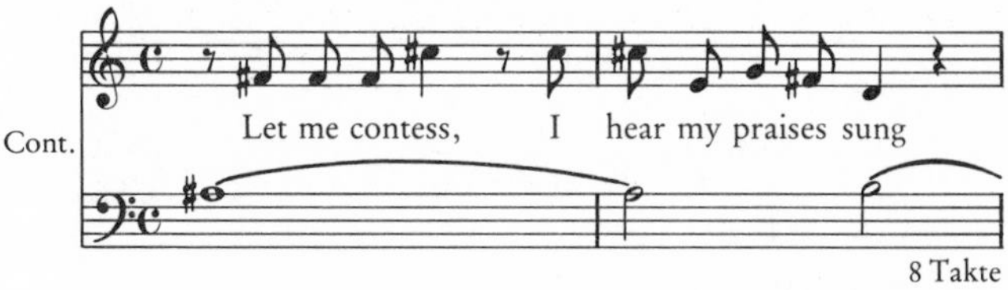
Cont.
Let me contess, I hear my praises sung
8 Takte

6. Air. Susanna

Andante
senza rip.
V. I, II
Va.
Cont.

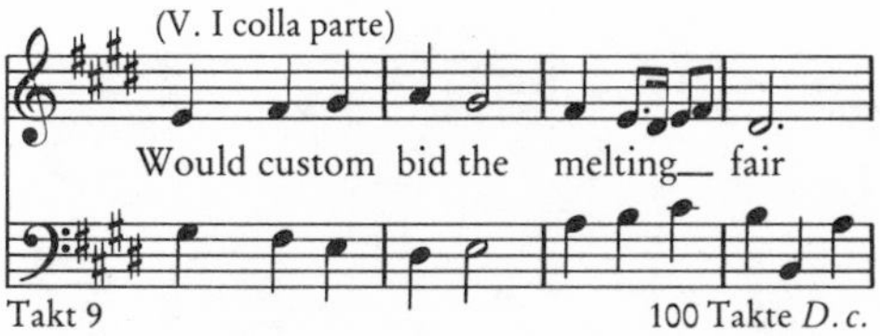
(V. I colla parte)
Would custom bid the melting_ fair
Takt 9
100 Takte D. c.

Recitative. Chelsias

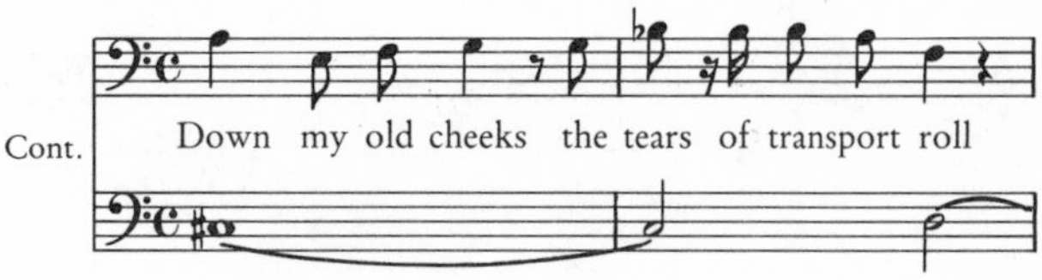
Cont.
Down my old cheeks the tears of transport roll

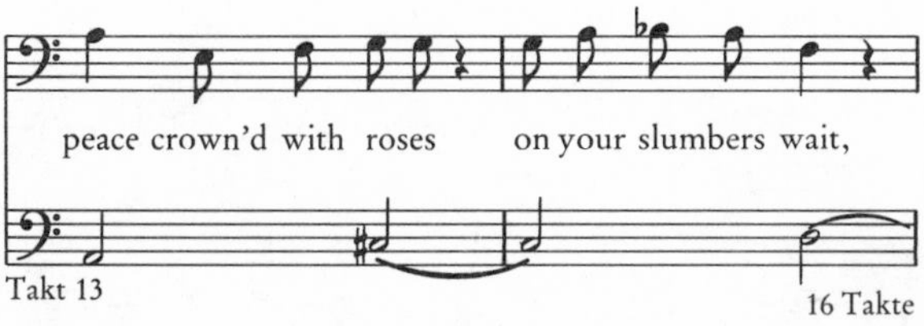
peace crown'd with roses on your slumbers wait,
Takt 13
16 Takte

7. Air. Chelsias

Larghetto e mezzo piano
V. I, II
Va.
Cont.
Peace, peace crown'd with
senza rip.

ro- ses on_ your slum- bers wait,
40 Takte

Recitative. Susanna

Cont.
Oh pi-ous Chelsias! thy paternal care
9 Takte

8. Air. Susanna

Andante
senza rip.
V. I, II
Cont.
With- out the swain's as- siduous care, how
Takt 7

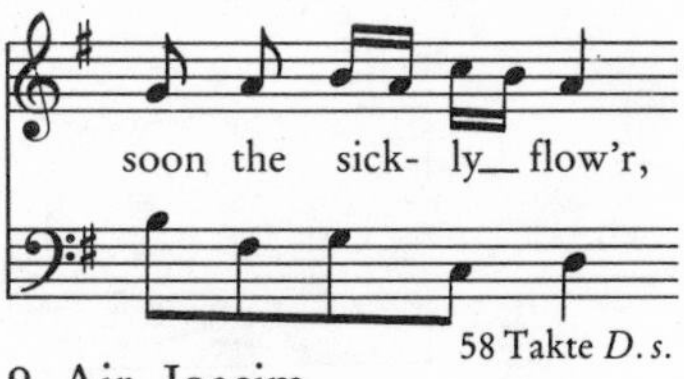
soon the sick- ly_ flow'r,
58 Takte D. s.

Recitative. Joacim; Susanna

Cont.
Source of each joy, thou comfort of my life,
32 Takte

9. Air. Joacim

Larghetto
senza rip.
per tutto
V. I, II
Cont.
The parent bird in search of food a- while deserts her callow brood,
Takt 13
96 Takte D. s.

Recitative. Susanna

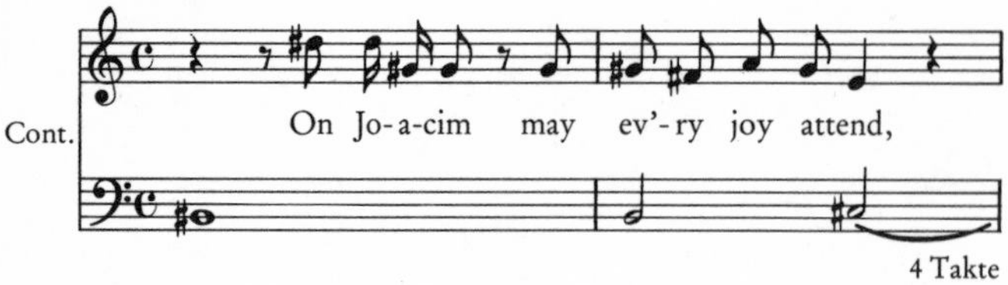
Cont.
On Jo-a-cim may ev'-ry joy attend,
4 Takte

10. Accompagnato. Susanna

What means this
V. I, II
Va.
Cont.

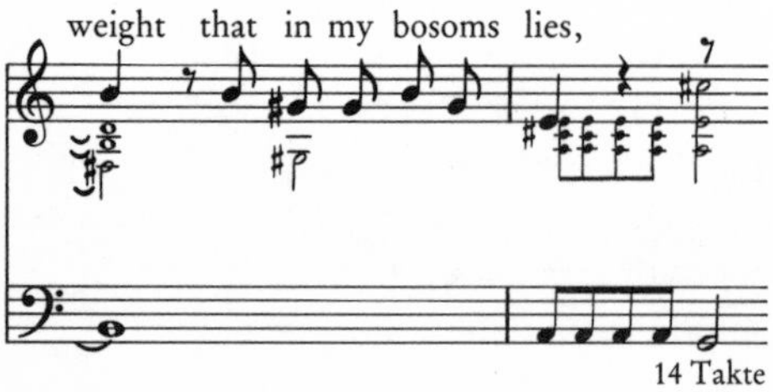
weight that in my bosoms lies,
14 Takte

11. Air. Susanna

Largo e mezzo piano
V. I, II
Va. I, II
Cont.
mp

pp
Bending to the throne of glo- ry,
this a-lone, great God, I crave,
Takt 4
Takt 9
39 Takte D. s. (T. 15)

12. Chorus. C.; A.; T.; B.

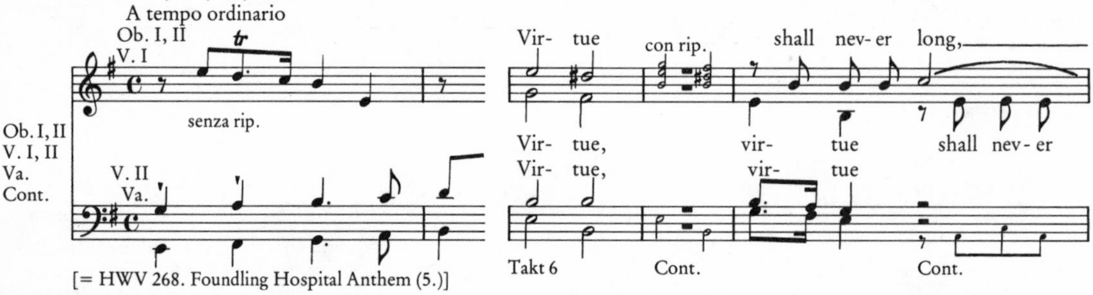
A tempo ordinario
Ob. I, II
V. I
senza rip.
Ob. I, II
V. I, II
Va.
Cont.
V. II
Va.
[= HWV 268. Foundling Hospital Anthem (5.)]
Vir- tue
con rip.
shall nev- er long,
Vir- tue, vir- tue shall nev- er
Vir- tue, vir- tue
Takt 6
Cont.
Cont.

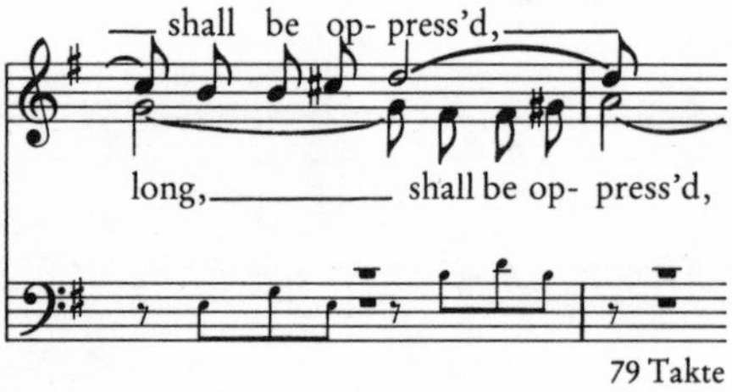
shall be op- press'd,
long, shall be op- press'd,
79 Takte

13a, b. Accompagnato. 1st Elder

senza rip. per tutto
V. I, II
Va.
Cont.
Ty-ran-nic love! I

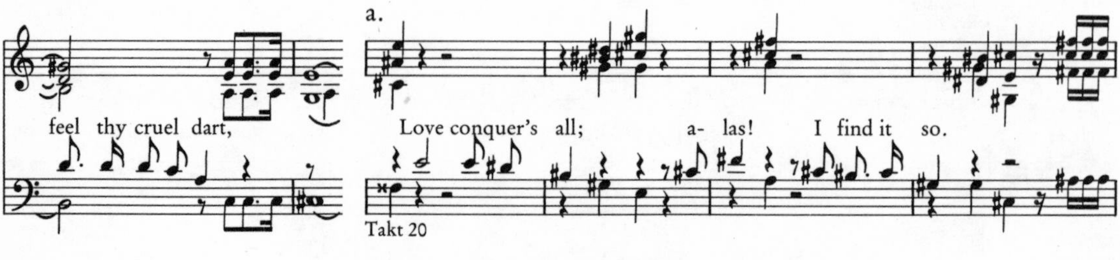
feel thy cruel dart,
a.
Love conquer's all; a- las! I find it so.
Takt 20

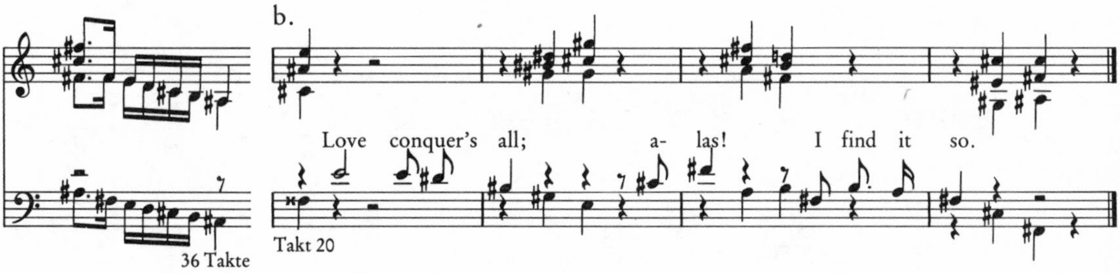
b.
Love conquer's all; a- las! I find it so.
36 Takte
Takt 20

14. Air. 1st Elder

Larghetto

senza rip.

V. I, II
Cont.
1. Ye verdant hills, ye balm-y vales, bear witness of my pain,
Takt 9
28 Takte

2. In vain would age his ice be spread to numb each gay desire . . .

3. Oh, sweetest of thy lovely race, unveil thy matchless charms . . .

Recitative. 2d Elder; 1st Elder

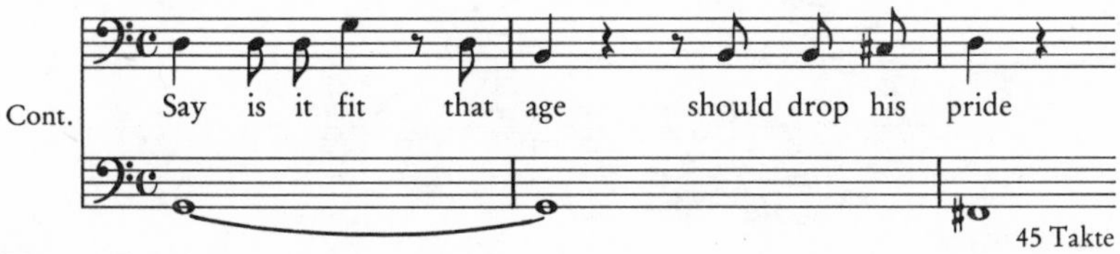
Cont.
Say is it fit that age should drop his pride
45 Takte

15. Air. 2d Elder

staccato

senza rip.

Fag.
V. I, II
unis.
Cont.

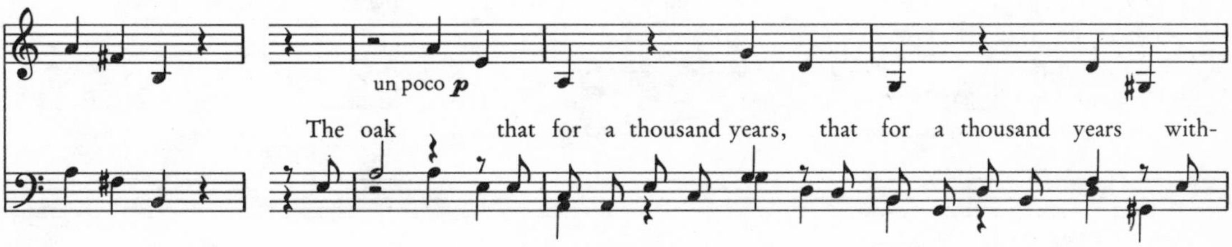
un poco p
The oak that for a thousand years, that for a thousand years with-
stood the tempest's might,
62 Takte

Recitative. 1st Elder; 2d Elder

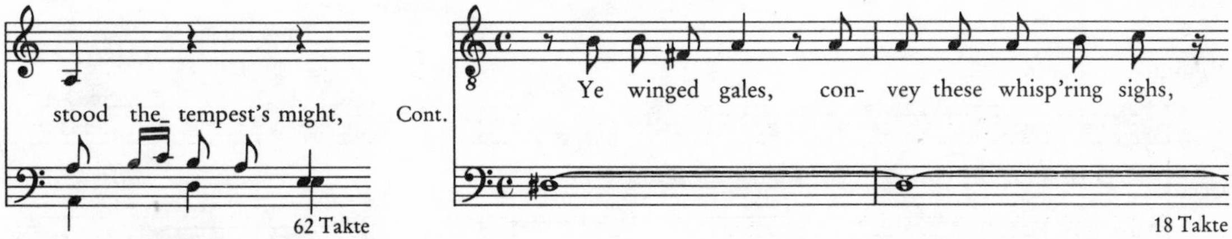
Cont.
Ye winged gales, con- vey these whisp'ring sighs,
18 Takte

16. Air. 1st Elder

Andante

senza rip. per tutto

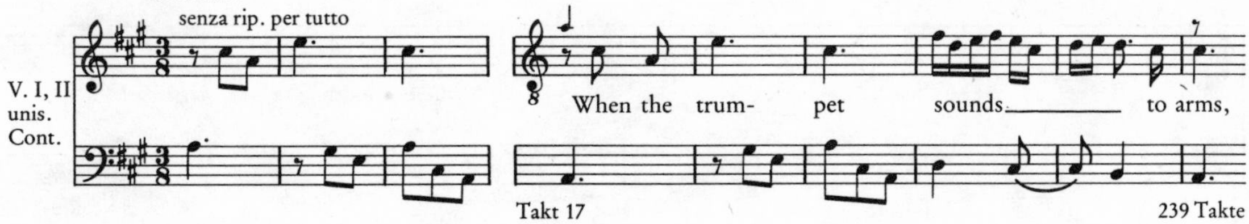
V. I, II
unis.
Cont.
When the trum- pet sounds to arms,
Takt 17
239 Takte

17. Chorus. C.; A.; T.; B.

Grave
(Tutti) con rip.
Ob. I, II
Fag.
V. I, II
Va.
Cont.
Right- eous Heav'n be- holds their guile,
Andante
Str. senza rip.
senza Fag.
Takt 13
Yet his bolt shall quick- ly fly,
Yet his bolt shall quick- ly fly,
shall quick-ly fly,
yet
Yet his bolt shall quick- - -ly fly,
Takt 22
Grave
sky. Right- eous
Takt 83
Heav'n be- holds their guile,
A tempo ordinario
Tremble, guilt, for thou shalt find,
Tremble, guilt, for thou shalt find,
Takt 88
Trem-ble, guilt, for
Takt 93
thou shalt find, thou shalt find, wrath di-vine out- strips the wind,
Wrath di- vine out-strips the wind,
155 Takte

Act II

Recitative. Joacim

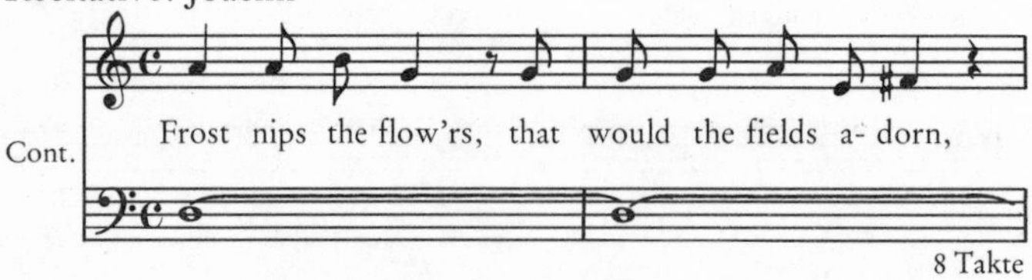
Cont.
Frost nips the flow'rs, that would the fields a- dorn,
8 Takte

18. Air. Joacim

Larghetto
senza rip. per tutto
V. I, II
Va.
Cont.

On fair Euphra- tes' ver- dant side, where nodding o- siers play,
Takt 13
93 Takte D. s.

Recitative. Susanna

Cont.
Lead me, oh lead me to some cool re- treat,
4 Takte

[Recitative.] Attendant; Susanna

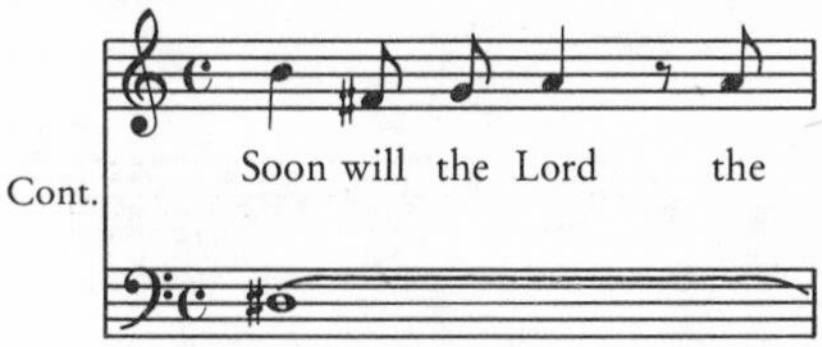
Cont.
Soon will the Lord the

[= Takt 5–27 von Recitative ,,Too lovely youth"]

Jo- a- cim re- turn;
23 Takte

19. Air. Susanna

Andante larghetto e mezzo piano

senza rip. per tutto

V. I, II
Va.
Cont.
mp
mp

Chrystal streams in mur-murs flowing, in mur-murs flowing, balm-y
V. I
V. II
Va.
pp
Takt 7

breezes gen- tly blow-ing,
51 Takte D. s.

Recitative. Susanna; Attendant

Cont.
Too love-ly youth, for whom these sorrows flow,
27 Takte

20. Air. Attendant

Non troppo presto

senza rip.

V. I, II
V. I, II
Va.
Cont.

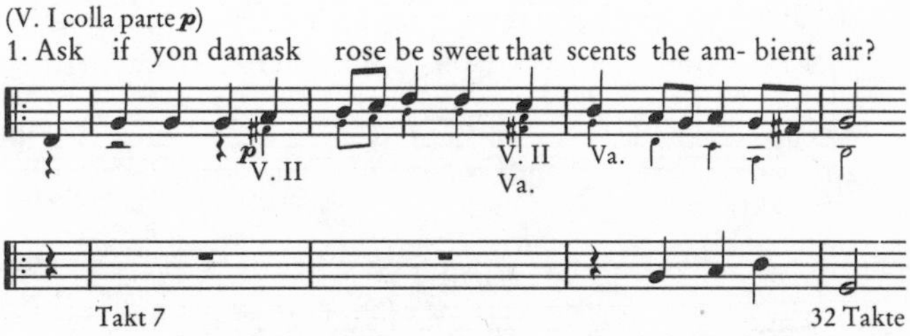
(V. I colla parte p)
1. Ask if yon damask rose be sweet that scents the am- bient air?
p
V. II
V. II
Va.
Va.
Takt 7
32 Takte

2. Say, will the vulture leave his prey, and warble thro' the grove; ...

3. The spoils of war let heroes share, let pride in splendour shine ...

Recitative. Susanna; Attendant

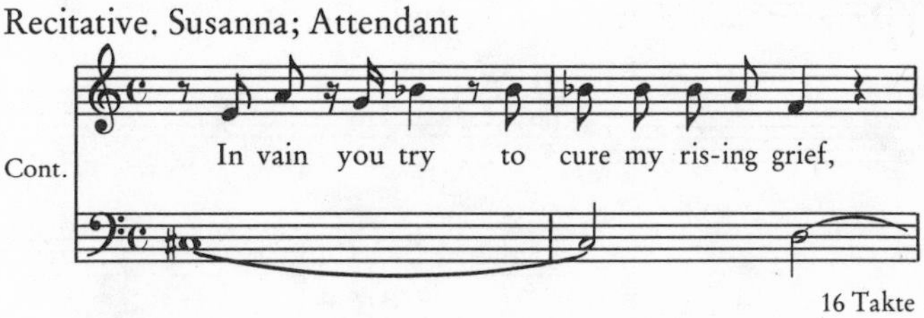
Cont.
In vain you try to cure my ris-ing grief,
16 Takte

21. Air. Attendant

Alla Siciliana. Largo
senza rip. per tutto

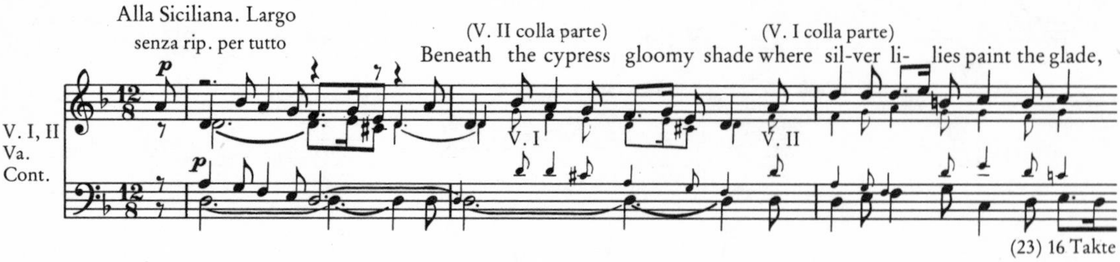
(V. II colla parte)
(V. I colla parte)
Beneath the cypress gloomy shade where sil-ver li- lies paint the glade,
V. I, II
Va.
Cont.
V. I
V. II
(23) 16 Takte

Recitative. Susanna; Attendant

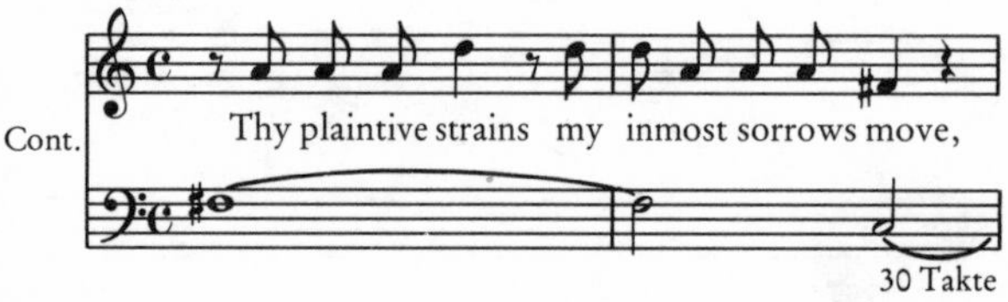
Cont.
Thy plaintive strains my inmost sorrows move,
30 Takte

22. Air. 1st Elder

Larghetto
senza rip. per tutto

V. I, II
Cont.
Blooming
Takt 5

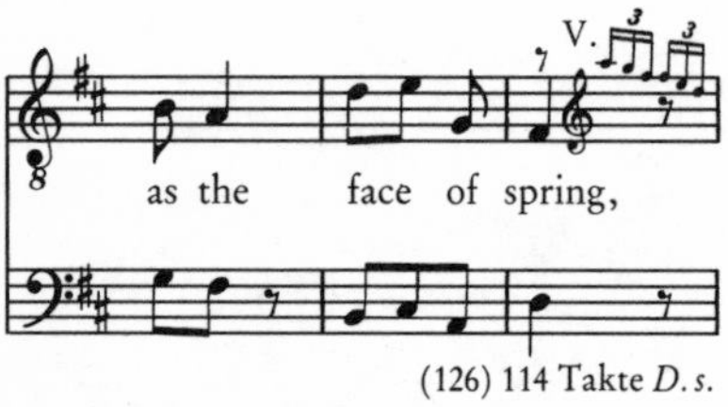
V.
as the face of spring,
(126) 114 Takte D. s.

Recitative. 2d Elder; Susanna

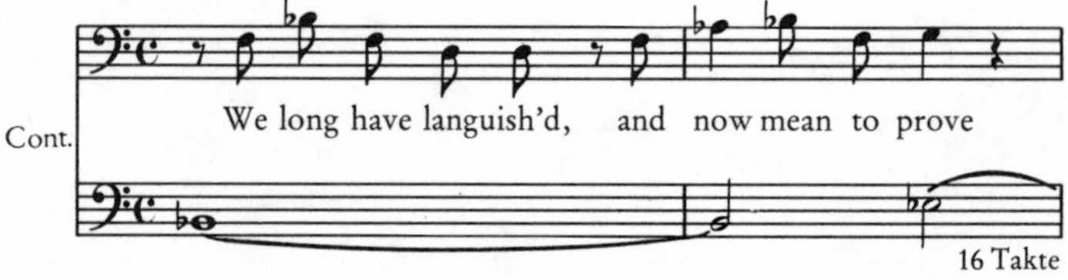
Cont.
We long have languish'd, and now mean to prove
16 Takte

23. Air. 2d Elder

Allegro
senza rip.

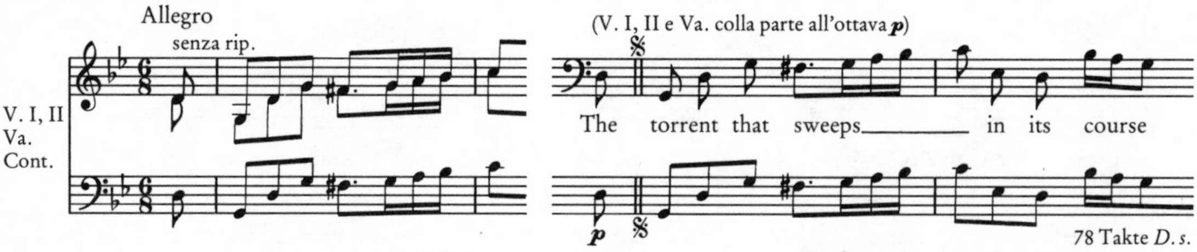
(V. I, II e Va. colla parte all'ottava p)
V. I, II
Va.
Cont.
The torrent that sweeps in its course
78 Takte D. s.

Recitative. Susanna; 2d Elder

Cont.
Deceit-ful wolves! who left in truth's defence,
15 Takte

24. Trio. Susanna; 1st Elder; 2d Elder

Andante

V. I, II
Va.
Cont.

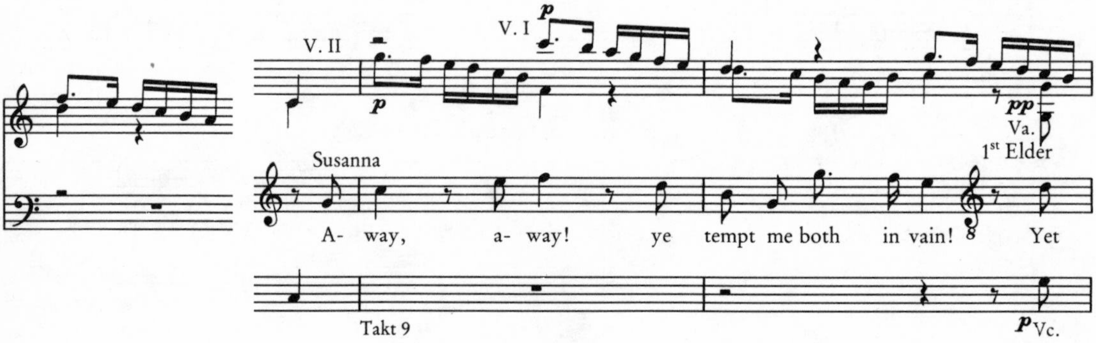
V. II
V. I
Va.
Susanna
1st Elder
A- way, a- way! ye tempt me both in vain! Yet
Takt 9
Vc.

un poco f
2d Elder
stay, yet stay, and hear my love sick strain! I scorn to intreat when by force I may gain
un poco f
37 Takte

Recitative. Susanna; 2d Elder; 1st Elder

Cont.
A-las! I find the fa-tal toils are set,
27 Takte

25. Air. Susanna

Andante
V. I, II
Va.
Cont.
If guiltless blood be your in-tent, I

here re- sign it all,
Largo e piano
And if to fate my days must run,
p
senza rip.
Takt 40
p
(attacca)

Recitative. 2d Elder

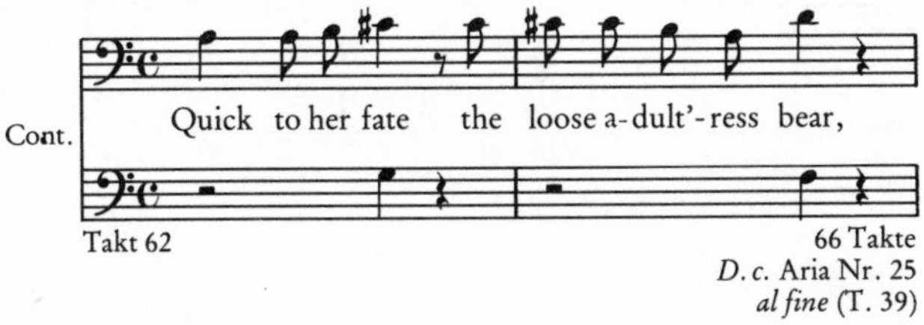
Cont.
Quick to her fate the loose a-dult'-ress bear,
Takt 62
66 Takte
D. c. Aria Nr. 25
al fine (T. 39)

26. Chorus. C.; A.; T.; B.

Andante
senza rip.
Ob. I, II
V. I, II
Va.
Cont.

(col Ob. I, II)
Let justice reign and flour- -ish thro' the land, let justice reign
Let justice reign and flour- -ish thro'
Let justice
Cont.
Takt 13
70 Takte

Recitative. Joacim

Cont.
Is fair Susan-na false? it ne'er can be,
13 Takte

27. Air. Joacim

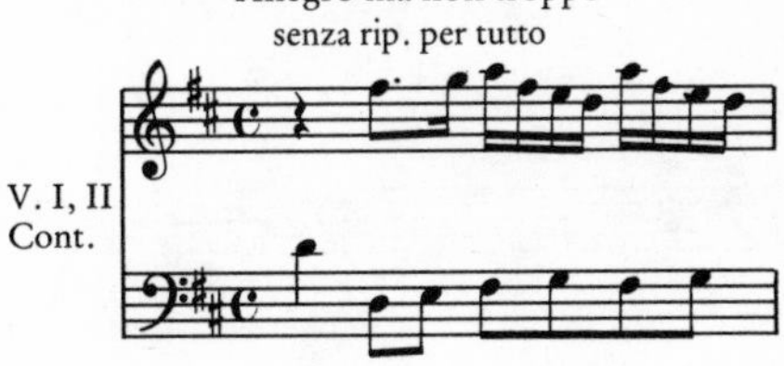
Allegro ma non troppo
senza rip. per tutto
V. I, II
Cont.

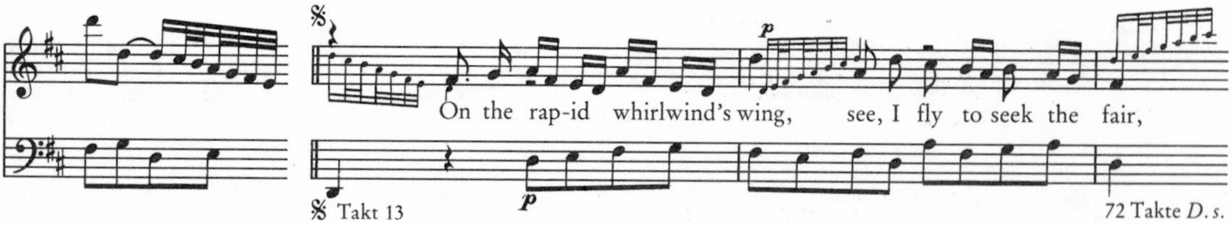
On the rap-id whirlwind's wing, see, I fly to seek the fair,
p
p
Takt 13
72 Takte D. s.

28. Chorus. C.; A.; T.; B.

Andante larghetto
(col Ob.)
Ob. I, II
V. I, II
Va.
Cont.
Oh Jo- acim! thy wedded truth,
Cont.
thy wedded truth is war-
thy wedded truth is
Takt 23
- ran-ted of heav'n,
war- (ranted)
thy wedded
Adagio
con rip.
thy wed- ded truth is war- ran- ted of
Takt 63
A tempo ordinario
senza rip.
and to thy faith, il- lustrious youth, shall due re-ward be giv'n, shall due re- ward
heav'n:
and to thy faith,
102 Takte

Act III

29. Chorus. C.; A.; T.; B.

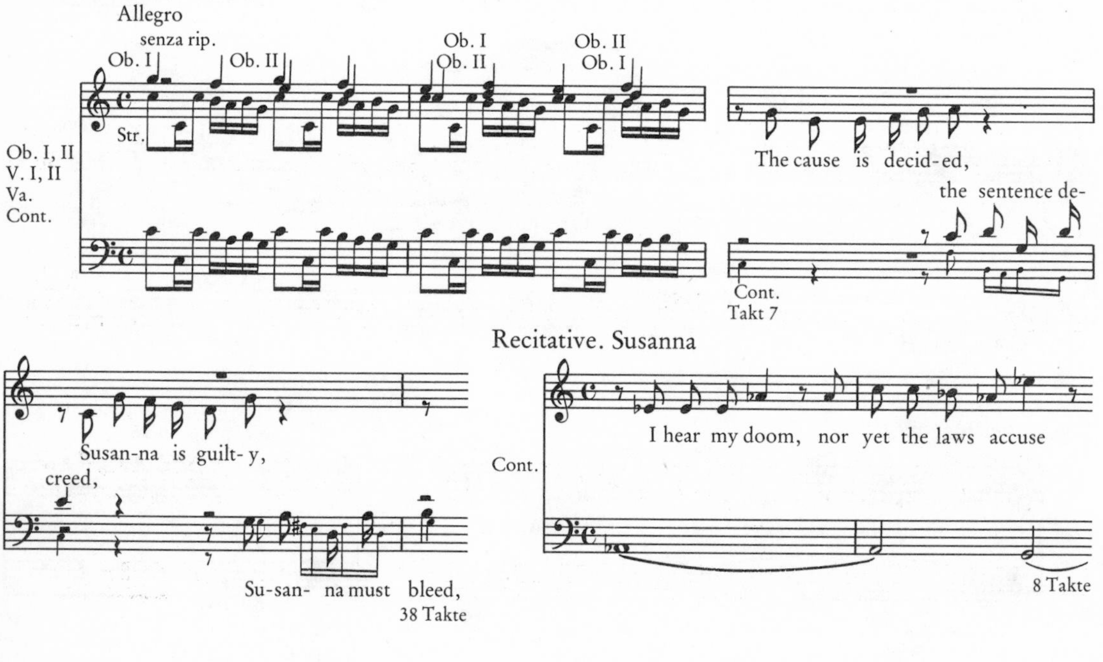
Allegro
senza rip.
Ob. I
Ob. II
Ob. I
Ob. II
Ob. II
Ob. I
Str.
Ob. I, II
V. I, II
Va.
Cont.
The cause is decid-ed,
the sentence de-
Cont.
Takt 7
Susan-na is guilt- y,
creed,
Su-san- na must bleed,
38 Takte
Recitative. Susanna
I hear my doom, nor yet the laws accuse
Cont.
8 Takte

30. Air. Susanna

Largo

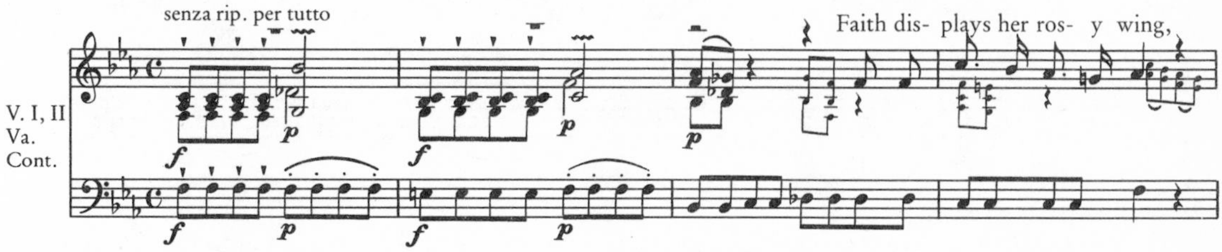

Che- rubs songs of glad-ness sing,
34 Takte

Recitative. 1st Elder

Cont.
Permit me, fair, to mourn thy fate se- vere,
4 Takte

31. Air. 1st Elder

A tempo ordinario

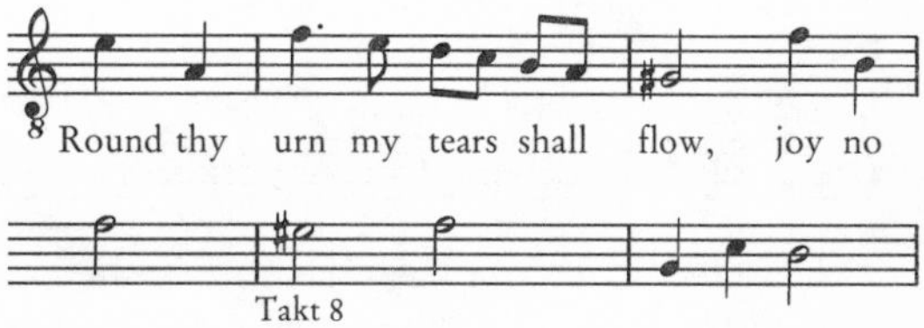
Round thy urn my tears shall flow, joy no
Takt 8

more this heart shall know,
62 Takte

Recitative. Susanna

Cont.
'Tis thus the croc- o-dile his grief dis-plays,
9 Takte

32. Accompagnato. Susanna

senza rip.
V. I, II
Va.
Cont.
But you, who see me on the verge of life, I charge you greet him
16 Takte

Recitative. 2d Elder; Daniel; 1st Elder

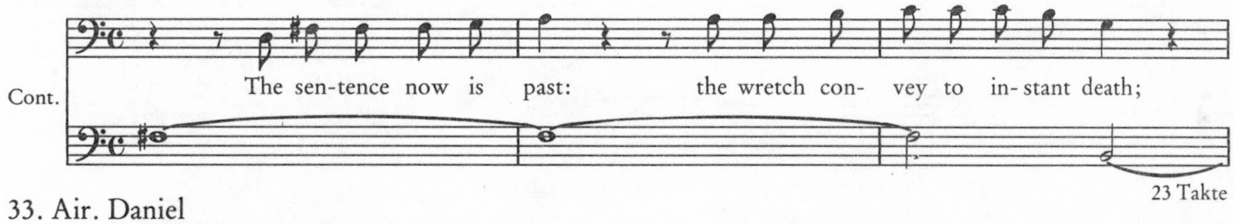
Cont.
The sen-tence now is past: the wretch con- vey to in- stant death;
23 Takte

33. Air. Daniel

Allegro

senza rip. per tutto
V. unis.
V. I, II
Cont.
'Tis not a- ge's sul- len face, wrin- kl'd
Takt 10

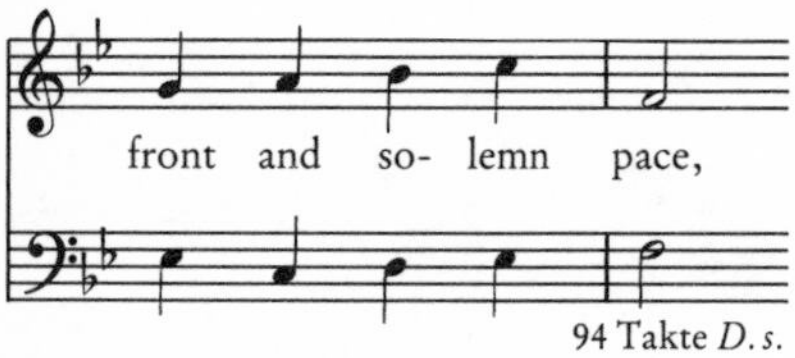
front and so- lemn pace,
94 Takte D. s.

Recitative. A Judge; Daniel

Cont.
Oh wond'rous youth! re-judge the cause,
16 Takte

34. Chorus. C.; A.; T.; B.

Larghetto
Ob. I, II
V. I, II
Ob. I, II
V. I, II
Va.
Cont.
Va.
forte e staccato
[vgl. HWV 255 The Lord is my light (11.)]
Str.
Im-par- tial
Im- par- tial heav'n!
Im- par- tial heav'n!
Takt 7

Im- par-tial heav'n! im-par-tial heav'n!
heav'n! im- par-tial heav'n! whose hand shall nev- -er cease,
whose hand shall nev-er cease, shall nev- er, nev- er cease,
im- par-tial heav'n! whose hand shall nev- er cease, im-par-tial heav'n!

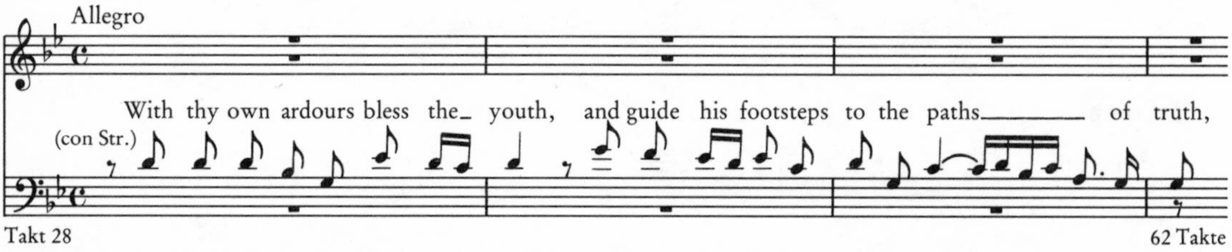
Allegro
With thy own ardours bless the youth, and guide his footsteps to the paths of truth,
(con Str.)
Takt 28
62 Takte

35. Chorus. C.; A.; T.; B.

A.
B. Recitative. Daniel; 1st Elder; 2[d] Elder

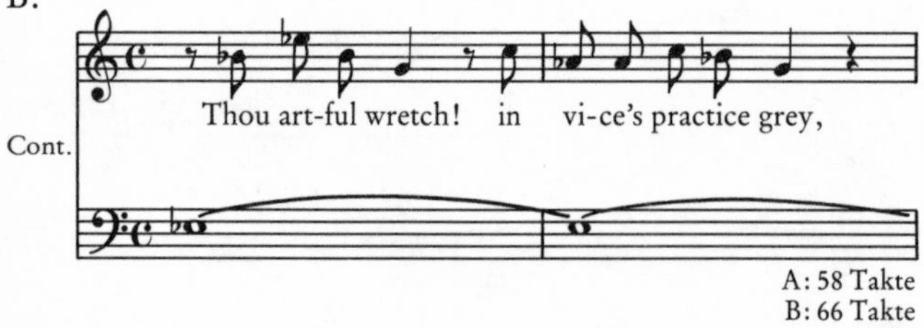
Cont.
Thou art-ful wretch! in vi-ce's practice grey,
A: 58 Takte
B: 66 Takte

Andante
senza rip.
Ob. I, II
Fag.
V. I, II
Va.
Cont.
Righteous Dan- iel,
Cont.

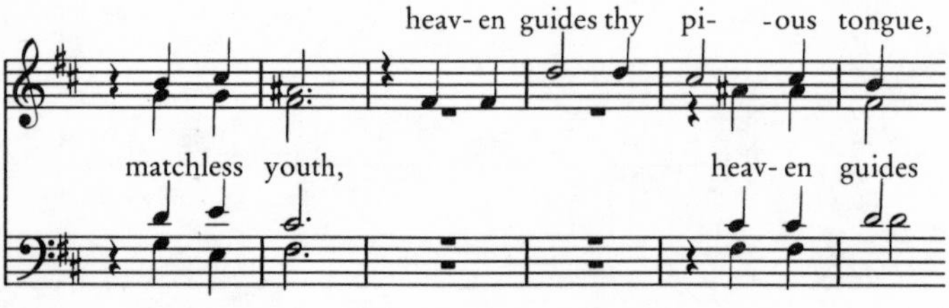
heav- en guides thy pi- -ous tongue,
matchless youth, heav- en guides

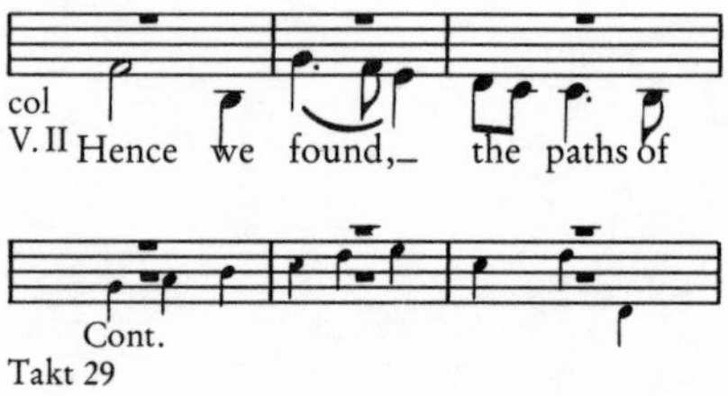
col
V. II
Hence we found, the paths of
Cont.
Takt 29

truth to thy fame
99 Takte

A. Recitative. Daniel

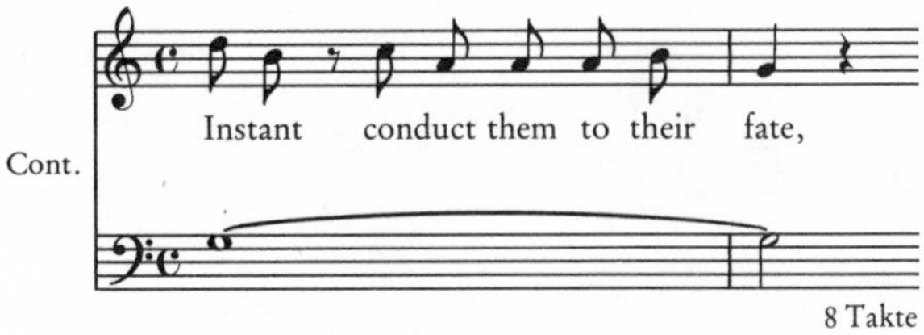
Cont.
Instant conduct them to their fate,
8 Takte

B. Recitative. Daniel

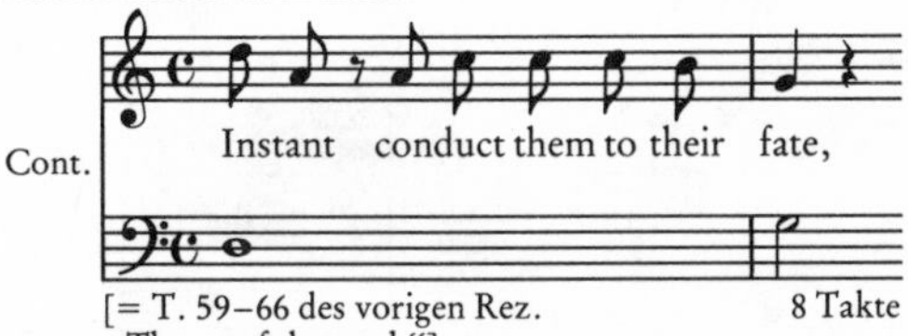
Cont.
Instant conduct them to their fate,
8 Takte

[= T. 59–66 des vorigen Rez. „Thou artful wretch"]

36. Air. Daniel

Andante larghetto
senza rip. per tutto

V. I, II
Va.
Cont.

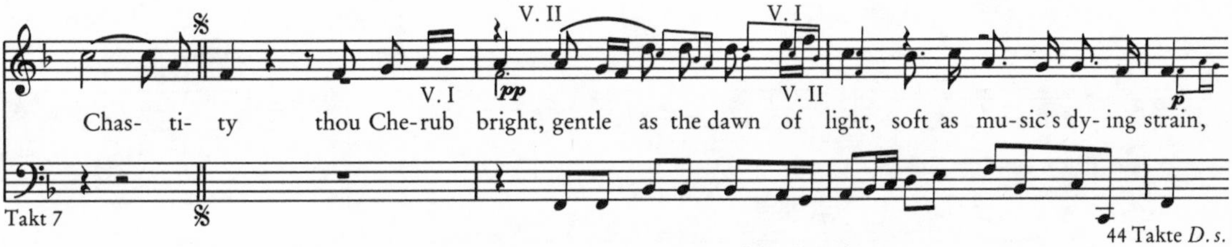
V. II
V. I
pp
V. I
V. II
p
Chas- ti- ty thou Che-rub bright, gentle as the dawn of light, soft as mu-sic's dy- ing strain,
Takt 7
44 Takte D. s.

37. Air. Joacim

Recitative. Susanna

Cont.
But see! my Lord, my Jo-a-cim appears,
4 Takte

Allegro ma non troppo
senza rip.

V. I, II
Cont.

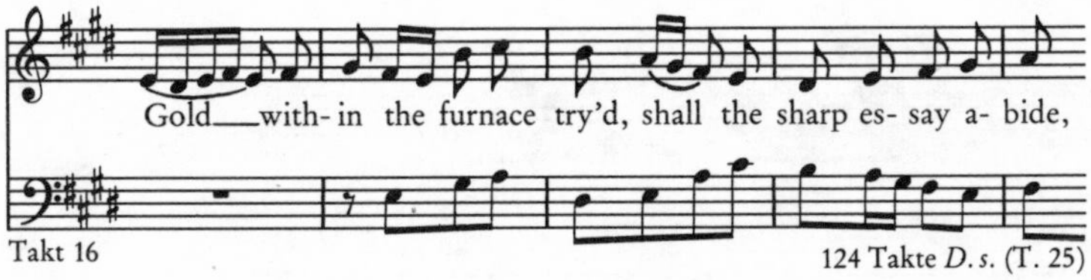
Gold with- in the furnace try'd, shall the sharp es- say a- bide,
Takt 16
124 Takte D. s. (T. 25)

A. Recitative. Chelsias; Susanna

Cont.
The joyful news of

chaste Su- san- na's truth
8 Takte

B. Recitative. Chelsias; Susanna (1759)

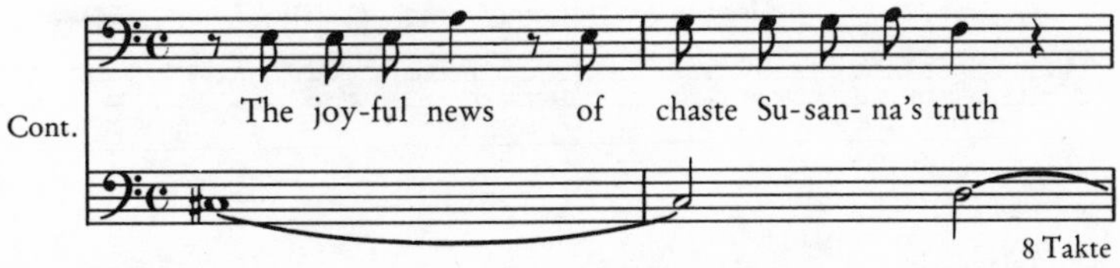
Cont.
The joy-ful news of chaste Su-san- na's truth
8 Takte

(38.) Solo and Chorus. Attendant; C.; A.; T.; B. (1759)

Alla Gavotta

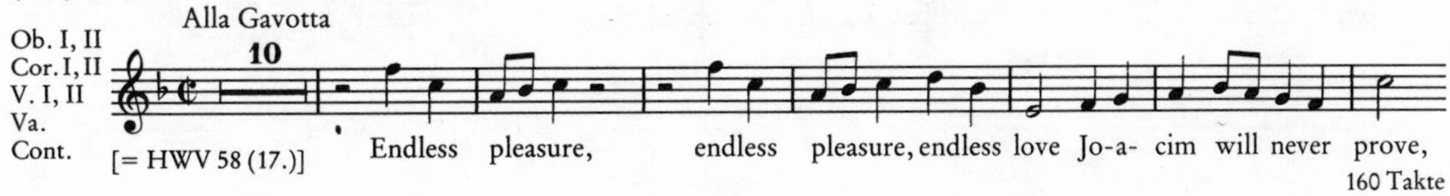
Ob. I, II
Cor. I, II
V. I, II
Va.
Cont.
10
[= HWV 58 (17.)]
Endless pleasure, endless pleasure, endless love Jo-a- cim will never prove,
160 Takte

38a. Air. Chelsias

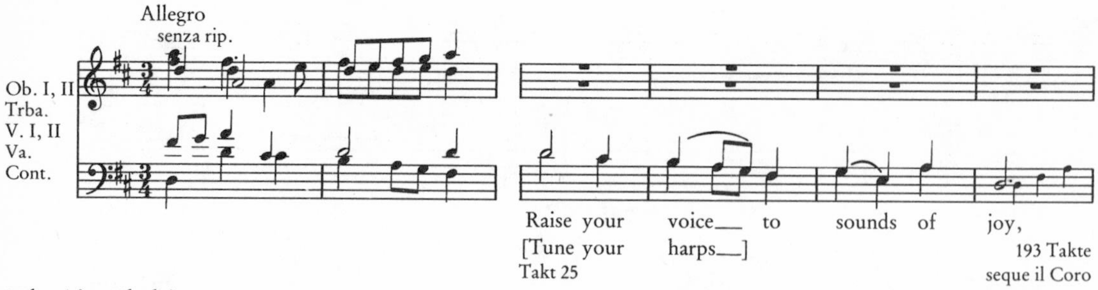
Allegro
senza rip.
Ob. I, II
Trba.
V. I, II
Va.
Cont.
Raise your voice__ to sounds of joy,
[Tune your harps__]
Takt 25
193 Takte
seque il Coro

38b. Air. Chelsias

Allegro
Ob. I, II
Trba.
V. I, II
Va.
Cont.
Raise your voice to sounds of joy,
28 Takte

39. Chorus. C.; A.; T.; B.

Ob. I, II
Trba. I, II
V. I, II
Va.
Cont.
Bless'd be the

day that gave Su- san- na birth,
Trba.
Ob.
Str.
88 Takte

Recitative. Susanna

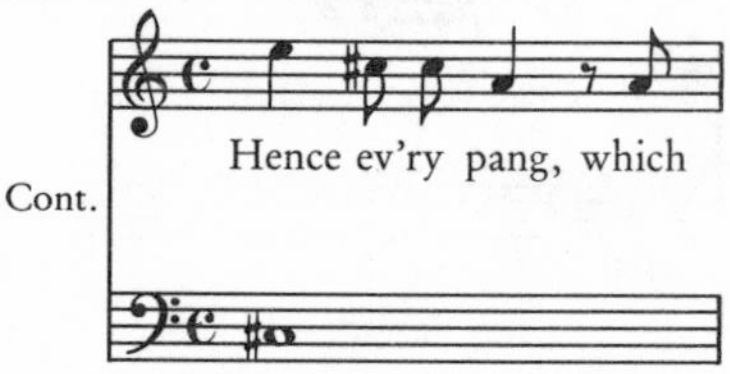
Cont.
Hence ev'ry pang, which

late my soul oppress'd,
8 Takte

40. Air. Susanna

Allegro
senza rip.
V. I, II
Va.
Cont.
[Pale ter- ror,
Guilt trembling
Takt 12

simile
p
and dis- may, and dis- may in- creas'd the fears of night]
spoke my doom, spoke my doom, and vice her joy dis- play'd,
(131) 90 Takte D. s.

Recitative. Joacim; Susanna

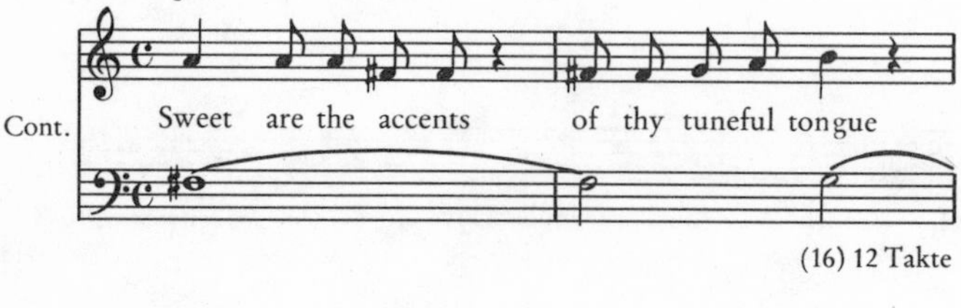
Cont.
Sweet are the accents of thy tuneful tongue
(16) 12 Takte

41. Duet. Susanna; Joacim

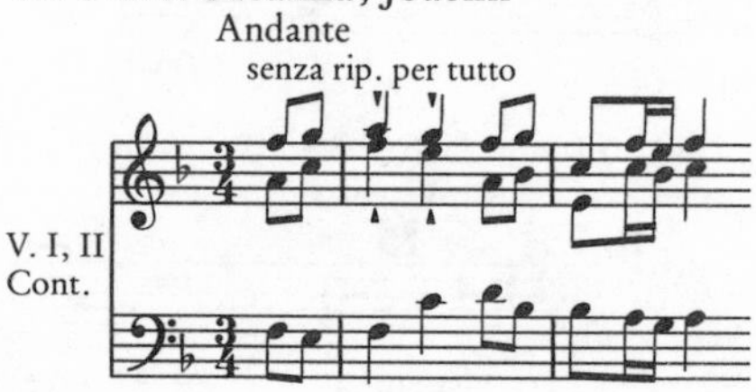
Andante
senza rip. per tutto
V. I, II
Cont.

42. Chorus. C.; A.; T.; B.

Anhang

Ouverture

(2.) Air. Joacim

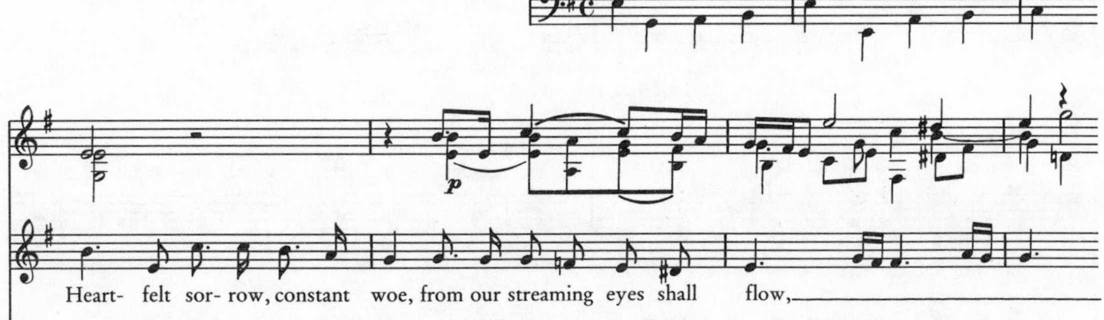

(6.) Air. Susanna

Siciliana larghetta

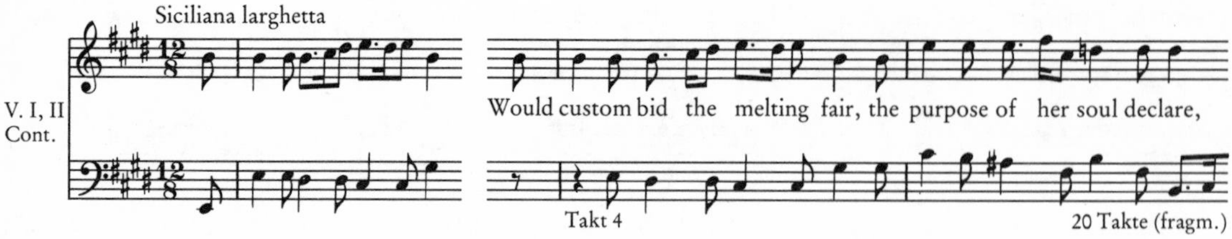
V. I, II
Cont.
Would custom bid the melting fair, the purpose of her soul declare,
Takt 4
20 Takte (fragm.)

(9.) Air. Joacim

Larghetto

tr
tr
V. I, II
unis.
Cont.
The par- ent bird in search of food a- while deserts her callow brood,
Takt 13
51 Takte (fragm.)

(20a.) Air. Attendant

Non troppo allegro

(𝄋) Violini colla parte piano
V. I, II
Cont.
Ask if yon damask rose be sweet, that
(𝄋)
Takt 9

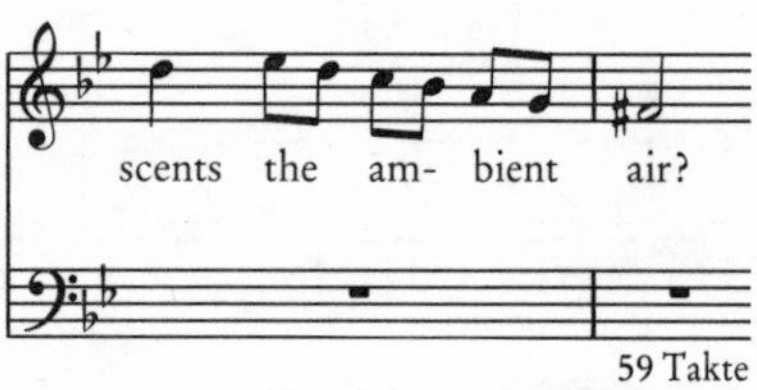
scents the am- bient air?
59 Takte

D. c. dal segno la seconda strofa

(20b.) Air. Attendant

Non troppo presto

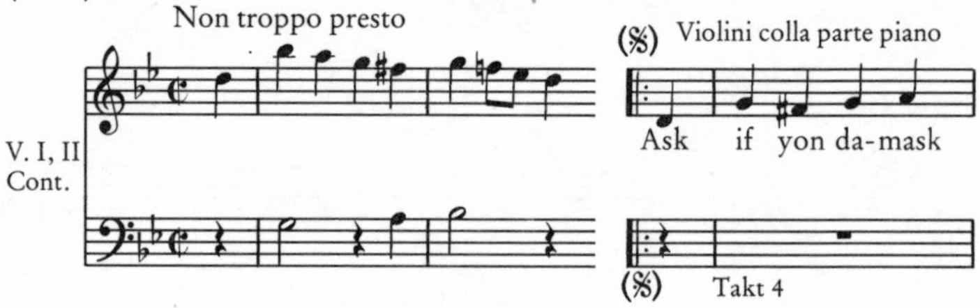
(𝄋) Violini colla parte piano
V. I, II
Cont.
Ask if yon da-mask
(𝄋)
Takt 4

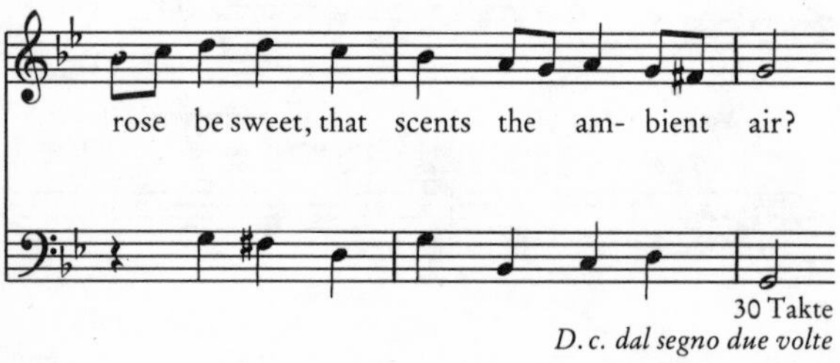
rose be sweet, that scents the am- bient air?
30 Takte

D. c. dal segno due volte

(28.) Chorus. C.; A.; T.; B.

Grave

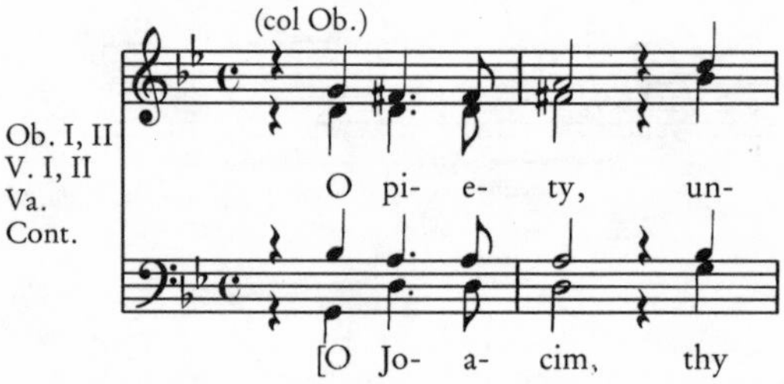
(col Ob.)
Ob. I, II
V. I, II
Va.
Cont.
O pi- e- ty, un-
[O Jo- a- cim, thy

A tempo ordinario
fa- ding light, thou eld- est born of Heav'n,
to guide us thro' this gloom of night
[and to thy faith, il- -lu- strious youth]
wedded truth is war- rant- ed of Heav'n]
Takt 13

Quellen

Handschriften: Autographe: GB Lbm (R. M. 20. f. 8.; R. M. 20. f. 12., f. 26–31: Nr. 12), Cfm (30 H 9, p. 75–80: fragm., Entwurf für Nr. 3 mit dem Text „So happy as I with joy on their wings", Anhang Nr. 9).

Abschriften: D (brd) Hs (Direktionspartitur M $\frac{A}{1055}$) – GB BENcoke, Cfm (Barrett-Lennard-Collection), Lbm (R. M. 18. f. 4.), Mp (MS 130 Hd4, v. 315–316), Shaftesbury Collection (v. 65–67, Kopie von J. C. Smith sen.).

Drucke: Susanna an oratorio. Set to musick by Mr Handel. – London, J. Walsh; Susanna. An oratorio in score, composed by Mr Handel. – London, Wright & Co.; Harrison's edition, corrected by Dr Arnold. The overture and songs in Susanna, an oratorio, for the voice, harpsichord, and violin. Composed by Mr Handel. – London, Harrison & Co.; Susanna. A sacred oratorio. In score, composed in the year 1743. By G. F. Handel. – London, Arnold's edition, No. 131–135 (ca. 1793); Ask if yon damask rose be sweet. Sung by Sig^{ra} Sibilla [p. 54–55 der Walsh-Ausgabe]. – s. l., s. n.; Ask if yon damask rose. Set by Mr Handel. – s. l., s. n.; —... (In: The Lady's Magazine, Jan., 1793). – (London), s. n.; —... Susanna. – (London), J. Bland; Beneath thy cypress' gloomy shade. Air (In: The Lady's Magazine, Aug., 1793). – (London), s. n.; If guiltless blood be your intent. Song (In: The Lady's Magazine, Dec., 1792). – (London), s. n.; 'Tis not age's sullen face. Song (In: The Lady's Magazine, May, 1798). – (London), s. n.; When first I saw my lovely maid. Song (In: The Lady's Magazine, Aug., 1792). – (London), s. n.; When the trumpet sounds to arms. Susanna. – (London), J. Bland; Ye verdant hills. A new song (In: London Magazine, 1756, p. 396). – s. l., s. n.; —... (In: The Lady's Magazine, Oct., 1787). – (London), s. n.

Libretto: Ms. – Libretto in US SM. *Drucke:* Susanna, an oratorio. As it is perform'd at the Theatre-Royal in Covent-Garden. Set to musick by George-Frederick Handel Esq. – London, J. and R. Tonson, S. Draper, 1749 [mit einer Errata-Einlage auf der letzten Seite p. 24] (Ex.: F Pa – GB BENcoke, Ckc, Lcm, Mp); — ib., MDCCXLIX (Ex.: F Pc – GB BENcoke, Mp); Susanna. An oratorio. With alterations and additions. As it is perform'd at the Theatre-Royal in Covent-Garden. Set to musick by George-Frederick Handel, Esq. – London, J. and R. Tonson, MDCCLIX (Ex.: F Pc – GB Ckc, Cu, En, Lbm).

Bemerkungen

„Susanna" entstand knapp vier Wochen nach HWV 67 Solomon, wurde aber eher aufgeführt. Der Verfasser des Textes ist nicht namentlich bekannt; wie W. Dean (S. 537 f.) auf Grund von sprachlichen Ähnlichkeiten vermutet, könnte er mit dem ebenfalls ungenannten Autor des „Solomon"-Librettos identisch sein. Thomas Morell, dem die Autorschaft mehrfach zugeschrieben wird, kommt jedoch aus stilistischen Gründen kaum in Betracht. Als historische Quelle benutzte der Librettist die Geschichte von Susanna und Daniel aus den Apokryphen.

Händel vertonte das Werk in knapp sechs Wochen und vermerkte folgende Daten im Autograph: Act I: f. 1: „angefangen den 11 July ☽ (= Montag) 17(48)", f. 49: „Fine della parte prima geendiget July 21 ♃ (= Donnerstag), 1748"; Act II: f. 87^{v}: „fine della parte 2da völlig Agost. 21"; Act III: f. 134^{v}: „S. D. G. Fine dell'Atto 3^{zo} G. F. Handel. Agost 9. ♂ (= Dienstag). 1748. aetatis 63. völlig geendiget Agost. 24 ☿ (= Mittwoch). 1748." Daraus geht hervor, daß Händel die Partitur vom 11. Juli bis 9. August entwarf, danach die Instrumentation von Akt I und II am 21. August und von Akt III am 24. August 1748 beendete.

Während der Überarbeitung nahm Händel eine Reihe von Änderungen vor; mehrere bereits vorliegende Sätze wurden neu geschrieben und zum Teil mit anderem Text versehen (s. Anhang), andere (wie Nr. 2, 6, 40 sowie verschiedene Rezitative) nachgetragen. Von besonderem Interesse ist, daß Händel die Ouverture (als Adaptation einer Komposition von John Blow) bereits von Anfang an für „Susanna" geplant hat und nicht etwa erst nachträglich dem Werk voranstellte. Zumindest muß das für die langsame Einleitung gelten, während für die Fuge ursprünglich ein zwar rhythmisch ähnliches, aber melodisch konträr gehaltenes Thema von Händel gewählt wurde, das er jedoch nach 12 Takten aufgab, um zur Blow-Ouverture zurückzukehren[1]. Kurz vor der Uraufführung nahm Händel noch weitere Änderungen der Partitur vor und kürzte das Werk beträchtlich; so entfielen die ursprünglich als Nr. 2 komponierte Arie „Heartfelt sorrow" (Anhang 2) für Joacim, die Arie „Peace crown'd with roses" (7) für Chelsias, der Chor „Virtue shall never" (12)[2], die letzten 13 Takte des Accompagnato „Tyrannic love" (13^{a}) für den 1. Elder, die längere Fassung der Arie „Raise your voice" (38^{a}) für Chelsias, 40 Takte der Arie „Guilt trembling" (40) sowie der Chor „Righteous Daniel" (35).

[1] Daß Händel diese Ouverture von John Blow übernommen hatte, war F. Chrysander schon 1856 bekannt, der in einem unveröffentlichten Teil seines Vorworts zu „Susanna" (ChA 1) darauf verwies [s. Chrysander-Nachlaß in D (brd) Hs, MS. H $\frac{S}{1:66}$, abgedruckt bei Clausen, S. 35]. Dies blieb sowohl B. Rose, dem Hrsg. des Werkes in der HHA (Serie I, Bd. 28, Vorwort), als auch F. B. Zimmerman verborgen, die erst neuerdings wieder auf diesen Fakt verwiesen (s. Lit.).

[2] Dieser Chor wurde mit dem neuen Text „Keep them alive" im Mai 1749 in das Foundling Hospital Anthem HWV 268 und 1757 in das Oratorium HWV 71 The Triumph of Time und Truth übernommen. Die betreffenden Blätter des „Susanna"-Autographs befinden sich heute im Autograph von HWV 268 (GB Lbm, R. M. 20. f. 12., f. 26–31).

Die Uraufführung fand am 10. Februar 1749, im *General Advertiser* „with a Concerto" angekündigt (Deutsch, S. 656), in folgender Besetzung statt: Susanna: Giulia Frasi, Joacim: Caterina Galli, First Elder: Thomas Lowe, Chelsias und Second Elder: Thomas Reinhold, Attendant: Signora Sibilla, Daniel: The Boy (Knabensopran). Drei weitere Aufführungen folgten am 15., 17. und 22. Februar.

Erst nach zehnjähriger Pause, in seinem letzten Lebensmonat, nahm Händel „Susanna" wieder in seinen Spielplan auf. Die für den 9. März 1759 „with new additions and alterations" (Deutsch, S. 812) angekündigte Aufführung bot jedoch eine stark gekürzte Fassung des Werkes. Händel strich die Sätze Nr. 2, 4–8 (mit den Rezitativen), 38–40 und kürzte das Rezitativ „Sweet accents" bis auf die beiden Schlußzeilen. Anstelle von Nr. 38–40 fügte er die (hier um 10 Takte gekürzte und textlich leicht veränderte) Arie mit Chor „Endless pleasure" aus HWV 58 Semele ein, wobei das Solo der Semele jetzt Susannas Dienerin zufiel. Bedingt durch diese Einfügung wurde das Rezitativ „The joyful news" (vor Nr. 38) neu geschrieben und kadenzierte nun nach B-Dur[3]. Vermutlich sangen bei dieser Aufführung Giulia Frasi (Susanna), Isabella Young-Scott (Joacim), John Beard (First Elder), Mr. Wass (Chelsias und Second Elder).

Folgende Sätze basieren auf eigenen früheren Kompositionen sowie Werken anderer Komponisten:

Ouverture
  John Blow: Ode on St. Cecilia's Day („Begin the Song", 1684): Ouverture

3. When thou art nigh
  HWV 247 „In the Lord put I my trust": 7. The righteous Lord

9./Anhang 9. The parent bird
  HWV 100 „Da sete ardente afflitto": 2. Quando non son presente
  HWV 8[a] Il Pastor fido (1. Fassung): 20. Tu nel piagarmi il seno

12. Virtue shall never long be oppress'd
  Johann Kuhnau: Frische Clavier-Früchte (1696): Suonata Prima[4]
  HWV 268 „Blessed are they": 5. Comfort them, o Lord/Keep them alive
  HWV 71 The Triumph of Time and Truth: 25. Comfort them, o Lord/Keep them alive

17. Righteous heav'n/Yet his bolt shall quickly fly
  Dionigi Erba: Magnificat („Sicut locutus est")[5]

25. If guiltless blood
  HWV 9 Teseo: 31. Amarti si vorrei

34. Impartial heav'n/With thy own ardours bless the youth
  HWV 255 „The Lord is my light": 11. Sing praises/I will remember thy name

41. To my chaste Susanna's praise
  HWV 171 „Tu fedel? tu costante?": 4. Sì, crudel, ti lascierò
  HWV 5 Rodrigo: 24. Si che lieta goderò
  HWV 9 Teseo: 19. Più non cerca libertà

Die Arie „On the rapid whirlwind's wing" (27) wurde 1751 in HWV 59 Joseph and his brethren (32[b]. Though on rapid whirlwind's wing, Arie für Phanor) übertragen.

Literatur

Clausen, S. 236 f.; Dean, S. 535 ff.; Deutsch, S. 653, 656 ff.; Flower, p. 302 f./S. 277 ff.; Gervinus, G. G.: Händel's Susanna. In: Niederrheinische Musik-Zeitung, 2. Jg., 1854, S. 393 ff., 401 ff.; Herbage, S. 123 ff.; Heuß, A.: Die Braut- und Hochzeitsarie in Händels Susanna. In: ZIMG, 14. Jg., 1913, S. 207 ff.; Lang, p. 473 ff./S. 429 ff.; Leichtentritt, S. 500 ff.; Schering, A.: Geschichte des Oratoriums, Leipzig 1911, S. 303 f.; Schering, A.: Händels „Susanna". In: Hallisches Händelfest 1922, Festschrift, S. 44 ff.; Serauky V, S. 191 ff.; Siegmund-Schultze, S. 136 f.; Siegmund-Schultze, W.: Die Wort-Ton-Beziehung bei Händel (am Beispiel Susanna). In: Georg Friedrich Händel. Thema mit 20 Variationen, Halle 1965, S. 55 ff.; Smither II, S. 324 ff.; Young, S. 175 ff.; Zimmerman, F. B.: Händels Parodie-Ouverture zu Susanna. Eine neue Ansicht über die Entlehnungsfrage. In: Händel-Jb., 24. Jg., 1978, S. 19 ff.

Beschreibung der Autographe: Lbm: Catalogue Squire, S. 84 f., 97. – Cfm: Catalogue Mann, Ms. 259, S. 189. – Dean, S. 549 ff.

[3] Im Libretto 1759 war zunächst der Schlußchor „A virtuous wife" (42) durch einen weiteren Chor aus HWV 58 Semele („Hail, Cadmus, hail" mit dem geänderten Text „Hail, virtue, hail! Fame shall bear thee on its wing", s. Dean, S. 549) ersetzt worden, was dann aber wieder zugunsten des ursprünglichen Schlußchores rückgängig gemacht wurde.

[4] Vgl. DTD, 1. Folge, 4. Bd., Leipzig 1901, S. 73.

[5] S. ChA, Supplemente 1, S. 54, Instrumentalbegleitung.

67. Solomon

Oratorio in three acts

Libretto: Verfasser unbekannt

Besetzung: Soli: 4 Soprani (Queen, Pharaoh's daughter; Nicaule, Queen of Sheba; First Harlot; Second Harlot), Alto (Solomon), 2 Tenori (Zadok, Attendant), Basso (Levite). Chor: C. I, II; A. I, II; T. I, II; B. I, II. Instrumente: Fl. trav. I, II; Ob. I, II; Fag. I, II; Cor. I, II; Trba. I, II; Timp.; V. I, II; Va. I, II; Vc.; Org.; Cont.

ChA 26. – HHA I/27. – EZ: London, 3. Mai bis 13. Juni 1748. – UA: London, 17. März 1749, Theatre Royal, Coventgarden

Ouverture

24 Takte

Fuga

Allegro moderato

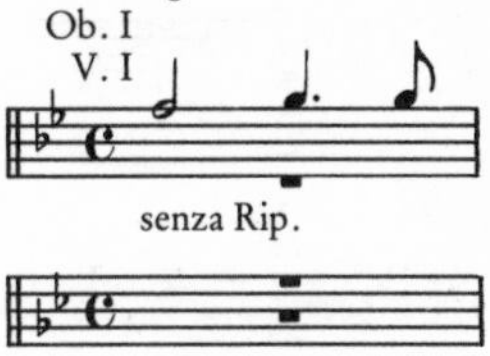

69 Takte

(Courante)

Allegro

Senza Rip. per la prima volta, la seconda volta entrano li Rip.

51 Takte

Act I

Scene I

1. Chorus. C. I, II; A. I, II; T. I, II; B. I, II

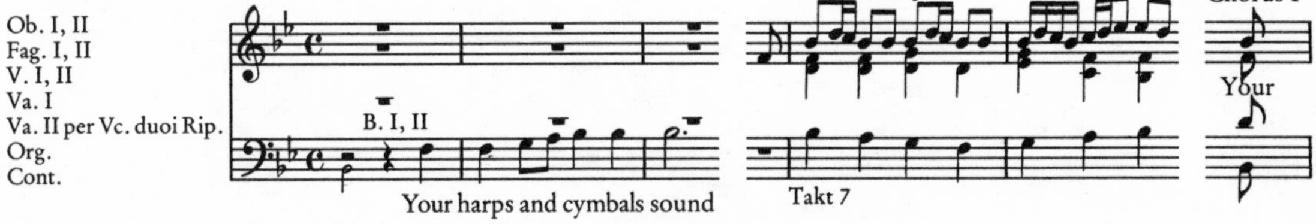

Takt 7

Takt 17

104 Takte

2. Air. Levite

Andante larghetto

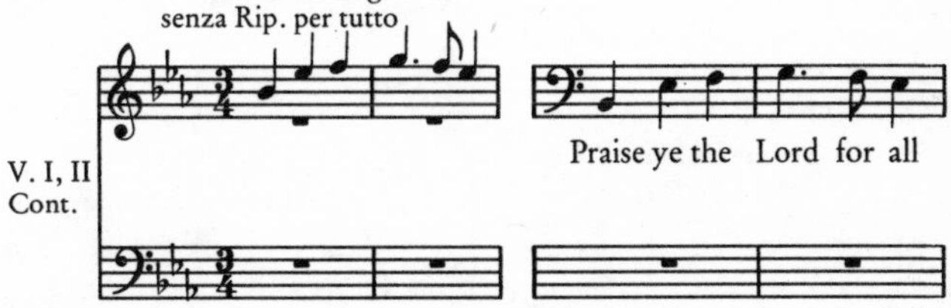

Takt 25

179 Takte

3. Chorus. C. I, II; A. I, II; T. I, II; B. I, II

Grave

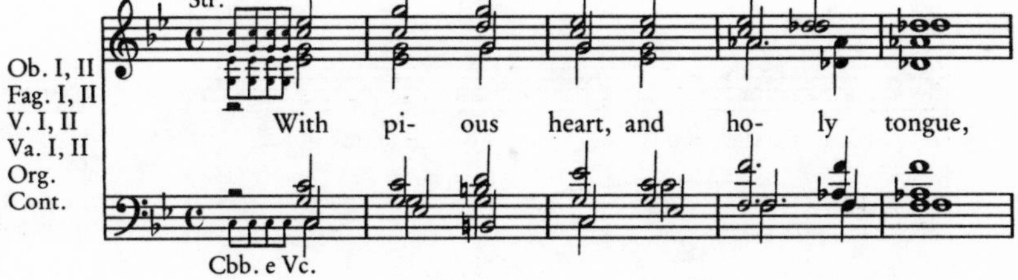

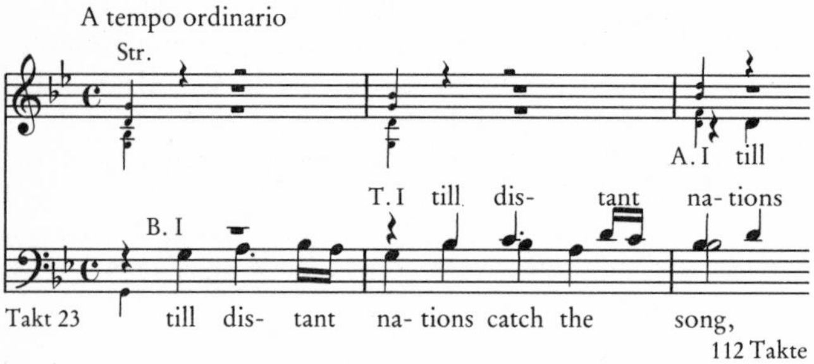
A tempo ordinario
Str.
A. I till
T. I till dis- tant na- tions
B. I
Takt 23 till dis- tant na- tions catch the song,
112 Takte

4. Accompagnato. Solomon

Largo assai
senza Rip.
Va. I
Fag. I, II
V. I, II
Va. I, II
Cont.
Va. II
Fag. I

Almighty pow'r! who rul'st the earth and skies,
V. I, II
Va. I, II
Takt 9
29 Takte

Recitative. Zadok

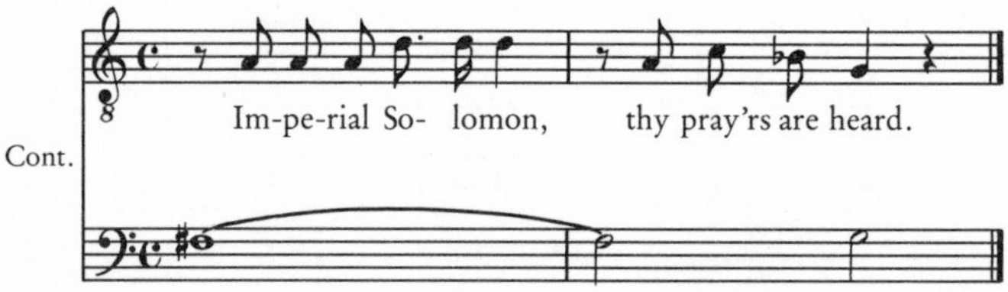
Im-pe-rial So- lomon, thy pray'rs are heard.
Cont.

3. Accompagnato. Zadok

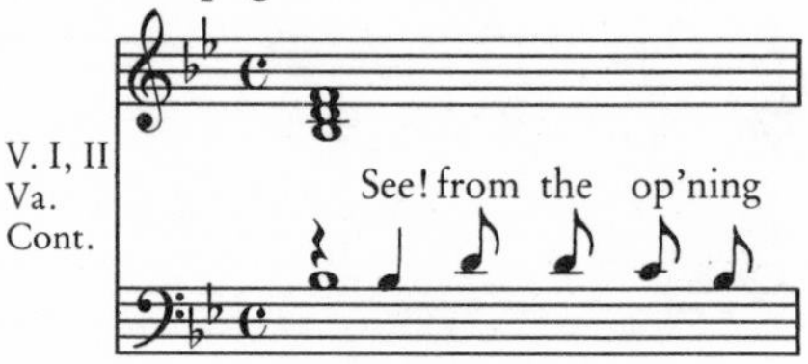
V. I, II
Va.
Cont.
See! from the op'ning

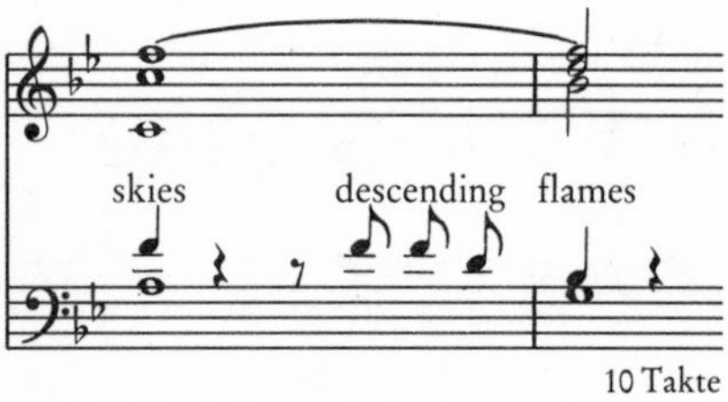
skies descending flames
10 Takte

6. Air. Zadok

Maestoso
senza Rip. per tutto
V. I, II
Cont.
Sa-cred rap- tures
Takt 13

cheer my breast,
118 Takte

7. Chorus. C. I, II; A. I, II; T. I, II; B. I, II

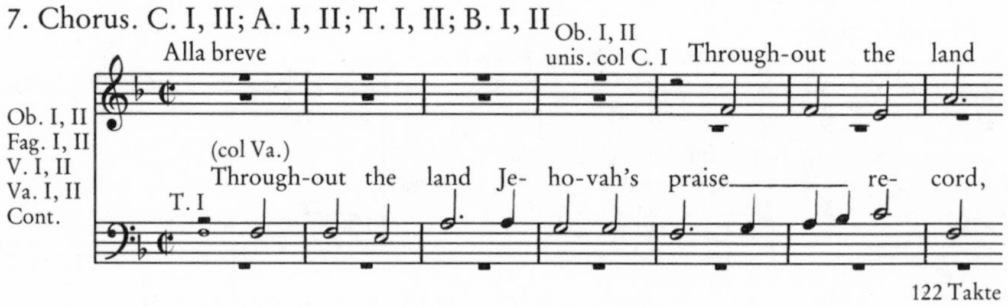
Alla breve
Ob. I, II
unis. col C. I
Through-out the land
Ob. I, II
Fag. I, II
V. I, II
Va. I, II
Cont.
(col Va.)
T. I
Through-out the land Je- ho-vah's praise re- cord,
122 Takte

8. Air. Solomon

Recitative. Solomon

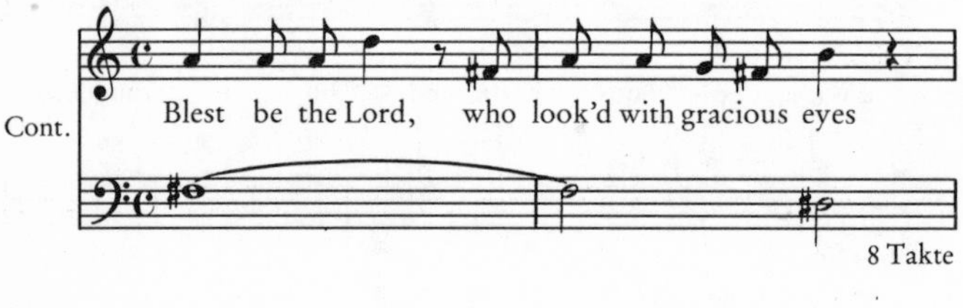
Blest be the Lord, who look'd with gracious eyes
Cont.
8 Takte

Larghetto ed un poco piano
V. I, II
Cont.
senza Rip.

p
What though I trace each herb and flow'r, that drink the morning dew,
Takt 6
46 Takte D. c.

Scene II

Recitative. Solomon

Cont.
And see my Queen, my wed-ded love,
15 Takte

9. Air. Queen

Allegro
senza Rip. per tutto
V. I, II
Va.
Cont.

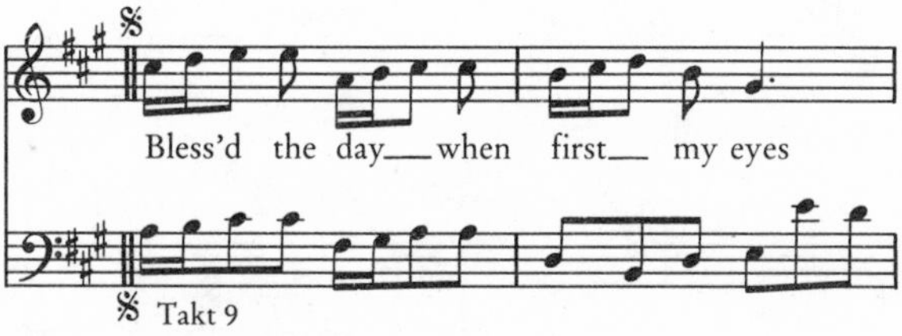
Bless'd the day when first my eyes
Takt 9

Un poco più lento
But com-plete- ly bless'd the day,
p
Takt 65
82 Takte D. s.

Recitative. Solomon; Queen

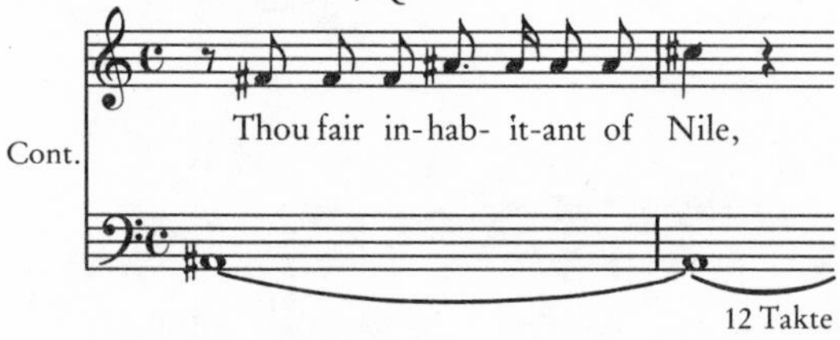
Cont.
Thou fair in-hab- it-ant of Nile,
12 Takte

10. Duet. Queen; Solomon

Andante
senza Rip.
V. I, II
Cont.

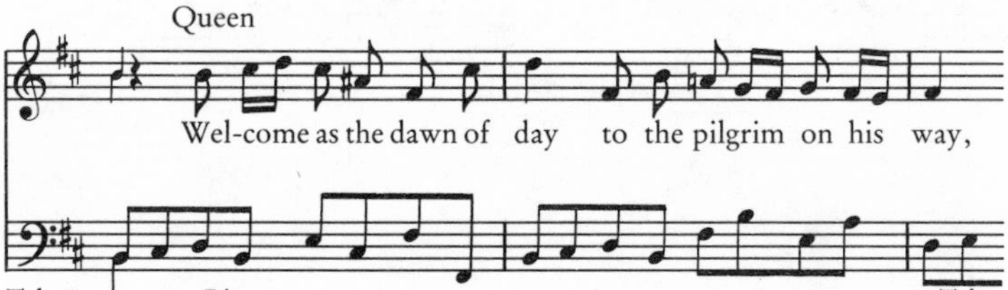
Queen
Wel-come as the dawn of day to the pilgrim on his way,
Takt 8
senza Rip.
61 Takte

Recitative. Zadok

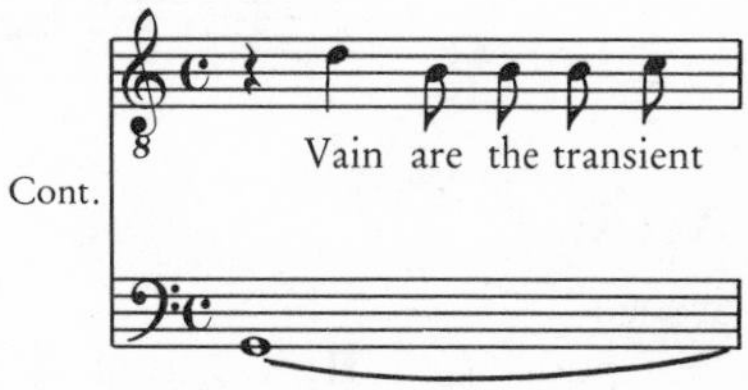
Cont.
Vain are the transient

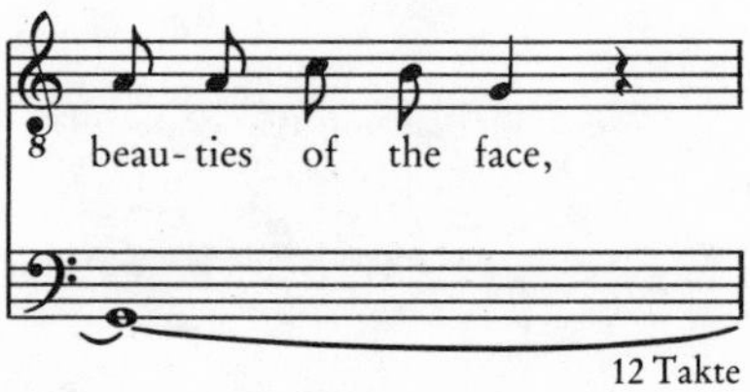
beau- ties of the face,
12 Takte

11. Air. Zadok

Andante
senza Rip.
V. I, II
unis.
Cont.
In-

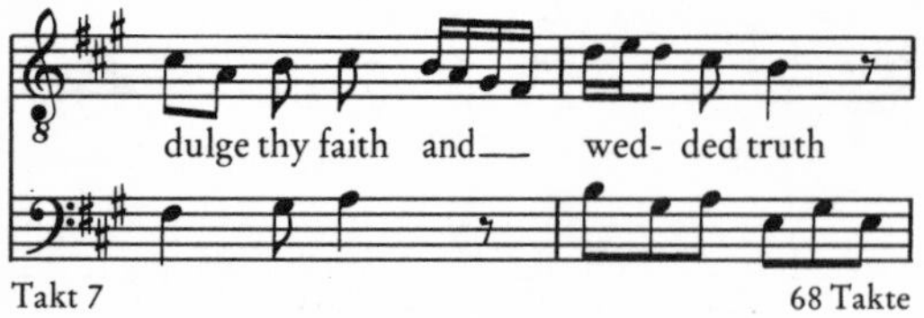
dulge thy faith and — wed- ded truth
Takt 7
68 Takte

Recitative. Solomon

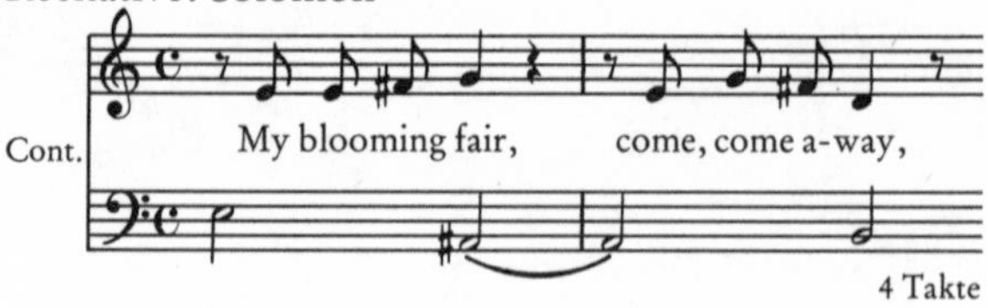
Cont.
My blooming fair, come, come a-way,
4 Takte

12. Air. Solomon

Andante
V. I, II
unis.
Cont.
senza Rip.
Haste, haste to the ce- dar grove,
p
Takt 10

where fra-grant spic- es — bloom,
Takt 13
51 Takte D. s. (T. 25)

Recitative. Queen

Cont.
When thou art ab- sent from my sight,
4 Takte

13. Air. Queen

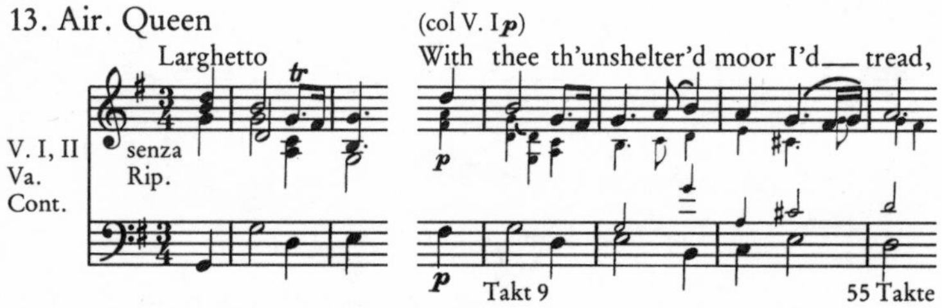
Larghetto
V. I, II
Va.
Cont.
senza
Rip.
tr
(col V. I p)
With thee th'unshelter'd moor I'd — tread,
p
p
Takt 9
55 Takte

Recitative. Zadok

Cont.
Search round the world,
4 Takte

14. Chorus. C. I, II; A.; T.; B.

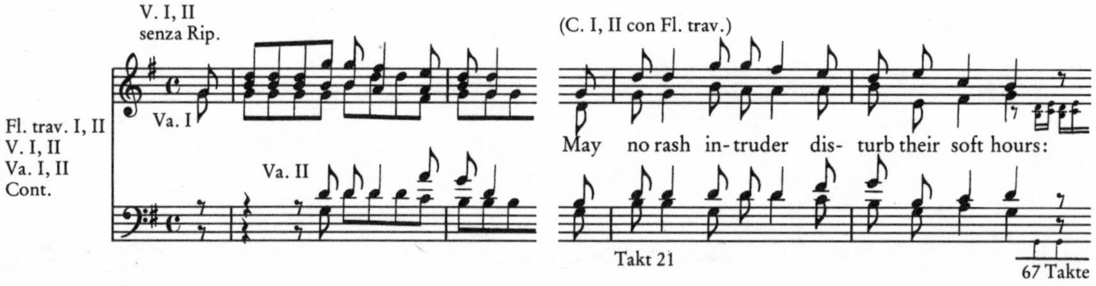
V. I, II
senza Rip.
Fl. trav. I, II
V. I, II
Va. I, II
Cont.
Va. I
Va. II
(C. I, II con Fl. trav.)
May no rash in-truder dis- turb their soft hours:
Takt 21
67 Takte

Act II

Scene I

15. Chorus. C. I, II; A. I, II; T. I, II; B. I, II

Allegro
Ob. I
Ob. II
Ob. I, II
Fag.
Cor. I, II
Trba. I, II
Timp.
V. I, II
Va. I, II
Org.
Cont.
Fag.
Chorus I
Chorus II
From the cen- ser curling rise grate-ful
Chorus I
Chorus II
Takt 12

in- cense
B. I, II con strom.
Live, live for ev- er, pi- ous David's son, for ev- er, live for ev- -er,
Takt 39
136 Takte

Recitative. Solomon

Cont.
Prais'd be the Lord
20 Takte

16. Air. Solomon

Larghetto
V. I, II unis.
Cont.
senza Rip.
When the sun o'er yon-der
Takt 18
senza Rip.

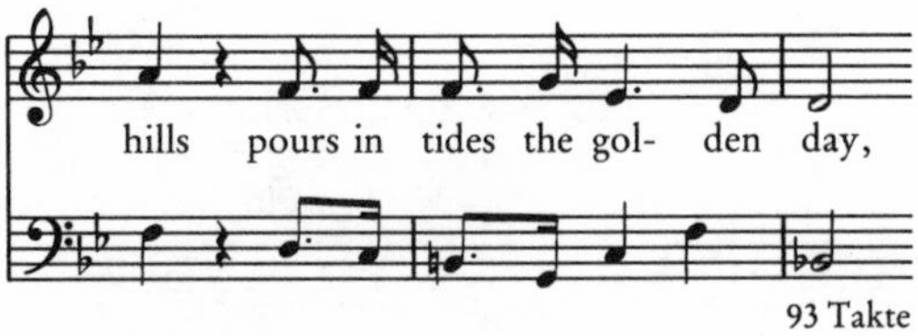
hills pours in tides the gol- den day,
93 Takte

Recitative. Levite

Cont.
Great prince, thy res-o-lution's just:
8 Takte

17. Air. Levite

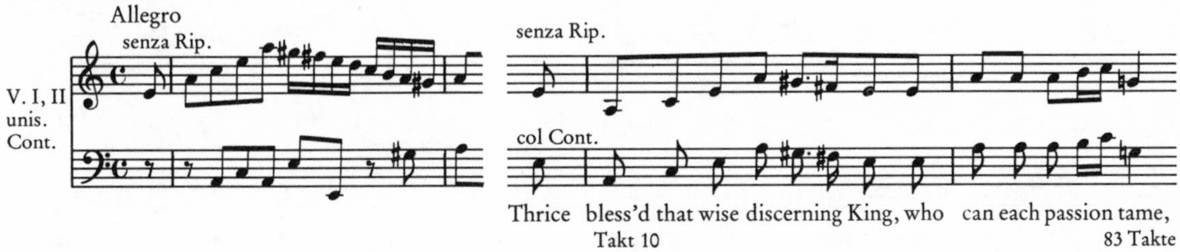
Allegro
senza Rip.
V. I, II unis.
Cont.
senza Rip.
col Cont.
Thrice bless'd that wise discerning King, who can each passion tame,
Takt 10
83 Takte

Scene II
Recitative. Attendant; Solomon

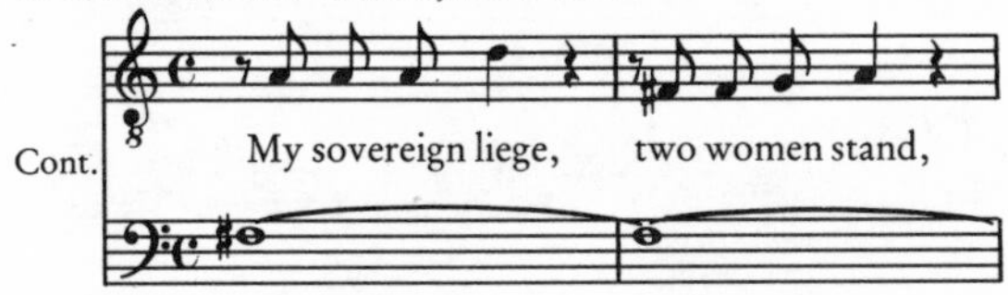
Cont.
My sovereign liege, two women stand,

Scene III
(Recitative.) First Harlot

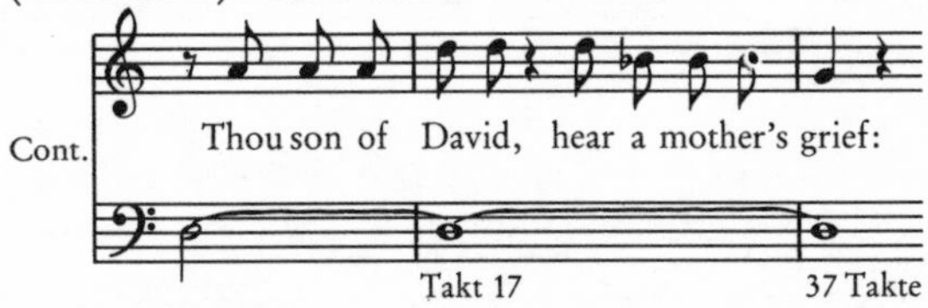
Cont.
Thou son of David, hear a mother's grief:
Takt 17
37 Takte

18. Trio. First Harlot; Second Harlot; Solomon

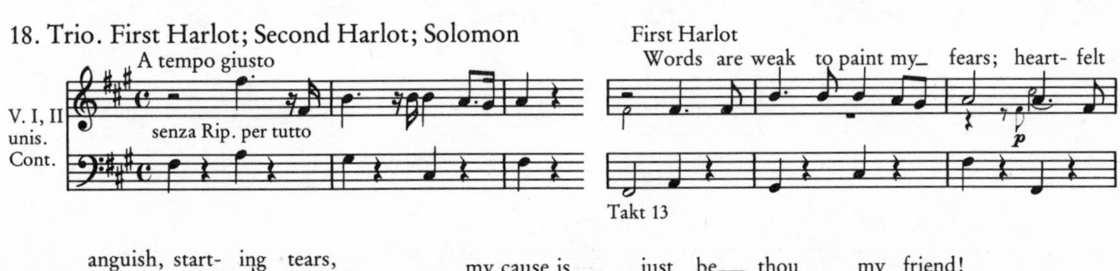
A tempo giusto
V. I, II unis.
Cont.
senza Rip. per tutto
First Harlot
Words are weak to paint my fears; heart- felt
p
Takt 13

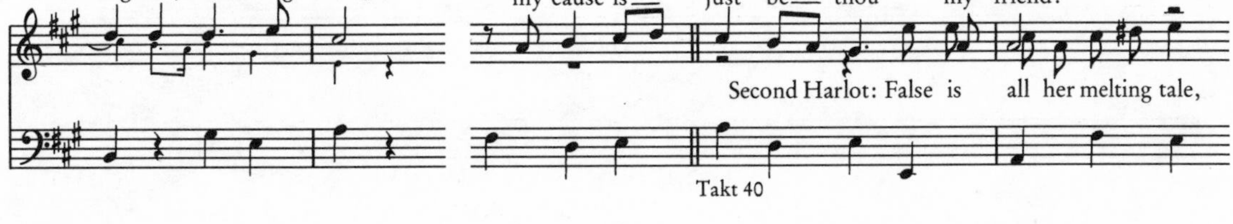
anguish, start- ing tears,
my cause is just be thou my friend!
Second Harlot: False is all her melting tale,
Takt 40

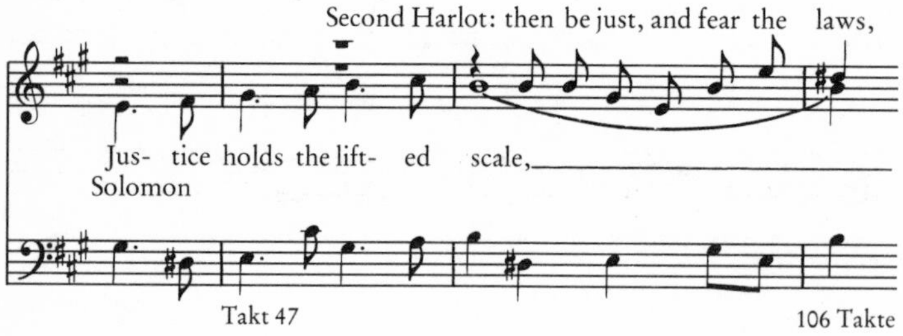
Second Harlot: then be just, and fear the laws,
Jus- tice holds the lift- ed scale,
Solomon
Takt 47
106 Takte

Recitative. Solomon; Second Harlot

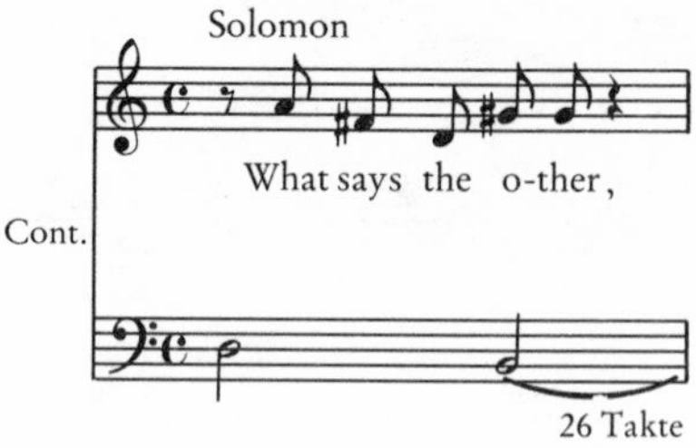
Solomon
What says the o-ther,
Cont.
26 Takte

19. Air. Second Harlot

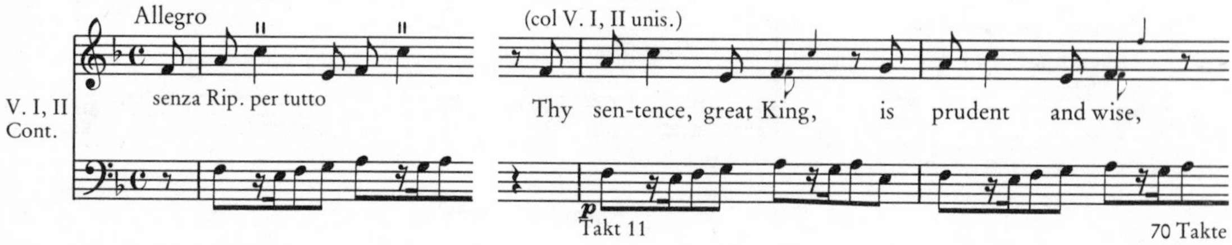
Allegro
senza Rip. per tutto
V. I, II
Cont.
(col V. I, II unis.)
Thy sen-tence, great King, is prudent and wise,
p
Takt 11
70 Takte

Recitative. First Harlot

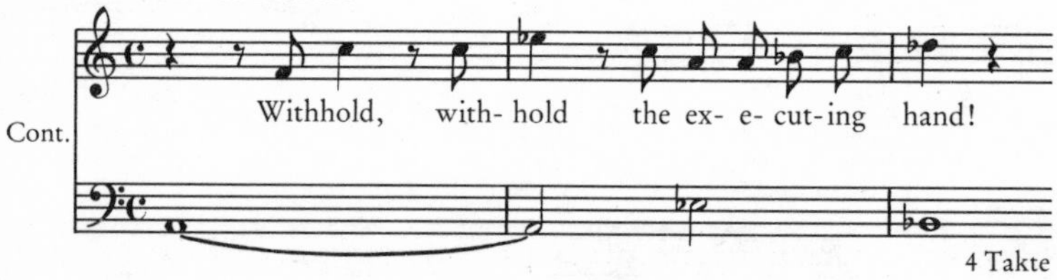
Withhold, with- hold the ex- e- cut- ing hand!
Cont.
4 Takte

20. Air. First Harlot

Can I see my in- fant gor'd
Takt 9
Risoluto
Rather be my hopes be- guil'd,
Takt 37
69 Takte

21. Accompagnato. Solomon

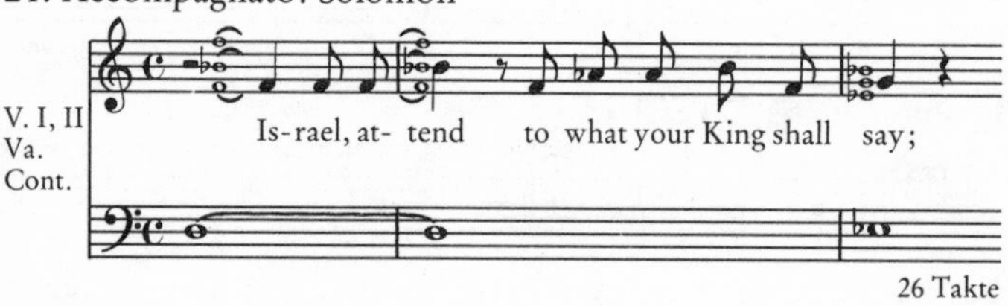
V. I, II
Va.
Cont.
Is-rael, at- tend to what your King shall say;
26 Takte

22. Duet. First Harlot; Solomon

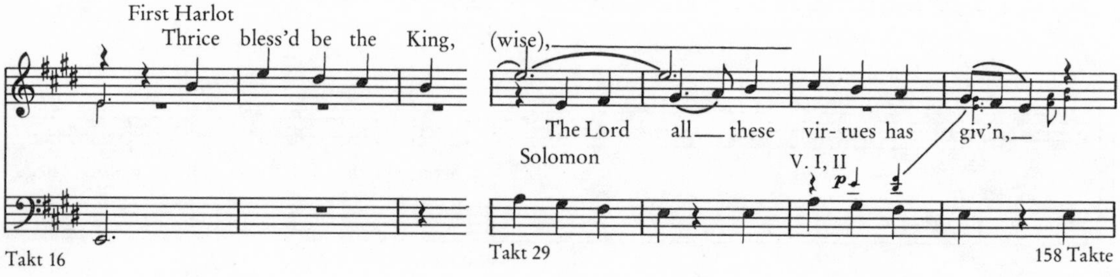
First Harlot
Thrice bless'd be the King,
Takt 16
(wise),
The Lord all these vir- tues has giv'n,
Solomon
V. I, II
p
Takt 29
158 Takte

23. Chorus. C. I, II; A.; T.; B.

Recitative. Zadok

24. Air. Zadok

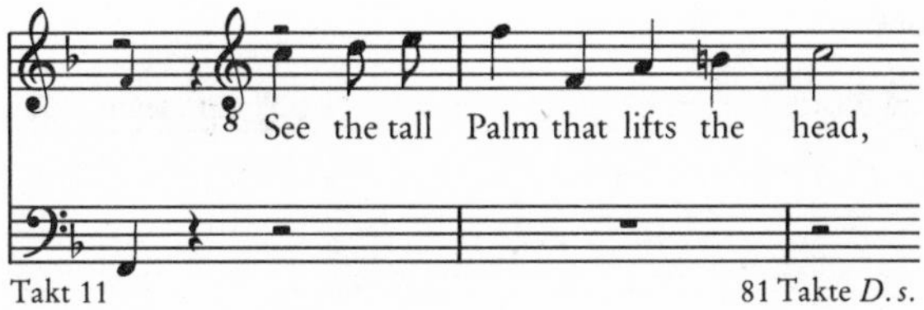

A. Recitative. First Harlot

B. Recitative. First Harlot

25. Air. First Harlot

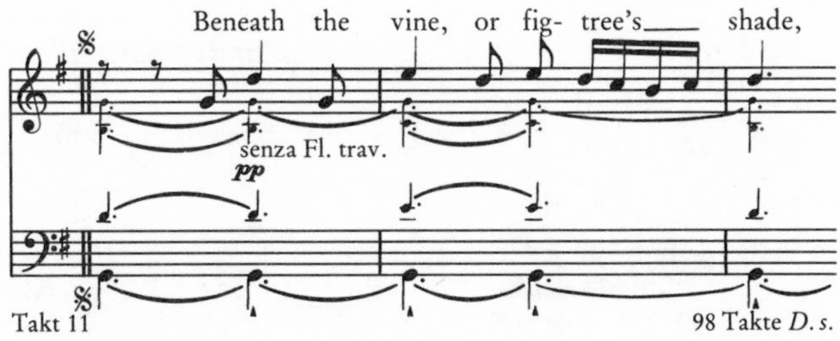

26. Chorus. C. I, II; A. I, II; T. I, II; B. I, II

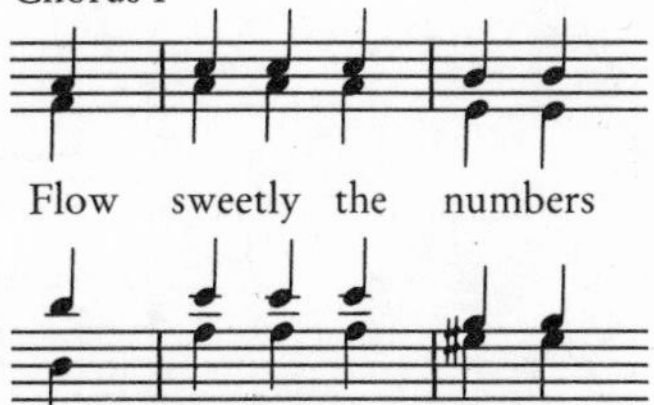

Act III

27. Sinfonia

Scene I

Recitative. Queen of Sheba; Solomon

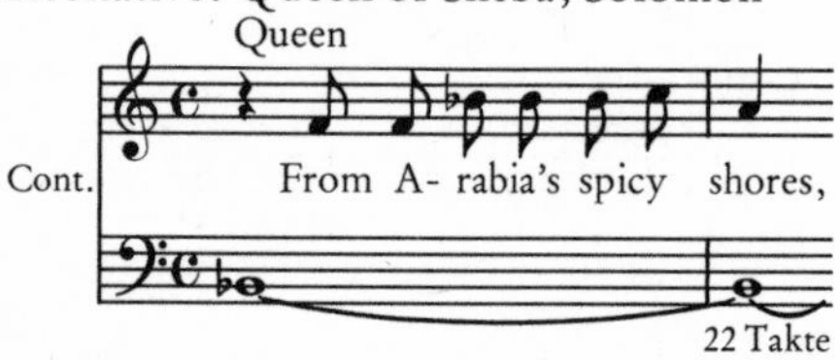

28. Air. Queen of Sheba

Recitative. Solomon

29. Solo and Chorus. Solomon; C. I, II; A.; T.; B.

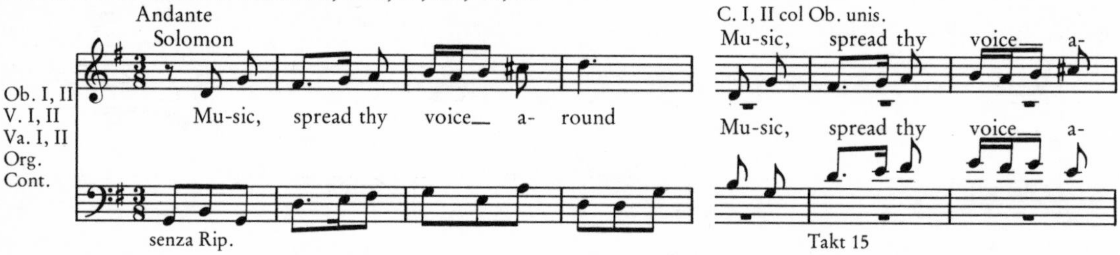

30. Air and Chorus. Solomon; C. I, II; A. I, II; T. I, II; B. I, II

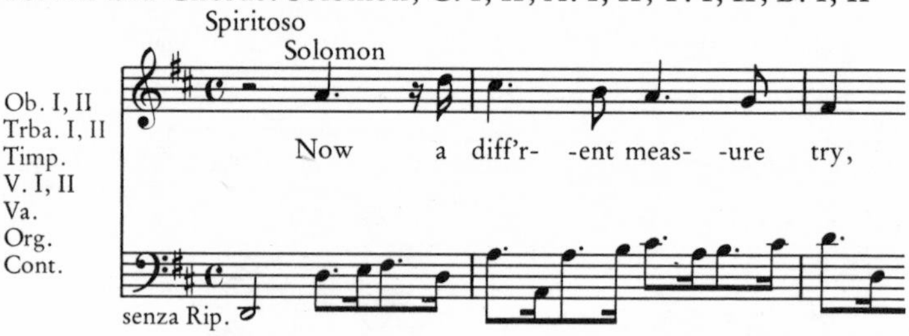

Recitative. Solomon

31. Chorus. C. I, II; A.; T.; B.

Recitative. Solomon

32. Solo and Chorus. Solomon; C. I, II; A.; T.; B.

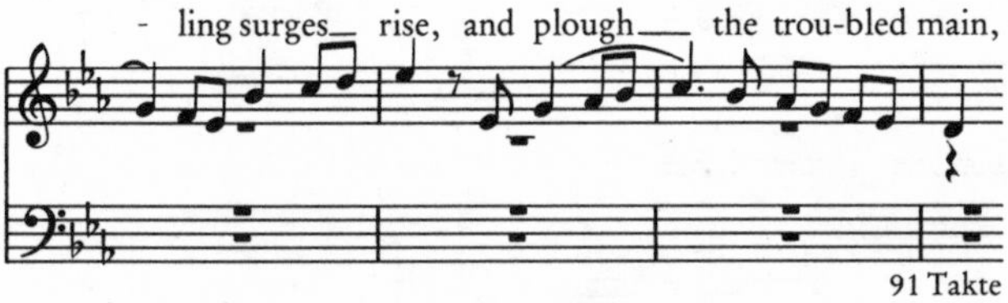

Recitative. Queen of Sheba

33. Air. Levite

Recitative. Zadok

34. Air. Zadok

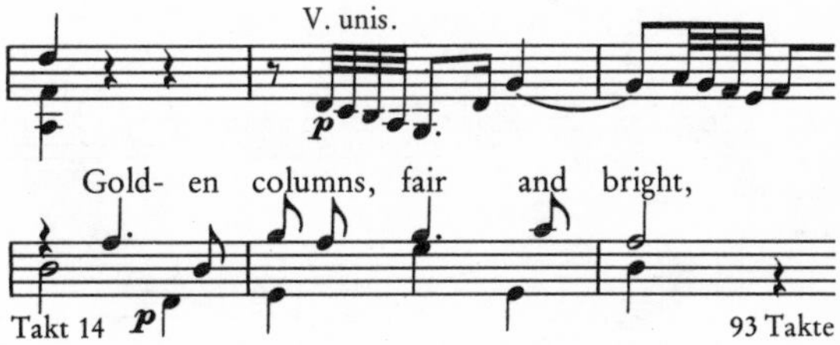

35. Chorus. C. I, II; A. I, II; T. I, II; B. I, II

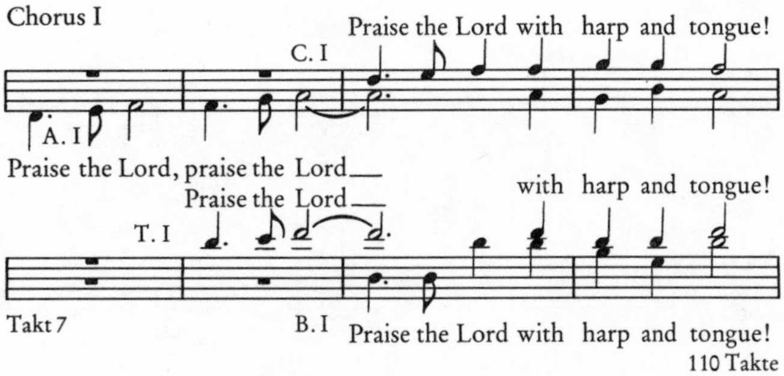

Recitative. Solomon

Cont.
Gold now is common on our happy shore,
9 Takte

36. Air. Solomon

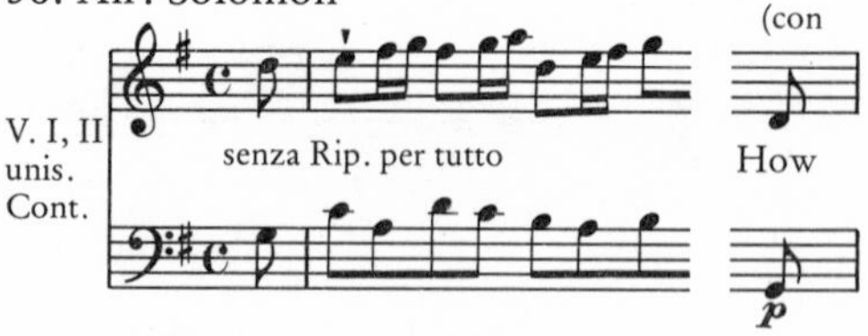
V. I, II unis.
Cont.
senza Rip. per tutto
(con
How
p

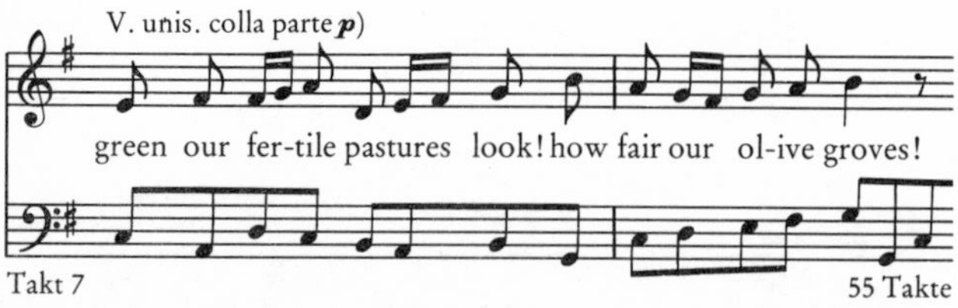
V. unis. colla parte p)
green our fer-tile pastures look! how fair our ol-ive groves!
Takt 7
55 Takte

Recitative. Queen of Sheba

Cont.
May peace in Salem ever dwell!
11 Takte

37a, b. Air. Queen of Sheba

Largo
Ob. solo, Fl. trav. tutti
Ob.
Fl. trav. I, II
V. I, II
Cont.
V. I senza Rip. per tutto
p
V. II
p
Will the sun for- get to
pp
pp

streak ea- stern skies with am- ber ray,
Takt 12
a: 46 Takte
b: 36 Takte

Recitative. Solomon

Cont.
A- dieu, fair queen,
4 Takte

38. Duet. Queen of Sheba; Solomon

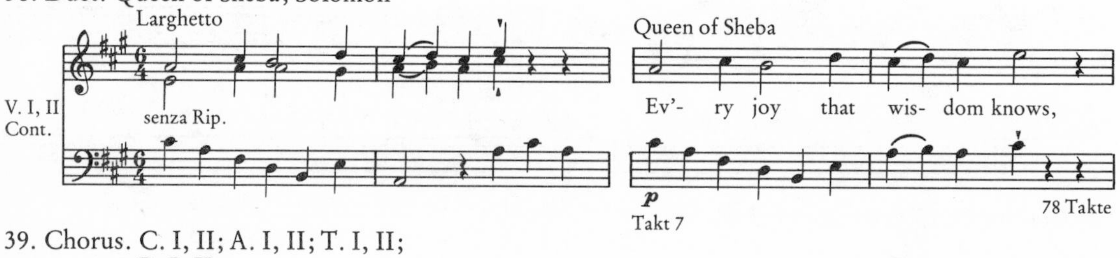
Larghetto
V. I, II
Cont.
senza Rip.
Queen of Sheba
Ev'- ry joy that wis- dom knows,
p
Takt 7
78 Takte

39. Chorus. C. I, II; A. I, II; T. I, II; B. I, II

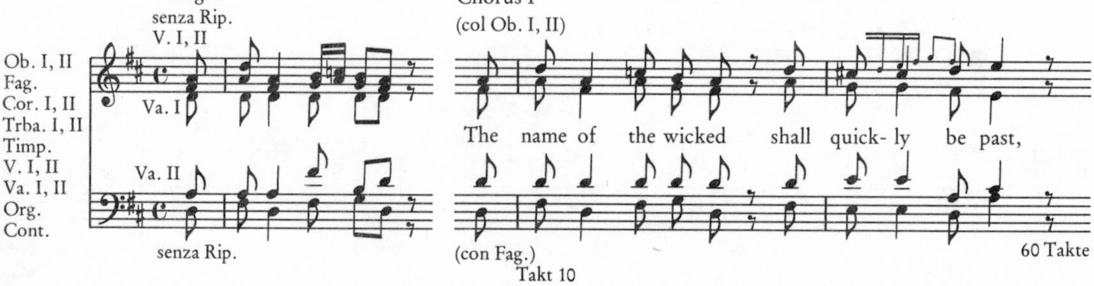
Allegro
senza Rip.
V. I, II
Ob. I, II
Fag.
Cor. I, II
Trba. I, II
Timp.
V. I, II
Va. I, II
Org.
Cont.
Va. I
Va. II
senza Rip.
Chorus I
(col Ob. I, II)
The name of the wicked shall quick- ly be past,
(con Fag.)
Takt 10
60 Takte

Änderungen der Fassung von 1759

Part I

Sinfony

Recitative. Solomon

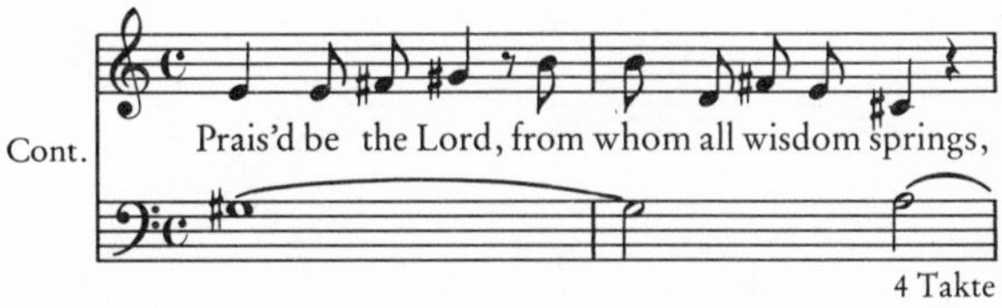

[vgl. HWV 351] 17 Takte

Praïs'd be the Lord, from whom all wisdom springs, 4 Takte

(2.) Air. Solomon

[= HWV 66 Susanna, (2.)]

When the sun gives brightest day, gives brightest day,

Takt 5 43 Takte *D. s.* (T. 20)

(4.) Air. Zadok

Wise, great, and good, a- bove, a- bove thy years en- du'd,

[vgl. HWV 53 Saul, Anhang (10b.)] Takt 11 59 Takte *D. s.* (T. 23)

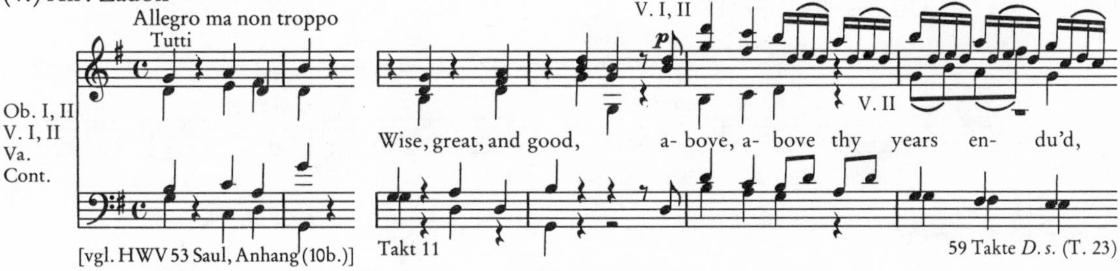

Part II

Recitative. Zadok

From A- ra-bia's spic-y shores

6 Takte

(11.) Air. Zadok

To

[vgl. Nr. 11]

view the won- ders of__thy throne,

Takt 7 68 Takte

Recitative. 2.ᵈ Woman

Sad[1] solemn sounds o ease my breast, 5 Takte

(16.) Air. 2.ᵈ Woman

Sad[1] sol- emn sounds, o ease__ my__breast,

[vgl. HWV 53 Saul, Anhang] Takt 9 44 Takte

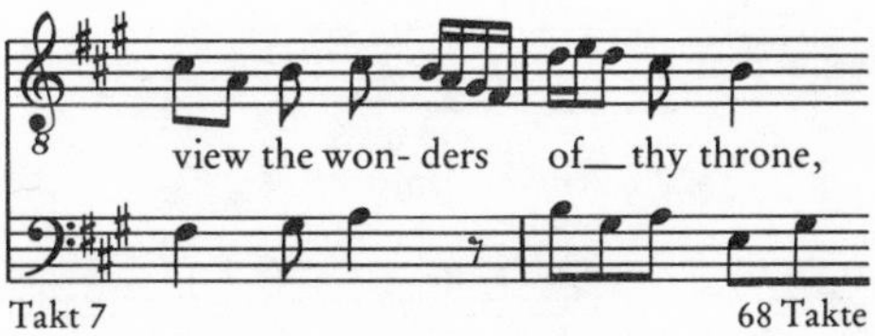

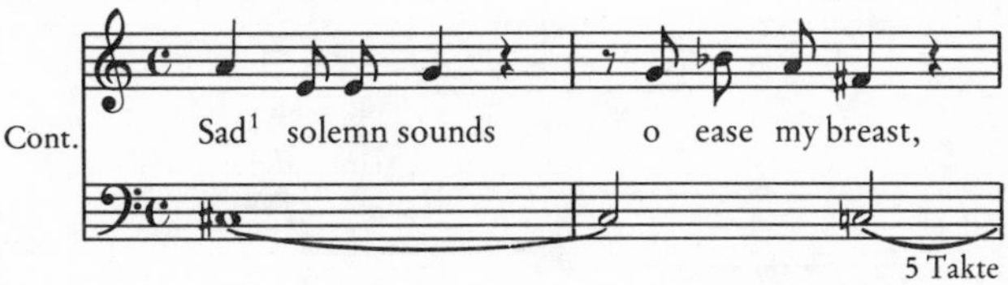

[1] Text von Newburg Hamilton, aus „The Power of Musick" (1720).

Recitative. Solomon

Cont.
Next the tortur'd soul re- lease,
3 Takte

17. Air and Chorus. C.; A.; T.; B.

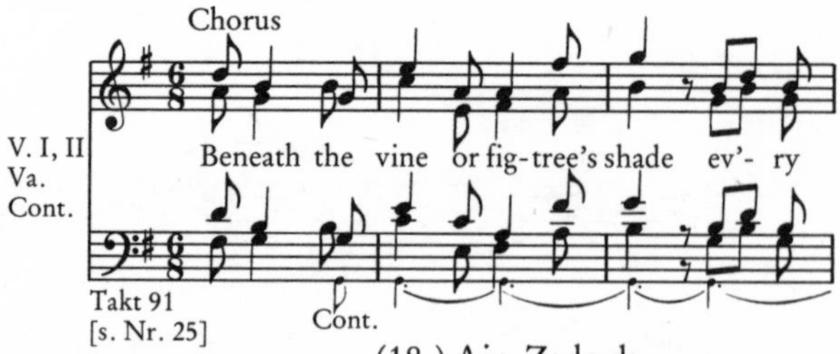
Chorus
V. I, II
Va.
Cont.
Beneath the vine or fig-tree's shade ev'- ry
Takt 91
[s. Nr. 25]
Cont.

shepherd sings the maid,
123 Takte

Recitative. Zadock

Cont.
Love from such a parent sprung
7 Takte

(18.) Air. Zadock

Andante larghetto
V. I, II
Va.
Cont.

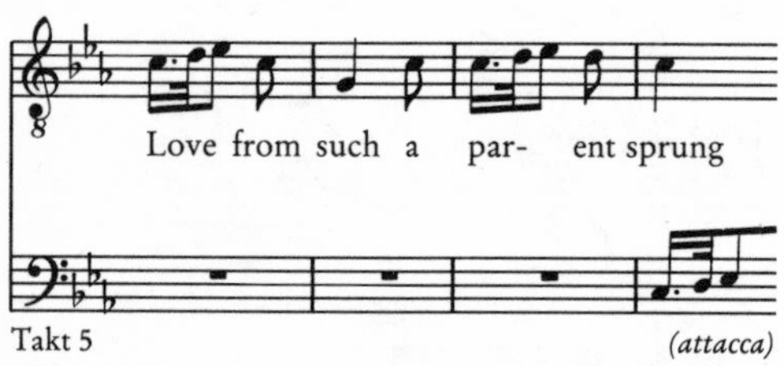
Love from such a par- ent sprung
Takt 5
(attacca)

Chorus. C.; A.; T.; B.

Ob. I, II
V. I, II
Va.
Cont.
Love from such a par- ent sprung
Takt 148
219 Takte

Part III

Recitative. Solomon

Cont.
A- ges to come shall hail these hap-py days
6 Takte (seque Nr. 12)

(22.) Air. Queen of Sheba

V. unis.
V. I, II
Va.
Cont.
Va.
This
Thy
[vgl. HWV 6 Agrippina, (18.)]

Mu- sick is di- vine, o King,
Takt 9
83 Takte

(23.) Accompagnato. Queen of Sheba

Largo
But when the Temple I be-
V. I, II
Va.
Cont.

hold, blazing with glare of gems and gold,
23 Takte

(27.) Air. Solomon

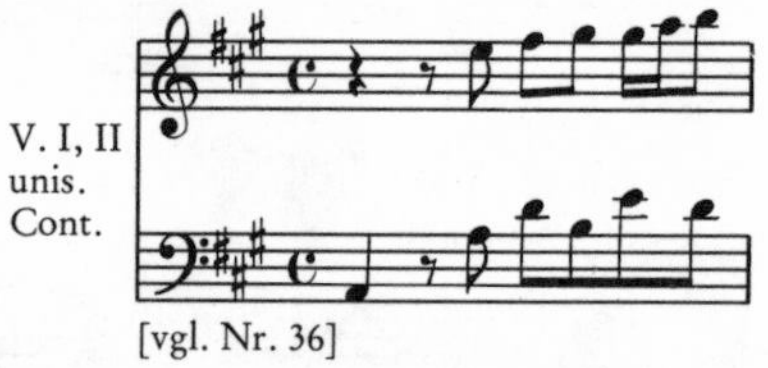
V. I, II
unis.
Cont.
[vgl. Nr. 36]

How green our fer- tile pas- tures look, how fair our ol- ive grows,
Takt 9
74 Takte D. s.

Anhang

Recitative. Solomon

Cont.
Sweep, sweep the string, to sooth the blooming fair,
(vgl. Nr. 29)
5 Takte

Recitative. Zadok

Cont.
Indulge thy faith and wedded
(vgl. Nr. 11)

truth
6 Takte

(26.) Chorus. C. I, II; A. I, II; T. I, II; B. I, II

Allegro ma non troppo
Ob. I, II
V. I, II
Ob. I, II
Trba. I, II
Cor. I, II
Timp.
V. I, II
Va. I, II
Cont.
Va. I, II
Swell, swell,
Takt 9
106 Takte
D. s. (T. 13)

(27.) Symfony

Allegro
Ad(agio)
Ob., V.
Allegro moderato
Ob. I, II
V. I, II
Va.
Cont.
Va.
etc.
Segue la fuga qui aggiuntata
Takt 89
[vgl. Ouverture]

Air lentement

Ob. I, II
V. I, II
unis.
V. III e Va.
Cont.
[vgl. HWV 64 Joshua, Ouverture]
18 Takte

Recitative. Solomon

Cont.
Well, my fair Queen, in converse sweet,
4 Takte (fragm.)

(35./37.) Air. Zadok

Andante (larghetto)
Ob., Fl., V. I mp
(sic!)
V. II
Ob. solo
Fl. trav. I, II
V. I, II
Va. I, II
Cont.
(Will the sun for- get to streak eastern skies with am- ber
Va. I, II
mp

ray)
28 Takte (fragm.)

(37.) Air. Queen of Sheba

Larghetto
(V. I colla parte)
V. I, II
Va.
Cont.
Will the sun for- get to stream,
Takt 9
44 Takte (fragm.)

Quellen

Handschriften: Autographe: GB Lbm (R. M. 20. h. 4.; R. M. 20. f. 12., f. 49–51: Nr. 6[1]; R. M. 20. g. 14., f. 51^{r}, Zeile 1/2: Skizze zu Nr. 1), Cfm 30 H 9, p. 67–73: Skizzen zu Nr. 16, 22, 33, 35, 23 und 26).

Abschriften: D (brd) Hs (Direktionspartitur 1749: $M\frac{C}{268}$; Direktionspartitur 1759 ff.: $M\frac{C}{268^{a}}$) – GB Cfm (Barrett-Lennard-Collection), Lbm (R. M. 18. f. 5., Fassung 1759; R. M. 18. b. 15., nur Act I; R. M. 19. a. 7., f. 52–57: Nr. 38, 2 Kopien mit den Namen der Sänger A. Storace und G. Pacchiarotti), Mp (MS 130 Hd4, Part.: v. 310–311, nur Act II und III).

Drucke: Solomon an oratorio. Set to musick by Mr Handel. – London, J. Walsh; A 2^{d} grand collection of celebrated English songs introduced in the late oratorios compos'd by Mr Handel [enthält Nr. 22, 4, 27, 16 und 18 der Fassung 1759[2]]. – London, J. Walsh; Solomon. An oratorio in score, composed by Mr Handel. – London, H. Wright; Harrison's edition, corrected by Dr Arnold. The overture and songs in Solomon, an oratorio, for the voice, harpsichord, and violin, composed by Mr Handel. – London, Harrison & Co.; Solomon. A sacred oratorio in score, with all the additional alterations, composed in the year 1749. By G. F. Handel. – London, Arnold's edition, No. 85–92 (ca. 1790); From the censor curling rise. A ... chorus from ... Solomon ... arranged for the piano-forte by T. Haigh. – London, R. Birchall; Musick spread thy voice around. Solomon. – (London), J. Bland; (What tho' I trace each herb and flow'r), sung by Miss Harrop. Solomon. – s. l., s. n.; — (London), J. Bland; — London, A. Bland & Weller; — ib., G. Walker; — (London), J. Dale; What tho' I trace each herb & flow'r, as sung by Miss Parke in Solomon. – London, R. Birchall; — ... as sung by Mr Harrison. – ib., Smart's Music warehouse; What tho' I trace, from the oratorio of Solomon, by G. F. Handel, arranged by T. Greatorex. – ib., Royal Harmonic Institution, No. 151; When the sun o'er yonder hills. Song (In: The Lady's Magazine, March, 1798). – (London), s. n.; With thee th'unshelter'd moor I'll tread (In: The Lady's Magazine, Dec., 1790). – (London), s. n.; — ... sung in the oratorio of Solomon. – London, G. Walker.

Libretto: Ms. – Libretto in US SM. *Drucke:* Solomon an oratorio. As it is perform'd at the Theatre-Royal in Covent-Garden. Set to musick by Mr. Handel. – London, J. and R. Tonson, S. Draper, 1749 (Ex.: F Pa, Pc – GB BENcoke, Ckc, Lbm, Lcm, Mp – US PRu); Solomon an oratorio. With alterations and additions. As it is perform'd at the Theatre-Royal in Covent-Garden. Set to musick by George-Frederick Handel, Esq. – London, J. and R. Tonson, 1759 (Ex.: F Pc – GB BENcoke, Ckc, En, Lbm, Mp).

[1] Teil der autographen Partitur von „Solomon" mit dem Hinweis auf den Sänger (Thomas Lowe), aber vermutlich 1751 herausgelöst für die Einfügung in HWV 50^{b} Esther (2. Fassung). Die Arie befindet sich auch in der „Esther"-Partitur GB Lbm (R. M. 18. d. 2., f. 30).

[2] Auch in: Handel's songs selected from his oratorios ... vol. V (No. 381–385). – London, J. Walsh (1759).

Bemerkungen

Händel schrieb „Solomon" kurz vor HWV 66 Susanna, führte das Werk aber erst fünf Wochen nach der „Susanna"-Premiere auf. Der ungenannte Verfasser des Librettos, der vermutlich mit dem Autor des „Susanna"-Librettos identisch ist (s. Dean, S. 514, 537 f.) benutzte als Quellen für seinen Text das 1. Buch von den Königen (Kap. III ff.) und 2. Buch der Chronik (IX u. a.) aus dem Alten Testament sowie die „Antiquitates" (VIII, 2–7) des jüdischen Geschichtsschreibers Flavius Josephus.

Händels Eintragungen über den Verlauf der Komposition im Autograph lauten: Act I: f. 6: „angefangen den 5 May. ♃ (= Donnerstag). 1748", f. 42^{v}: „Fine della parte prima May 23. ☽ (= Montag). 1748. völlig 26 may ♃ (= Donnerstag). 1748"; Act III: f. 138^{v}: „S. D. G. G. F. Handel. Juin 13. ☽ (= Montag). 1748. aetatis 63. völlig geendiget." Daten über Act II liegen nicht vor.

Wie schon im Autograph von HWV 63 Judas Maccabaeus notierte Händel die von ihm vorgesehene Aufführungsdauer am Schluß jedes Teils: 50 min. für Act I, je 40 min. für Act II und III. Aus den Daten geht hervor, daß Händel mit 22 Tagen für Act I die meiste Zeit benötigte, für Act II und III zusammen bis zur Beendigung der Instrumentation dagegen nur 18 Tage. Diese zeitliche Differenz erklärt sich daraus, daß Händel nach dem ersten Entwurf das ganze Werk noch einmal umarbeitete und eine Reihe von Sätzen aus dem ersten in den dritten Akt übertrug.

Wie aus dem Autograph ersichtlich ist (s. Dean, S. 526 f.), enthielt der I. Akt ursprünglich folgende Nummern: 1–10 (s. f. 31^{v} des Autographs), Rezitativ und Arie Nr. 29 bis Nr. 32 (d. h., die gesamte „Masque"), Nr. 11 (als Rezitativfassung, s. Anhang; erst später als Arie vertont), Rezitativ und Arie Nr. 12 bis Nr. 14. Der sogenannte „Nachtigallenchor" (14. May no rush intruder) bildete auch hier das Aktfinale.

Im Verlauf der weiteren Arbeit an dem Werk änderte Händel verschiedene Sätze (Nr. 26, 34–37) und schied dabei mehrere Entwürfe aus (s. Anhang). Die Ouverture muß bereits vor dem Beginn der Vertonung des Librettos vorgelegen haben; Händel notierte sie auf anderem Papier in der Reihenfolge Fuga – Allegro – Ouvertureneinleitung. Ursprünglich plante Händel, der Sinfonie (27) als Einleitung zum III. Akt (Ankunft der Königin Nicaule von Saba) einen größeren Umfang zu geben, denn im Autograph endet sie nicht schon mit Takt 89, sondern führt zu einer Adagio-Überleitung, an die sich die Fuge der Ouverture und ein „Air lentement" an-

schließen sollten. Letzteres stellt eine verkürzte Fassung der Introduzione zu HWV 64 Joshua dar[3].
Die ersten Aufführungen des Werkes am 17., 20. und 22. März 1749, angekündigt „with a Concerto" (s. Deutsch, S. 659), hatten folgende Besetzung: Solomon: Caterina Galli, Queen (Pharaos Tochter), First Harlot und Queen of Sheba: Giulia Frasi, Second Harlot: Signora Sibilla, Zadok: Thomas Lowe, Levite: Thomas Reinhold. Noch vor der Uraufführung hatte Händel Nr. 26 und 35 gekürzt und Nr. 16 gestrichen.
Abgesehen von der Übernahme einzelner Sätze in das Programm eines Konzerts im Foundling Hospital am 27. Mai 1749 und in die Neubearbeitung von HWV 54 Israel in Egypt, dessen Act I Auszüge aus „Solomon" enthielt, fand eine erneute Aufführung des Oratoriums erst am 2. März (Wiederholung am 7. März) 1759 statt. Die Presseankündigung (s. Deutsch, S. 812) lautete „with new Additions and Alterations"; diese Änderungen waren sehr umfangreich und einschneidend. Das Libretto und die für diese Aufführung neu angelegte Direktionspartitur [D (brd) Hs, M $\frac{C}{268^a}$] bieten folgende Fassung[4]:
Streichung des gesamten Act I, mit Ausnahme der Arie „Haste to the cedar grove" (12), die in Act III übertragen wurde. Act II wurde zum neuen Act I und umfaßte Nr. 15–23 der originalen Fassung, Act III wurde auf die neuen Akte II und III verteilt und zum Teil mit neuen Sätzen versehen, wie sie im Thematischen Verzeichnis angeführt sind.
Die Fassung 1759 zeigt folgende Relationen zur Fassung 1749 und zu den neu hinzugekommenen Sätzen:

1759	1749 und Zusätze
Act I	
Sinfony	– HWV 351 Fireworks Music (Version der Ouverture)
1	– 15
2	– „When the sun gives brightest day" als Parodie der Arie „Clouds o'ertake the brightest day" aus HWV 66 Susanna (2)
3	– 17
4	– „Wise, great, and good" aus HWV 53 Saul (Anhang 10[b])
5	– 18
6	– 19
7	– 20
8	– 21
9	– 22
10	– 23
Act II	
11	– „To view the wonders of thy throne", Parodie von Nr. 11 „Indulge thy faith and wedded love"[5]
12	– 28
13	– 29
14	– 30
15	– 31
16	– „Sad solemn sounds"[6] als Bearbeitung der Arie „Love from such a parent sprung" aus HWV 53 Saul (Anhang, Act II) bzw. HWV 41 Imeneo: Anhang 5. Se d'amore amanti siete
17	– 25 (Air and Chorus „Beneath the vine")
18	– Rezitativ und Arie „Love from such a parent sprung" (Text aus HWV 53 Saul, vgl. Nr. 16)
19	– 32
Act III	
20	– 27
21	– 12
22	– „Thy musick is divine, o King"[7] als Parodie der Arie „Se non ti piace" aus HWV 171 „Tu fedel? tu costante?" (3) bzw. „Se giunge un dispetto" aus HWV 6 Agrippina (18), Text als Paraphrase des Rezitativs „Thy Harmony's divine, great King" (33)
23	– „But when the Temple I behold", Neukomposition
24	– 33
25	– 34
26	– 35
27	– Neufassung von 36
28	– 37[a]
29	– 38
30	– 39

Die Solopartien wurden vermutlich von Isabella Young-Scott (Solomon), Giulia Frasi (First Harlot und Queen of Sheba), Charlotte Brent (Second Harlot), John Beard (Zadok), Robert Wass oder Samuel Champness (Levite) ausgeführt.
Folgende Sätze aus der Erstfassung von „Solomon"

[3] Umgekehrt plante Händel ursprünglich, die spätere „Solomon"-Ouverture in HWV 64 Joshua zu verwenden (s. unter HWV 64). Die gegenseitige Beziehung der beiden Instrumentaleinleitungen, die etwa zur gleichen Zeit entstanden sein müssen, geht auch daraus hervor, daß Händel für beide ein melodisches Modell aus Th. Muffats *Componimenti musicali* benutzte (s. ChA. Supplemente 5).

[4] Die Ursachen für diese umfangreiche Veränderung des Werkes sind unbekannt. V. Schoelcher nennt in seinem „Catalogue chronological et raisonné" (Ms. in F Pc, engl. Übersetzung in GB Lbm) als möglichen Grund die „Israel"-Revision von 1756, W. Dean (S. 528) zieht ästhetisch-moralische Forderungen der englischen Bourgeosie als entscheidenden Beweggrund in Betracht.

[5] Für Zadok, nicht für die Queen of Sheba, wie im Libretto fälschlich vermerkt ist.

[6] Text von Newburgh Hamilton, aus der Ode „The Power of Musick" (1720, s. W. Dean, S. 527). Nach Händels Tod ersetzte Smith junior diese Arie durch eine Neufassung mit gleichem Text (Parodie der Arie „Spera, si, mio caro bene" aus HWV 22 Admeto, Anhang 5[b]).

[7] Nach Händels Tod durch eine Neufassung mit gleichem Text (Parodie der Arie „O placido il mare" aus HWV 24 Siroe, Nr. 5) ersetzt.

gehen auf frühere Kompositionen Händels zurück oder weisen thematische Bezüge zu Werken anderer Komponisten auf:

Ouverture – Courante
Th. Muffat: Componimenti musicali: Suite IV B-Dur (Courante)
1. Your harps and cymbals sound (Ritornello)
G. Ph. Telemann: Der Harmonische Gottesdienst (Hamburg 1725/26), Kantate 53 „Es ist ein schlechter Ruhm": Arie „Vergnügst du dich an Heidenlüsten" (Ritornello)
8. Subtle love
HWV 120[a] „L'aure grate": 1. L'aure grate, il fresco rio
13. With thee th'unshelter'd moor (T. 26–32)
HWV 83 „Arresta il passo": 2. Fiamma bella (T. 29ff.)
HWV 6 Agrippina: 40. Ogni vento
HWV 19 Rodelinda: 15. De' miei scherni (B-Teil)
HWV 38 Berenice: 22. Si poco è forte[8]
15. From the censor/Live, live for ever (T. 39ff.)
HWV 371 Sonata D-Dur op. 1 Nr. 13: 2. Satz (Allegro)
19. Thy sentence, great King
HWV 237 „Laudate pueri" (2. Fassung): 7. Qui habitare facit (Ritornello)
25. Beneath the vine
HWV 73 Il Parnasso in festa: 29. Non tardate, Fauni ancora
HWV 8[c] Il Pastor fido (2. Fassung): 21. Accorrete, o voi Pastori
HWV 71 The Triumph of Time and Truth: 13. Dryads, Sylvans with fair Flora
27. Sinfonia (T. 17ff.)
G. Porta: „Numitore": Arie „Sol un'affanna" (Ritornello)[9]
HWV 424 Ouverture (Trio) D-Dur für 2 Clarinetti und Corno da caccia: 4. Satz (Andante allegro)
29. Music spread thy voice around
A. Steffani: Motette „Qui diligit Mariam": Duett „Non pavescat"[10]
30. Now a diff'rent measure try/Shake the dome (T. 15ff.)
HWV 61 Belshazzar: 4. Behold, by Persia's hero made
35. God alone is just
M. Luther: „Heilig ist Gott" (Deutsches Sanctus „Jesaja dem Propheten")

[8] Nach einem melodischen Modell aus der Oper „Die römische Unruhe oder die edelmütige Octavia" von Reinhard Keiser (Hamburg 1705, Arie der Livia „Kehre wieder, mein Vergnügen", I/7, s. ChA, Supplemente 6). Vgl. dazu Dean, W.: Handel and Keiser: Further borrowings. In: Current Musicology, No. 9, 1969, S. 73ff.

[9] Vgl. W. Dean, Dramatic Oratorios and Masques, S. 523, mit Notenbsp.

[10] S. Chrysander I, S. 347ff.

Literatur

Clausen, S. 231f.; Dean, S. 511ff.; Deutsch, S. 652ff.; Flower, p. 301ff./S. 276ff.; Herbage, S. 120ff.; Heuß, A.: Über Händels „Salomo", insbesondere die Chöre. In: (Neue) Zeitschrift für Musik, 92. Jg., Leipzig 1925, S. 339ff.; Hiekel, H.-O.: Zu Händels *Salomo.* In: 50 Jahre Göttinger Händel-Festspiele 1970, Programmheft S. 49ff.; Lang, p. 463ff./S. 420ff.; Leichtentritt, S. 491ff.; Rudolph, J.: Salomo und Sarastro. Zur Aufführung des Oratoriums „Salomo" während der hallischen Festspiele. In: Musik und Gesellschaft, 6. Jg., 1956, S. 204ff.; Schering, A.: Geschichte des Oratoriums, Leipzig 1911, S. 301f.; Schoelcher, S. 222, 310ff.; Serauky V, S. 129ff.; Siegmund-Schultze, S. 135f.; Siegmund-Schultze, W.: Händels Melodik (am Beispiel Salomo). In: Georg Friedrich Händel. Thema mit 20 Variationen, Halle 1965, S. 41ff.; Siegmund-Schultze, W.: „Samson" und „Salomo", zwei oratorische Meisterwerke G. F. Händels. In: 25. Händelfestspiele der DDR, Halle 1976, Programmheft, S. 26ff.; Smither II, S. 318ff.; Streatfeild, S. 199ff.; 318f.; Young, S. 165ff.

Beschreibung der Autographe: Lbm: Catalogue Squire, S. 81ff. – Cfm: Catalogue Mann, Ms. 259, S. 187f. – Dean, S. 530ff.

68. Theodora

Oratorio in three parts von Thomas Morell (nach „The Martyrdom of Theodora and of Didymus" von Robert Boyle, 1687)

Besetzung: Soli: Sopr. (Theodora), 2 Alti (Didymus, Irene), 2 Tenori (Septimius, Messenger), Basso (Valens). Chor: C.; A.; T.; B. Instrumente: Fl. trav. I, II; Ob. I, II; Fag.; Cor. I, II; Trba. I, II; Timp.; V. I, II; Va.; Vc.; Cont.

ChA 8. – HHA I/29. – EZ: London, 28. Juni bis 31. Juli 1749. – UA: London, 16. März 1750, Theatre Royal, Coventgarden

Ouverture

Ob. I, II
V. I, II
Va.
Cont.

Allegro
Ob. I, II
V. I

Takt 18

V. II

68 Takte

Trio

Larghetto e piano

V. I, II
Va.
Cont.

28 Takte

Courante

V. I, II
Va.
Cont.

34 Takte

Part I

Scene I

Recitative. Valens

Cont.

'Tis Diocle- si- an's na- tal day:

11 Takte

1a. Air. Valens

Pomposo

Ob. I, II
V. I, II
Va.
Cont.

Go my faith- ful sol- dier, go,

Takt 9

50 Takte

(1b.) Recitative. Valens

Cont.

Go, my faith-ful sol-dier, go,

4 Takte

2. Chorus of Heathens.

C.; A.; T.; B.

Ob. I, II
Trba. I, II
Timp.
V. I, II
Va.
Cont.

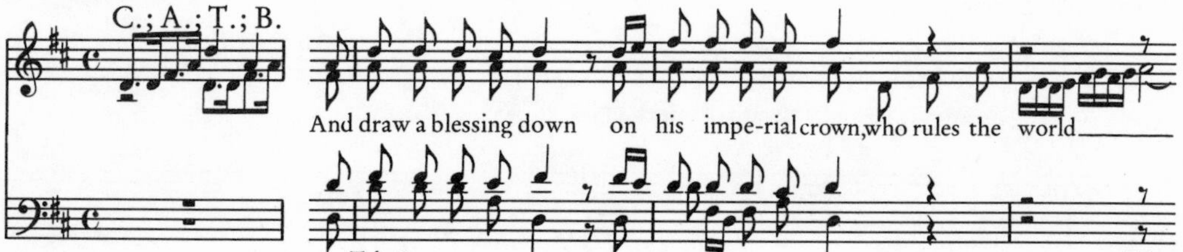
And draw a blessing down on his impe-rial crown, who rules the world

Takt 9

58 Takte

Recitative. Didymus; Valens

Cont.
Vouchsafe, dread Sir, a gracious ear
22 Takte

3. Air. Valens

Allegro
V. I, II
Va.
Cont.

Racks, gibbets, sword, and fire shall speak my venge- ful Ire
Takt 9
63 Takte D. s. (Takt 22)

4. Chorus of Heathens. C.; A.; T.; B.

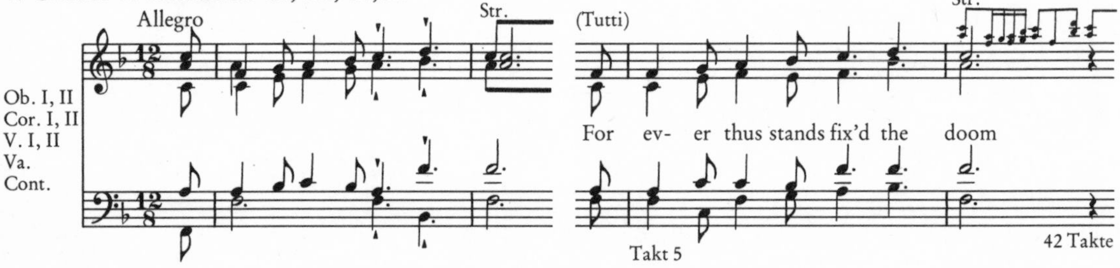
Allegro
Str.
(Tutti)
Str.
Ob. I, II
Cor. I, II
V. I, II
Va.
Cont.
For ev- er thus stands fix'd the doom
Takt 5
42 Takte

Scene II

Recitative. Didymus

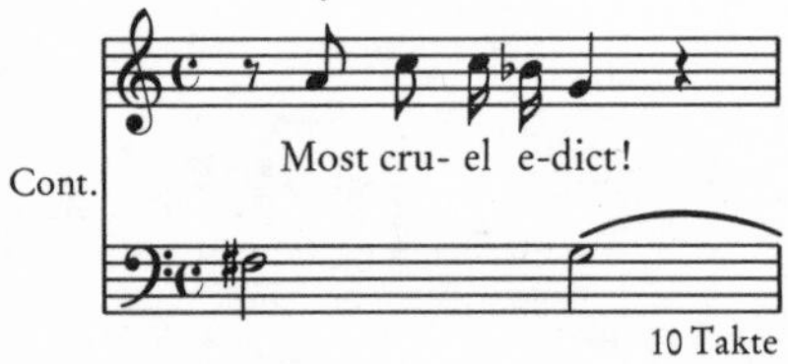
Cont.
Most cru- el e-dict!
10 Takte

5. Air. Didymus

Andante
V. unis.
V. I, II
Va.
Cont.

The rap- tur'd soul, the rap- - - - tur'd soul defies the sword, de-fies the sword,
Takt 11
102 (96) Takte D. s.

Recitative. Septimius

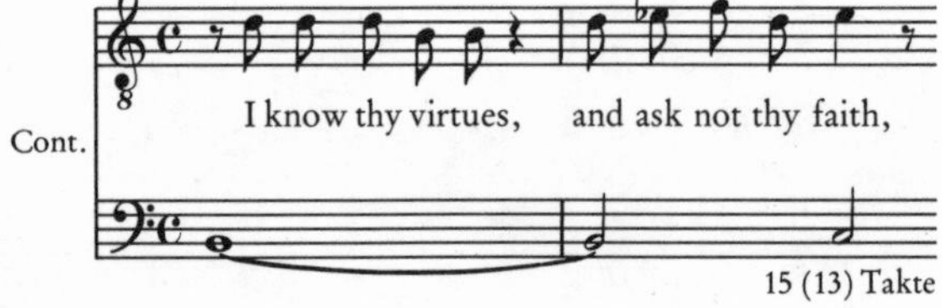
Cont.
I know thy virtues, and ask not thy faith,
15 (13) Takte

6. Air. Septimius

Andante
V. I, II
Va.
Cont.

De- scend, kind Pit- y, heav'n- ly guest, de- scend, and fill each hu- man breast,
Takt 17
81 Takte D. s.

Scene III

Recitative. Theodora

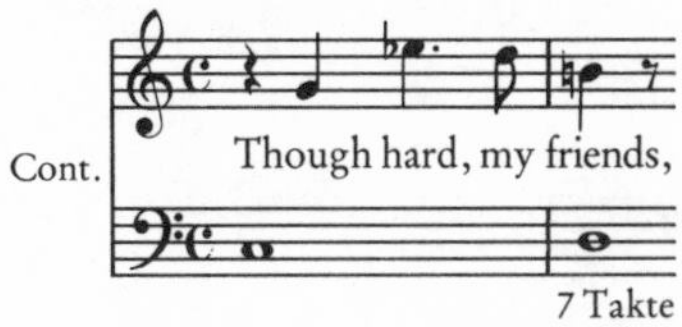
Cont.
Though hard, my friends,
7 Takte

7. Air. Theodora

Larghetto
V. I, II unis.
Cont.
p
f
Fond flatt'ring world, a-
Takt 21

dieu!
89 Takte

Recitative. Irene

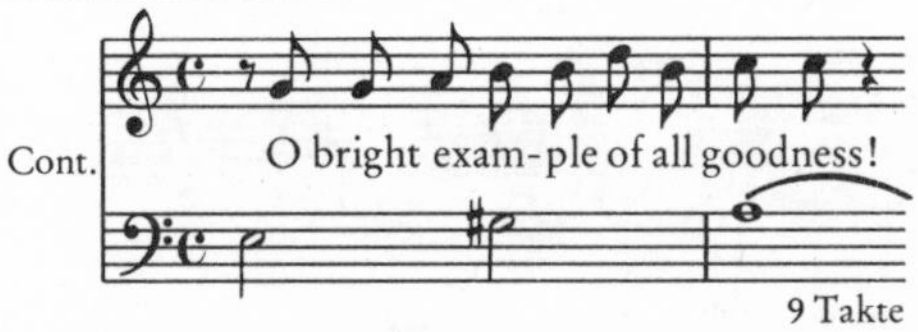
Cont.
O bright exam- ple of all goodness!
9 Takte

8. Air. Irene

Larghetto e mezzo piano
V. I, II
Va.
Cont.
Va.
Vc.

pp
Bane of vir- tue, nurse of pas-sions, soother of vile in-cli- na- tions
Takt 7
47 Takte D. s.

9. Chorus of Christians.

C.; A.; T.; B.

Andante
Str.
Ob. I, II
V. I, II
Va.
Cont.
Come, mighty Father, might- y Lord,
Come, might- - -y Lord,
Cont.
Takt 11
Come, might-y

Come, might(y)
Fa- ther,
While Grace and Truth flow from thy Word,
While Grace and Truth flow from thy Word,
Cont.
Takt 37
60 Takte

Scene IV

Recitative. Messenger;

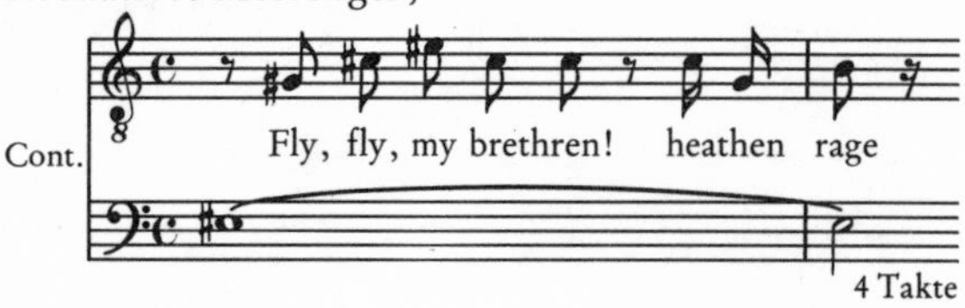
Cont.
Fly, fly, my brethren! heathen rage
4 Takte

Recitative. Irene

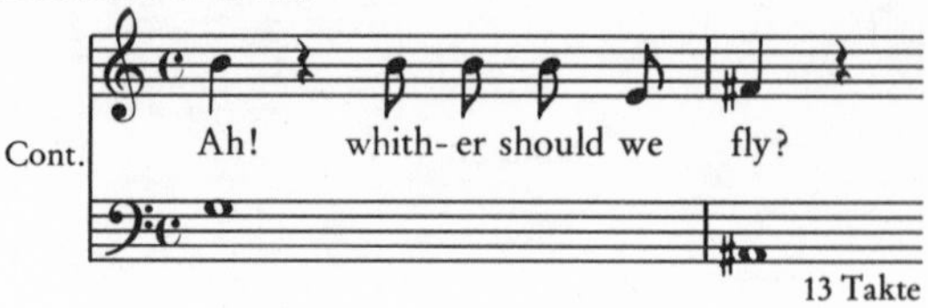
Cont.
Ah! whith- er should we fly?
13 Takte

10. Air. Irene

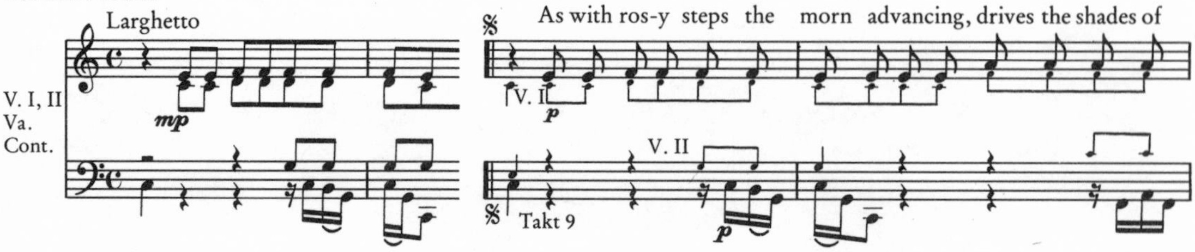
Larghetto
V. I, II
Va.
Cont.
mp
As with ros-y steps the morn advancing, drives the shades of
V. II
p
V. II
p
Takt 9

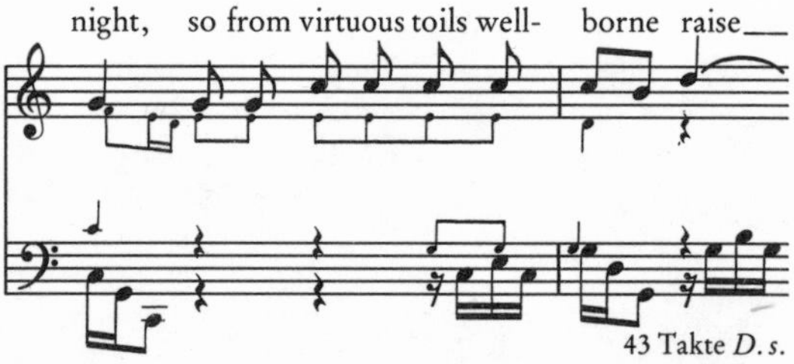
night, so from virtuous toils well- borne raise
43 Takte D. s.

11. Chorus of Christians. C.; A.; T.; B.

A tempo ordinario
All pow'r in heaven a- bove, or
C. col Ob.
Ob. I, II
V. I, II
Va.
Cont.
All pow'r in
T.
Cont.

earth be- neath
heaven a- bove, or earth
Might- y to save in per-ils, storm, and death,
Might- -y to save in per- ils,
Cont.
Takt 27
62 Takte

Scene V

Recitative. Septimius

Cont.
Mi-sta-ken wretches! why thus blind to fate
8 Takte

12. Air. Septimius

p
Dread the fruits of christian fol- ly,
Takt 4
65 Takte D. c.

A. Recitative. Theodora; Septimius

De-lud- ed mor-tal!
Cont.

call it not re- bel-lion,
18 Takte

B. Recitative. Theodora; Septimius

Cont.
De- lu- ded mor-tal! call it not re- bel-lion,
14 Takte

13. Accompagnato. Theodora

V. I, II
Va.
Cont.
Oh worse than death in- deed! Lead me, ye guards, lead me,
5 Takte

14. Air. Theodora

Larghetto
tr
V. I, II
Va.
Cont.

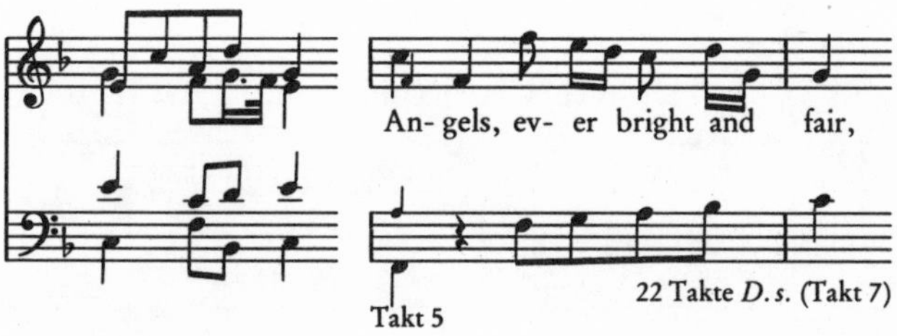
An- gels, ev- er bright and fair,
Takt 5
22 Takte D. s. (Takt 7)

Scene VI

A., B. Recitative. Didymus; Irene

A.
B.
Cont.
Un-happy, happy crew!
A: 23 Takte
B: 14 Takte

15. Air. Didymus

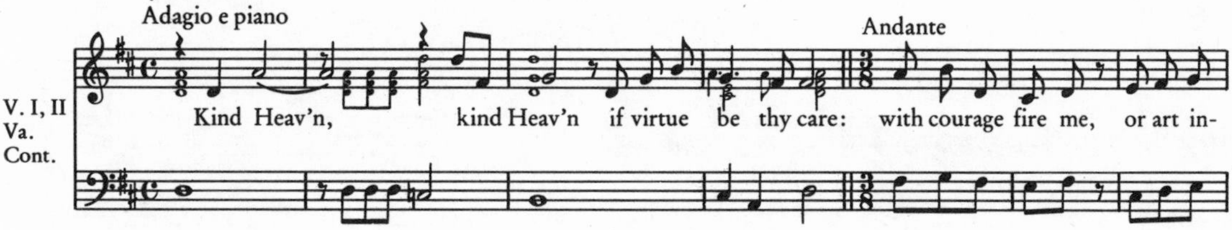
Adagio e piano
Andante
V. I, II
Va.
Cont.
Kind Heav'n, kind Heav'n if virtue be thy care: with courage fire me, or art in-

spire me,
106 Takte D. c.

Recitative. Irene

Cont.
Oh love, how great thy pow'r!
6 Takte

16. Chorus of Christians. C.; A.; T.; B.

Larghetto
Str.
Ob. I, II
V. I, II
Va.
Cont.

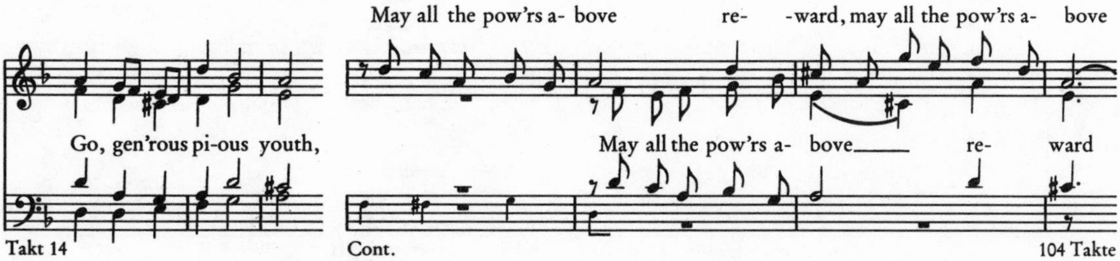
May all the pow'rs a- bove re- -ward, may all the pow'rs a- bove
Go, gen'rous pi-ous youth,
May all the pow'rs a- bove re- ward
Takt 14
Cont.
Takt 21
104 Takte

Part II

Scene I

Recitative. Valens

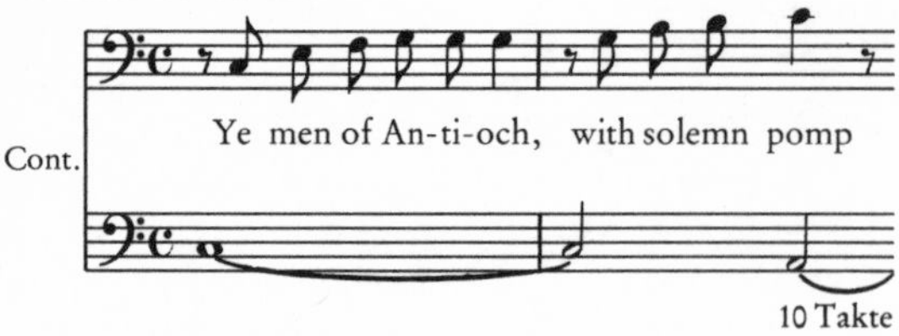

17. Chorus of Heathens. C.; A.; T.; B.

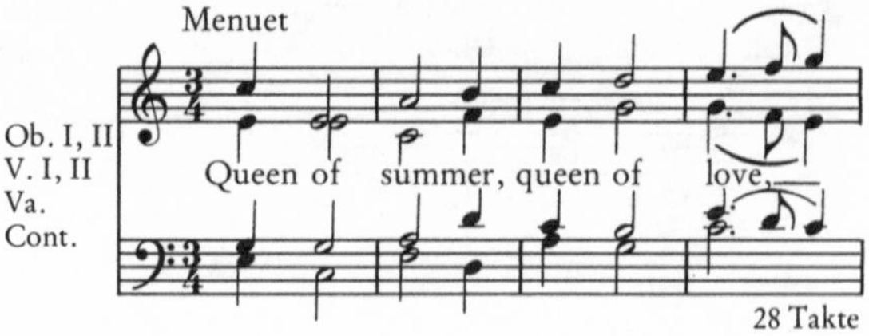

18. Air. Valens

Non troppo allegro, ma staccato
Ob. I, II
V. I, II
Va.
Cont.
Wide spread his name, wide spread his name
Takt 10

and make his glo- ry
86 Takte

A., B. Recitative. Valens

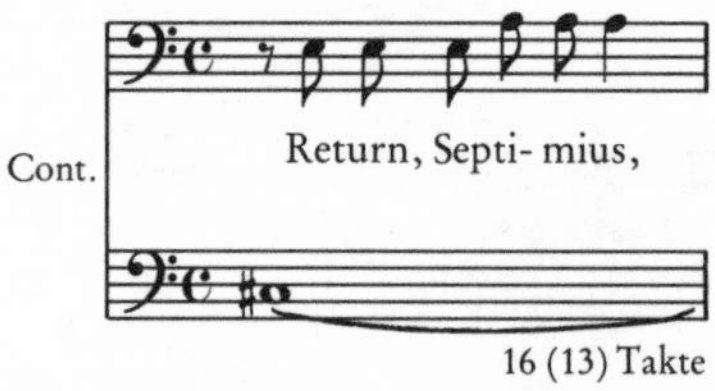
Cont.
Return, Septi- mius,
16 (13) Takte

19. Chorus of Heathens. A.; T.; B.

Ve- nus laugh- - -ing from the skies,
Takt 13
Cont.
76 Takte

Scene II

20. (Sinfonia.)

10 Takte

A., B. Recitative. Theodora

Cont.
Oh thou bright sun! how sweet thy rays
8 Takte

21a. Air. Theodora

woe, hide me, ye shades of Night, hide me!
p

29 Takte

21b. Air. (Sinfonia)

Lentement
senza V.

Fl. trav. I, II
Fag.
Cont.

Bassons ma pian senza Violons

24 Takte

21c. Sinfonia (in vece de l'air lentement)

Largo

Fl. trav. I, II
V. I, II
Va.
Cont.

Fl.
Str.
p

Violono senza Fag.

18 Takte

Recitative. Theodora

Cont.

But why art thou dis- quiet-ed, my soul?

8 Takte

22. Air. Theodora

Andante

V. I, II
unis.
Cont.

Oh that I on wings could rise,–
p

Takt 7

51 Takte *D. s.* (Takt 21)

Scene III

A., B. Recitative. Didymus; Septimius

Cont.

Long have I known thy friendly so-cial soul,

26 (14) Takte

23. Air. Septimius

Andante

V. I, II
Va. e Vc. princip.
Cont.

mp

f
tutti Bassi
f

Takt 7

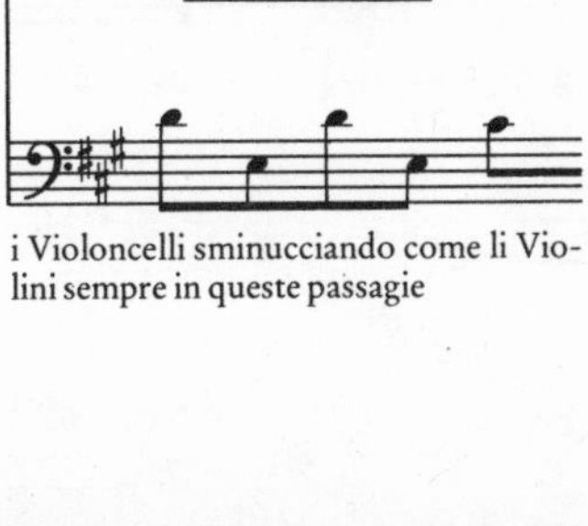

i Violoncelli sminucciando come li Violini sempre in queste passagie

Though the honours that Flo-ra and Ve-nus re-ceive from the Romans,

Takt 25

97 Takte

Recitative. Didymus; Septimius

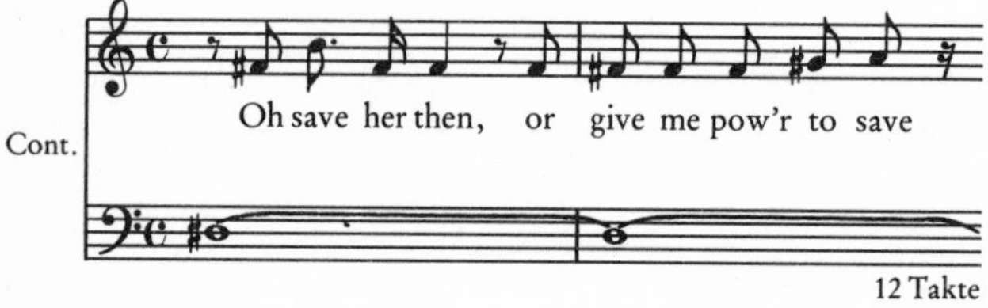
Cont.
Oh save her then, or give me pow'r to save
12 Takte

24. Air. Didymus

Largo

V. I, II
Va.
Cont.
V. I, II unis.
tr.

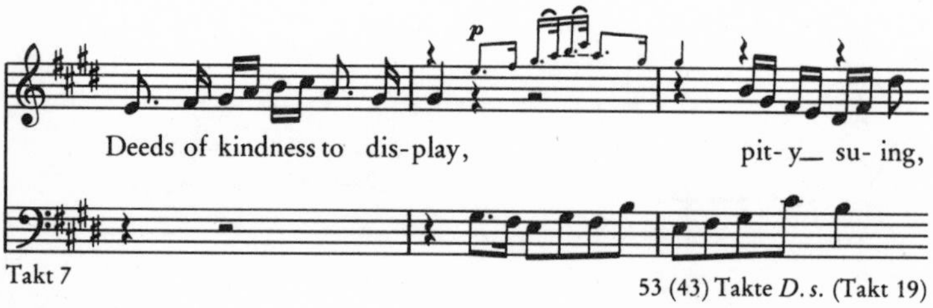
p
Deeds of kindness to dis-play, pit- y_ su- ing,
Takt 7
53 (43) Takte D. s. (Takt 19)

Scene IV

Recitative. Irene

Cont.
The clouds begin to

veil the hemisphere,
9 Takte

25a. Air. Irene

Larghetto e piano

V. I, II
Va.
Cont.
p
Defend her, Heav'n let angels spread
Takt 15
86 (83) Takte D. s.

25b. Air. Irene (nach 1759)

Allegro

V. I, II
Cont.
18
De-fend her, Heav'n, let an-gels spread
[= HWV 24 Siroe (25.)]
132 Takte D. c.

Scene V

Recitative. Didymus

Cont.
Or lull'd with grief, or

rapt her soul to Heav'n
6 (4) Takte

26. Air. Didymus

Andante

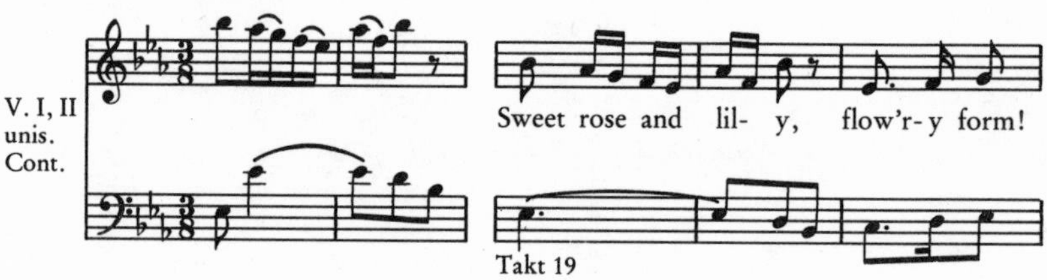
V. I, II
unis.
Cont.
Sweet rose and lil- y, flow'r- y form!
Takt 19

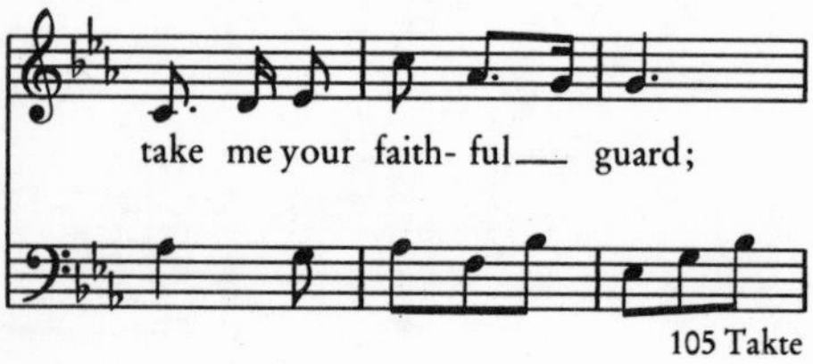
take me your faith- ful_ guard;
105 Takte

A., B. Recitative. Theodora; Didymus

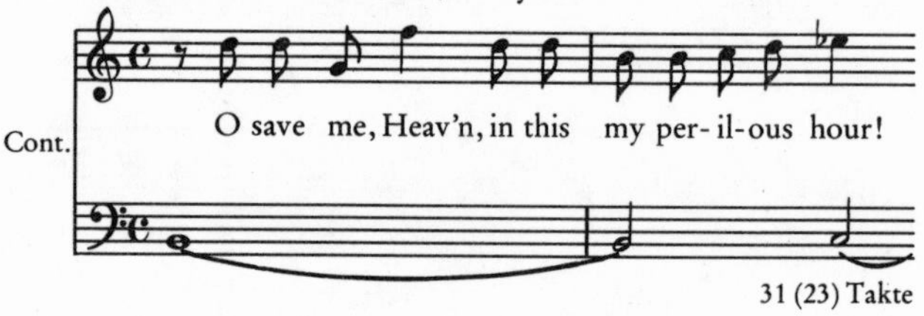
Cont.
O save me, Heav'n, in this my per- il-ous hour!
31 (23) Takte

27. Air. Theodora

Larghetto
(col V. I)
The pil- grim's home, the sick man's health, the
V. I, II
Va.
Cont.
Takt 3

cap- tive's ran- som, poor man's wealth
16 Takte

28. Accompagnato. Didymus

life I came to save?
8 Takte

Recitative. Didymus

Cont.
Or, say, what Right have I to take

A., B. (Recitative.) Theodora; Didymus

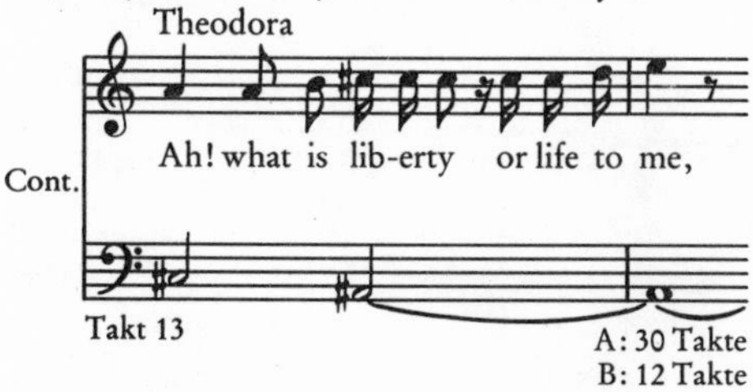
Theodora
Cont.
Ah! what is lib-erty or life to me,
Takt 13
A: 30 Takte
B: 12 Takte

29. Duet. Theodora; Didymus

pp
Theodora
pp
To thee, to thee, thou glorious son of worth,
Didymus
To thee, to thee, whose virtues suit thy birth,
pp
Takt 11
66 Takte

Scene VI

A., B. Recitative. Irene

Cont.
'Tis night: but night's sweet blessing is denied
A: 11 Takte
B: 6 Takte (1755)

30. Chorus of Christians. C.; A.; T.; B.

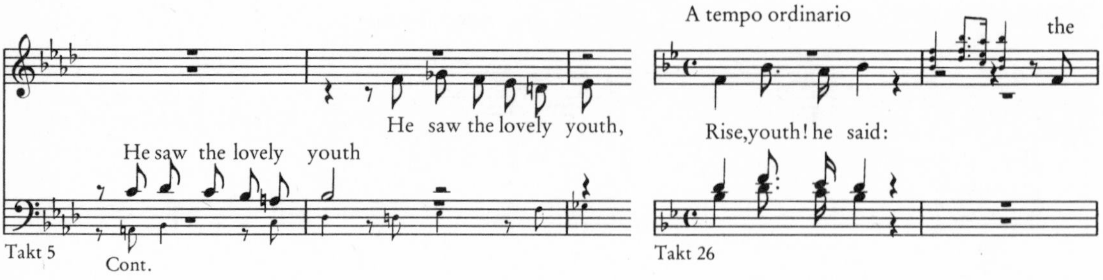
A tempo ordinario
He saw the lovely youth,
He saw the lovely youth
Rise,youth! he said:
the
Takt 5
Cont.
Takt 26

youth be-gins to rise,
Allegro
and bore a-way
Low- ly the matron bow'd, and bore a-way the prize, and
low- ly the ma- tron bow'd,
Takt 35
107 Takte

Part III

Scene I

31. Air. Irene

Largo
V. I, II
Va.
Cont.
Lord, to thee each night and day,
Takt 7

Though con-vul sive rocks the ground, and thy thunders roll a- round
Takt 32
57 Takte D. s.

Scene II

A. Recitative. Irene; Theodora

Cont.
But see, the good, the vir- tuous Di-dy-mus!
13 Takte

B. Recitative. Irene; Theodora

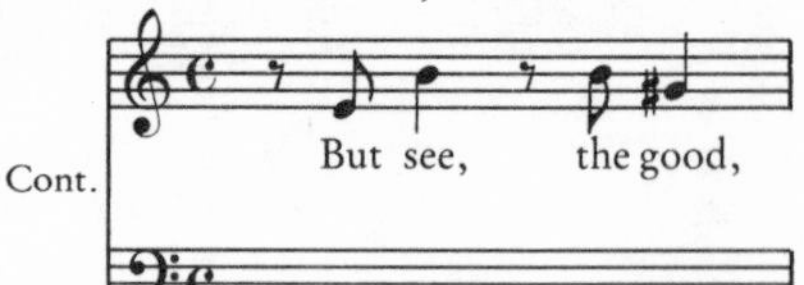
Cont.
But see, the good,

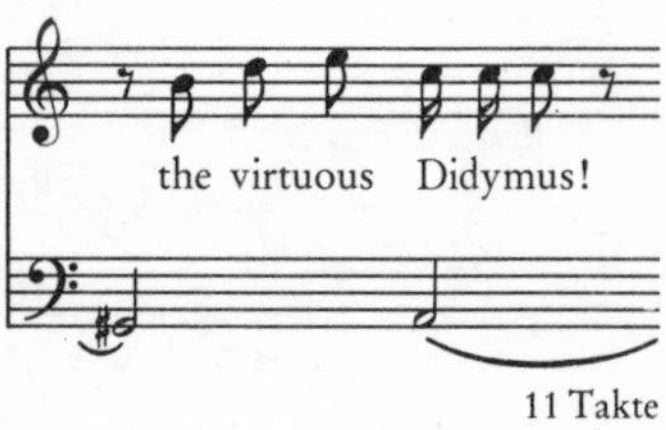
the virtuous Didymus!
11 Takte

32a. Air. Theodora

Larghetto
V. I, II
unis.
Cont.
When sunk in
Takt 12

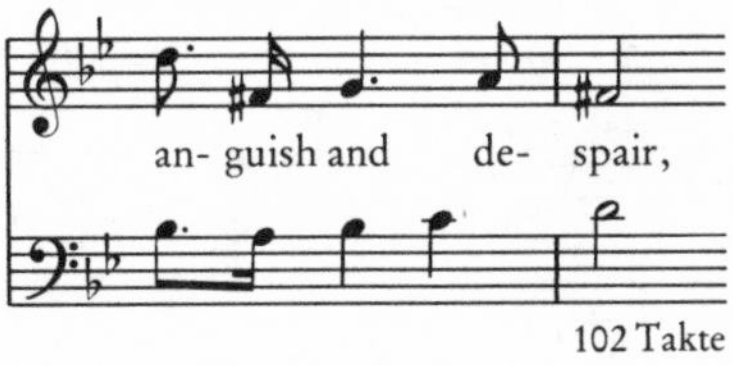
an- guish and de- spair,
102 Takte

32b. Solo and Chorus. Theodora; C.; A.; T.; B. (1755)

Largo

Theodora

Ob. I, II
V. I, II
Va.
Cont.

Bles- sed be the pow'r who gave us, free- ly

gave his son to save us

(Tutti)
Blessing, Honour, A- do- ra- tion, Ev-er from the whole cre- a- tion
Takt 7
10 Takte

33. Solo and Chorus of Christians. Theodora; C.; A.; T.; B.

A tempo ordinario

Ob. I, II
V. I, II
Va.
Cont.

Blest be the hand, and blest the pow'r
Blest be the hand, and blest the pow'r
Cont.

Theodora
Lord fa- vour still the kind in- tent, and bless
Takt 39

Tutti
Lord, fa- vour still the kind in-
Takt 49

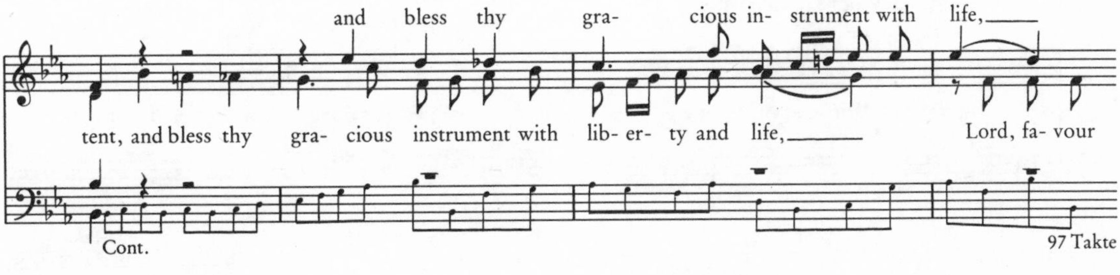
and bless thy gra- cious in- strument with life,
tent, and bless thy gra- cious instrument with lib- er- ty and life,
Lord, fa- vour
Cont.
97 Takte

Scene III

Recitative. Messenger; Irene

Cont.

Un-daun-ted in the court stands Di-dymus,
17 Takte

34. Accompagnato. Theodora

V. I, II
Va.
Cont.

Oh my I- re- ne,

Heav'n is kind and Va- lens too is kind,
6 Takte

Recitative. Theodora

Cont.
Stay me not, my friend,
5 Takte

35. Duet. Theodora; Irene

Allegro
V. I, II unis.
Va.
Cont.
Irene
Whither, princess, do you fly?
Theodora
No,
sure to suffer, sure to die,
Takt 6

no, I- re- ne, no,
34 Takte

Recitative. Irene

Cont.
She's gone! disdaining liber-ty and life,
8 Takte

36. Air. Irene

Andante larghetto
V. I, II
Va.
Cont.

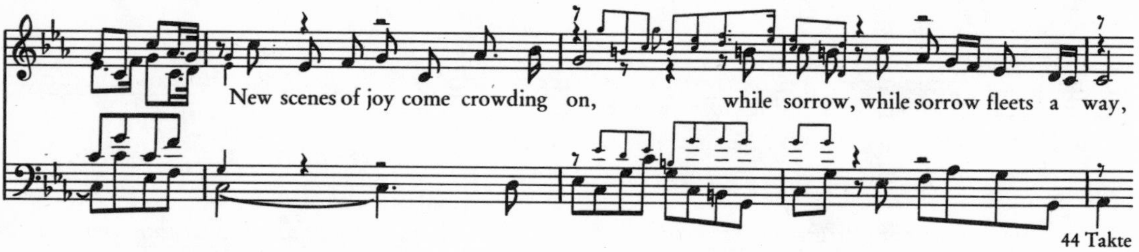
New scenes of joy come crowding on, while sorrow, while sorrow fleets a way,
44 Takte

Scene IV

A., B., C. Recitative. Valens; Didymus

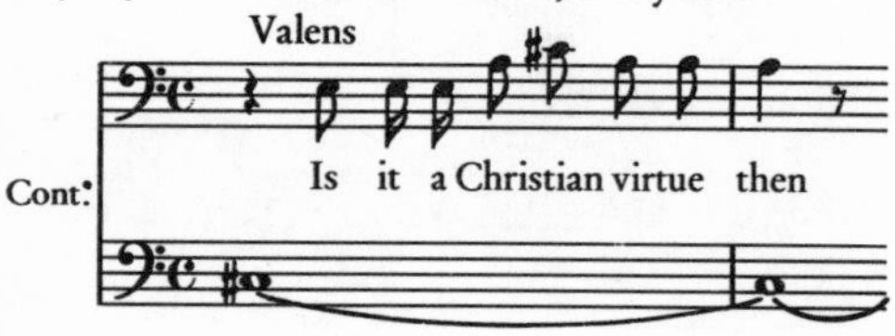
Valens
Cont.
Is it a Christian virtue then

Scene V

(Recitative.) Theodora; Septimius

Theodora
Cont.
Be that my doom! You may in-flict it here
A: Takt 22
B: Takt 15
C: Takt 10
A: 45 Takte
B: 22 Takte (1750)
C: 17 Takte (1755)

37a. Air. Septimius

Andante
V. I, II
V. I, II
Va.
Cont.
Va.
From vir-tue springs each gen'r- ous deed,
Takt 13
138 (114) Takte D. s.

37b. Air. Septimius (nach 1759)

Allegro
V. I, II
Cont.
9
From vir- - tue springs each gen'r- ous deed
[= HWV 22 Admeto (13.)]
77 Takte *D. s.*

38a. Air. Valens

Furioso
V. I, II
Va.
Cont.
Cease, ye slaves, your fruit-less pray'r,
The pow'rs be-
Takt 5

low no pit- y_know,
p
f
Takt 9
30 Takte

38b. Air. Valens (nach 1759)

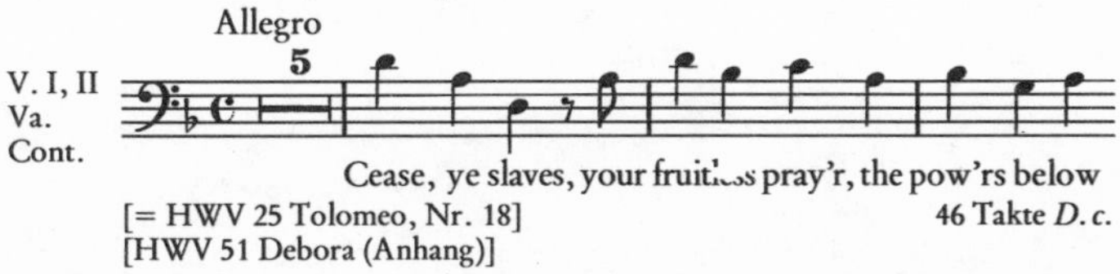
Allegro
V. I, II
Va.
Cont.
5
Cease, ye slaves, your fruitless pray'r, the pow'rs below
[= HWV 25 Tolomeo, Nr. 18]
[HWV 51 Debora (Anhang)]
46 Takte *D. c.*

38c. Air. Theodora (nach 1759)

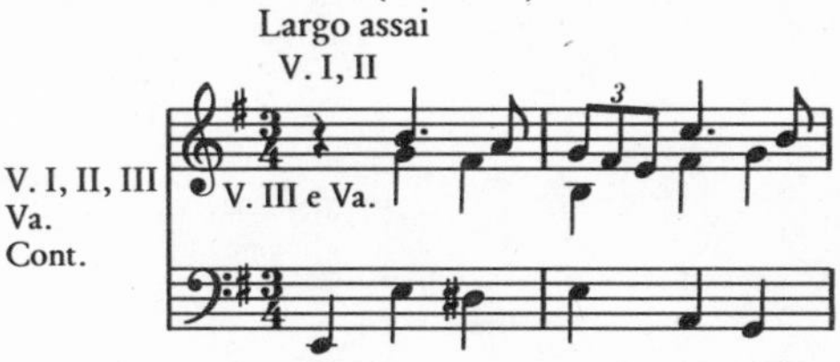
Largo assai
V. I, II
V. I, II, III
Va.
Cont.
V. III e Va.

A.; B. Recitative. Didymus; Theodora

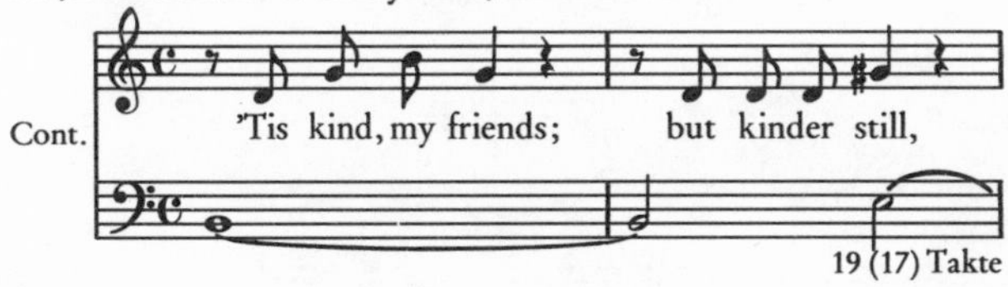
Cont.
'Tis kind, my friends; but kinder still,
19 (17) Takte

Lost in an-guish quite de- spair- ing, Heav'n a- lone for vir- tue___ car- ing,
41 Takte

39. Chorus of Christians. C.; A.; T.; B.

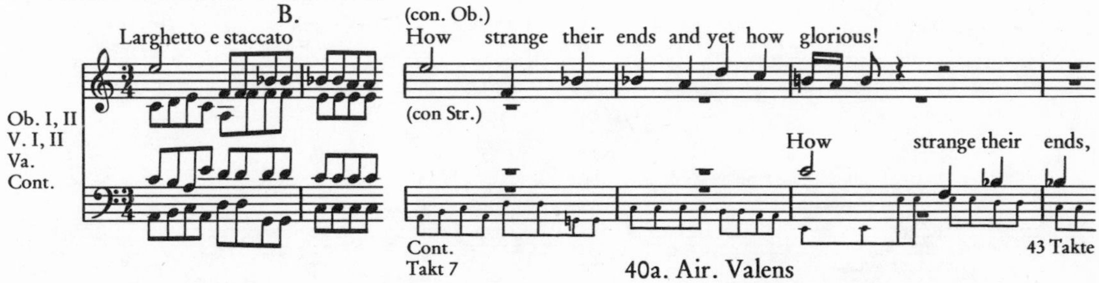
Larghetto e staccato
Ob. I, II
V. I, II
Va.
Cont.
(con. Ob.)
How strange their ends and yet how glorious!
(con Str.)
How strange their ends,
Cont.
Takt 7
43 Takte

40a. Air. Valens

Allegro
V. I, II
Va.
Cont.

Recitative. Didymus; Theodora; Valens

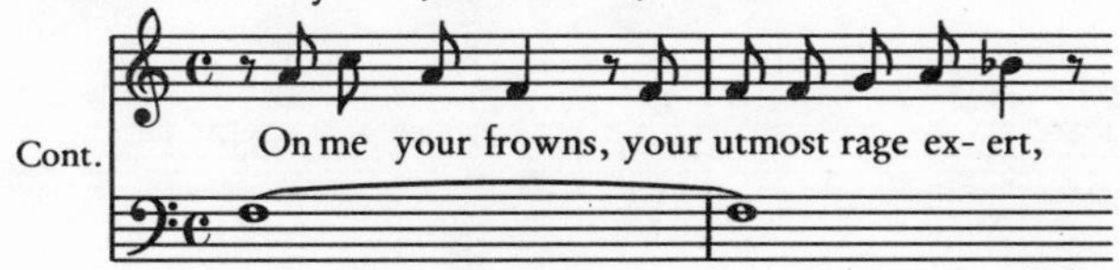
Cont.
On me your frowns, your utmost rage ex- ert,
12 Takte

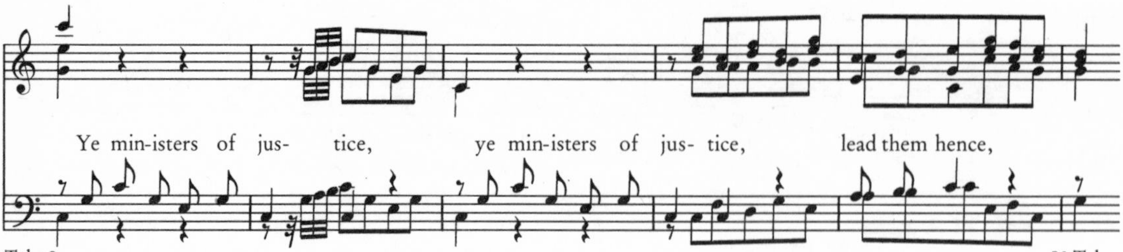
Ye min-isters of jus- tice, ye min-isters of jus- tice, lead them hence,

Takt 9 — 50 Takte

(40b.) Recitative. Valens

Cont.
Ye ministers of justice, lead them hence,

4 Takte

Scene VI
Recitative. Didymus; Theodora; Septimius

Cont.
And must such beauty suffer?

12 Takte

41. Air and Duet. Didymus; Theodora

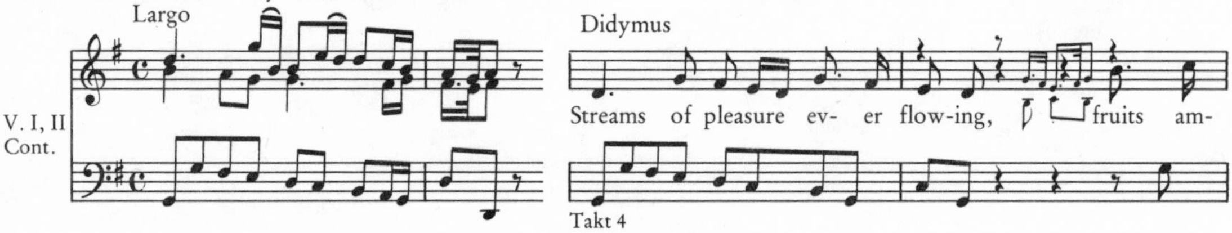
Largo
V. I, II
Cont.
Didymus
Streams of pleasure ev- er flow-ing, fruits am-

Takt 4

bro-sial ev- er growing
Duet
Theodora
Thith- er let our hearts as- -pire!
p

Takt 30 — 60 Takte

Recitative. Irene

Ere this their doom is past,
Cont.

4 Takte

42. Chorus of Christians. C.; A.; T.; B.

Larghetto
Ob. I, II
V. I, II
Va.
Cont.
Str.

Oh Love di- vine, thou source of fame,
Ob. col C.
Oh Love di- vine, thou source of fame, thou source
Oh Love di- vine, thou source of fame,
Oh Love di- vine, thou source of fame,

Takt 6 — 62 Takte

Quellen
Handschriften: Autograph: GB Lbm (R. M. 20. f. 9., ohne Nr. 21^{a}).
Abschriften: D (brd) Hs (Direktionspartitur $M\frac{A}{1058}$). – GB Cfm (Barrett-Lennard-Collection, Mus. MS. 793), Lbm (R. M. 18. f. 6.), Mp (MS 130 Hd4, v. 349), Shaftesbury Collection (v. 58–60, Kopie von J. C. Smith sen.) – US Wc (M 2105. H 13 S 7 P 2 case: Songs, St. für V. II, Va., Vc., Cont.; MS. ML 96. H 156 case[1]; Nr. 38^{c}).
Drucke: Theodora an oratorio. Set to musick by Mr Handel. – London, J. Walsh (3 verschiedene Ausgaben); Theodora an oratorio in score, composed by Mr Handel. – London, H. Wright; Harrison's edition, corrected by Dr Arnold. The overture and songs in Theodora, an oratorio. For the voice, harpsichord, and violin. Composed by Mr Handel. – London, Harrison & Co.; Theodora. An oratorio in score. Composed the year 1737 (!). By G. F. Handel. – London, Arnold's edition, No. 5–8 (1787); (O worse than death indeed. Angels, ever bright and fair). Theodora. – s. l., s. n.; Angels, ever bright and fair. A favorite Song ... in Theodora. – s. l., s. n.; —... Song (In: The Lady's Magazine, 1778, supplement). – (London), s. n.; —... as sung by Master Welsh in Theodora. – London, R. Birchall; — ib., Smart's Music warehouse; O worse than death indeed. Angels, ever bright and fair. Song in the opera of Theodora (In: Aberdeen Magazine, July, 1788). – (Aberdeen), s. n.; — (London), J. Bland; Angels, ever bright & fair, sung by Madame Mara and Mrs. Billington. – London, J. Dale; Descend, kind pity. A favorite air (In: The Lady's Magazine, Sept., 1791). – (London), s. n.; Fond flatt'ring world, adieu. Song (In: The Lady's Magazine, May, 1793). – (London), s. n.; Lord, to thee each night and day. A favorite song in Theodora. – London, J. Bland; — ib., H. Wright; — ib., G. Walker; Streams of pleasure. Theodora. – (London), J. Bland; Venus laughing. A favorite chorus from the Oratorio of Theodora ... adapted for the piano forte or organ by T. Haigh. – London, T. Skillern.
Libretto: Ms. – Libretto (Autograph von Th. Morell) in GB Mp (MS 130 Hd4, v. 350). *Drucke:* Theodora, an oratorio. As it is perform'd at the Theatre-Royal in Covent-Garden. Set to musick by Mr Handel. – London, J. Watts, B. Dod, 1750 (Ex.: F Pa, Pc – GB En, Lbm, Lcm – US BE); — ib., 1759 (Ex.: F Pc – GB BENcoke, Ckc, En, Lbm).

Bemerkungen
Thomas Morells Libretto zu der christlichen Märtyrerlegende „Theodora" fußt auf der anonym veröffentlichten Novelle „The Martyrdom of Theodora and of Didymus" (1687) von Robert Boyle (1627 bis 1691). Morell mußte den Anfang der Fabel selbst erfinden, da die Quelle erst mit den Ereignissen beginnt, die in Act II, Scene III, des Librettos beschrieben werden[2]. Morell hielt sich ziemlich eng an die literarische Vorlage und erreichte in den meisten Rezitativen eine fast wörtliche Versfassung der Dialogpartien Boyles, wie W. Dean nachwies. Die von R. Rolland[3] und B. Paumgartner[4] in Unkenntnis der wirklichen Quelle behauptete Abhängigkeit Morells von Pierre Corneilles Drama „Théodore vierge et martyre" (1645) gilt nur in sehr beschränktem Maße. Morell bezieht sich in seinem „Advertisement" zum gedruckten Libretto ausdrücklich auf Boyle und erwähnt die französische Tragödie nur am Rande, ohne Corneilles Namen zu nennen. W. Dean (S. 559) vermutet auf Grund der dem Vorbericht folgenden Ansprache von Septimius an die Christen mit dem Chortext „Join ye your songs, ye saints on earth", in der dieser seinen Übertritt zum Christentum bekannt, daß dies vielleicht der vom Textautor beabsichtigte Schluß des Werkes gewesen sein könnte, den Händel aus inhaltlichen und dramaturgischen Gründen jedoch nicht berücksichtigt habe. Morell hatte diese Ansprache hinzugefügt, um – wie er schrieb – die Handlung zu vervollständigen und ihre moralische Aussage zu verdeutlichen.
Wie aus dem bereits mehrfach erwähnten Brief Morells (s. Deutsch S. 852) hervorgeht, betrachtete Händel „Theodora" als sein bedeutendstes Oratorium, und den Chor „He saw the lovely youth" (30) schätzte er am höchsten von all seinen Oratorienchören.
Händel benötigte knapp vier Wochen für die Vertonung von „Theodora". Das Autograph enthält folgende Daten: Act I: f. 1: „angefangen den 28 June ♃[5] (= Donnerstag) 174(9)", f. 50^{v}: „End of the first part. geendiget July 5. ☿ (= Mittwoch) 1749"; Act II: f. 81^{v}: „End of the 2^{d} Part. geendiget 11 July ♂ (= Dienstag) 1749"; Act III: f. 113: „S. D. G. G. F. Handel London den 17. Julij ☽ (= Montag) 1749, den 31 Juli ☽ 1749, völlig ausgefüllet. End of the Oratorio."
Aus dem Autograph geht hervor, daß Händel noch vor oder kurz nach der Uraufführung das Werk beträchtlich kürzte. Nr. 1^{a}, 12, 21^{a}, 36 und 40^{a} fielen vollständig weg und wurden nur in zwei Fällen (Nr. 1^{a} und Nr. 40) durch kürzere Rezitative mit gleichem Textanfang ersetzt. Weitere Kürzungen betrafen die Nr. 5, 15, 24, 28 und 37^{a} sowie eine Reihe von Rezitativpassagen. Diese Kürzungen sind auch

[1] Kopie von Smith junior. Faksimile s. Winternitz, E.: Musical Autographs from Monteverdi to Hindemith, New York ^{2}/1965, vol. II, plate 39. Vgl. Albrecht, O. E.: A Census of Autograph Music Manuscripts of European Composers in American Libraries, Philadelphia 1953, S. 137.

[2] Ein Teil des Manuskripts von Boyle ging bereits vor der Veröffentlichung verloren, so daß nur der zweite Teil seines Buches gedruckt werden konnte. S. Dean, S. 558.
[3] Rolland, R.: Händel, Berlin ^{2}/1955, S. 124, Anm. 2.
[4] Neuausgabe von Mainwarings Biographie in Matthesons Übersetzung, hrsg. von B. Paumgartner, Zürich 1947.
[5] Muß *Mittwoch*, den 28. Juni 1749 heißen.

in der Direktionspartitur nachweisbar (Übersicht s. Dean, S. 573f., und Clausen, S. 239f.).
Die Uraufführung am 16. März 1750 (Wiederholungen am 21. und 23. März) erfolgte „with a New Concerto on the Organ" (Deutsch, S. 683). Dieses Orgelkonzert war vermutlich HWV 310 op. 7 Nr. 5 g-Moll (beendet am 31. Januar 1750). Die Besetzung der Solopartien war: Theodora: Giulia Frasi, Irene: Caterina Galli, Didymus: Gaetano Guadagni, Septimius: Thomas Lowe, Valens: Thomas Reinhold. Das Werk erwies sich als Fehlschlag, und Händel führte es nur am 5. März 1755 noch einmal auf. Die hier gebotene Fassung sowie die der für 1759 geplanten Aufführung, die wegen Händels Tod nicht mehr zustandekam, erweiterten die Änderungen von 1750 noch um Kürzungen einzelner Rezitative und Arien sowie um die Streichung von Nr. 8, T. 32ff. von Nr. 31, Nr. 32[a] und die gesamte III. Szene des III. Aktes. Dafür kamen 5 neue Sätze hinzu (25[b], 32[b], 37[b], 38[b], 38[c]), die zum Teil Parodien älterer Kompositionen Händels darstellen.
Die eingefügte Arie „The leafy honours" aus HWV 61 Belshazzar für Irene unmittelbar vor dem Schlußchor (42) wurde in späteren Libretto-Ausgaben wieder aufgehoben, nicht jedoch in der Direktionspartitur (f. 55–58).
Für folgende Sätze entlehnte Händel Musik aus eigenen, früher entstandenen Kompositionen oder aus Werken anderer Komponisten:

Ouverture – Allegro
  G. C. M. Clari[6]: Duett IV „Quando col mio s'incontra": 2. Ma tremolo e fugace
Ouverture – Trio
  Th. Muffat[7]: Componimenti musicali: Suite II g-Moll (Trio)
Ouverture – Courante
  Th. Muffat: Componimenti musicali: Suite II g-Moll (Courante)
6. Descend, kind pity
  G. C. M. Clari: Duett V „Quando il sole": 1. Quando tramonta
7. Fond, flatt'ring world, adieu
  HWV 70 Jephtha: 29. How dark, o Lord/Whatever is, is right (T. 121 ff.)
9. Come, mighty father
  G. C. M. Clari: Duett I „Cantando un dì": 1. Cantando un dì; 2. L'ode gelsindo
10. As with rosy steps the morn
  HWV 81 „Alpestre monte": 2. Io so ben ch'il vostro orrore
  HWV 6 Agrippina: 27. Voi che udite il mio lamento
  HWV 9 Teseo: 8. M'adora l'idol mio
  HWV 15 Ottone: 10. Affanni del pensier
  HWV 52 Athalia (Fassung 1735): 6[b]. Oh Lord whom we adore
12. Dread the fruits of christian folly
  HWV 239 „O qualis de coelo sonus": 2. Ad plausus, ad jubila
25[b]. Defend her, Heav'n
  HWV 24 Siroe: 25. Ch'io mai vi possa
29. To thee, thou glorious son of worth
  G. C. M. Clari: Duett II „Dov'è quell'usignolo": 1. Dov'è quell'usignolo
35. Whither, princess, do you fly
  HWV 12[a] Radamisto (1. Fassung): 20. Vanne, sorella ingrata
37[b]. From virtue springs
  HWV 22 Admeto: 13. Sen vola lo sparvier
38[b]. Cease, ye slaves
  HWV 25 Tolomeo: 18. Piangi pur
  HWV 51 Deborah: Anhang: Hateful man
39. How strange their ends
  G. C. M. Clari: Duett III „Lontan dalla sua Filli": 1. Lontan
42. Oh love divine, thou source of fame
  HWV 60 Hercules: 28. Cease, ruler of the day

Literatur
Clausen, S. 239f.; Crankshaw, G.: Handel's Favourite Oratorio. In: Musical Opinion, 77. Jg., 1954, S. 643; Dean, S. 556ff.; Deutsch, S. 674ff.; Flower, p. 310f./S. 285ff.; Graf, H.: Zur szenischen Aufführung des Oratoriums „Theodora" in Münster i. W. In: Musikblätter des Anbruch, 8. Jg., Wien 1926, S. 210ff.; Herbage, S. 125ff.; Lang. p. 486ff./ S. 441ff.; Leichtentritt, S. 509ff.; Macfarren, G. A.: The „Theodora" of Handel. In: The Musical Times, Jg. 1873, Juni-Heft, S. 103ff.; Müller-Blattau, J., S. 142ff.; Schering, A.: Geschichte des Oratoriums, Leipzig 1911, S. 304ff.; Schoelcher, S. 315ff.; Serauky V, S. 258ff.; Siegmund-Schultze, S. 123f.; Smither II, S. 332ff.; Streatfeild, S. 320f.; Young, S. 183ff.; Young, P. M.: Die Herkunft des „Theodora"-Librettos. In: Göttinger Händel-Fest 1971, Programmheft, S. 10ff.
Beschreibung des Autographs: Lbm: Catalogue Squire, S. 88ff. – Dean, S. 578.

[6] ChA, Supplemente 4. Vgl. auch Catalogue Mann, S. 152, Anm. 7.
[7] ChA, Supplemente 5.

69. The Choice of Hercules

A Musical Interlude (als Act III von HWV 75 Alexander's Feast)

Libretto: Bearbeiter unbekannt (vermutlich Thomas Morell, nach „The Judgement of Hercules" von Robert Lowth, Glasgow 1747)

Besetzung: Soli: 2 Soprani (Pleasure, Virtue), Mezzosoprano (Hercules), Ten. (Attendant of Pleasure). Chor: C.; A.; T.; B. Instrumente: Fl. trav. I, II; Ob. I, II; Fag.; Cor. I, II; Trba. I, II; V. I, II; Va.; Cont.

ChA 18. – HHA I/31. – EZ: London, 28. Juni bis 5. Juli 1750 (unter Verwendung von HWV 45 „Alceste"). – UA: London, 1. März 1751, Theatre Royal, Coventgarden

1. Symphony

Ob. I, II
V. I, II
Va.
Cont.
16 Takte

[= HWV 45 Alceste (12.)]

2. Accompagnato. Pleasure

Larghetto
Fl. trav. I, II
Fag.
V. I, II
Va.
Cont.
V. I, II
Va.
p
See, Her- cu-les! how
Takt 15

[= HWV 45 Alceste (14.)]

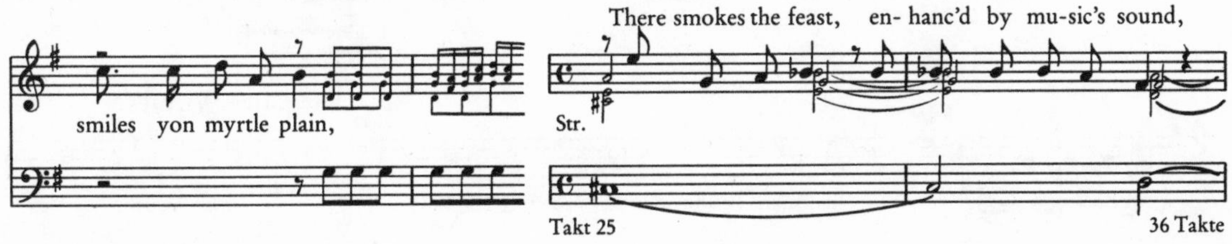
smiles yon myrtle plain,
There smokes the feast, en- hanc'd by mu-sic's sound,
Str.
Takt 25
36 Takte

3. Air. Pleasure

Larghetto
Ob.
V. I
Ob. I, II
V. I, II
Va.
Cont.
Va.
Come, bloom-ing boy, with me_ re- -pair
V. I p
Takt 9
54 Takte

[= HWV 45 Alceste (9.)]

4. Air. Pleasure

Allegro
Cor.
Ob. I, II
Cor. I, II
V. I, II
Va.
Cont.
There the brisk spark- ling nec-tar drain, cool'd with the pur- est_
p
Takt 15

5. Solo and Chorus of Attendants on Pleasure. Pleasure; C.; A.; T.; B.

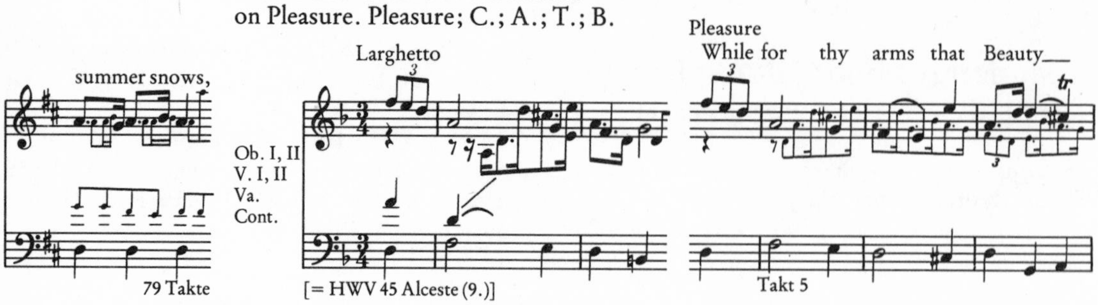

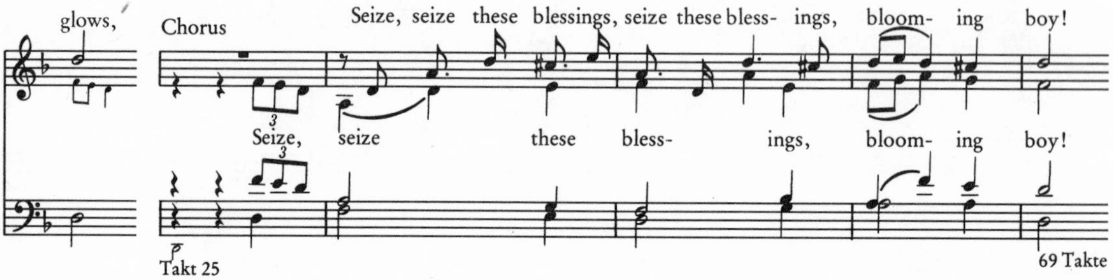

Recitative. Virtue

6. Air. Virtue

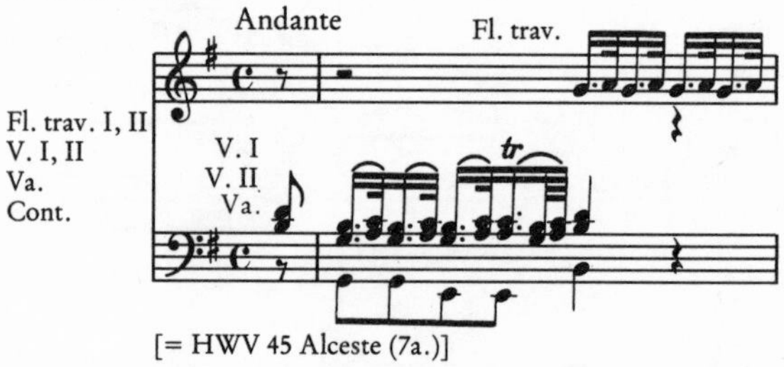

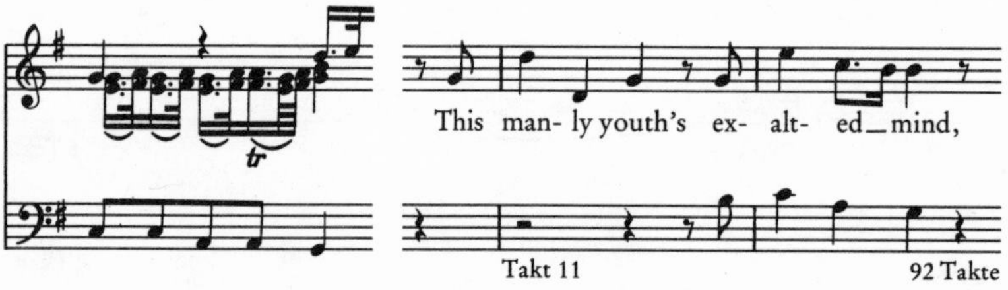

Recitative. Virtue

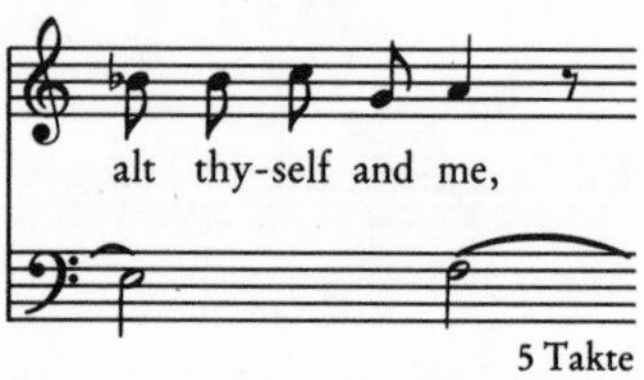

7. Air. Virtue

Recitative. Virtue

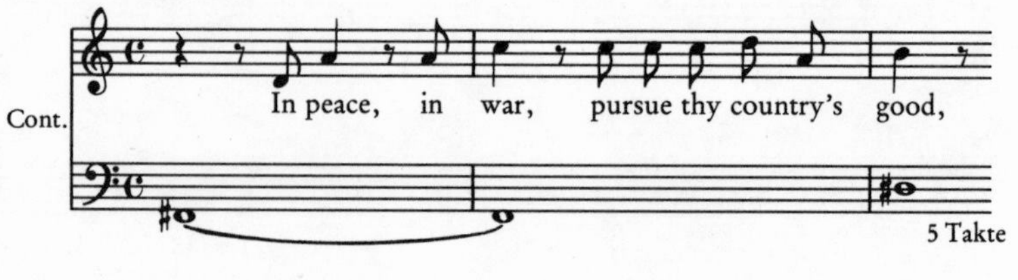

8. Solo and Chorus of Attendants on Virtue. Virtue; C.; A.; T.; B.

[= HWV 45 Alceste (6.)]

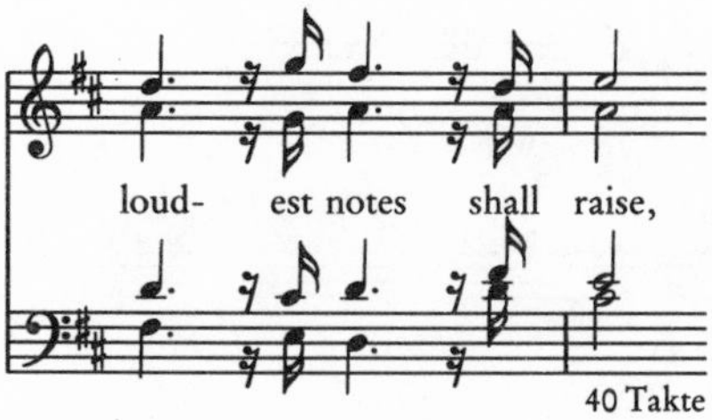

Recitative. Pleasure

9. Solo and Chorus of Attendants on Pleasure. Pleasure; C.; A.; T.; B.

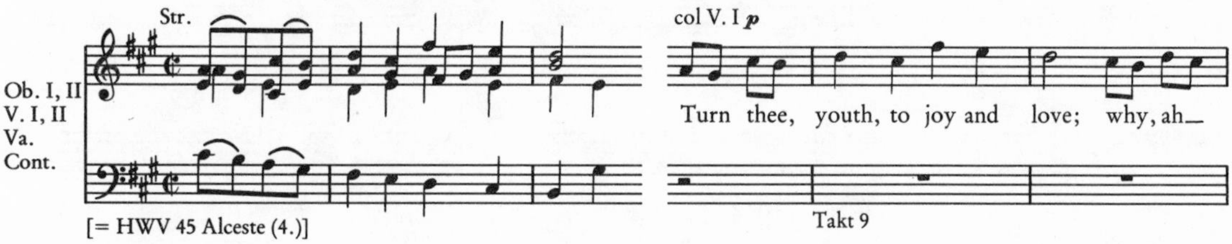

[= HWV 45 Alceste (4.)]

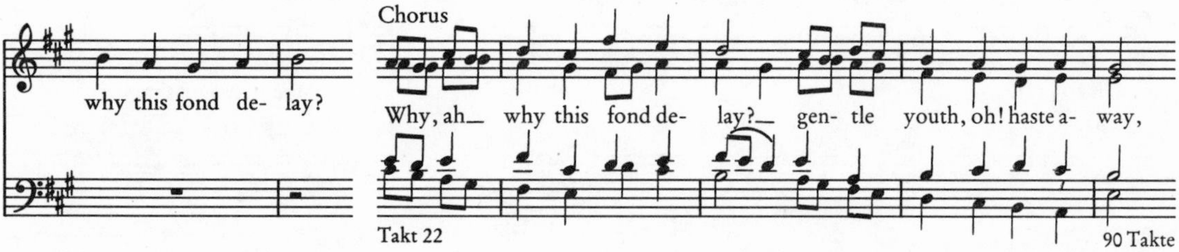

Recitative. Pleasure; Hercules

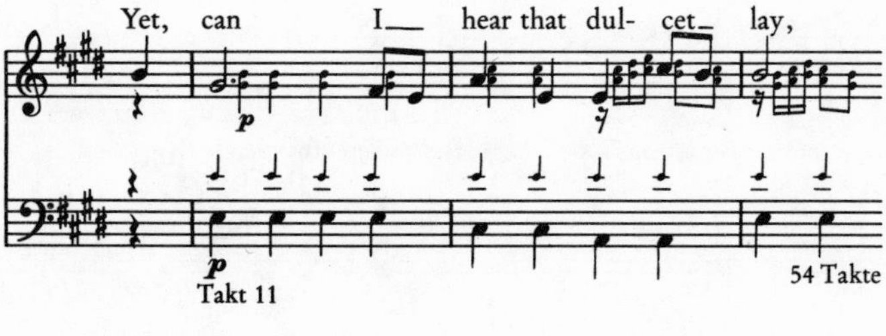

10. Air. Hercules

[= HWV 45 Alceste (7b.)]

11. Air. An Attendant on Pleasure

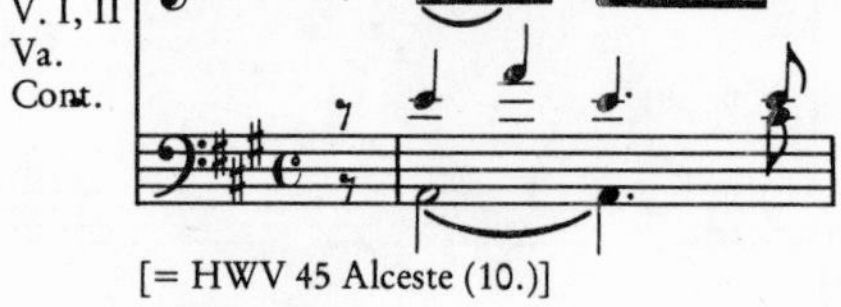

[= HWV 45 Alceste (10.)]

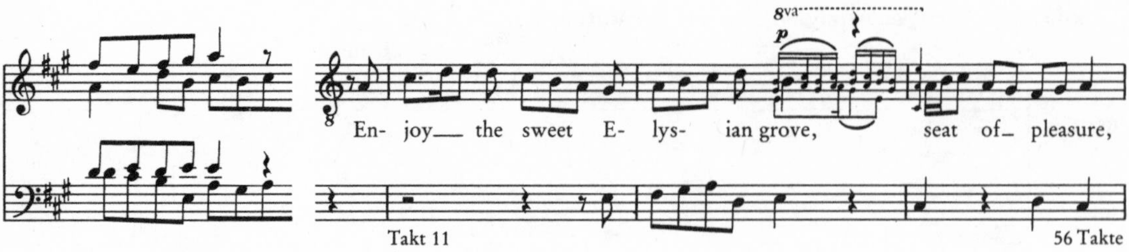

Recitative. Hercules

Cont.
Oh! whit- her, Rea- son, dost thou fly?
4 Takte

Pleasure
where shall I go? To yon-der bree-zy plain!—
38 Takte

12. Trio. Pleasure; Virtue; Hercules

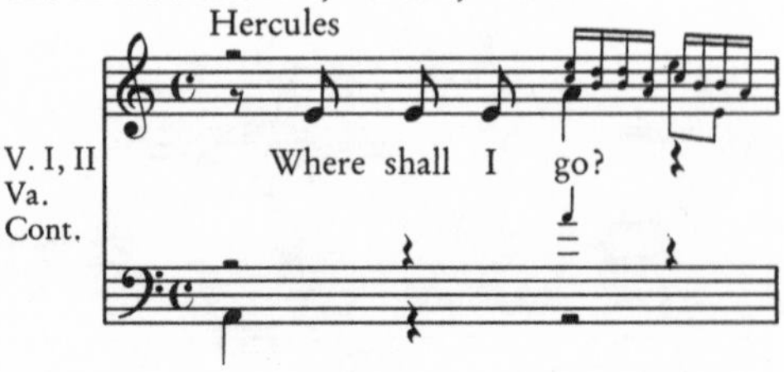
Hercules
V. I, II
Va.
Cont.
Where shall I go?

13. Accompagnato. Virtue

Mount, mount the
V. I, II
Va.
Cont.

steep as- cent! O- bey my voice, and live:
11 Takte

14. Air. Virtue

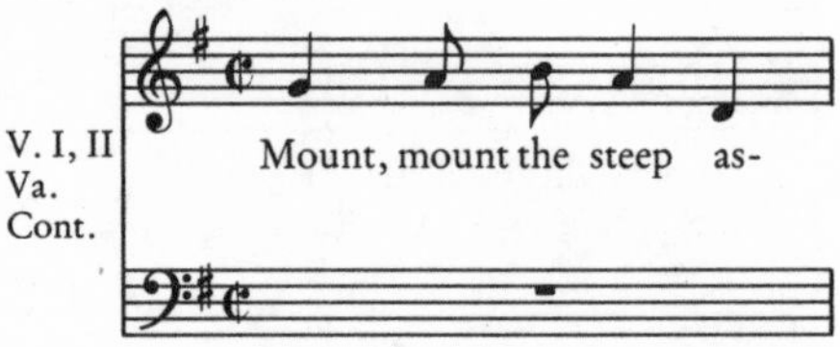
V. I, II
Va.
Cont.
Mount, mount the steep as-

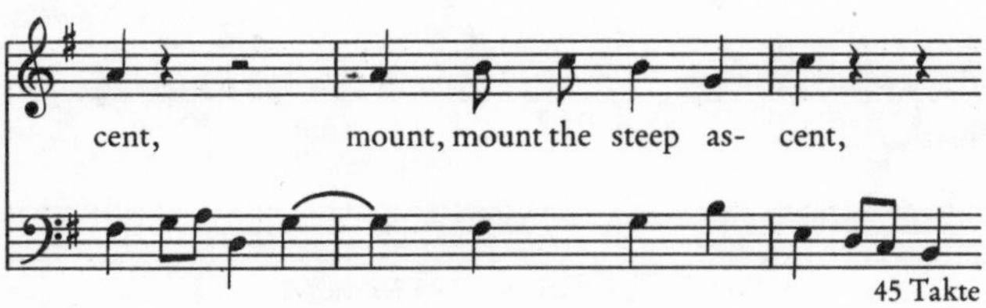
cent, mount, mount the steep as- cent,
45 Takte

15. Chorus. C.; A.; T.; B.

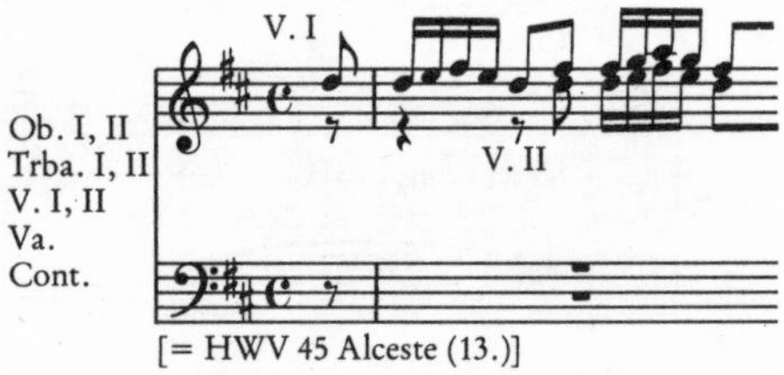
V. I
V. II
Ob. I, II
Trba. I, II
V. I, II
Va.
Cont.

[= HWV 45 Alceste (13.)]

A- rise, a- rise! Mount, mount the steep as- cent, and claim thy na- tive— skies,
Takt 3
54 Takte

Recitative. Hercules

Cont.
The sounds breathe fire ce- lestial, and impart
4 Takte

16. Air. Hercules

Andante

V. I, II
Va.
Cont.
[= HWV 45 Alceste (8.)]

Lead, Goddess, lead the way, lead, Goddess, lead the way,
Takt 9
69 Takte D. s. (Takt 13)

17. Chorus of Attendants on Virtue. C.; A.; T.; B.

Andante

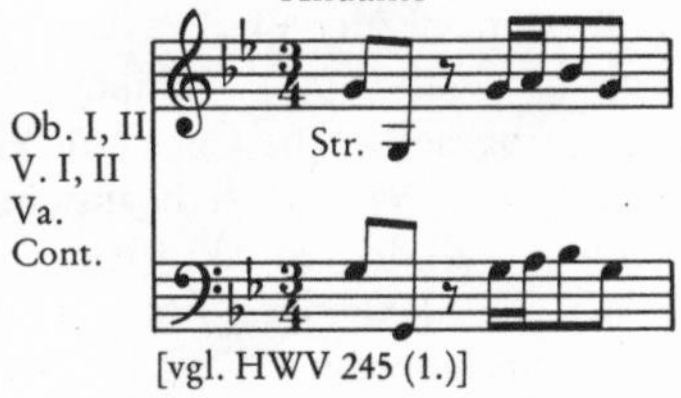
Ob. I, II
V. I, II
Va.
Cont.
Str.
[vgl. HWV 245 (1.)]

Vir- -tue will place thee in that blest a- bode,
Vir-tue will place thee in that blest a- bode,
Vir- -tue will place thee in that blest a- bode,
Takt 13

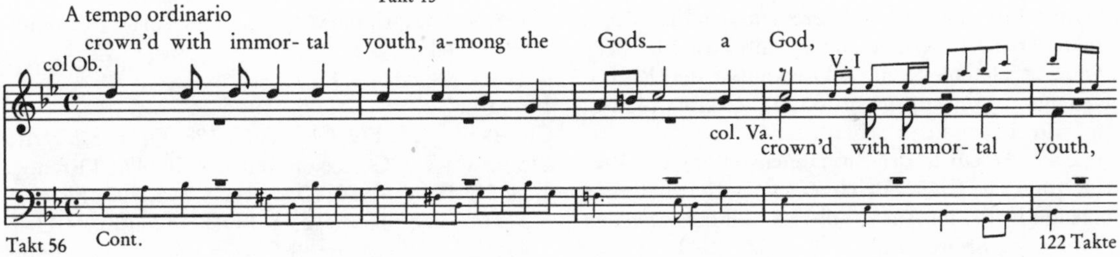
A tempo ordinario
crown'd with immor- tal youth, a-mong the Gods a God,
col Ob.
V. I
col. Va.
crown'd with immor- tal youth,
Takt 56
Cont.
122 Takte

Quellen

Handschriften: Autographe: GB Lbm (R. M. 20. e. 6., ursprünglich für HWV 45 Alceste, für HWV 69 geändert; Add. MSS. 30310, f. 13–19r: Nr. 7, 16, f. 20r–21v: Nr. 11, T. 35 ff., f. 26r–26v: Nr. 1, f. 27r–31r: Nr. 15, f. 31v–34r: Nr. 2, Instrumentaleinleitung).

Abschriften: D (brd) Hs (Direktionspartitur M $\frac{A}{1012}$) – GB Cfm (Barrett-Lennard-Collection, MS. K 3), Lbm (R. M. 18. d. 6., f. 62–145, mit HWV 76), Mp (MS 130 Hd4, v. 79: Hercules's Choice).

Drucke: The Choice of Hercules. Set to musick by Mr Handel. – London, J. Walsh (2 verschiedene Ausgaben); The Choice of Hercules. Set to musick by Mr Handel. NB. The songs number'd have instrumental parts for concerts – printed in Mr. Handel's 400 selected oratorio songs. – London, J. Walsh; The complete score of the Choice of Hercules set to musick by Mr Handel. – London, Willm Randall; Harrison's edition, corrected by Dr Arnold. The overture and songs in the Choice of Hercules; an oratorio. For the voice, harpsichord, and violin. Composed by Mr Handel. – London, Harrison & Co.; The Choice of Hercules, in score; composed in the year 1745 (!). By G. F. Handel. – London, Arnold's edition, No. 55–56 (1789); Come blooming boy. A favourite song (In: The Lady's Magazine, Feb., 1782). – (London), s. n.; Enjoy the sweet Eylsian grove. Song (In: The Lady's Magazine, March, 1790). – (London), s. n.; There the brisk sparkling nectar drain. A favourite song (In: The Lady's Magazine, April, 1782). – (London), s. n.

Libretto: Ms. – Libretto (fragm.) in US SM. *Drucke:* Alexander's Feast: or: The Power of Musick. An ode. Wrote in honour of St. Cecilia. Written by Mr Dryden. And an additional new act, call'd The Choice of Hercules. Both set to musick by Mr Handel. - London, J. and R. Tonson, S. Draper, 1751[1] (Ex.: F Pc – GB Lbm, Ob – US NH); —... An ode. Wrote in honour of St. Cecilia, by Mr Dryden. And an additional new act, call'd The Choice of Hercules. Both set to musick by Mr Handel. – ib., 1753[2] (Ex.: F Pc – GB BENcoke, En, W. Dean Collection Godalming – US PRu).

Bemerkungen
Händel schrieb „The Choice of Hercules" auf das Libretto eines ungenannten Bearbeiters (vermutlich Thomas Morell, s. Dean, S. 581) nach dem Poem „The Judgement of Hercules" (Glasgow 1743) von Robert Lowth (1710–1787)[3]. Händel nannte das Werk im Autograph „The Choice of Hercules, a Musical Interlude"; vermutlich beabsichtigte er von vornherein, es als dritten Akt für die nur zweiaktige Ode HWV 75 Alexander's Feast zu verwenden, ähnlich wie er im November 1739 die *Ode for St. Cecilia's Day* HWV 76 diesem Werk folgen ließ.
Damit erklärt sich auch, weshalb Händel in „The Choice of Hercules" die ein Jahr vorher komponierte, aber nicht aufgeführte Bühnenmusik zu Tobias Smollets Schauspiel „Alceste" HWV 45 fast vollständig einarbeitete[4]. Er schrieb keine neue Partitur aus, sondern verwendete zwei der vier Partiturfragmente von „Alceste" als Grundlage, in die er Anweisungen für den Kopisten und notwendige Änderungen von Text und musikalischem Satz vermerkte. Insgesamt verwendete Händel die Musik von 5 Arien, 4 Chören und 2 Sinfonien für „The Choice of Hercules" und schrieb außer den Rezitativen nur 2 Accompagnati (3, 13), 2 Arien (4, 14), das Trio (12) und den Schlußchor (17) neu.
Über die Arbeit an der Zusammenstellung der Partitur für „The Choice of Hercules" notierte Händel folgende Daten im Autograph: f. 1r „angefangen den 28 Juny. ☿ (= Mittwoch) 1750", f. 58: „G. F. Handel völlig geendiget July. 5. ☿ (verbessert in:) ♃ (= Donnerstag). 1750."
Die erste Aufführung am 1. März 1751 (Wiederholungen am 6., 8. und 13. März) fand als „additional new act" nach „Alexander's Feast" statt und wurde „with a New Concerto on the Organ" (s. Deutsch, S. 702), vermutlich HWV 308 B-Dur op. 7 Nr. 3, eingeleitet. Über die Besetzung ist nichts bekannt. Gewöhnlich werden die im Autograph von „Alceste" verzeichneten Sänger genannt, doch gibt es für deren Mitwirkung keinen Beweis. Vermutlich sangen Giulia Frasi (Pleasure), Caterina Galli (Virtue) und Gaetano Guadagni (Hercules), die bereits im vorangehenden Teil des Konzerts, in „Alexander's Feast", die Solopartien innehatten. Die Mitwirkung des Tenors Thomas Lowe, dessen Namen über der Arie „Enjoy the sweet Elysian grove" (11) steht, ist nicht belegt.
1753 (9. und 14. März) und 1755 (14. und 19. Februar) wurde das Werk erneut aufgeführt, diesmal jedoch als Zwischenaktmusik zwischen Teil I und II von „Alexander's Feast" und ohne ein Orgelkonzert.
Neben den im Thematischen Verzeichnis und unter HWV 45 Alceste (s. Händel-Handbuch, Bd. I, S. 511 f.) angemerkten Parodiesätzen ließ sich Händel bei zwei weiteren Sätzen von früher entstandenen eigenen Kompositionen thematisch anregen:
16. Lead, Goddess, lead the way
HWV 256b „Let God arise": 3. O sing unto God
17. Virtue will will place thee (Ritornello)
HWV 245 Gloria in excelsis (Ritornello)
HWV 6 Agrippina: 2. La mia sorte fortunata (Ritornello)

Literatur
Chrysander I, S. 179; Clausen, S. 128; Dean, S. 579 ff.; Dean, W.: The Choice of Hercules. In: The Listener, June 11, 1953, S. 989; Deutsch, S. 693, 702; Flower, p. 314 f./S. 288; Herbage, S. 149 ff.; Lang, p. 501 ff./ S. 455 ff.; Leichtentritt, S. 519 ff.; Rackwitz, W.: Die Herakles-Gestalt bei Händel. In: Festschrift zur Händel-Ehrung der DDR 1959, Leipzig 1959, S. 51 ff.; Schering, A.: Geschichte des Oratoriums, Leipzig 1911, S. 319; Schoelcher, S. 318; Serauky V, S. 368 ff.; Siegmund-Schultze, S. 118 f.; Siegmund-Schultze, W.: Die Wahl des Herakles, HHA, Serie I, Bd. 31, Kritischer Bericht, Kassel und Leipzig 1962; Streatfeild, S. 321 f.
Beschreibung der Autographe: Lbm: Catalogue Squire, S. 25 f.; Dean, S. 588; Siegmund-Schultze, Kritischer Bericht zu HHA I/31.

[1] „The Choice of Hercules" wird im Libretto 1751 als *Act the Third* bezeichnet und befindet sich auf S. 14–20.
[2] „The Choice of Hercules" wird hier als *Act the Second* bezeichnet und beginnt auf S. 10.
[3] Das Libretto 1751 gibt in einem *Advertisement* folgende Quelle an: „The following Interlude is chiefly extracted from an excellent Poem upon the Subject publish'd in Mr. Spenser's *Polymetis,* and since reprinted in the Third Volume of Mr. Dodsley's *Miscellany* ..." Joseph Spence's „Polymetis: or An Enquiry concerning the Agreement Between the Works of the Roman Poets And the Remains of the Antient Artists" erschien 1747 und besteht aus 16 Prosadialogen, deren zehnter das Poem von Lowth enthält. Robert Dodsleys „Collection of Poems by several Hands", vol. 3, der das Poem nachdruckte, erschien 1748. S. W. Dean, S. 580 f.
[4] Zur Abhängigkeit beider Quellen vgl. Händel-Handbuch, Bd. 1, unter HWV 45, S. 507 ff.

70. Jephtha

Oratorio in three acts von Thomas Morell

Besetzung: Soli: 2 Soprani (Iphis, Angel), Mezzosoprano (Storgè), Alto (Hamor), Ten. (Jephtha), Basso (Zebul). Chor: C. I, II; A.; T.; B. Instrumente: Fl. trav.; Ob. I, II; Fag. I, II; Cor. I, II; Trba. I, II; V. I, II III; Va.; Cont.
ChA 44. – HHA I/32. – EZ: London, 21. Januar bis 27. Februar 1751 (Act I–II), 18. Juni bis 30. August 1751 (Act III). – UA: London, 26. Februar 1752, Theatre Royal, Coventgarden

Ouverture.

Menuet

Act I

1. Accompagnato. Zebul

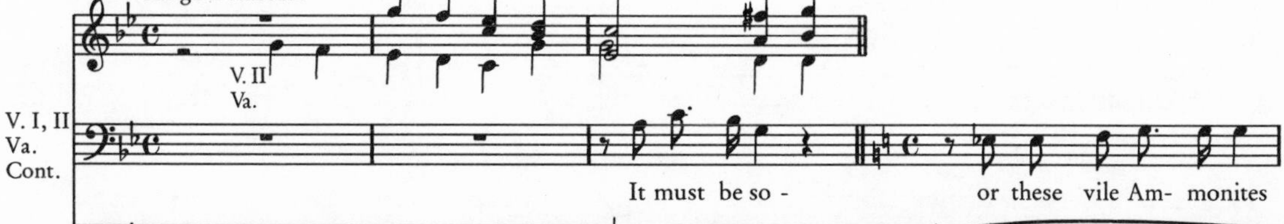

2. Air. Zebul

Vivace
V. I, II
Va.
Cont.
p
Pour forth no more un- heed- - - ed prayr's,
Takt 12
p
115 Takte

3. Chorus. C.; A.; T.; B.

Recitative. Zebul; Jephtha

4. Air. Jephtha

Recitative. Storgè

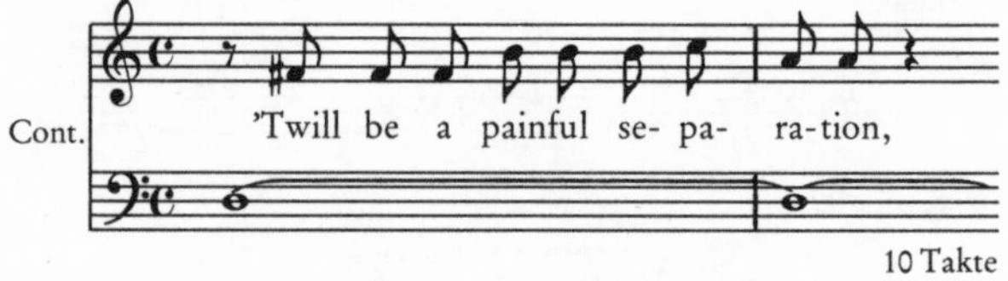

5a. Air. Storgè

5b. Air. Storge(1756)

Larghetto e mezzo piano
Fl. trav.
V. I, II
unis.
Cont.
24
In gen- tle murmurs will I mourn,
138 Takte

Recitative. Hamor

Cont.
Hap-py this em-bas-sy, my charming I- phis,
17 Takte

6. Air. Hamor

Andante
V. I, II
Va.
Cont.
mp

Dull de- lay, in piercing an- guish, bids thy faith- ful lov- er lan-guish,
Takt 5
38 Takte

Recitative. Iphis

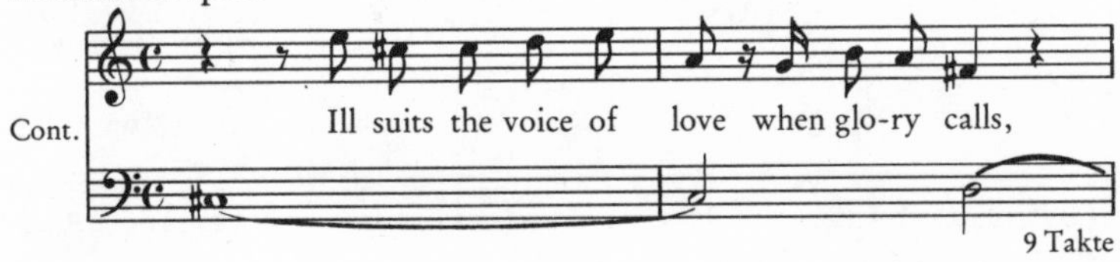
Cont.
Ill suits the voice of love when glo-ry calls,
9 Takte

7. Air. Iphis

Larghetto
V. I, II
unis.
Cont.

Take the heart you fond-ly gave lodg'd in your breast with mine
Takt 9
82 Takte

Recitative. Hamor

Cont.
I go; my soul, inspir'd by thy com- mand,
8 Takte

8. Duet. Iphis; Hamor

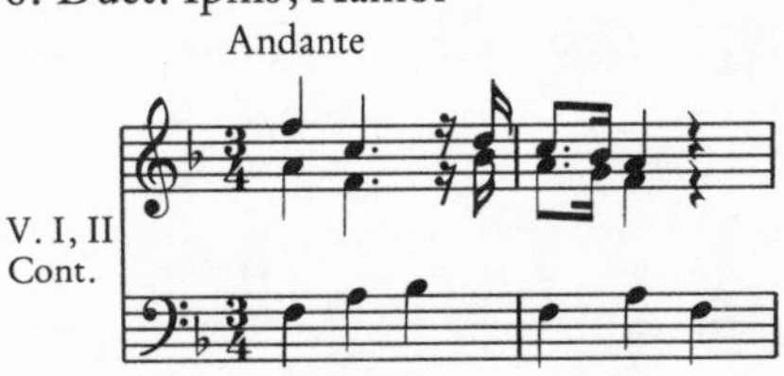
Andante
V. I, II
Cont.

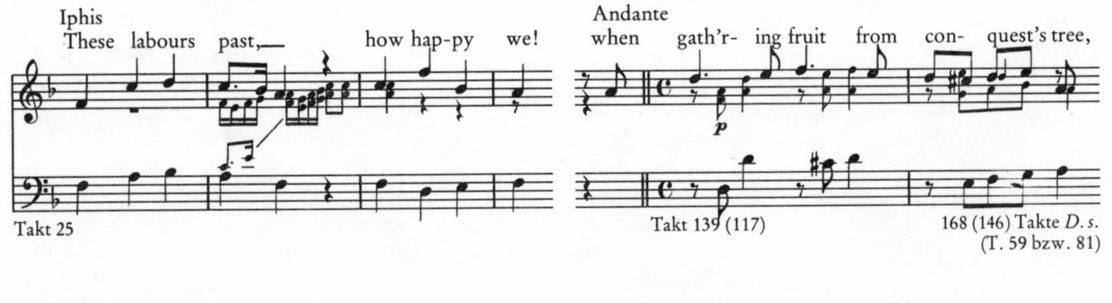
Iphis
These labours past, how hap-py we!
Andante
when gath'r- ing fruit from con- quest's tree,
p
Takt 25
Takt 139 (117)
168 (146) Takte D. s.
(T. 59 bzw. 81)

Recitative. Jephtha

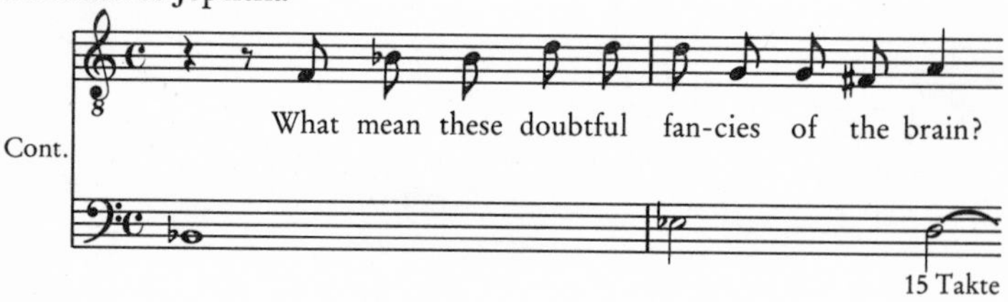
What mean these doubtful fan-cies of the brain?
Cont.
15 Takte

9. Accompagnato. Jephtha

V. I, II
Va.
Cont.
If, Lord, sus-

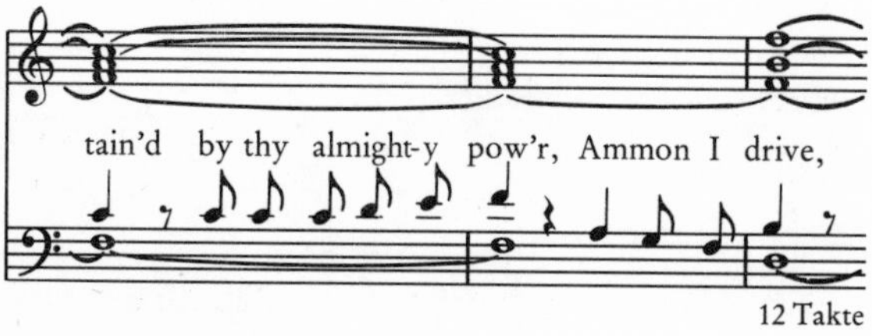
tain'd by thy almight-y pow'r, Ammon I drive,
12 Takte

Recitative. Jephtha

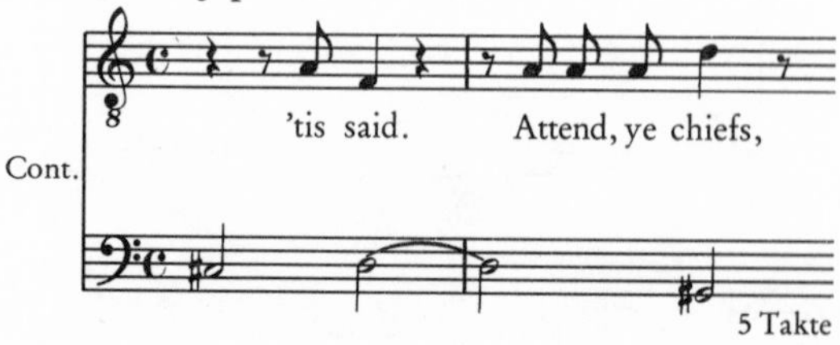
'tis said. Attend, ye chiefs,
Cont.
5 Takte

10. Chorus. C.; A.; T.; B.

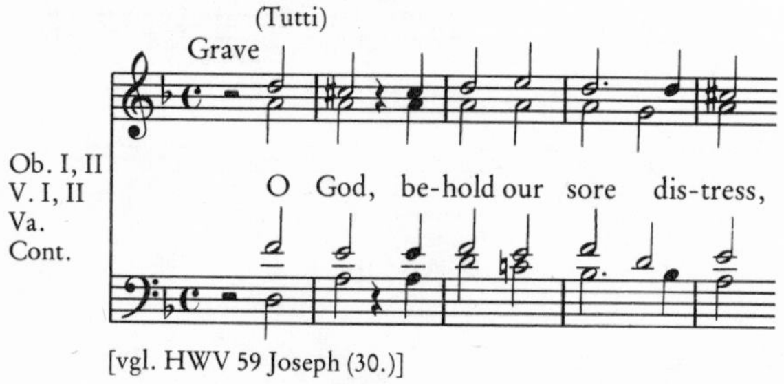
(Tutti)
Grave
Ob. I, II
V. I, II
Va.
Cont.
O God, be-hold our sore dis-tress,
[vgl. HWV 59 Joseph (30.)]

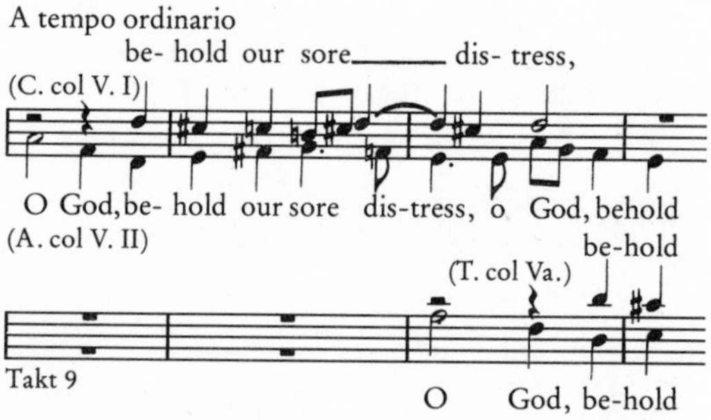
A tempo ordinario
be- hold our sore dis- tress,
(C. col V. I)
O God, be- hold our sore dis-tress, o God, behold
(A. col V. II)
be-hold
(T. col Va.)
Takt 9
O God, be-hold

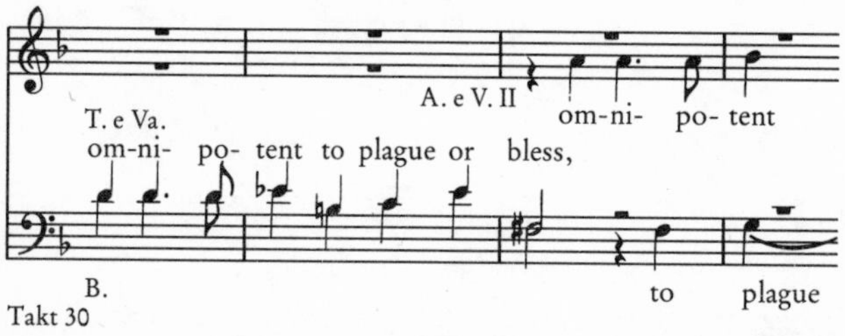
A. e V. II
om-ni- po- tent
T. e Va.
om-ni- po- tent to plague or bless,
B.
to plague
Takt 30

and bless once
But turn thy wrath, and bless once
Cont.
Takt 54

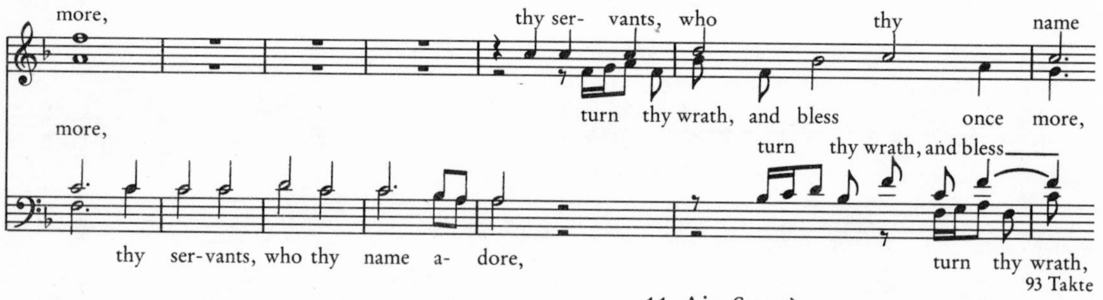
more,
thy ser- vants, who thy name
turn thy wrath, and bless once more,
more,
turn thy wrath, and bless
thy ser-vants, who thy name a- dore,
turn thy wrath,
93 Takte

Recitative. Storgè

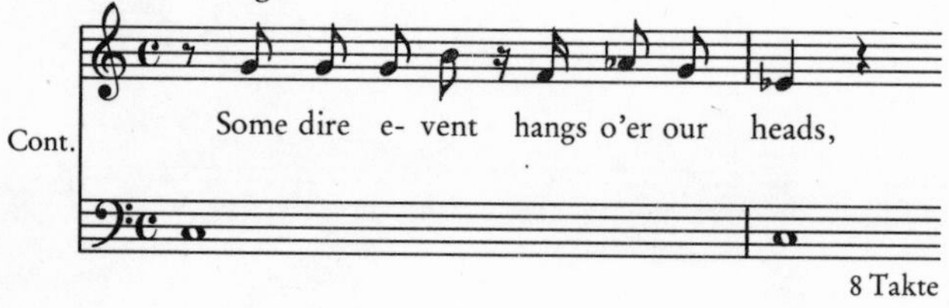
Some dire e- vent hangs o'er our heads,
Cont.
8 Takte

11. Air. Storgè

Con spirito
V. I, II
Va.
Cont.

Scenes of horror, scenes of horror, scenes of woe,
Takt 13

p
While in nev- er- ceasing pain,
Takt 70
Scenes of horror,
Takt 107
112 Takte
D. s. (T. 42)

Recitative. Iphis; Storgè

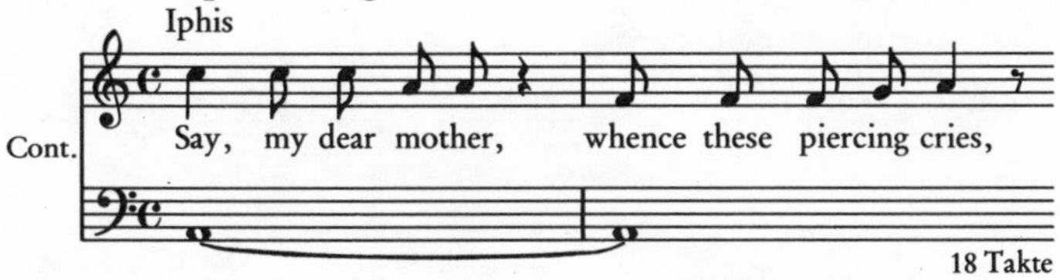
Iphis
Cont.
Say, my dear mother, whence these piercing cries,
18 Takte

12. Air. Iphis

A tempo di Bourrée
V. I, II unis.
Cont.

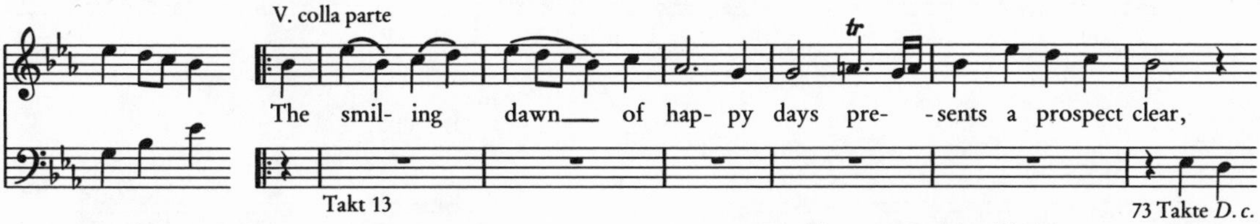
V. colla parte
tr
The smil- ing dawn of hap- py days pre- -sents a prospect clear,
Takt 13
73 Takte D. c.

Recitative. Zebul; Jephtha

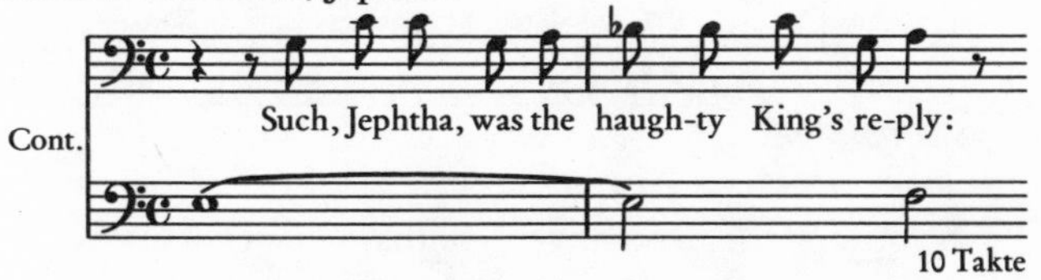
Cont.
Such, Jephtha, was the haugh-ty King's re-ply:
10 Takte

13. Chorus. C.; A.; T.; B.

Allegro
Ob. I, II
Cor. I, II (in G)
V. I, II
Va.
Cont.

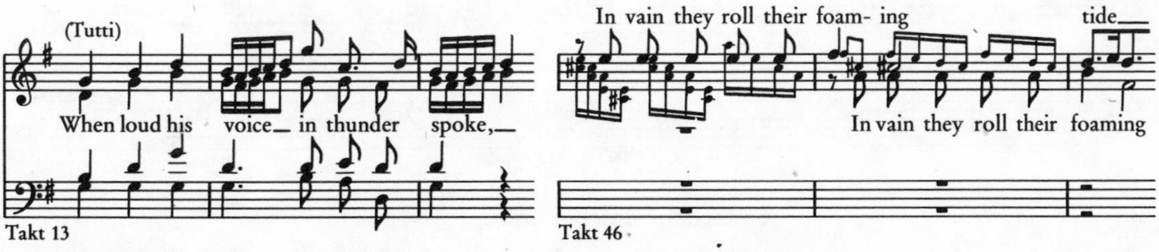
(Tutti)
When loud his voice in thunder spoke,
Takt 13
In vain they roll their foam- ing tide
In vain they roll their foaming
Takt 46

Allegro
They now contract their bois-t'rous pride, and lash with i- -dle rage the laugh- - -ing strand,
C. col Ob.
They now contract
Takt 84
153 Takte

Act II

Recitative. Hamor

14. Chorus. C. I, II; A.; T.; B.

15. Air. Hamor

Recitative. Iphis

16. Air. Iphis

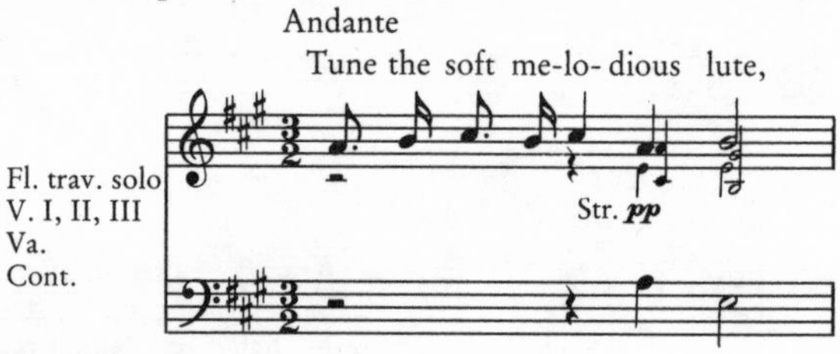

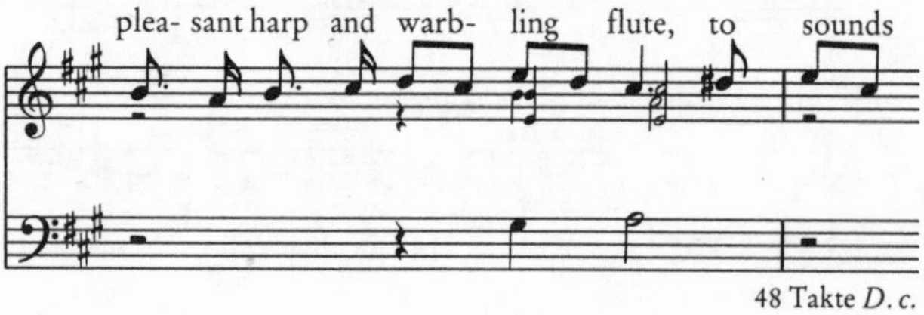

A. Recitative. Jephtha

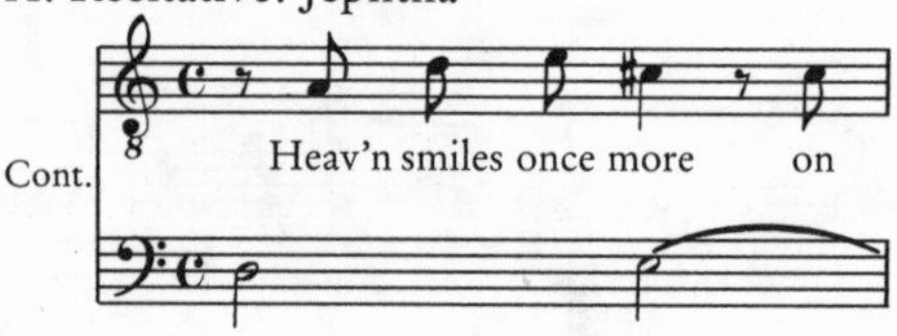

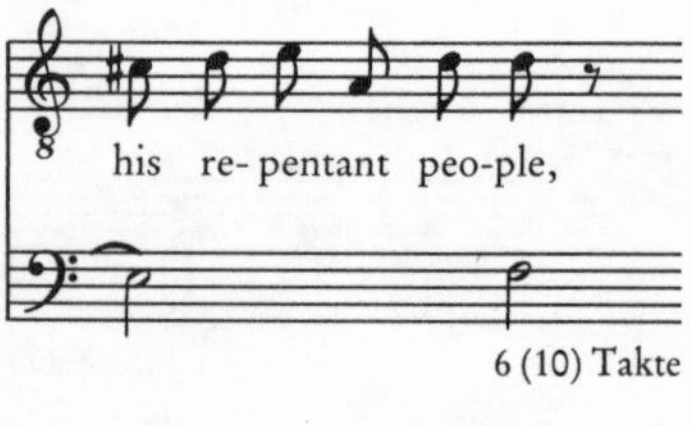

B. Recitative. Zebul (1753)

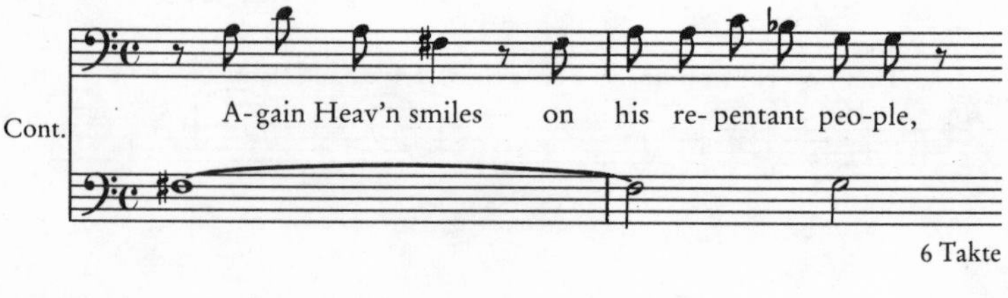

17. Air. Zebul (1753)

[= HWV 6 Agrippina (2.)]

Recitative. Jephtha

18. Air. Jephtha

19. Chorus. C.; A.; T.; B.

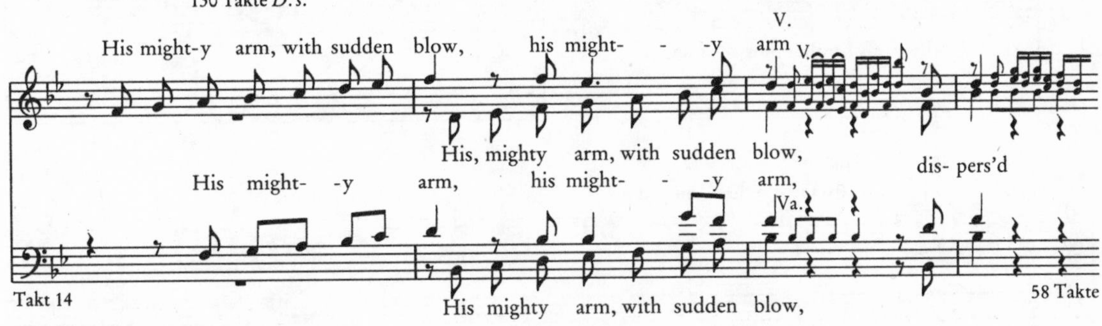

20. Symphony

[vgl. HWV 33 Ariodante (13.)]

Recitative. Iphis

21. Solo and Chorus. Iphis; C. I, II

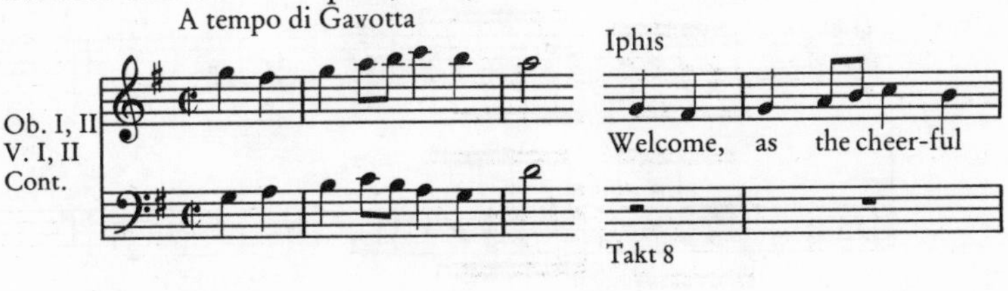

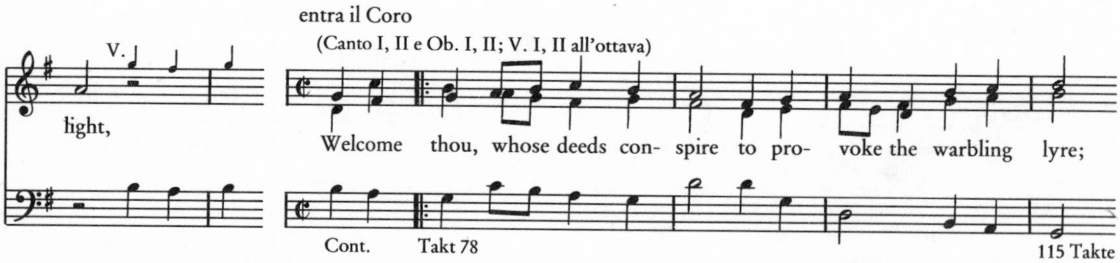
entra il Coro
(Canto I, II e Ob. I, II; V. I, II all'ottava)
V.
light,
Welcome thou, whose deeds con- spire to pro- voke the warbling lyre;
Cont.
Takt 78
115 Takte

Recitative. Jephtha

Cont.
Horror! con-fu-sion! harsh this music grates
8 Takte

22. Air. Jephtha

Con spirito, ma non allegro
V. I, II
unis.
Cont.
[vgl. HWV 26 Lotario (18.)]

(V. unis. all'ottava)
Open thy mar- ble jaws, o tomb, and hide me, earth,
p
Takt 7
57 Takte D. s.

Recitative. Zebul; Jephtha

Cont.
Why is my brother thus af- flicted?
18 Takte

23. Accompagnato and Arioso. Storgè

Allegro
Concitato
First perish thou and perish all the
V. I, II
Va.
Cont.

world!
Adagio
Hath Heav'n then bless'd us
p
No, cruel man.
(Arioso)
Let
Takt 9

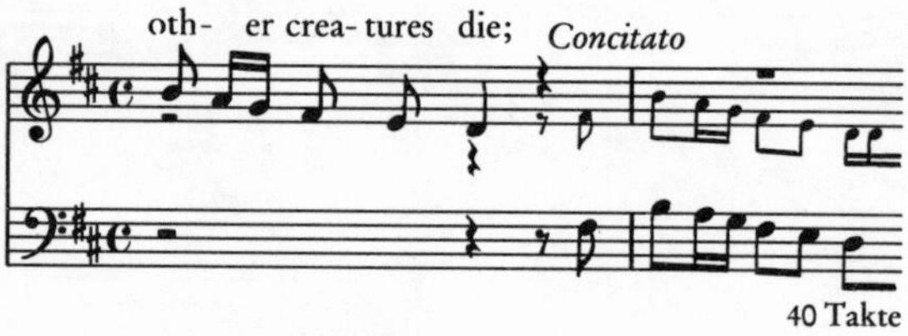
oth- er crea- tures die;
Concitato
40 Takte

Recitative. Hamor

Cont.
If such thy cru-el purpose; lo!
6 Takte

24. Air. Hamor

Concitato
Ob. I, II
V. I, II
Va.
Cont.
On me, on me let
Takt 5

25. Quartet. Storgè; Hamor; Jephtha; Zebul

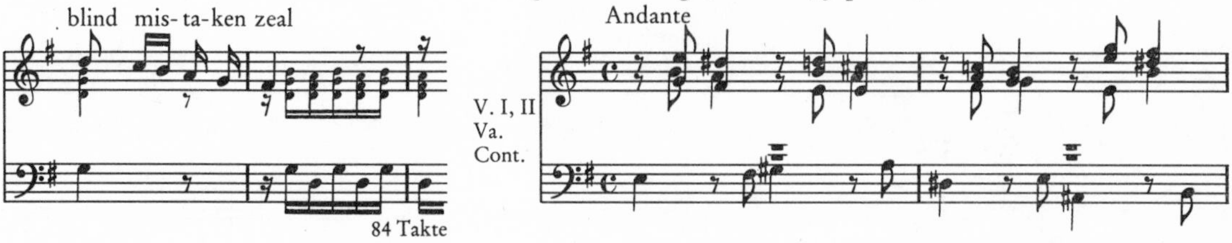
blind mis- ta-ken zeal
84 Takte
Andante
V. I, II
Va.
Cont.

Storgè: Spare my child!
Hamor: My love!
Zebul: O spare your daughter!
Jephtha: Record-ed stands my vow in Heav'n a- bove,
39 Takte

Recitative. Iphis

Cont.
Such news flies swift; I've heard the mournful cause
7 Takte

26. Accompagnato. Iphis

For joys so vast, too
V. I, II
Va.
Cont.

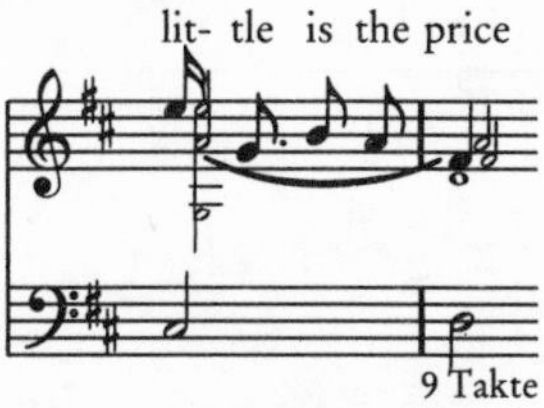
lit- tle is the price
9 Takte

27. Air. Iphis

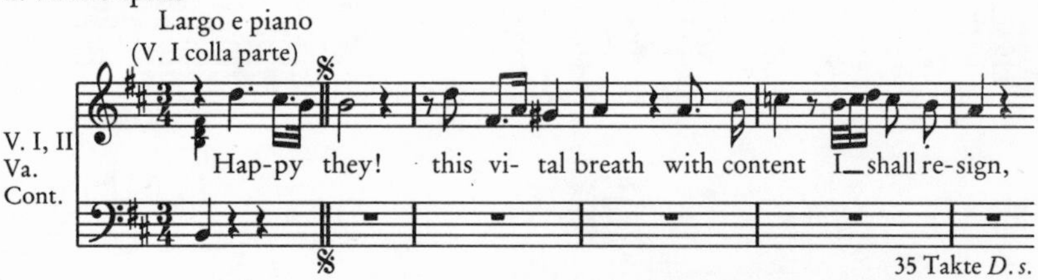
Largo e piano
(V. I colla parte)
V. I, II
Va.
Cont.
Hap-py they! this vi- tal breath with content I shall re-sign,
35 Takte D. s.

28. Accompagnato. Jephtha

Largo
V. I, II
Va.
Cont.
Deeper and deeper still, thy goodness, child,
Cont.
44 Takte

29. Chorus. C. I, II; A.; T.; B.

Largo
Ob. I, II
V. I, II
Va.
Cont.

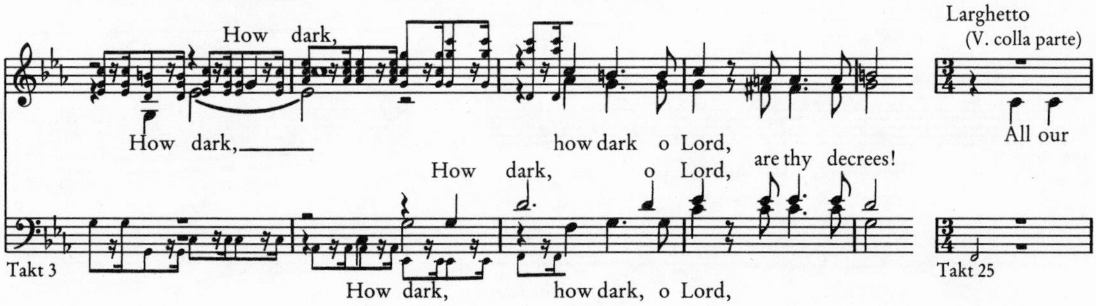
How dark,
How dark,
how dark o Lord,
How dark, o Lord,
are thy decrees!
How dark, how dark, o Lord,
Takt 3
Larghetto
(V. colla parte)
All our
Takt 25

A tempo ordinario
No cer-tain bliss, no sol- id peace, we mortals
(con strom.)
joys to sor-row turn- ing,
No cer- tain
All our joys to sor-row
Takt 89

know,
bliss, no
Larghetto
Ob. II
Ob. I
Str.
Yet on this max-im still o- bey,
Yet on this max- im still o- bey, still
Yet on this max- im still o- bey, on this max- im still
Takt 114
Yet on this max- im still
183 Takte

Act III

30. Arioso. Jephtha

Andante
V. I, II
Cont.
Hide thou thy hat- ed beams, o sun, in
Takt 6

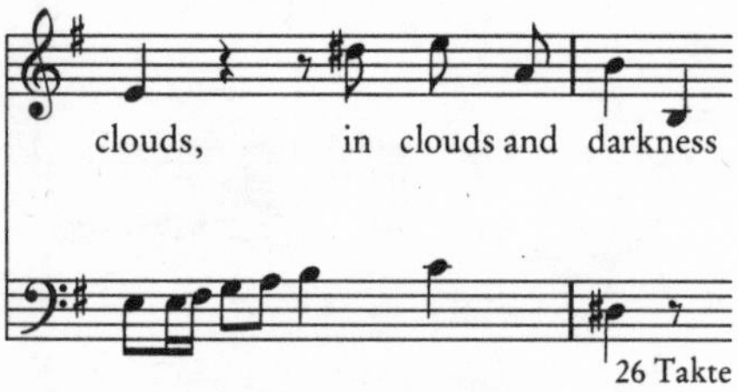
clouds, in clouds and darkness
26 Takte

31. Accompagnato. Jephtha

V. I, II
Va.
Cont.
A fa-ther, off'ring up his on- ly child
4 Takte

32. Air. Jephtha

Andante larghetto
V. I, II
Va.
Cont.
Waft her, angels, through the skies,
Takt 7

far a- bove you az- ure plain,
Takt 10
30 Takte D. s.

33. Accompagnato. Iphis

Ye sa- cred priests, whose
V. I, II
Va.
Cont.

34. Air. Iphis

35. Chorus of Priests. C.; A.; T.; B.

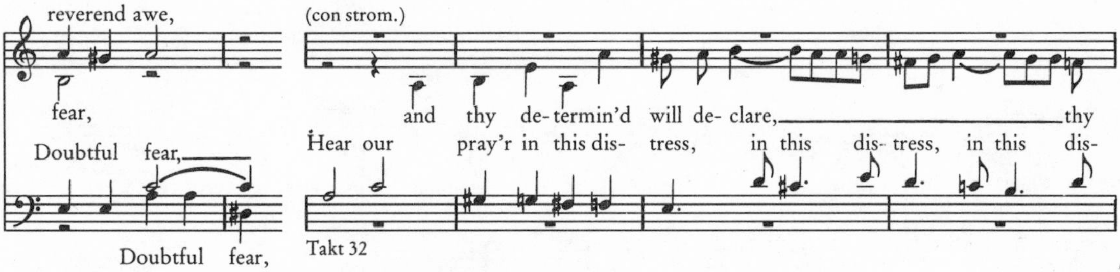

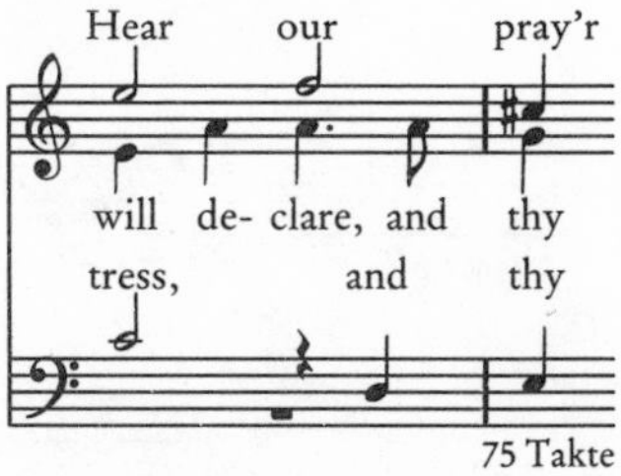

36. Symphony.

Recitative. Angel

37. Air. Angel

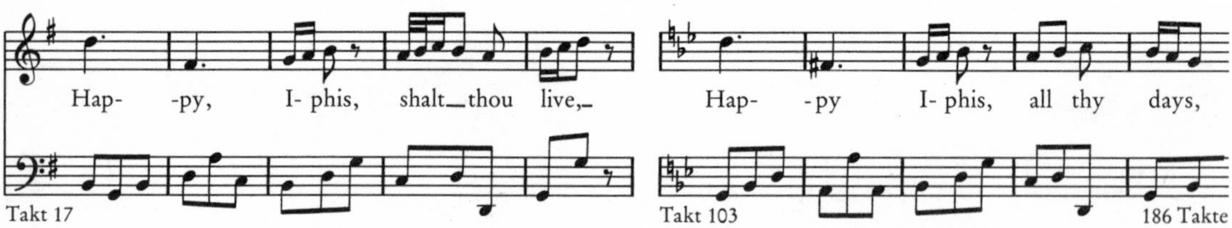
Hap- -py, I- phis, shalt thou live,
Hap- -py I- phis, all thy days,
Takt 17
Takt 103
186 Takte

38. Arioso. Jephtha

Larghetto
V. I, II
Va.
Cont.
For ev-er blessed be thy ho-ly name,
18 Takte

39. Chorus. C.; A.; T.; B.

Alla breve,
ma non troppo presto
Theme ub-
(con strom.)
Ob. I, II
V. I, II
Va.
Cont.
Theme sub- lime of

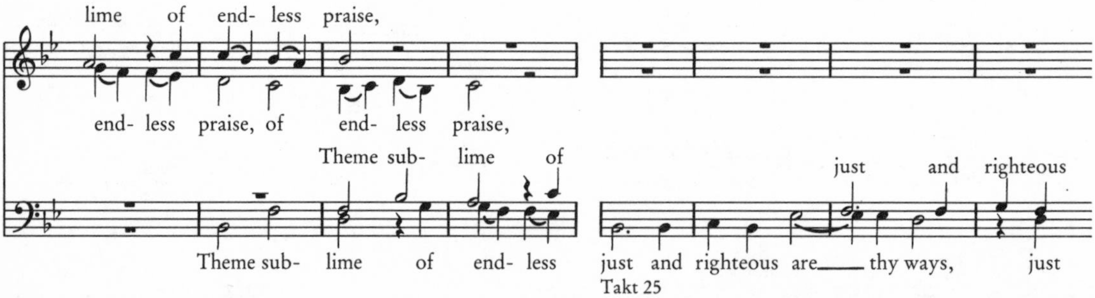
lime of end- less praise,
end- less praise, of end- less praise,
Theme sub- lime of
just and righteous
Theme sub- lime of end- less
just and righteous are thy ways, just
Takt 25

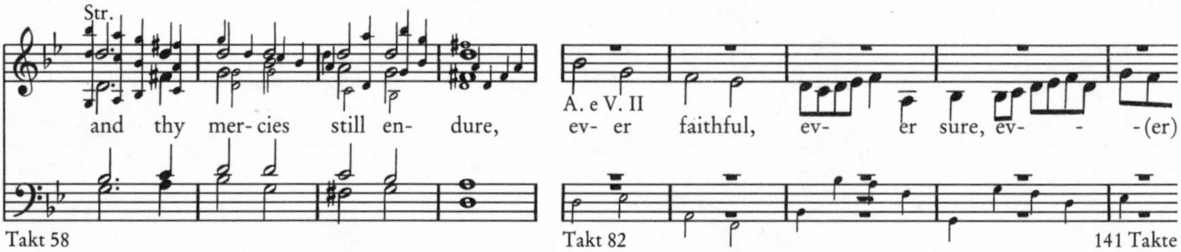
Str.
and thy mer- cies still en- dure,
A. e V. II
ev- er faithful, ev- er sure, ev- - -(er)
Takt 58
Takt 82
141 Takte

Recitative. Zebul

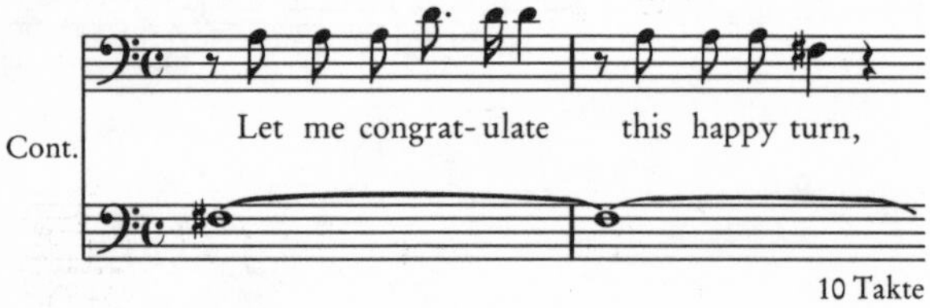
Cont.
Let me congrat- ulate this happy turn,
10 Takte

40a. Air. Zebul

Allegro
V. I, II
Cont.

(Autograph: Iphis in Treble Cliff, ex A#)
[vgl. Nr. 43a]

Laud her, all ye vir- gin train, ye vir- gin train,
Takt 17

in glad song of choic- est strain,
92 Takte D. s.

40b. Air. Zebul

V. I, II
unis.
Cont.
(V. unis. colla parte)
Laud her,
Takt 9

all ye virgin train,
66 Takte

A. B. Recitative. Storgè

Cont.
O let me fold thee in a mother's arms,
6 Takte

41a. Air. Storgè

V. I, II
unis.
Cont.
Sweet as sight to the blind, or free- dom to the slave,
Takt 9
68 Takte

41b. Air. Storgè (1756)

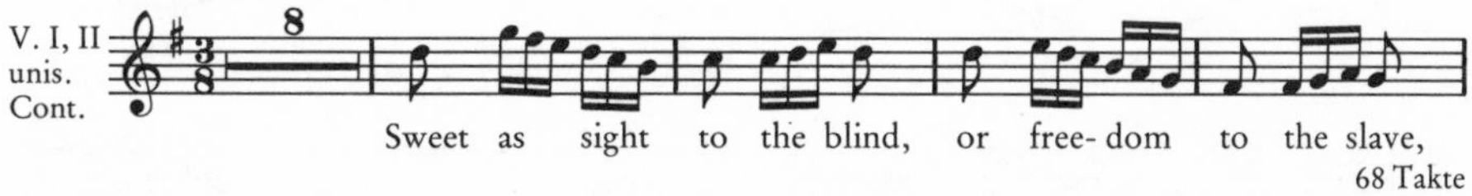
V. I, II
unis.
Cont.
8
Sweet as sight to the blind, or free- dom to the slave,
68 Takte

Recitative. Hamor

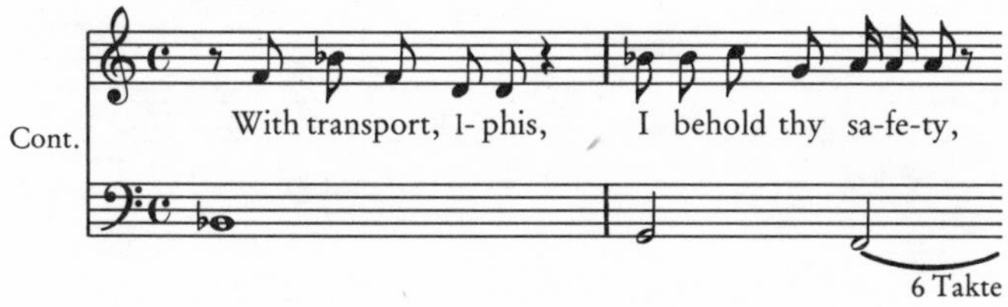
Cont.
With transport, I- phis, I behold thy sa-fe-ty,
6 Takte

42. Air. Hamor

Andante
V. I, II
Cont.

'Tis Heaven's all- rul- ing pow'r
V.
Takt 14
127 Takte D. c.

A. B. Recitative. Iphis

Cont.
My faithful Hamor, may that Providence
5 Takte

43a. Air. Iphis

Allegro
V. I, II
Cont.
Free- ly I to Heav'n re- sign, to Heav'n re- sign,
V.
[vgl. Nr. 40a]
Takt 13
96 Takte D. s.

43b. Quintet. Iphis; Hamor; Storgè; Jephtha; Zebul (1753)

Ob./V.
Iphis
Ob. I, II
Fag. I, II
V. I, II
Va.
Cont.
All that is in Ha- mor mine, free- ly I to Heaven re- sign,
Cont. e Fag.
[vgl. HWV 23 Riccardo I. (24.)]
Cont.
Takt 3

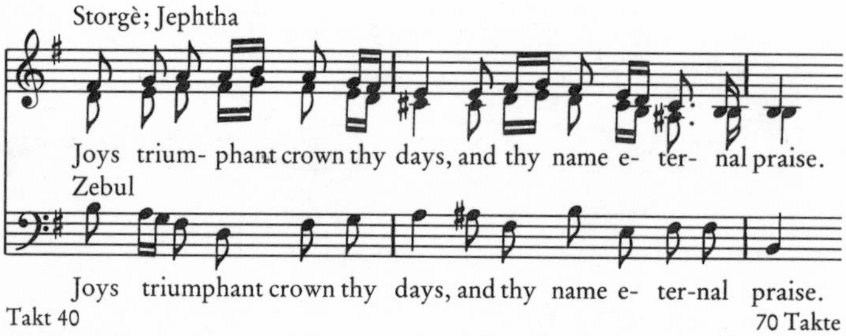
Storgè; Jephtha
Joys trium- phant crown thy days, and thy name e- ter- nal praise.
Zebul
Joys triumphant crown thy days, and thy name e- ter-nal praise.
Takt 40
70 Takte

44. Chorus. C.; A.; T.; B.

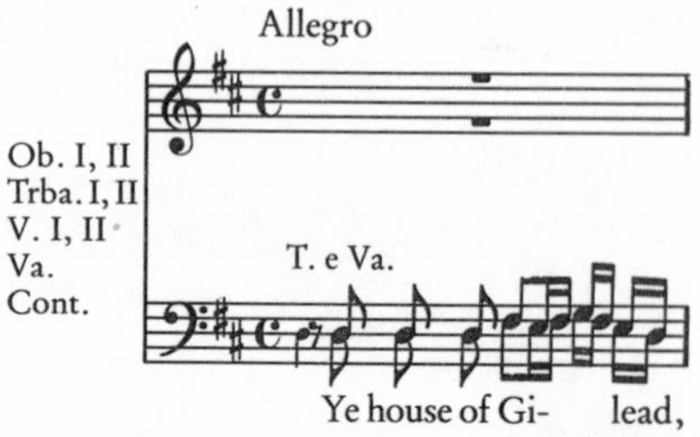
Allegro
Ob. I, II
Trba. I, II
V. I, II
Va.
Cont.
T. e Va.
Ye house of Gi- lead,

with one voice,— in bless- ings mani- fold re- joice—
Freed from
Takt 24
[vgl. HWV 244 Kyrie (2.)]
Takt 32

war's de- structive sword,
Allegro
So are they blest— who fear— the Lord, Amen, a- - - - -
A. e V. II
So are they blest——
T. e Va.
Takt 78
122 Takte

Anhang

Ouverture

Menuet
Ob. I, II
V. I, II, III
Va.
Cont.
V. III e Va.
tr
40 Takte

(26./27.) Air. Iphis

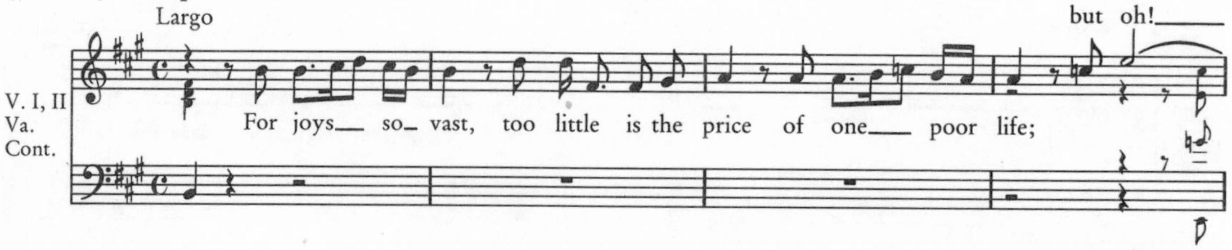
Largo
V. I, II
Va.
Cont.
For joys— so— vast, too little is the price of one— poor life;
but oh!——

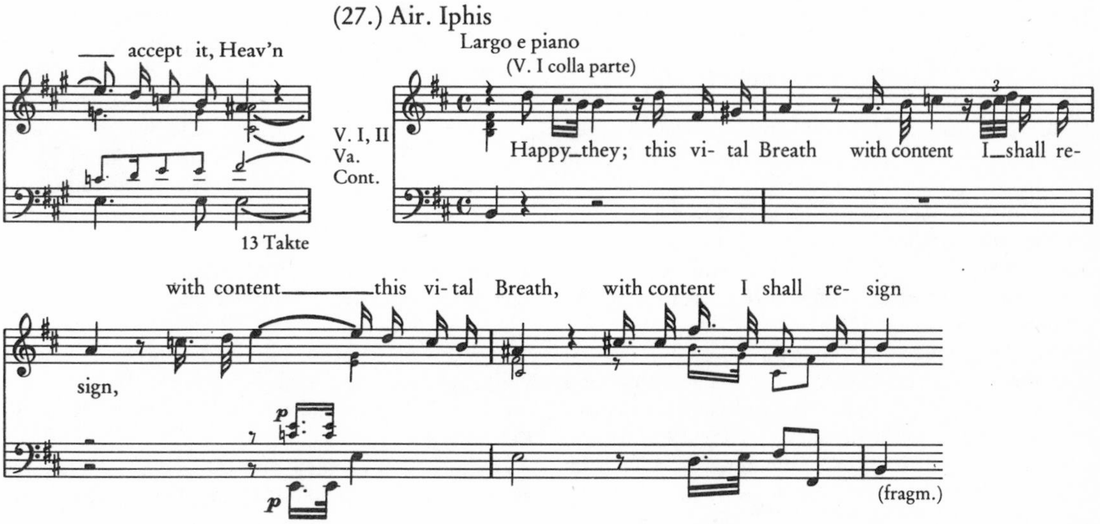
(27.) Air. Iphis
Largo e piano
(V. I colla parte)
— accept it, Heav'n
V. I, II
Va.
Cont.
Happy_they; this vi- tal Breath with content I_shall re-
13 Takte
with content———this vi- tal Breath, with content I shall re- sign
sign,
(fragm.)

Quellen

Handschriften: Autographe: GB Lbm (R. M. 20. e. 9., ohne Nr. 17, 36 und 43b; R. M. 20. g. 14., f. 49: Skizzen für Menuet der Ouverture, Nr. 34 und 39, f. 52: Skizze zu Nr. 5), Cfm (30 H 9, p. 81–86: Skizze zu Nr. 11, Fragment von Nr. 25, Anhang 26./27. „For joys so vast", Skizze zu Nr. 35, unidentifizierte Fugenskizzen, darunter zu Nr. 39; 30 H 10, p. 51–54: Skizzen zu Nr. 10 und 21 nach Messesätzen von F. V. Habermann[1]; 30 H 13, p. 75: Skizzen zum Menuet der Ouverture, Nr. 18, 29, p. 83–90: Händels Exzerpte aus Messen von Habermann als Skizzen für Nr. 3, 2, 10, 39).

Abschriften: D (brd) Hs (Direktionspartitur M $\frac{A}{1024}$) – GB Cfm (Barret-Lennard-Collection), Lbm (R. M. 18. f. 7.; Add. MSS 31 570), Mp (Ms 130 Hd4, v. 150), Shaftesbury Collection (v. 61–63, Kopie von J. C. Smith sen.) – US Wc (M 2000. H 22 J 32 P 2 case: St., book 2d–15th; M 2105. H 13 S 7 P 2 case: Songs, St. für V. II, Va., Vc., Cont.).

Faksimile-Ausgabe: Jephta (Autograph). Für die deutsche Händelgesellschaft hrsg. von F. Chrysander, Hamburg 1885.

Drucke: Jephtha. An oratorio set to musick by Mr Handel. – London, J. Walsh; Jephtha an Oratorio, in score composed by Mr Handel. With his additional quintetto. – London, Willm. Randall; —ib., H. Wright; Jephthah, an oratorio. Composed by Mr Handel, with his additional quintetto. For the voice, harpsichord, and violin. With the chorusses in score. – London, Harrison & Co.; Harrison's edition, corrected by Dr Arnold. The ouverture and songs in Jephthah; an oratorio, for the voice, harpsichord, and violin. Composed by Mr Handel, with his additional quintetto. – London, Harrison & Co.; Jephtha, a sacred oratorio. In score, composed in the year, 1751, by G. F. Handel. – London, Arnold's edition, No. 116–121 (ca. 1792); Jephtha. Composed by G. F. Handel, arranged for the organ or piano forte, by Dr John Clarke, Cambridge. – London, Whitaker & Co.; A father off'ring up. Jephtha. – London, W. Randall; A father off'ring up ... Waft her, angels, through the skies. – (London), J. Bland; Waft her, angels. Sung by Mr Nield. – London, Preston; Deeper and deeper still. As sung by Mr Harrison ... in the oratorios at the Theatre Royal. – London, Bland & Weller; Farewell, farewell ye limpid springs. – (London), J. Bland; Ye limpid streams. Jephtha. – ib., Bland & Weller; Ye limpid springs. – ib., G. Walker; — ib., W. Goag; Ye sacred priests [= Farewell, farewell, ye limpid springs], as sung by Madam Mara. – ib., R. Birchall; Ye limpid streams. Jephtha. Sung by Mrs. Billington. – (London). J. Dale; Farewell ye limpid streams. A celebrated air. – Dublin, Edmund Lee; For ever blessed be thy holy name. – London, G. Walker; — ib., Bland & Weller; Freely I to heav'n resign. Song (In: The Lady's Magazine, April, 1788). – (London), s. n.; (Tune the soft melodious lute). Jephtha. – (London), W. Randall; The smiling dawn of happy days (In: The Lady's Magazine, Aug., 1776). – (London), s. n.; Welcome thou whose deeds conspire. Duetto (In: The Lady's Magazine, July, 1793). – London, s. n. – The Works of Handel, printed for the members of the Handel Society, vol. 16, ed. G. A. Macfarren, London 1858.

Libretto: Ms.-Libretto (Autograph Morells) in US Sm. – *Drucke:* Jephtha, an oratorio, or sacred drama. As it is perform'd at the Theatre-Royal in Covent-Garden. Set to musick by Mr Handel. – London, J. Watts, B. Dod (1752) (Ex.: F Pc – GB En, Lbm, Lcm, Ob – US PRu); — ib. (1753) (Ex.: GB Ckc, Lcm – US PRu); — ib., 1758 (Ex.: F Pc – GB En, Lbm).

[1] Übersicht s. Gudger (Lit.), Appendix, S. 42 ff.

Bemerkungen

Thomas Morells Libretto zu „Jephtha" (nach Buch der Richter XI: 30 ff.) entstand unter dem Einfluß des gleichnamigen Oratoriums von Maurice Green (Libretto: Burnet, 1737) sowie unter Verwendung von textlichen Anregungen aus Dichtungen von John Milton, Alexander Pope, Joseph Addison und Thomas Gray (s. Dean, S. 593). Wie E. Dahnk-Baroffio nachweisen konnte, ließ sich Morell in vielen Passagen seines Textes außerdem von dem Schuldrama „Jephthes sive Votum" (1554) des in Bordeaux lehrenden schottischen Humanisten John Buchanan (1506–1582) anregen. Von ihm übernahm Morell auch die Namen von Iphis, der Tochter Jephthas, und Storgè, der Mutter, die in allen anderen Bearbeitungen des Stoffes, einschließlich des Oratoriums von Giacomo Carissimi, nicht vorkommen und auch im Buch der Richter nicht erwähnt werden.

Händel vertonte „Jephtha" als letztes seiner Oratorien während seiner beginnenden Sehschwäche, die wenige Monate nach der Uraufführung zur Blindheit führte. Das Autograph zeigt deutlich die physischen Schwierigkeiten, mit denen Händel in dieser Zeit zu kämpfen hatte. Bei den darin eingetragenen Daten ist dies ausdrücklich vermerkt; sie lauten für die einzelnen Abschnitte der Komposition folgendermaßen: Act I (Menuet), f. 5r: „Oratorio Jephtha angefangen den 21 Janr. 1751 ☽ (= Montag)", f. 49r: „Geendiget den 2 Febr ♄ (= Sonnabend) 1751. völlig Agost. 13. 1751"; Act II: f. 91v (Nr. 29): „biß hierher komen, den 13 Febr. ☿ (= Mittwoch) 1751 verhindert worden wegen relaxation des Gesichts meines linken Auges so relaxt", f. 92r: „den 23 ♄ (= Sonnabend) dieses etwas beßer worden, wird angegangen"[2], f. 97r: „Fine della Parte seconda. geendiget den 27 dieses Febr. ☿ (= Mittwoch). 1751"; Act III: f. 97v: ♂ (= Dienstag) Juin 18", f. 122v: „July 15 or 17 1751 ☽ (= Montag) or ☿ (= Mittwoch)", f. 134v: „G. F. Handel. aetatis 66. Finis ♀ (= Freitag) Agost. 30. 1751."

Die Zeit von fast vier Monaten zwischen der Beendigung des Entwurfs zum II. Akt und der Wiederaufnahme der Arbeit für den III. Akt (18. Juni) verbrachte Händel mit Oratorienaufführungen in London und einer Badekur in Bath und Cheltenham, um seine angegriffene Gesundheit zu stabilisieren. Am 15. bzw. 17. Juli sollte das Werk im Entwurf vollendet sein und vermutlich mit dem Chor Nr. 39 schließen. Händel entschloß sich jedoch, dafür die im Autograph danach folgenden Sätze noch hinzuzufügen; die Orchestrierung nahm er im August vor. Wie die zahlreichen Änderungen und Entwürfe zu verschiedenen Sätzen zeigen, schrieb Händel das Oratorium nur unter großen Schwierigkeiten zuende.

Als Einleitung verwendete Händel die ursprünglich für die Schauspielmusik HWV 45 Alceste bestimmte Ouverture, deren Titel er durch den Vermerk „dell'oratorio Jephta" ersetzte. Sie wurde also nachträglich hinzugefügt. Das dazugehörige Menuet wurde gestrichen (vgl. HWV 310) und ein neues Menuet komponiert, unter das er den Beginn der „Jephtha"-Vertonung datierte. Die Symphony beim Erscheinen des Engels (36), die auf eine ältere Komposition zurückgeht, steht nicht im Autograph, sondern an der betreffenden Stelle (f. 110v, nach dem Chor Nr. 35) befindet sich nur ein Vermerk für ihre Eingliederung in die Direktionspartitur.

Die Besetzung der Uraufführung am 26. Februar 1752 (Wiederholungen am 28. Februar sowie am 4. März) war: Jephtha: John Beard, Storgè: Caterina Galli, Iphis: Giulia Frasi, Hamor: Mr. Brent (Countertenor), Zebul: Robert Wass, Angel: Knabensopran.

Für die Aufführungen am 16. und 21. März 1753 fügte Händel die Arie Nr. 17 ein, die durch eine Neufassung des vorangehenden Rezitativs „Heav'n smiles once more" für Baß (Zebul) eingeleitet wurde, und ersetzte die Arie Nr. 43a durch das Quintett Nr. 43b. Außerdem fiel die Arie Nr. 42 weg. Wie W. Dean (S. 619) vermutet, sind die leichten Änderungen beim Quintett Nr. 43b, die Händel in der Direktionspartitur vornahm, die letzten Töne, die er mit eigener Hand notieren konnte, bevor er vollständig erblindete[3]. Für die Aufführung am 2. April 1756 wurde die Partie der Storgè mit einem Sopran besetzt (vermutlich Rosa Curioni) und dafür die Arie Nr. 5b sowie Rezitativ und Arie Nr. 41b höher transponiert. Über die Besetzung beider Spielzeiten ist nichts bekannt.

Der für den 1. März 1758 „with new Additions and Alterations" angekündigten Aufführung lag im wesentlichen die Fassung von 1753 zugrunde, abgesehen davon, daß Rezitativ und Arie Nr. 41b gestrichen wurden. Besetzung: Jephtha: John Beard, Storgè: Cassandra Frederick, Iphis: Giulia Frasi, Hamor: Isabella Young-Scott, Zebul: Samuel Champness.

Bei der Vertonung von „Jephtha" verarbeitete Händel eine Reihe von Themen aus eigenen früheren Werken, ließ sich darüberhinaus jedoch vor allem von Messesätzen des böhmischen Komponisten František Vaclav Habermann (1706–1783)[4] anregen,

[2] Händels 66. Geburtstag.

[3] „Mr. Handel has at length, unhappily, quite lost his sight" (s. Deutsch, S. 731, Schoelcher, S. 321 f.). Zur Diskussion über den Zeitpunkt von Händels völliger Erblindung und seine Revisionspraxis danach s. Clausen, S. 25 ff.

[4] Philomela pia, melos suum sexies repetens: sive missae sex ... Op. I, Graslitz: Philipp Joseph Städtler 1747. Erschienen in 9 Stimmbüchern (Ex.: A Wgm). NA der Messe I (Missa Sancti Wenzeslai, Martyris) hrsg. von W. D. Gudger, in: Yale University: Collegium Musicum, Serie 2, vol. 6, Madison/Wisconsin 1976. Den ersten Nachweis über Händels Entlehnungen aus Habermanns Messen führte W. Crotch (1775–1847) in seinem Orgelarrangement von Chorsätzen aus „Jephtha". S. Shedlock, S. 805, und Gudger, S. 62.

aus denen er sich umfangreiche Exzerpte anfertigte:

2. Pour forth no more
   Habermann: Messe I: Kyrie eleison
3. No more to Ammon's god and king
   Habermann: Messe I: Kyrie eleison
3. No more to Ammon's god/Chemosh no more (T. 34 ff.)
   Habermann: Messe I: Cum sancto spiritu
10. O God, behold our sore distress
   Habermann: Messe V: Qui tollis
10. O God, behold our sore distress/Omnipotent to plague, or bless (T. 30 ff.)
   Habermann: Missa VI: Qui tollis
10. O God, behold our sore distress/But turn thy wrath (T. 54 ff.)
   Habermann: Messe VI: Kyrie eleison
13. When his loud voice (Ritornello)
   Habermann: Messe III: Sinfonia (Einleitung)
14. Cherub and Seraphim (Ritornello)
   Habermann: Messe II: Kyrie eleison
17. Freedom now once more possessing
   HWV 6 Agrippina: 2. La mia sorte fortunata
   HWV 72 Aci, Galatea e Polifemo: 3. Chi non può la gelosia
   HWV 119 „Io languisco fra le gioje": 7. Io languisco
   HWV 17 Giulio Cesare in Egitto: 34ª. Domerò la tua fierezza
18. His mighty arm (Ritornello)
   Habermann: Messe I: Rex coelestis (Einleitung)
20. Symphony
   HWV 33 Ariodante: 13. Sinfonia
22. Open thy marble jaws
   HWV 26 Lotario: 18. Arma lo sguardo
25. O spare your daughter (Coda T. 37 ff.)
   HWV 49ª Acis and Galatea (1. Fassung): 17. The flocks shall leave the mountains (Coda)
29. How dark, o Lord/All our joys to sorrow turning (T. 25 ff.)
   Habermann: Messe II: Credo (T. 66 ff.)
29. How dark, o Lord/No certain bliss (T. 89 ff.)
   Habermann: Messe II: Gloria/et in terra pax (T. 6–7)
29. How dark, o Lord/Whatever is, is right (T. 121 ff.)
   Habermann: Messe III: Agnus Dei (T. 8 ff.)
   HWV 68 Theodora: 7. Fond, flatt'ring world, adieu
30. Hide thou thy hated beams (Ritornello)
   Habermann: Messe IV: Domine Deus (Einleitung)
36. Symphony
   HWV 99 „Da quel giorno fatale": 3. Lascia omai le brune vele
   HWV 371 Sonata op. 1. Nr. 13 D-Dur für Violine und B. c.: 4. Satz (Allegro)
39. Theme sublime of endless praise
   Habermann: Messe I: Osanna in excelsis
39. Theme sublime/Just and righteous are the ways
   Habermann: Messe IV: Kyrie eleison
40ᵇ. Laud her, all ye virgin train
   HWV 87 „Carco sempre di gloria": 1. Sei del ciel dono perfetto
43ᵇ. All that is in Hamor mine
   HWV 23 Riccardo I.: 24. T'amo, sì, sarai tu quella
44. Ye house of Gilead/Freed from war's destructive sword (T. 24 ff.)
   HWV 244 „Kyrie eleison": (2) Christe eleison
44. Ye house of Gilead/So are they blest (T. 78 ff.)
   Habermann: Messe VI: Cum sancto spiritu

Literatur

Dahnk-Baroffio, E.: Jephtha und seine Tochter. In: Göttinger Händel-Fest 1974, Programmheft, S. 54 ff.; Dean, S. 589 ff.; Deutsch, S. 719 ff.; Flower, p. 319 ff./S. 293 ff.; Gudger, W. D.: Handel's Last Compositions and His Borrowings from Habermann. In: Current Musicology, vol. XXII, 1976, S. 61 ff., vol. XXIII, 1977, S. 28 ff.; Harmsen, O.: Das Oratorium „Jephtha". In: Göttinger Händel-Fest 1974, Programmheft, S. 22 ff.; Herbage, S. 128 ff.; Lang, p. 507 ff., S. 460 ff.; Leichtentritt, S. 522 ff.; Seiffert, M.: Franz Johann Habermann (1706–1783). In: Kirchenmusikalisches Jahrbuch, Bd. 18, 1903, S. 81 ff.; Serauky V, S. 392 ff.; Shedlock, J. S.: Handel and Habermann. In: The Musical Times, vol. 45, 1904, S. 805 f.; Siegmund-Schultze, S. 143 f.; Smither II, S. 338 ff.; Schering, A.: Geschichte des Oratoriums, Leipzig 1911, S. 307 ff.; Taylor, S.: The Indebtedness of Handel to Works by other Composers, Campbridge 1906 (²/1971), S. 15 ff.; Young, S. 192 ff.

Beschreibung der Autographe: Lbm: Catalogue Squire, S. 49. – Cfm: Catalogue Mann, Ms. 259, S. 189 f., Ms. 260, S. 195, Ms. 263, S. 214 f., 216 f. – Dean, S. 621 f.

71. The Triumph of Time and Truth

Oratorio in three parts nach einem Libretto von Benedetto Pamphili

Textfassung: Thomas Morell (nach der Übersetzung des Librettos „Il Trionfo del Tempo e della Verità", 1737, von George Oldmixon)

Besetzung: Soli: 2 Soprani (Beauty, Deceit), Alto (Counsel/Truth), Ten. (Pleasure), Basso (Time). Chor: C. I, II, III, IV; A. I, II; T.; B. Instrumente: Fl. I, II; Fl. trav. I, II; Ob. I, II; Fag. I, II; Cor. I, II; Trba. I, II; Timp.; V. I, II, III; Va.; Vc.; Cont. ChA 20. – HHA I/33. – EZ: London, Ende 1756 bis Anfang 1757. – UA: London, 11. März 1757, Theatre Royal, Coventgarden

Ouverture

Part I

1. Chorus. C.; A.; T.; B.

Recitative. Beauty

2. Air. Beauty

Recitative. Pleasure; Beauty

3. Air. Pleasure (Sopr.)

Andante
Adagio
a tempo
V. I, II
unis.
Cont.
Pen- sive sor- row, pen- sive sor- row,
[= HWV 263 Sing unto God (2.)]
Takt 9

pen- -sive sor- -row, deep pos- ses- sing
57 Takte D. s.

A. Recitative. Deceit

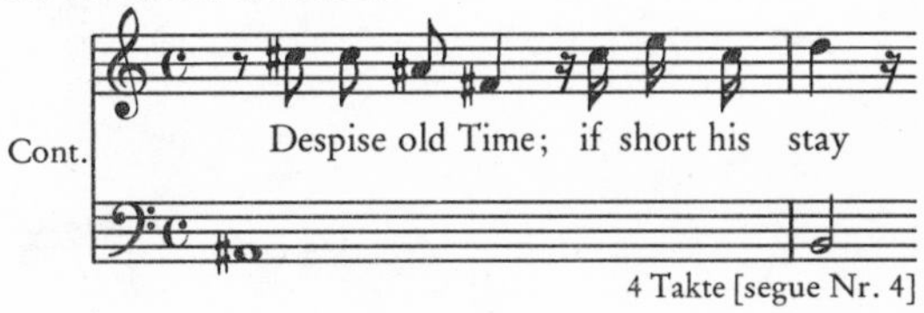
Cont.
Despise old Time; if short his stay
4 Takte [segue Nr. 4]

(3.) B. Air. Deceit (1758)

Largo
Ob.
V. I, II
unis.
Va.
Cont.
Sorrow dar-kens ev'-ry feature, as when o'er the face of nature
[= HWV 107 (1.); HWV 145 (1.)]
Takt 4

V. I, II
Ob.
throw.
Va., Cont.
Takt 36
39 Takte

4. Air and Chorus. Beauty; C. I, II; A.; T. I, II

Ob. I, II
Fag. I, II
V. I, II
Va.
Cont.
Come, come! live with Plea- - -sure,

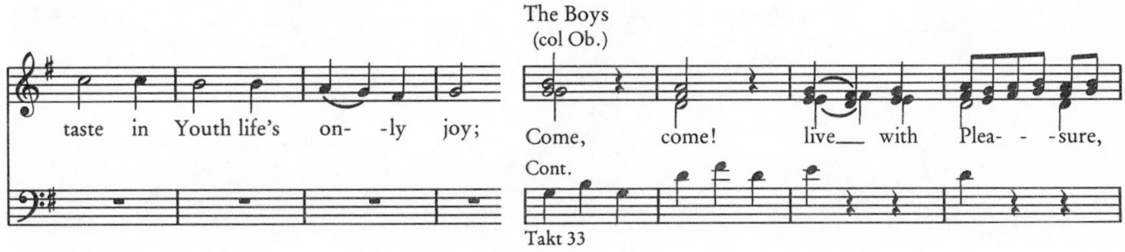
taste in Youth life's on- -ly joy;
The Boys
(col Ob.)
Come, come! live with Plea- - -sure,
Cont.
Takt 33

Chorus. C.; A.; T.; B.

Ob. I, II
V. I, II
Va.
Cont.
Come, come! live with Plea- -sure,
Takt 49
56 Takte

Recitative. Time; Counsel

Turn, look on me! Behold old Time.
Cont.
6 Takte

5. Air. Counsel

Andante allegro
V. I, II
unis.
Cont.
The Beauty, smil-ing, and sweet be- guil- ing,
Takt 8
61 Takte D. c.

Recitative. Pleasure; Beauty; Time; Counsel

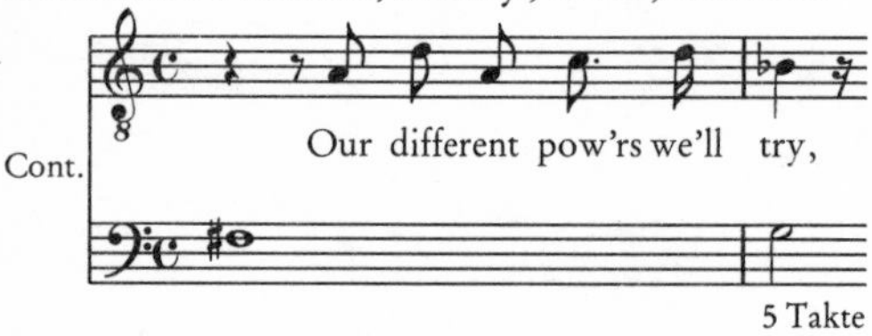
Cont.
Our different pow'rs we'll try,
5 Takte

6. Air. Beauty

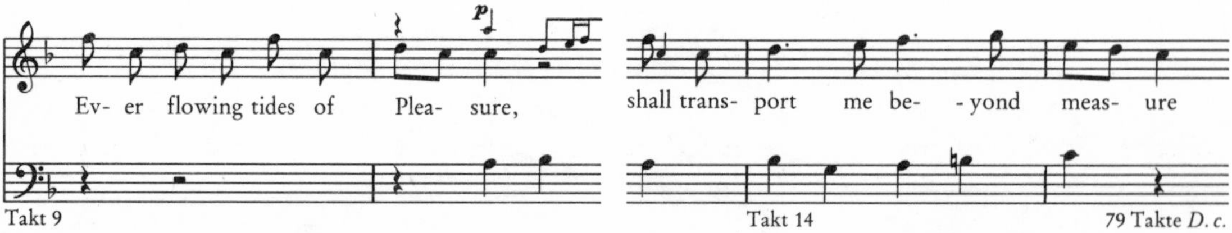
Ev- er flowing tides of Plea- sure,
shall trans- port me be- - yond meas- ure
Takt 9
Takt 14
79 Takte D. c.

Recitative. Time

Cont.
The hand of Time pulls down the great co- lossus of the sun,
4 Takte

7. Air. Time

Loath- some urns, dis- close your treas- ure,
Takt 13
79 Takte D. c.

8. Chorus. C.; A.; T.; B.

(Andante)
Tutti
Ob. I, II
V. I, II
Va.
Cont.
[Com- fort us]
Strength- en us, oh Time, with all thy lore:
Allegro
Then shall we teach thy
Takt 9
[= HWV 248. Have mercy upon me (8.)]

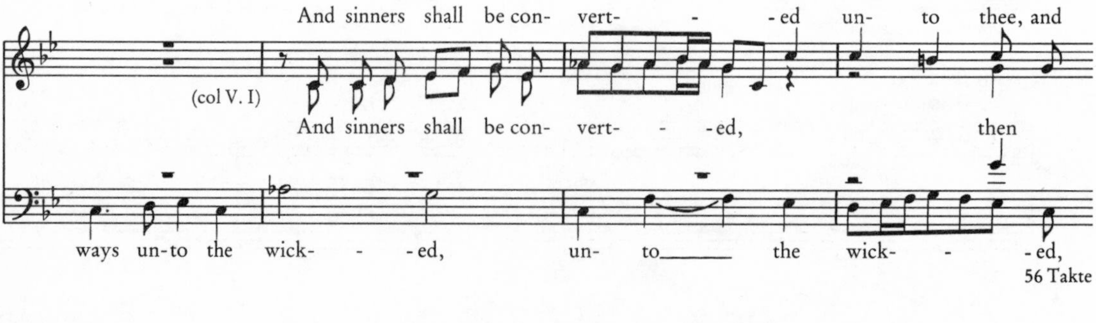
And sinners shall be con- vert- - - ed un- to thee, and
(col V. I)
And sinners shall be con- vert- - - ed, then
ways un-to the wick- - - ed, un- to the wick- - - ed,
56 Takte

Recitative. Deceit

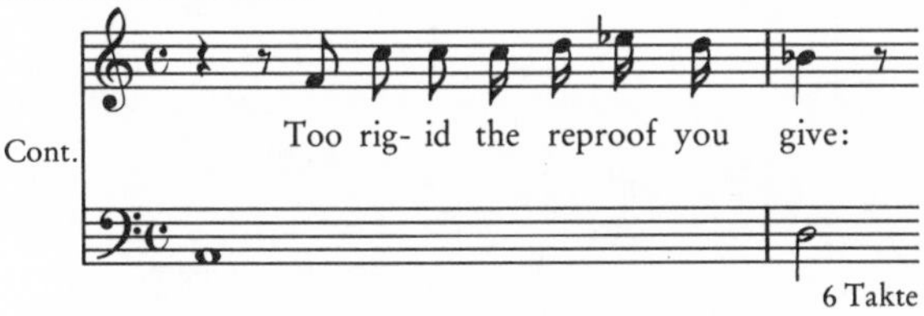
Cont.
Too rig- id the reproof you give:
6 Takte

(8a.) Air. Deceit (1758)

Str.
Ob. I, II
Fag.
Cor. I, II
V. I, II, III
Va.
Cont.
[= HWV 6 Agrippina (40.)]

Hap- py Beau- ty, hap- py Beau-ty, who For-tune now smil- - -ing,
V. I, II
p
Takt 36
Takt 48
Cont.
293 Takte

9. Solo and Chorus. Deceit; C. I, II; A.; T.; B.

A tempo giusto
Ob. I, II
Fag. I, II
Cor. I, II
V. I, II
Va.
Cont.
tr
[vgl. HWV 26 Lotario (10.)]
Sopr. solo
p
(V. I colla parte)
Hap- py, if still they reign in
Takt 17

plea- sure,
Chorus
Str.
tr
Hap- py, hap- py, hap- py, if still they reign in plea-sure,
Cont.
Takt 31
62 Takte

Recitative. Counsel; Time; Pleasure

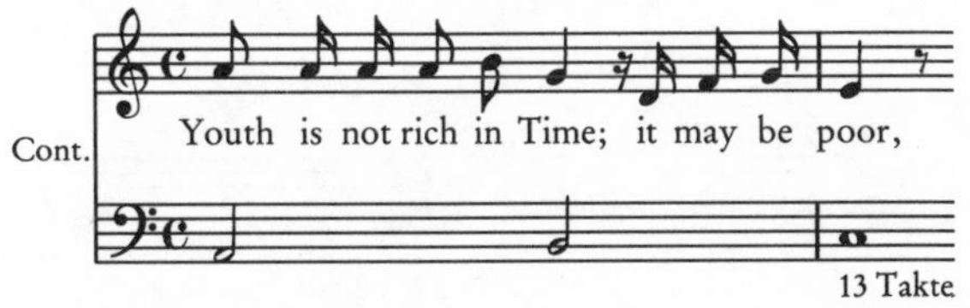
Cont.
Youth is not rich in Time; it may be poor,
13 Takte

10. Air and Chorus. Time

Andante
Ob. I, II
Ob. I, II
V. I, II
Va.
Cont.
Time
Like the
Takt 16

shadow, life ev- er is fly- ing,
(attacca)

Chorus. C.; A.; T.; B.

Ob. I, II
Trba. I, II
Cor. I, II
V. I, II
Va.
Cont.
Like the shadow, life ev- er is fly- ing,
Takt 103
135 Takte

Part II

11. Chorus. C. I, II, III, IV; A. I, II; T.; B.

Andante allegro
Ob. I, II
V. I, II
Va.
Cont.
V. unis.
C. I solo
C. II solo
Plea-sure submits to pain, as
[= HWV 49b Acis and Galatea (21.)]
Cont.
Takt 9

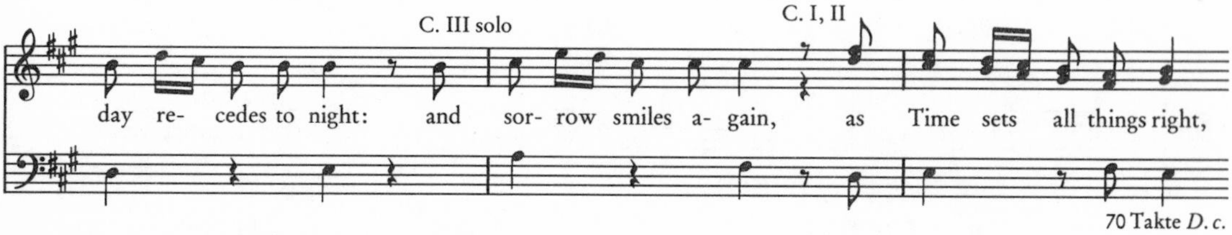
C. III solo
C. I, II
day re- cedes to night: and sor- row smiles a- gain, as Time sets all things right,
70 Takte *D. c.*

Recitative. Pleasure

Cont.
Here Pleasure keeps her splendid court,
9 Takte

Flourish of Horns

Recitative. Beauty

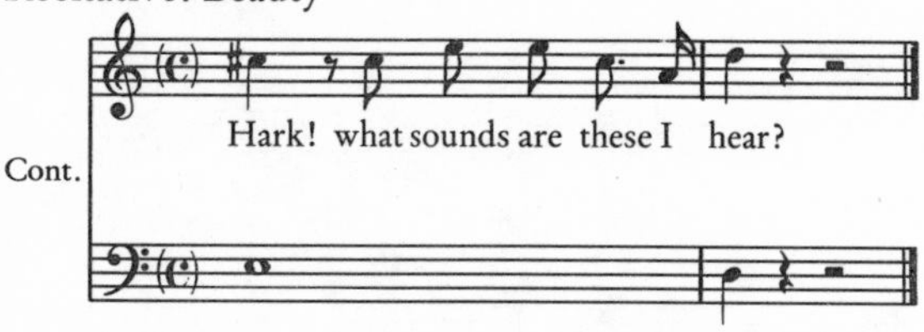
Cont.
Hark! what sounds are these I hear?

12. Chorus. C.; A.; T.; B.

Ob. I, II
Cor. I, II
V. I, II
Va.
Cont.
Str.
Oh,
[= HWV 72 Il Parnasso in Festa (17.)]
Cont.
Takt 6

how great the glo- - - -ry,
86 Takte

13. Air and Chorus. Pleasure

Ob. I, II
Fag.
V. I, II
Va.
Cont.
[= HWV 72 Il Parnasso in Festa (30.)]

Str.
pp
Dry- ads, Syl- vans, with fair Flo- ra,
Takt 9

Chorus. C.; A.; T.; B.

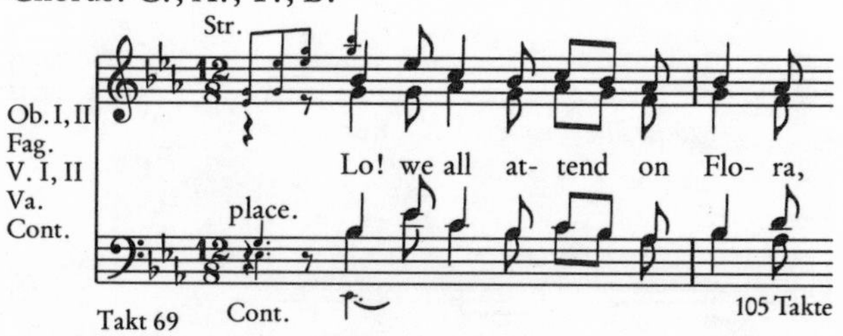
Ob. I, II
Fag.
V. I, II
Va.
Cont.
Str.
Lo! we all at- tend on Flo- ra,
place.
Takt 69
Cont.
105 Takte

(13a.) Air. Deceit (1758)

Andante
V. I, II
unis.
Cont.
tr
No more com- plain- -ing, no more dis- dain- -ing,
[= HWV 5 Rodrigo (32.)]
Takt 9

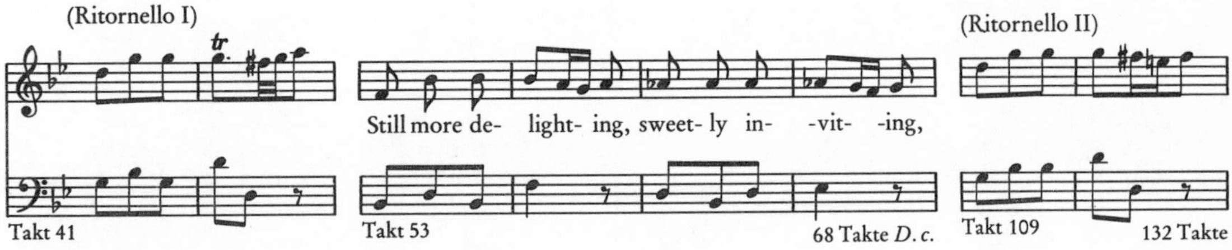
(Ritornello I)
tr
Still more de- light- ing, sweet- ly in- -vit- -ing,
(Ritornello II)
Takt 41
Takt 53
68 Takte D. c.
Takt 109
132 Takte

(13b.) Air. Deceit (1758)

(Fl. col V. all'ottava alta)
tr
Fl. I, II
V. I, II
unis.
Cont.
Plea- sure's gen- tle Ze- phyrs___ play- ing,
[= HWV 6 Agrippina (3.)]
Takt 13
98 Takte D. c.

(13c.) Air. Deceit (nach 1758)

V. I, II
unis.
Cont.
12
Plea- sure's gen- tle Ze- phyr's___ play- ing,
99 Takte D. c.

14. Air. Beauty

Allegro ma non troppo
Cont.
Come, oh Time, and thy broad wings display- ing,
Takt 8
55 Takte D. c.

15. Air. Counsel

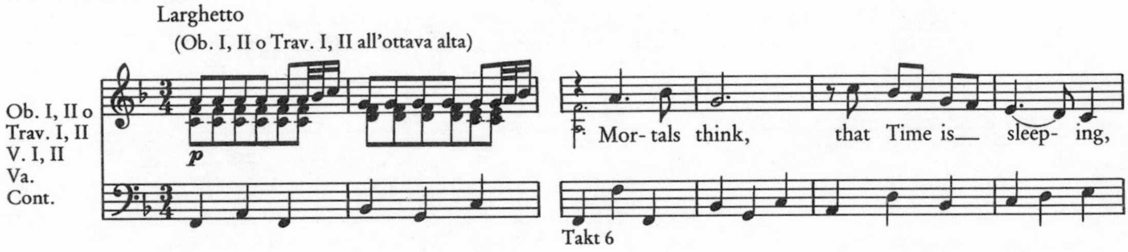
Larghetto
(Ob. I, II o Trav. I, II all'ottava alta)
Ob. I, II o
Trav. I, II
V. I, II
Va.
Cont.
p
Mor- tals think, that Time is___ sleep- ing,
Takt 6

Allegro
But he comes with ru- in sweeping,
Takt 64
74 Takte D. c.

Recitative. Time

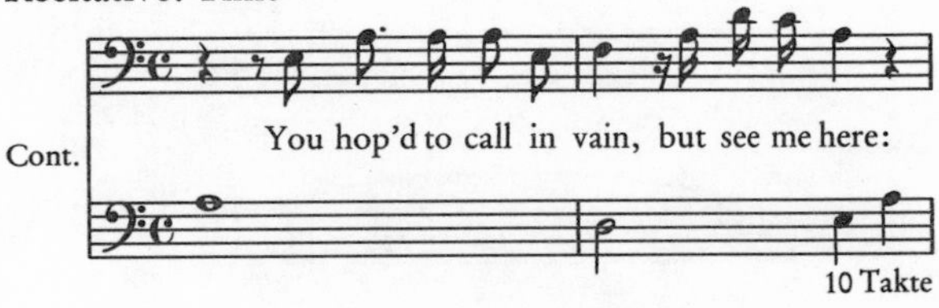
Cont.
You hop'd to call in vain, but see me here:
10 Takte

16. Air. Time

Allegro

17. Air. Pleasure

Andante

Recitative. Counsel; Time

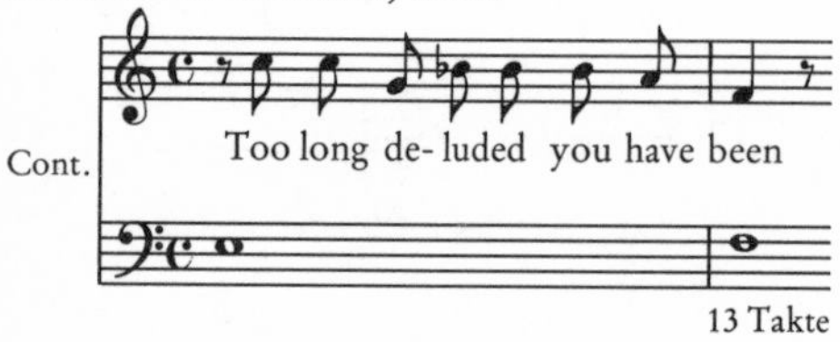

18a, b. Air. Deceit

Andante

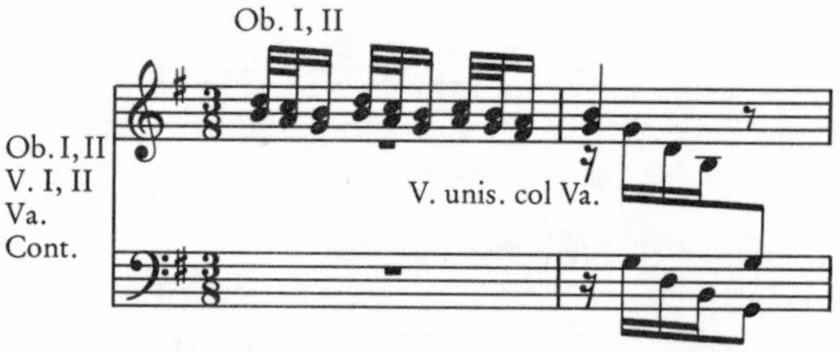

Recitative. Deceit

Recitative. Time; Beauty

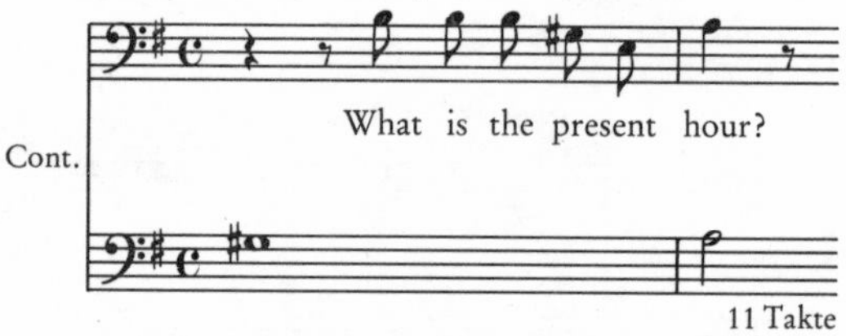

19. Air. Beauty

Adagio

20. Air. Counsel

Larghetto

Recitative. Counsel

val- leys, dark and cheer-less,
Takt 4
28 Takte D. c.

Recitative. Time; Beauty

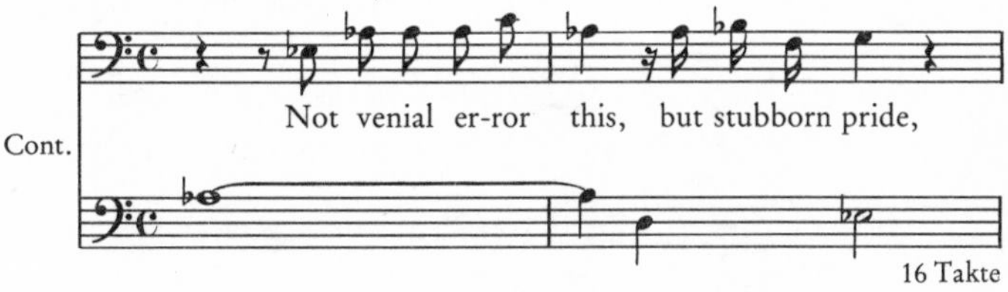
Cont.
Not venial er-ror this, but stubborn pride,
16 Takte

Recitative. Counsel

Cont.
Hear the tale of Truth and Duty,
5 Takte

21. Chorus. C.; A.; T.; B.

Andante allegro

Ob. I, II
V. I, II
Va.
Cont.
Ere to dust is chang'd that beauty, change the

[= HWV 263 Sing unto God (4.)]

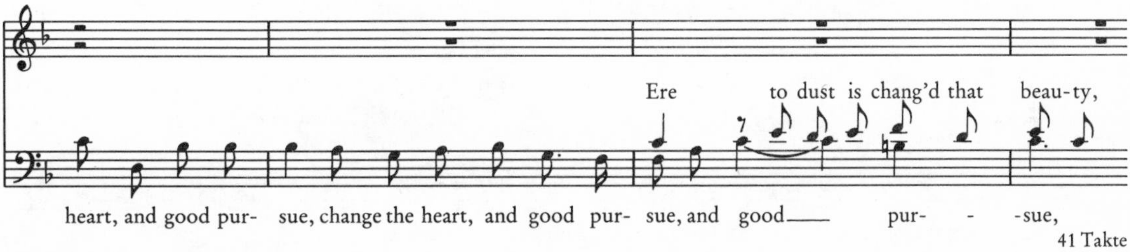
Ere to dust is chang'd that beau-ty,
heart, and good pur- sue, change the heart, and good pur- sue, and good pur- - -sue,
41 Takte

Part III

22. (Sinfonia)

(Andante)

Ob. I
V. I
Ob. I, II
V. I, II
Va.
Cont.
Ob. II, V. II, Va.
25 Takte

Recitative. Deceit

Cont.
Beau- ty once more I thee ad- dress,
4 Takte

23a. Air. Deceit

Allegro

Tutti
Ob. I, II
V. I, II, III
Va.
Cont.
V. III
Va.

Sharp thorns de-spis- ing, cull fragrant ro- ses;
(V. senza Ob.)
Takt 5
28 Takte D. c.

Recitative. Deceit (1758)

Cont.
Once more I thee ad-

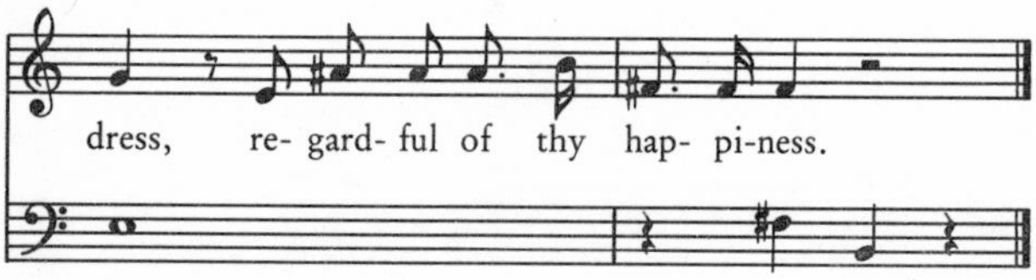
dress, re- gard- ful of thy hap- pi-ness.

(23.) Air. Deceit (1758)

Larghetto
V. I, II concert.
Ob. I, II
V. I, II
Va.
Cont.
Charming Beau- ty,
Vc. solo

stop the starting tear from flowing,
32 Takte D. s.

Recitative. Beauty (1758)

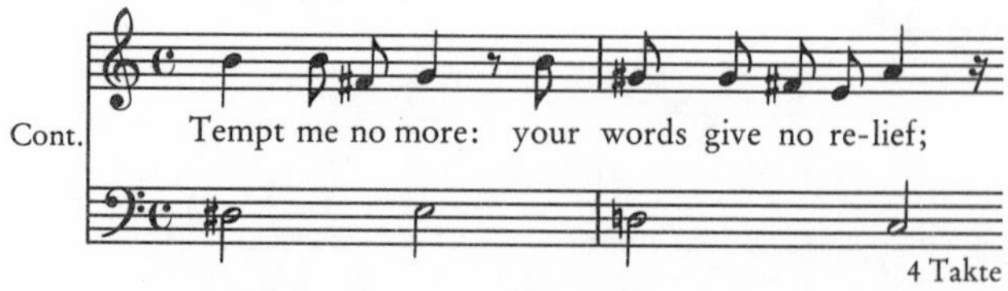
Cont.
Tempt me no more: your words give no re-lief;
4 Takte

23b. Air. Deceit (1758)

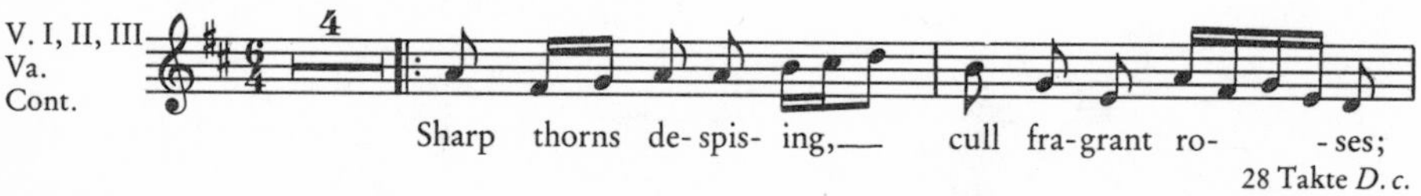
V. I, II, III
Va.
Cont.
4
Sharp thorns de- spis- ing, cull fra-grant ro- - ses;
28 Takte D. c.

Recitative. Counsel; Beauty

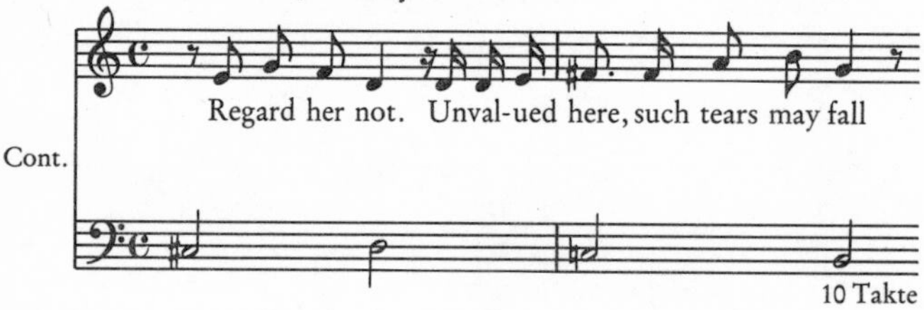
Cont.
Regard her not. Unval-ued here, such tears may fall
10 Takte

24. Air. Beauty

Largo
V. I, II
Va.
Cont.
poco p

Str.
Plea- sure! my former ways re- sig- ning, to Vir- tue's cause in- clin- ing,
Takt 6
24 Takte D. s.

25. Chorus (Anthem). C.; A.; T.; B.

A tempo ordinario
Ob. I, II
V. I, II
Va.
Cont.
Com-fort them, oh Lord, when they are sick,
[= HWV 268 Foundling Hospital Anthem (5.)]

Un poco andante
Keep them a-live,
C. con Ob. e V. I
V. II
Va.
Cont.
Takt 24

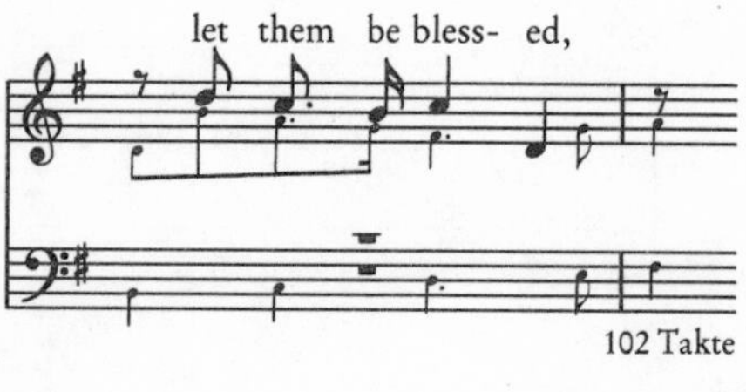
let them be bless- ed,
102 Takte

Recitative. Beauty; Pleasure; Counsel

Cont.
Since the im- mor- tal mirror I pos- sess,
7 Takte

26. Air. Counsel
Andante allegro
Ob. I, II
V. I, II
Cont.
Tutti unis.
Thus to ground, thou false, de- lu- sive,
V.
Takt 21
flatt'ring mir- -ror thee— I throw,
104 Takte D. c.
Recitative. Beauty
Cont.
Oh might- y Truth! thy pow'r I see:
7 Takte
27. Accompagnato. Beauty
Adieu, vain world! In search of greater good I'll pass my days
V. I, II
Va.
Cont.
8 Takte
28. Air. Time
Andante
V. I, II
Cont.
p
From the heart that feels my warn- ing, my warn- ing
Takt 9
65 Takte D. s.
Recitative. Beauty
Cont.
Pleasure, too long as-so-ciates we have been,
4 Takte
Recitative. Pleasure
Cont.
As with er- ror I
long have been dwelling,
4 Takte
29. Air. Pleasure
Allegro
V. I, II
Va.
Cont.
Like clouds, stor-my winds them im-
Takt 11
Str.
pelling,
Andante
V. I
V. II
Va.
Takt 64
[= HWV 52 Athalia (33.)]

Recitative. Beauty

30. Accompagnato. Beauty

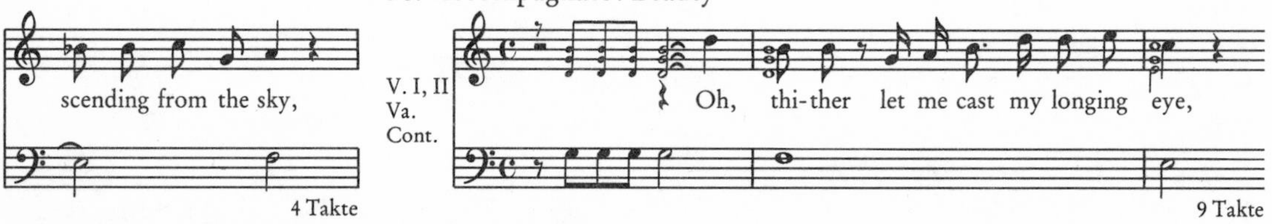

31. Air. Beauty

32. Coro. C.; A.; T.; B.

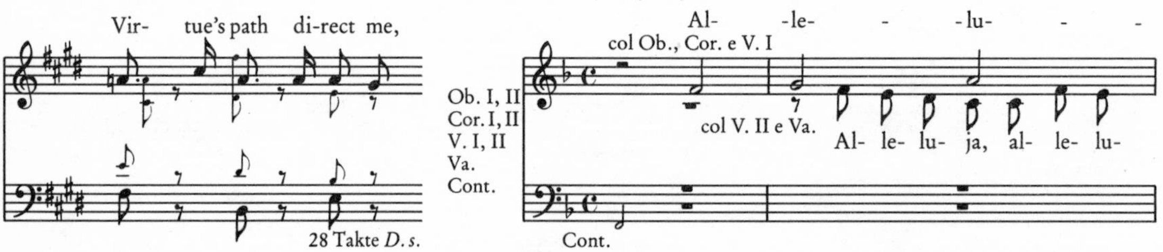

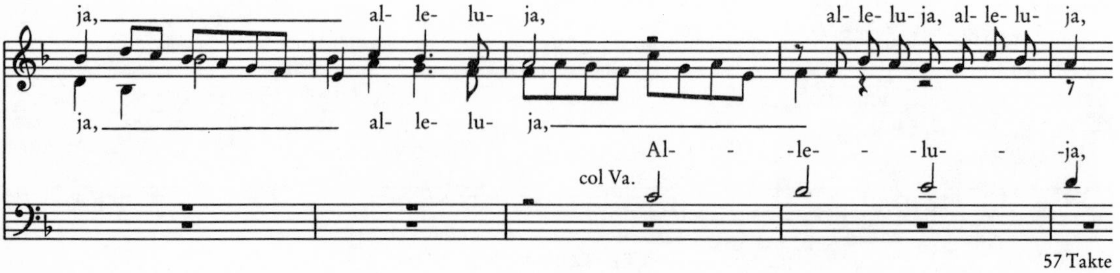

Quellen

Handschriften: Autographe: GB Lbm (R. M. 20. f. 10., Fassung 1737, teilweise mit englischem Text für HWV 71 versehen; R. M. 20. a. 3., f. 8: HWV 6 Agrippina: 3. Volo pronto, mit englischem Text „Pleasure's gentle Zephyrs playing").

Abschriften: D (brd) Hs (Direktionspartitur M $\frac{A}{1060^a}$) – GB Lbm (R. M. 18. f. 8.), T.

Drucke: The Triumph of Time and Truth. An oratorio. Set to musick by M[r] Handel. – London, J. Walsh; Harrison's edition, corrected by D[r] Arnold. The overture and songs in The Triumph of Time and Truth; an oratorio. For the voice, harpsichord, and violin. Composed by Mr Handel. – London, Harrison & Co.; The Triumph of Time and Truth, an oratorio in score; composed in the year 1751. By G. F. Handel. – London, Arnold's edition, No. 165–169 (ca. 1795); A grand collection of celebrated English songs introduced in the late oratorios compos'd by M[r] Handel [enthält u. a. Nr. 8[a], (13[a,b]), (23), 3[b]]. – London, J. Walsh; Charming beauty, check the starting tear. Song (In: The Lady's Magazine, 1787, supplement). – (London), s. n.; Come, live with pleasure. A song. – London, R. Falkener; Lovely beauty, close those eyes. Song (In: The Lady's Magazine, Febr., 1790). – (London), s. n.; Lovely beauty. Triumph of Time and Truth. – (London), J. Bland; Pleasure! my former ways resigning. – London, Smart; — (London), J. Dale; —... As sung by M[r] Nield in Time and Truth. – London, G. Walker; —... sung by M[r] Harrison. – ib., J. Bland; — Dublin, Hime; Sharp thorns despising. Triumph of Time and Truth. – (London), J. Bland.

Libretto: The Triumph of Time and Truth an oratorio. Alter'd from the Italian. With several new additions. As it is perform'd at the Theatre-Royal in Covent-Garden. Set to musick by Mr Handel. – London, J. Watts, B. Dod, 1757 (Ex.: GB Mp – US PRu); — ib., 1758.

Bemerkungen

„The Triumph of Time and Truth" stellt eigentlich kein originales Werk dar, denn Händel griff auf die beiden früheren Versionen von „Il Trionfo" (1707 bzw. 1737) zurück, ließ die englische Übersetzung der Fassung HWV 46[b] Il Trionfo del Tempo e della Verità von George Oldmixon durch Thomas Morell in geeignete Verse für ein englisches Libretto bringen und adaptierte den größten Teil der früheren Musik für die neue Partitur.

Wie E. Dahnk-Baroffio (s. Lit.) nachwies, erscheint statt des Disinganno in Morells Titel *Truth*, im Text dagegen an dessen Stelle *Counsel* (als guter Rat), der in den älteren Libretti von 1707 und 1737 nur erwähnt, bei Morell jedoch als Sohn der Wahrheit agierend eingeführt wird. Pamphiljs *Piacere* wird in *Pleasure* und *Deceit* (eine von Morell neu eingeführte allegorische Person) getrennt, wobei *Deceit* die Rolle des Verführers zufällt. Dies führt insgesamt zur Verbesserung der architektonischen Anlage des Werkes im Sinne einer dramatischen Konfrontation zweier Paare (Time/Counsel – Pleasure/Deceit), die um die Schönheit (Beauty) kämpfen. Das Libretto erfuhr durch Morells Bearbeitung eine straffere Linienführung: trotz der 1757 neu hinzukommenden Person (Deceit), die bis auf eine Ausnahme (Nr. 23[a]) neue Arientexte, wenn auch zum Teil mit älterer Musik, erhielt, reduzierte sich die Anzahl der Arien um fünf Nummern. Dafür wurden 11 Chöre (6 mehr als 1737) eingefügt, das Rezitativ erweitert und der ursprünglich zweiteilige Text in 3 Akte gegliedert.

Infolge seiner fortschreitenden Erblindung, die Händel seit 1752 am Schreiben hinderte richtete J. C. Smith junior die neue Direktionspartitur nach Händels Anweisungen ein, die dann Smith senior in Reinschrift brachte.

Auf die Abhängigkeit der meisten Sätze aus „The Triumph of Time and Truth" von HWV 46[a] Il Trionfo del Tempo e del Disinganno und HWV 46[b] Il Trionfo del Tempo e della Verità wurde bereits unter dem betreffenden Abschnitt zu diesen Kompositionen (s. S. 37) verwiesen. Diejenigen Sätze, die nicht auf diese älteren Fassungen des Stoffes zurückgehen, haben folgende Kompositionen zum Vorbild:

3[b]. Sorrow darkens
  HWV 107 „Dite mie piante": 1. Il candore tolse al giglio
  HWV 102 „Dalla guerra amorosa": 2. La bellezza è com'un fiore
  HWV 118 „Ho fuggito amore anch'io": 1. Ho fuggito
  HWV 145 „O numi eterni": 1. Già superbo del mio affanno
  HWV 48 Brockes-Passion: 20. Schau, ich fall' in strenger Buße

3[b]. Sorrow darkens, Ritornello (T. 36 ff.)
  HWV 5 Rodrigo: 28. Perchè viva (Ritornello)

4. Come, live with Pleasure
  HWV 49[b] Acis and Galatea (2. Fassung): 12. Lieto esulti il cor

8. Strengthen us, oh Time/Then shall we teach (T. 9 ff.)
  HWV 248 „Have mercy upon me": 8. Then shall I teach

(8[a].) Happy Beauty
  HWV 83 „Arresta il passo": 2. Fiamma bella
  HWV 6 Agrippina: 40. Ogni vento
  HWV 15 Ottone: 2[a]. Giunt' in porto; 36. Faccia ritorno
  HWV 19 Rodelinda: 15. De' miei scherni

9. Happy, if still they reign in pleasure
  HWV 26 Lotario: 10. Viva e regni fortunato

11. Pleasure submits to pain
  HWV 96 „Cor fedele": 16. Vivere e non amar

HWV 49^{b} Acis and Galatea (2. Fassung): 21. Viver, e non amar
HWV 50^{b} Esther (2. Fassung): Add. air „Angelico splendor" (1737)
HWV 54 Israel in Egypt: Add. air „Angelico splendor" (1739)
12. Oh, how great the glory
HWV 73 Il Parnasso in festa: 18. O quanto bella gloria
HWV 8^{c} Il Pastor fido (2. Fassung): 8. Oh quanto bella gloria
13. Dryads, Sylvans/Lo we all attend on Flora
HWV 73 Il Parnasso in festa: 30. Non tardate, Fauni ancora
HWV 8^{c} Il Pastor fido (2. Fassung): 21. Accorrete, o voi pastori
HWV 67 Solomon: 25. Beneath the vine, or figtree's shade
(13^{a}.) No more complaining
HWV 96 „Cor fedele": 13. Un sospiretto
HWV 5 Rodrigo: 32. Allorchè sorge
HWV 8^{a} Il Pastor fido (1. Fassung): 11. Allorchè sorge
(13^{b}.) Pleasure's gentle Zephyr's playing
HWV 125 „Lungi da me, pensier tiranno": 3. Tirsi amato
HWV 6 Agrippina: 3. Volo pronto
16. False destructive ways of Pleasure
HWV 26 Lotario: 17. Non t'inganni la speranza
25. Comfort them, o Lord[1]/Keep them alive
Johann Kuhnau: Frische Clavier-Früchte (1696): Suonata Prima[2]
HWV 66 Susanna: 12. Virtue shall never long be oppress'd
HWV 268 „Blessed are they": 5. Comfort them, o Lord
29. Like clouds, stormy winds/Hark, the thunders round me roll
HWV 52 Athalia: 33. Hark, the thunders round me roll
HWV 73 Il Parnasso in festa: 21. Già le furie vedo ancor

Abgesehen von den Seccorezitativen und den beiden Accompagnati (Nr. 27 und 30) lassen sich nur für die Ouverture und die Arie „Charming Beauty" (Einlage 1758, Nr. 23) keine Vorlagen unter Händels früheren Werken entdecken; wie W. Dean (S. 589) vermutet, dürften jedoch im Hinblick auf Händels Parodiepraxis der Jahre von 1752 an auch diese Sätze kaum neu komponiert worden sein, obwohl ihre Ursprungskompositionen nicht nachweisbar sind.

Die Uraufführung am 11. März 1757 (weitere Aufführungen am 16., 18. und 23. März) erfolgte mit folgender Besetzung: Time: Samuel Champness, Counsel/Truth: Isabella Young-Scott, Beauty: Giulia Frasi, Pleasure: John Beard, Deceit: Signora Beralta.

Eine Wiederholung des Werkes fand am 10. und 15. Februar 1758 statt. Für die inzwischen aus dem Ensemble ausgeschiedene Sopranistin Beralta übernahm die Mezzosopranistin Cassandra Frederick die Partie des Deceit. Für sie wurden die Sätze „Sorrow darkens" (3^{b}), „Happy Beauty" (8^{a}), „No more complaining" (13^{a}), „Pleasure's gentle Zephyr's playing" (13^{b}) und „Charming Beauty" (23) eingelegt, die Walsh in der Ariensammlung „A Grand Collection of celebrated English Songs" im August 1758 druckte.

Literatur

Chrysander I, S. 222ff.; Clausen, S. 245f.; Dahnk-Baroffio, E.: Zu den Trionfi. In: Göttinger Händeltage 1960, Programmheft, S. 8ff.; Dean, S. 589; Deutsch, S. 783ff.; Flower, p. 327f./S. 301f.; Herbage, S. 152ff.; Knapp, J. M.: Die drei Fassungen von Händels „Il Trionfo del Tempo". In: Anthem, Ode, Oratorium – ihre Ausprägung bei G. F. Händel. Händel-Konferenzbericht (1980), Halle 1981, S. 86ff.; Lang, p. 530f./S. 482f.; Leichtentritt, S. 304ff.; Schering, A.: Geschichte des Oratoriums, Leipzig 1911, S. 256f.; Schoelcher, S. 331; Serauky V, S. 491ff.; Siegmund-Schultze, S. 122f.; Siegmund-Schultze, W.: „Der Triumph von Zeit und Wahrheit". In: Festschrift zur Händel-Ehrung der DDR 1959, Leipzig 1959, S. 29ff.; Smither II, S. 338f.; Streatfeild, S. 215f., 324f.
Beschreibung der Autographe: Lbm: Catalogue Squire, S. 3, 90ff.

[1] Aus dem „Qui tollis" einer Messe A. Lottis entlehnt. Vgl. S. Taylor, S. 179ff. Lottis Werk s. in: Latrobe, C. I.: Selection of Sacred Music from the works of some of the most eminent composers of Germany and Italy, vol. II, S. 62 (No. 16).
[2] DTD, 1. Folge, 4. Bd., Leipzig 1901, S. 73.

72. Aci, Galatea e Polifemo

Serenata à tre

Libretto: Verfasser unbekannt

Besetzung: Soli: Sopr. (Aci), Alto (Galatea), Basso (Polifemo). Instrumente: Fl.; Ob. I, II; Trba. I, II; V. I, II; Va.; Vc. I, II; Cont.
ChA 53. – HHA I/5. – EZ: Neapel, beendet am 16. Juni 1708. – UA: Neapel, 19. Juli 1708, anläßlich der Vermählung des Duca d'Alvito

1. Duetto. Aci; Galatea

Aci
Sorge il dì
V. I, II
Cont.
Galatea: Spun- ta l'au-
Takt 7
e tran-quil- lo par che bril- -li an-cor il ciel,
ro- ra e più se- re- no par che bril- li an- cor il ciel,
31 Takte D. s.

Recitativo. Aci; Galatea

Cont.
Van-ti, o ca- ra, il ru- scel- lo
19 Takte

2. Aria. Galatea

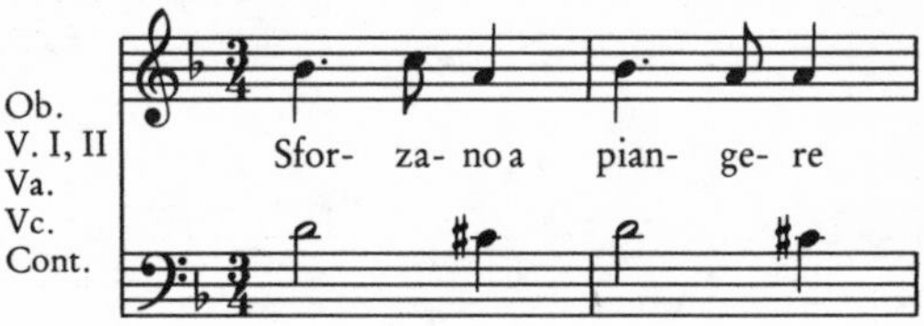
Ob.
V. I, II
Va.
Vc.
Cont.
Sfor- za- no a pian- ge- re

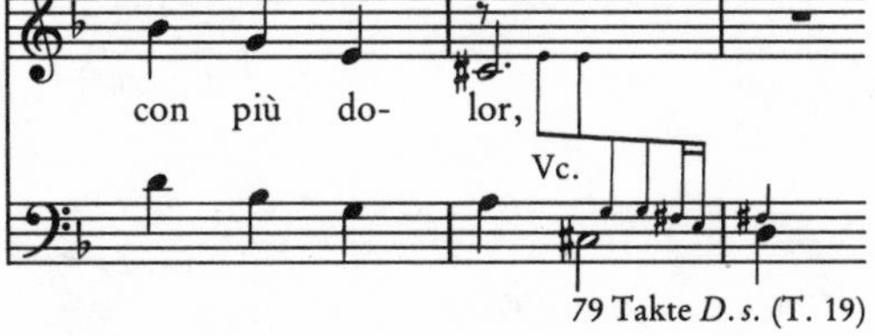
con più do- lor,
Vc.
79 Takte D. s. (T. 19)

Recitativo. Aci; Galatea

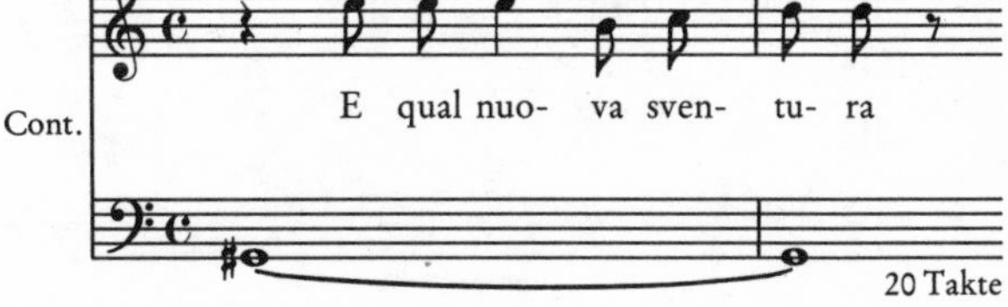
Cont.
E qual nuo- va sven- tu- ra
20 Takte

3. Aria. Aci

Ob. solo
Ob.
V. I, II
unis.
Vc.
Cont.
Vc.
Che non può la ge- lo- si- a quando un
Tutti V.
Takt 11

co- -re ar- de d'a- mo- re,
71 Takte D. c.

4. Recitativo accompagnato. Galatea; Aci

(Tutti)
Ob. I, II
Trba. I, II
V. I, II
Va.
Cont.
Trba. I, II

Galatea
Str.
Ma qual or- ri- do suo- no mi fe- ri- sce l'u- di- to?
Takt 5
Galatea
Ahi! che da
Takt 14

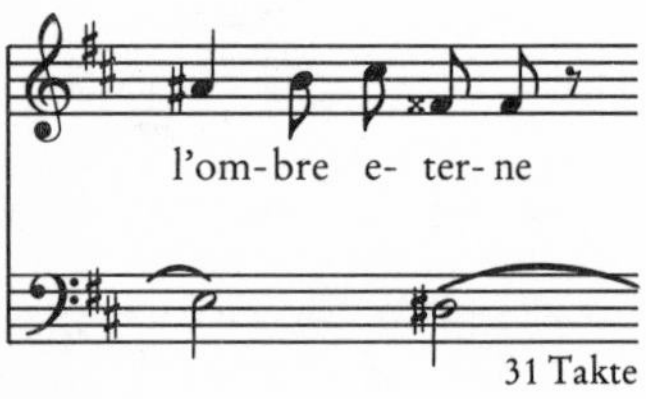
l'om- bre e- ter- ne
31 Takte

5. Aria. Polifemo

(Tutti)
Ob.
Trba. I, II
V. I, II
Va.
Cont.

Takt 23
Si- bi- lar l'an- gui d'A- let- to,
144 Takte D. c.

Recitativo. Galatea; Polifemo

Cont.
Deh las- cia, oh Po- li- fe- mo
22 Takte

6. Aria. Galatea

Ob. I, II
V. I, II
Va.
Cont.
Benchè tuo- ni e l'e- tra av-
p Str.
Takt 10

vam- - - - - -pi,
48 Takte D. c.

Recitativo. Polifemo; Galatea

Cont.
Cadrai de- pressa e vin- ta,
13 Takte

7. Aria. Polifemo

V. I, II
Va.
Cont.
Non sempre, no,cru- de- le, mi par-le- rai co- sì,
51 Takte D. c.

Ritornello
2.
Takt 77
90 Takte

Recitativo. Galatea; Polifemo; Aci

Galatea
Cont.
Fol- le quan-to mi ri- do
21 Takte

8. Aria. Aci

Cont.
3
3
3

3
3
Dell' a- - - qui- la l'ar- ti- -gli se non pa-ven- ta un an- -gue
Takt 12
79 (81) Takte D. c.

Recitativo. Polifemo; Aci

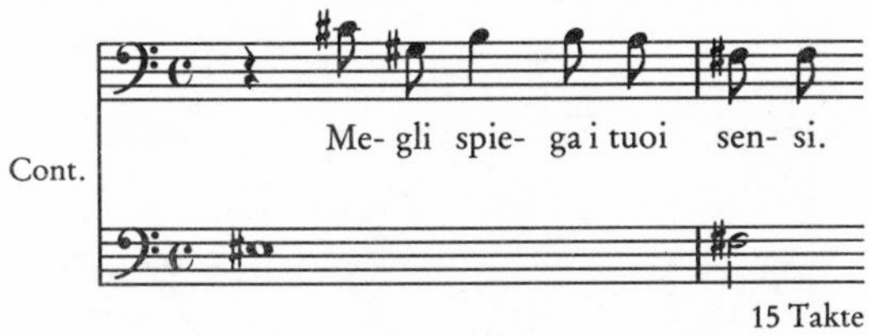
Cont.
Me- gli spie- ga i tuoi sen- si.
15 Takte

9. Aria. Polifemo

V. I, II
unis.
Cont.
[vgl. HWV 51 Deborah (25.)]

Preci- pi- to- -so nel mar che fre- -me più cor-re il fiu- me che stret- to fù,
Takt 11
46 Takte D. c.

Recitativo. Galatea

Cont.
Si t'in-ten-do in- u- ma- no
15 Takte

10. Aria. Galatea

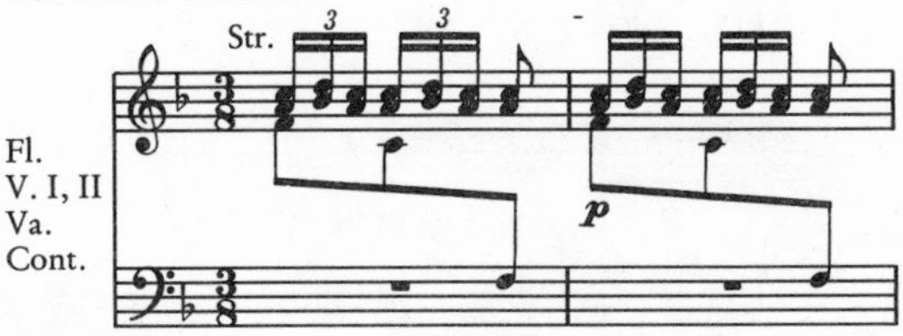
Str.
3
3
Fl.
V. I, II
Va.
Cont.
p

S'a- gi- tà in mezzo all' on- -de,
Takt 14
79 Takte D. c.

Recitativo. Polifemo; Aci

Cont.
So che le ci- no- su- re,
26 Takte

11. Terzetto. Aci; Galatea; Polifemo

Ob.
V. I, II
Va.
Cont.
Polifemo
con Cont.
Pro-ve- rà lo sdeg- no mi- -o chi da me non chiede a- mor,

Galatea
Aci: I- dol mi- o,
Per- chè fie- ro? perchè, o Di- o! con-tro me tan- to ri- gor?
Ob.
Va.
Takt 7
Cont.

i- dol mi- o, deh! non te- mer,
34 Takte

Recitativo. Polifemo; Galatea; Aci

Cont.
In-gra- ta se mi nie-ghi,
28 Takte

12. Aria. Polifemo

V. I (con Fl. all'ottava)
V. II
con sord.
V. II
con sord.
Va.
Fl.
V. I, II
Va.
Violone
Polifemo: Fra l'ombre e gl'or- ro- -ri fra l'ombre e gl'orro- ri far- fal- la con- fu- sa
Violone senza Cemb.
28 Takte D. s.

Recitativo. Polifemo; Aci

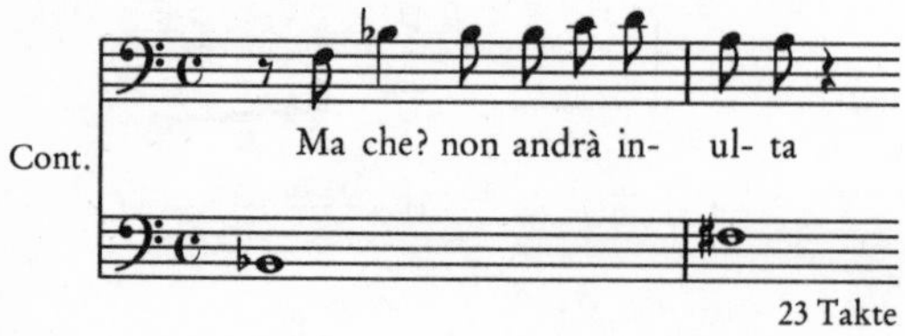
Cont.
Ma che? non andrà in- ul- ta
23 Takte

13. Aria. Aci

Ob.
Ob.
V. I, II
Va.
Vc.
Cont.

Qui l'au- gel da pian- - ta in pian- - ta lie- - to vo- - la,
Ob.
p
V. solo
Takt 22
102 Takte D. c.

Recitativo. Galatea; Aci

Galatea
Giunsi al fin mio te- so-ro
Cont.
16 Takte

14. Aria. Galatea

V. I, II
Vc. I, II
Cont.
Vc. I
Vc. II
Vc. I, II
Cont.

Se m'a- mi, oh ca- ro! se mi sei fi- do
Takt 5
42 Takte D. c.

Recitativo. Polifemo; Aci; Galatea

Quì su l'al- to del monte
Cont.
29 Takte

15. Terzetto. Aci; Galatea; Polifemo

Aci: Dol- ce amico am-ples- so
Cont.
Galatea: Ca- ro amico am-ples- so
Polifemo
In se-no dell'in-fi- da
Takt 8

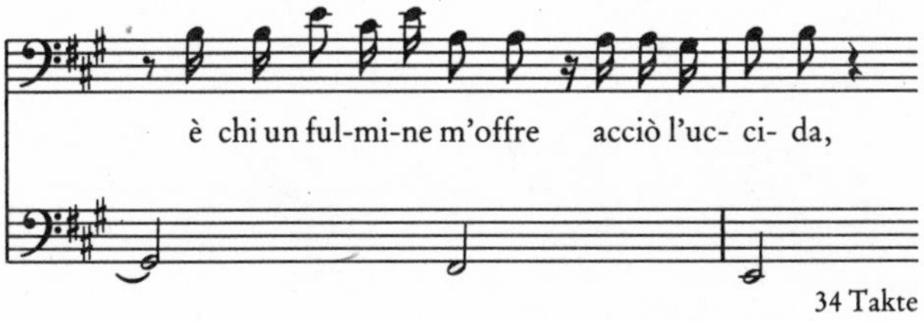
è chi un ful-mi-ne m'offre acciò l'uc- ci- da,
34 Takte

Recitativo. Polifemo; Aci

Or poichè sor- di so- no
Cont.
21 Takte

16. Aria. Aci

V. I, II
Va.
Cont.
p
Ver- so già l'alma col san- gue
Vc. senza Cemb.
Takt 4
22 Takte D. c.

Recitativo. Galatea

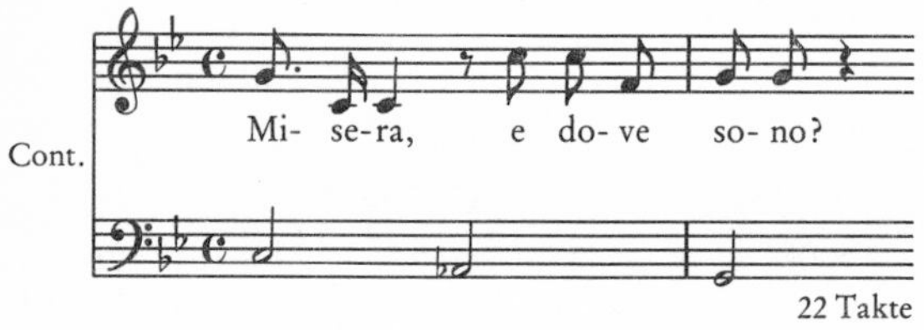
Cont.
Mi- se-ra, e do- ve so- no?
22 Takte

17. Aria. Polifemo

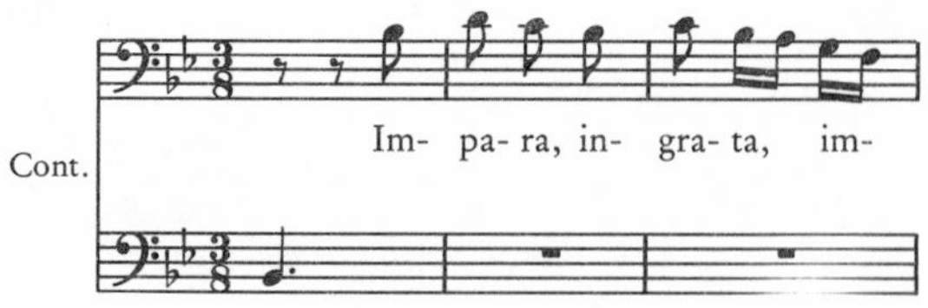
Cont.
Im- pa- ra, in- gra- ta, im-

pa- ra,
85 Takte D. s.

Recitativo. Galatea; Polifemo

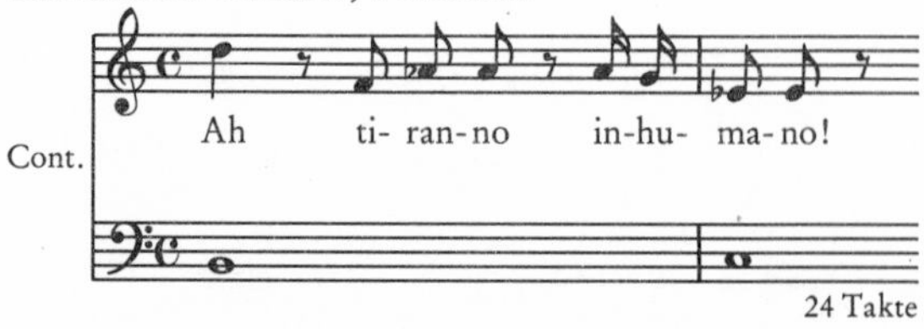
Cont.
Ah ti- ran- no in-hu- ma- no!
24 Takte

18. Aria. Galatea

V. I, II unis.
Cont.
Del mar fra l'on- de per non mi- rar- ti,
Takt 5

Ma in queste sponde torno all' af- fan- no
Takt 22
33 Takte D. c.

19. Recitativo accompagnato. Polifemo

V. I, II
Va.
Cont.
Ferma, ma già nel ma-re

Str.
Vis- si fe- del mia vi- ta e morto an- cor t'a- do-ro,
Takt 11
37 Takte

20. Terzetto. Aci; Galatea; Polifemo

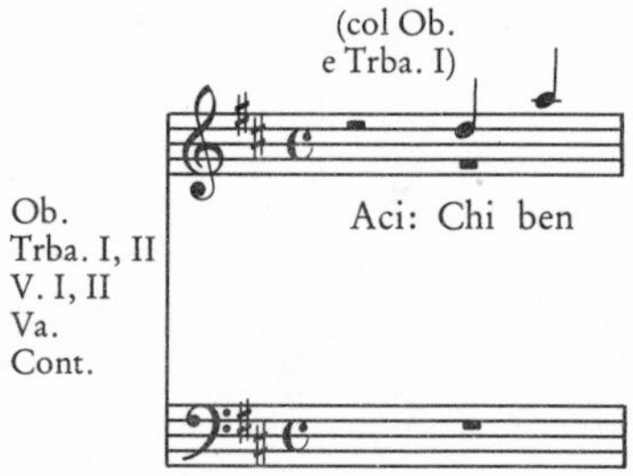
(col Ob. e Trba. I)
Ob.
Trba. I, II
V. I, II
Va.
Cont.
Aci: Chi ben

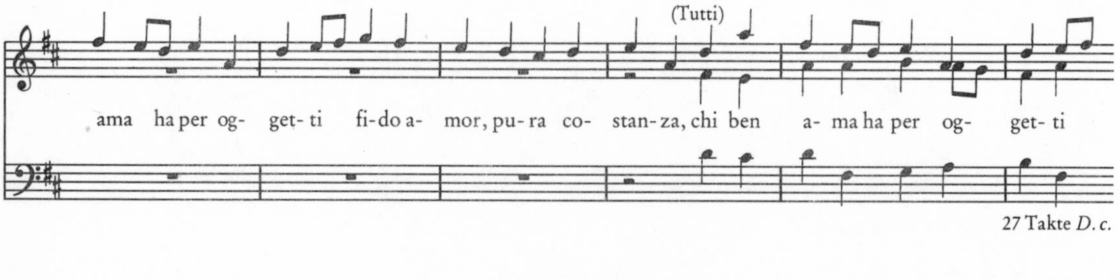
(Tutti)
ama ha per og- get- ti fi- do a- mor, pu- ra co- stan- za, chi ben a- ma ha per og- get- ti
27 Takte D. c.

Anhang

(7.) Aria. Polifemo

V. I, II
Va.
Cont.

Non sem-pre, no, cru- de- le, mi_ par- le- rai_ co- sì,

51 Takte *D. c.*
(attacca il Rit.)

Quellen
Handschriften: Autograph: GB Lbm (R. M. 20. a. 1., ohne Schluß von Nr. 18, Nr. 19 und Nr. 20; Egerton 2953, f. 98–101: enthält Schluß von Nr. 18, Nr. 19 und Nr. 20 mit dem Abschlußdatum der Komposition).
Abschriften: A Wgm (Ms. VIII N° 18 610, aus dem Besitz von Aloys Fuchs, ohne Nr. 4, 19 sowie ohne Rezitative, Sätze in veränderter Reihenfolge gegenüber dem Autograph), Wn (Ms. 18 490, Kopie der Quelle A Wgm) – D (ddr) Bds (Mus. ms. 9043, Kopie der Quelle A Wgm, aus dem Besitz von Joseph Fischhoff [1804–1857]) – GB Lcm (MS. 2067, f. 41r–48v: Nr. 13, f. 66v–71v: Nr. 11, f. 100r–100v: Rezitativ „Folle quanto mi rido" und Arie Nr. 8).
Druck: (Se m'ami o caro) in English and Italian (If then you love me). – s. l., s. n. (auch in: The Monthly Mask of Vocal Music, Jan., 1718).

Bemerkungen
Händel schrieb „Aci, Galatea e Polifemo" während seines Aufenthalts in Neapel, der von etwa Anfang Mai bis in die zweite Juliwoche 1708 zu datieren ist[1]. Der Besuch dieser Stadt erfolgte vermutlich auf Empfehlung von Kardinal Vincenzo Grimani, dem Textdichter der Oper HWV 6 Agrippina, der am 1. Juli 1708 vom kaiserlich-habsburgischen Botschafter beim Vatikan zum Vizekönig von Neapel avancierte. Möglicherweise reiste Händel in dessen Gefolge[2] von Rom aus mit, um den Inthronisationsfeierlichkeiten beizuwohnen. Für Händels kompositorische Aktivität in Neapel ist außer „Aci, Galatea e Polifemo" nur das Kammertrio HWV 201 „Se tu non lasci amore" (Kompositionsdatum: Neapel, 12. Juli 1708) belegt, das unmittelbar vor seiner Abreise entstanden sein muß[3].

„Aci, Galatea e Polifemo" trägt als Abschlußdatum im Autograph den Vermerk: „Napoli li 16 di Giugnio, 1708. d'Alvito." Das deutet darauf hin, daß Händel im Palais des Herzogs von Alvito wohnte, einem Anhänger der habsburgischen Partei, der am 19. Juli 1708 Donna Beatrice Sanseverino, Tochter des Principe di Monte-Miletto, heiratete. Vermutlich ist „Aci, Galatea e Polifemo" als Hochzeitskomposition von Händel geschrieben und als „Serenata" zu diesem Anlaß aufgeführt worden. Darauf könnte auch die noch erkennbare Überschrift *Cantata* deuten, die Händel in *Serenata* änderte, eine Bezeichnung, unter der er auch die spätere italienisch-englische Mischfassung HWV 49b von Acis and Galatea aufführte.
Laut Mainwaring/Mattheson (S. 55) soll die Anregung zu diesem Werk von Donna Laura Capece, einer spanischen oder portugiesischen Prinzessin, Mitglied der „Arcadia" von Neapel, ausgegangen sein. Der ungenannte Librettist verwendete als Textgrundlage Ovids „Metamorphoses" (XIII, 738–891). Ovid hatte die sizilianische Sage vom Liebesglück des Schäfers Acis und der Quellnymphe Galatea, das von dem Zyklopen Polyphem, der die Aktivitäten des Ätna verkörpert, zerstört wird, als erster in Versform gebracht (Übersicht über die Verwendung des Stoffes bei E. Dahnk-Baroffio).
Fast alle Sätze der Musik zu „Aci, Galatea e Polifemo" gehen entweder auf frühere Kompositionen Händels zurück oder werden mit anderem Kontext in später entstandenen Werken wieder verwendet (vgl. auch HWV 49b):
2. Sforzano a piangere
HWV 95 „Clori, vezzosa Clori": 2. Non è possibile
HWV 84 „Aure soavi e lieti": 2. Un aura flebile
HWV 6 Agrippina: 30. Voi dormite, oh luci care
HWV 49b Acis and Galatea (2. Fassung): 20. Love ever vanquishing

[1] Vgl. Kirkendale, S. 239 f.; Strohm, R.: Händel in Italia: Nuovi contributi. In: Rivista Italiana di Musicologia, vol. IX, 1974, bes. S. 168.
[2] Mainwaring/Mattheson, S. 55: „Von Rom aus ging er auf Neapolis, woselbst ... ihm ein Pallast zu Dienste stand, mit freyer Tafel, Kutsche, und aller übrigen Bequemlichkeit ..."
[3] Neuerdings werden die Kantaten HWV 81 „Alpestre monte" und HWV 135a „Nel dolce tempo", deren Entstehungsdaten nicht überliefert sind, infolge textlicher Bezüge mit Neapel in Zusammenhang gebracht (vgl. R. Strohm, a. a. O., S. 169, Anm. 77). E. Harris (Händel in Florenz. In: Händel-Jb., 27. Jg., 1981, S. 41 ff.) vermutet auf Grund von Wasserzeichenuntersuchungen, daß außerdem die Kantaten HWV 136a „Nell'africane selve", HWV 153 „Quando sperasti, o core" und HWV 161b „Sento là che ristretto" in Neapel entstanden seien.

HWV 447 Suite d-Moll für Cembalo: 3. Satz (Sarabande)
3. Che non può la gelosia
HWV 6 Agrippina: 2. La mia sorte fortunata
HWV 119 „Io languisco fra le gioje": 7. Io languisco
HWV 17 Giulio Cesare in Egitto: 34ª. Domerò la tua fierezza
HWV 70 Jephtha: 17. Freedom now once more possessing
5. Sibillar l'angui d'Aletto
HWV 5 Rodrigo: 5. Dell'Iberia al soglio invito
HWV 6 Agrippina: 21. Di timpani e trombe (Ritornello)
HWV 7ª Rinaldo (1. Fassung): 5. Sibillar gli angui d'Aletto
6. Benchè tuoni
HWV 9 Teseo: 26. Benchè tuoni
7. Non sempre, no, crudele
HWV 9 Teseo: 34. Non è da Re quel cor
9. Precipitoso nel mar che freme
HWV 51 Deborah: 25. Swift inundation
10. S'agità in mezzo all'onde[4]
HWV 99 „Da quel giorno fatale": 3. Lascia omai le brune vele
HWV 6 Agrippina: 10. Vaghe perle
HWV 7ª Rinaldo (1. Fassung): 31. È un incendio fra due venti (Vokalteil)
HWV 49ª Acis and Galatea: 4. Hush ye pretty warbling choir
HWV 73 Il Parnasso in festa: 19. Tra sentir di amene selve
12. Fra l'ombre e gl'orrori
HWV 30 Sosarme: 6. Fra l'ombre e gl'orrori
14. Se m'ami, oh caro
HWV 8ª Il Pastor fido (1. Fassung): 19. Se m'ami, oh caro
15. Dolce/Caro amico amplesso
HWV 28 Poro: 14. Caro/Dolce amico amplesso
17. Impara, ingrata
HWV 35 Atalanta: 4. Impara, ingrata
18. Del mar fra l'onde
HWV 83 „Arresta il passo": 11. Per abbatter il rigore (Ritornello)
HWV 119 „Io languisco fra le gioje": 8. Non più barbaro furore (Ritornello)
HWV 7ª Rinaldo (1. Fassung): Anhang 38ª. Solo dal brando
20. Chi ben ama ha per oggetti[5]
HWV 78 „Ah! crudel, nel pianto mio": Sinfonia
HWV 47 La Resurrezione: 29. Dia si lode in cielo
HWV 6 Agrippina: 4. L'alma mia fra le tempeste
HWV 7ª Rinaldo (1. Fassung): 10. Molto voglio
HWV 13 Muzio Scevola: 18. Si, sarà più dolce amore
HWV 29 Ezio: 12ª. Symfonia (T. 2/3)
HWV 55 L'Allegro, il Penseroso ed il Moderato:
30. These delights if thou canst give (T. 30 f.)
HWV 64 Joshua: 24. Heroes when with glory burning
HWV 468 Air A-Dur für Cembalo

Literatur

Chrysander I, S. 241 ff.; Dahnk-Baroffio, E.: Zu Aci e Galatea. In: Göttinger Händeltage 1966, Programmheft, S. 41 ff.; Deutsch, S. 26; Dean, S. 18, 164; Flower, p. 87 f./S. 68 f.; Herbage, S. 132 ff.; Hiekel, H.-O.: Einführung in Händels „Aci, Galatea e Polifemo" (1708). In: Göttinger Händelfestspiele 1961, Programmheft, S. 11 ff., Göttinger Händeltage 1966, Programmheft, S. 37 ff.; Lang, p. 65/S. 56; Leichtentritt, S. 312 ff.; Siegmund-Schultze, S. 28 f.; Schoelcher S. 22 ff.; Streatfeild, S. 43 f.; Windszus, W.: G. F. Händel. Aci, Galatea e Polifemo, Cantata. Acis and Galatea, Masque, sowie die zweisprachige Fassung von 1732, Serenata. Edition und Krit. Bericht. Phil. Diss. Hamburg 1975, maschinenschriftl., Druckausgabe Hamburg 1979.

Beschreibung des Autographs: Lbm: Catalogue Squire, S. 1.

[4] Nach einem melodischen Modell aus „Die römische Unruhe oder Die edelmütige Octavia" (Hamburg 1705) von R. Keiser (Arie der Octavia „Wallet nicht zu laut", II. Handlung, 6. Auftritt).

[5] Von Händel einem Duett M. A. Cestis bzw. einer Arie A. Scarlattis entlehnt, die beide den Text „Cara e dolce libertà" haben. Vgl. Chrysander I, S. 197 ff.

73. Il Parnasso in festa per gli sponsali di Teti e Peleo

Serenata in tre parti

Libretto: Verfasser unbekannt (englische Übersetzung: George Oldmixon)

Besetzung: Soli: 2 Soprani (Orfeo, Clio), Mezzosoprano (Apollo), 4 Alti (Calliope, Cloride, Eurilla, Euterpe), 2 Bassi (Proteo, Marte). Chor: C. I, II; A.; T.; B. Instrumente: Fl. trav. I, II; Ob. I, II; Fag; Cor. I, II; Trba. I, II; Timp.; V. I, II; Va.; Vc.; Cont.

ChA 54. – HHA II/30. – EZ: London, Frühjahr 1734. – UA: London, 13. März 1734, King's Theatre, Haymarket, anläßlich der Vermählung von Princess Anne mit dem Prinzen Wilhelm von Oranien.

Ouverture

A tempo ordinario, un poco allegro
Ob. I, II
V. I, II
Va.
Cont.
[= HWV 399 Sonata op. 5 Nr. 4 (2., 3.)]
2.
Più allegro
V. I, II
V. III, IV
Va.
Takt 27
98 Takte

(Gigue)

Allegro
Ob. I, II
V. I, II
Va.
Cont.
[vgl. HWV 389 Sonata op. 2 Nr. 4 (5.)]
61 Takte

Parte I

1. Aria. Clio

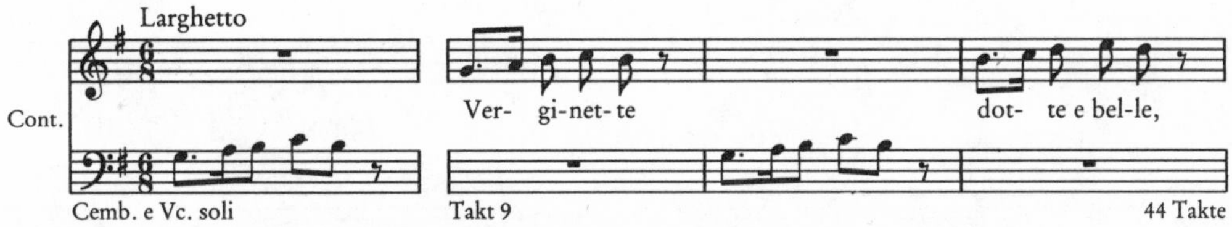
Larghetto
Cont.
Ver- gi-net- te
dot- te e bel-le,
Cemb. e Vc. soli
Takt 9
44 Takte

2. Coro. Apollo/Clio/Orfeo; Calliope/Cloride/Eurilla; T.; Proteo e B.

Corriamo pronti ad ubbi- dir, sia no- - -stro pre- gio
Ob. I, II
V. I, II
Va.
Cont.
Corriamo pronti ad ubbi- dir,
sia no- stro pre- gio
Corriamo pronti ad ubbi- dir,
27 Takte

Recitativo. Apollo; Clio; Calliope; Orfeo; Cloride; Eurilla; Proteo

Cont.
Germane, fi-glio a- mato,
22 Takte

3. Coro. Apollo; Clio/Orfeo; Calliope/Cloride/Eurilla; Ninfe; Proteo

Andante allegro
V. I, II
Ob. I, II
Fag.
V. I, II
Va.
Cont.
Apollo (Clio)
Deh! can-
Takt 17

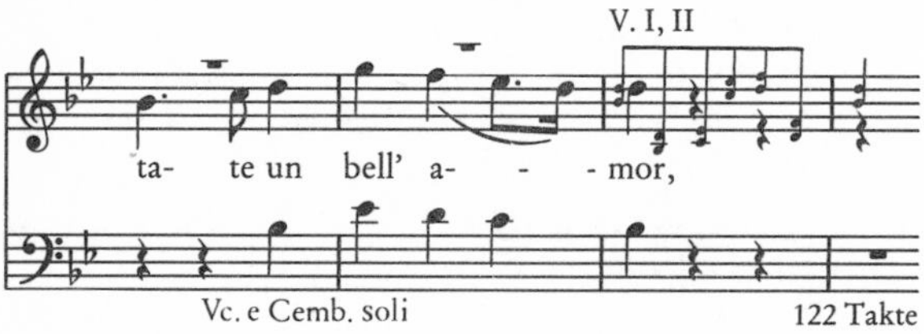

Recitativo. Apollo

4. Aria. Orfeo (Clio)

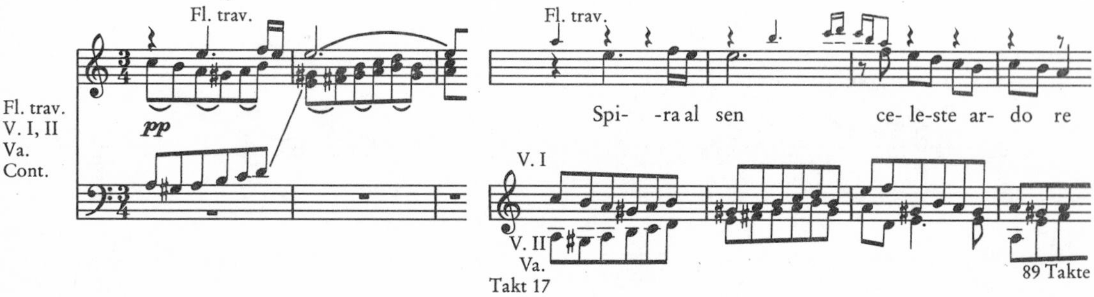

5. Aria. Apollo

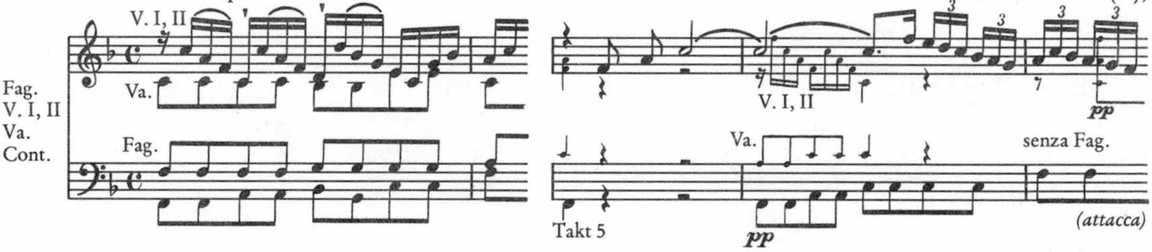

6. Coro. C.; A.; T.; B.

Recitativo. Clio

7. Aria. Clio

Recitativo. Apollo

8. Duetto. Clio; Apollo

vol- to hanno in te no-vo splen- dor,
63 Takte

Recitativo. Clio

Cont.
Ma di si bel- le fiam- me, ah,
10 Takte

9. Aria. Clio

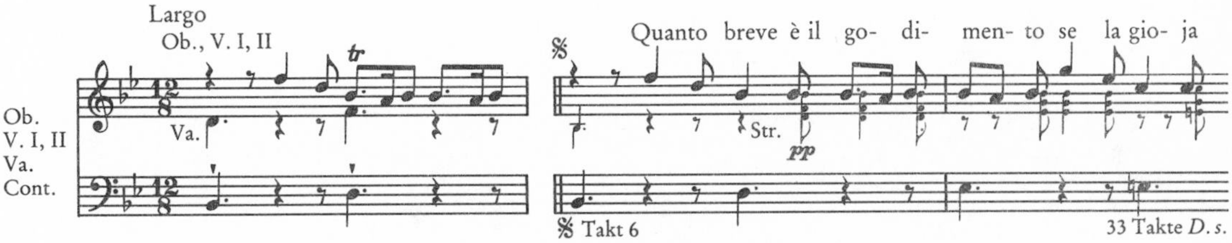
Largo
Ob., V. I, II
Ob.
V. I, II
Va.
Cont.
Va.
Quanto breve è il go- di- men- to se la gio- ja
Str.
pp
Takt 6
33 Takte D. s.

Recitativo. Apollo

Cont.
Vada in o- bli- o
12 Takte

10. Coro. Apollo/Clio/Orfeo; Calliope/Clori/Eurilla; T.; Proteo

Allegro ma non presto
Ob. I, II
Fag.
V. I, II
Va.
Vc.
Cont.
Ob., V.
Fag.
Va.
Vc.
Tutti Cbb. e Cemb.
Can-tia-mo a Bac- co
(con strom.)
(con Fag.)
Takt 5
Can- tia- mo a

in sì_ lie- to dì,
Bac- co in sì
42 Takte

11. Aria. Proteo

Allegro
V. I, II unis.
p
V. I, II
Cont.
Del Nu- me Li- e- o quel sa- -cro li-quor
50 Takte D. c.

12. Aria. Apollo (Clio)

Andante allegro
V. I, II
unis.
Cont.
Sciolga dunque al ballo, al canto
Takt 5
55 Takte D. c.

[vgl. HWV 8c Il Pastor fido (35., 38.)]

13. Soli e Coro. Clio; Orfeo; C.; A.; T.; B.

Tutti Ob. e V. I
Ob. I, II
Fag.
V. I, II
Va.
Cont.
V. II
Va.

[vgl. HWV 399 Sonata op. 5 Nr. 4 (3.)]

S'ac-cenda pur_ di fe- sta il cor,
Takt 9
110 Takte

14. Coro. C.; A.; T.; B.

Ob. I, II
V. I, II
Va.
Cont.
Re- pli- ca- ti al bal- lo, al can-to
Repli- ca- ti al ballo, al can-to
28 Takte

[vgl. HWV 8c Il Pastor fido (39.)]

Parte II

15. Soli e Coro. Apollo; Cloride; Eurilla; Clio; C.; A.; T.; B.

A tempo ordinario

Ob. I, II
V. I, II
Va.
Timp. scordati
Cont.

Tutti unis.
Apollo
p V.
Nel pet- -to sen- to un cer- -to ar-dor,
Takt 10

Coro, e tutti Ob.
Sa il no- stro can- - - - - to me- ri- tar.
Sa il no- stro can- to, sà il no- stro can- to me- ri- tar.
Takt 59
105 Takte

[Concerto: Basson]

Recitativo. Apollo

Cont.

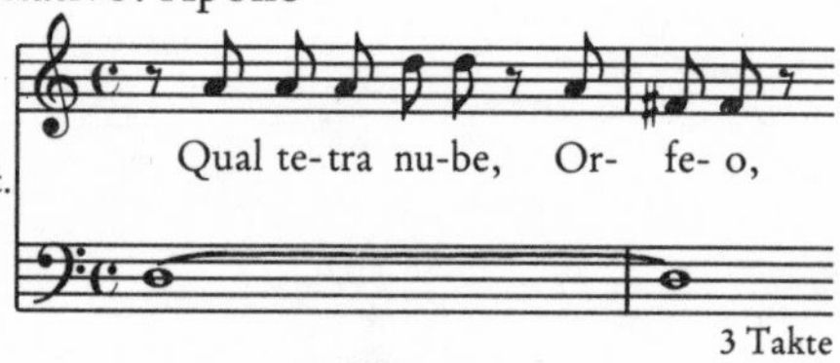
Qual te-tra nu-be, Or- fe- o,
3 Takte

16. Aria. Apollo

Allegro

V. I, II unis.
Cont.

Tor- ni pu-re
p
Takt 7

[= HWV 8c Il Pastor fido (2. Fassung) (15.)]

un bel splen- do- re,
67 Takte D. c.

Recitativo. Clio

Cont.

Ogn' u- no sie- gua, e go- di,
3 Takte

17. Aria. Clio

Fl. (trav.) I, II
V. I, II unis.
Cont.

V.
Nel spie- gar sua vo- - ce al can- to
Takt 21
167 Takte D. c.

Recitativo. Cloride (Silvio)

Cont.

E non s'u- diran mai
8 Takte

18. Coro. C.; A.; T.; B.

Ob. I, II
Fag.
Cor. I, II
V. I, II
Va.
Cont.

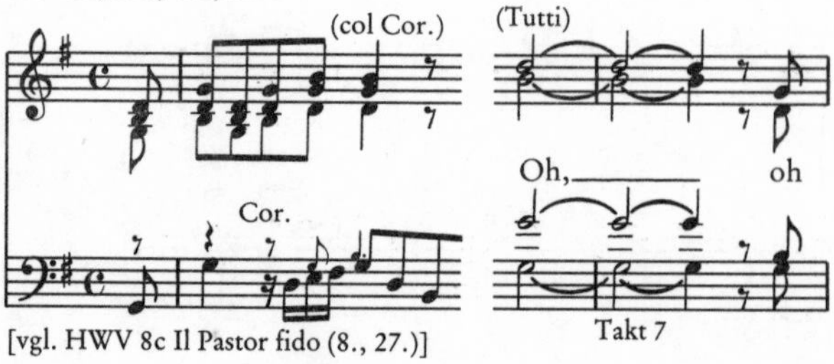
(col Cor.)
(Tutti)
Oh, oh
Cor.
Takt 7

[vgl. HWV 8c Il Pastor fido (8., 27.)]

86 Takte

19. Aria. Cloride

[vgl. HWV 46a Il Trionfo (26.)]

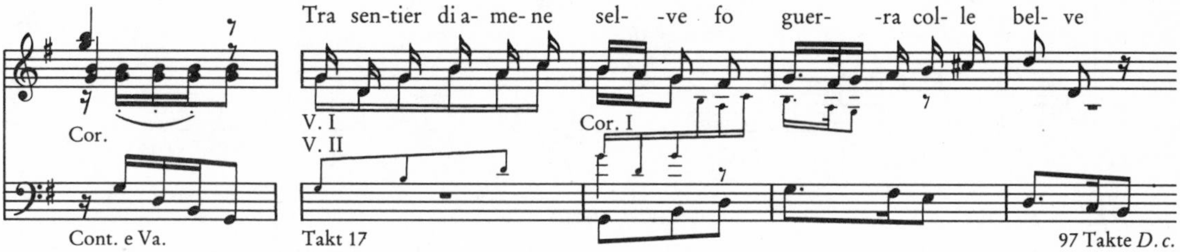

Takt 17

97 Takte *D. c.*

20. Coro. C.; A.; T.; B.

30 Takte

[Concerto per l'Hautbois]

Recitativo. Calliope (Clio)

6 Takte

21. Arioso. Calliope (Clio)

Takt 8

33 Takte

22. Recitativo accompagnato. Orfeo

10 Takte

23. Aria e Coro. Orfeo

[Solo: Violoncello]

Coro. C.;A.; T.; B.

[Solo: Violino]

Recitativo. Apollo

24. Duetto. Clio; Apollo

Recitative. Apollo

[Concerto per il Flauto]

25. Coro. C; A.; T.; B.

Parte III

26. Sinfonia

Recitativo. Marte

27. Solo e Coro. Basso; C I, II; A.; T.; B.

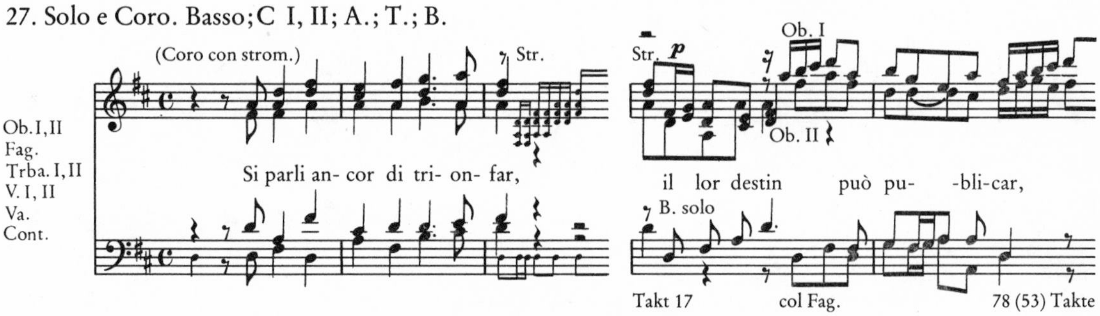
Ob. I, II
Fag.
Trba. I, II
V. I, II
Va.
Cont.
(Coro con strom.)
Str.
Str.
p
Ob. I
Ob. II
Si parli an- cor di tri- on- far,
il lor destin può pu- -bli-car,
B. solo
Takt 17
col Fag.
78 (53) Takte

Recitativo. Orfeo (Clio)

Cont.
Oh! stir- pe glo-ri- o- sa,
3 Takte

28a. Aria. Orfeo (Clio) (1737)

Larghetto
V. I, II
Va.
Vc. solo
Cont.
Vc. solo

Da sorgen- te ri- lu- cente un bel rio trae lo splen- dor,
Vc.
Takt 5
17 Takte D. s. (26 Takte)

28b. Aria. Orfeo

Andante larghetto
V. I, II
Va.
Cont.

[vgl. HWV 46a Il Trionfo del Tempo (19.)]

Da sor- gen-te ri- lu- cen- te
Takt 7
60 Takte D. c. (102 Takte)

Recitativo. Calliope (Silvio)

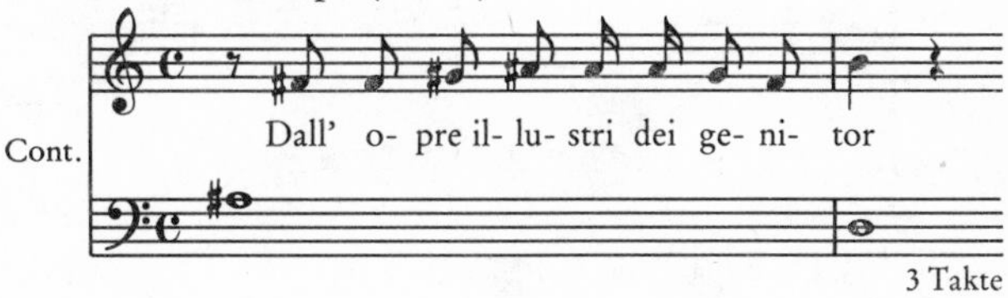
Cont.
Dall' o- pre il- lu- stri dei ge- ni- tor
3 Takte

29. Aria. Calliope (Silvio)

Come alla breve
V. I, II
unis.
Cont.
tr
p
Sem- pre a- spi- ra,
[Violino solo]
Takt 25
124 Takte

Recitativo. Apollo

Cont.
Del-le dot- ti ger-ma- ne
11 Takte

30. Aria e Coro. Apollo; Clio/Calliope; Cloride/Eurilla; T.; B.

Ob. I, II
Fag.
V. I, II
Va.
Cont.

[vgl. HWV 8c Il Pastor fido (21.)]

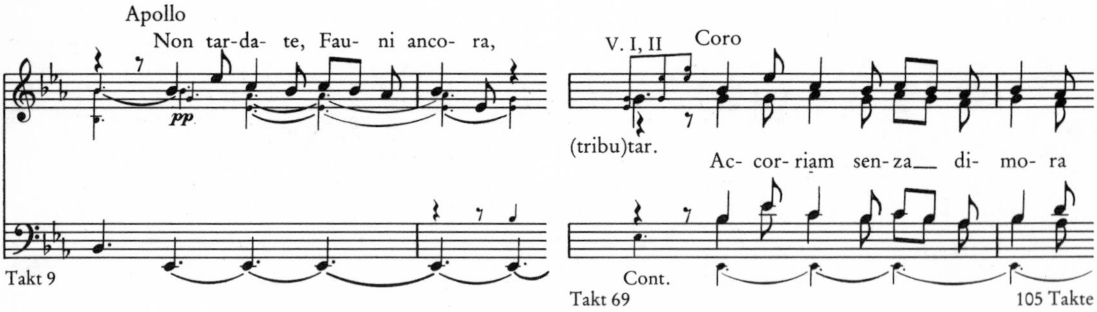
Apollo
Non tar-da- te, Fau- ni anco- ra,
pp
Takt 9
V. I, II
Coro
(tribu)tar.
Ac- cor- riam sen-za di- mo- ra
Cont.
Takt 69
105 Takte

Recitativo. Clio

Cont.
Sia de-gli eccel- si spo-si
4 Takte

31. Aria. Clio

p
con- da in lor vi-te le gra- zie fio- ri- te,
Takt 11
68 Takte D. c.

Recitativo. Euterpe

Cont.
Con un spir- to di- vo-to
4 Takte

32. Aria. Euterpe

Andante allegro
V. I, II
unis.
Cont.
Han mente e- ro- i- ca, han vol-to a- ma- bi- le,
[vgl. HWV 46a Il Trionfa del Tempo (3.)]
Takt 7
60 Takte D. c.

Recitativo. Apollo

Cont.
Di vir- tù, di va- lor,
7 Takte

33. Solo e Coro. Apollo; C.; A.; T.; B.

Allegro
Ob. I, II
Trba. I, II
V. I, II
Va.
Cont.
[vgl. HWV 263 Sing unto God (6.)]

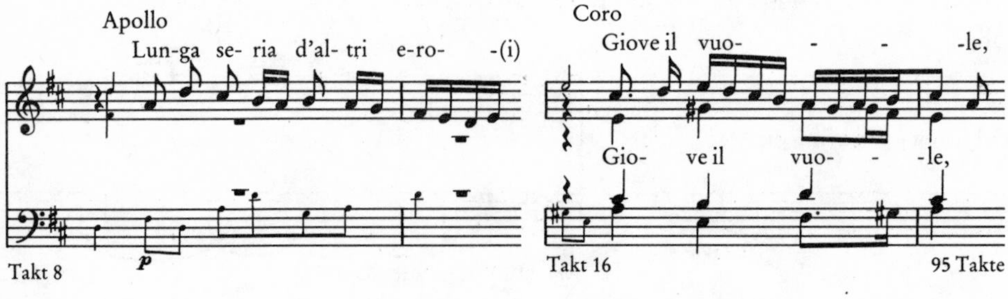
Apollo
Lun-ga se- ria d'al- tri e-ro- -(i)
p
Takt 8
Coro
Giove il vuo- - - -le,
Gio- ve il vuo- - -le,
Takt 16
95 Takte

Quellen

Handschriften: Autographe: GB Cfm (30 H 7, f. 63–69: Ouverture, 1. Satz, Nr. 19), Lbm (R. M. 20. d. 2., f. 17–23: Nr. 30; R. M. 20. g. 13., f. 33: Ouverture 1. Satz, in der Fassung für HWV 8^c; R. M. 20. h. 1., f. 56^v: Gigue).

Abschriften: D (brd) Hs (Direktionspartitur: $M\frac{A}{1038}$; Cembalopartitur: $M\frac{A}{1038^a}$) – GB Cfm (Barrett-Lennard-Collection; 31 F 7: Nr. 27, 18, 30, 33), Lbm (R. M. 18. e. 1.: „Parnasso in Festa per gli sponsali di Teti e Peleo. A Serenata"; R. M. 18. c. 4., f. 11^v–21^v: Nr. 18, f. 23^r–38^r: Nr. 16, 30, 23, f. 43^r bis 44^v: Nr. 12, f. 49^r–60^r: Nr. 25, 5; R. M. 18. c. 8., f. 125^r–135^v: Ouverture „alter'd from Athalia", f. 153^r–172^v: Nr. 26, 19, 33; R. M. 19. d. 11., f. 46^r bis 47^v: Nr. 14).

Drucke: Ouverture: Six overtures fitted to the harpsicord or spinnet . . Eighth collection. – London, J. Walsh; Six overtures for violins &c. in eight parrs from the operas and oratorios . . . Eighth collection. – London, J. Walsh; A second set of XX overtures from M[r] Handel's operas & oratorios for violins in four parts . . . – London, J. Walsh.

Libretto: The Feast of Parnassus, for the nuptial of Thetis and Peleus. A serenade . . . Done into English by Mr George Oldmixon. – London, T. Wood, 1734 (Ex.: F Pc); — ib., 1741 (Ex.: GB Lbm).

Bemerkungen

„Il Parnasso in festa" entstand, zusammen mit dem Wedding Anthem HWV 262, 1734 als Hochzeitsserenade zu den Feierlichkeiten anläßlich der Vermählung von Princess Anne, Händels Schülerin, mit dem Prinzen Wilhelm von Oranien.

Das Werk stellt einen Beitrag Händels[1] zur *Festa teatrale* (oder *Azione teatrale*) dar, einer Gattung halbdramatischer Festspiele in (meist) italienischer Sprache, die sich im 17. und 18. Jahrhundert an den Fürstenhöfen des europäischen Kontinents zur Verherrlichung aristokratischer Festlichkeiten entwickelt hatte. Sie diente mit ihrem in der Regel mythologischen Texthintergrund unter allegorischer Bezugnahme auf den Anlaß, zu dem sie geschrieben wurde, ausschließlich der Repräsentation.

Der italienische Text eines unbekannten Verfassers hat die oft besungene Hochzeit der schönen Meeresnymphe Thetis mit dem thessalischen Helden Peleus zum Inhalt, aus deren Ehe später Achilles hervorging. Das Werk wurde im Londoner *Daily Journal* vom 11. März 1734 (s. Deutsch, S. 539 f.) folgendermaßen angekündigt: „On Wednesday, 13th instant, will be perform'd *Parnasso in Festa*: or Apollo and the Muses celebrating the Nuptials of Thetis and Peleus; a Serenata. Being an essay of several different sorts of harmony." Darauf folgt eine Beschreibung der szenischen Disposition der Aufführung:: „We hear, amongst other publick Diversions, that are prepared for the Solemnity of the approaching Nuptials, there is to be perform'd at the Opera House in the Hay-Market, on Wednesday next, a Serenata, call'd, *Parnasso in Festa*. The Fable is, Apollo and the Muses, celebrating the Marriage of Thetis and Peleus. There is one standing Scene which is the Mount Parnassus[2], on which sit Apollo and the Muses, assisted with other proper Characters, emblematically dress'd, the whole Appearance being extremely magnificent. The Musick is no less entertaining, being contrived with so great a Variety, that all Sorts of Musick are properly introduc'd in single Songs, Duetto's, &c., intermix'd with Chorus's, some what in the Style of Oratorios. People have been waiting with Impatience for this Piece, the celebrated Mr. Handel having exerted his utmost Skill in it."

Die Besetzung der Uraufführung am 13. März 1734 (Wiederholungen am 16., 19., 23. und 26. März) war: Apollo: Giovanni Carestini, Orfeo: Carlo Scalzi, Clio: Anna Strada del Pò, Calliope: Margherita Durastanti, Cloride: Maria Caterina Negri, Euterpe: Rosa Negri, Marte: Gustav Waltz. Das Werk wurde am 9. und 18. März 1737 in Coventgarden (mit Francesca Bertolli als Clio und vermutlich Domenico Annibali als Apollo sowie William Savage in der neuen Rolle des Silvio), am 8. November 1740 in Lincoln's-Inn-Fields und am 14. März 1741 im Haymarket Theatre wiederholt.

Da es kein vollständiges Autograph des Werkes gibt, liegen keine genauen Entstehungsdaten vor. Händel adaptierte die meiste Musik für „Il Parnasso in festa" aus dem Oratorium HWV 52 Athalia, das in London noch unbekannt war. Mehrere Sätze wurden gleichzeitig in die Neubearbeitung von HWV $8^{b,c}$ Terpsicore/Il Pastor fido eingegliedert, die für die gleiche Spielzeit im Coventgarden-Theater vorbereitet wurde; zwei Sätze stammen aus HWV 46^a Il Trionfo del Tempo e del Disinganno. Zusätzlich schrieb Händel eine Reihe von neuen Sätzen für „Il Parnasso in festa" (Nr. 12/14, 16, 18/20, 22, 30 und 33), die er gleichmäßig über alle drei Akte des Werkes verteilte, um eine entsprechende Abrundung des musikalischen Ausdrucks zu erzielen, wo ihm die ältere Musik nicht geeignet schien. Die Namen der einzelnen Personen des Stückes wurden erst nach der Anfertigung der Direktionspartitur endgültig festgelegt[3], die von Smith senior aus dem Autograph von „Athalia" und

[1] Vergleichbare Werke liegen in HWV 35 Atalanta (1736) und dem Pasticcio „Jupiter in Argos" (1739) vor, obwohl letzterem Werk der konkrete Anlaß fehlt. Vgl. Strohm, R.: Händel und seine italienischen Operntexte. In: Händel-Jb., 21./22. Jg., 1975/76, S. 101 ff., bes. S. 141 f. und 147.

[2] Im Libretto heißt es dazu genauer: „Mount Parnassus with Fountains, Groves, Rivulets, Grottos, &c.; Apollo surrounded by the Muses and Orpheus, Mars, Nymphs, and Shepherds."

[3] Die Namen von Eurilla und Proteo wurden vor der Drucklegung des Librettos wieder gestrichen und die betreffenden Textstellen der letzteren Partie an Mars (Marte) übertragen.

einem nur bruchstückhaft erhaltenen Autograph für die neuen Sätze [GB Cfm (30 H 7), Lbm (R. M. 20. d. 2.)] zusammengestellt wurde, während Händel selbst die Noten der Rezitative schrieb, die Anpassung der Texte an mehrere der alten Sätze sowie die entsprechende Veränderung der Vokalstimmen vornahm und die Partitur in einzelnen Instrumentalpartien vervollständigte.

Für die Wiederholungen des Werkes (s. o.) lassen sich in der Direktionspartitur u. a. folgende Änderungen nachweisen: Als instrumentale Einleitung war zunächst die Erstfassung der „Athalia"-Symphony vorgesehen, die jedoch kurz vor der Uraufführung durch die eigentliche Ouverture ersetzt wurde, die später auch in „Athalia" erklang. Die Gigue der Ouverture, die ursprünglich für „Athalia" bestimmt war[4], kam erst 1737 hinzu (s. Clausen, S. 192). In dieser Spielzeit wurde die Rolle des Apollo für einen neuen Sänger (vermutlich Annibali) eingerichtet und verschiedene Sätze tiefer transponiert sowie die Soli Nr. 3 und 12 in die Partie der Clio übertragen, die außerdem einige Soli der Calliope erhielt. Die Partie der Euterpe wurde gestrichen.

1740/41 sang der Soprankastrat Andreoni vermutlich den Apollo; weiterhin sind William Savage in der neu eingeführten Rolle des Silvio (diese Figur wurde aus der Neubearbeitung HWV 49[b] von „Acis und Galatea" entlehnt) und der Tenor Corfe (Orfeo) als Mitwirkende belegt. Die fünf eingelegten Instrumentalsoli, die in der Direktionspartitur nicht näher spezifiziert sind, könnten sich auf Sätze der Concerti grossi op. 3 beziehen, die nachweislich während der Trauungsfeierlichkeiten in der Chapel Royal gespielt wurden[5] und eine reiche Auswahl an Besetzungsmöglichkeiten bieten, die alle in der Direktionspartitur genannten Instrumente für die Einlagen einbeziehen.

Daß die Musik von „Il Parnasso in festa" zum überwiegenden Teil aus der „Athalia"-Partitur entnommen wurde, war schon Charles Burney (s. Lit.) bekannt, der die meisten Entlehnungen identifizieren konnte. Im einzelnen lassen sich folgende Sätze mit früheren Kompositionen Händels in Verbindung bringen oder in anderen Werken nachweisen:

Ouverture
  HWV 52 Athalia: Ouverture
Ouverture — 1. Satz (A tempo ordinario, un poco allegro)
  HWV 399 Sonata G-Dur op. 5 Nr. 4: 2. Satz (A tempo ordinario/Allegro non presto)
Gigue
  HWV 389 Sonata F-Dur op. 2 Nr. 4: 5. Satz (Allegro $\frac{12}{8}$-Takt)

1. Verginette dotte e belle
  HWV 52 Athalia: 1. Blooming virgins
2. Corriamo pronti ad ubbidir
  HWV 52 Athalia: 13. The traitor if you there descry
3. Deh! cantate un bell'amor
  HWV 52 Athalia: 3. Tyrants would in impious throngs
4. Spira al sen
  HWV 52 Athalia: 12. Softest sounds
5. Gran tonante
  HWV 52 Athalia: 28. Jerusalem, thou shalt no more
  HWV 8[b] Terpiscore: 2. Gran tonante
  HWV 400 Sonata g-Moll op. 5 Nr. 5: 3. Satz (Larghetto)
6. Già vien da lui il nostro ben
  HWV 52 Athalia: 24. The clouded scene begins to clear/Rejoice, oh Judah, in thy God
7. Con un vezzo lusinghiero
  HWV 52 Athalia: 30[a]. Soothing tyrant
8. Sin le grazie nel bel volto
  HWV 52 Athalia: 35[a]. Joys in gentle trains appearing
9. Quanto breve è il godimento
  HWV 52 Athalia: 14. Faithful cares in vain expended
10. Cantiamo a Bacco
  HWV 52 Athalia: 10. Cheer her, o Baal
11. Del Nume Liceo
  HWV 52 Athalia: 19. Ah, canst thou but prove me
  HWV 262 „This is the day which the Lord hath made": 6. Her children arise up
12. Sciolga dunque al ballo, al canto
  HWV 8[c] Il Pastor fido (2. Fassung): 35. Sciolga dunque; 38. Ballo
13. S'accenda pur di festa il cor
  HWV 399 Sonata G-Dur op. 5 Nr. 4: 3. Satz (Passacaille)
  HWV 12[a] Radamisto (1. Fassung): Passacaille
  HWV 8[b] Terpsicore: 5. Chaconne
14. Replicati al ballo
  HWV 8[c] Il Pastor fido (2. Fassung): 39. Replicati al ballo
15. Nel petto sento
  HWV 52 Athalia: 2. The rising world
16. Torni pure[6]
  HWV 52 Athalia: 30[b]. Happy Judah (Fassung 1756)
  HWV 8[c] Il Pastor fido (2. Fassung): 15. Torni pure
17. Nel spiegar
  HWV 52 Athalia: 18[a]. Through the land so lovely blooming

[4] Sie befindet sich am Schluß des „Athalia"-Autographs (GB Lbm, R. M. 20. h. 1., f. 56[v]).

[5] Vgl. dazu Hudson, F.: Sechs Concerti grossi op. 3, HHA, Serie IV, Bd. 11, Vorwort und Kritischer Bericht, Kassel und Leipzig 1963.

[6] Aus „Il Parnasso in festa" in „Athalia" 1756 übernommen. Als Quelle diente Händel dabei die Kantate 69 (Arie „Flüchtige Schatten, nichtige Götzen") aus G. Ph. Telemanns Kantatenjahrgang „Der Harmonische Gottesdienst" (Hamburg 1725/26). Vgl. G. Ph. Telemann, Musikalische Werke, Bd. V, Kassel 1957, S. 564.

HWV 262 „This is the day which the Lord hath made“: 3. A good wife
HWV 8^b Terpsicore: 3. Di Parnasso i dolci accenti

18./20. Oh quanto bella gloria
HWV 8^c Il Pastor fido (2. Fassung): 8./27. Oh quanto bella gloria
HWV 71 The Triumph of Time and Truth: 12. Oh, how great the glory

19. Tra sentir di amene selve
HWV $46^{a,b}$ Il Trionfo del Tempo e del Disinganno/della Verità: 26. bzw. 30. Ricco pino (Ritornello)
HWV 99 „Da quel giorno fatale“: 3. Lascia omai le brune vele
HWV 72 Aci, Galatea e Polifemo: 10. S'agità in mezzo all'onde
HWV 74 Birthday Ode: 3. Let all the winged race (Ritornello)
HWV 71 The Triumph of Time and Truth: 18. Melancholy is a folly (Ritornello)

21. Già le furie vedo ancor
HWV 52 Athalia: 33. Hark! his thunders round me roll
HWV 71 The Triumph of Time and Truth: 29. Like clouds, stormy winds/Hark, the thunders round me roll

23. Ho perso il caro ben/S'unisce al tuo martir
HWV 52 Athalia: 6^a. O Lord whom we adore/Hear from thy mercy seat
HWV 8^c Il Pastor fido (2. Fassung): 32. S'unisce al tuo martir

24. Cangia in gioia
HWV 52 Athalia: 23. Cease thy anguish
HWV 38 Berenice: Ouverture, 3. Satz (Andante larghetto)

25. Coralli e perle
HWV 52 Athalia: 9^a. The gods who chosen blessings shed
HWV 8^b Terpsicore: 1. I nostri cori; 14. Cantiamo lieti

26. Sinfonia
HWV 52 Athalia: 31. Around let acclamations ring

27. Si parli ancor di trionfar
HWV 52 Athalia: 31. Around let acclamations ring
HWV 62 Occasional Oratorio: 18. May God from whom all mercies spring

27. Il lor destin (T. 17ff.)
HWV 52 Athalia: 4. When stroms the proud

28^a. Da sorgente rilucente
HWV 52 Athalia: 11. Gentle airs, melodious strains
HWV 262 „This is the day which the Lord hath made“: 2. Blessed is the man

28^b. Da sorgente rilucente
HWV 46^a Il Trionfo del Tempo e del Disinganno: 19. Io vorrei due cori in seno

29. Sempre aspira
HWV 52 Athalia: 15. Gloomy tyrants

30. Non tardate, Fauni ancora
HWV 8^c Il Pastor fido (2. Fassung): 21. Accorrete, o voi pastori
HWV 67 Solomon: 25. Beneath the vine
HWV 71 The Triumph of Time and Truth: 13. Dryads, Sylvans with fair Flora

31. Circonda in lor vite
HWV 134 „Nel dolce dell'oblio“: 2. Ha l'inganno il suo diletto
HWV 5 Rodrigo: Ouverture, Bourrée I
HWV 6 Agrippina: 49. V'accendano le tede
HWV 52 Athalia: 21^a. My vengeance awakes me
HWV 262 „This is the day which the Lord hath made“: 4. Strength and honour

32. Han mente eroica
HWV $46^{a,b}$ Il Trionfo del Tempo: 3. bzw. 4. Se la Bellezza
HWV 47 La Resurrezione: 18. Risorga il mondo
HWV 6 Agrippina: Anhang 1^a. Sarà qual vuoi; Anhang 44. Esci, o mia vita
HWV 71 The Triumph of Time and Truth: 5. The Beauty smiling

33. Lunga seria
HWV 263 „Sing unto God“: 6. And let all the people say

Literatur

Burney IV, S. 786ff.; Chrysander II, S. 319ff.; Clausen, S. 191ff.; Dean, S. 259f.; Deutsch, S. 359ff.; Flower, p. 222f./S. 198f.; Hicks, A.: Handel and „Il Parnasso in festa“. In: The Musical Times, vol. 112, 1971, S. 339f.; Lang, p. 249/S. 224; Leichtentritt, S. 748ff.; Schoelcher, S. 163f.; Siegmund-Schultze, S. 103f.; Streatfeild, S. 132.

Beschreibung der Autographe: Lbm: Catalogue Squire, S. 45, 93. – Cfm: Catalogue Mann, Ms. 257, S. 174

74. Eternal source of light divine

Serenata (Ode) for the Birthday of Queen Anne

Libretto: Ambrose Philips

Besetzung: Soli: Sopr., Alto (o Ten.), Basso. Chor: Coro I: C. I; A. I; T. I; B. I; Coro II: C. II; A. II; T. II; B. II. Instrumente: Ob. I, II; Trba. I, II; V. I, II; Va.; Cont.

ChA 46a. – HHA I/6. – EZ: London, Anfang 1713, Revision 1714. – UA: Windsor Castle, St. James's Palace, vermutlich am 6. Februar 1714 (Datum nicht nachweisbar)

1. Solo. Alto

Trba.
V. I, II
Va.
Cont.
V. I
V. II
Va.
Trba.
E- ter- - - - - - - - nal source,
38 Takte

2. Solo e Coro. Alto; C.; A.; T.; B.

Ob. I, II
Trba. I, II
V. I, II
Va.
Cont.
Allegro
Alto solo
The day that gave great An-na birth, who fix'd a
Takt 4

last- ing peace on earth,
The day that gave great An-na birth, who fix'd a last-
a last- - - - - - ing
The day that gave great An-na birth, who fix'd a
The day that gave great An-na birth, who fix'd a
Takt 25

- ing peace on earth,
peace, a last- - - -(ing)
last- ing peace,
last- ing peace on earth,
62 Takte

3. Solo e Coro. Sopr.; C.; A.; T.; B.

Ob. I, II
V. I, II
Va.
Cont.
Va.

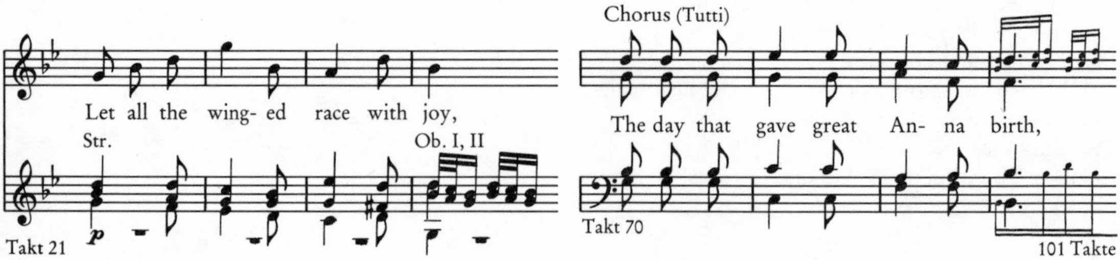
Let all the wing- ed race with joy,
Str.
Ob. I, II
Takt 21
Chorus (Tutti)
The day that gave great An- na birth,
Takt 70
101 Takte

4a. Soli e Coro. Sopr.; Alto; C.; A.; T.; B.

4b. Solo. Tenore

5. Duetto e Coro. Alto; Basso; C.; A.; T.; B.

6. Duetto. Sopr.; Alto

7. Duetto e Coro. Sopr.; Alto; C.; A.; T.; B.

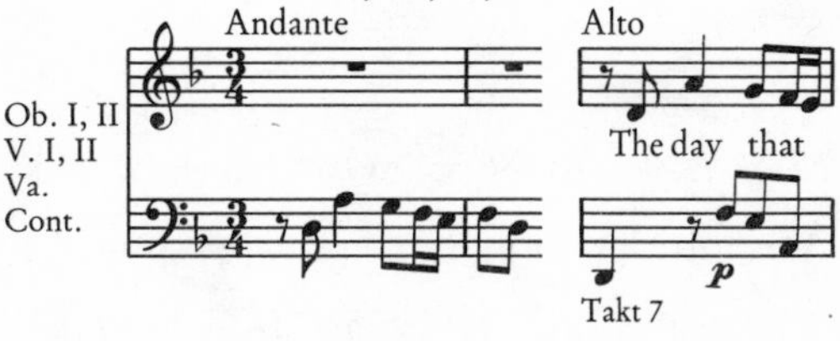

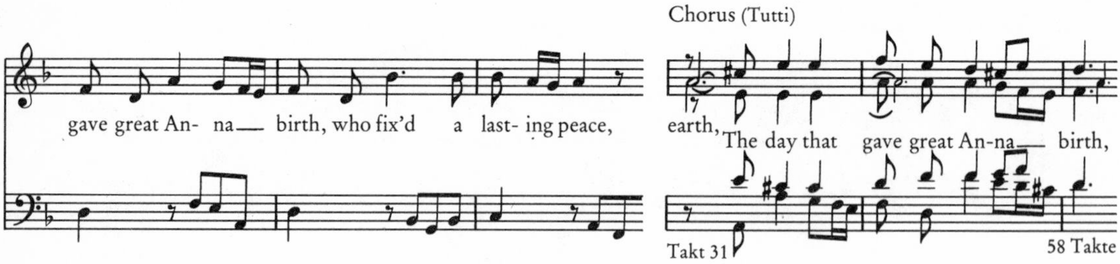
Chorus (Tutti)
gave great An- na birth, who fix'd a last- ing peace,
earth,
The day that gave great An-na birth,
Takt 31
58 Takte

8. Solo e Coro. Basso;
C.; A.; T.; B.

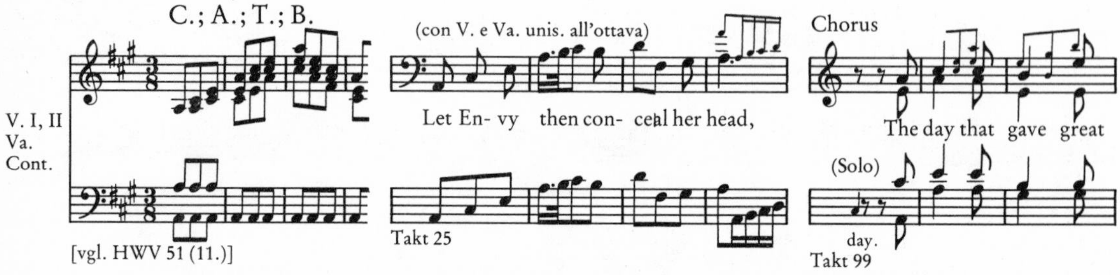
V. I, II
Va.
Cont.
(con V. e Va. unis. all'ottava)
Let En- vy then con- ceal her head,
Chorus
The day that gave great
(Solo)
day.
[vgl. HWV 51 (11.)]
Takt 25
Takt 99

9. Solo e Coro. Alto; Coro I; Coro II

An- na birth,
120 Takte
Ob. I, II
Trba. I, II
V. I, II
Va.
Cont.
U- nit- ed na-tions shall com-
Takt 9

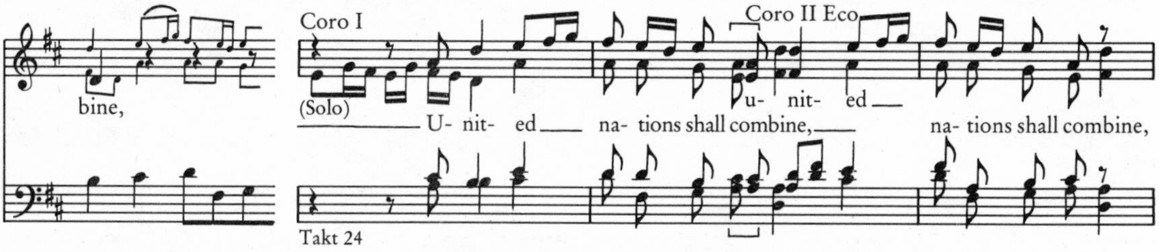
bine,
Coro I
Coro II Eco
(Solo)
U- nit- ed na- tions shall combine,
u- nit- ed
na- tions shall combine,
Takt 24

The day that gave great An-na birth, who fix'd a last- -ing peace on earth,
a- last- - - - - - - -ing peace, a last- - -(ing)
The day that gave great An-na birth, who fix'd a last- ing peace
peace on earth
Takt 38
75 Takte

Quellen

Handschriften: Autograph: GB Lbm (R. M. 20. g. 2.). Abschriften: D (brd) Hs (Direktionspartitur M $\frac{C}{265}$; Direktionspartitur nach 1759 M $\frac{C}{183}$) – GB Cfm (23 G 8; Barrett-Lennard-Collection, vol. 10, Miscellanys, Mus. MS. 798, f. 166–187), Lbm (R. M. 19. c. 1., mit HWV 315 op. 3 Nr. 4 als Einleitung; Add. MSS. 35 347), Malmesbury Collection, Shaftesbury Collection (v. 13, mit HWV 315) – US Cu (Ms. 437, vol. 10, 23, 24, St. für Basso I, Bassone II,

Trba. II), NBu (X Fo. M 1510. H 14033), PRu (Hall-Handel-Collection), Wc (M 2.1. H 2 case, vol. 2–15, St. für C. I, II, A. I, II, T. I, II, B. II, Ob. I, II, V. I, II, Vc., Org., mit HWV 315 op. 3 Nr. 4), Ws (St. für Trba. I).

Druck: An Ode or Serenata for the Birth Day of Queen Ann composed in the year 1713 by G. F. Handel. – London, Arnold's edition, No. 54 (1789).

Bemerkungen

Die „Ode for the Birthday of Queen Anne" gehört zu den ersten Kompositionen in englischer Sprache, die Händel nach seiner Übersiedlung nach England (Herbst 1712) schrieb. Vorher hatte er englische Texte nur in zwei kurzen Kantatensätzen (HWV 85) und im Te Deum und Jubilate (HWV 278 und 279) anläßlich des Friedens von Utrecht (1712/13) vertont.

Die „Birthday Ode" gehört zur Gattung der sogenannten *Court Ode*, einer Art Gelegenheitskomposition größeren oder kleineren Stils für alle möglichen festlichen Ereignisse (u. a. auch für St. Cecilia's Day). Ursprünglich in Frankreich entstanden, hatte diese Gattung seit der Restauration auch in England eine Tradition entwickelt, der sich Händel bewußt anschloß (s. St. Lincoln).

Händel wurde vermutlich von Lord Burlington, bei dem er seit Frühjahr 1713 zu Gast war, am Hofe eingeführt; er komponierte das Werk auf Worte von Ambrose Philips, dessen Urheberschaft am Text Charles Jennens überlieferte (s. W. Dean). Die genaue Entstehungszeit der Komposition ist nicht bekannt, da Händel im Autograph keine Daten vermerkte. Es wird jedoch heute angenommen, daß das Werk nicht vor dem 6. Februar 1714, dem 49. Geburtstag der Königin Anna, aufgeführt worden sein kann. Seine Entstehung ist auf Anfang 1713 (Revision 1714) zu datieren.

Händel vermerkte im Autograph folgende Sängernamen: Richard Elford (Eilfurt), Contertenor (Nr. 1, 2, 4^b^, 9), Anastasia Robinson, Sopran (Nr. 3, 6, 7, 9), Jane Barbier, Alt (Nr. 4^a^, 6, 7), Francis Hughes, Alt (Nr. 5), Samuel Weely, Baß (Nr. 5), Bernard Gates, Baß (Nr. 8)[1].

Die meisten Sätze der „Birthday Ode" verwendete Händel später wieder in anderen Kompositionen; für einige Sätze lassen sich auch motivische Wurzeln in früher entstandenen Werken feststellen:

2. The day that gave great Anna birth
   HWV 48 Brockes-Passion: 38. Ein jeder sei ihm untertänig
   HWV 252 „My song shall be alway": Sinfonia
   HWV 314 Concerto grosso G-Dur op. 3 Nr. 3: 1. Satz (Allegro)
   HWV 51 Deborah: 1. And grant a leader to our host
3. Let all the winged race (Ritornello)
   HWV 46^a^ Il Trionfo del Tempo e del Disinganno: 26. Ricco pino (Ritornello)
   HWV 46^b^ Il Trionfo del Tempo e della Verità: 30. Ricco pino (Ritornello)
   HWV 73 Il Parnasso in festa: 19. Trà sentir di amene selve (Ritornello)
   HWV 71 The Triumph of Time and Truth: 18. Melancholy is a folly (Ritornello)

4^a,b^. Let flocks and herds
   HWV 83 „Arresta il passo": 10. Non si può dar
   HWV 12^b^ Radamisto (2. Fassung): Anhang (3^b^.) L'ingrato non amar
   HWV 17 Giulio Cesare in Egitto: 13. Tu la mia stella sei; Anhang (13.) Di te compagna fide

5. Let rolling streams (Ritornello)
   HWV 50^b^ Esther (2. Fassung): 30. Through the nation he shall be
   HWV 333 Concerto a due Cori F-Dur: 5. Satz (Allegro ma non troppo)
5. The day that gave great Anna birth (T. 56 ff.)
   HWV 50^b^ Esther (2. Fassung): 30. All applauding crowds (Chorus)
6. Kind Health descends
   HWV 50^b^ Esther (2. Fassung): 18. Blessings descend on downy wings
7. The day that gave great Anna birth
   HWV 233 „Donna che in ciel": 5. Maria, salute e speme
   HWV 355 Aria c-Moll für Streicher
   HWV 49^b^ Acis and Galatea (2. Fassung): 11. Contento sol promette Amor
8. Let Envy then conceal her head
   HWV 254 „O praise the Lord with one consent": 4. That God is great
   HWV 51 Deborah: 11. Awake the ardour of thy breast

Literatur

Chrysander I, S. 385 ff.; Clausen, S. 180 f.; Dean, W.: Charles Jennens's Marginalia to Mainwaring's Life of Handel. In: Music & Letters, vol. 53, 1972, S. 160 ff.; Lincoln, St.: Handel's Music for Queen Anne. In: The Musical Quarterly, vol. 45, 1959, S. 191 ff.; Picker, M.: Handeliana in the Rutgers University Library. In: The Journal of the Rutgers University Library, vol. 29, Dec. 1965, No. 1, S. 1 ff., bes. S. 8, 10 f.; McGuinness, R.: English Court Odes 1660–1820, Oxford 1971; Siegmund-Schultze, W.: Ode für den Geburtstag der Königin Anna (Friedens-Ode), HHA, Serie I, Bd. 6, Kritischer Bericht, Leipzig und Kassel 1962.

Beschreibung des Autographs: Lbm: Catalogue Squire, S. 55. – Siegmund-Schultze, HHA I/6, Krit. Bericht, S. 7.

[1] Elford, Hughes, Weely und Gates waren Mitglieder der Chapel Royal; Gates leitete später den Knabenchor der Kapelle und wirkte mit diesem in den meisten Oratorien Händels mit.

75. Alexander's Feast or The Power of Musick

Ode in Honour of St. Cecilia in two parts von John Dryden

Textfassung: Newburgh Hamilton

Besetzung: Soli: Sopr., Alto, Ten., Basso. Chor: C. I, II; A.; T. I, II; B. I, II. Instrumente: Fl. I, II; Ob. I, II; Fag. I, II, III; Cor. I, II; Trba. I, II; Timp.; V. I, II, III; Va. I, II; Vc.; Org.; Cont. ChA 12. – HHA I/1. – EZ: London, Part I beendet am 5. Januar, Part II beendet am 17. Januar 1736. – UA: London, 19. Februar 1736, Theatre Royal, Coventgarden

Part I

Ouverture

Ob. I, II
V. I, II, III
Va.
Cont.

Recitative. Ten.

Cont.

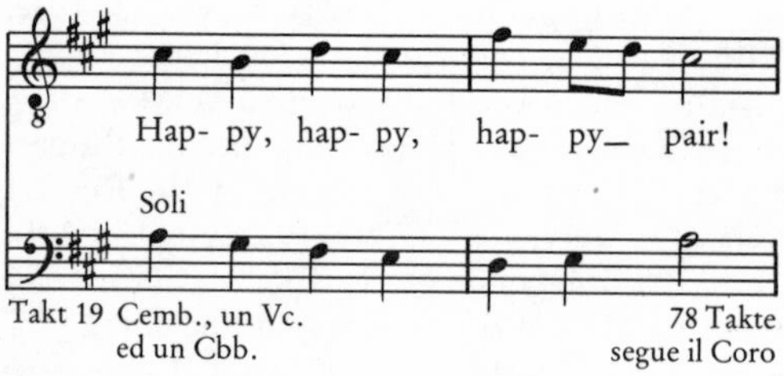

1. Air. Ten.

Allegro ma non troppo e staccato

Ob. I, II
V. I, II
Va.
Cont.

2. Chorus. Sopr.; Ten.; C.; A.; T.; B.

Ob. I, II
V. I, II
Va.
Cont.

A.
B. Recitative. Ten.
C.

Cont.

3. Accompagnato. Sopr.

V. I, II
Va.
Cont.

4. Chorus. C. I, II; A.; T. I, II; B. I, II

5. Air. Sopr.

A.
B. Recitative. Basso/Ten.

6. Air and Chorus. Basso

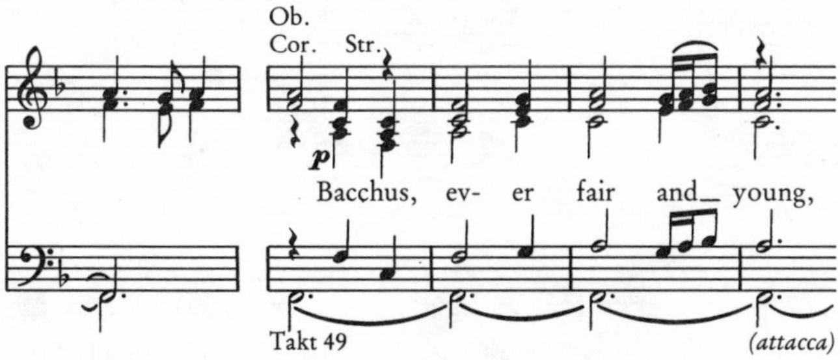

Chorus. A.; T.; B.

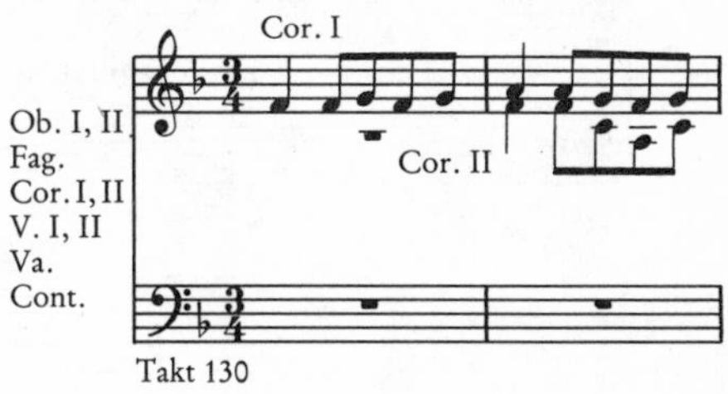

Recitative. Ten.

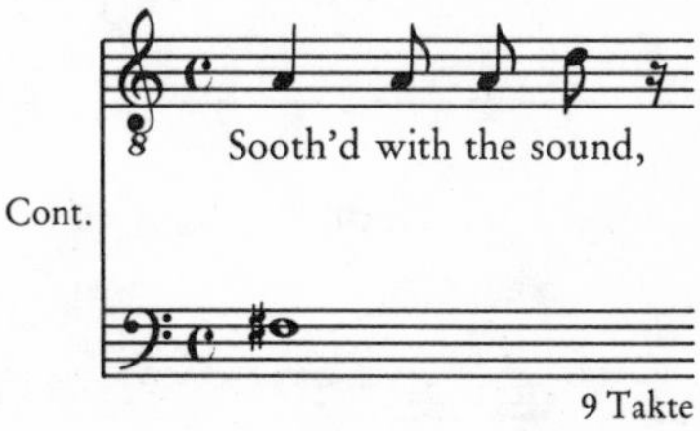

7a, b. Accompagnato. Sopr. (Alto)

8a, b. Air. Sopr. (Alto)

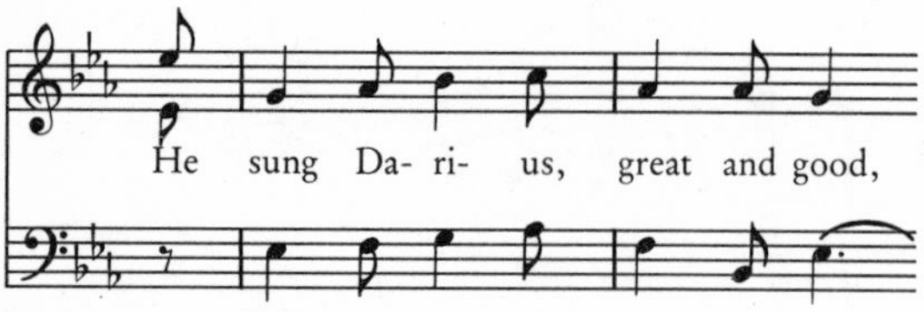
He sung Da- ri- us, great and good,

Takt 16

Largo e piano

De- sert- ed at his ut- most need
3
3

Takt 33 (75)

a: 92 Takte *D. s.* (T. 12)
b: 44 Takte

9a, b. Accompagnato. Sopr. (Alto)

V. I, II
Va.
Cont.

With downcast looks the joy-less vic-tor sate,

10 Takte

10. Chorus. C.; A.; T.; B.

Larghetto

Ob. I, II
Fag. I, II
V. I, II
Va.
Cont.

Str.
Fag. I, II

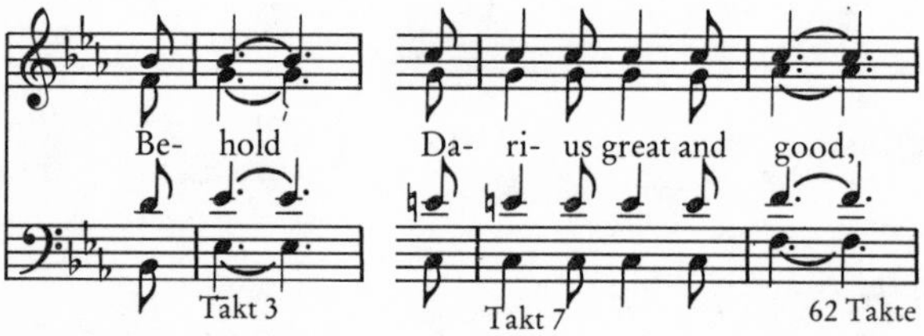
Be- hold
Da- ri- us great and good,

Takt 3 Takt 7 62 Takte

A. Recitative. Ten.

Cont.

The mighty master smil'd to see,

6 Takte

B. Recitative. Alto

Cont.

The might-y ma-ster smil'd to see

6 Takte

11. Arioso. Sopr.

Largo

Vc. solo
Cont.

Vc.

Soft- ly sweet in Ly- dian mea-sures soon he sooth'd the soul to plea-sures,
pp

Takt 7 27 Takte

11a. Arioso. Sopr. (1736)

Largo

Vc. solo
Cont.

5
Soft-ly sweet in Lydian measures

27 Takte

11b. Arioso. Alto (1742)

Largo

V. solo
Cont.

5
Soft-ly sweet, in Lydian measures,

27 Takte

12. Air. Sopr.

Andante allegro

V. I, II
unis.
Cont.

War, he sung, is toil and
p

Takt 8

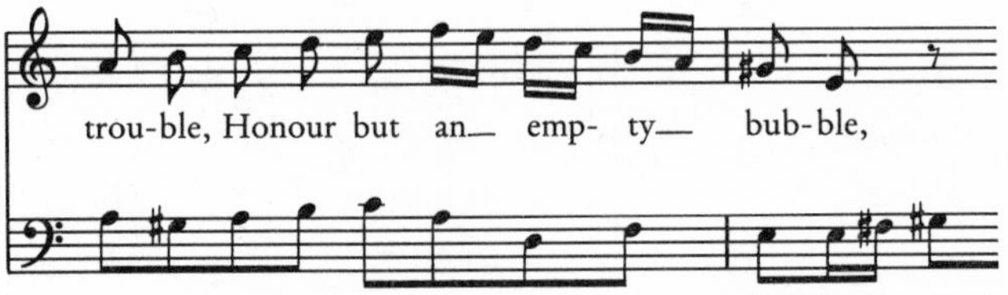

58 Takte *D. s.* (T. 3)

13. Chorus. C.; A.; T.; B.

14. Air. Sopr.

Part II

15. Accompagnato and Chorus. Ten.; C.; A.; T.; B.

Chorus

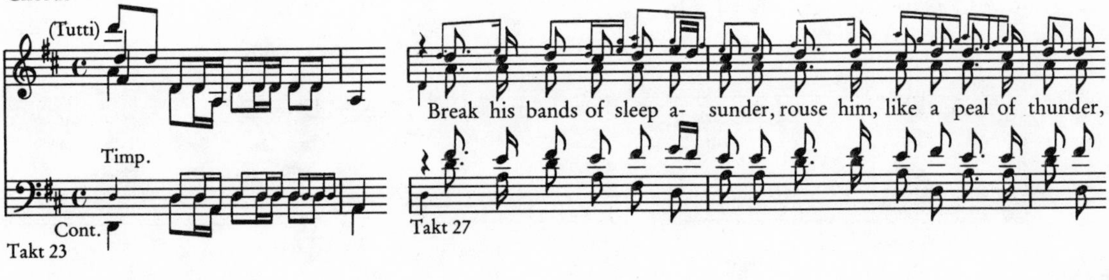

(Accomp.)

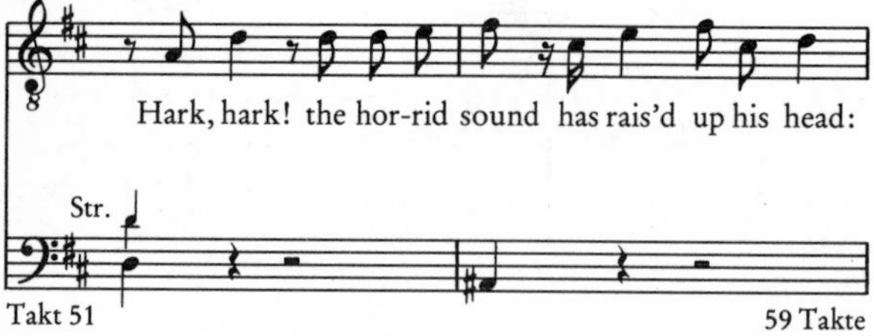
Hark, hark! the hor-rid sound has rais'd up his head:
Str.
Takt 51
59 Takte

16a, b. Air. Basso (Alto)

Andante allegro
Ob. I, II
Fag. I, II, III
Trba.
V. I, II
Va. I, II
Org.
Cont.
Trba.
Va.

Ob.
Trba.
Str.
Re- venge, re- venge, re- venge, Ti- mo- theus cries,
Takt 7

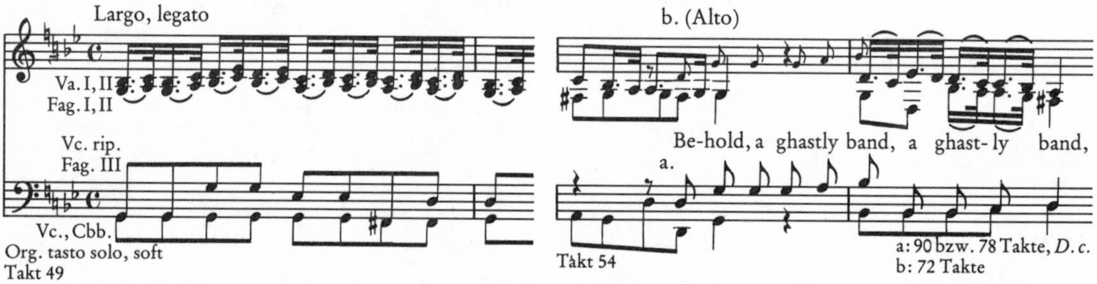
Largo, legato
Va. I, II
Fag. I, II
Vc. rip.
Fag. III
Vc., Cbb.
Org. tasto solo, soft
Takt 49
b. (Alto)
Be-hold, a ghastly band, a ghast- ly band,
a.
Takt 54
a: 90 bzw. 78 Takte, D. c.
b: 72 Takte

17. Accompagnato. Ten.

Tutti
Ob. I, II
V. I, II
Va.
Cont.
Give the vengeance due to the va-liant crew:
Takt 10
29 Takte

18. Air. Ten.

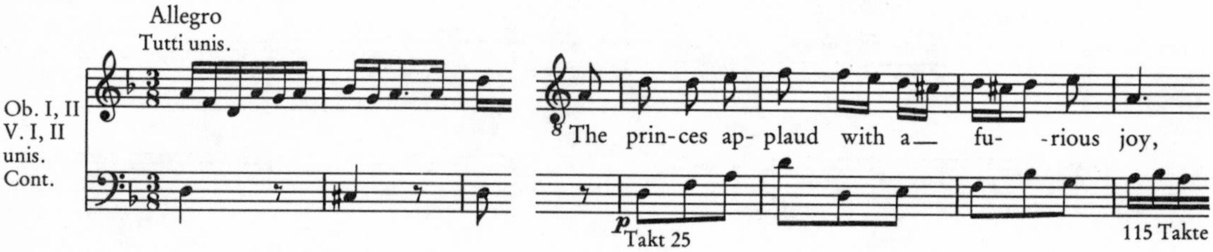
Allegro
Tutti unis.
Ob. I, II
V. I, II
unis.
Cont.
The prin-ces ap- plaud with a— fu- -rious joy,
Takt 25
115 Takte

19. Air and Chorus. Sopr.; C.; A.; T.; B.

Andante larghetto
Sopr.
V. I, II
Adagio
Ob. I, II
V. I, II
Va.
Cont.
Tha- is— led the— way
she fir'd an- -oth- er
Va.
Takt 95

Chorus.

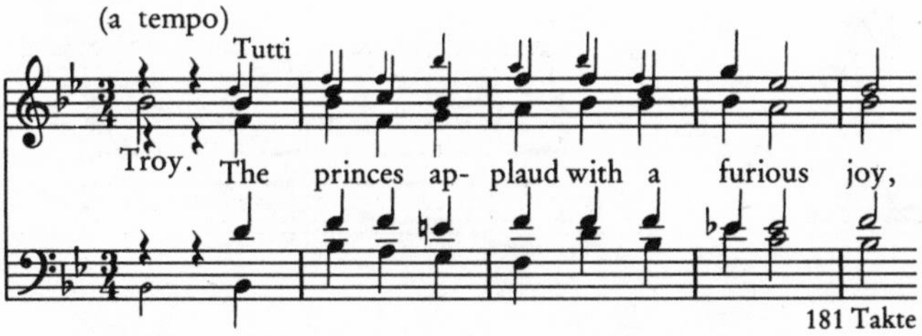
(a tempo)
Tutti
Troy. The princes ap- plaud with a furious joy,
181 Takte

20. Accompagnato and Chorus. Ten.; C.; A.; T.; B.

Largo
Fl. I, II
Fl. I, II
Ob. I, II
V. I, II
Va.
Cont.
Va.

Str.
Thus, long a- go, ere heaving Bellows learn'd to blow,
Takt 10

Chorus

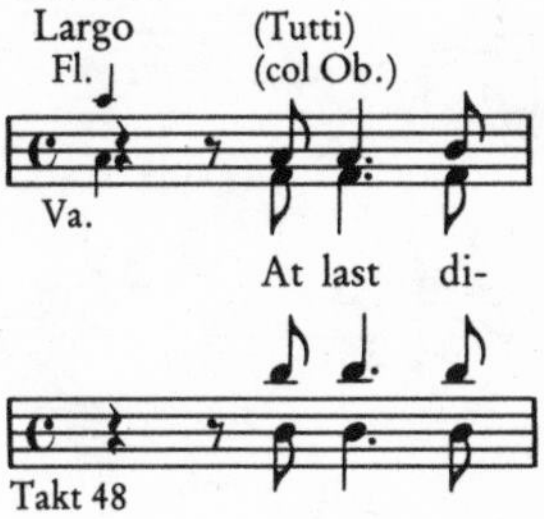
Largo
Fl.
(Tutti)
(col Ob.)
Va.
At last di-
Takt 48

vine Ce- ci- lia came,

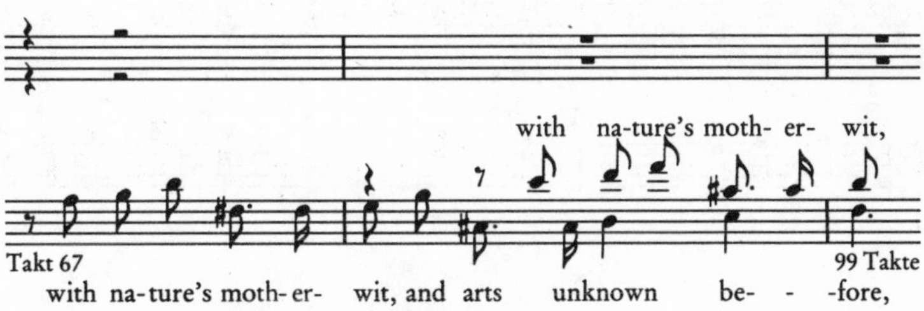
with na-ture's moth- er- wit,
Takt 67
99 Takte
with na-ture's moth- er- wit, and arts unknown be- - -fore,

Recitative. Ten.; Basso

Let old Timotheus yield the prize
Cont.
6 Takte

21. Chorus. C.; A.; T.; B.

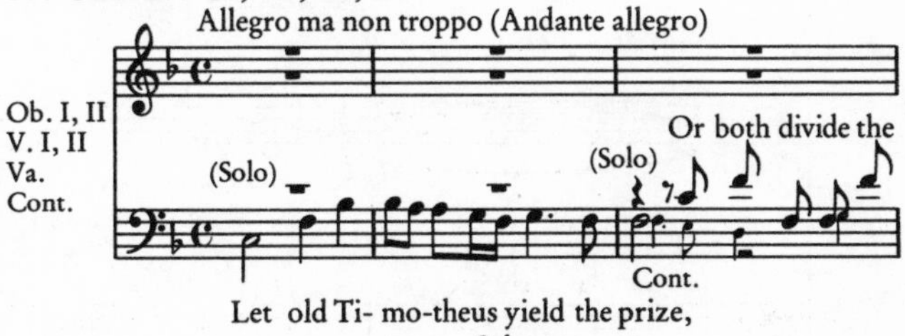
Allegro ma non troppo (Andante allegro)
Ob. I, II
V. I, II
Va.
Cont.
Or both divide the
(Solo)
(Solo)
Cont.
Let old Ti- mo-theus yield the prize,

crown

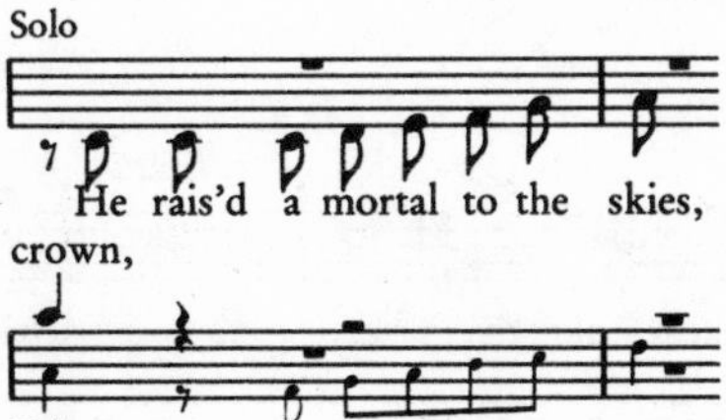
Solo
He rais'd a mortal to the skies,
crown,
Takt 7

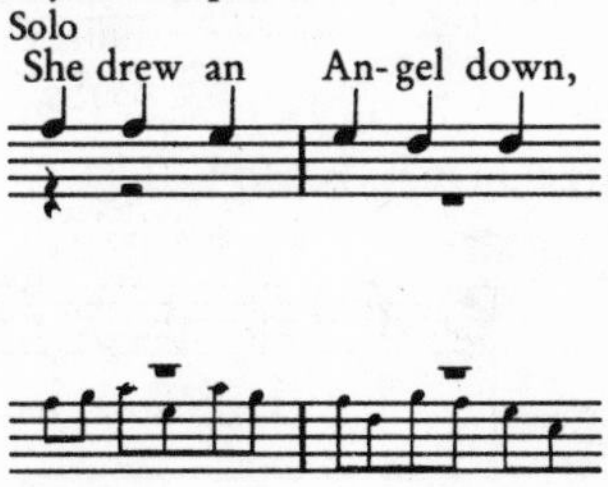
Solo
She drew an An- gel down,
Takt 9
85 Takte

Additional movements 1742/51

Recitative. Alto (1751)

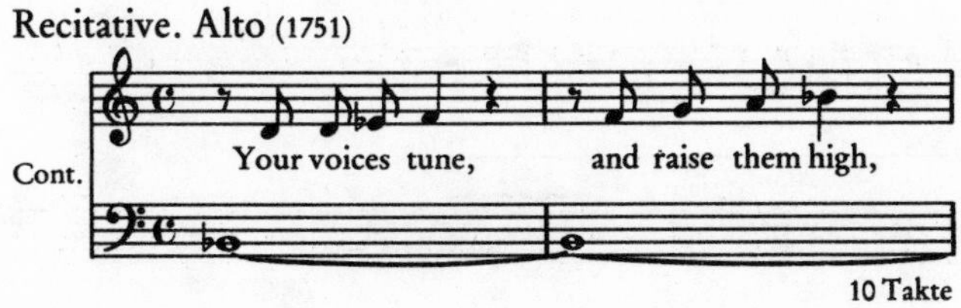
Your voices tune, and raise them high,
Cont.
10 Takte

(22.) Duetto. Sopr.; Alto (1742/1751)

[Allegro]
V. I
V. II
Ob. I, II
V. I, II
Va.
Cont.

(23.) Chorus. C.; A.; T.; B. (1736)

Andante allegro

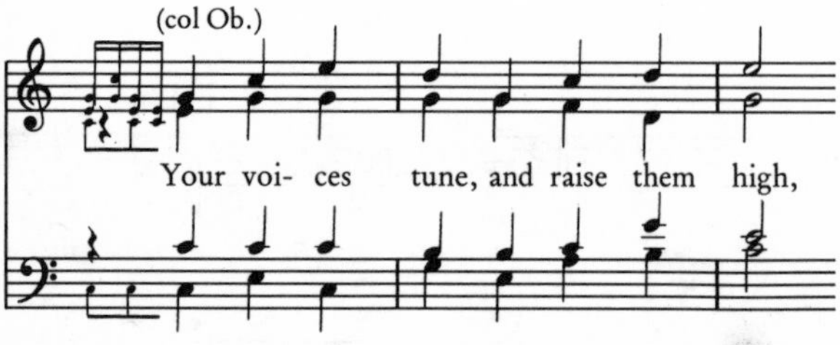

Anhang

(20.) Accompagnato. Ten.

(*attacca il Coro* ,,At last divine Cecilia came")

(21.) Duet. Basso I, II

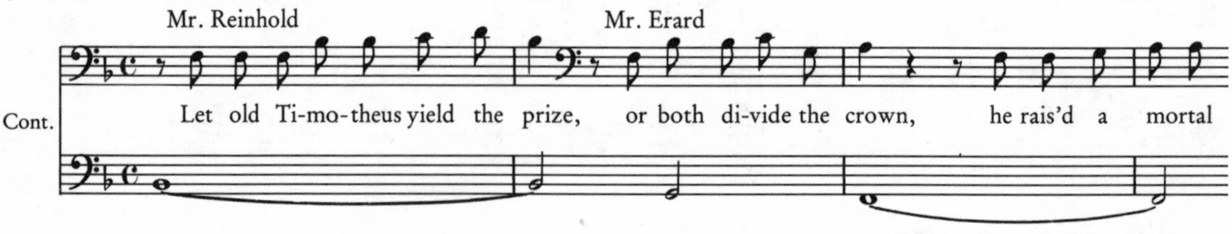

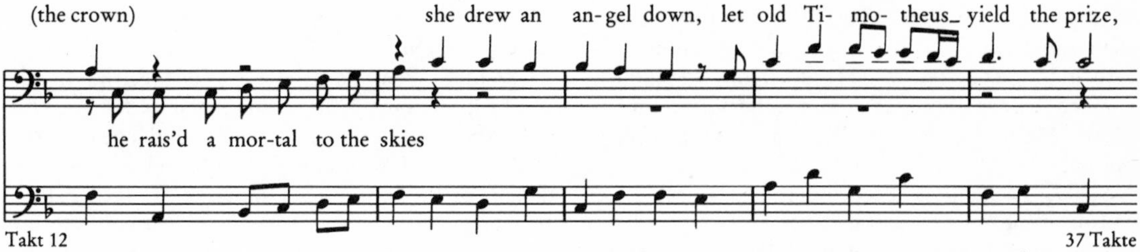
(the crown)
she drew an an- gel down, let old Ti- mo- theus_ yield the prize,
he rais'd a mor-tal to the skies
Takt 12
37 Takte

(*attacca il Coro* Nr. 21)

Recitative. Sopr.

Tune ev'-ry string, your voi-ces raise, joy'd well on each me- lo-dious tongue
Cont.
7 Takte

(22.) Air. Sopr.

Allegro
Tutti
Ob. I, II
V. I, II
Va.
Cont.
Your voi- ces tune_ and raise_ them high_
Takt 11
96 Takte D. c.

(*attacca il Coro* ,,Your voices tune")

Quellen

Handschriften: Autograph: GB Lbm (R. M. 20. d. 4.; R. M. 20. f. 12., f. 15–17: Nr. 22).
Abschriften: D (brd) B (Am. Bibl. 122, mit deutscher Übersetzung von C. W. Ramler), Hs (Direktionspartitur M $\frac{C}{263}$) – GB BENcoke (2 Part., 10 St.), Cfm (Barrett-Lennard-Collection, Mus. MS. 794), DRc (MS. E 20, St.), Lbm (R. M. 19. a. 1., f. 79–89: Ouverture f. Cemb., Nr. 8, 16, T. 49 ff., f. 90–110, Orgelstimme; R. M. 19. a. 10., Orgelstimme; Add. MSS. 31 567: ,,Il convito d'Alessandro", in italienischer Sprache), Lcm (MS. 900, Continuostimme), Mp [MS 130 Hd4, Part.: v. 27 A, St.: v. 28(1)–45(1), 353(11)] – US BETm (L Misc. 16 A–C, datiert 1738), Wc (M 1530. H13C6 case: ,,Il convito d'Alessandro Magno ò sia la forza dell'Armonia", in italienischer Sprache; M 1530. H13A4 P2 case: St., book 2d–15th; M 2105. H13S7 P2 case: Songs, St. für V. II, Va., Vc., Cont.).
Drucke: Alexander's Feast or the Power of Musick. An ode wrote in honour of St. Cecilia by Mr Dryden. Set to musick by Mr Handel. With the recitativo's, songs, symphonys and chorus's for voices & instruments. Together, with the cantata, duet, and songs, as perform'd at the Theatre Royal, in Covent Garden. Publish'd by the author. – London, J. Walsh, No. 634 (4 verschiedene Ausgaben); —— ib., William Randall (2 verschiedene Ausgaben); The favourite songs in Alexander's Feast by Mr Handel. – London, J. Walsh (2 verschiedene Ausgaben); Alexander's Feast, or the Power of music, an ode; the words by Mr Dryden, the music by G. F. Handel. To which is added his additional Duet. – London, H. Wright; (Your voices tune/Let's imitate her notes above). An additional recitative and duett composed by Mr Handel and introduced in Alexander's Feast never before published. – London, H. Wright; Alexander's Feast; an oratorio. Composed by Mr Handel, for the voice, harpsichord, and violin; with the chorusses in score. – London, Harrison & Co.; Harrison's edition, corrected by Dr Arnold. The overture and songs in Alexander's Feast and Dryden's Ode on St. Cecilia's Day. For the voice, harpsichord, and violin. Composed by Mr Handel. – London, Harrison and Co.; Alexander's Feast, an Ode on Saint Cecilia's Day, the words by Dryden, the musick composed in the year 1736. By G. F. Handel. – London, Arnold's edition, No. 65–67 (1790); Alexander's Feast. Composed by G. F. Handel arranged for the organ or pianoforte by John Clarke. – Philadelphia, Blake; The overture and chorusses in Alexander's Feast, or The Power of music, an ode, the words by Dryden, the music by Handel; arranged for the piano forte or organ, by Wm Crotch. – London, R. Birchall; Alexanders Fest, oder Die Gewalt der Musik. Eine große Cantate, aus dem Englischen des Dryden übersetzt von C. W. Ramler, in Musik gesetzt von G. F. Händel, mit neuer Bearbeitung von W. A. Mozart. – Leipzig, A. Kühnel, No. 1049 (I. Theil), No. 1089 (II. Theil),

1812; — ib., C. F. Peters, No. 1049 (No. 1089); Timotheus, oder Die Gewalt der Musick. Eine große Cantate, in Musick gesetzt von Haendel, im vollständigen Clavier-Auszug übersetzt ... von J. P. Riotte. – Wien, Pietro Mechetti, No. 200 (1812/13); — ... Zweite Ausgabe. – ib., P. Mechetti, London, J. J. Ewer, No. 200; Alexanders Fest, oder Die Gewalt der Musik. Eine große Cantate von G. F. Händel, im vollständigen Clavierauszug von J. P. Riotte. – Hamburg, Johann August Böhme, No. 2504 (ca. 1820); Ouverture und die beliebtesten Chöre aus der großen Cantate: Timotheus, oder Die Gewalt der Musik ... für das piano-forte auf 4 Hände übersetzt ... von F. Moscheles. – Wien, Pietro Mechetti, No. 201; Arien, nebst einigen Accompagnements, einem Trio und einem Chor, aus dem Alexanderfeste von Händel, fürs Clavier gesetzt ... von Johann Nicolaus Fleischmann. – Göttingen, (Fleischmann), 1785; Overture in Alexander's Feast. – (London), J. Bland; Alexander's Feast ... overture. – London, G. Walker; Ouverture aus dem großen Oratorium Timotheus, oder Die Gewalt der Musick, von Händel, auf vier Hände für das Piano forte. – Wien, Chemische Druckerei, No. 2063; Happy, happy pair. Sung by Mr Beard in Alexander's Feast. – London, R. Falkener; —ib., G. Walker; 'Twas at the royal feast. Sung by Mr Beard in Alexander's Feast. – s. l., s. n.; Let's imitate her notes above. Alexander's Feast. – (London), J. Bland; — London, Bland & Weller; Softly sweet in Lydian measures. As sung by Mrs Billington, in Alexander's Feast. – London, R. Birchall; Softly sweet. Alexander's Feast. – (London), J. Bland; — ... [mit: Total eclipse, aus: Samson]. – London, A. Bland & Weller; — ... from Dryden's celebrated ode. – Dublin, Edmund Lee; — A favourite song in Alexander's Feast. – London, H. Wright; — ib., G. Walker; (Thais led the way). Song in Alexander's Feast (In: The Lady's Magazine, June, 1787). – (London), s. n.; — (London), J. Bland; The prince unable to conceal his pain. Sung by Sigra Storace. – s. l., s. n.; — ... (In: The Lady's Magazine, April, 1790); — s. l., s. n.; — ... (In: The Lady's Magazine, March, 1797). – s. l., s. n.; — (London), J. Bland; — London, A. Bland & Weller; — ... a favorite song by Handel, sung at the Pantheon in 1789. – ib., H. Wright; Tune your harps. – London, H. Wright; War, he sung, is toil and trouble. Song (In: The Lady's Magazine, Oct., 1790). – (London), s. n.; — (London), J. Bland.

Libretto: Alexander's Feast; or, the power of musick. An ode. Wrote in honour of St. Cecilia, by Mr. Dryden. Set to musick by Mr. Handel. – London, J. and R. Tonson, 1736 (Ex.: F Pc – GB BENcoke, Ckc, W. Dean Collection Godalming, Lcm – US NH); Alexander's Feast; or, the power of musick. An ode wrote in honour of St. Cecilia, and a song for St. Cecilia's Day, both written by Mr. Dryden. And set to musick by Mr. Handel. – London, J. & R. Tonson, 1739 (Ex.: GB BENcoke); —ib., 1739 (2. Ausgabe); – Dublin, s. a. (1742, Ex.: EIRE Dp); Alexander's Feast: or, the power of musick. An ode. Wrote in honour of St. Cecilia, written by Mr. Dryden. And an additional new act, call'd The choice of Hercules. Both set to musick by Mr. Handel. – London, J. & R. Tonson, S. Draper, 1751 (Ex.: F Pc – GB Lbm, Ob – US NH); — ... An ode wrote in honour of St. Cecilia, by Mr. Dryden. And an additional new act, call'd The choice of Hercules. Both set to musick by Mr. Handel. – London, J. and R. Tonson, S. Draper, 1753 (Ex.: F Pc – GB BENcoke, En, W. Dean Collection Godalming – US PRu).

Bemerkungen

„Alexander's Feast" schrieb Händel Anfang 1736 zu Ehren der heiligen Cäcilia, deren Gedenktag (22. November) in England traditionsgemäß mit musikalischen Aufführungen gefeiert wurde. Trotz ihrer langen Aufführungstradition unter Händel (26 Aufführungen zwischen 1736 und 1755) erklang diese „Ode in honour of St. Cecilia" nur einmal (am 22. November 1739, zusammen mit HWV 76) am Tage ihrer eigentlichen Bestimmung. Händel führte „Alexander's Feast" meist als oratorisches Werk auf und koppelte es mit verschiedenen anderen Kompositionen, um eine abendfüllende Aufführungsdauer zu garantieren.

Das Autograph überliefert folgende Kompositionsdaten: Part I: f. 47v: „Fine della parte prima January ye 5. 1736"; Part II: f. 80r (Nr. 20): „12. Jan. 1736", f. 88r: „Fine. 17 January 1736." Aus diesen Daten ergibt sich, daß Händel um die Jahreswende 1735/36 mit der Vertonung begann, die Erstfassung am 12. Januar 1736 abschloß und danach bis zum 17. Januar einige Sätze nachkomponierte und das Werk überarbeitete.

Der von John Dryden 1697 verfaßte Text[1] wurde von Newburgh Hamilton revidiert, der sich im Vorwort zum Libretto ausführlich über seine Bearbeitungstendenzen äußerte und u. a. betonte: „... I was determin'd not to take any unwarrantable liberty with that poem ... I therefore confin'd myself to a plain division of it into Airs, Recitative, or Chorus's; looking upon the words in general so sacred, as scarcely to violate one in the order of its first place ..." Um die Beziehung zur christlichen Tradition herzustellen, fügte Hamilton einen Anhang eigener Verse hinzu, die aus seiner 1720 verfaßten Cäcilien-Ode „The power of Musick"[2] stammten und die Händel im Anhang des Autographs (f. 80v–88)

[1] Zuerst vertont von Jeremias Clarke (1697) und Thomas Clayton (1711). Eine italienische Übersetzung von Antonio Conti erschien 1739 im Druck; sie war bereits 1725/26 von Benedetto Marcello vertont worden. Vgl. Chrysander I, S. 298, II, S. 414, 424 ff.

[2] Vertont von Robert Woodcock. Vgl. Dean, S. 271.

nachträglich in Musik setzte, aber für seine Aufführungen später nicht vollständig berücksichtigte.
Bei den drei ersten Aufführungszyklen 1736 (19. und 25. Februar, 3., 12. und 17. März mit der Besetzung: Anna Strada del Pò und Cecilia Young, Soprane, John Beard, Tenor, Thomas Reinhold und Mr. Erard, Bässe), 1737 (16., 18., 30. März, 5. April, 10. und 25. Juni, Besetzung: Elisabeth Duparc detta La Francesina, Sopran, John Beard, Tenor, Thomas Reinhold, Baß) und 1739 (17., 24. Februar, 20. März, Besetzung: Cecilia Young-Arne, Sopran, John Beard, Tenor, Thomas Reinhold, Baß) fügte Händel zusätzlich drei Instrumentalwerke und eine italienische Kantate ein. Sowohl im Autograph als auch in der erhaltenen Continuo-Direktionsstimme (GB Lcm, MS. 900) und den beiden Orgelstimmen (GB Lbm, R. M. 19. a. 10.; R. M. 19. a. 1.), die für die Aufführungen 1736/37 angelegt wurden, sind diese Einfügungen vermerkt; sie finden sich zwar nicht alle an der gleichen Stelle in den genannten Quellen, doch läßt sich mit Hilfe des erhaltenen Librettos die für 1736 und die folgenden Spielzeiten gültige Aufführungsversion beschreiben (s. B. Cooper): Ausgehend vom Stand der Komposition am 12. Januar 1736, wie Händel sie im Autograph vorliegen hatte, sollte Nr. 4 nach Nr. 5 wiederholt werden (Autograph, f. 18: „Si replica il Coro antecedente, The listning Crowd", später gestrichen), das Rezitativ „The praise of Bacchus" war für den Bassisten Erard bestimmt; Nr. 8 komponierte Händel als Dal-segno-Arie (94 Takte, d. s. T. 12), Nr. 11 stand zunächst in E-Dur und war für Cecilia Young gedacht, bevor Händel den Satz einen Ton tiefer transponierte (Autograph, f. 34r: „Un tono più basso ex D♯") und Anna Strada zuschrieb, Nr. 16 („Behold, a ghastly band") war noch um 12 Takte länger (insgesamt 42 Takte umfassend) als die schließlich im Druck veröffentlichte Fassung, Nr. 20, 1. Teil („Thus long ago"), bestand nur aus 8 Takten, und die Instrumentalbegleitung war ohne Flöten (Autograph f. 69); der 2. Teil (Chor „At last divine Cecilia came") hatte vor dem Abschnitt „whith nature's motherwit" (T. 48 ff.) nur eine zehntaktige Fortsetzung, bevor Händel Takt 58 ff. nachkomponierte; das Rezitativ „Let old Timotheus yield the prize" wurde erst später hinzugefügt und ersetzte ein kurzes Duett für 2 Bässe (f. 74, für Reinhold und Erard), und Nr. 21 bildete den Schlußchor und hatte keine Soli, sondern jede Stimme trägt einen „Tutti"-Vermerk. Vor Nr. 3 und Nr. 20 erscheinen jeweils Vermerke für die Einfügungen von Konzerten (f. 11: „Concerto per la Harpa ex B", f. 66v: „Segue il Concerto per l'organo", letzteres gestrichen und auf f. 80r übertragen: „NB. Segue il concerto per l'organo poi segue il coro your voices tune and raise").
Nach dem 12. Januar (f. 80v) komponierte Händel dann die Ergänzungen Hamiltons (Rezitativ und Arie für Strada „Tune ev'ry string" und „Your voices tune", Chor „Your voices tune", Rezitativ „Your voices tune" für Guadagni und Duett „Let's imitate her notes above"). Am 25. Januar wurde das Concerto grosso C-Dur HWV 318 beendet (Autograph GB Lbm, R. M. 20. g. 11, f. 1–16v, mit Vermerken zur Einordnung des Werkes in die Direktionspartitur), das als Einleitung zum II. Teil der Ode erklang. Schließlich wurde die Kantate HWV 89 „Cecilia volgi un sguardo" noch als Einlage hinzugefügt. Den Violoncello-Part in Nr. 11 spielte Andrea Caporale (Autograph, f. 34).
Die Fassung der Uraufführung (vgl. Libretto 1736) war demnach folgende: Vor dem Accompagnato-Rezitativ „The song began from Jove" (3) steht der Vermerk „A Concerto here, for the Harp, Liute, Lyrichord, and other Instruments" (HWV 294 op. 4 Nr. 6 B-Dur, bestätigt durch die Continuo- und Orgelstimmen), am Anfang von Part II folgten ein „Concerto for two Violins, Violoncello etc." (HWV 318 Concerto grosso C-Dur, bestätigt durch die Continuo- und Orgelstimmen) sowie die Kantate HWV 89 „Cecilia volgi un sguardo" (Einzelblatt des Librettos: „A Cantata, perform'd at the Beginning of the Second Act"). Zwischen Nr. 21 und dem Additional Chorus „Your voices tune" (Anhang 23) wurde ein „Concerto for the Organ and other Instruments" gespielt (HWV 289 op. 4 Nr. 1 g-Moll), das in den Continuo- und Orgelstimmen zwar erwähnt, aber nicht durch die Baßstimme identifiziert wird, weil der Continuospieler pausierte[3]. Die Konzerteinlagen dürften auch für die folgenden Spielzeiten gegolten haben, nur die Kantate unterlag Veränderungen (s. unter HWV 89).
Während 1736 der Tenorpart dieser Kantate von dem Sänger und Lautenisten Carlo Arrigoni (s. W. Dean) ausgeführt wurde – den Sopranpart sang Anna Strada in allen Aufführungen, in denen die Kantate erklang –, übernahm 1737 der Altkastrat Domenico Annibali die Partie Arrigonis. Händel arrangierte für ihn außerdem die Interpolationen „Carco sempre di gloria „(Rezitativ) und „Sei del ciel" (Arie), die gleichfalls in dieser Spielzeit als Teil oder im Anschluß an die Kantate zu Beginn des II. Teils von „Alexander's Feast" gesungen wurden.
In den Aufführungen am 22. und 27. November 1739 fiel die Kantate aus; an ihre Stelle setzte Händel die „Ode for St. Cecilia's Day" HWV 76 als III. Teil des Abends. Die Sopranpartie in diesen Aufführun-

[3] Eine zusätzliche Identifizierung der drei Konzerte in der Reihenfolge ihrer Eingliederung in „Alexander's Feast" findet sich in der für Charles Jennens angelegten Partitur der Aylesford Collection (GB Mp, MS 130 Hd4, v. 84), wo sie am Ende des Bandes kopiert sind und durch einen zeitgenössischen Vermerk zu Beginn des Bandes genauer mit folgendem Wortlaut bestimmt werden: „these 3 last perform'd in Alexander's Feast". Vgl. Walker, A. D.: George Frideric Handel. The Newman Flower Collection in the Henry Watson Music Library, Manchester 1972, S. 17.

gen sang Francesina und die Baßpartie Thomas Reinhold, während die Tenorpartie wegen der zusätzlichen Aufgaben in der „Cäcilien-Ode" zwischen John Beard und Jenkyn Williams geteilt wurde.

Als Händel das Werk am 17. Februar 1742 (Wiederholung am 2. Mai) in Dublin aufführte, besetzte er die Solopartien mit Christina Maria Avoglio (Sopran) und Susanna Maria Cibber (Alt), für die Transpositionen durchgeführt werden mußten (u. a. erklang Nr. 11 in A-Dur in einer Fassung mit obligater Violine, gespielt von Matthew Dubourg, wie in der Direktionspartitur auf f. 28/29 wiedergegeben). Außerdem wurde das Duett „Let's imitate her notes above" (Autograph GB Lbm, R. M. 20. f. 12., f. 15–17) zwischen die beiden Teile des Additional Chorus „Your voices tune" ohne Schlußritornell eingefügt.

Für 1751 (4 Aufführungen am 1., 6., 8. und 13. März in Coventgarden) überliefert die Direktionspartitur folgende Besetzung: Giulia Frasi (Sopran), Caterina Galli (Alt), Gaetano Guadagni (Altkastrat), Thomas Lowe (Tenor). Der Sänger der Baßpartie ist nicht bekannt. Für diese Aufführungen von „Alexander's Feast", in denen als III. Teil HWV 69 The Choice of Hercules folgte, wurde der Additional Chorus „Your voices tune" gestrichen und nach dem Chor „At last divine Cecilia came" (20) Rezitativ „Your voices tune" und Duett (mit Schlußritornell) „Let's imitate her notes above" (22) für Frasi und Guadagni eingefügt. Vor „The Choice of Hercules" erklang als „a new Concerto on the Organ" HWV 308 op. 7 Nr. 3 B-Dur.

In den Jahren 1753 (9. und 14. März) und 1755 (14. und 19. Februar) führte Händel wiederum beide Werke zusammen auf, wobei das Orgelkonzert weggelassen und „The Choice of Hercules" zwischen die beiden Teile von „Alexander's Feast" als „Interlude" plaziert wurde (Besetzung 1755 lt. Direktionspartitur: Passerini und Young-Scott).

Folgende Sätze aus „Alexander's Feast" haben frühere Kompositionen Händels zum Vorbild:

11. Softly sweet in Lydian measures
    HWV 31 Orlando: 28. Già lo stringa
15. Now strike the golden Lyre again (Ritornello)
    HWV 483 Capriccio g-Moll für Cembalo
    HWV 26 Lotario: 30. Alza il ciel (Ritornello)
21. Let old Timotheus yield the prize
    HWV 200 „Quel fior che all'alba ride"
22./23. Let's imitate her notes above
    HWV 171 „Tu fedel? tu costante?": 3. Se non ti piace amarmi
    HWV 6 Agrippina: 18. Se giunge un dispetto
    HWV 67 Solomon (Fassung 1759): 22. Thy musick is divine, o King

Das Accompagnato „He choose a mournful Muse" (7) ist (nach W. Dean, Handel's Dramatic Oratorios and Masques, S. 272) von Giacomo Carissimi angeregt, die Fuge in dem Chor „At last divine Cecila came" (20) soll Händel aus der sogenannten „Braunschweiger" Passion von Carl Heinrich Graun entlehnt haben (s. S. Taylor, S. 35. Vgl. den zweiteiligen Chor „Christus ist durch sein eigen Blut / *und hat eine ewige Erlösung erfunden*", Ms. in D (ddr) Swl, Mus. 2100, p. 99–106).

W. A. Mozart bearbeitete „Alexander's Feast" im Juli 1790 für van Swietens Aufführungen (KV 591)[4].

Literatur

Ameln, K.: Das Alexander-Fest, HHA, Serie I, Bd. 1, Krit. Bericht, Leipzig 1958; Chrysander II, S. 411 ff.; Clausen, S. 102 ff.; Cooper, B.: The Organ Parts to Handel's „Alexander's Feast". In: Music & Letters, vol. 59, 1978, S. 159 ff.; Dean, S. 270 ff.; Dean, W.: Besprechung der Neuausgabe in HHA I/1. In: Music & Letters, vol. 40, 1959, S. 300 ff., vol. 41, 1960, S. 86 f.; Dean, W.: An Unrecognized Handel Singer: Carlo Arrigoni. In: The Musical Times, vol. 118, 1977, S. 556 ff.; Deutsch, S. 398 ff.; Flower, p. 232 ff./S. 208 f.; Gudger, W. D.: The Organ Concertos of G. F. Handel: A Study based on the Primary Sources, Phil. Diss., Yale University, New Haven, Conn., 1974, Bd. I, S. 137 ff.; Herbage, S. 137 ff.; Kist, F. C.: Het „Alexander's Fest" van G. F. Händel. In: Caecilia, 13. Jg., Utrecht 1856, S. 91 ff.; Lang, p. 253 f./S. 228; Leichtentritt, S. 350 ff.; Myers, R. M.: Handel, Dryden, & Milton, London 1956; Rolland, R.: La Fête d'Alexandre. In: Händel-Jb., 9. Jg., 1963, S. 20 f.; Schering, A.: Geschichte des Oratoriums, Leipzig 1911, S. 266 ff.; Schoelcher, S. 179 ff.; Schrade, L.: Studien zu Händel's „Alexanderfest". In: Händel-Jb., 5. Jg., 1933, S. 38 ff.; Serauky III, S. 202 f.; Serauky, W.: Beethoven und Händel. In: Händel-Fest Halle 1952, Festschrift, S. 65 ff.; Siegmund-Schultze, S. 118; Smither II, S. 211 f.; Streatfeild, S. 274 f.; Taylor, S.: The Indebtedness of Handel to Works by other Comprosers, Cambridge 1906.

Beschreibung der Autographe: Lbm: Catalogue Squire, S. 7, 97. – K. Ameln, HHA I/1, Krit. Bericht, S. 19 ff.

[4] Neu hrsg. von A. Holschneider, in: W. A. Mozart, Neue Ausgabe sämtlicher Werke, Serie X: Supplement, Werkgruppe 28, Abt. 1, Bd. 3, Kassel und Leipzig 1962.

76. From Harmony, from heav'nly Harmony

Ode for St. Cecilia's Day von John Dryden

Besetzung: Soli: Sopr., Ten. Chor: C.; A.; T.; B. Instrumente: Fl. trav.; Ob. I, II; Fag.; Trba. I, II; Timp. (Tamburo); V. I, II; Va.; Vc.; Cbb.; Liuto; Org.

ChA 23. – HHA I/15. – EZ: London, 15.–24. September 1739. – UA: London, 22. November 1739, Theatre Royal, Lincoln's Inn Fields

Ouverture

[= HWV 323. Concerto op. 6 Nr. 5]

(Menuet I)

(Menuet II)

Recitative. Ten.

1. Accompagnato. Ten.

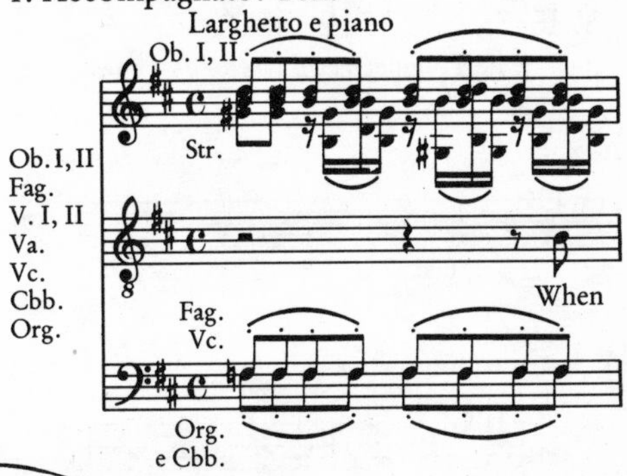

2. Chorus. C.; A.; T.; B.

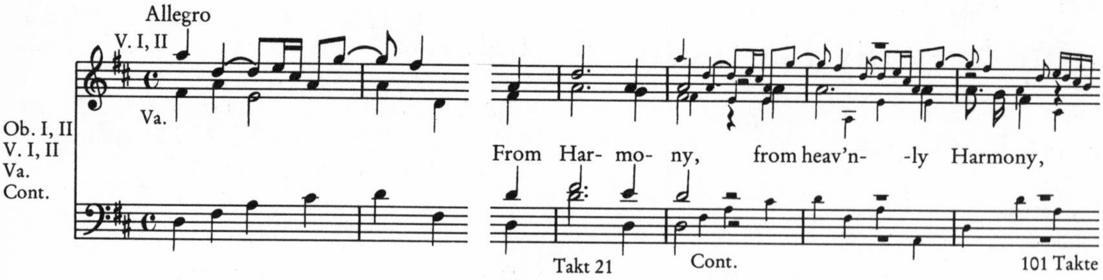

3. Air. Sopr.

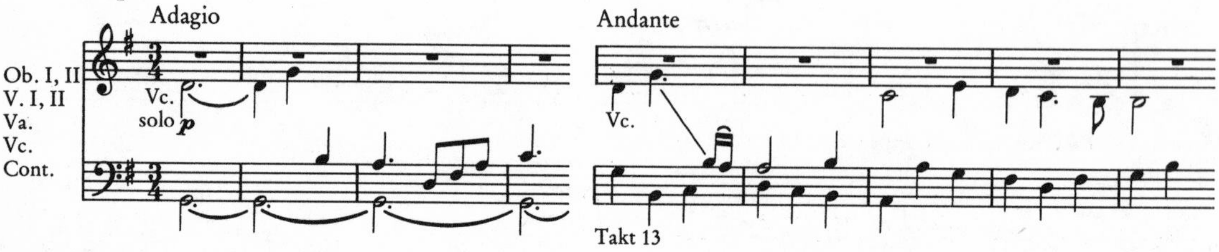

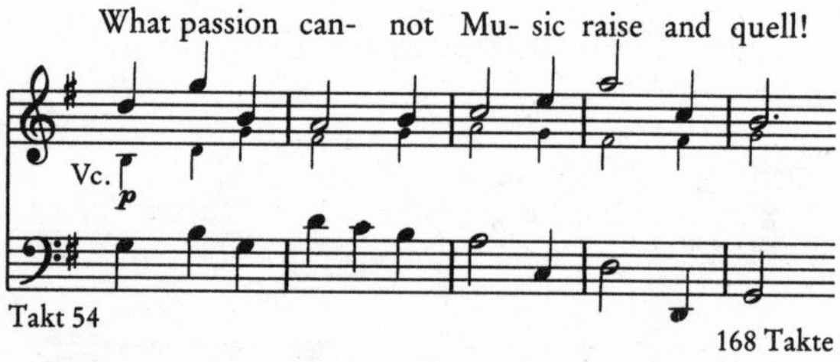

4. Solo and Chorus. Ten.; C.; A.; T.; B.

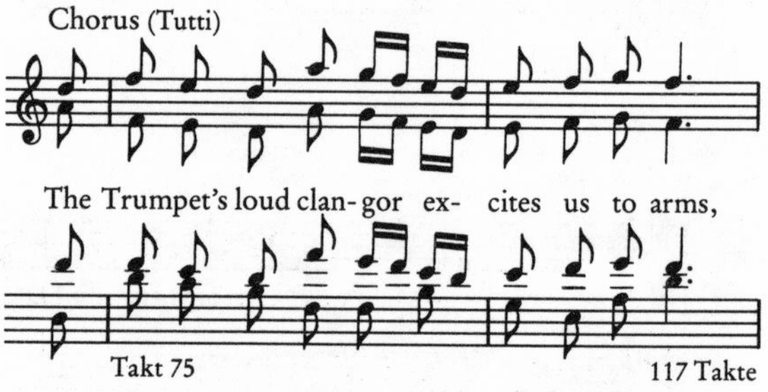

5. La Marche

6a. Air. Sopr.

7. Air. Ten.

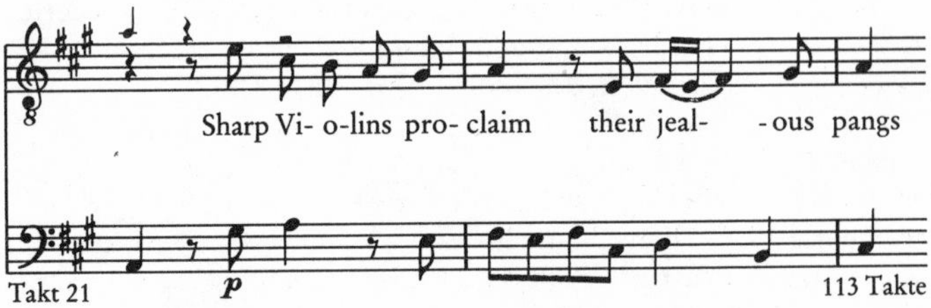

8. Air. Sopr.

9. Air. Sopr.

10. Accompagnato. Sopr.

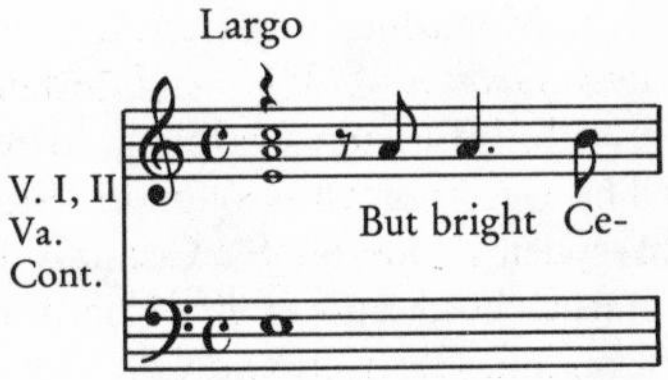

11. Chorus. C.; A.; T.; B.

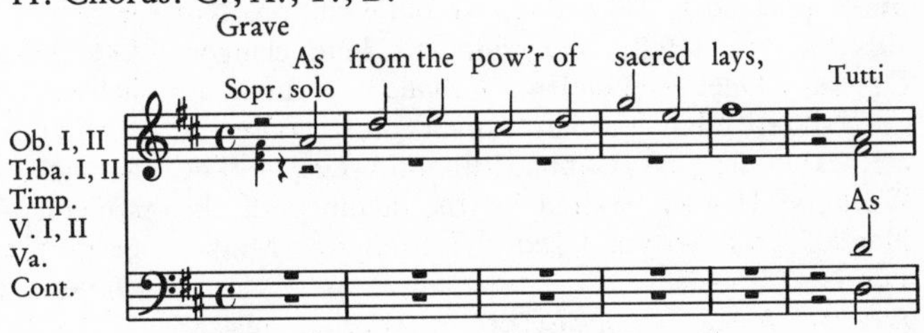

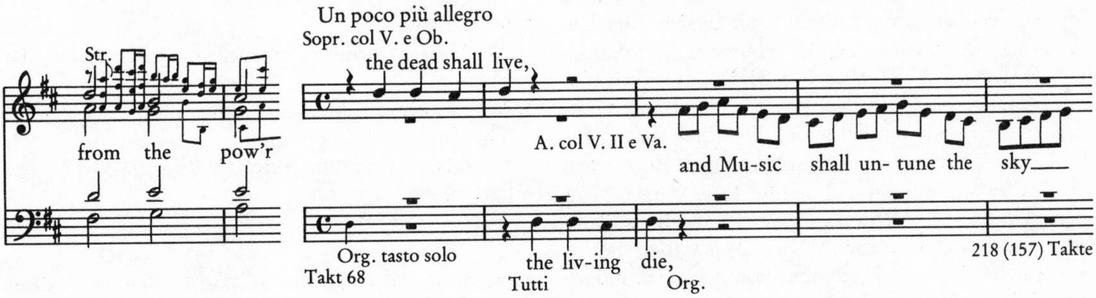

Anhang

6b. Air. Alto (1742)

Quellen

Handschriften: Autographe: GB Lbm (R. M. 20. f. 4.), Cfm (30 H 12, p. 64: Skizze für March Nr. 5).

Abschriften: D (brd) Hs (Direktionspartitur M $\frac{A}{1031}$, ohne Ouverture) – EIRE Dm – GB BENcoke, Cfm (Barrett-Lennard-Collection), DRc (MS. E 23/1: Part.; MS. E 23: 6 Vokal- und 2 Instrumentalstimmen), Lbm (R. M. 18. d. 6., f. 1–61ᵛ, ohne Ouverture; R. M. 19. a. 2., f. 47ʳ–51ᵛ: Anhang 6ᵇ), Lcm (MS. 253), Mp [MS 130 Hd4, Part: v. 187(3), St.: v. 112(4), 113(4), 115(4), 214(1)–224(1); v. 314, p. 169: Nr. 5] – US BETm (LMisc. 17E, datiert 1740/44), PRu (Hall Handel Collection).

Drucke: The songs in the ode wrote by Mr Dryden for St. Cecilia's Day, set by Mr Handel. – London, J. Walsh; — ib.; The complete score of the Ode for St. Cecilia's Day, the words by Mr Dryden, set to music by Mr Handel. – London, William Randall; Dryden's Ode on St. Cecilia's Day. Composed by Mr Handel [= Nr. 10–11 der Sammlung: The New Musical Magazine, veröffentlicht zusammen mit: *Acis and Galatea,* 1784]. – (London, Harrison & Co); — ib.; Harrison's edition, corrected by Dr Arnold. The overture and songs in Alexander's Feast and Dryden's Ode on St. Cecilia's Day. For the voice, harpsichord, and violin. Composed by Mr Handel. – London, Harrison and Co.; Ode on St. Cecilia's Day, the words by Dryden, set to musick in the year, 1736 by G. F. Handel. – London, Arnold's edition, No. 105–106 (ca. 1792); The trumpet's loud clangor. Dryden's Ode. – (London), J. Bland; — London, G. Walker; What passion cannot music raise. A celebrated song. – Dublin, Edmund Lee. – The Works of Handel, printed for the members of the Handel Society, vol. 4, ed. Th. Molleson Mudie, London 1845/46.

Libretto[1]*:* Alexander's Feast; or, the power of musick. An ode wrote in honour of St. Cecilia, and a song for St. Cecilia's Day, both written by Mr Dryden. And set to musick by Mr. Handel. – London, J. & R. Tonson, 1739 (Ex.: GB BENcoke); Acis and Galatea. A serenata: or pastoral entertainment. Written by Mr. Gay. To which is added, a song for St. Cecilia's Day. Written by Mr. Dryden. Both set to musick by Mr. Handel. – London, John Watts, 1739 (Ex.: US SM); L'Allegro, ed il Penseroso. By Milton. And a song for St. Cecilia's Day. By Dryden. Set to musick by George Frederick Handel. – London, J. and R. Tonson, (1741) (Ex.: GB Mp); The Masque of Acis and Galatea. The musick by Mr. Handel [mit Ode for St. Cecilia's Day]. – (Dublin), printed in the year 1742 (Ex.: GB Lbm); L'Allegro, ed il Penseroso. By Milton. And a song for St. Cecilia's Day. By Dryden. Set to musick by George Frederick Handel. – London; J. and R. Tonson, S. Draper, 1754 (Ex.: GB BENcoke, Lbm – US PRu).

[1] Die „Ode for St. Cecilia's Day" wurde nie selbständig, sondern immer nur in Verbindung mit anderen Werken aufgeführt. Daher existiert kein eigener Librettodruck für diese Komposition.

Bemerkungen

John Drydens „Ode for St. Cecilia's Day" (1687)[2] – in Deutschland im Vergleich zu HWV 75 Alexander's Feast oft auch die „kleine" Cäcilien-Ode genannt – vertonte Händel 1739 in Verbindung mit der englischen Tradition, den Cäcilientag (22. November) mit besonderen musikalischen Aufführungen zu Ehren dieser Schutzheiligen der Musik festlich zu begehen.

Das Autograph (f. 1) trägt die Überschrift „Ouverture to the Song for St Cecilia's Day by Mr Dryden. 1687" und nennt als Kompositionsdaten „begun Sept. 15, 1739" und (f. 42) „Fine G. F. Handel Septembr 24. 1739. ☽ (= Montag)."

Der erste, zweite und letzte Satz (Menuet II) der Ouverture wurden von Händel später für HWV 323 Concerto grosso D-Dur op. 6 Nr. 5 umgearbeitet, der vorletzte Satz (Menuet I) wurde zum Schlußsatz von HWV 321 Concerto grosso e-Moll op. 6 Nr. 3 (Allegro ma non troppo). Beide Menuette überliefert das Autograph in der im thematischen Verzeichnis wiedergegebenen Reihenfolge, doch bilden sie (in umgekehrter Reihenfolge) tonartenmäßig eigentlich Menuet (D-Dur) mit Trio (d-Moll). Menuet I wurde jedoch gestrichen. Bei der Arbeit an der Cäcilien-Ode ließ Händel sich von der kurz vorher veröffentlichten Suitensammlung „Componimenti musicali" von Theophil Muffat (vermutlich 1736 erschienen) anregen. Chrysander verzeichnete im Vorwort zu seiner Ausgabe der „Componimenti musicali"[3] folgende Sätze als thematische Entlehnungen:

Ouverture (Larghetto e staccato)
  Th. Muffat: Componimenti musicali: Suite I: Courante

Minuet D-Dur
  Th. Muffat: Componimenti musicali: Suite III: Menuet

1. When nature underneath a heap
  Th. Muffat: Componimenti musicali: Suite VI: Fantaisie (Adagio), Suite IV: Fantaisie (Tempo giusto)

[2] Zuerst von Giovanni Battista Draghi vertont. S. Chrysander II, S. 414, und Schering, A.: Geschichte des Oratoriums, Leipzig 1911, S. 269, Anm. 1.

[3] Gottlieb (Theophil) Muffat, Componimenti musicali per il Cembalo, Augsburg: Joh. Chr. Leopold, o. J. (ca. 1736). NA, hrsg. von A. Farrenc, in: Le Trésor des Pianistes, X, Paris 1864; Supplemente, enthaltend die Quellen zu Händels Werken, 5. Für die Deutsche Händelgesellschaft hrsg. von F. Chrysander, Leipzig 1896: DTÖ, III. Bd., Dritter Theil, hrsg. von G. Adler, Wien 1896. Vgl. Händels Exzerpte aus den *Componimenti* in *GB* Cfm MS. 262 (30 H 12), p. 62, z. T. bei S. Taylor, S. 2 ff.

6[a,b]. The soft complaining flute
Th. Muffat: Componimenti musicali: Suite III: Sarabande
8. But oh! what art can teach
Th. Muffat: Componimenti musicali: Suite III: Fantaisie

Die „Ode for St. Cecilia's Day" wurde stets in Verbindung mit anderen Werken aufgeführt. Die Uraufführung (Solisten: Elisabeth Duparc detta La Francesina, Sopran, John Beard, Tenor) fand zusammen mit HWV 75 Alexander's Feast am 22. November 1739 (Wiederholung am 27. November) im Theatre Lincoln's-Inn-Fields statt. Drei Wochen später (am 13. und 20. Dezember) erklang das Werk mit gleicher Besetzung in einem Konzert mit HWV 49[a] Acis and Galatea. Auch 1740 (21. Februar, 28. März), 1741 (26. und 28. Februar, 11. März) sowie auf der Konzertreise nach Dublin 1742 (20. und 27. Januar) wurde es zusammen mit „Acis and Galatea" gegeben. Ein drittes Werk, das gemeinsam mit der Cäcilienode von Händel dargeboten wurde, war HWV 55 L'Allegro ed il Penseroso, bei dem die Ode den 3. Teil, „Il Moderato", ersetzte. Die erste gemeinsame Aufführung beider Werke fand am 8. April 1741 im Theatre Lincoln's-Inn-Fields statt; Wiederholungen erfolgten am 18. März 1743, am 23. Mai 1754 und am 21. Februar 1755, jeweils in Coventgarden.
1739/40 sangen Frencesina und Beard die Solopartien in der Ode. Als Solisten für die späteren Aufführungen des Werkes werden in der Direktionspartitur folgende Sänger genannt: 1741 (mit „Acis and Galatea"): Monza, Corfe, Andreoni und Savage; 1742 (Dublin): Avoglio und Cibber, für die Händel die Arie Nr. 6[b] (e-Moll) einfügte; 1743 (mit „L'Allegro ed il Penseroso"): Edwards und Beard; 1754: Passerini, Frasi und Guadagni; 1755: Frasi, Guadagni sowie vermutlich Beard.
W. A. Mozart versah die Cäcilienode im Juli 1790 für van Swietens Aufführungen mit neuer Instrumentation (KV 592)[4].

Literatur
Burney IV, S. 826 f.; Chrysander II, S. 430 ff.; Clausen, S. 179 ff.; Dean, S. 319; Deutsch, S. 487 ff.; Flower, p. 261 f., 342 f./S. 237 f.; Grandauer, F.: Zu Händels Cäcilien-Ode. In: Recensionen und Mitteilungen über Theater und Musik, 10. Jg., Wien 1864, S. 51 ff.; Herbage, S. 139 ff.; Lang, p. 314 ff./S. 283 ff.; Leichtentritt, S. 357 ff.; Rochlitz, F.: Cäcilia. Feyer des Andenkens der heiligen Cäcilia. In: Allgemeine Musikalische Zeitung, 6. Jg., Leipzig 1803, S. 97 ff., 113 ff.; Schering, A.: Geschichte des Oratoriums, Leipzig 1911, S. 268 ff.; Schoelcher, S. 182 f.; Serauky III, S. 203 ff.; Siegmund-Schultze, S. 119; Streatfeild, S. 43; Taylor, S. 6 ff.
Beschreibung der Autographe: Lbm: Catalogue Squire, S. 55. – Cfm: Catalogue Mann, Ms. 262, S. 207.

[4] Neu hrsg. von A. Holschneider, in: W. A. Mozart, Neue Ausgabe sämtlicher Werke, Serie X: Supplement, Werkgruppe 28, Abt. 1, Bd. 4, Kassel und Leipzig 1969.

Vokale Kammermusik

Kantaten
Kammerduette
Kammertrios
Arien und Lieder

77. Ah! che pur troppo è vero

Besetzung: Sopr., Basso continuo
ChA 50. – HHA V/1. – EZ: Florenz, ca. 1707

Cantata a voce sola

Textdichter: unbekannt

Recitativo.

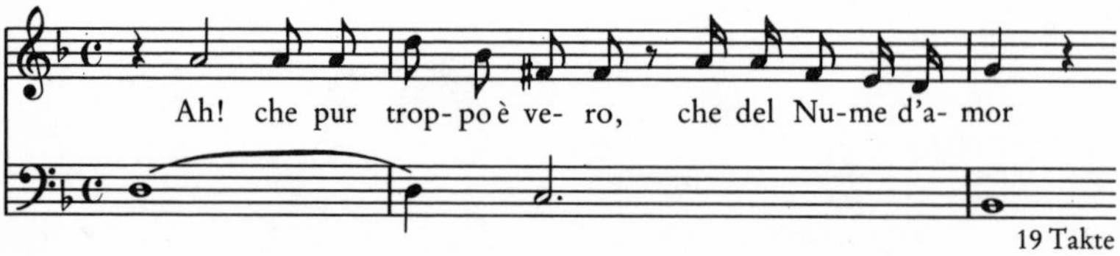
Ah! che pur trop- po è ve- ro, che del Nu-me d'a- mor

19 Takte

1. Aria.

Largo

Col par- tir la bel- la, bel- la Clo- ri,

Takt 3

25 Takte *D. s.*

Recitativo.

In so- li- ta- ria

par- te vol-go sem- pre le pian- te

12 Takte

2. Aria.

Cemb.

Ca- re mu- ra! ca- re mu- ra, in voi d'in- tor- no

Takt 7

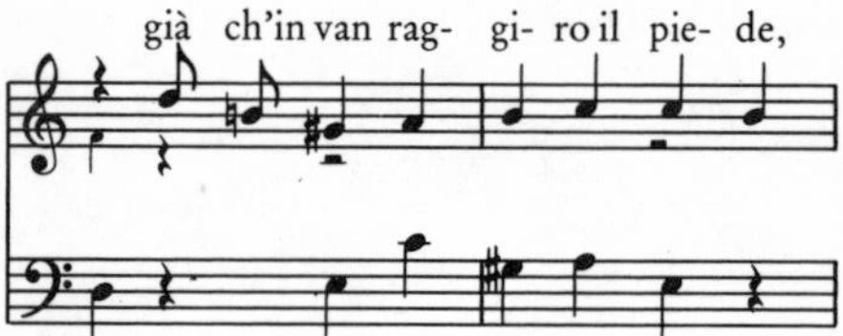
già ch'in van rag- gi- ro il pie- de,

51 Takte

Recitativo.

Nu-mi ingiu- sti, spie- ta- ti, a- mor ti- ranno

13 Takte

3. Aria.

Da che per so ho la mia Clo- ri,

Takt 8

(77) 69 Takte *D. c.*

Quellen

Handschriften: Autograph: GB Lbm (R. M. 20. d. 12., f. 13–16).

Abschriften: AUSTR Sydney (P 39, p. 140–148) – GB Cfm (Barrett-Lennard-Collection, Mus. MS. 797, p. 83–91), Lbm (Egerton 2942, f. 81r–84v), Lcm (MS. 256, vol. 2, f. 27v–33r; MS. 257, f. 109v–115r), Mp (MS 130 Hd4, v. 78, p. 86–105).

Bemerkungen

HWV 77 gehört zu einer Gruppe von Werken, deren Autographe sich durch Schriftduktus, Wasserzeichen (Typ 1/I, J, K und Rastrierung (12zeilig, Rastralbreite 9,7 mm; vgl. auch HWV 81, 91, 141, 174, 180, 184) als zeitlich benachbart ausweisen. Diese Kompositionen sind demnach vermutlich in loser Folge im Herbst 1707 in Florenz entstanden, als Händel dort am Hofe der Medici zur Aufführung seiner Oper HWV 5 Rodrigo (Vincer se stesso è la maggior vittoria) weilte.

Der Text der Kantate wurde außer von Händel auch von Alessandro Scarlatti vertont.

Entlehnungen:

2. Care mura (Continuo)
   HWV 122 „La terra è liberata": 6. Come rosa (Ritornello)
   HWV 133 „Ne' tuoi lumi": 3. La mia piaga
3. Da che perso ho la mia Clori
   HWV 5 Rodrigo: 14. Fra le spine
   HWV 6 Agrippina: 8. Tu ben degno
   HWV 17 Giulio Cesare in Egitto: 31b. Scorta siate
   HWV 18 Tamerlano: Anhang (2a.) Conservate per mia figlia
   HWV 38 Berenice: 9. Quell'oggetto

Literatur

Chrysander I, S. 160; Lewis (Symposium), S. 108 f.; Mayo II, S. 38 f.

Beschreibung des Autographs: Lbm: Catalogue Squire, S. 21.

78. Ah! crudel, nel pianto mio

Cantata a voce sola con stromenti

Textdichter: unbekannt

Besetzung: Solo: Sopr. Instrumente: Ob. I, II; V. I, II; Va.; Cont.

ChA 52a. – HHA V/3. – EZ: Rom, August 1708. – UA: Rom, 2. September 1708, Palazzo Bonelli

Sonata.

Ob. I, II
V. I, II
Cont.

1. Aria.

V. I, II e Va. unis.
Cont.

[vgl. HWV 174 (1.)]

Recitativo.

Cont.

2. Aria.

V. I, II unis.
Cont.

[vgl. HWV 119 (4.)]

3. Recitativo accompagnato.

V. I, II
Cont.

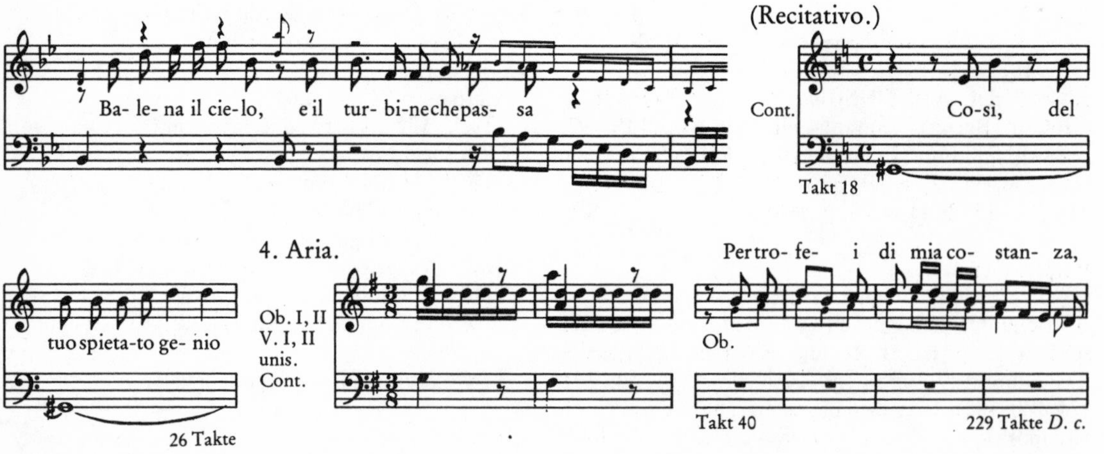

Quellen

Handschriften: Autograph: D (brd) MÜs (Hs. 1897, f. 1–21).

Abschriften: GB Lbm (R. M. 19. a. 1., f. 2–25: „Composta a Roma per il Sgr. Marchese Ruspoli da G. F. Handel"; R. M. 19. d. 10., f. 2–25: „Composta a Roma per il Sgr. Marchese Ruspoli da G. F. Handel").

Bemerkungen

Neben der Beschaffenheit von Papier (WZ: Typ 2/D) und Schriftduktus des Autographs, die auf Händels römischen Aufenthalt 1707/08 deuten, existiert als weiterer Beweis für die Entstehung in Rom eine Kopistenrechnung (s. Kirkendale, Dokument 38) für Marchese Francesco Maria Ruspoli vom Oktober 1711. Auf Grund von weiteren Nachweisen über die Konzerte bei Ruspoli vermutet U. Kirkendale (S. 241) in der Aufführung einer „Cantata a voce sola con VV." am 2. September 1708, daß damit dieses Werk gemeint sei. Außerdem tragen die beiden Kopien der Kantate den ausdrücklichen Hinweis auf ihre Bestimmung.

Händels Arbeit an der Komposition spiegelt sich deutlich im Autograph wider. So befindet sich auf f. 15^r ein nicht vertonter vierzeiliger Rezitativtext, und die Musik der Arie „Per trofei di mia costanza" (4) war ursprünglich zum Text der Arie „Di quel bel che il ciel ti diede" (2) komponiert, den Händel später tilgte. Die Sonata sollte vermutlich auch als Instrumentaleinleitung für die Kantate HWV 150 „Qual ti riveggio" dienen, denn Händel vermerkte zu Beginn „Sonata Avanti la Cantata che Dice Qual ti riveggio A Crudel" im Autograph.

Entlehnungen:

Sonata[1]
- HWV 47 La Resurrezione: 29. Dia si lode in cielo
- HWV 72 Aci, Galatea e Polifemo: 20. Chi ben ama ha per oggetti
- HWV 6 Agrippina: 4. L'alma mia fra le tempeste
- HWV 7^a Rinaldo (1. Fassung): 10. Molto voglio
- HWV 13 Muzio Scevola: 18. Si sarà più dolce amore
- HWV 29 Ezio: 12^a. Symfonia (T. 2/3)
- HWV 55 L'Allegro, il Penseroso ed il Moderato: 30. These delights if thou canst give (T. 30 ff.)
- HWV 468 Air A-Dur für Cembalo
- HWV 64 Joshua: 24. Heroes when with glory burning

1. Ah! crudel, nel pianto mio
   - HWV 174 „Un sospir a chi si muore": 1. Un sospir
   - HWV 6 Agrippina: 5. Qual piacer
   - HWV 7ª Rinaldo (1. Fassung): 27. Ah! crudel, il pianto mio
   - HWV 17 Giulio Cesare in Egitto: 11^a. Nel tuo seno
2. Di quel bel che il ciel ti diede
   - HWV 72 Aci, Galatea e Polifemo: 3. Che non può la gelosia
   - HWV 6 Agrippina: 2. La mia sorte fortunata
   - HWV 119 „Io languisco fra le gioje": 7. Io languisco
   - HWV 17 Giulio Cesare in Egitto: 34^a. Domerò la tua fierezza
   - HWV 70 Jephtha: 17. Freedom now once more possessing

Literatur

Harris, S. 170.

Beschreibung des Autographs: Ewerhart, S. 124

[1] Von Händel einem Duett M. A. Cestis bzw. einer Arie A. Scarlattis entlehnt, die beide den Text „Cara e dolce libertà" haben. Vgl. Chrysander I, S. 197 ff. Auch R. Keiser verwendete das Thema in der Oper „La forza della virtù" (Hamburg 1700, Arie „Amor macht sich zum Tyrannen"). S. Kretzschmar, H.: Geschichte der Oper, Leipzig 1919, S. 149 (vgl. auch SIMG III, S. 285).

79. Diana cacciatrice: Alla caccia

Cantata a voce sola con Coro e stromenti

Textdichter: unbekannt

Besetzung: Solo: Diana (Sopr.). Coro: Tutti Soprani. Instrumente: Trba.; V. I, II; Cont.
HHA V/3. – EZ: Rom, Mai 1707. – UA: Vignanello, Mai/Juni 1707

La March.

Recitativo. Sopr. 1. Aria. Sopr.

2. Solo e Coro. Sopr.; Voci del Coro

3. Coro. Sopr.

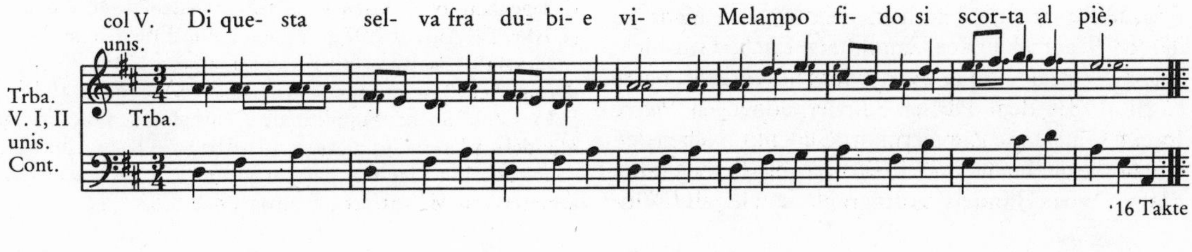

Anhang

2a. Coro. Sopr.; Voci del coro

V. unis. e insieme (con) le voci del coro

8 Takte (fragm.)

Quellen

Handschriften: Autograph: A Wgm (Ms. 186, f. 1–4: La March, Rec. „Alla caccia", 1. Foriera la tromba, T. 1–119) – D (ddr) Bds (Mus. ms. autogr. G. F. Händel 3, f. 5–7: 1. Foriera la tromba, T. 120 bis 128, Anhang 2^{a}. Alla caccia, 2. Alla caccia, 3. Di questa selva).

Bemerkungen

Die bisher unveröffentlichte Kantate *Diana cacciatrice* schrieb Händel während seines Aufenthalts in Rom im Frühjahr (April/Mai) 1707 (s. Kirkendale, Dokument 1, Kopistenrechnung vom 16. Mai 1707. WZ des Autographs: Typ 2/D). Sie war für eine Jagdpartie des Marchese Francesco Maria Ruspoli bestimmt, die auf dessen Landsitz in Vignanello stattfand.

Händels Autograph, einst im Besitz von Abbate Fortunato Santini, wurde von diesem aufgeteilt und zwei bekannten Wiener Autographensammlern dediziert. Einen Teil erhielt Raphael Georg Kiesewetter, das sich heute in A Wgm (Kollektion Kiesewetter, Ms. 186) befindet, den anderen Aloys Fuchs, aus dessen Besitz er in die Bestände der Deutschen Staatsbibliothek Berlin gelangte.

Die Handschrift bestand ursprünglich aus 7 Blättern (13 beschriebene Seiten). Davon gehörten Kiesewetter die ersten 4 Blätter (8 beschriebene Seiten), 3 Blätter (5 beschriebene Seiten) wurden Eigentum von Fuchs. Bll. 5 [D (ddr) Bds, frühere Signatur Mus. ms. autogr. G. F. Händel 4] übergab Fuchs 1843 dem Dresdner Bibliothekar Hofrat Falkenstein, aus dessen Besitz es später in die Hände des Marburger Sammlers Dr. med. Richard Wagener überging. Die ehemalige Preußische Staatsbibliothek Berlin erwarb es 1862 unter der Nummer 9257 von ihm im Tausch gegen Dubletten. Bl. 6–7 [D (ddr) Bds, Mus. ms. autogr. G. F. Händel 3] kam 1889 über die Berliner Buchhandlung Weber an die ehemalige Preußische Staatsbibliothek, gehörte also nicht zu der 1879 aufgekauften Sammlung Fuchs-Grasnick. Wie aus einem Vermerk von Fuchs hervorgeht, hatte er Bl. 7 1836 dem Pariser Klavierpädagogen Pierre Joseph Guillaume Zimmerman geschenkt. Neben den Angaben, die Fuchs zur Identifizierung dieses letzten Blattes von Händels Autograph sowie als Widmungsformulierung darauf eintrug, findet sich unter dem letzten beschriebenen Notensystem von der Hand Santinis der Vermerk „Ritorna da capo i Viol. soli e poi tutti", eine Interpretationsanweisung, die nicht auf Händel zurückgeht.

Der gesamte Anteil am Autograph, den Fuchs besaß, ist seit 1980 in der Deutschen Staatsbibliothek Berlin unter der Signatur *Mus. ms. autogr. G. F. Händel 3* vereinigt worden[1].

Der Titel der Kantate stammt von Händel. Der Verfasser des Textes dürfte unter den dichtenden römischen Aristokraten des Kreises um Ruspoli oder der *Accademia degli Arcadi* zu suchen sein. Die Beschaffenheit des Autographs weist auf den unmittelbaren Kompositionsvorgang hin (vgl. den Entwurf für den Coro „Alla caccia", Anhang 2^{a}, f. 5); es stellt keine nachträglich angefertigte autographe Reinschrift dar.

Die Arie „Foriera la tromba" (1) hat Händel später als musikalische Quelle für die textlich ähnlich angelegte Arie „Con tromba guerriera" (7) der Oper HWV 10 Silla verwendet. Der Schlußsatz „Di questa selva" (3) ist eine Entlehnung; die Vorlage bildete ein Menuett mit dem Text „Hebet und senket den fertigen Fuß" von Pantaleon Hebenstreit (1669 bis 1750), den Händel aus Weißenfels kannte. Vermutlich übernahm Händel es aus Keisers Oper „Die römische Unruhe oder Die edelmütige Octavia" (Hamburg 1705)[2].

[1] Die frühere Signatur *Mus. ms. autogr. G. F. Händel 4,* f. 5, des Autographs ist daher zugunsten dieser neuen Signatur aufgegeben worden. Für freundliche Hinweise und Auskünfte im Zusammenhang mit den Quellenstudien für diese Kantate schuldet der Verf. Frau Eveline Bartlitz, Deutsche Staatsbibliothek Berlin, Musikabteilung, großen Dank.

[2] Keiser, der seine Oper „Octavia" bereits 1704 in Weißenfels komponiert und aufgeführt hatte, übernahm bei dieser Gelegenheit zwei Arien von Hebenstreit in seine Partitur (I. Akt, 14. Auftritt). Vgl. Vorwort zum Libretto der Oper „Octavia" von Barthold Feind (Hamburg 1705). Auszüge daraus bei Baselt, Händel auf dem Wege nach Italien, S. 15. Vgl. auch: Supplemente, enthaltend Quellen zu Händel's Werken. 6. *Octavia* von Reinhard Keiser. Für die deutsche Händelgesellschaft hrsg. von F. Chrysander (bearbeitet von M. Seiffert), Leipzig 1902, S. 72 ff.

Literatur
Coopersmith, J. M.: Handelian Lacunae. A Project. In: The Musical Quarterly, vol. 21, 1935, S. 224 ff.; Coopersmith, J. M.: Program Notes to a Concert of unpublished Music by Handel. In: Papers read at the International Congress of Musicology held at New York 1939, New York 1944, S. 213 ff.; Kirkendale, S. 227 ff., 518; Baselt, B.: Konzert mit bisher unveröffentlichten Werken G. F. Händels. Einführung. In: 27. Händel-Festspiele der DDR Halle (Saale) vom 2.–6. Juni 1978, Festschrift, S. 69 ff.; Baselt, B.: Händel auf dem Wege nach Italien. In: G. F. Händel und seine italienischen Zeitgenossen. Bericht über die wissenschaftliche Konferenz zu den 27. Händelfestspielen der DDR in Halle (Saale) am 5. und 6. Juni 1978. Im Auftrag der Georg-Friedrich-Händel-Gesellschaft hrsg. von W. Siegmund-Schultze, Halle (Saale) 1979, S. 10 ff. Faksimiles zweier Seiten in: Flower, N.: G. F. Händel. Der Mann und seine Zeit (deutsch von A. Klengel), Leipzig 1/1925, Abb. 11, S. 65; Müller-Blattau, J.: G. F. Händel, Potsdam 1933, Abb. 97–98, S. 94–95; Rackwitz, W./Steffens, H.: G. F. Händel, Persönlichkeit, Umwelt, Vermächtnis. Leipzig 1962, Abb. 44a,b. Mayo I, S. 21 f.

80. Allor ch'io dissi addio

Cantata a voce sola

Textdichter: unbekannt

Besetzung: Sopr., Basso continuo
ChA 50. – HHA V/1. – EZ: vermutlich Rom, 1707/09

Recitativo.

Al-lor ch'io dis-si! Ad-di- o
17 Takte

1. Aria.

(Allegro)

Son qual cer-va fe- ri- ta che fug- ge,
Takt 5
44 Takte D. c.

A. Recitativo.

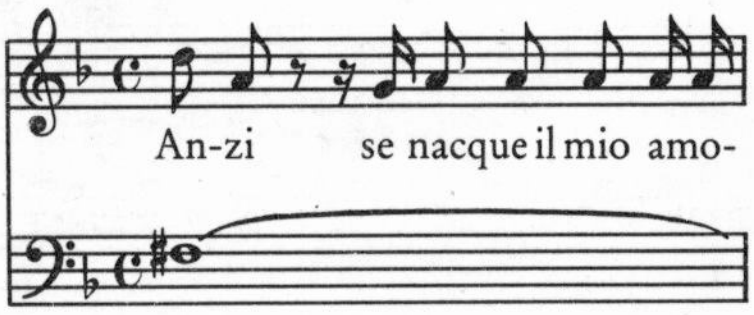
An-zi se nacque il mio amo-

ro- so de- si- o
13 Takte

B. Recitativo.

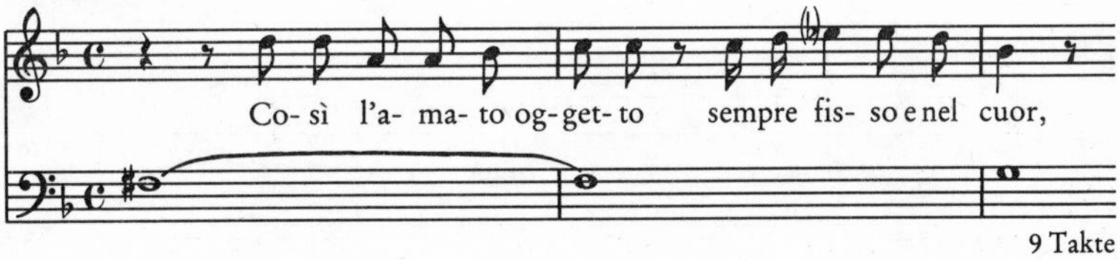
Co- sì l'a- ma- to og-get- to sempre fis- so e nel cuor,
9 Takte

2. Aria.

A tempo giusto
Il dol- ce fo- co mi- - -o
20 Takte D. c.

Quellen
Handschriften: Autograph: GB Lbm (R. M. 20. d. 11., f. 58–60).
Abschriften: AUSTR Sydney (P 39, p. 112–116) – A Wn (Ms. 17 750, f. 29v–32v) – GB Cfm (Barrett-Lennard-Collection, Mus. MS. 797, p. 50–53), Lbm (Egerton 2942, f. 107v–109r), Lcm (MS. 256, vol. 1, f. 41v–44v; MS. 257, f. 91r–94r), Mp (MS 130 Hd4, v. 78, p. 55–63) – I Vnm (It. IV 769, f. 57r–62r).

Bemerkungen
Eine Datierung der Kantate war bisher nicht möglich, da das Papier des Autographs kein Wasserzeichen erkennen läßt. Schriftduktus und stilistischer Befund verweisen das Werk in die Zeit des Italienaufenthalts. Der Arientext „Il dolce foco mio" (2) findet sich auch in der Oper HWV 5 Rodrigo (33), obwohl dort der Text von Händel anders vertont wurde. Einzelheiten über den Anlaß zur Entstehung dieser Kantate ließen sich bisher nicht ermitteln.

Literatur
Leichtentritt, S. 566.
Beschreibung des Autographs: Lbm: Catalogue Squire, S. 21.

81. Alpestre monte

Cantata a voce sola con stromenti

Textdichter: unbekannt

Besetzung: Solo: Sopr. Instrumente: V. I, II; Cont.
ChA 52a. – HHA V/3. – EZ: Florenz, vermutlich 1707

1. Recitativo accompagnato.

V. I, II
Cont.
Al-pe-stre mon-te e so- li- ta- ria sel- va,
12 Takte

2. Aria.

Largo e staccato
V. I, II
Cont.

p
Io so ben ch'il vo- stro or- ro- re è un' im- ma- go del mio co- re,
37 Takte D. c.

Recitativo.

Cont.
Quin- di men vengo a voi duol è si for- te
18 Takte

3. Aria.

Adagio
V. I, II
Cont.

Al- men do- po il fa- to mi- o vie- ni a dar l'e-stremo ad-di- o,
V. I, II unis.
Takt 9
66 Takte D. c.

Quellen
Handschriften: Autograph: GB Lbm (R. M. 20. e. 1., f. 38r–39v, fragm.: Nr. 1, Nr. 2, T. 1–12, Nr. 3, T. 24 ff.).
Abschriften: GB Lbm (Add. MSS. 31555, f. 204–207, fragm.), Mp (MS 130 Hd4, v. 77, p. 203 –217), Ob (Mus. d. 61., f. 163–179).

Bemerkungen
Die Kantate, deren Entstehungsanlaß nicht bekannt ist, wurde vermutlich – nach Papierbeschaffenheit des nur fragmentarisch erhaltenen Autographs (WZ: Typ 1/J) und Rastrierung (vgl. HWV 77) – um 1707 in Florenz geschrieben. Daß Händel das Werk 1708 in Neapel komponiert haben könnte, wie in der Literatur manchmal angenommen wird, ist wenig wahrscheinlich. Der Text wurde außer von Händel auch von Francesco Mancini als Continuo-Kantate[1] vertont. Die Arie „Io so ben ch'il vostro orrore" (2) basiert auf einem melodischen Modell, das Händel außerdem in folgenden Werken benutzte:
HWV 6 Agrippina: 27, Voi che udite il mio lamento
HWV 9 Teseo: 8. M'adoro l'idol mio
HWV 15 Ottone: 10. Affanni del pensier
HWV 51 Deborah: 4. For ever to the voice of pray'r
HWV 52 Athalia: 6^{b}. O Lord whom we adore
HWV 68 Theodora: 10. As with rosy steps the morn
Beschreibung des Autographs: Lbm: Catalogue Squire, S. 22.

[1] Kopie in GB Lbm (Add. MSS. 14213). Mancini hatte für die Aufführung von Händels Oper HWV 6 Agrippina 1713 in Neapel (Teatro San Bartolomeo) Intermezzi geschrieben. Vgl. Radiciotti, G./Cherbuliez, A.-E.: Giovanni Battista Pergolesi, Zürich/Stuttgart 1954, S. 32; Strohm, R.: Italienische Opernarien des frühen Settecento (1720–1730), Zweiter Teil (= Analecta Musicologica, Bd. 16/II), Köln 1976, S. 187 f.

82. Il Duello amoroso/ Daliso ed Amarilli: Amarilli vezzosa

Cantata a due con stromenti

Textdichter: unbekannt

Besetzung: Soli: Sopr. (Amarilli), Alto (Daliso). Instrumente: V. I, II; Cont.
HHA V/3. – EZ: Rom, August 1708. – UA: Rom, vermutlich am 28. Oktober 1708, Palazzo Bonelli

Sonata.

V. I, II
Cont.

44 Takte

Takt 17 24 Takte

Recitativo. Daliso

Cont.

11 Takte

1. Aria. Daliso

V. I, II unis.
Cont.

Takt 13 74 Takte *D. c.*

Recitativo. Amarilli

Cont.

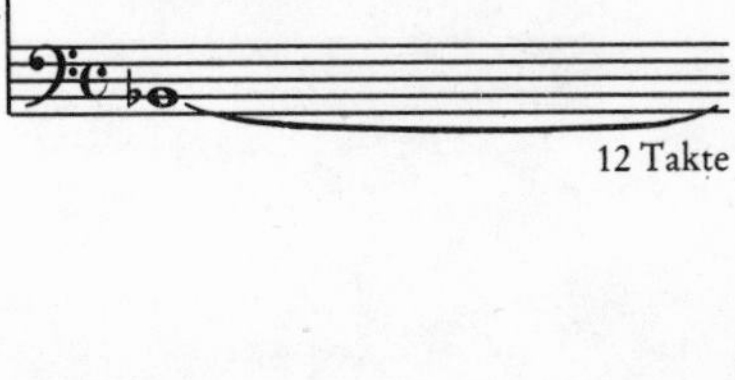

12 Takte

2. Aria. Amarilli

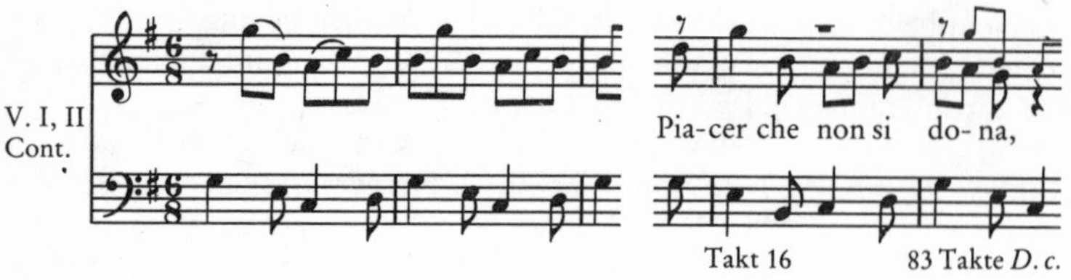

Recitativo. Daliso; Amarilli

3. Aria. Amarilli

Recitativo. Daliso

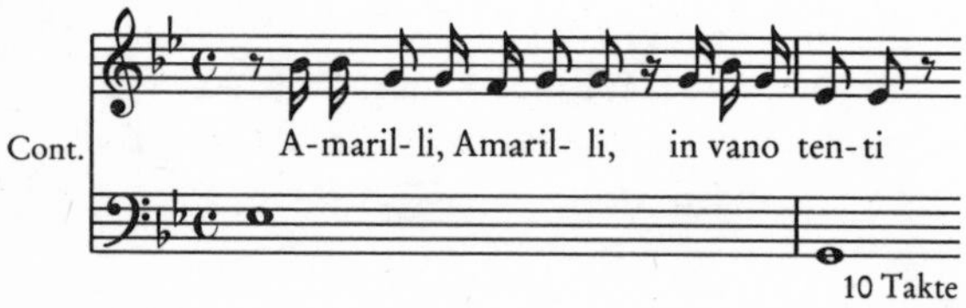

4. Aria. Daliso

Recitativo. Amarilli; Daliso

5. Arioso. Daliso

6. Arioso. Amarilli

7. Duetto. Amarilli; Daliso

8. Ritornello.

Quellen
Handschriften: Autograph: verschollen.
Abschrift: D (brd) MÜs (Hs. 1906, f. 1–44: „Il Duello Amoroso. Daliso ed Amarilli. Cantata à 2. C. A. Con VV. Del Sig. G. F. Hendel").

Bemerkungen
Die Kantate, deren Titel „Il Duello amoroso" authentisch ist, wurde im August 1708 von A. G. Angelini für Ruspoli kopiert (s. Kirkendale, Dokument 25 vom 28. August 1708) und vermutlich am 28. Oktober 1708 anläßlich einer *conversazione* im Palazzo Bonelli aufgeführt. Als Sänger kommen in Betracht: Daliso: Signor Pasqualino (Altkastrat), Amarilli: Margherita Durastanti (Sopran).

Der 2. Teil der *Sonata* ($\frac{3}{8}$-Takt, T. 17–24) stammt aus der nur fragmentarisch erhaltenen Musik der Oper HWV 4 Die verwandelte Daphne (Hamburg 1708, Chor „Amor, Amor, deine Tücke", vgl. HWV 352 Suite B-Dur, 1. Satz, Coro[1]).
Melodische Anregungen für spätere Werke entlehnte Händel folgenden Sätzen:

[1] Abschrift in GB Lbm (R. M. 18. b. 8., f. 62v).

2. Piacer che non si dona
   HWV 5 Rodrigo: 33. Il dolce foco mio
   HWV 6 Agrippina: 33. Col peso del tuo amor
   HWV 7ª Rinaldo (1. Fassung): 31. È un incendio fra due venti (Ritornello)
   HWV 8ª Il Pastor fido (1. Fassung): 16. No! non basta un infedele
   HWV 16 Flavio: 1. Ricordati, mio ben
   HWV 71 The Triumph of Time and Truth: 8ª. Happy Beauty (T. 10 ff.)
3. Quel nocchiero
   HWV 256ª „Let God arise" (1. Fassung): 1. Symphony, Allegro (ma non presto), T. 27 ff.
   HWV 402 Sonata B-Dur op. 5 Nr. 7: 4. Satz (Allegro)
4. È vanità d'un cor
   HWV 6 Agrippina: 44. Pur ch'io ti stringo al sen
5.–8. Sì, sì, lasciami ingrata
   HWV 6 Agrippina: Anhang 44a–c. No, no, ch'io non apprezzo
   HWV 28 Poro: 31./32. Caro, vieni al mio seno
   HWV 558 Menuet h-Moll

Literatur
Ewerhart, S. 125 ff.; Kirkendale, S. 243.

83. Aminta e Fillide: Arresta il passo

Cantata a due con stromenti

Textdichter: unbekannt

Besetzung: Soli: 2 Soprani (Aminta, Fillide). Instrumente: V. I, II, III; Va.; Cont.
ChA 52a/52b. – HHA V/3. – EZ: Rom, Frühjahr 1708. – UA: Rom, 14. Juli 1708

Ouverture.

1. Aria. Aminta

fer- mati, non fug- gir, non fug- gir,
p
77 Takte D. c.

Recitativo. Aminta; Fillide

Aminta
Cont.
Questa sol volta al- meno,
14 Takte

2. Aria. Fillide

V. I, II
Cont.
Fiam- ma bel- la! bel- la fiam- ma,
Takt 9

fiam- ma bel-la che al ciel s'in- vi- - -a
p
60 Takte D. c.

Recitativo. Fillide; Aminta

Fillide
Cont.
Credi a mie det- ti, A- min-ta,
12 Takte

3. Aria. Aminta

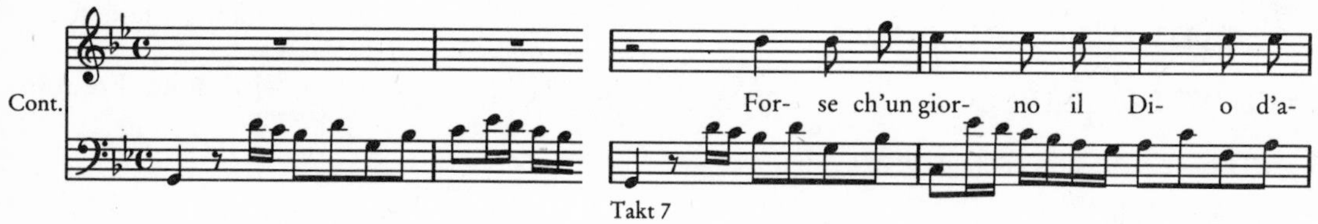
Cont.
For- se ch'un gior- no il Di- o d'a-
Takt 7

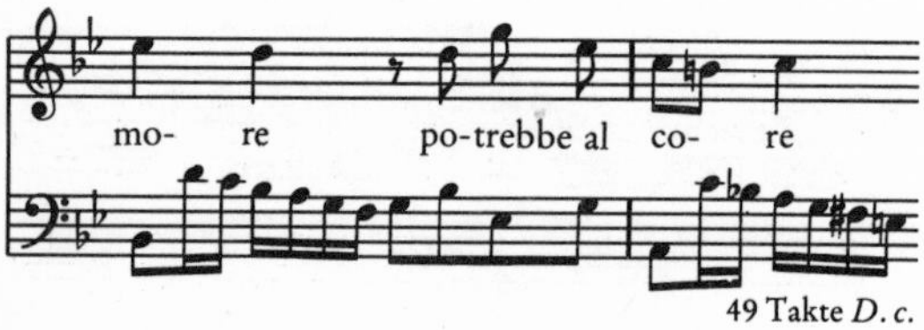
mo- re po-trebbe al co- re
49 Takte D. c.

Recitativo. Fillide; Aminta

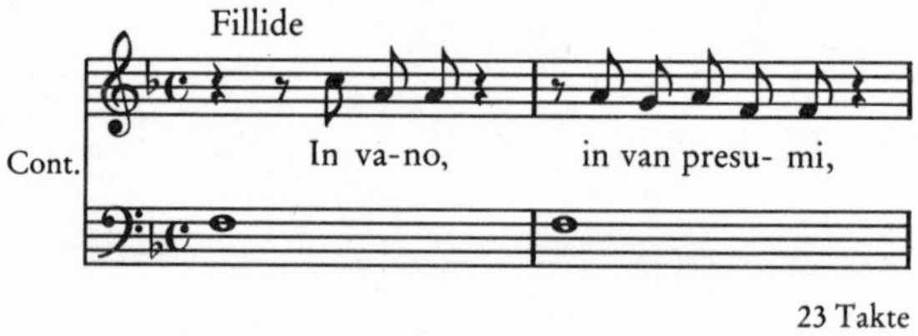
Fillide
Cont.
In va-no, in van presu- mi,
23 Takte

4. Aria. Fillide

V. I, II
Cont.
Fu scherzo, fu gio- co chi dis- se che il fo- co
Takt 18
90 Takte D. c.

Recitativo. Fillide; Aminta

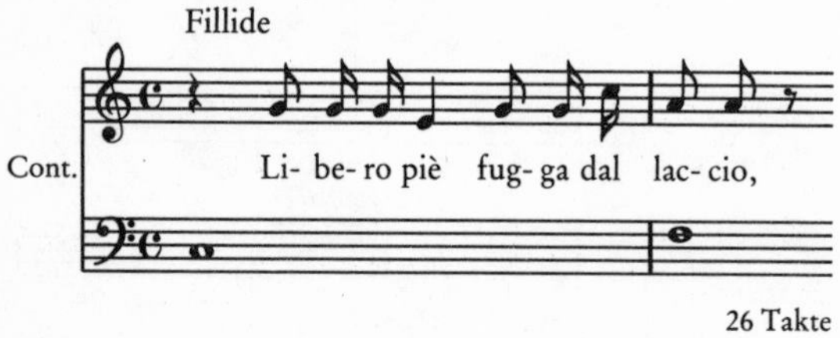
Fillide
Cont.
Li- be- ro piè fug- ga dal lac- cio,
26 Takte

5. Aria. Aminta

Se va- go ri- o fra sas- si
(col. V. I)
V. I, II
V. III o Va.
Cont.
p
(spizzicato)
Vc. senza Cemb.

fran- ge l'a- ma- to ar- gen- to
19 Takte D. c.

Recitativo. Fillide

Cont.
D'un in- co- gni- to fo- co, già sen- to a po-co a po- co,
7 Takte

6. Aria. Fillide

V. I, II unis.
Cont.
Sen- to, sento che il Dio bambin col strale suo di-
Takt 6

vin,
32 Takte D. c.

Recitativo. Aminta

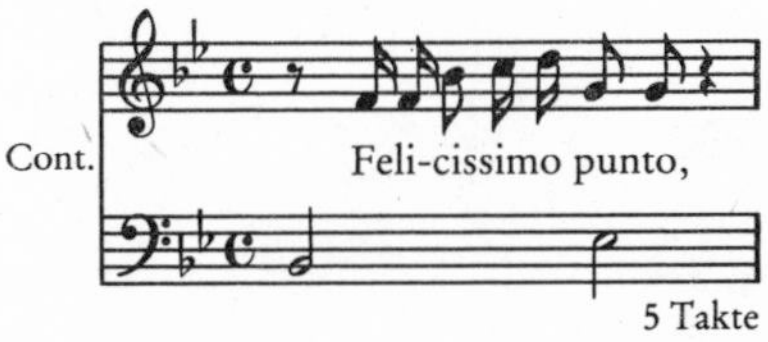
Cont.
Feli-cissimo punto,
5 Takte

7. Aria. Aminta

V. I, II
Cont.

Al di- spet- to di sor- te cru- de- le, co-stan- te fe- de- le,
Takt 19
101 Takte D. c.

Recitativo. Fillide

Cont.
Vince- sti, Aminta, e l'a-mo-ro-so affanno,
12 Takte

8. Aria. Fillide

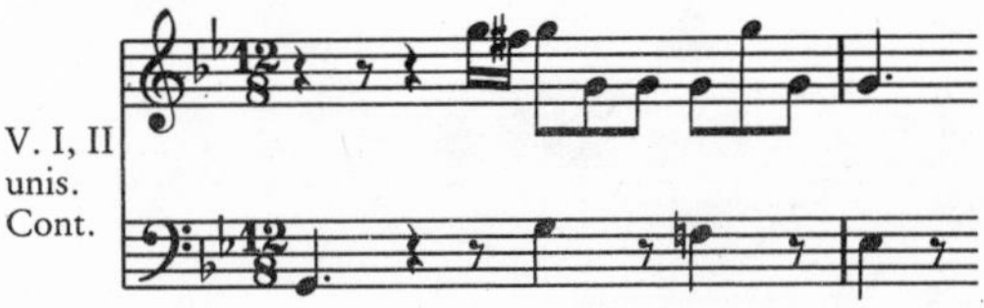
V. I, II unis.
Cont.

È un fo- co, quel d'amo- re, che pe- ne- tra nel co- re, ma co- me? non si sa,
Takt 7
37 Takte D. c.

Recitativo. Aminta; Fillide

Aminta
Cont.
Glo- ria bel- la d'A- min- ta mi- rar,
15 Takte

9. Aria. Aminta

Allegro
V. I, II
Va.
Cont.

Chi ben a- ma non pa- ven- ta di tro- var un dì pie- tà,
Soli
Tutti
Takt 14
78 Takte *D. c.*

Recitativo. Aminta

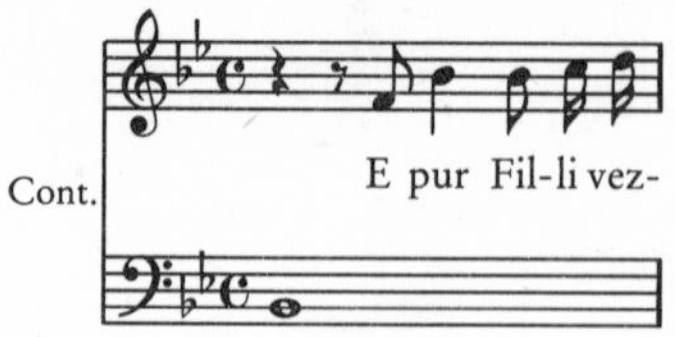
Cont.
E pur Fil-li vez-

zo- sa ri- sol- vi di dar pa- ce
9 Takte

10a. Aria. Fillide

V. I, II
Va.
Cont.
tr
Non si può dar un
Takt 17

cor si fe- li- ce in a- mor,
p
90 Takte *D. c.*

10b. Aria. Fillide

V. I, II
Va.
Cont.
16
[D (brd) MÜs]
Non si può dar un cor
90 Takte *D. c.*

Recitativo. Aminta; Fillide

Cont.
O fe- li- ce in a- mor dol- ce tormento,
4 Takte

11. Duo. Aminta; Fillide

V. I, II
Cont.
[vgl. HWV 119 (5.), HWV 182b]

Aminta: Per ab- bat- ter il rigore d'un crudel spie- ta- to co- re,
Fillide: Per ab- bat- ter il rigore d'un crudel
Takt 7
57 Takte *D. c.*

Quellen

Handschriften: Autograph: GB Lbm (R. M. 20. e. 3., f. 1–30: Nr. 1–8, Rezitativ „Gloria bella d'Aminta", Nr. 11, f. 65–71v: Nr. 9–10a, Rezitativ „O felice in amor").

Abschrift: D (brd) MÜs (Direktionspartitur Hs. 1912, f. 1–162, Rezitativ „E pur Filli vezzosa", T. 5–9, autograph).

Bemerkungen

Die Kantate wurde vermutlich im Frühjahr oder Sommer 1708[1] in Rom komponiert (WZ des Autographs: Typ 2/D) und am 14. Juli dieses Jahres anläßlich der *Adunanza generale* der Accademia degli Arcadi bei Ruspoli in Rom aufgeführt (s. Kirkendale, S. 240 f. und Dokument 21). Es ist jedoch anzunehmen, daß es bereits eine frühere Aufführung der Kantate gab, in der das Werk ohne die später von Händel selbst in der zum Teil von A. G. Angelini geschriebenen Kopie in D (brd) MÜs vorgenommene Erweiterung um das Fragment „Chi ben ama" (GB Lbm, R. M. 20. e. 3., f. 65–71, WZ: Typ 2/C) erklang. Diese Überarbeitung ist in der Direktionspartitur noch erkennbar (s. Ewerhart, S. 128): Nach dem Rezitativ „Gloria bella d'Aminta" findet sich dort der

[1] Die im Autograph auf f. 3v befindliche Bleistifteintragung „1. April 1737" bezieht sich möglicherweise auf die 3. Aufführung von HWV 49b Il Trionfo del Tempo e della Verità.

Vermerk „Segue le due Arie sciolte" (Nr. 9, 10[b]), und die Arie „Chi ben ama" (9) trägt den Hinweis „Chiamata doppo le parole: indarno Alma fedele", der sich auf die Schlußzeile des Rezitativs „Gloria bella d'Aminta" bezieht. Außerdem änderte Händel eigenhändig den Schluß des Rezitativs „E pur Filli" von h-Moll (Autograph GB Lbm) nach g-Moll [Kopie D (brd) MÜs] und ließ die G-Dur-Arie Nr. 10[a] („Non si può dar")[2] nach B-Dur transponieren (als Nr. 10[b]).

Daß diese Erweiterung der Kantate von Händel nachträglich vollzogen wurde, ist von M. Witte (s. Lit.) bereits angemerkt worden; auf Grund der inhaltlichen Entsprechung der Arie „Chi ben ama" (9) mit dem Schlußduo „Per abbatter il rigore" (11), der um eine obligate Viola[3] erweiterten Instrumentation der beiden eingefügten Arien sowie der Ganztonrückung zwischen dem Schluß des Rezitativs „Gloria bella d'Aminta" und der Arie „Chi ben ama" (d-Moll – c-Moll) muß angenommen werden, daß dieser Einschub keine nachträglich komponierte Erweiterung der Kantate darstellt, sondern daß Händel die Sätze einem textlich ähnlich angelegten, bereits vorliegenden Kantatenfragment entnahm.

Entlehnungen:

Ouverture, 1. Satz
HWV 7[a] Rinaldo (1. Fassung): Ouverture, 1. Satz (Largo)

1. Fermati, non fuggir (Ritornello)
HWV 5 Rodrigo: 19. Siet' assai superbe (Ritornello)
HWV 6 Agrippina: 35. Pensieri, voi mi tormentate (Ritornello)

2. Fiamma bella[4]
HWV 6 Agrippina: 40. Ogni vento
HWV 15 Ottone: 2[a]. Giunt'in porto; 36. Faccia ritorno
HWV 19 Rodelinda: 15. De' miei scherni
HWV 71 The Triumph of Time and Truth: 8[a]. Happy Beauty

3. Forse che un giorno
HWV 122 „La terra è liberata": 7. Come in ciel
HWV 147 „Partì, l'idolo mio": 2. Tormentosa, crudele partita
HWV 10 Silla: 2. Fuggon l'aura
HWV 14 Floridante: 29[a]. Amor commanda

4. Fu scherzo, fu gioco (Ritornello)
HWV 9 Teseo: 32. Cara, ti dono in pegno il cor (Ritornello)
HWV 8[c] Il Pastor fido (2. Fassung): 34. Cara, ti dono in pegno il cor (Ritornello)

5. Se vago rio
HWV 7[a] Rinaldo (1. Fassung): 19. Il vostro maggio

6. Sento che il Dio bambin
HWV 1 Almira: 29. Chi sa, mia speme
HWV 27 Partenope: 22. Barbaro fato

7. Al dispetto di sorte crudele[5]
HWV 5 Rodrigo: 5. Dell' Iberia al soglio invito
HWV 8[a] Il Pastor fido (1. Fassung): 15. Nel mio core
HWV 15 Ottone: 2[a]. Giunt' in porto (Ritornello)
HWV 33 Ariodante: 7. Volate amori (T. 7/8 f.)
HWV 61 Belshazzar: 28. Let the deep bowl

8. È un foco quel d'amore
HWV 6 Agrippina: 11. È un foco quel d'amore
HWV 13 Muzio Scevola: 15. Vivo senza alma
HWV 49[b] Acis and Galatea (2. Fassung): 10. È un foco quel d'amore

10. Non si può dar un cor
HWV 74 Birthday Ode: 4. Let flocks and herds
HWV 12[b] Radamisto (2. Fassung): Anhang 3[b]. L'ingrato non amar
HWV 17 Giulio Cesare in Egitto: 13. Tu la mia stella sei; Anhang (13.) Di te compagna fide

11. Per abbatter il rigore
Ritornello
HWV 72 Aci, Galatea e Polifemo: 18. Del mar fra l'onde (Ritornello)
HWV 7[a] Rinaldo (1. Fassung): Anhang 38[a]. Solo dal brando (Ritornello)
HWV 49[b] Acis and Galatea (2. Fassung): 28. Del mar fra l'onde (Ritornello)
Vokalteil (A-Teil)
HWV 119 „Io languisco fra le gioje": 8. Non più barbaro furore
HWV 182[b] „Caro autor": Dagli amori flagellata
Vokalteil (B-Teil)
vgl. Nr. 6 („Sento che il Dio bambin")

Literatur

Chrysander I, S. 238 f.; Ewerhart, S. 127 f.; Harris, S. 153, 174 f.; Kirkendale, S. 240 f.; Leichtentritt, S. 573 f.; Witte, M.: Zu den Werken des „Festlichen Konzerts". In: Göttinger Händeltage 1964, Programmheft, S. 35 ff.

Beschreibung des Autographs: Lbm: Catalogue Squire, S. 23 f.

[2] Im Autograph befindet sich vor dieser Arie ein 5 Takte langer Entwurf (nur V. I) für ein Arienritornell im 6/8-Takt in g-Moll, der von Händel gestrichen wurde, als er die G-Dur-Fassung von „Non si può dar" (10[a]) begann (abgedruckt in ChA 52[b], Vorwort, S. II).

[3] Obwohl in den anderen Sätzen der Kantate ein obligater Violapart nicht ausdrücklich ausgewiesen ist, deutet die durchweg im Altschlüssel notierte instrumentale Oberstimme der Arie „Fermati, non fuggir" (1) mit der Angabe „Tutti Viol. unis." mindestens auf die Möglichkeit einer Ad-libitum-Mitwirkung der Viola hin, so daß ihr Auftreten in den beiden Arien „Chi ben ama" (9) und „Non si può dar" (10) doch nicht so überraschend wirkt, wie M. Witte, a. a. O., annehmen möchte.

[4] Melodisch angeregt aus R. Keisers Oper „Die römische Unruhe oder Die edelmütige Octavia" (Hamburg 1705, I. Handlung, 7. Auftritt, Arie „Kehre wieder, mein Vergnügen"). Vgl. ChA, Supplemente 6.

[5] Vgl. R. Keiser, „Octavia": Arie „Es streiten mit reizender Blüte" (II. Handlung, 2. Auftritt).

84. Aure soavi, e lieti

Cantata a voce sola

Textdichter: unbekannt

Besetzung: Sopr., Basso continuo
ChA 50. – HHA V/1. – EZ: Rom, Mai 1707

Recitativo.

Au- re so- a- vi, e lie- ti
17 Takte

1. Aria

Adagio
Ca- - - - re lu- ci, che l'al- ba ren-de-
te
22 Takte

A.
B. Recitativo.

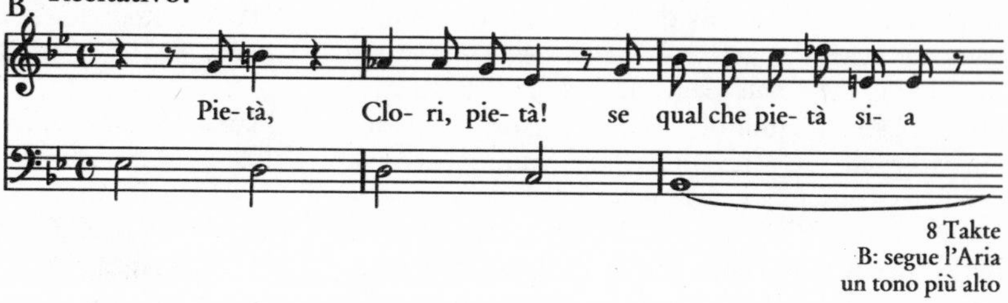
Pie- tà, Clo- ri, pie- tà! se qual che pie- tà si- a
8 Takte
B: segue l'Aria
un tono più alto

2a. Arietta.

Un au- ra fle- bi- le, un ombra mo- bi- le sperar mi fa,
34 Takte D. c.

2b. Arietta.

Un au- ra fle- bi- le
34 Takte D. c.

Quellen

Handschriften: Autograph: GB Lbm (R. M. 20. d. 11., f. 24–27).

Abschriften: AUSTR Sydney (P 39, p. 117–120) – A Wn (Ms. 17750, f. 103r–105r) – D (brd) MÜs (Hs. 1898, f. 67–72, Direktionspartitur, f. 71r,v mit autographer Textunterlegung) – GB BENcoke, Cfm (Barrett-Lennard-Collection, Mus. MS. 797, p. 54 bis 56), Lbm (Egerton 2942, f. 38v–39v; Add. MSS. 14182, f. 23r–25r), Lcm (MS. 256, vol. 2, f. 1r–3r; MS. 257, f. 94r–96r), Mp (MS 130 Hd4, v. 77, p. 145–150), Ob (Mus.d.62., p. 173–177; MS. Don. d. 125., f. 83v–86r).

Bemerkungen

Die Kantate wurde im Mai 1707 in Rom für Ruspoli komponiert (WZ des Autographs: Typ 2/D), der sie mehrfach kopieren ließ (Kopistenrechnungen: A. G. Angelini: 16. Mai 1707, 9. August 1708; F. A. Lanciani: 31. August 1709. S. Kirkendale, Dokumente 1, 24, 35). Das Rezitativ „Pietà, Clori" wurde von Händel im Autograph mit einem zweiten Schluß versehen, so daß die Schlußkadenz in a-Moll (statt in g-Moll) endete. Anschließend vermerkte er „segue l'Aria un tono più alto", d. h., die Arie „Un aura flebile" (2) sollte in d-Moll (statt in c-Moll) folgen.

Entlehnungen:

1. Care luci
   - HWV 5 Rodrigo: 16. Egli è tuo
   - HWV 9 Teseo: 9. Dolce riposo
   - HWV 16 Flavio: 13. Parto, sì, ma non so poi
2. Un aura flebile
   - HWV 95 „Clori, vezzosa Clori": 2. Non è possibile
   - HWV 72 Aci, Galatea e Polifemo: 2. Sforzano a piangere
   - HWV 6 Agrippina: 30. Voi dormite, oh luci care
   - HWV 49b Acis and Galatea (2. Fassung): (20b.) Love ever vanquishing
   - HWV 447 Suite d-Moll für Cembalo: 3. Sarabande

Literatur

Chrysander I, S. 237; Ewerhart, S. 135; Harris, S. 157 f.; Leichtentritt, S. 566; Lewis (Symposium), S. 181.

Beschreibung des Autographs: Lbm: Catalogue Squire, S. 20.

85. Venus and Adonis: Behold where Venus weeping stands

English Cantata for a single voice

Besetzung: Sopr., obligates Instrument (V.), Cont.
EZ: London, ca. 1711

Textdichter: John Hughes (aus: „Poems", 1735)

Recitative:
Behold where Venus weeping stands ... (von Händel nicht vertont)

1. Air.

V.
Cont.
Dear A- do-nis, Beau- ty's treasure,
now my sorrow, once my
Takt 7
Takt 11

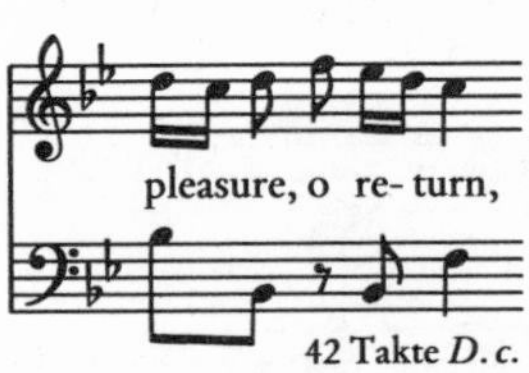
pleasure, o re- turn,
42 Takte D. c.

Recitative:
Thus, Queen of Beauty,
as the poets feign, whilst Thou
didst call the lovely swain ...
(von Händel nicht vertont)

2. Air.

V.
Cont.

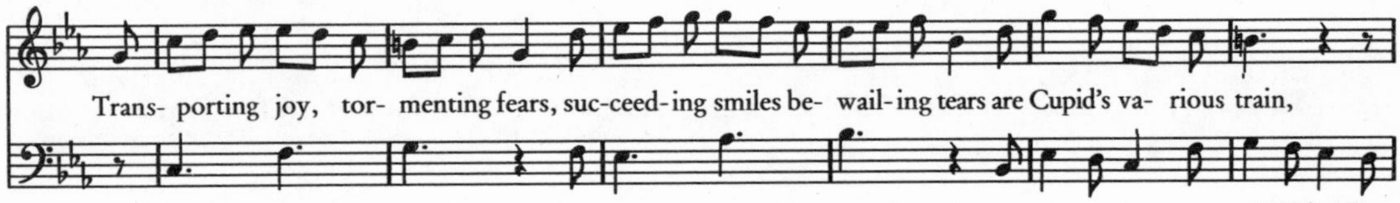
Trans- porting joy, tor- menting fears, suc-ceed-ing smiles be- wail-ing tears are Cupid's va- rious train,
Takt 16
92 Takte D. c.

Quellen
Handschriften: Autograph: verschollen.
Abschrift: GB Lbm (Add. MSS. 31 993, f. 46v–49v).

Bemerkungen
Die Kantate „Venus and Adonis" von John Hughes (1677–1720) war vermutlich die erste Komposition, die Händel auf einen englischen Text schrieb. Durch Vermittlung von Andreas Roner bat Händel 1711 Hughes um die Zusendung englischer Gedichte („S'il me veut cependant honorer de ses ordres, et d'y ajouter une de ses charmantes poesies en Anglois, il me sera le plus sensible grace. J'ai fait, depuis que je suis parti de vous, quelque progrès dans cette langue ..."[1]), von denen eines die „Cantata of Venus and Adonis" gewesen sein könnte.
Händel vertonte davon jedoch lediglich die vorliegenden beiden Arien. Die einzige erhaltene Abschrift notiert die Kantate für eine Singstimme, obligates Instrument und Bc.

Literatur
Chrysander I, S. 309f.; Dean, S. 157f.; Deutsch, S. 44f. Ausgabe: Hrsg. von W. C. Smith, London: Augener 1938.

[1] Vgl. Letters by several eminent persons deceased. Including the Correspondence of John Hughes, Esq., and several of his friends, published from the Originals, vol. I, II. London 1772, Vol. I, S. 48f., Brief Roners an Hughes vom 31. Juli 1711. Vgl. Deutsch, S. 44f.

86. Bella ma ritrosetta

Besetzung: Sopr., Basso continuo
HHA V/1. – EZ: London, nach 1710

Cantata a voce sola

Textdichter: unbekannt

1. Aria.

Recitativo.

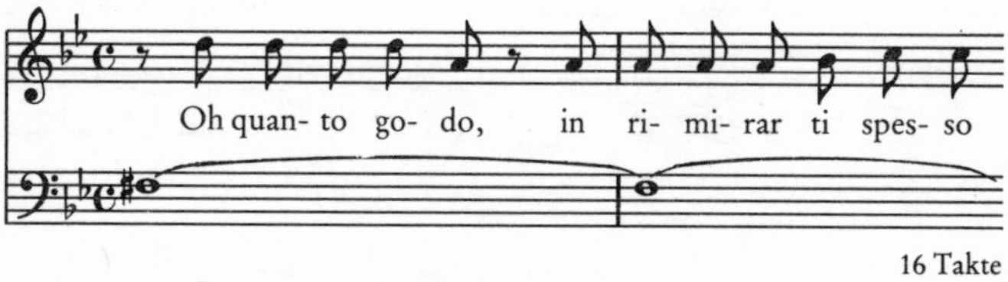

2. Aria.

Quellen
Handschriften: Autograph: GB Cfm (30 H 2., p. 21 bis 24).
Abschrift: GB Ob (Mus. d. 61., p. 187–191).
Beschreibung des Autographs: Cfm: Catalogue Mann, Ms. 252, S. 164.

87. Carco sempre di gloria

Besetzung: Solo: Alto. Instrumente: V. I, II; Cont.
ChA 52a. – HHA V/3. – EZ: London, Anfang 1737. – UA: London, 16. März 1737 (Einlage in HWV 75 Alexander's Feast)

Cantata a voce sola con stromenti

Textdichter: unbekannt

Recitativo.

1. Aria.

2. Aria.

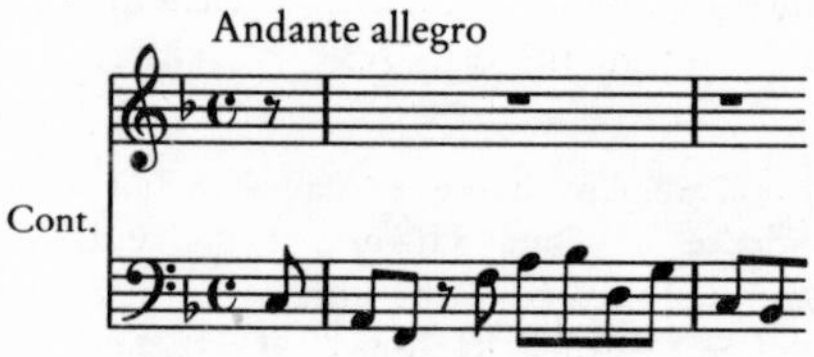

Allegro
- - ra,
sei ca- ra, sei bel-la, vir- tu- te o-gnor;

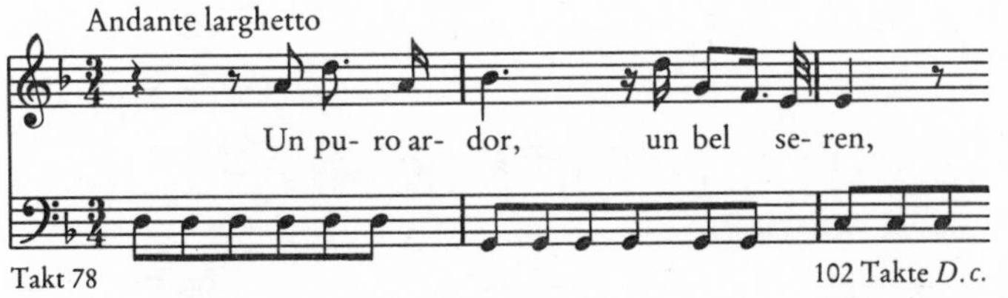
Andante larghetto
Un pu- ro ar- dor, un bel se- ren,
Takt 78
102 Takte D.c.

Quellen
Handschriften: Autograph: GB Lbm (R. M. 20. e. 4., f. 50–51, fragm., Arie „Sei del ciel").
Abschriften: GB DRc (MS. E 20 [IV], fragm., Teil des Continuo) – US BETm (L Misc 16 A–C)
Drucke: Alexander's Feast or The Power of Musick. An ode wrote in honour of St. Cecilia by Mr Dryden. Set to musick by Mr Handel. With the recitativo's, songs, symphonys and chorus's for voices & instruments. Together, with the cantata, duet, and songs, as perform'd at the Theatre Royal, in Covent Garden. Publish'd by the author. – London, J. Walsh, No. 634 (2 verschiedene Ausgaben, enthält „Sei del ciel", p. 192–193, als „An additional song sung by Sigr. Hannibali"); Cecilia volgi un sguardo. Cantata. – s. l., s. n. (separate Ausgabe aus „Alexander's Feast" von J. Walsh); Two trios, and four cantatas, in score, composed by G. F. Handel. – London, Arnold's edition, No. 174–176 (ca. 1797).

Bemerkungen
Diese Kantate existiert lediglich in der Ausgabe von Samuel Arnold als Zusammenstellung von Sätzen aus der erweiterten Fassung von „Cecilia volgi un sguardo" (s. HWV 89) mit dem für den Altkastraten Domenico Annibali im März 1737 anläßlich einer Aufführung von HWV 76 Alexander's Feast komponierten und eingefügten „Additional song" („Sei del ciel dono perfetto"). Sie besteht aus dem für Alt tiefer transponierten Eingangsrezitativ „Carco sempre di gloria", Annibalis Zusatzarie „Sei del ciel" und einer um eine Quarte tiefer transponierten Fassung der Arie „Sei cara, sei bella" als Continuo-Arrangement. Vermutlich sang Annibali die Kantate in dieser Zusammenstellung bei den Aufführungen von „Alexander's Feast" 1737, als die Kantate HWV 89 „Cecilia volgi un sguardo" wegfiel.

Entlehnungen:
1. Sei del ciel dono perfetto
   HWV 70 Jephtha: 40^b. Laud her, all ye virgin train
2. Sei cara, sei bella
   HWV 89 „Cecilia volgi un sguardo": 3. Sei cara, sei bella
   HWV 124 „Look down, harmonious Saint": 2. Sweet accents
   HWV 41 Imeneo: 22^a,b. Se ricordar t'en vuoi

Literatur
Cooper, B.: The Organ Parts to Handel's „Alexander's Feast". In: Music & Letters, vol. 59, 1978, S. 159 ff.; Dean, W.: An Unrecognized Handel Singer: Carlo Arrigoni. In: The Musical Times, vol. 118, 1977, S. 556 ff.; Mayo I, S. 188 ff.
Beschreibung des Autographs: Lbm: Catalogue Squire, S. 24.

88. Care selve, aure grate

Cantata a voce sola

Textdichter: unbekannt

Besetzung: Sopr., Basso continuo
ChA 50. – HHA V/1. – EZ: Rom, 1707/08

Recitativo.

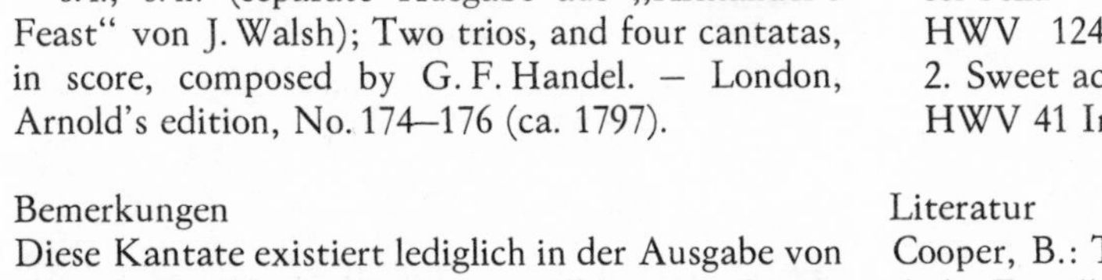
Ca-re sel-ve, au-re gra- te, er-bet- te e fio- ri,
10 Takte

1. Aria.

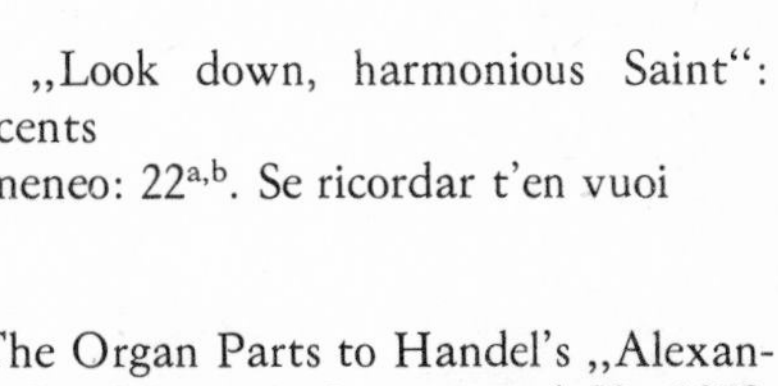
A tempo giusto

Recitativo.

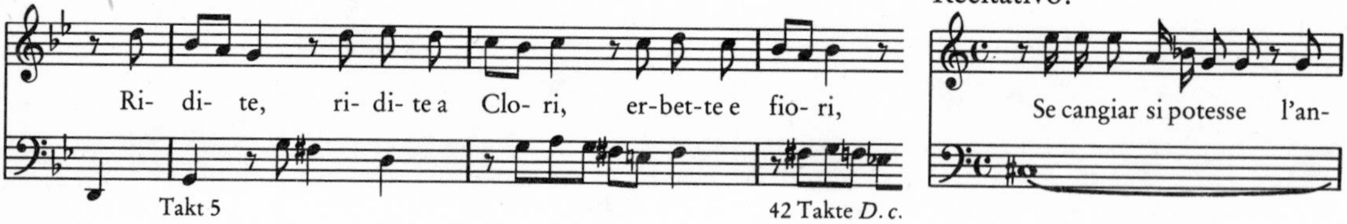
Ri- di- te, ri- di- te a Clo- ri, er-bet-te e fio- ri,
Takt 5
42 Takte D. c.
Se cangiar si potesse l'an-

2. Aria.

ti- ca forma u- sa- ta,
12 Takte
Allegro
Non ha for-za nel mio pet-to al- tro af- fet- to, al-tra bel- tà, no,
[vgl. HWV A² Genserico (7.)]
91 Takte D. c.

Quellen
Handschriften: Autograph: GB Lbm (R. M. 20. d. 11., f. 70–71).
Abschriften: AUSTR Sydney (P 39, p. 191–195) – GB Cfm (Barrett-Lennard-Collection, Mus. MS. 797, p. 125–129), Lbm (Egerton 2942, f. 71ᵛ–73ʳ; Add. MSS. 14182, f. 59ʳ–62ᵛ), Lcm (MS. 256, vol. 3, f. 15ʳ–18ʳ; MS. 257, f. 140ᵛ–143ʳ, Mp (MS 130 Hd4, v. 78, p. 168–176), Ob (Mus. d. 62., p. 37–43; MS. Don. d. 125.; f. 101ᵛ–105ᵛ), T (MS 1131, f. 142ʳ–143ᵛ).
Druck: Thirteen chamber duettos and twelve cantatas; composed by G. F. Handel. – London, Arnold's edition, No. 176–179 (1797).

Bemerkungen
Nach dem Schriftduktus des Autographs, das auf Papier italienischer Herkunft geschrieben ist (WZ: Typ 2/C), entstand die Kantate 1707/08 in Rom. In den Ruspoli-Dokumenten wird sie nicht erwähnt und ist daher vermutlich für einen anderen Auftraggeber geschrieben, obwohl das Wasserzeichen des Autographs dem der meisten Ruspoli-Kantaten entspricht.
Entlehnung:
2. Non ha forza
Genserico: 7. E già stanca l'alma (GB Cfm, MS. 258, 30 H 8, p. 75–80).

Literatur
Lewis (Symposium), S. 181.
Beschreibung des Autographs: Lbm: Catalogue Squire, S. 21.

89. Cecilia, volgi un sguardo

Cantata a due con stromenti

Textdichter: unbekannt

Besetzung: Soli: Sopr., Ten. Instrumente: V. I, II; Va.; Cont.
ChA 52a. – HHA V/3. – EZ: London, Januar 1736. – UA: London, 19. Februar 1736 (zusammen mit HWV 75 Alexander's Feast)

Recitativo. Ten.

1. Aria. Ten.

Cont.
Ce-ci- lia, vol-gi un sguardo verso il suo- lo Bri- tanno,
10 Takte
Largo
Cont.

La vir- tu- te è un ve- ro nu- me del mortal nel bas- so mon-do,
Takt 4
(38) 32 Takte D. s.

Recitativo. Ten.
Cont.
Tu armo-ni-ca Ce-ci-lia,
10 Takte
2. Aria. Ten.
Andante allegro
V. I, II
Va.
Cont.
V. II, Va.
Splenda l'al-ba in
Takt 24
o-ri-en-te
174 Takte D. s.
Recitativo. Sopr.
Cont.
Car-co sem-pre di glo-ria fu l'al-te-ro Ta-mi-gi,
10 Takte
3. Aria. Sopr.
Andante allegro
V. I, II
Va.
Cont.
Adagio
Sei ca- ra,
Takt 13
A tempo
sei ca- ra, sei bel- la, vir- tu- te o- gnor;
Takt 17
Andante larghetto
Un pu-ro ar-dor, un bel se-
Takt 78
ren,
102 Takte D. c.
A. Recitativo. Sopr. o Ten.
Cont.
È ben de- gna di lo- de, bel- la vir- tu- te;
7 Takte
B. Recitativo. Sopr. o Ten.
Cont.
È ben de-gna di lo- de, bel- la vir- tu- te,
5 Takte
4. Duetto. Sopr.; Ten.
Andante allegro
V. I, II
Va.
Cont.
V.
Tra am-plessi in-no-centi, tra ar- mo-ni-ci ac-centi, il co-re sol go- -de,
Takt 9
(90) 86 Takte D. c.

Quellen

Handschriften: Autographe: GB Lbm (R. M. 20. e. 4., f. 41–49, fragm., von Nr. 4 nur T. 1–47 vorhanden; R. M. 20. f. 12., f. 45–48: Nr. 3).

Abschriften: GB DRc (MS. E 20 [IV], 6 Instrumentalst.) – US BETm (L Misc 16 A–C)

Drucke: Alexander's Feast or The Power of Musick. An ode wrote in honour of St. Cecilia by Mr Dryden. Set to musick by Mr Handel. With the recitativo's, songs, symphonys and chorus's for voices & instruments. Together, with the cantata, duet, and songs, as perform'd at the Theatre Royal, in Covent Garden. Publish'd by the author. – London, J. Walsh, No. 634 (2 verschiedene Ausgaben, mit „Cecilia volgi un sguardo" auf p. 168–190); Cecilia volgi un sguardo. Cantata. – s. l., s. n. (separate Ausgabe des Abdrucks in „Alexander's Feast" von J. Walsh); Two trios and four cantatas, in score, composed by G. F. Handel. – London, Arnold's edition, No. 174 bis 176 (ca. 1797).

Libretto: A cantata, perform'd at the beginning of the second Act. In: Alexander's Feast; or the power of musick. An ode. Wrote in honour of St. Cecilia, by Mr Dryden. Set to musick by Mr Handel. – London, J. and R. Tonson, 1736 (Ex.: F Pc – GB BENcoke, Ckc, W. Dean Collection Godalming, Lcm – US NH).

Bemerkungen

Wie W. Dean (s. Lit.) nachwies, hat Händel „Cecilia volgi un sguardo" als Einlage bei der Uraufführung von HWV 75 Alexander's Feast am 19. Februar 1736 zum erstenmal aufgeführt. Der Tenorpart wurde dabei von Carlo Arrigoni, einem italienischen Sänger, Lautenisten und Komponisten, ausgeführt, die Sopranpartie sang Anna Strada del Pò. Die Kantate wurde mit dem *Additional song* „Sei del ciel dono perfetto" für Domenico Annibali (Altkastrat) von John Walsh zusammen mit „Alexander's Feast" im März 1738 gedruckt. Nachdem „Alexander's Feast" ab 1739 zusammen mit HWV 76 Ode for St. Cecilia's Day bzw. HWV 69 The Choice of Hercules aufgeführt wurde, fielen diese Einlagen weg; die Kantate sowie der *Additional song* wurden daher auch aus der gedruckten Ausgabe von „Alexander's Feast" herausgelöst und kamen separat in den Handel. Walsh kündigte am 26. Februar 1743 („London Daily Post", s. Deutsch, S. 560) den Druck als „Handel's Cantata, with Recitatives, Songs and Duets" als bevorstehende Veröffentlichung an.

Die Entstehungsgeschichte von „Cecilia volgi un sguardo" ist mit zwei anderen von Händel schon früher komponierten Cäcilien-Kantaten verknüpft (HWV 166 „Splenda l'alba in oriente" und HWV 124 „Look down, harmonious Saint"). Aus dem Autograph (GB Lbm, R. M. 20. e. 4., f. 41–49) geht hervor, daß die Kantate ursprünglich nur aus 6 Sätzen bestand; das Rezitativ „Carco sempre di gloria" und die Arie „Sei cara, sei bella" für Sopran waren dabei zunächst nicht berücksichtigt (s. Mayo I, S. 189 ff.). Der Text der beiden Arien „La virtute è un vero nume" (1) und „Splenda l'alba in oriente" (2) mit dem sie verbindenden Rezitativ „Tu, armonia Cecilia" stammt aus der Kantate HWV 166, wobei nur die Reihenfolge vertauscht ist. Während die beiden erstgenannten Sätze neu komponiert wurden, übernahm Händel die Musik von „Splenda l'alba" weitgehend aus der früheren Komposition und überarbeitete sie lediglich.

Dem Autograph von „Cecilia volgi un sguardo" folgt unmittelbar ein weiteres autographes Blatt mit den beiden Rezitativen „Carco sempre di gloria" und „È ben degna" (Fassung B) sowie Händels verbalen Anweisungen[1] für deren Eingliederung zwischen die Sätze „Splenda l'alba", „Sei cara" und „Tra amplessi". Die Arie „Sei cara" (3) übernahm Händel als leicht geänderte, im B-Teil etwas verkürzte und mit italienischem Text versehene Neufassung der Arie „Sweet accents all your numbers grace" aus HWV 124 „Look down, harmonious Saint", wobei er die erforderlichen Änderungen im musikalischen Satz und den neuen Text in das Autograph der englischen Originalfassung (GB Lbm, R. M. 20. f. 12., f. 45–48) eintrug. In dieser erweiterten Form wurde „Cecilia volgi un sguardo" bei der Uraufführung von „Alexander's Feast" musiziert und von John Walsh gedruckt.

In den drei überlieferten Orgel- bzw. Continuo-Stimmen zu HWV 75 Alexander's Feast (GB Lbm, R. M. 19. a. 1., f. 90–110; R. M. 19. a. 10.; GB Lcm, MS. 900), die bestimmte Stadien der Aufführungsform dieser Ode wiedergeben, ist auf die Eingliederung von „Cecilia volgi un sguardo" eindeutig Bezug genommen. Dabei ist die Kantate deutlich vom Duett „Tra amplessi" und der Arie „Sei cara, sei bella" abgegrenzt (R. M. 19. a. 1. hat z. B. die Anweisung „Cantata e Duetto Tacet/Aria tacet/Recit. Accomp. Tacet Till peal of thunder"); die Kantate „Cecilia volgi un sguardo" wurde demnach als Solokantate (und nicht als *Cantata a due*) betrachtet, der sich nach einem Rezitativ das Duett anschloß. Die folgende Arie ist wegen der nicht ausgeschriebenen Musik nicht mit absoluter Sicherheit zu bestimmen; es könnte sich hierbei um Annibalis *Additional song* „Sei del ciel dono perfetto" oder um die Arie „Sei cara, sei bella" gehandelt haben, die Händel aus der ursprünglich ebenfalls für „Alexander's Feast" bestimmten Kantate HWV 124 „Look down, harmonious Saint" (Arie „Sweet accents") bewahren und nach der Kantate singen lassen wollte. Später entschied er sich dann für die oben dargestellte Erweiterung der Kantate „Cecilia volgi un sguardo",

[1] Die Vermerke lauten: „Carco sempre di gloria" – „doppo l'Aria splenda l'alba" und „Seque l'aria Sei cara"; „È ben degna" – „doppo l'Aria Sei cara seque il Recit." und „Seque il Duetto tra amplessi".

in der die italienische Parodie von „Sweet accents" ihren endgültigen Platz fand.
Entlehnungen:
2. Splenda l'alba in oriente
HWV 166 „Splenda l'alba": 1. Splenda l'alba
HWV 46[b] Il Trionfo del Tempo e della Verità: Anhang (9). Un pensiero nemico di pace
3. Sei cara, sei bella
HWV 124 „Look down, harmonious Saint": 2. Sweet accents all your numbers grace
HWV 41 Imeneo: 22. Se ricordar t'en vuoi

Literatur
Chrysander II, S. 429f.; Cooper, B.: The Organ Parts to Handel's „Alexander's Feast". In: Music & Letters, vol. 59, 1978, S. 159ff.; Cooper, B.: Handel's Concertos (= Letters to the Editor). In: The Musical Times, vol. 118, 1977, S. 725; Dean, W.: An Unrecognized Handel Singer: Carlo Arrigoni. In: The Musical Times, vol. 118, 1977, S. 556ff.; Hicks, A.: Handel's Concertos (= Letters to the Editor). In: The Musical Times, vol. 118, 1977, S. 913; Mayo I, S. 188ff.
Beschreibung der Autographe: Lbm: Catalogue Squire, S. 24, 98.

90. Chi rapì la pace al core

Cantata a voce sola

Besetzung: Sopr., Basso continuo
ChA 50. – HHA V/1. – EZ: Florenz, ca. 1706/07

Textdichter: unbekannt

1. Aria.
Adagio

Chi ra - pì la pa - ce al co - re?
Takt 3
22 Takte D. c.

Recitativo.

Fi- glio d'un fa-bro, e a- more
10 Takte

2.[a,b] Aria.
Andante

Pu- pil- la lu-
Takt 15

cen-te,
pu- pil- la lu- cen- te in stel- le fu- ne- sta
Takt 20
92 Takte D.c.

Quellen
Handschriften: Autograph: GB Lbm (R. M. 20. d. 11., f. 56–57).
Abschriften: AUSTR Sydney (P 39, p. 209–212) – A Wn (Ms. 17750, f. 128ᵛ–130ᵛ) – D (brd) MÜs (Hs. 1898, f. 17–22; Hs. 1910, f. 125–132) – GB Cfm (Barrett-Lennard-Collection, Mus. MS. 797, p. 145 bis 147), Lbm (Egerton 2942, f. 54ᵛ–56ʳ), Lcm (MS. 256, vol. 3, f. 31ᵛ–34ʳ; Ms. 257, f. 151ᵛ–153ᵛ; MS. 698, f. 39ʳ–41ᵛ), Mp (MS 130 Hd4, v. 78, p. 238 bis 246), Ob (MS. Don. d. 125, f. 80ʳ–83ʳ) – I Vnm (It. IV 769, f. 91ʳ–94ʳ).

Bemerkungen
Die Kantate gehört zu einer Gruppe von Werken, deren Autographe sich durch Schriftduktus, Papier und Rastrierung (WZ: Typ 1/B, 10 Systeme, Rastralbreite ca. 11,2 mm; vgl. auch HWV 113, 145, 156, 172,

196) als zeitlich eng benachbart ausweisen und vermutlich zu Beginn von Händels Italienaufenthalt 1706 oder Anfang 1707 in Florenz entstanden. Auf eine frühe Entstehungszeit deutet auch, daß Händel bei drei Werken dieser Gruppe (HWV 145, 156, 196) seinen Namen in deutscher Schreibweise *(Händel)* hinzufügte und nicht die später allgemein übliche Signatur *Hendel* verwandte.

Die Kantate liegt in zwei späteren römischen Kopien von Antonio Giuseppe Angelini [D (brd) MÜs] vor, eine dritte Kopie wurde von Francesco Lanciani im August 1709 bei Ruspoli abgerechnet (s. Kirkendale, Dokument 35 vom 31. August 1709).

Die beiden Kopien Angelinis unterscheiden sich durch eine Variante im Continuopart der Arie „Chi rapì la pace al core" (1), T. 4f., die nur in der Quelle D (brd) MÜs, Hs. 1898 (f. 17), auftritt, während D (brd) MÜs, Hs. 1910, mit der Fassung des Autographs übereinstimmt.

Literatur

Chrysander I, S. 160; Ewerhart, S. 135; Lewis (Symposium), S. 182; Mayo I, S. 187f.

Beschreibung des Autographs: Lbm: Catalogue Squire, S. 21.

91a. Clori, degli occhi miei (1. Fassung)

Cantata a voce sola

Textdichter: unbekannt

Besetzung: Alto, Basso continuo

ChA 50. – HHA V/1. – EZ: Florenz, Ende 1707

Recitativo.
Clo- ri, degl' oc- chi mie- i, Clo-ri, del cuo-re gran pia-cer
13 Takte
1. Aria.
Allegro

Quel bel rio ch'a du- ro sco- glio fran-ge in tor-no i chiari u- mo- ri sai
Takt 7
67 Takte D. c.

Recitativo.
Ma d'un sco-glio peggio- re
10 Takte
2. Aria.
Allegro
Quella che mi- ri au-ra scher-zo- sa muo-ver le fron-de
90 Takte D. c.

91^b. Clori, degli occhi miei

(2. Fassung)

Cantata a voce sola

Textdichter: unbekannt

Besetzung: Sopr., Basso continuo
ChA 50. – HHA V/1. – EZ: London, nach 1710

Recitativo.

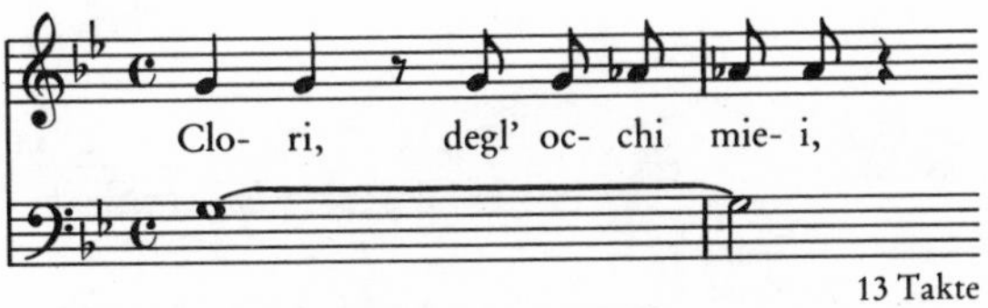
Clo- ri, degl' oc- chi mie- i,

13 Takte

1a. Aria.
Allegro

Quel bel rio ch'a du- ro sco- glio

Takt 7 67 Takte *D. c.*

1b. Aria.
Allegro

Quel bel rio ch'a du- ro sco- glio

Takt 7 67 Takte *D. c.*

Recitativo.

Ma d'un sco- glio peg- gio-re

11 Takte

2. Aria.

Quel- la che mi- ri au- ra scher- zo - - sa muo-ver le fron- de

61 Takte *D. c.*

Quellen

Handschriften: Autograph: GB Lbm (R. M. 20. d. 12., f. 47r–49r: HWV 91a für Alt, mit Änderungen für die Sopranfassung HWV 91b; f. 49v–50r: Arie „Quella che miri" in d-Moll für Sopran und geänderter Schluß des vorangehenden Rezitativs „Ma d'un scoglio").

Abschriften: HWV 91a: AUSTR Sydney (P 39, p. 249–254) – GB Cfm (Barrett-Lennard-Collection, Mus. MS. 797, p. 177–181), Lbm (Egerton 2942, f. 111v–113r; Add. MSS. 14182, f. 46r–49v), Lcm (MS. 256, vol. 4, f. 17r–21v; MS. 257, f. 175v–178v), Ob (Mus. d. 62, p. 45–52; MS. Don. d. 125., f. 70v bis 74v). HWV 91b: GB Mp (MS 130 Hd4, v. 78, p. 266–276, transponierte Fassung von HWV 91a für Sopran).

Bemerkungen

Die Kantate gehört zu den vermutlich Ende 1707 in Florenz entstandenen Werken. Das Autograph entspricht in Schriftduktus, Wasserzeichen (Typ 1/I) und Rastralbreite den Kantatenautographen von HWV 141 und HWV 174, die demnach etwa zu gleicher Zeit entstanden sein müssen.

Das Autograph von „Clori degli occhi miei" enthält die Fassung für Alt vollständig; von der vermutlich weit späteren Sopranfassung liegt nur die ausgeschriebene Arie „Quella che miri" (2) mit dem geänderten Schluß des vorangehenden Rezitativs „Ma d'un scoglio peggiore" in Händels Handschrift vor. In den übrigen Sätzen der autographen Altfassung lassen sich jedoch ebenfalls Anweisungen Händels für die Übertragung in eine Fassung für Sopran nachweisen, die in Form von Schlüsselwechseln notiert sind.

Die Kopie in GB Mp (Schreiber: S_2) ist eine Sopranfassung, die lediglich die Sätze der Altfassung transponiert und nicht die neue Sopranfassung der Schlußarie berücksichtigt.

Literatur

Chrysander I, S. 160; Mayo I, S. 186f.
Beschreibung des Autographs: Lbm: Catalogue Squire, S. 22.

92. Clori, mia bella Clori

Besetzung: Solo: Sopr. Instrumente: V. I, II; Cont.
ChA 52a. – HHA V/3. – EZ: Rom, 1707/08

Cantata a voce sola con stromenti

Textdichter: unbekannt

Recitativo.

Cont.

Clo- ri, mia bel- la Clori, lungi da te, che sei

14 Takte

1. Aria.

Andante

V. I, II unis.
Cont.

Chia- - -ri lu- - mi, voi ___ che sie- te il ___ mio fa- - to, ri- - spon-
Takt 7

de- te,

34 Takte *D. c.*

Recitativo.

Cont.

Temo ma pure io spero,

13 Takte

2. Aria.

V. I, II
Cont.

Ne'gi-gli e nelle

ro- se, ca-ra, le tue vez- zo- se

33 Takte *D. c.*

Recitativo.

Cont.

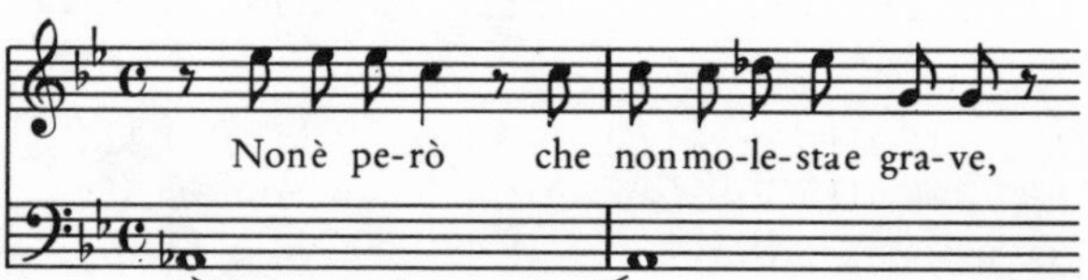
Non è pe-rò che non mo-le-sta e gra-ve,

8 Takte

3. Aria

V. I, II
Cont.

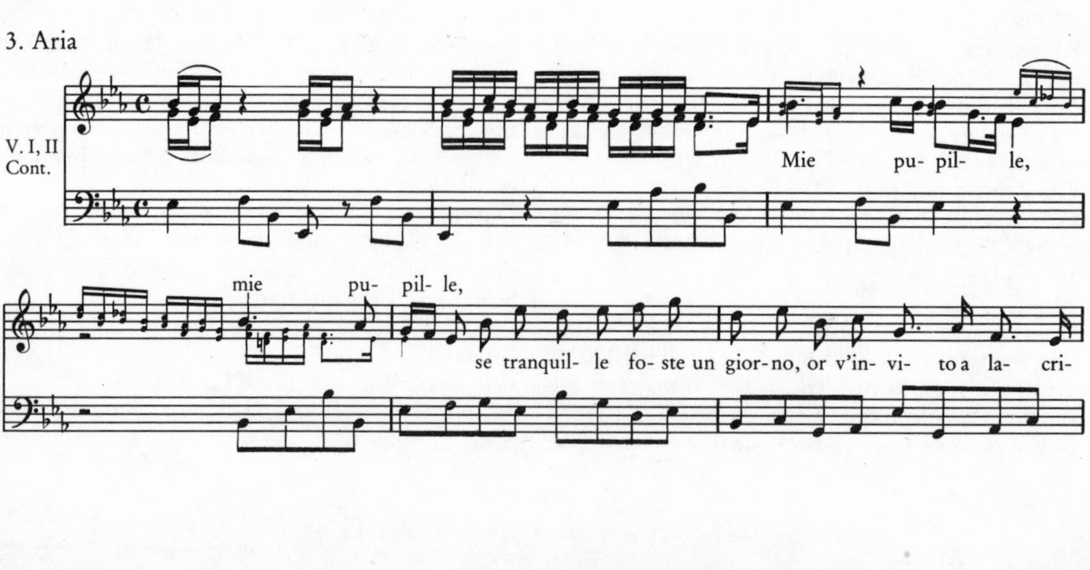
Mie pu- pil- le,
mie pu- pil- le,
se tranquil- le fo- ste un gior-no, or v'in- vi- to a la- cri-

Quellen
Handschriften: Autograph: GB Lbm (R. M. 20. e. 2., f. 19–25).
Abschrift: D (brd) MÜs (Hs. 1902, f. 1–28).

Bemerkungen
Die Kopie der Kantate in D (brd) MÜs ist vollständig von Antonio Giuseppe Angelini geschrieben. Unter den Ruspoli-Dokumenten lassen sich jedoch keine Daten für eine Aufführung nachweisen. Es ist deshalb anzunehmen, daß Händel das Werk 1707/08 für einen seiner anderen römischen Mäzene komponiert hat, da das Papier der 2 Quellen das gleiche Wasserzeichen (Typ 2/C) wie das der meisten in Rom entstandenen Kantaten aufweist.

Entlehnungen:
1. Chiari lumi (Ritornello)
   HWV 7[a] Rinaldo (1. Fassung): 35. Di Sion nell'alta sede (Ritornello)
3. Mie pupille (Ritornello)
   HWV 255 „The Lord is my light“: 4. One thing have I desired (Ritornello)
   HWV 51 Deborah: 32. Tears such as tender father's shed (Ritornello)

Literatur
Ewerhart, S. 128.
Beschreibung des Autographs: Lbm: Catalogue Squire, S. 23.

93. Clori, ove sei?

Cantata a voce sola

Textdichter: unbekannt

Besetzung: Sopr., Basso continuo
ChA 50. – HHA V/1. – EZ: Italien, 1707/08

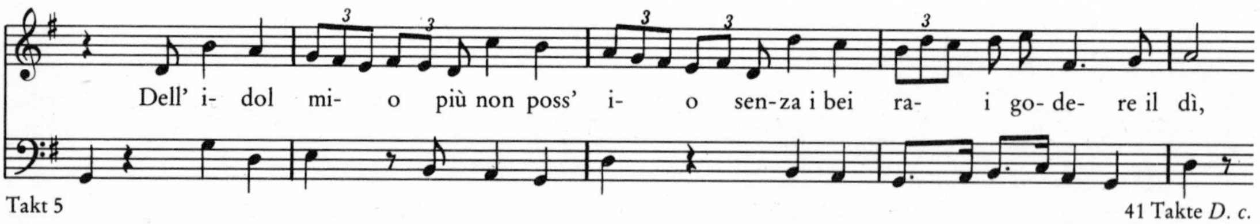
Dell' i- dol mi- o più non poss' i- o sen-za i bei ra- i go- de- re il dì,

Takt 5 41 Takte *D. c.*

Quellen
Handschriften: Autograph: verschollen.
Abschriften: AUSTR Sydney (P 39, p. 166–169) – A Wn (Ms. 17 750, f. 131r–133r) – GB Cfm (Barrett-Lennard-Collection, Mus. MS. 797, p. 106–108), Lbm (Add. MSS. 14 182, f. 63r–66r), Lcm (MS. 256, vol. 2, f. 45r–47v; MS. 257, f. 125v–127v), Mp (MS 130 Hd4, v. 78, p. 116–123), Ob (Mus. d. 61., p. 259–264; MS. Don. d. 125., f. 66r–70r) – US Wc (M 1620. H 2 I 9 case).

Bemerkungen
Da das Autograph der Kantate verschollen ist, läßt sich das Werk nicht sicher datieren. Es muß jedoch noch 1707/09 in Italien entstanden sein, da Händel die Musik der Arie „Dell'idol mio" (2) in der Oper HWV 7a Rinaldo (1. Fassung) zu den Worten „Andate, o forti, fra straggi e morti" (30) wiederverwendet hat.

94. Clori, sì, ch'io t'adoro

Cantata a voce sola

[Echtheit nicht verbürgt]

Textdichter: unbekannt

Besetzung: Sopr., Basso continuo
HHA V/1. – EZ: unbestimmt

Recitativo.

Clo- ri, sì, ch'io t'a- do- ro

9 Takte

1. Aria.

Ca-ra, se il cor mi dai, il cor

Takt 5

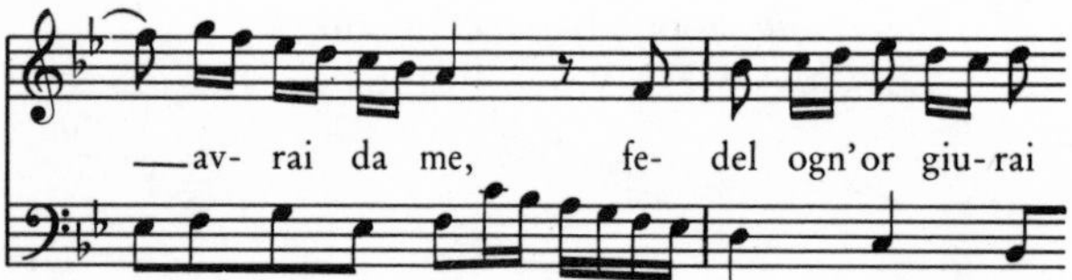
av- rai da me, fe- del ogn'or giu- rai

34 Takte *D. c.*

Recitativo.

Abbando- na il pen-sie-ro se ve- ro

6 Takte

2. Aria.

Squarciami pur il pet- to e poi sa- prai

Takt 4 28 Takte *D. c.*

Quellen
Handschriften: Autograph: verschollen
Abschrift: GB Mp (MS 130 Hd4, v. 76, p. 47–53).

Bemerkungen
Die Kantate, deren Authentizität angezweifelt wird, ist nur als Kopie in einem Sammelband mit 11 anderen Kantaten Händels überliefert. Auch die Entstehungszeit ist ungewiß.

95. Clori, vezzosa Clori

Besetzung: Sopr., Basso continuo
HHA V/1. – EZ: Rom, Juli/August 1708

Cantata a voce sola

Textdichter: unbekannt

Recitativo.

Clo- ri, vez-zo-sa Clo-ri, lon- tan dal tue sembianze

10 Takte

1. Aria.

Il bosco, il pra- to, il ri- o di te, ca-ro ben mi- o,

Takt 7

48 Takte *D.c.*

Recitativo.

Se l'u-si-gnol ca-no-ro

16 Takte

2. Aria

Non è pos- si- bi- le, o Clo-ri a- ma- bi-le, che di te scor- da- si___ l'a- man- te cor,

36 Takte *D. c.*

Quellen
Handschriften: Autograph: verschollen.
Abschrift: D (brd) MÜs (Hs. 1898, f. 97r–100v).

Bemerkung
Die vermutlich für Ruspoli geschriebene Kantate wurde von Antonio Giuseppe Angelini am 9. August 1708 kopiert (s. Kirkendale, Dokument 24), so daß als Entstehungszeit die Monate Juli–August 1708 angenommen werden können. Die in der Santini-Sammlung D (brd) MÜs aufbewahrte Handschrift, für die bisher keine Konkordanzen ermittelt werden konnten, ist jedoch nicht von Angelini, sondern von einem anderen Kopisten angefertigt worden.
Entlehnungen:
2. Non è possibile
HWV 84 „Aure soavi e lieti": 2. Un aura flebile
HWV 72 Aci, Galatea e Polifemo: 2. Sforzano a piangere
HWV 6 Agrippina: 30. Voi dormite, oh luci care
HWV 49b Acis and Galatea (2. Fassung): (20b.) Love ever vanquishing
HWV 447 Suite d-Moll für Cembalo: 3. Sarabande

Literatur
Ewerhart, S. 135 f.

96. Clori, Tirsi e Fileno: Cor fedele in vano speri

Cantata a tre con stromenti

Textdichter: unbekannt

Besetzung: Soli: 2 Soprani (Clori, Tirsi), Alto (Fileno). Instrumente: Fl. I, II; Ob. I, II; V. obbligato; V. I, II; Va. I, II; Arciliuto; Cont. ChA 52b. (fragm.). – HHA V/4. – EZ: Rom, Juli/September 1707

Prima Parte.

Ouverture.

Vitement
Ob. I, II
V. I, II
Va.
Cont.
[vgl. HWV 432 Suite VII (1), HWV A[11] Oreste]
Takt 20

Takt 39

47 Takte *D. s.*

1. Aria. Tirsi

Cont.
Cor fe de- le in va- no spe- ri di trovar nel
[vgl. HWV 175 (3.)]
Takt 8

sen di Clo- ri,

51 Takte *D. c.*

Recitativo. Clori

Cont.
Po- ve- ro Tir-si, quan- to sof- fri- sti di do- lor,

16 Takte

2a. Aria. Clori

Quell' er- bet- ta che smal- ta le spon- de d'un ri- vo e coll' on- de baccian- do si sta,
(col. V. I p)
V. I, II
Va.
Cont.
V. II p
Va.

27 Takte *D. c.*
(45 Takte)

2b. Aria. Clori

Bion-da vi- te ch'all ol- mo di- let- ta
(col V. I p)
V. I, II
Va.
Cont.

49 Takte

Recitativo. Tirsi

Cont.
Se il guardo non va-

neg- gia, ec- co Clori,
10 Takte

3. Aria. Clori

Fl. I, II
V. I, II
Va.
Cont.
Va'col can- to lu- sin-
Takt 19

[vgl. HWV 49ª Acis und Galatea (4.)]

gando
121 Takte D. c.

Recitativo. Clori; Tirsi

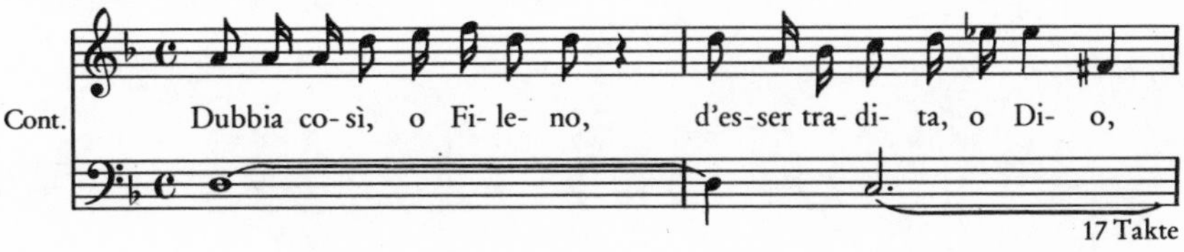
Cont.
Dubbia co- sì, o Fi- le- no, d'es- ser tra- di- ta, o Di- o,
17 Takte

4. Aria. Fileno

V. I, II
Va.
Cont.
Sai per- chè l'on- da del fiu- me ne- ga ad al- tri le sue spu- me
53 Takte D. c.

Recitativo. Clori

Cont.
Vezzo-so pa- sto- rel- lo,
10 Takte

5. Aria. Clori

pia- ci so che ti deg- gio a- mar,
48 Takte D. c.

Recitativo. Fileno; Clori

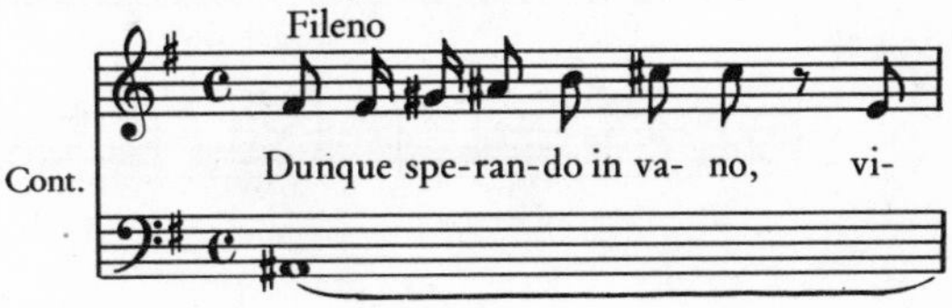
Fileno
Cont.
Dunque spe- ran- do in va- no, vi-

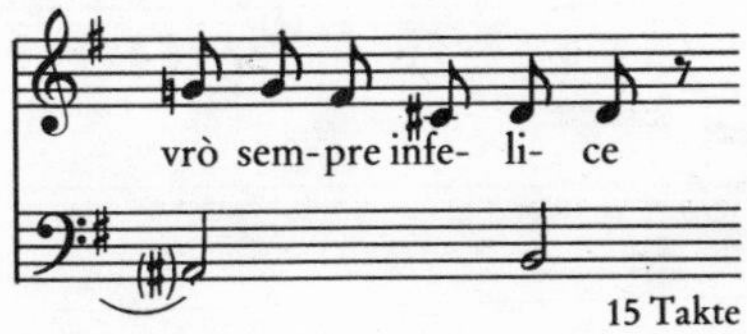
vrò sem- pre infe- li- ce
15 Takte

6. Aria. Fileno

Tutte Viole con Flauti all'ottava
Fl. I, II
Va. I, II
Cont.
Son co- me quel nocchiero che
Takt 6

do- po la procella
36 Takte D. c.

Recitativo. Clori; Tirsi; Fileno

Clori
Cont.
Se al- tra pa- ce non bra- mi,
21 Takte

7. Duetto. Clori; Fileno

Ob. I, II
V. I, II
Cont.

Clori
Fileno
Scher- zano sul tuo vol- to ___ le gra-zie vez-zo- set- te, Ri- dono sul tuo lab- bro ___
Ob. solo
V.
Takt 12
Tutti
V. senza Ob.
54 Takte D. s.

Seconda Parte.

8. Duetto. Clori; Tirsi

Tutti
V. I, II
Cont.
Clori:
Fer-mati!
son
Tirsi: No, cru-del!
Takt 11

Clo- ri e son fe-del,
40 Takte D. s.

Recitativo. Tirsi

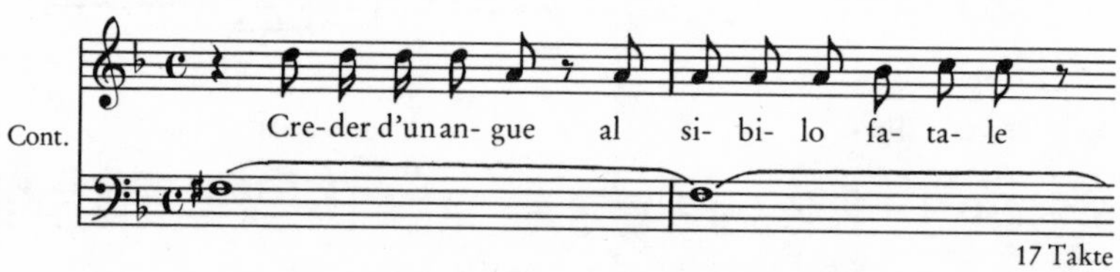
Cont.
Cre-der d'un an- gue al si- bi- lo fa- ta- le
17 Takte

9. Aria. Tirsi

Ob. I, II
V. I, II
Va.
Cont.
Tra le sfe-re la fe-ra più cru- da,
Takt 24
170 Takte D. c.

Recitativo. Clori

Cont.
Tir-si, mio caro Tir-si!
19 Takte

10. Aria. Clori

Presto ma non prestissimo
V. obl.
Ob. I, II
V. I, II
Va.
Cont.

Bar- ba- ro! bar- ba- ro, tu non cre- di, cru-del, tu non ti fi- di,
Takt 14
60 Takte D. c.

A.
B. Recitativo. Tirsi; Clori

Cont.

Pur ce- derti mi è for- za anco a di- spet- to

A.
per chè in se stes- sa un
B.
è co- me un stral di

Takt 26

A.
gra- to in- cendio cova, al- tri il lam- po ve- gheggia, al- tri lo pro- va.
B.
dot- ta man scoc- ca- to, che con destrez- za va- ga un se- no addi- ta, e un al- tro poi n'impia- ga.

A: 29 Takte
B: 30 Takte

11. Aria. Clori

Ob. I, II
V. I, II
Cont.

A- mo Tir- si, ed a Fi- le- no
V. II. e tutte 2 Ob.

44 Takte *D. c.*

Recitativo. Fileno

Cont.

Va, fi- dati a pro- messa,

13 Takte

12. Aria. Fileno

Cont.

Andante
Po- ve- ra fe- del- tà, quan- to sei ra- ra,

Takt 3

20 Takte *D.c.*

Recitativo. Tirsi

Cont.

Non ti stu- pir Fi- le- no,

13 Takte

13. Aria. Tirsi

Ob. I, II
V. I, II
unis.
Cont.

Andante
Un so- spi- ret- to ——,

[= HWV 172 (4.)]

Takt 9

80 Takte *D. c.*

Recitativo. Fileno

Cont.

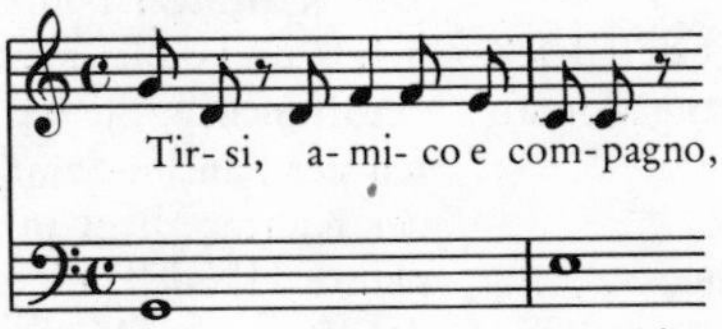
Tir- si, a- mi- co e com- pagno,

10 Takte

14. Aria. Fileno

Arciliuto
V. I, II
unis.
Cont.

Presto
Arciliuto

Takt 16

83 Takte *D. c.*

Recitativo. Tirsi

Cont.
Men-tre la pa- sto- rel- la a suo piace- re

13 Takte

15. Duetto. Tirsi; Fileno

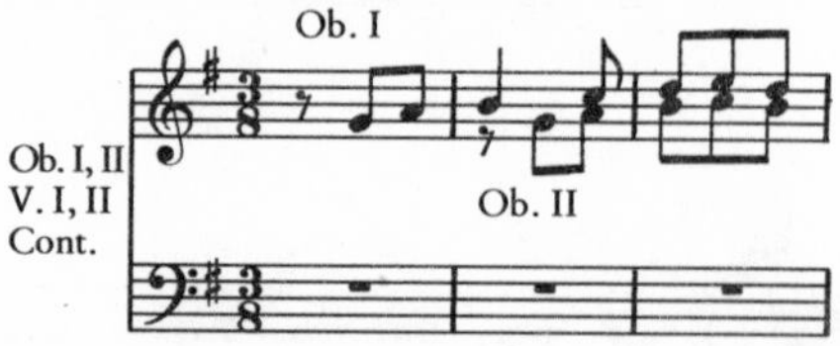
Ob. I
Ob. I, II
V. I, II
Cont.
Ob. II

Tirsi
Sen-za oc- chie sen-za ac- cen- ti,

Takt 25

206 Takte *D. c.*

Recitativo. Clori; Tirsi; Fileno

Clori
Cont.
Co-sì, co-sì fe- li- ci

20 Takte

16. Terzetto. Clori; Tirsi; Fileno

Allegro
V. I, II
Va.
Cont.
Va.
Fileno
Vi-ve- re e non a-

Tirsi
Clori
mar, A- ma- re e non lan- guir, Lan- gui- re e non pe- nar___, pos- si- bi- le non è,

Takt 12

50 Takte *D. s.*

Quellen

Handschriften: Autograph: GB Lbm (R. M. 20. e. 3., f. 31–64, fragm., ohne Ouverture und ohne Nr. 1–5, T. 1–9, sowie ohne Nr. 16, T. 25–50).
Abschrift: D (brd) MÜs (Hs. 1900 I, f. 1–116, Prima Parte; Hs. 1900 II, f. 1–166, Seconda Parte) – GB Och (Nr. 5, T. 1–9)[1].

Bemerkungen

Als Entstehungszeit der Terzettkantate „Cor fedele" kommen auf Grund des Quellenbefundes die Monate Juli–September 1707 in Betracht, die Händel bei Ruspoli in Rom verbrachte: Händel schrieb das Werk auf Papiere mit dem Wasserzeichen Typ 2/C, D. Giuseppe Antonio Angelini rechnete die umfangreiche Kopie [D (brd) MÜs: „Cantata a Tre con Stromenti di Monsù Hendel Prima P[e]/Parte 2[a]"], die er für Ruspoli anfertigte, am 14. Oktober 1707 bei dem Marchese ab (s. Kirkendale, Dokument 6).
Die Kantate ist im Autograph unvollständig überliefert und daher auch in ChA, Bd. 52[B], als Fragment veröffentlicht. Sie wird durch die beiden Handschriften der Santini-Sammlung komplettiert. Der Schluß der Kantate liegt in zwei Fassungen vor: Zunächst plante Händel, mit dem Duett „Senza occhi" (15) das Werk zu schließen, fügte dann aber nachträglich

[1] Abgedruckt in dem Aufsatz von Arkwright (s. Lit.), S. 154f.

das Terzett „Vivere e non amar" (16) hinzu, das – wie auch die Kopie Angelinis zeigt – durch das Rezitativ „Così felice" eingeleitet wurde. In D (brd) MÜs (Hs. 1900 II, f. 146) beginnt es mit neuer Lagenzählung. Am Schluß des Terzetts wurde in dieser Handschrift der Vermerk „Fine della Cantata" hinzugesetzt, um Händels Absicht deutlich zu kennzeichnen. Der Titel der Kantate lautet bei Angelini „Cantata à 3 Clori, Tirsi, e Fileno".
Die Musik der Kantate wurde von Händel später vielfach in anderen Werken verwendet.
Entlehnungen:
Ouverture
HWV 432 Suite VII g-Moll (I. Sammlung): Ouverture
HWV 8[a] Il Pastor fido (1. Fassung): Ouverture, 1. Satz
HWV Anhang A[11] Oreste (Pasticcio): Ouverture
1. Cor fedele in vano speri
HWV 137 „Nella stagion": 1. Ride il fiore
HWV 175 „Vedendo amor": 3. Rise Eurilla (Ritornello)
HWV 34 Alcina: 25. È un folle, è un vile affetto
2. Quell'erbetta
HWV 7[a] Rinaldo (1. Fassung): 18. Siam prossimi al porto
3. Va' col canto
HWV 72 Aci, Galatea e Polifemo: 10. S'agità in mezzo all'onde
HWV 10 Silla: 12. Sol per te
HWV 11 Amadigi: 26. Cangia al fine
HWV 49[a] Acis and Galatea (1. Fassung): 4. Hush, ye pretty warbling choir
HWV 49[b] Acis and Galatea (2. Fassung): 2. Hush, ye pretty warbling choir
4. Sai perchè l'onda del fiume
HWV 5 Rodrigo: 20. Empio fato
HWV 6 Agrippina: 38. Spererò, poichè mel dice
Continuo
HWV 432 Suite VII g-Moll (I. Sammlung): 6. Passacaille (Var. 7)
5. Conosco che mi piaci
HWV 42 Deidamia: 9. Se pensi amor tu solo
6. Son come quel nocchiero
HWV 40 Serse: 16. Non so se sia la speme
7. Scherzano sul tuo volto
HWV 7[a] Rinaldo (1. Fassung): 12. Scherzano sul tuo volto
8. Fermati! No, crudel
HWV 7[a] Rinaldo (1. Fassung): 24. Fermati! No, crudel
9. Tra le sfere
HWV 23 Riccardo I.: 10. Dell'empia frode il velo
10. Barbaro, tu non credi
HWV 14 Floridante: 16. Barbaro! t'odio a morte
HWV 34 Alcina: 37. Barbaro, io ben lo so
11. Amo Tirsi, ed a Fileno
HWV 6 Agrippina: 47. Se vuoi pace
HWV 49[a] Acis and Galatea (1. Fassung): 8. As when the dove
HWV 12[a] Radamisto (1. Fassung): 11. Dopo torbide procelle
HWV 63 Judas Maccabaeus: 27[b]. Wise men, flatt'ring
13. Un sospiretto
HWV 5 Rodrigo: 32. Allorchè sorge
HWV 8[a] Il Pastor fido (1. Fassung): 11. Allorchè sorge
HWV 71 The Triumph of Time and Truth: 13[a]. No more complaining
14. Come la rondinella
HWV 47 La Resurrezione: 26. Augelletti, ruscelletti (T. 3 ff.)
HWV 6 Agrippina: 19. Coronato il crin d'alloro
HWV 8[a] Il Pastor fido (1. Fassung): 8. Non vo' legarmi il cor
HWV 10 Silla: 18. Secondate, oh giusti Dei
HWV 11 Amadigi: 25. Vanne lungi dal mio petto
HWV 49[b] Acis und Galatea (2. Fassung): 8. Come la rondinella
15. Senza occhi e senza accenti
HWV 23 Riccardo I.: 40. La memoria dei tormenti
16. Vivere e non amar
HWV 49[b] Acis and Galatea (2. Fassung): 21. Viver, e non amar
HWV 50[b] Esther (Fassung 1737): Angelico splendor
HWV 52 Athalia: 35[b]. Angelico splendor
HWV 71 The Triumph of Time and Truth: 11. Pleasure submits to pain

Literatur
Arkwright, G. E. P.: Handel's Cantata „Conosco che mi piaci". In: The Musical Antiquary, vol. 1, 1909/10, S. 154 f.; Chrysander I, S. 239; Dean, S. 18 f.; Ewerhart, S. 128 ff.; Flesch, S.: Zu Händels Terzett-Kantate „Cor fedele". In: Händelfestspiele Halle, 23.–27. April 1960, Programmheft, S. 20 ff.; Harris, S. 167 f.; Leichtentritt, S. 579 f.
Beschreibung des Autographs: Lbm: Catalogue Squire, S. 23.

97. Crudel tiranno Amor

Cantata a voce sola con stromenti

Textdichter: unbekannt

Besetzung: Solo: Sopr. Instrumente: V. I, II; Va.; Cont.

ChA 52a. – HHA V/3. – EZ: London, Juni 1721. – UA: London, vermutlich am 5. Juli 1721, King's Theatre, Haymarket

1. Aria.

Recitativo.

2. Aria.

Recitativo.

3. Aria.

Quellen

Handschriften: Autograph: verschollen.

Abschriften: D (brd) DS (Mus. ms. 1046, Nr. 1 in Es-Dur) – D (ddr) LEm (MS. III. 5.15., Kopie aus dem Vertrieb von Breitkopf & Härtel Leipzig[1]) – GB Cfm (MS. 858, Nr. 4), Lam (MS. 140), Ob (Mus. d. 61., p. 265–291), T (MS. 1131, F. 48^{r-v}, Nr. 3)

Druck: Two trios and four cantatas, in score, composed by G. F. Handel. – London, Arnold's edition, No. 174–176 (ca. 1797).

Bemerkungen

Da das Autograph der Kantate verschollen ist, läßt sich ihre Entstehungszeit nicht mit absoluter Sicherheit bestimmen. Vermutlich wurde sie im Juni 1721 komponiert und von Margherita Durastanti in einem ihrer Benefizkonzerte am 5. Juli 1721 im Haymarket Theatre uraufgeführt[2]. Alle Arien des Werkes wurden kurz darauf in die Oper HWV 14 Floridante (Nr. 14^{c3}, Nr. 3^{c} und Nr. 28^{c}) übernommen.

Die Eingangsarie „Crudel tiranno Amor" (1) zitiert ein melodisches Modell, das Händel außerdem noch in folgenden Werken verwendete: HWV 130 „Mentre il tutto è in furore" (2. Combatti, e poi ritorno), HWV 10 Silla (8. Qual scoglio in mezzo all'onde) und HWV 34 Alcina (32. Ma quando tornerai).

Literatur

Krause, P.: Handschriften und ältere Drucke der Werke Georg Friedrich Händels in der Musikbibliothek der Stadt Leipzig, Leipzig 1966, S. 32f.

[1] Vgl. Breitkopf, B. C.: Verzeichniß musicalischer Werke, 3. Ausgabe, Leipzig 1770, S. 18.

[2] S. Hicks, A.: Record Reviews. In: The Musical Times, vol. 112, 1971, S. 866f.

[3] Mit der Textparodie „O quanto è caro amor".

98. Cuopre tal volta il cielo

Besetzung: Solo: Basso. Instrumente: V. I, II; Cont.
ChA 52a. – HHA V/3. – EZ: Italien 1708

Cantata a voce sola con stromenti

Textdichter: unbekannt

1. Recitativo accompagnato.

2. Aria.

Recitativo.

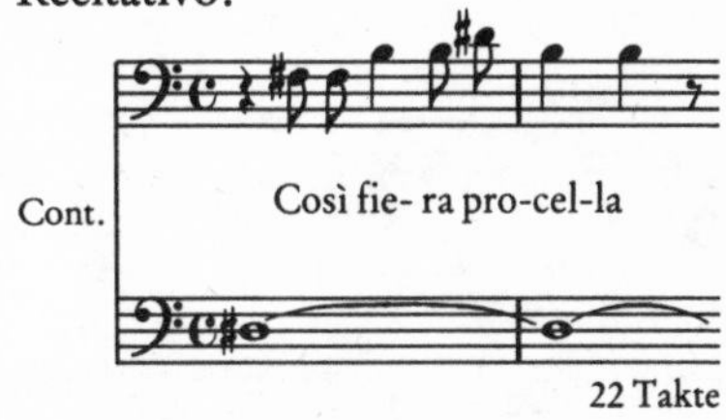

3. Aria.

Quellen
Handschriften: Autograph: GB Lbm (R. M. 20. e. 5., f. 4–7).
Abschrift: GB Lbm (Add, MSS. 31 555, f. 259–267, Kopie v. R. Lacy, ca. 1870), Mp (MS 130 Hd4, v. 77, p. 218–239).

Bemerkungen
Das im Papier des Autographs erkennbare Wasserzeichen (Lilie in einem Kreis, Typ 4, mit den Initialen VC)[1] deutet darauf hin, daß die Kantate 1708 entstanden ist. Das mit 16 Zeilen rastrierte Papier ist ein absolutes Unikat unter allen anderen Kantatenautographen Händels, doch gehört die Kantate keinesfalls in die hallesche Zeit Händels, wie F. Chrysander (ChA 52A, Vorwort) behauptet hat. Die Instrumentalbegleitung der Arie „Tuona, balena" (2) mit ihrer in zwei Taktarten notierten charakteristischen Doppelbewegung verwendete Händel außerdem in folgenden Werken: HWV 105 „Dietro l'orme fugaci" (4. Venti, fermate), HWV 255 „The Lord is my light" (10. It is the Lord that ruleth) und HWV 54 Israel in Egypt (12. But the waters overwhelmed).

[1] Papier mit diesem Wasserzeichen verwendete Händel nur für das Autograph von HWV 72 Aci, Galatea e Polifemo.

Literatur
Leichtentritt, S. 574f.
Beschreibung des Autographs: Lbm: Catalogue Squire, S. 24.

99. Delirio amoroso: Da quel giorno fatale

Besetzung: Solo: Sopr. Instrumente: Fl.; Ob.; V. I, II, III; Va.; Vc.; Cont.
ChA 52a. – HHA V/3. – EZ: Rom, Anfang 1707

Cantata a voce sola con stromenti

Textdichter: Benedetto Pamphilj

Introduzione.

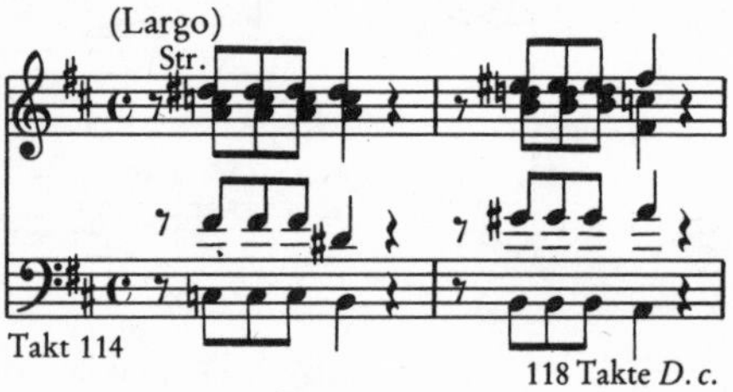

Recitativo.

1. Aria.

Recitativo.

2. Aria.

Recitativo.

3. Aria.

Recitativo.

Cont.

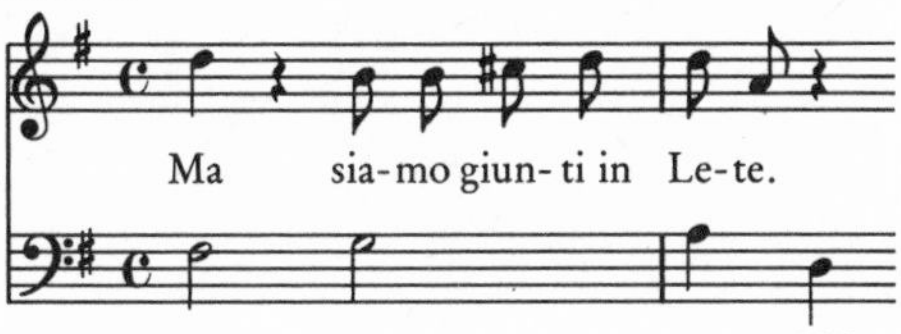
Ma sia-mo giun- ti in Le-te.

4 Takte

4. Entrée.

Ob.
V. I, II, III
Va.
Cont.

22 Takte

5. Minuet.

Ob.
V. I, II, III
Va.
Cont.

26 Takte

6. Aria.

Ob.
V. I, II
Va.
Cont.

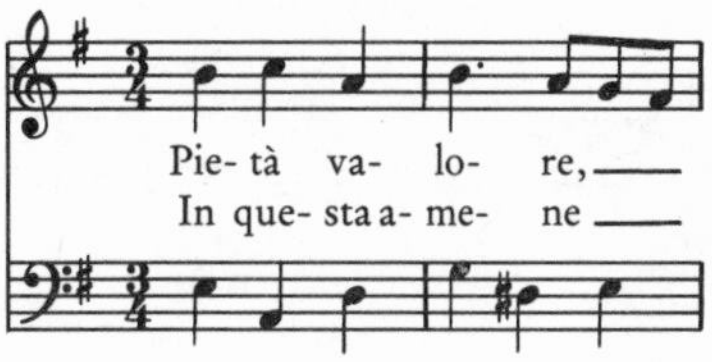
Pie- tà va- lo- re,
In que- sta a- me- ne

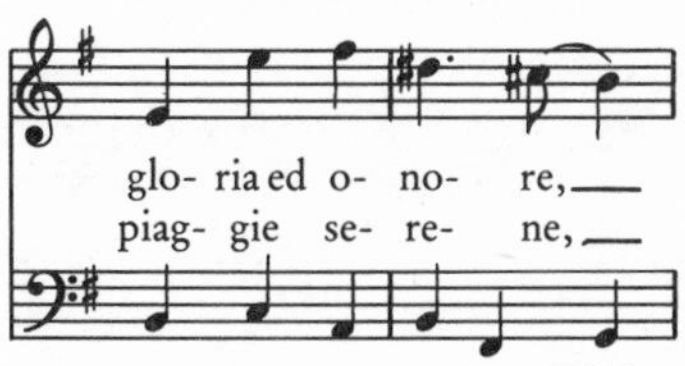
glo- ria ed o- no- re,
piag- gie se- re- ne,

60 Takte

Recitativo.

Cont.

Sì dis- se Clo- ri, e se d'un so- le e- stin- to

5 Takte
5. Minuet *da capo*

Quellen

Handschriften: Autograph: verschollen.

Abschriften: D (brd) Hs (M $\frac{A}{198}$, f. 1r–75v), MÜs (Direktionspartitur Hs. 1905, f. 1–76: „Delirio amoroso, Cantate di Hendel", f. 3, 6, 7 mit autographen Vermerken und Korrekturen) – GB Lbm (R. M. 19. a. 1., f. 26–61; R. M. 19. d. 11., f. 155r–160v: Introduzione).

Bemerkungen

Die Kantate entstand Anfang 1707 in Rom, wo sie von Alessandro Ginelli zunächst in Stimmen kopiert wurde (Rechnungsdatum: 12. 2. 1707, für Pamphilj). Die teilweise von Antonio Giuseppe Angelini geschriebene und von Händel eigenhändig verbesserte Direktionspartitur mit dem authentischen Titel „Delirio amoroso" wurde am 14. Mai 1707 bei Kardinal Benedetto Pamphilj eingereicht, der auch den Text gedichtet[1] und das Werk bei Händel in Auftrag gegeben hatte (s. Kopistenrechnungen bei Montalto und Marx). Angelini kopierte auch die Quelle D (brd) Hs.

Entlehnungen:

1. Un pensiero voli in ciel
   HWV 5 Rodrigo: 13. Per dar pregio all'amor mio
   HWV 6 Agrippina: 13b. Per punir che m'ha ingannata
   HWV 12a Radamisto (1. Fassung): 27. Sposo ingrato, parto, sì[2]
3. Lascia omai le brune vele[3]
   HWV 5 Rodrigo: 22. Dopo i nembi e le procelle
   HWV 72 Aci, Galatea e Polifemo: 10. S'agità in mezzo all'onde
   HWV 7a Rinaldo (1. Fassung): 31. È un incendio
   HWV 49a Acis and Galatea: 4. Hush, ye pretty warbling choir
   HWV 371 Sonata D-Dur op. 1 Nr. 13: 4. Satz (Allegro)
   HWV 70 Jephtha: 36. Symphony

Literatur

Baumann, P.: Drei italienische Kantaten G. F. Händels. In: Göttinger Händeltage 1962, Programmheft, S. 17 ff.; Ewerhart, S. 132; Harris, S. 164 ff.; Kirkendale, S. 224 ff.; Leichtentritt, S. 575 f.; Montalto, L.: Un Mecenate in Roma barocco: Il Cardinale Benedetto Pamphilj (1653–1730), Firenze 1955, S. 325 ff., bes. S. 335 (Kopistenrechnung); Marx, H. J.: Händel in Rom. In: Händel-Jb., 29. Jg., 1983, S. 107 ff.

[1] Die von W. Serauky (G. F. Händels italienische Kantatenwelt. In: Händel-Ehrung der DDR Halle 11.–19. April 1959, Konferenzbericht, Leipzig 1961, S. 113) vermutete Autorschaft Paolo Antonio Rollis für den Text der Kantate trifft nicht zu, da keine ihrer Arien irgendeine textliche Verwandtschaft mit Sätzen aus HWV 42 Deidamia aufweist, wie Serauky angibt.

[2] Burney IV, S. 702, behauptet, Händel habe die *Aria concertata* „Sposo ingrato" für Margherita Durastanti in „Radamisto" aus seiner in Hamburg entstandenen Jugendkantate „Casti amori" übernommen, die heute nicht mehr nachweisbar ist. „Sposo ingrato" wurde jedoch in „Radamisto" nicht für M. Durastanti, sondern für Ann Turner Robinson komponiert, die in der Rolle der Polissena auftrat, für die diese Arie bestimmt ist.

[3] Melodisch angeregt durch die Arie „Wallet nicht zu laut" aus der Oper „Die römische Unruhe oder Die edelmütige Octavia" von R. Keiser (Hamburg 1705, II. Handlung, 6. Auftritt).

100. Da sete ardente afflitto

Besetzung: Sopr., Basso continuo
ChA 50. – HHA V/1. – EZ: Italien, 1708/09

Cantata a voce sola

Textdichter: unbekannt

Recitativo.

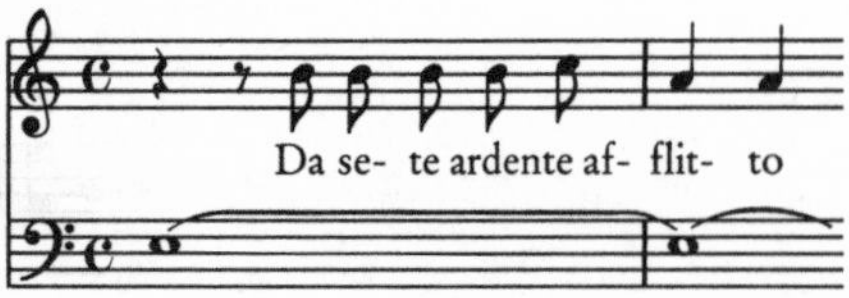
Da se- te ardente af- flit- to

15 Takte

1. Aria.
Largo

Pen- so al ri- o,

Takt 7

ma pen- so in- sie- me che de- lu- so dal pen-sie- ro

45 Takte *D. c.*
[D (brd) MÜs: 39 Takte *D. c.*]

Recitativo.

A-manti, ec- co vi sve- lo

21 Takte

2. Aria.
Allegro

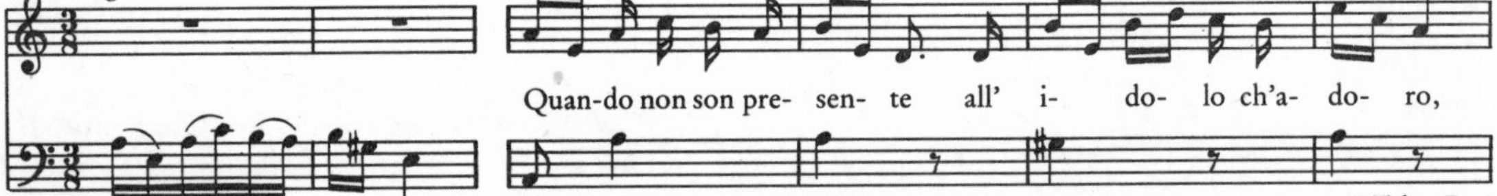
Quan-do non son pre- sen- te all' i- do- lo ch'a- do- ro,

[D (brd) MÜs: Adagio] Takt 8

63 Takte *D. c.*
[D (brd) MÜs: 61 Takte *D. c.*]

Quellen
Handschriften: Autograph: verschollen.
Abschriften: AUSTR Sydney (P 39, p. 101–106) – A Wn (Ms. 17 750, f. 87r–90v) – D (brd) Hs (M $\frac{A}{833^2}$, p. 379–384), MÜs (Hs. 1899, f. 25–27) – GB Cfm (Barrett-Lennard-Collection, Mus. MS. 797, p. 37 bis 41), CDp (M. C. 1. 5., f. 5v–9r), Lbm (Egerton 2942, f. 104r–106r; Add. MSS. 14 212, f. 23–26; Add. MSS. 14 215, f. 108–111; Add. MSS. 29 484, f. 61r bis 64r), Lcm (MS. 256, vol. 1, f. 31r–34v; MS. 257, f. 8r–10r; MS. 685, f. 100r–103v), Mp (MS 130 Hd4, v. 77, p. 108–117), Ob (Mus. d. 61., p. 9–16; MS. Don. d. 125., f. 30r–34r).

Bemerkungen
Obwohl infolge des verschollenen Autographs der Kantate keine genauen Angaben über ihren Entstehungsanlaß vorliegen, muß sie in Italien komponiert worden sein, denn sie wurde von Francesco Lanciani im August 1709 für Ruspoli kopiert (s. Kirkendale, Dokument 35 vom 31. August 1709). Eine andere römische Kopie befindet sich heute in der Santini-Sammlung in D (brd) MÜs und bietet drei kleine Varianten (Kürzungen der beiden Arien sowie eine andere Tempobezeichnung für Nr. 2) gegenüber dem in den meisten anderen Quellen überlieferten Notentext. Die Arie „Quando non son presente" (2) wurde von Händel später zur Arie „The parent bird in search of food" (9, Anhang 9) in HWV 66 Susanna umgestaltet (vgl. auch HWV 8a, Nr. 20).

Literatur
Dean, S. 555; Ewerhart, S. 136; Lewis (Symposium), S. 183.

101.[a] Dal fatale momento

Besetzung: Sopr.; Basso continuo
HHA V/1. – EZ: unbestimmt

(1. Fassung)

Cantata a voce sola

Textdichter: unbekannt

Recitativo.

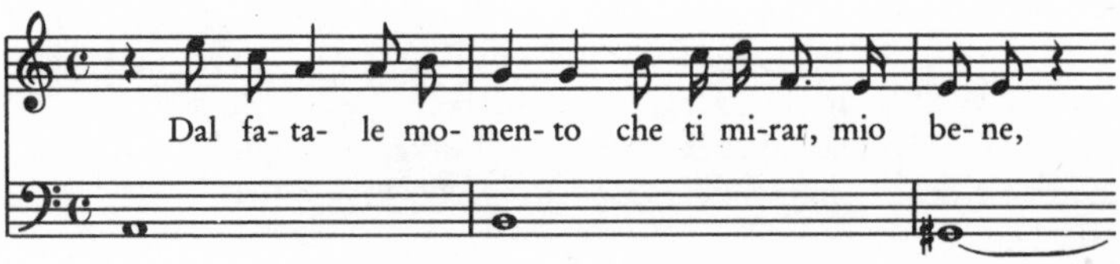
Dal fa- ta- le mo- men- to che ti mi-rar, mio be- ne,

11 Takte

1. Aria.

A tempo giusto

Chi non a- ma il tuo sembian- te

Takt 4 42 Takte *D. c.*

Recitativo.

Ma per vi- ver con-ten- to

17 Takte

2. Aria.

Allegro

O, ti vorrei men bel- la, o men ge- lo- so, men ge- lo-so il cor,

Takt 7 44 Takte *D. c.*

101.[b] Dal fatale momento

Besetzung: Basso, Basso continuo
HHA V/1. – EZ: unbestimmt

(2. Fassung)

Cantata a voce sola

Textdichter: unbekannt

Recitativo.

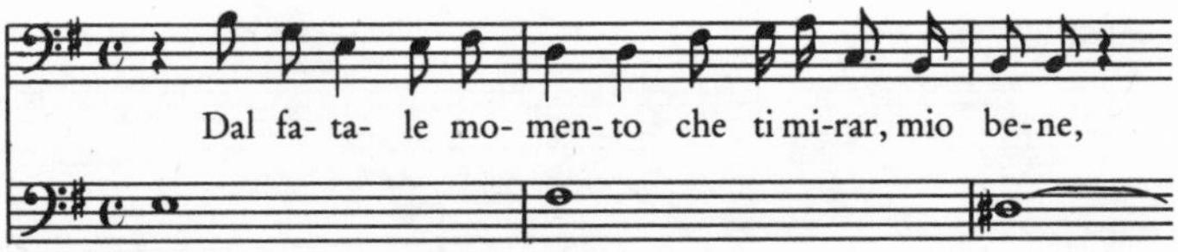
Dal fa- ta- le mo- men- to che ti mi-rar, mio be-ne,

11 Takte

1. Aria.

A tempo giusto

Chi non a - - - ma il tuo sem-bian- te,

Takt 4 42 Takte *D. c.*

Recitativo.

Ma per vi-ver con-ten-to

17 Takte

2. Aria.

Allegro
O ti vorrei men bel- la, o men ge-lo- so, men ge- lo- so il cor,
Takt 7
44 Takte D. c.

Quellen

Handschriften: Autograph: verschollen.

Abschriften: HWV 101^{a}: GB Lbm (Add. MSS. 29 263, f. 98^{r}–101^{v}), Mp (MS 130 Hd4, v. 76, p. 29 bis 37). HWV 101^{b}: D (ddr) LEm (Ms. III.5.14., Kopie aus dem Vertrieb von Breitkopf & Härtel Leipzig)[1].

Bemerkungen

Die Authentizität der Kantate ist zweifelhaft, obwohl sie in drei räumlich und zeitlich differierenden Quellen eindeutig Händel zugeordnet wird. Die Fassung HWV 101^{b} für Baß, die nur durch die Quelle in D (ddr) LEm überliefert ist, stellt keine eigenständige Version des Werkes dar, sondern ist lediglich eine Transposition von HWV 101^{a}.

Literatur

Krause, P.: Handschriften und ältere Drucke der Werke Georg Friedrich Händels in der Musikbibliothek der Stadt Leipzig, Leipzig 1966, S. 33.

[1] Angezeigt in: Breitkopf, B. C.: Verzeichniß musicalischer Werke. 2. Ausgabe, Leipzig 1764, S. 34.

102^{a} Dalla guerra amorosa

(1. Fassung)

Besetzung: Basso, Basso continuo
ChA 50. – HHA V/1. – EZ: Italien, 1708/09

Cantata a voce sola

Textdichter: unbekannt

Recitativo.

Dal-la guer- ra amo-ro- sa,
9 Takte

1. Aria.

Allegro
Non v'al- let- ti un oc- chio
Takt 13
128 Takte D. c.

ne-ro,
128 Takte D. c.

Recitativo.

Fuggi-te, sì fug- gi-te, ahi!
13 Takte

2. Aria.

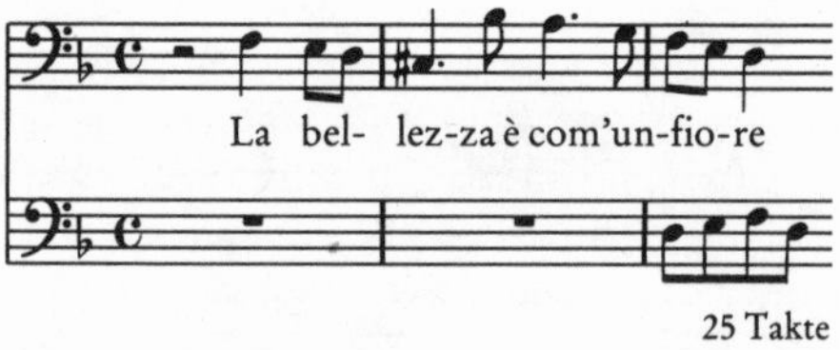
La bel- lez-za è com'un-fio-re
25 Takte

3. Recitativo ed Arioso.

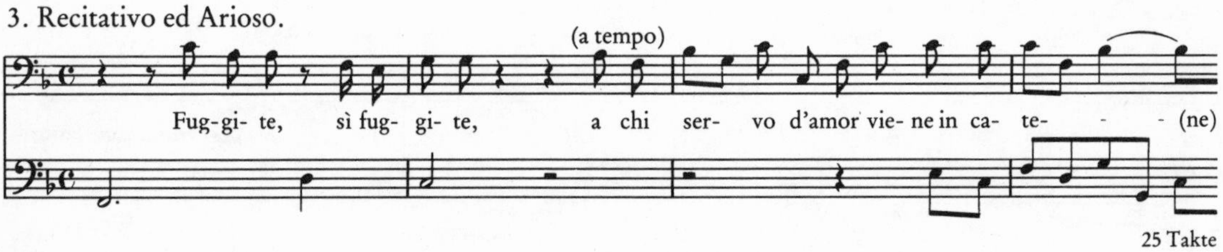
(a tempo)
Fug-gi- te, sì fug- gi- te, a chi ser- vo d'amor vie- ne in ca- te- - - (ne)
25 Takte

102b. Dalla guerra amorosa

(2. Fassung)

Besetzung: Sopr., Basso continuo
HHA V/1. – EZ: Italien, 1708/09

Cantata a voce sola

Textdichter: unbekannt

Recitativo.

Dal-la guer-ra a-mo-ro-sa,
9 Takte

1. Aria.

Allegro
Non v'al- let- ti un oc- chio
Takt 13

ne-ro,
213 Takte
(129 Takte D. c.)

Recitativo.

Fuggi-te, sì fug-gi-te, ahi!
13 Takte

2. Aria.

La bel- lezza è com'un fio- re
25 Takte D. c.

3. Recitativo ed Arioso.

a tempo
Fug- gi- te, sì fug- gi- te, a chi ser- vo d'amor vie- ne in ca- te- - - (ne)
25 Takte

Quellen

Handschriften: Autograph: verschollen.
Abschriften: HWV 102a: AUSTR Sydney (P 39, p. 37–41) – GB Lbm (R. M. 19. e. 7., f. 95–98; Egerton 2942, f. 18r–20r; Add. MSS. 14182, f. 81r–85r), Lcm (MS. 257, f. 61r–63v). HWV 102b: D (brd) MÜs (Hs. 1899, f. 107–114).

Bemerkungen

Die Kantate entstand vermutlich 1708/09 in Italien und wurde von Francesco Lanciani im August 1709 in Rom für Ruspoli kopiert (s. Kirkendale, Dokument 35 vom 31. August 1709).
Seine Kopie in der Santini-Sammlung D (brd) MÜs, die – wie in der Rechnung angegeben – zwei Lagen umfaßt, ist wahrscheinlich das für Ruspoli angefertigte Exemplar. Demnach wäre die Sopranfassung HWV 102b als Originalfassung anzusehen, die Händel später für Baß umschrieb.
Entlehnungen:
1. Non v'alletti un occhio nero, T. 25–28
   HWV 149 „Qual sento io non conosciuto": 2. Ardo ben ma non ardisco
   HWV 352 Suite B-Dur (aus „Die verwandelte Daphne"): 1. Coro („Amor, Amor, deine Tücke")
2. La bellezza è com'un fiore
   HWV 107 „Dite mi, o piante": 1. Il candore tolse al giglio
   HWV 118 „Ho fuggito amore anch'io": 1. Ho fuggito
   HWV 145 „Oh numi eterni": 1. Già superbo del mio affanno
   HWV 48 Brockes-Passion: 20. Schau, ich fall' in strenger Buße
   HWV 189 „No, di voi non vuo' fidarmi": Altra volta incatenarmi
   HWV 71 The Triumph of Time and Truth: 3b. Sorrow darkens

Literatur

Baumann, P.: Drei italienische Kantaten G. F. Händels. In: Göttinger Händeltage 1962, Programmheft, S. 17ff.; Ewerhart, S. 136; Lewis (Symposium), S. 186; Serauky, W.: G. F. Händels italienische Kantatenwelt. In: Händel-Ehrung der DDR Halle 11.–19. April 1959, Konferenzbericht, Leipzig 1961, S. 110ff., bes. S. 113.

103. Deh! lasciate e vita e volo

Besetzung: Alto, Basso continuo
ChA 50. – HHA V/1. – EZ: London, nach 1720

Cantata a voce sola

Textdichter: Paolo Antonio Rolli (aus: „Di Canzonette e di Cantate", libri due, London 1727)

1. Aria.

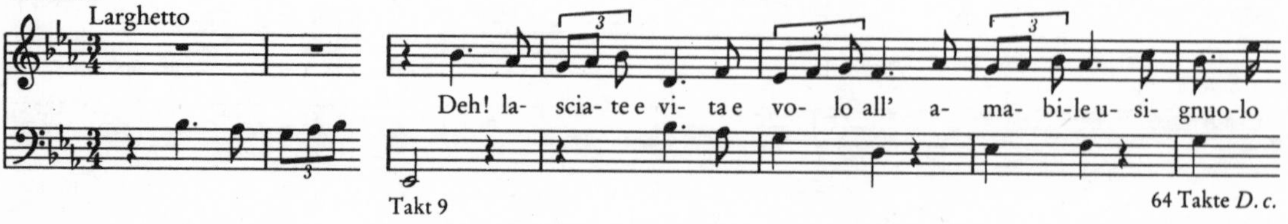
Larghetto
Deh! la- scia- te e vi- ta e vo- lo all' a- ma- bi-le u- si- gnuo-lo
Takt 9
64 Takte D. c.

Recitativo.

Cru-de- le, im- pa- ra al- men dal- la com-pa- gna
14 Takte

2. Aria.

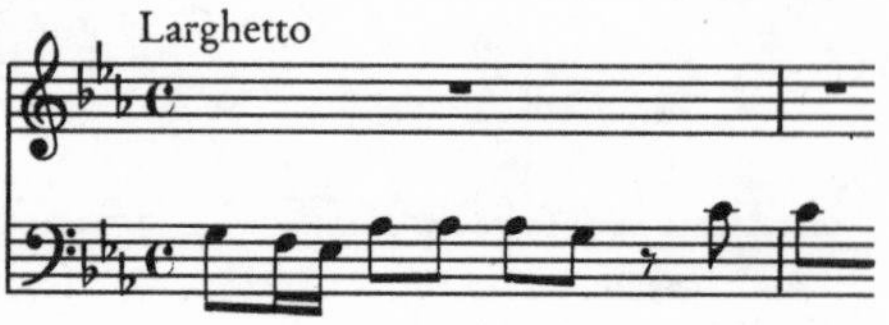
Larghetto

La- scia, la dol- ce bra- ma di ri- a- mar chi t'a- ma, ve- nir nel tuo bel cor,
Takt 4
28 Takte D. c.

Quellen
Handschriften: Autograph: GB Ob (Ms. Don. c. 69., f. 1r–3v).
Abschrift: GB Ob (Mus. d. 62., p. 126–131).

Bemerkungen
Wie Schriftduktus und Papier des Autographs zeigen, entstand die Kantate in England. Als Textgrundlage verwendete Händel wesentliche Teile einer Kantatendichtung von Paolo Antonio Rolli (aus: Di Canzonette e di Cantate, Libri due, London 1727, No. 22).
Vermutlich komponierte Händel das Werk um 1720/23, da die Eingangsarie „Deh! lasciate e vita e volo" ein melodisches Modell benutzt, das etwas abgewandelt in der Arie „Quanto dolci, quanto care" (3) der Oper HWV 16 Flavio (1723) wiederkehrt.

104. Del bel idolo mio

Besetzung: Sopr., Basso continuo
ChA 50. – HHA V/1. – EZ: Rom, 1708/09

Cantata a voce sola

Textdichter: unbekannt

Recitativo.

Del bel i- do-lo mi-o
14 Takte

1. Aria.

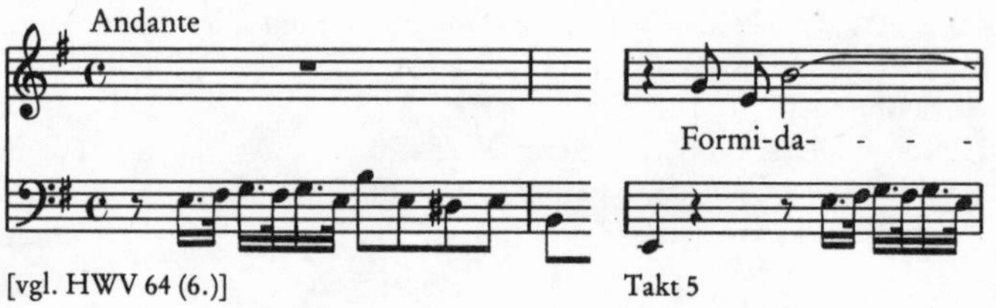
Andante
Formi-da- - - -
[vgl. HWV 64 (6.)]
Takt 5

- - - - - - bil gon- do- lie- ro,

35 Takte *D. c.*

Recitativo.

Ma se non la rin- ven- go,

4 Takte

2. Aria.

Adagio

Piange-rò, pian- ge- rò, ma le mie la- cri-me saran simbo- li di fè,

Takt 3

22 Takte *D. c.*

Recitativo.

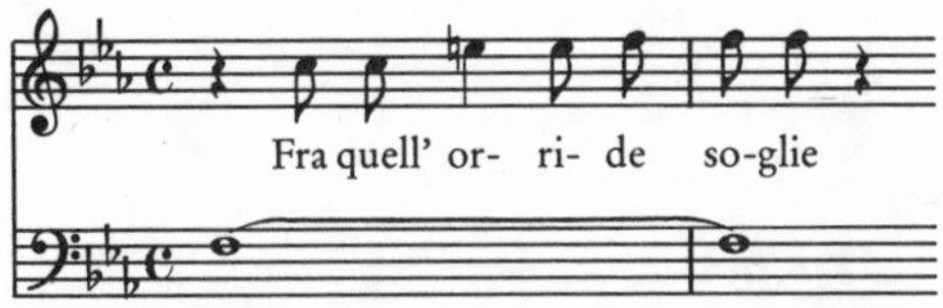
Fra quell' or- ri- de so-glie

6 Takte

3. Aria.

Su ren- de- te- mi co- le- i,

44 Takte

Quellen

Handschriften: Autograph: GB Lbm (R. M. 20. d. 12., f. 40r–42v).

Abschriften: AUSTR Sydney (P 39, p. 176–180) – A Wn (Ms. 17 750, f. 35r–36v) – D(brd)MÜs (Hs. 1899, f. 36–43; Hs. 1901, f. 6–10) – GB Cfm (Barrett-Lennard-Collection, Mus. MS. 797, p. 114–117), Lbm (Egerton 2942, f. 36v–38r; Add. MSS. 14 182, f. 13v bis 17r; Add. MSS. 31 573, f. 64r–66r), Lcm (MS. 256, vol. 3, f. 4v–8v; MS. 257, f. 131v–134r), Mp (MS 130 Hd4, v. 78, p. 74–85), Ob (Mus. d. 62., p. 183–188).

Bemerkungen

Die Kantate entstand vermutlich 1708/09 in Italien (WZ des Autographs: Typ 2/C) und wurde im August 1709 von Francesco Lanciani für Ruspoli kopiert (s. Kirkendale, Dokument 35 vom 31. August 1709). Die Arie „Formidabil gondoliero" (1) bildet eine melodische Vorstudie zu „While Kedron's brook" (6) in HWV 64 Joshua.

Literatur

Ewerhart, S. 136; Leichtentritt, S. 566; Lewis (Symposium), S. 183.

Beschreibung des Autographs: Lbm: Catalogue Squire, S. 22.

105. Armida abbandonata: Dietro l'orme fugaci

Cantata a voce sola con stromenti

Textdichter: unbekannt

Besetzung: Solo: Sopr. (Armida). Instrumente: V. I, II; Cont.

ChA 52a. – HHA V/3. – EZ: Rom, Juni 1707. – UA: Rom, vermutlich am 26. Juni 1707, Palazzo Bonelli

1. Recitativo accompagnato.

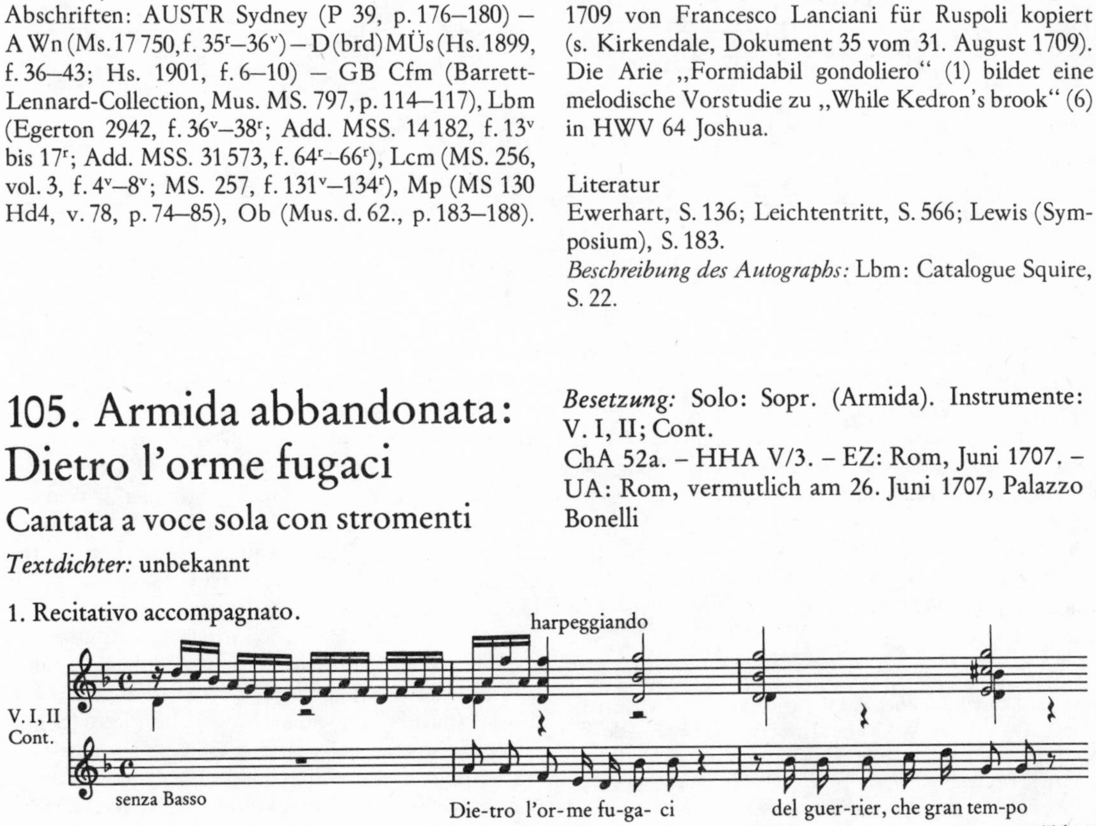
harpeggiando
V. I, II
Cont.
senza Basso
Die-tro l'or-me fu-ga- ci del guer-rier, che gran tem-po

21 Takte

2. Aria.

Adagio
Cont.
Ah! cru- de- le e pur ten va- i, e mi_ la- - - - - - - - - (sci)
30 Takte D. c.

Recitativo.

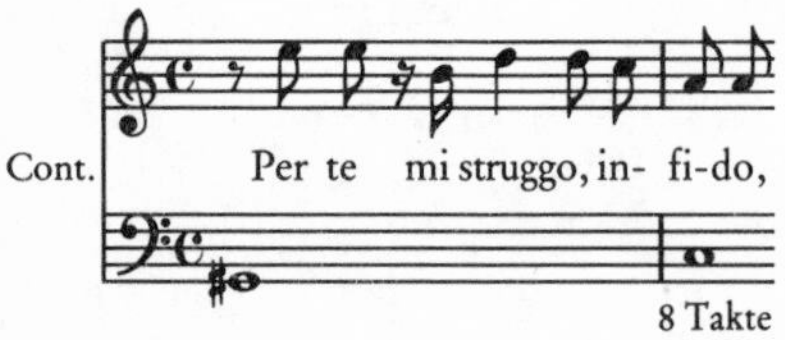
Cont.
Per te mi struggo, in- fi-do,
8 Takte

3. Recitativo accompagnato.

Furioso
V. I, II
Cont.
O voi dell' in-co-
Takt 6

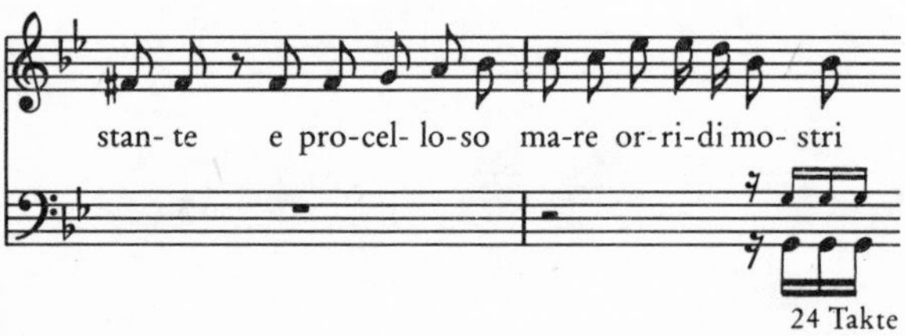
stan- te e pro-cel- lo-so ma-re or-ri-di mo- stri
24 Takte

4. Aria.

V. I, II
Cont.

[vgl. HWV 255 (10.)]

Ven- ti, ven- ti, fer- ma- te, sì,
Takt 13
94 Takte D. c.

Recitativo.

Cont.
Ma che par-lo, che di-co?
17 Takte

5. Aria.

Siciliana
V. I, II
unis.
Cont.
In tan-ti affan- ni mie- i as-si- stimi al-men tu
Takt 7
26 Takte D. c.

Quellen

Handschriften: Autograph: GB Lbm (R. M. 20. e. 2., f. 1–10; f. 1: Titelüberschrift von A. G. Angelini: „L'Arminda Cantata a Voce Sola con VV.", f. 2: „Armida abbandonata. Cantata a voce Sola con Stromenti di G. F. Hendel", autograph).

Abschriften: D (brd) DS (Mus. ms. 986, f. 1–4, Partiturabschrift eines unbekannten Kopisten; St. für V. I, II, Bc.: Kopien J. S. Bachs und C. P. E. Bachs)[1], Mbs (Hs. 1167), MÜs (Hs. 1894, f. 1–22).

[1] Früher in der Bibliothek des Verlages Breitkopf & Härtel, Leipzig. Vgl. Hitzig, W.: Katalog des Archivs von Breitkopf & Härtel Leipzig, Leipzig 1925, S. 1. Vgl. auch Flower (deutsche Ausgabe, Leipzig [1]/1925), S. 80/81, Faksimile der ersten Partiturseite in der Handschrift eines unbekannten Kopisten.

Bemerkungen

Die Kantate, die Händel auf Papier italienischer Herkunft schrieb (WZ des Autographs: Typ 2/D), entstand vermutlich im Juni 1707 in Rom und wurde von Antonio Giuseppe Angelini in Partitur und Stimmen kopiert (die Kopie der Stimmen wurde am 30. Juni, die Kopie der Partitur am 22. September 1707 abgerechnet, eine weitere Kopie von Pietro Castrucci am 28. Februar 1709; s. Kirkendale, Dokumente 2, 5 und 34). Vermutlich erklang das Werk in einer der wöchentlich stattfindenden „conversazioni" von Ruspoli am 26. Juni 1707, aufgeführt von Margherita Durastanti (Sopran) mit den Violinisten Domenico (Vater) und Pietro (Sohn) Castrucci sowie zwei weiteren Geigern als Tuttiverstärkung, wie eine Abrechnung über diesen Tag in den Ruspoli-Dokumenten ausweist (s. Kirkendale, Dokument 3). Die in der Santini-Sammlung D (brd)

MÜs aufbewahrte Partiturkopie Angelinis trägt den korrumpierten Titel „Arminda abbandonata", wie er auch in den Ruspoli-Dokumenten auftaucht. Angelini versah auch das Deckblatt für Händels Autograph mit dieser falschen Bezeichnung. Händels autographer Titel ist dagegen korrekt (s. GB Lbm, R. M. 20. e. 2., f. 2).
Das Ritornell der Arie „Venti, fermate, sì" (4) verwendete Händel außerdem in folgenden Werken: HWV 98 „Cuopre tal volta" (2. Tuona, balena), HWV 255 „The Lord is my light" (10. It is the Lord that ruleth) und HWV 54 Israel in Egypt (12. But the waters overwhelmed).

Literatur
Ewerhart, S. 132; Harris, S. 166f.; Kirkendale, S. 230; Leichtentritt, S. 576.
Beschreibung des Autographs: Lbm: Catalogue Squire, S. 23.

106. Dimmi, o mio cor

Cantata a voce sola

Textdichter: unbekannt

Besetzung: Sopr., Basso continuo
ChA 50. – HHA V/1. – EZ: Italien, 1707/09

Recitativo.

Dimmi, o mio cor, che brami,
[vgl. HWV 132a]
19 Takte

1. Aria.

Allegro
Mi pia-gò d'A- mor lo stra- le,
Takt 5
48 Takte D. c.

Recitativo.

Dunque se il rio de- sti- no
24 Takte

2a. Aria.

Allegro ma non troppo
Ca- ri lac-
Takt 6

- ci, a-ma- -te pe-ne,
42 Takte D. c.

2b. Aria. Alto

Ca- ri lac- ci, ama- te pene,
Takt 11
84 Takte D. c.

Quellen
Handschriften: Autograph: GB Lbm (R. M. 20. d. 11., f. 48–51).
Abschriften: GB Cfm (30 H 2, p. 5–6: Nr. 2b „Cari lacci" für Alt in d-Moll). Lbm (Egerton 2942, f. 61v bis 63v; Add. MSS. 14 182, f. 54v–58v), Ob (Mus. d. 62., p. 99–106), T (MS. 1131, f. 124r–126r) – US Wc (M 1620.H2 I 9 case).
Druck: Thirteen chamber duettos and twelve cantatas; composed by G. F. Handel. – London, Arnold's edition, No. 176–179 (1797).

Bemerkungen
Die Kantate existiert in zwei Fassungen; HWV 106 stellt die ältere, in Italien entstandene Vertonung des gleichen Textes dar. Im Papier des Autographs lassen sich keine Wasserzeichen erkennen, so daß eine nähere Bestimmung von Entstehungszeit und -ort nicht möglich ist. Eine zweite, vermutlich in England entstandene und stark geänderte Fassung (Autograph verschollen), liegt in HWV 132a „Mi palpita il cor" vor.
Die Musik der Arie „Mi piago d'amor lo strale" (1) verwendete Händel außerdem in der Arie „Già respira in petto il core" (20) der Oper HWV 10 Silla.

Literatur
Lewis (Symposium), S. 189; Mayo I, S. 172ff.
Beschreibung des Autographs: Lbm: Catalogue Squire, S. 21.

107. Ditemi, o piante

Cantata a voce sola

Textdichter: unbekannt

Besetzung: Sopr., Basso continuo
ChA 50. – HHA V/1. – EZ: Rom, Juli/August 1708

Recitativo.

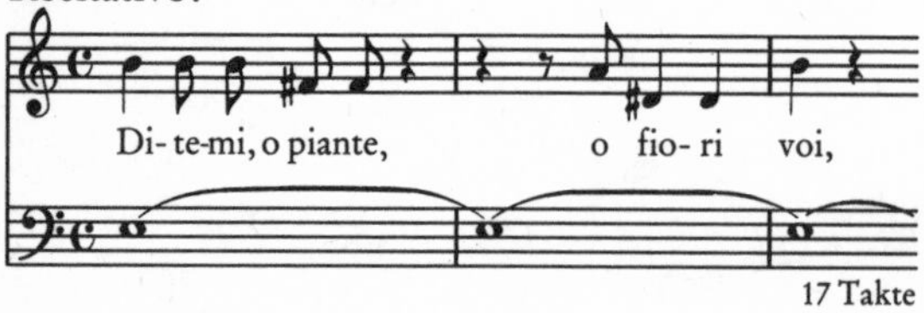
Di- te-mi, o piante, o fio- ri voi,
17 Takte

1. Aria.

Largo
Il can-

[vgl. HWV 71. The Triumph of Time and Truth (3^b^.)]

do- re tol- se al gi- glio al- la ro- sa il bel ver- mi- glio,
Takt 7
35 Takte D. c.

Recitativo.

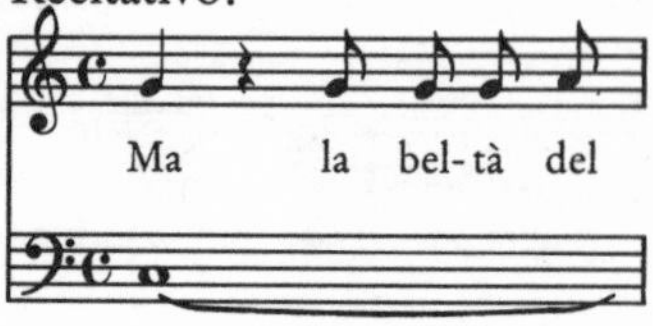
Ma la bel- tà del

volto non è il pregio mag- gior
14 Takte

2. Aria.

Allegro

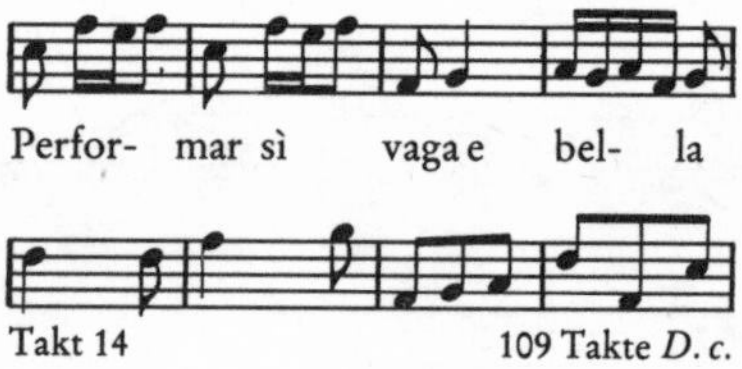
Perfor- mar sì vaga e bel- la
Takt 14
109 Takte D. c.

Quellen
Handschriften: Autograph: verschollen.
Abschriften: AUSTR Sydney (P 39, p. 67–71) – A Wn (Ms. 17 750, f. 61^r^–64^r^) – D (brd) MÜs (Hs. 1899, f. 17–24; Hs. 1910, f. 159–167) – GB Cfm (Barrett-Lennard-Collection, Mus. MS. 797, p. 10–13), Lbm (Egerton 2942, f. 86^v^–88^r^; Add. MSS. 31 226, f. 52 bis 53^r^, nur Nr. 2), Lcm (MS. 256, vol. 1, f. 7^v^–10^v^; MS. 257, f. 70^v^–73^v^), Mp (MS 130 Hd4, v. 77, p. 43–51), Ob (Mus. d. 62., p. 1–8) – US Wc (M 1620.H2 I 9 case).

Bemerkungen
Die Kantate wurde vermutlich im Sommer 1708 in Rom komponiert und im August dieses Jahres von Antonio Giuseppe Angelini zweimal für Ruspoli kopiert (s. Kirkendale, Dokument 24 vom 9. August 1708 und Dokument 25 vom 28. August 1708).
Das Thema der Arie „Il candore tolse al giglio" (1) basiert auf einem melodischen Modell, das Händel außerdem in den Kantaten HWV 102^a,b^ „Dalla guerra amorosa" (2. La bellezza è com'un fiore) und HWV 118 „Ho fuggito amore anch'io" (1. Ho fuggito) sowie in HWV 145 „Oh numi eterni" (1. Già superbo del mio affanno), in HWV 48 Brockes-Passion (20. Schau, ich fall' in strenger Buße), im Kammerduett HWV 189 „No, di voi non vuo' fidarmi" (Altra volta incatenarmi) sowie in HWV 71 The Triumph of Time and Truth (3^b^. Sorrow darkens ev'ry feature) verwendete.

Literatur
Ewerhart, S. 137.

108. Dolce mio ben, s'io taccio

Cantata a voce sola [Echtheit nicht verbürgt]

Textdichter: unbekannt

Besetzung: Sopr., Basso continuo
ChA 50. – HHA V/1. – EZ: unbestimmt

Recitativo.

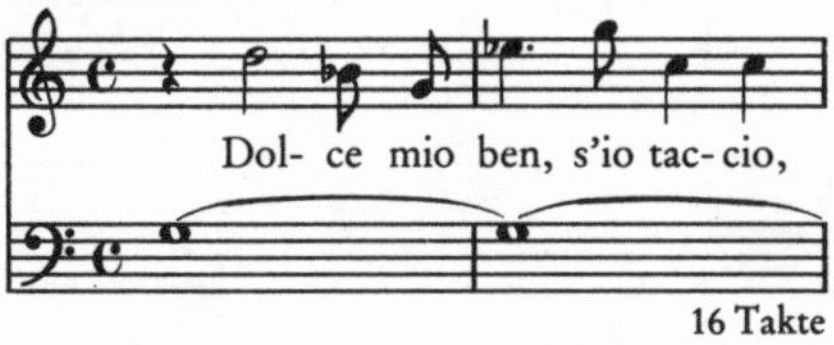
Dol- ce mio ben, s'io tac- cio,
16 Takte

1. Aria.

In- ten-
Takt 5

- - - di-mi, in- ten-dimi, ben mi- o,
48 Takte D. c.

Recitativo.

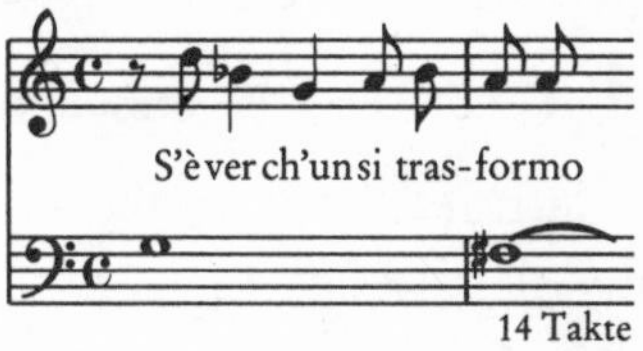
S'è ver ch'un si tras-formo
14 Takte

2. Aria.

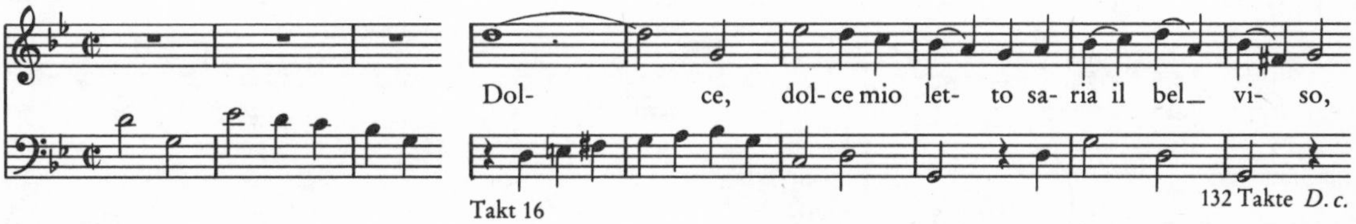
Dol- ce, dol- ce mio let- to sa- ria il bel_ vi- so,
Takt 16
132 Takte D. c.

Quellen
Handschriften: Autograph: verschollen.
Abschriften: GB Lam (MS. 34), Lcm (MS. 257, f. 28r–31v).

Bemerkungen
Die Echtheit der Kantate ist nicht gesichert. Der Band in GB Lcm (MS. 257) enthält 57 Kantaten Händels; HWV 108 befindet sich zwischen HWV 145 „Oh numi eterni" und HWV 158b „Se pari è la tua fè" und stellt vermutlich eine spätere Einfügung dar, die nicht, wie die anderen Kantaten, ausdrücklich Händel zugeschrieben ist.

109a. Dolce pur d'amor l'affanno (1. Fassung)

Cantata a voce sola

Textdichter: unbekannt

Besetzung: Alto, Basso continuo
ChA 50. – HHA V/1. – EZ: London, nach 1710

1. Aria.

Andante (Largo)
Dol- ce pur d'a- mor l'af-fan- no,
Takt 3
34 Takte (D. c.)

Recitativo.

Il vi-ver sempre in pe- ne stanca i de-sir d'a- mo-re
12 Takte

2. Aria.

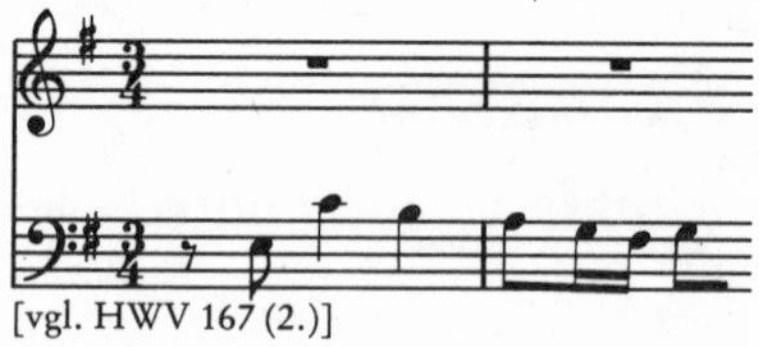
[vgl. HWV 167 (2.)]

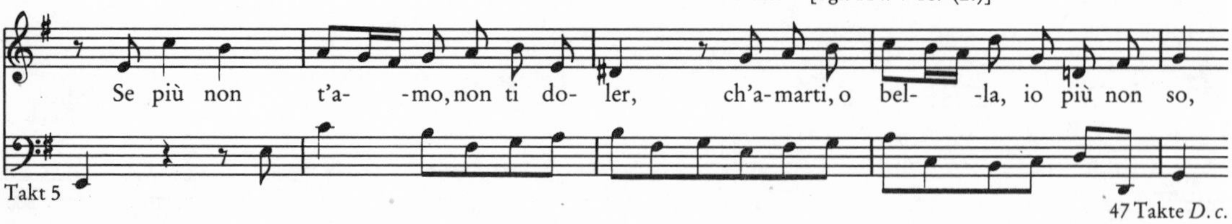
Se più non t'a- -mo, non ti do- ler, ch'a-marti, o bel- -la, io più non so,
Takt 5
47 Takte D. c.

109b. Dolce pur d'amor l'affanno (2. Fassung)

Cantata a voce sola

Textdichter: unbekannt

Besetzung: Sopr., Basso continuo
ChA 50. – HHA V/1. – EZ: London, nach 1730

1. Aria.

Larghetto e cantabile
Dol- ce pur d'a- mor l'af-fan- no
Takt 3
34 Takte D. c.

Recitativo.

Il vi-ver sempre in pe-ne
12 Takte

2. Aria.

Se più non t'a- mo, non ti do- ler,
Takt 5
48 Takte D. c.

Quellen

Handschriften: Autograph: HWV 109a: GB Cfm (30 H 2, p. 11–14, mit autographen Verzierungen im Vokalpart).

Abschriften: HWV 109a: AUSTR Sydney (P 39, p. 241–244) – A Wn (Ms. 17750, f. 91r–93v) – GB Cfm (30 H 2, p. 9–10: Nr. 1 in E-Dur mit den Verzierungen des Autographs; 24 F 12., f. 111r–114r; Barrett-Lennard-Collection, Mus. MS. 797, p. 171 bis 173), Lbm (Egerton 2942, f. 106v–107r; Add. MSS. 29484, f. 51r–53r), Lcm (MS. 256, vol. 4, f. 10r bis 13r; MS. 257, f. 171r–173r), Mp (MS 130 Hd4, v. 77, p. 118–124), Ob (Mus. d. 61., p. 106–110; MS. Don. d. 125., f. 34v–37v, mit Verzierungen).

HWV 109b: D (brd) Hs (M $\frac{A}{200}$, p. 17–23) – GB Ob (Ms. Don. d. 125., f. 60r–63r, von Smith sen. nach A-Dur transponiert).

Bemerkungen

Die Kantate entstand in der vorliegenden Form für Alt, wie das Autograph zeigt, nach 1710 in England. Die Sopranfassung HWV 109b ließ Händel vom Kopisten S_1 anfertigen, der auch die Kopie der Barrett-Lennard-Collection (GB Cfm, Mus. MS. 797) schrieb, so daß diese Fassung erst nach 1730 anzusetzen ist.

Die Arie „Se più non t'amo" (2) übernahm Händel aus der Kantate HWV 167 „Stanco di più soffrire" (2), während „Dolce pur d'amor l'affanno" (1) 1735 in die Musik zu HWV 34 Alcina (7. Di', cor mio, quanto t'amai) überging.

Literatur

Heuß, A.: „Dolce pur d'amor l'affanno". Solokantate für Alt und Cont. In: Fest- und Programm-Buch zum 2. Händelfest in Kiel, Leipzig 1928, S. 27f.; Mayo I, S. 175ff.

Beschreibung des Autographs: Cfm: Catalogue Mann, Ms. 252, S. 163.

110. Agrippina condotta a morire: Dunque sarà pur vero

Cantata a voce sola con stromenti

Textdichter: unbekannt

Besetzung: Solo: Sopr. (Agrippina).
Instrumente: V. I, II; Cont.
ChA 52a. – HHA V/3. – EZ: Italien 1707/08

Recitativo.

Dunque sarà pur ve- ro, che dis- se- ti la ter- ra
Cont.
19 Takte

1. Aria.

Staccato
V. I, II
Cont.

Or- ri- da, o- scu- ra, l'e- tra si ren- da e spesso av- vam- (pi)
Takt 12
82 Takte D. c.

Recitativo.

Ma pria che d'empia morte
Cont.
19 Takte

2. Aria.

Allegro
unis.
V. I, II
Cont.
Renda

due V.
ce- ne- re il ti- ran- no un tuo ful- mi- ne crudel,
Takt 7
40 Takte D. c.

Recitativo.

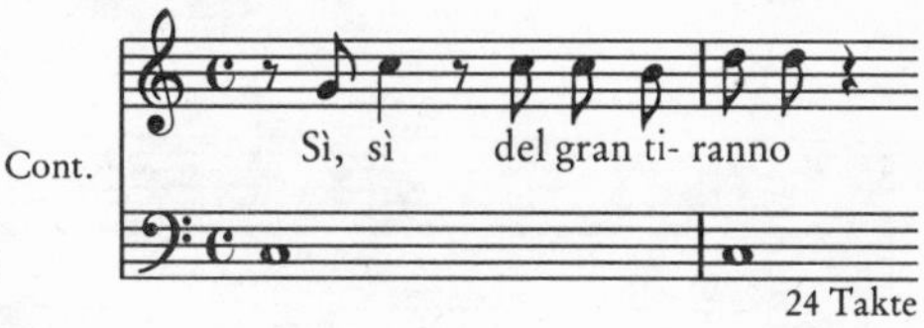
Sì, sì del gran ti- ranno
Cont.
24 Takte

3. Arioso e Recitativo.

Adagio (Andante)
V. I, II
unis.
Cont.
Co- -me, o Di- o! bra- mo la mor- te a chi vi- ta eb- be da me?

(Recitativo.)

Forsennata che parli? mora, mora l'in- -degno,
Cont.
Takt 16
22 Takte (attacca)

(Arioso.)

Presto
Sì, sì, s'uc-
V. I, II
Cont.

ci- da, s'ucci- da, lo sdegno gri- da
(Arioso.)
A- me sol giunga la mor- te
Takt 19
(Recitativo.)
In can-ta e che mai dis- si?
Takt 31
(Arioso.)
Allegro
Ca-da la- ce- ro e sve- na- to
Takt 36
(Recitativo.)
Sparga quel sangue i- stesso, che sol per mio di- let- to
Takt 43
(Arioso.)
Co- me, o Di- o!
Takt 52
bra- mola mor- te
77 Takte
V. I, II
unis.
Cont.
4. Aria.
Se infe- li- ce al mon- do vis- si,
Takt 10
Allegro
Ma vendetta al- men fa- rò
Takt 46
Takt 50
Andante
(fa)- rò. Om- bra
Takt 54
ne- ra e lar- va er-ran- te
65 Takte D. c.
Cont.
Recitativo.
Trema l'ingrato fi- glio
18 Takte
5. Aria.
V. I, II
Cont.
Su la- ce- rate il se- no, su la- ce- rate il
Takt 10
se- no, mi- ni- stri, e che si fa?
63 Takte D. c.
Recitativo.
Cont.
Ec- co a morte già corro
6 Takte

Quellen
Handschriften: Autograph: GB Lbm (R. M. 20. e. 1., f. 40ʳ–51ʳ: „Agrippina condotta a morire. Cantata con stromenti").
Abschrift: GB Lbm (Add. MSS. 31 555, f. 157ʳ–171ᵛ, Kopie von R. Lacy, ca. 1870)

Bemerkungen
Schriftduktus und Papier des Autographs (WZ: Typ 1/N, M) weisen auf eine Entstehung der Kantate in Italien hin. Obwohl das Werk in den Ruspoli-Dokumenten nicht verzeichnet ist, deutet sein Sujet auf römische Provenienz, wenngleich das Wasserzeichen des Papiers der Handschrift (3 Halbmonde) eher eine Entstehung in Florenz vermuten läßt. Ob Händel das Werk im Herbst 1707 in Florenz niederschrieb oder, nach Rom zurückgekehrt, im Frühjahr 1708 dort einen Vorrat florentinischen Papiers aufbrauchte, ist nicht zu klären. Der Titel der Kantate stammt von Händel selbst.
Entlehnungen:
1. Orride, oscura
   HWV 9 Teseo: 24. Sibillando, ululando
3. Come, oh Dio
   HWV 48 Brockes-Passion: 42. Soll mein Kind, mein Leben, sterben
   HWV 50ᵃ Esther (1. Fassung): 13. Who calls my parting soul

Literatur
Chrysander I, S. 238; Leichtentritt, S. 576.
Beschreibung des Autographs: Lbm: Catalogue Squire, S. 22.

111ᵃ E partirai, mia vita?
(1. Fassung)
Cantata a voce sola
Textdichter: unbekannt

Besetzung: Sopr., Basso continuo
ChA 50. – HHA V/1. – EZ: Italien, 1707/09

Recitativo.

E parti- rai, mia vi- ta?

14 Takte

1. Aria.

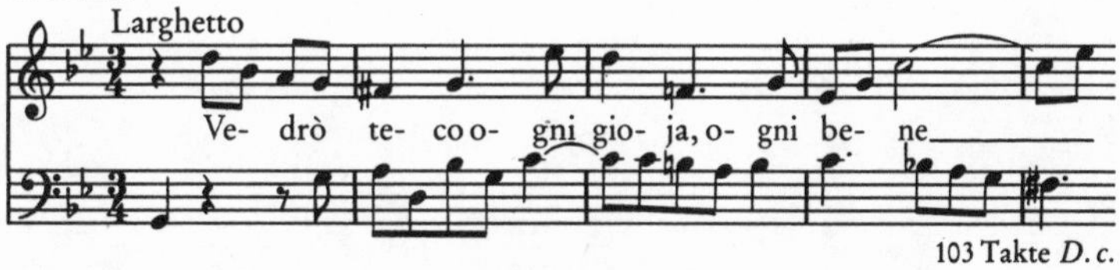
Larghetto
Ve- drò te- co o- gni gio- ja, o- gni be- ne

103 Takte *D. c.*

Recitativo.

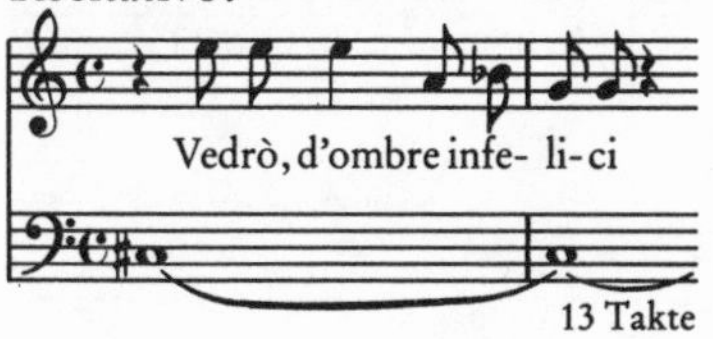
Vedrò, d'ombre infe- li- ci

13 Takte

2. Aria.

Allegro ma non troppo
Pria che spunti un dì sì fie- ro

Takt 11 64 Takte *D. c.*

111ᵇ E partirai, mia vita?
(2. Fassung)
Cantata a voce sola
Textdichter: unbekannt

Besetzung: Sopr., Basso continuo
ChA 50. – HHA V/1. – EZ: London, nach 1710

Recitativo.

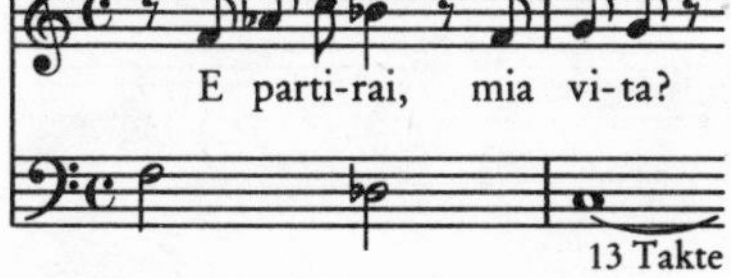
E parti-rai, mia vi- ta?

13 Takte

1. Aria.

Larghetto
Ve- drò te- co o- gni gio- ja, o- gni be- ne,

93 Takte *D. c.*

Recitativo.

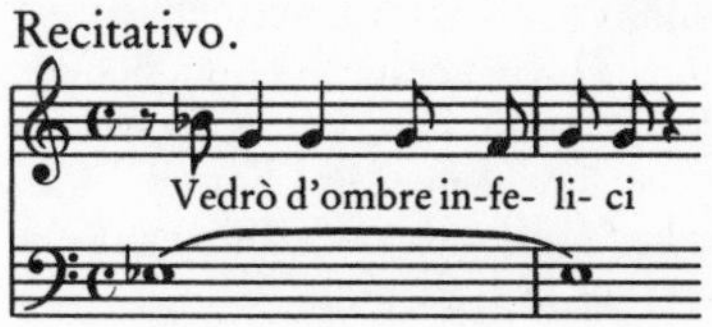
Vedrò d'ombre in-fe- li- ci

15 Takte

2. Aria.

A tempo giusto
Pria che spunti un dì sì fie- ro

Takt 7 62 Takte *D. c.*

Quellen
Handschriften: Autographe: HWV 111^a: GB Lbm (R. M. 20. d. 11., f. 15–19). HWV 111^b: GB Lbm (R. M. 20. d. 12., f. 33–35).
Abschriften: HWV 111^a: AUSTR Sydney (P 39, p. 129–134) – A Wn Ms. 17750, f. 111^r–115^r) – D (brd) Hs (M $\frac{A}{833^1}$, f. 123–130) – GB Cfm (Barrett-Lennard-Collection, Mus. MS. 797; p. 64–67), Lbm (Add. MSS. 14182, f. 70^r–74^r; Add. MSS. 31226, f. 46^r–50^v), Lcm (MS. 256, vol. 2, f. 10^r–13^v; MS. 257, f. 102^v–106^r), Mp (MS 130 Hd4, v. 77, p. 164–173), Ob (Mus. d. 62., p. 75–82; MS. Don. d. 125., f. 75^r bis 79^v; Mus. b. 15., p. 45–49), T (MS. 1131, f. 148^r bis 150^v) – US Wc (M 1620. H2 I 9 case). HWV 111^b: GB Lbm (Egerton 2942, f. 48^v–50^v).
Druck: Thirteen chamber duetto's and twelve cantatas; composed by G. F. Handel. – London, Arnold's edition, No. 176–179 (1797) [HWV 111^a].

Bemerkungen
Wie Schriftduktus und Papierbeschaffenheit der beiden Autographe beweisen, entstand die Fassung HWV 111^a der Kantate in Italien, während die Fassung HWV 111^b eine spätere Londoner Revision darstellt, die vermutlich um 1727/28 vorgenommen wurde. Händel glättete dabei die Führung der Singstimme in den Rezitativen und überarbeitete die Arien, die zum Teil durch Kürzungen eine straffere Form erhielten.

Literatur
Leichtentritt, S. 566; Lewis (Symposium), S. 188 f.; Mayo I, S. 151 f.; Mayo, J. S. M.: Einige Kantaten-Revisionen Händels. In: Händel-Jb., 27. Jg., 1981, S. 63 ff.
Beschreibung der Autographe: Lbm: Catalogue Squire, S. 20, 22.

112. Figli del mesto cor

Cantata a voce sola

Besetzung: Alto, Basso continuo
ChA 50. – HHA V/1. – EZ: Vermutlich Italien, 1707/09

Textdichter: unbekannt

Quellen
Handschriften: Autograph: verschollen.
Abschriften: AUSTR Sydney (P 39, p. 245–248) – GB Cfm (Barrett-Lennard-Collection, Mus. MS. 797, p. 174–177), Lbm (R. M. 19. e. 7., f. 99–101; Egerton 2942, f. 30^v–31^v), Lcm (MS. 256, vol. 4, f. 13^v–16^v; MS. 257, f. 173^v–175^v), Ob (Mus. d. 62., p. 53–58).

Bemerkungen
Da das Autograph der Kantate verschollen ist, lassen sich aus dem Quellenbefund keine sicheren Rückschlüsse auf Ort und Zeit der Komposition ziehen. Lediglich die Kopie in GB Lbm (R. M. 19. e. 7.), die italienischer Herkunft ist, deutet auf eine Entstehung des Werkes in Italien hin.

113. Figlio d'alte speranze

Cantata a voce sola con stromenti

Besetzung: Solo: Sopr.
Instrumente: V.; Cont.
ChA 52a. – HHA V/3. – EZ: Florenz, 1706/07

Textdichter: unbekannt

Quellen

Handschriften: Autograph: GB Lbm (R. M. 20. e. 1., f. 52–57).
Abschrift: GB Lbm (Add. MSS 31 555, f. 196–203, Kopie von R. Lacy, ca. 1870)

Bemerkungen

Die Kantate weist nach Schriftduktus und Papier des Autographs (WZ: Typ 1/C) auf eine Entstehungszeit in Florenz 1706/07 hin. Vermutlich plante Händel, dem ohne Instrumentaleinleitung überlieferten Werk noch eine „Sonata" voranzusetzen, wie der entsprechende Vermerk auf f. 52 des Autographs vor dem Beginn des Einleitungsrezitativs erkennen läßt.

Literatur

Chrysander I, S. 238.
Beschreibung des Autographs: Lbm: Catalogue Squire, S. 22.

114. Filli adorata e cara

Cantata a voce sola

Besetzung: Sopr., Basso continuo
ChA 50. – HHA V/1. – EZ: Rom, 1707/08

Textdichter: unbekannt

Recitativo.

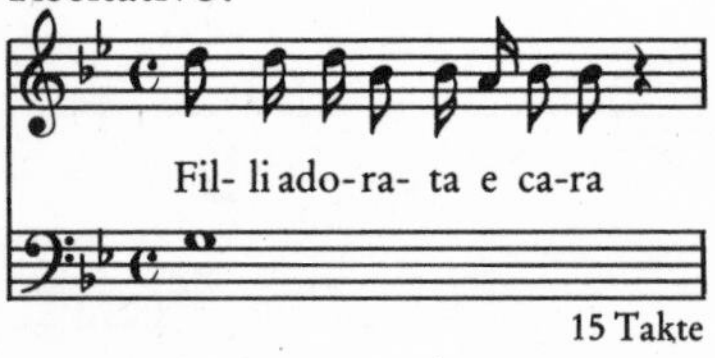
Fil- li ado-ra- ta e ca-ra
15 Takte

1. Aria.

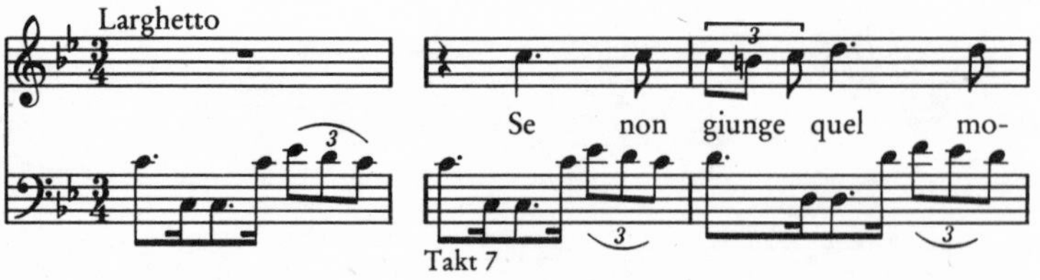
Larghetto
Se non giunge quel mo-
Takt 7

men- to, che ri- tor- ni a me, mia bel- la,
59 Takte D. c.

Recitativo.

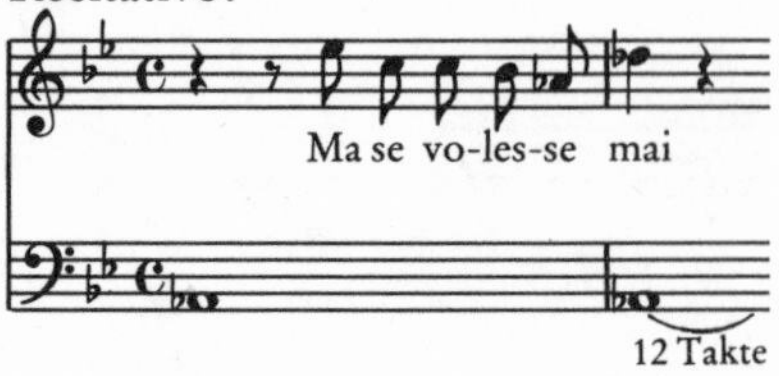
Ma se vo-les-se mai
12 Takte

2. Aria.

Larghetto
Lun-gi da te, mia spe- me, lan-gue, so-spi-ra e ge- me,
Takt 4
25 Takte D. c.

Quellen
Handschriften: Autograph: GB Lbm (R. M. 20. d. 11., f. 76–78).
Abschriften: AUSTR Sydney (P 39, p. 196–199) – A Wn (Ms. 17750, f. 4v–7v) – D (brd) MÜs (Hs. 1899, f. 115–122) – GB Cfm (Barrett-Lennard-Collection, Mus. MS. 797, p. 130–133), Lbm (Egerton 2942, f. 73v–75r; Add. MSS. 14182, f. 42v–45r), Lcm (MS. 256, vol. 3, f. 18v–21r; MS. 257, f. 143v–146r), Mp (MS 130 Hd4, v. 78, p. 177–186), Ob (Mus. d. 61., p. 156–162; Mus. d. 62., p. 133–118), T (MS. 1131, f. 132v–134r) – I Vnm (It. IV 769, f. 105r–108r).
Druck: Thirteen chamber duetto's and twelve cantatas; composed by G. F. Handel. – London, Arnold's edition, No. 176–179 (1797).

Bemerkungen
Die Kantate wurde von Händel auf Papier italienischer Herkunft geschrieben (WZ des Autographs: Typ 2/D) und im August 1709 von Francesco Lanciani für Ruspoli kopiert (s. Kirkendale, Dokument 35 vom 31. August 1709). Sie ist aber vermutlich schon 1707/08 entstanden, da das Wasserzeichen des Autographs die gleiche Marke aufweist wie die meisten der für Ruspoli komponierten Kantaten.
Das Baßthema der Arie „Se non giunge quel momento" (1) verwendete Händel später wieder in HWV 6 Agrippina (14. Pur ritorno a rimirarvi) und HWV 362 Sonata a-Moll op. 1 Nr. 4 (1. Satz, Larghetto). Der Text der Kantate wurde auch von Alessandro Scarlatti vertont.

Literatur
Chrysander I, S. 204; Ewerhart, S. 137; Lewis (Symposium), S. 183 f.; Mayo II, S. 34 ff.
Beschreibung des Autographs: Lbm: Catalogue Squire, S. 21.

115. Fra pensieri quel pensiero

Cantata a voce sola

Textdichter: unbekannt

Besetzung: Alto, Basso continuo
ChA 50. – HHA V/1. – EZ: Italien, 1707/08

1a, b. Aria.

Recitativo.

E si fia che vo- lan- do,
22 Takte

2. Aria.

Allegro
Pron- ti l'a- le di- spiega- te
Takt 7
50 Takte D. c.

Quellen
Handschriften: Autograph: verschollen.
Abschriften: AUSTR Sydney (P 39, p. 260–263) – D (brd) MÜs (Hs. 1910, f. 177–182) – GB Cfm (Barrett-Lennard-Collection, Mus. MS. 797, p. 200 bis 203), Lbm (Add. MSS. 14182, f. 74v–77v), Lcm (MS. 256, vol. 4, f. 40r–42v; MS. 257, f. 179r–181v), Ob (Mus. d. 62., p. 67–73; MS. Don. d. 125., f. 86v–90r), T (MS 1131, f. 130v–132r) – I Vnm (It. IV 769, f. 1r–4v).
Druck: Thirteen chamber duetto's and twelve cantatas; composed by G. F. Handel. – London, Arnold's edition, No. 176–179 (1797).

Bemerkungen
Die Kantate entstand vermutlich 1707/08 in Italien, wurde aber nicht für Ruspoli geschrieben, in dessen Rechnungsbüchern sie nicht erwähnt wird. Ob das Fragment GB Cfm (30 H 2, p. 7–8, Nr. 1a), dessen Papier englischen Ursprungs ist, wirklich zu dieser Kantate gehört, ist nicht mit Sicherheit festzustellen.
Die Musik der Eingangsarie „Fra pensieri quel pensiero" (1) verwendete Händel außerdem in folgenden Werken:
HWV 5 Rodrigo: 36b. Io son vostro, o luci belle
HWV 119 „Io languisco fra le gioje": 9. Col valor d'un braccio forte
HWV 8a Il Pastor fido (1. Fassung): 22. Secondaste al fine, o stelle
HWV 18 Tamerlano: Anhang (16a.) Cerco in vano di placare
HWV 23 Riccardo I.: 20. Dell'onor di giuste imprese
HWV 58 Semele: 49. Above measure is the pleasure

Literatur
Ewerhart, S. 137.

116. Fra tante pene

Cantata a voce sola

Textdichter: unbekannt

Besetzung: Sopr., Basso continuo
ChA 50. – HHA V/1. – EZ: Florenz, 1706/07

Recitativo.

Fra tante pe- ne e tante, che il cieco nume
12 Takte

1. Aria.

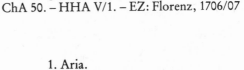

Larghetto
Se av-

vien che sia infe- de- le, la bel- la mia cru- de- le,

Takt 6

57 Takte *(D. c.)*

Recitativo.

Tor-na, tor-na, mio be- ne,

la- scia per me

11 Takte

2. Aria.

Allegro

A sa- nar le fe- ri- te d'un co- re

Takt 9

79 Takte *D. c.*

Quellen

Handschriften: Autograph: GB Lbm (R. M. 20. d. 12., f. 17–19).

Abschriften: D (brd) MÜs (Hs. 1898, f. 57–58) – GB Lbm (Egerton 2942, f. 69ᵛ–71ʳ; Add. MSS. 29 484, f. 74ʳ–76ᵛ; Add. MSS. 31 574, f. 25ᵛ–28ʳ), Ob (Mus. d. 61., p. 33–38) – I Vnm (It. IV 769, f. 21ʳ–25ʳ).

Bemerkungen

Die Kantate wurde im August 1709 von Francesco Lanciani für Ruspoli kopiert (s. Kirkendale, Dokument 35 vom 31. August 1709). Schriftduktus und Papier des Autographs (WZ: Typ 1/H) deuten jedoch auf eine frühere Entstehungszeit hin. Vermutlich schrieb Händel das Werk 1707 in Florenz. Auch Alessandro Scarlatti vertonte den Text der Kantate.

Entlehnungen:

1. Se avvien che sia infedele
   HWV 8ª Il Pastor fido (1. Fassung): 20. Tu nel piagarmi il seno (Ritornello)
2. A sanar le ferite d'un core
   HWV 1 Almira: 30. Laß ein sanftes Händedrücken
   HWV 17 Giulio Cesare in Egitto: 37. Quel torrente, che cade dal monte

Literatur

Ewerhart, S. 137; Mayo II, S. 34 f.

Beschreibung des Autographs: Lbm: Catalogue Squire, S. 21.

117. Hendel, non può mia Musa

Cantata a voce sola

Textdichter: Benedetto Pamphilj

Besetzung: Sopr., Basso continuo

HHA V/1. – EZ: Rom, Juli/August 1708

Recitativo.

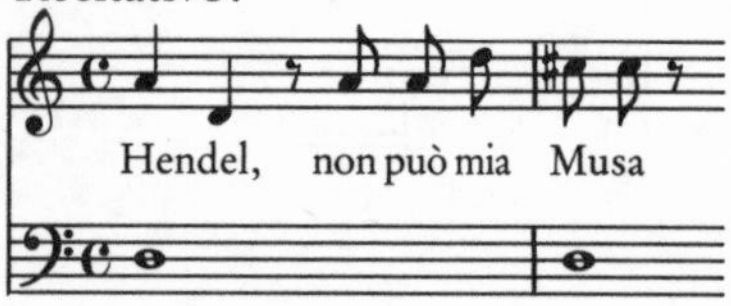
Hendel, non può mia Musa

10 Takte

1. Aria.

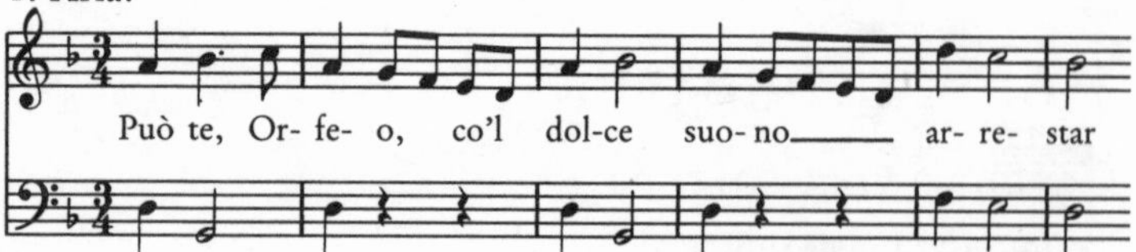
Può te, Or- fe- o, co'l dol-ce suo- no ar- re- star

60 Takte *D. c.*

Recitativo.

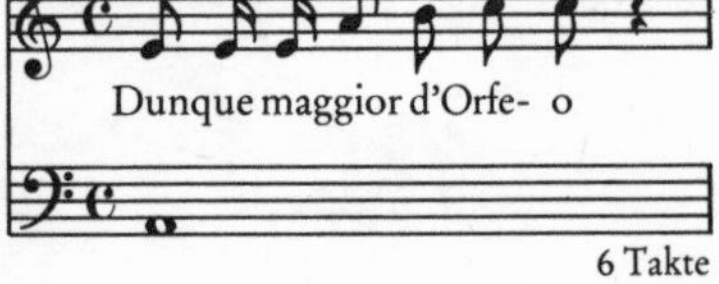
Dunque maggior d'Orfe- o

6 Takte

2. Aria.

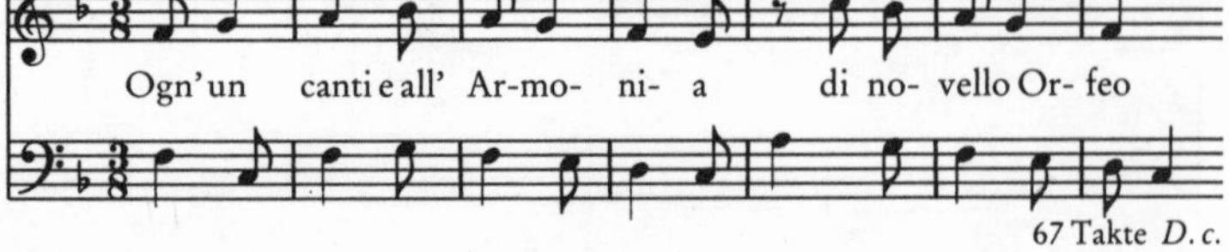
Ogn'un canti e all' Ar-mo- ni- a di no- vello Or- feo

67 Takte *D. c.*

Quellen
Handschriften: Autograph: D (brd) MÜs (Hs. 1898, f. 1–4).
Abschriften: D (brd) MÜs (Hs. 1910, f. 189–192) – GB Cfm (32 G 20, f. 118–119), Lbm (Egerton 2942, f. 113v–115v), Mp (MS 130 Hd4, v. 77, p. 174–179) – I Vnm (It. IV 769, f. 31r–34v).

Bemerkungen
Die Kantate, deren Autograph auf Papier mit dem Wasserzeichen Typ 2/D geschrieben ist, entstand 1708 in Rom. Sie wurde von Antonio Giuseppe Angelini das erstemal im August 1708 und von Francesco Lanciani noch zweimal 1709 und 1711 für Ruspoli kopiert (s. Kirkendale, Dokument 24 vom 9. August 1708, Dokument 35 vom 31. August 1709, Dokument 36 vom 22. Mai 1711). Die Komposition erfolgte auf Veranlassung und auf einen Text von Kardinal Benedetto Pamphili. Die von Mainwaring/Mattheson überlieferte Anekdote über die Entstehung der Kantate während einer der wöchentlichen „conversazioni" wurde später von Händel in einem Gespräch mit Charles Jennens selbst bestätigt, der Händels wenig schmeichelhafte Bemerkungen über den Kardinal in seinem Exemplar der Mainwaring-Biographie vermerkte (s. Dean).

Literatur
Dean, W.: Charles Jennens's Marginalia to Mainwaring's Life of Handel. In: Music & Letters, vol. 53, 1972, S. 160ff.; Deutsch, S. 24; Ewerhart, S. 137f.; Kirkendale, S. 241; Mainwaring, p. 62f./Mattheson, S. 53; Serauky, W.: G. F. Händels italienische Kantatenwelt. In: Händel-Ehrung der DDR Halle 11.–19. April 1959, Konferenzbericht, Leipzig 1961, S. 110ff.; Streatfeild, R. A.: The Granville Collection of Handel Manuscripts. In: The Musical Antiquary, II, 1910/11, S. 208ff.
Beschreibung des Autographs: MÜs: Ewerhart, S. 137f.

118. Ho fuggito Amore anch'io

Cantata a voce sola

Textdichter: Paolo Antonio Rolli (aus: „Di Canzonette e di Cantate", London 1727)

Besetzung: Alto, Basso continuo
ChA 51 (ohne Schlußarie). – HHA V/1. – EZ: London, nach 1720

1. Aria.

Largo
Ho fug- gito Amore anch'i- -o, ho spezzato i lac- ci suo- i!
Takt 5
61 Takte D. c.

Recitativo.

La dol-ce li- ber- tà tan- to bramata un tempo,
17 Takte

2. Aria.

Allegro

E troppo bel- la troppo amo-ro- sa la Pa-sto- rel- la che t'in- va- ghi
Takt 6
56 Takte D. c.

Quellen
Handschriften: Autograph: GB Ob (MS. Don. c. 69, f. 29r–30v, ohne Nr. 2).
Abschriften: GB Lbm (Add. MSS. 35027, f. 39v: Faksimile von Nr. 2), Ob (Mus. d. 62., f. 132–138, vollständige Kopie des Werkes).

Bemerkungen

Die Kantate entstand zwischen 1722 und 1727 auf einen Text von Paolo Antonio Rolli (Cantata 3, in: Di Canzonette e di Cantate, Libri due, London 1727). Das Autograph, nacheinander im Besitz von Domenico Dragonetti, Vincent Novello und T. W. Bourne, von dem es die Bodleian Library Oxford 1947 erwarb[1], ist ohne die Schlußarie „E troppo bella“ (2) überliefert. Diese gehörte einst W. H. Cummings, aus dessen Nachlaß sie in einer Auktion vom 17. bis 24. Mai 1917 von Sotheby & Co. verkauft wurde[2]. Vorher hatte Cummings jedoch diese Arie als „La bella pastorella“ bereits veröffentlicht[3].

Die Musik der Eingangsarie „Ho fuggito Amore anch'io“ (1) basiert auf einem melodischen Modell, das Händel außerdem in folgenden Werken verwendete: HWV 102[a,b] „Dalla guerra amorosa“ (2. La bellezza è com'un fiore), HWV 107 „Dite mi, o piante“ (1. Il candore tolse al giglio), HWV 145 „Oh numi eterni“ (1. Già superbo del mio affanno), HWV 48 Brockes-Passion (20. Schau, ich fall' in strenger Buße), HWV 189 „No, di voi non vuo' fidarmi“ (Altra volta incatenarmi) und HWV 71 The Triumph of Time and Truth (3[b]. Sorrow darkens ev'ry feature).

Literatur

Mayo I, S. 24f.

[1] Vgl. G. F. Handel, Three Ornamented Arias, ed. by W. Dean, London: OUP 1976, Preface.

[2] Faksimiles in: Sotheby, Wilkinson and Hodge Sale Catalogue of the Library of W. H. Cummings, 17.–24. May 1917, London 1917, Faksimile II; Maggs Bros., Catalogue 362, London 1917, Plate V.

[3] *La Bella Pastorella.* Edited and Arranged by W. H. Cummings. In: Gemme d'antichità. Raccolta di Pezzi vocali composti dai più celebri maestri antichi, No. 237. Londra: C. Lonsdale, o. J. (1887).

119. (Io languisco fra le gioje). Echeggiate, festeggiate, Numi eterni

Cantata a cinque con stromenti (fragm.)

Textdichter: unbekannt

Besetzung: Soli: 3 Soprani (Giove, Minerva, Astrea), Alto (Giunone), Basso (Mercurio). Instrumente: Fl.; Ob. I, II; V. I, II; Va.; Vc.; Cont.

ChA 52a. – HHA V/3. – EZ: London, Ende 1710

(1.) Aria. Astrea

Recitativo. Giunone

(2.) Aria. Giunone

Recitativo. Minerva

(3.) Aria. Minerva

Ob. tutti unis.
V. tutti unis.
Solo (Ob. e V.)
Ob.
Ob. I, II
V. I, II
unis.
Cont.
An- che il ciel, di-vien a- mante del va-
[vgl. HWV 122 (4.)]
Takt 9

lor, del va-lor, del-la vir- tù,
47 Takte D. c.

Recitativo. Astrea

Cont.
Va-no desir di gloria, s'A- strea non ha per guida,
10 Takte (fragm.)

(4.) Aria. Sopr.

Ob. I, II
V. I, II
Va.
Cont.
[E se non lice
sempr'è infe-] li- ce, sem- pr'è in- fe-
Takt ?

li- ce, sempr'è infe- li- ce chi'l vuò se- guir,
Tutti
V. II e Va.
Va.
(27 Takte, fragm.) D. c.

(5.) Recitativo accompagnato. Giove

sfere, de-sti- no,
7 Takte

(6.) Aria. Giove

lutto incendi, e morte
Takt 5
(26 Takte fragm.)

(7.) Aria. Giunone

Adagio
gui- sco fra le gio- je, io mi struggo fra pia- cer
(65 Takte fragm.) D. c.

Recitativo. Giunone; Astrea; Mercurio; Minerva; Giove

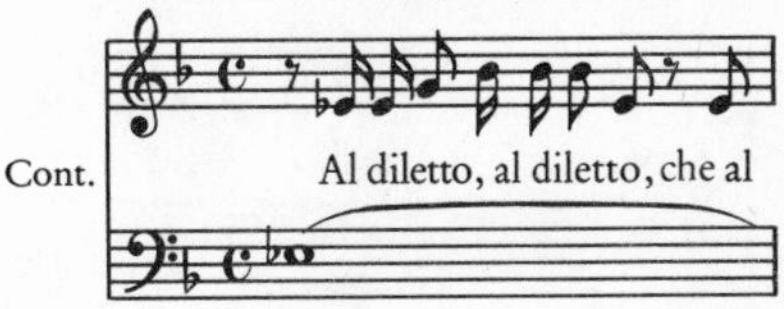
Cont.
Al diletto, al diletto, che al

giubi- lo la giù

26 Takte

(8.) Duetto. Minerva; Giove

Tutti
Ob. I, II
V. I, II
Cont.

[vgl. HWV 83 (11.), HWV 182b]

Minerva: Non più bar- ba- ro fu- ro- re con or- ri- - - bi- le fra-go- re,
Giove: Non più bar- ba- ro fu- ro- re con or- ri- (bile)

Takt 7

54 Takte *D. c.*

Recitativo. Giunone

Cont.
Se- re- na-tevi, o sfere, tranquil-la- tevi, o ma-ri;

10 Takte

(9.) Aria. Giunone

Tutti unis.
Ob.
V. I, II
unis.
Va.
Cont.
Va.

[vgl. HWV 115 (1.)]

Col va- lor d'un braccio for te, deste al mon- - -do li- ber- tà,

Takt 10

30 Takte *D. c.*
Finita l'aria, si replica
poi il Ritornello con stromenti.

Recitativo. Mercurio

Cont.
Nell' e- ter- no de- cre-to,

9 Takte

(10.) Aria. Mercurio

V. I, II
unis.
Vc.
Cont.
staccato
Vc.
Se qui il

[vgl. HWV 122 (6.)]

cielo ha già pre- fis- so, bel- la pa- ce, al-to pie- tà,
Vc.

Takt 7 Takt 11 37 Takte *D. c.*

Recitativo. Giove

Cont.
Va-lo-ro- si cam-

pio-ni, se dell' e- te-rea mo-le,

9 Takte

(11.) Aria. Giove

(con V. unis. e Fl. all'ottava)

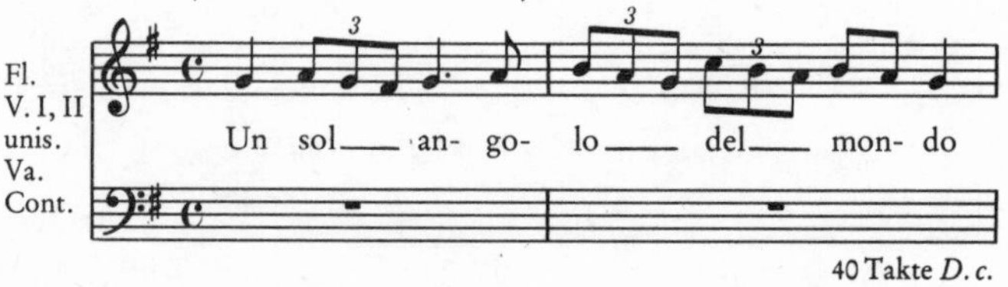
Fl.
V. I, II
unis.
Va.
Cont.
3
3
3
Un sol an- go- lo del mon- do

40 Takte *D. c.*

Quellen
Handschriften: Autograph: GB Lbm (R. M. 20. e. 4., f. 9–31, fragm.)

Bemerkungen
Die nur fragmentarisch erhaltene Kantate, von der sowohl Anfang wie Schluß fehlen, entstand vermutlich auf Anregung eines unbekannten Auftraggebers und behandelt die Rolle Karls von Habsburg (des späteren österreichischen Kaisers Karl VI.) im spanischen Erbfolgekrieg (1701–1714). Der Inhalt der Kantate ist in kurzen Zügen folgender: Die Götter sind eben vom Olymp herabgestiegen, um Frieden unter den Sterblichen zu verkündigen. Als dessen Ergebnis sollen die Österreicher, Briten und Niederländer der Welt ihr Recht auf Frieden zugestehen, während der „Celtico Titano", d. h. Louis XIV. von Frankreich, und seine Partei ihren Nacken beugen müssen. Carlo wird als legitimer König von Spanien proklamiert, und die tapferen Soldaten können jetzt endlich von der Mühsal der Schlachten ausruhen.
Sowohl P. Robinson (S. 204 f.) als auch R. Strohm (S. 172) sind der Ansicht, daß darin auf den Abschluß des Vertrages vom 15. Januar 1709 zwischen den Kaiserlichen und Papst Clemens XI. Bezug genommen wird, der die Rechte Karls auf die spanische Krone anerkannte, und verweisen deshalb das Werk in das Jahr 1709[1].
Dieses Datum ist jedoch unhaltbar, da das Autograph auf englisches Papier (WZ: IV/LVG, Wappenschild mit 4 Querstreifen, sinister, Clausens Ca) geschrieben ist und die Kantate somit nicht vor Ende 1710 entstanden sein kann. Möglicherweise wurde das Werk, durch die historischen Ereignisse überholt, niemals aufgeführt und daher von Händel nicht sonderlich achtsam aufbewahrt, so daß die äußeren Blätter der Handschrift verlorengingen.
Der Charakter eines Gelegenheitswerkes haftet der Kantate vor allem wegen der zahlreichen Parodien und thematischen Entlehnungen aus anderen Kompositionen an. Im einzelnen lassen sich folgende Sätze mit anderen Werken Händels in Verbindung bringen:

2. Con linfe dorate
   HWV 143 „Oh come chiare e belle": 3. Più non spero di lauro guerriero
   HWV 8[a] Il Pastor fido (1. Fassung): 14. Se in ombre nascosto
3. Anco il ciel, divien amante
   HWV 122 „La terra è liberata": 4. Ardi, adori, e preghi in vano
   HWV 48 Brockes-Passion: 40. Heil der Welt
   HWV 51 Deborah: 9. Choirs of angels
   HWV 319 Concerto grosso G-Dur op. 6 Nr. 1: 2. Satz (Allegro)
4. E se non lice (Ritornello)
   HWV 47 La Resurrezione: 14. Ho un non so che nel cor
   HWV 6 Agrippina: 12. Ho un non so che nel cor
   HWV 8[a] Il Pastor fido (1. Fassung): 18. Ho un non so che nel cor
6. Stragi, lutto incendi (Ritornello)
   HWV 10 Silla: 18. Secondate, oh giusti Dei (Ritornello)
   HWV 11 Amadigi: 25. Vanne lungi dal mio petto (Ritornello)
7. Io langiusco fra le gioje
   HWV 78 „Ah! crudel, nel pianto mio": 2. Di quel bel che il ciel ti diede
   HWV 72 Aci, Galatea e Polifemo: 3. Che non può la gelosia
   HWV 6 Agrippina: 2. La mia sorte fortunata
   HWV 17 Giulio Cesare in Egitto: 34[a]. Domerò la tua fierezza
   HWV 70 Jephtha: 17. Freedom now once more possessing
8. Non più barbaro furore

Vokalteil
   HWV 83 „Arresta il passo": 11. Per abbatter il rigore
   HWV 182[b] Duetto „Caro autor": Dagli amori flagellata

Ritornello
   HWV 72 Aci, Galatea e Polifemo: 18. Del mar fra l'onde
   HWV 7[a] Rinaldo (1. Fassung): Anhang 38[a]. Solo dal brando
9. Col valor d'un braccio forte
   HWV 115 „Fra pensieri quel pensiero": 1[a,b]. Fra pensieri
   HWV 5 Rodrigo: 36[b]. Io son vostro, o luci belle
   HWV 8[a] Il Pastor fido (1. Fassung): 22. Secondaste al fine, oh stelle
   HWV 18 Tamerlano: Anhang (16[a].) Cerco in vano di placare
   HWV 23 Riccardo I.: 20. Dell'onor di giuste imprese
   HWV 58 Semele: 49. Above measure is the pleasure
10. Se qui il ciel ha già prefisso
   HWV 122 „La terra è liberata": 6. Come rosa in su la spina
   HWV 170 „Tra le fiamme": 3. Voli per l'aria (Ritornello)
   HWV 6 Agrippina: 42. Col valor del tuo bel core/
   HWV 215 Col valor del vostro brando
   HWV 46[a] Il Trionfo del Tempo e del Disinganno: 21. È ben folle quel nocchier (Ritornello)

Der Titel „Io languisco fra le gioje", unter dem die Kantate in der Literatur kursiert, leitet sich von

[1] P. Robinsons Vermutung, die Kantate wäre 1709 in Mailand, dem Hauptquartier der österreichischen Armee in Italien, geschrieben und aufgeführt worden, entbehrt jeder Grundlage.

Chrysanders fragmentarischer Veröffentlichung her, der f. 9–12 des Autographs in seiner Ausgabe (ChA 52ª, S. 47–68) nicht mit abdruckte. Wie aus der Lagenanordnung des Autographs ersichtlich ist, wurde das Fragment in dem betreffenden Band in GB Lbm in falscher Reihenfolge der Lagen[2] eingebunden, was im thematischen Verzeichnis korrigiert wurde, soweit es sich aus Händels Lagenbezeichnung ersehen ließ. Aus Gründen der leichteren Identifizierbarkeit im Hinblick auf die Zitierung in der Händel-Literatur ist die Kantate jedoch mit ihrem seit Chrysander üblichen Titel im Gesamtverzeichnis eingeordnet worden.

[2] Diese Ansicht vertritt auch A. Hicks (London), der dem Verf. freundlicherweise seine Beobachtungen mitteilte, wofür ihm an dieser Stelle nochmals herzlich gedankt sei.

Literatur

Harris, S. 174ff.; Mayo I, S. 10ff.; Robinson, P.: Handel and his Orbit, London 1908, S. 204ff.; Strohm, R.: Händel in Italia: Nuovi contributi. In: Rivista Italiana di Musicologia, vol. IX, 1974, S. 152ff., bes. S. 171f.
Beschreibung des Autographs: Lbm: Catalogue Squire, S. 24.

120ª Irene, idolo mio (1. Fassung)

Cantata a voce sola

Textdichter: unbekannt

Besetzung: Sopr., Basso continuo
HHA V/1. – EZ: vermutlich Italien, 1707/09

Recitativo.

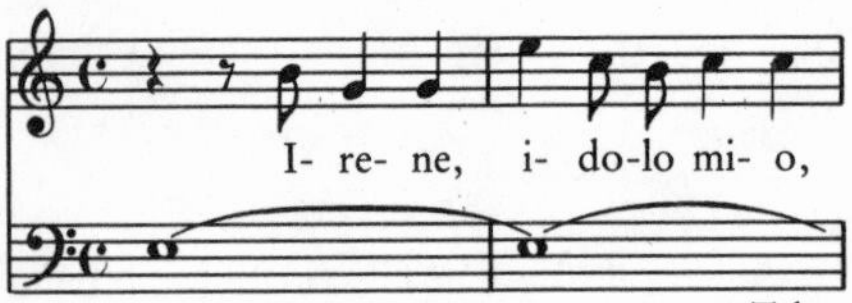
I- re- ne, i- do-lo mi- o,

17 Takte

1. Aria.

Andante

Tor-men- to mag-

Takt 7

gio- re, tor- men-to,

37 Takte *D. c.*

Recitativo.

Talor che cerco, I-re-ne,

16 Takte

2. Aria.

Andante

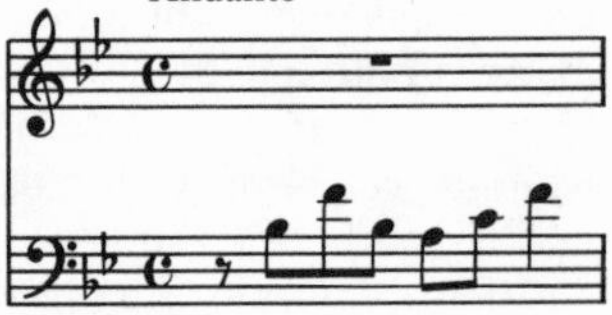

In tan-ti af- fan- ni è immerso il co- re

Takt 5

36 Takte *D. c.*

Recitativo.

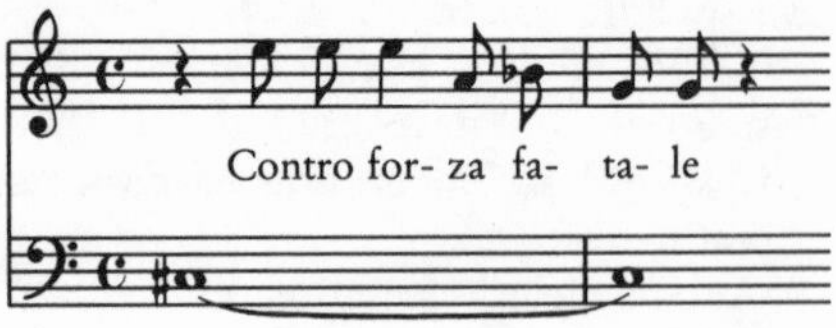
Contro for- za fa- ta- le

10 Takte

3. Aria.

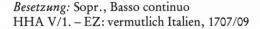

Quan-to più ri- gi- da si mo- stra I- re- - -ne

24 Takte

120.[b] Irene, idolo mio (2. Fassung)

Cantata a voce sola

Textdichter: unbekannt

Besetzung: Alto, Basso continuo
ChA 50. – HHA V/1. – EZ: England, nach 1710

Recitativo.

I- re- ne, i- do-lo mi- o,
17 Takte

1. Aria.

Andante
Tor-men- to mag-
Takt 7

gio- re, tor- men- to
36 Takte D. c.

Recitativo.

Talor che cerco, I-rene,
16 Takte

2. Aria.

In tan-ti af- fan- ni è im-merso il co- re,
Takt 5
36 Takte D. c.

Recitativo.

Contro for- za fa- ta- le
10 Takte

3. Aria.

Quanto più ri- gi- da si mo- stra I- re- -ne
24 Takte

Quellen

Handschriften: Autograph: verschollen.
Abschriften: HWV 120[a]: D (brd) MÜs (Hs. 1899, f. 48–54) – GB Cfm (24 F 12, f. 92[r]–95[r]), Lbm (Add. MSS. 29484, f. 77[r]–80[r]), Mp (MS 130 Hd4, v. 76, p. 20–28). HWV 120[b]: AUSTR Sydney (P 39, p. 230–234) – A Wn (Ms. 17750, f. 94[r]–98[r]) – GB Cfm (Barrett-Lennard-Collection, Mus. MS. 797, p. 161–165), Lbm (Add. MSS. 31574, f. 15[v]–20[r]), Lcm (MS. 256, vol. 4, f. 1[r]–4[v]; MS. 257, f. 164[r]–167[v]), Mp (MS 130 Hd4, v. 77, p. 125–134), Ob (Mus. d. 61., p. 131–140).

Bemerkungen

Die Kantate, deren Erstfassung HWV 120[a] vermutlich 1707/09 in Italien entstanden ist, wie der Quellenbefund der Kopie aus der Santini-Sammlung D (brd) MÜs beweist, wurde von Händel später in England für Alt umgeschrieben.

Literatur

Ewerhart, S. 138.

121.[a] La Solitudine: L'aure grate, il fresco rio (1. Fassung)

Besetzung: Alto, Basso continuo
ChA 50. – HHA V/1. – EZ: London, ca. 1721/23

Cantata a voce sola (fragm.)

Textdichter: unbekannt

1. Aria.

Lau- re gra- te, il fre- sco

Takt 4

ri- o, l'om- bre ta- ci- te del bo-sco,

31 Takte *D. c.*

Recitativo: Non v'è delizia humana...
(von Händel nicht vertont)

2. Aria.

No, che piacer non v'è più a-ma- bi-le di te,

Takt 5

9 Takte (fragm.)

121.[b] La Solitudine: L'aure grate, il fresco rio (2. Fassung)

Besetzung: Alto, Basso continuo
HHA V/1. – EZ: London, ca. 1718

Cantata a voce sola

Textdichter: unbekannt

1. Aria.

Largo

L'aure gra-te, il fresco ri- -o, l'ombre ta-ci- te del

Takt 3

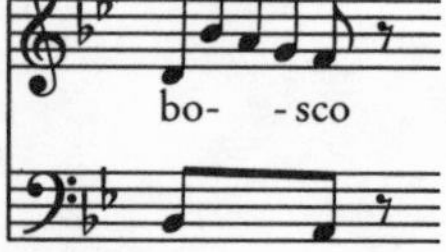
bo- -sco

26 Takte

Recitativo.

Non v'è de-lizia u- ma-na

16 Takte

2. Aria.

Tempo di Siciliano

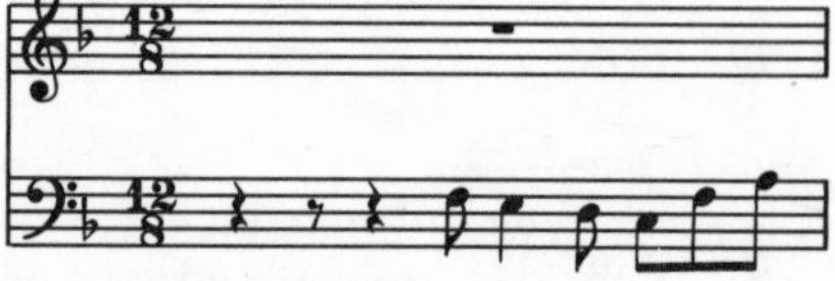

Quellen

Handschriften: Autograph: HWV 121ª: GB Lbm (R. M. 20. e. 5., f. 1–3, fragm.: „La Solitudine. Cantata"). HWV 121ᵇ: verschollen.
Abschriften: HWV 121ª: GB Cfm (24 F 12, f. 122ʳ–125ʳ). HWV 121ᵇ: A Wn (Ms. 17748, f. 68ʳ–71ʳ) – GB CDp (M. C. 1. 5., f. 25–28, datiert 1718), Ob (Mus. d. 61., p. 117–121).

Bemerkungen

Die erste Fassung (HWV 121ª) der Kantate, deren Titel „La Solitudine" von Händel selbst stammt, liegt im Autograph, dessen Papier englischen Ursprungs ist, nur in fragmentarischer Form vor: Vom Rezitativ hat Händel lediglich die Worte niedergeschrieben, die Musik fehlt, und von der zweiten Arie „No, che piacer non v'è" sind nur 9 Takte notiert, dann bricht das Autograph ab.
Die zweite Fassung (HWV 121ᵇ) ist vermutlich um 1718 entstanden, dem Datum der Abschrift in GB CDp nach zu urteilen. Alle Arien der beiden Fassungen verwenden Themen, die in folgenden Werken wiederkehren:

HWV 121ª: 1. L'aure grate, il fresco rio
  HWV 65 Alexander Balus: 8. Subtle love, with fancy viewing
HWV 121ᵇ: 1. L'aure grate, il fresco rio
  HWV 47 La Resurrezione: 11. Quando è parto dell'affetto
  HWV 20 Scipione: 9. Dolci aurette che spirate
HWV 121ª,ᵇ: 2. No, che piacer non v'è
  HWV 20 Scipione: 16ª. So gli altri debellar

Die Kantate wurde in der Fassung HWV 121ᵇ erstmals von M. Boyd herausgegeben (La Solitudine, hrsg. von M. Boyd, Leipzig und Kassel 1970).

Literatur

Boyd, M.: La Solitudine: a Handel discovery. In: The Musical Times, vol. 109, 1968, S. 1111 ff.; Leichtentritt, S. 567; Mayo I, S. 185 f.
Beschreibung des Autographs: Lbm: Catalogue Squire, S. 24.

122. Apollo e Dafne: La terra è liberata

Cantata a due con stromenti

Textdichter: unbekannt

Besetzung: Soli: Sopr. (Dafne), Basso (Apollo). Instrumente: Fl. trav.; Ob. I, II; Fag.; V. solo; V. I, II; Va.; Vc. solo; Cont.
ChA 52b. – HHA V/4. – EZ: Italien, 1706/09, vollendet vermutlich in Hannover 1710

Recitativo. Apollo

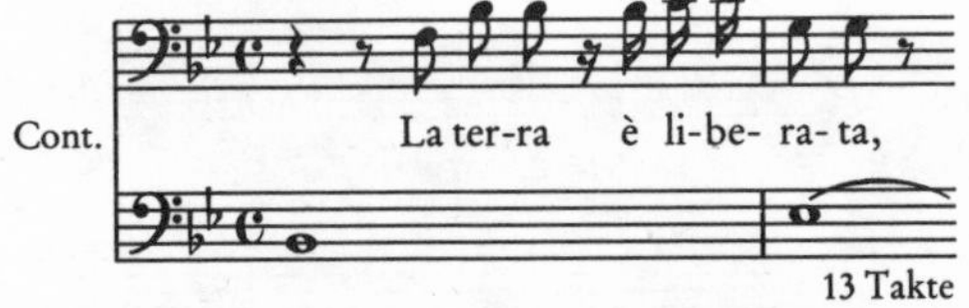

1. Aria. Apollo

Recitativo. Apollo

2. Aria. Apollo

3. Aria. Dafne

Recitativo. Apollo; Dafne

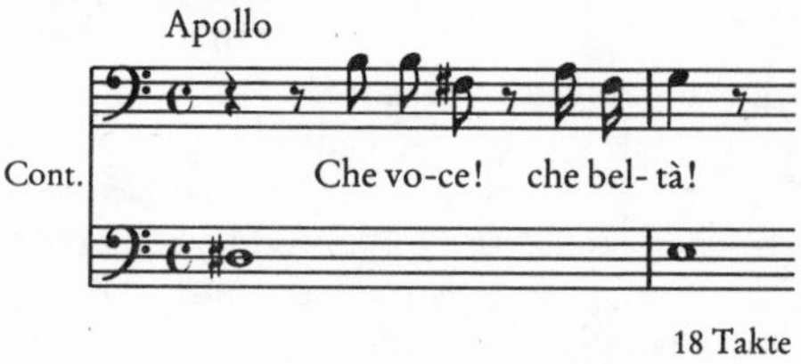

4. Aria. Dafne

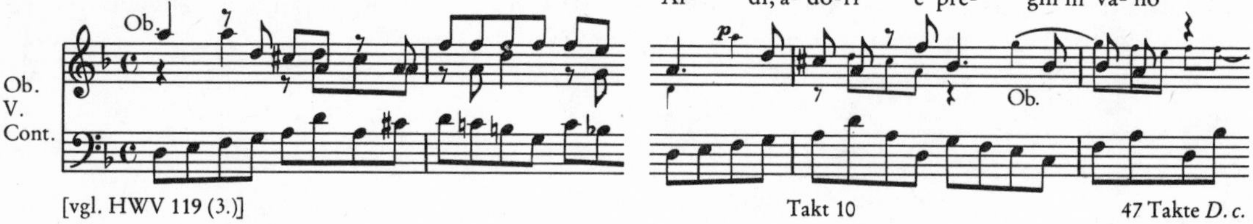

Recitativo. Apollo; Dafne

5. Duetto. Dafne; Apollo

Recitativo. Apollo

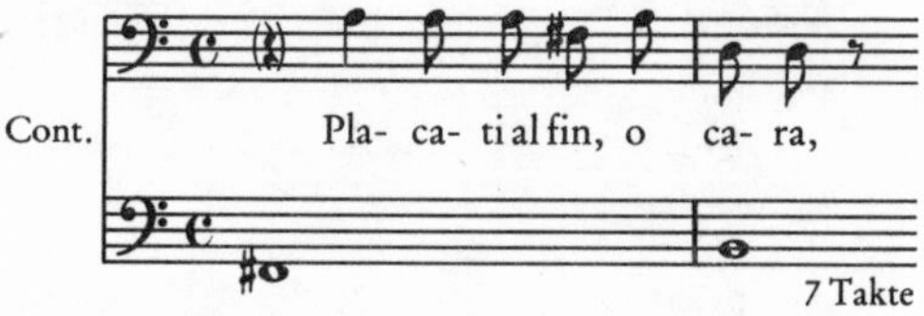

6. Aria. Apollo

Recitativo. Dafne

7. Aria. Dafne

Recitativo. Apollo; Dafne

8. Duetto. Apollo; Dafne

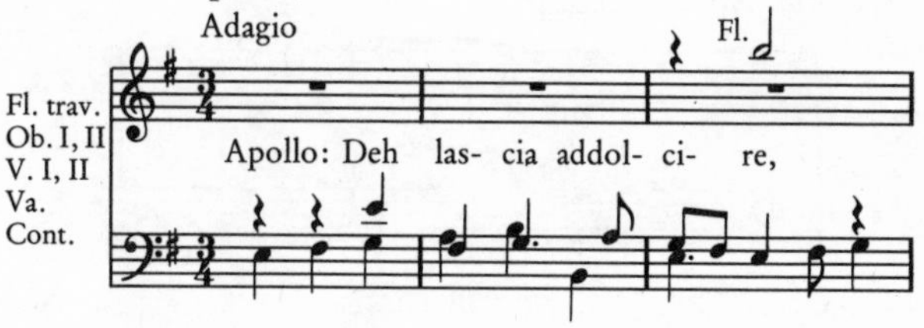

Recitativo. Apollo; Dafne

9. Aria. Apollo

10. Aria. Apollo

Anhang:

(2.) Aria. Apollo

Quellen

Handschriften: Autograph: GB Lbm (R. M. 20. e. 1., f. 1–37: „Apollo e Dafne. Cantata à 2").
Abschrift: GB Lbm (R. M. 19. a. 6., f. 1–43; Add. MSS. 31 555, f. 127–156, Kopie von R. Lacy, ca. 1870).

Bemerkungen

Die Kantate „Apollo e Dafne", deren Titel auf Händel selbst zurückgeht, wurde vermutlich bereits 1706/07 in Florenz begonnen und erst am Ende des Italienaufenthalts fertiggestellt. Der Text basiert auf Ovids „Metamorphoses" (lib. I) und behandelt einen Stoff, den Händel bereits kurz vorher in der Oper HWV 4 Die verwandelte Dafne für Hamburg bearbeitet hatte.

Das Autograph zeigt deutlich, daß die Komposition sich über einen längeren Zeitraum erstreckte, mehrfach unterbrochen und wieder aufgenommen wurde. Auf f. 4[r] befindet sich ein Entwurf für die Arie „Spezza l'arco" (Anhang 2), der nach 9 Takten abbricht. Nach „Ardi, adori" (4) schrieb Händel folgenden, nicht vertonten Rezitativtext für Apollo nieder: „Son medico, e Poeta, e con quest'arti non solo preservar il corpo frale, ma con teneri carmi io posso darti fuor dell'oscuro oblio nome immortale." Weitere Korrekturen finden sich im B-Teil von „Spezza l'arco" (2), in „Come rosa in su la spina" (6) und „Mie piante correte" (9).

Insgesamt wurden für das Autograph von Händel fünf verschiedene Papiersorten verwendet, die sich durch Format, Anzahl der Notenzeilen (zehn- bzw. achtzeilig rastriert) und durch die verschiedenen Wasserzeichen deutlich unterscheiden lassen. Außerdem wechselt Händels Handschrift mit der eines Kopisten ab, der vor allem ab f. 32 (Nr. 9–10) wirksam wird. Insgesamt zeigt das Autograph folgende Anordnung im Hinblick auf das wechselnde Papierformat und den Anteil des Kopisten am Notentext:

f. 1–6[r]: Papier: WZ vom Typ 1/N (3 Halbmonde), 10zeilig rastriert. Schrift: autograph

f. 6[v]: Schrift: nur Hälfte des 1. Taktes autograph, dann Kopistenhandschrift bis zum vorletzten Takt, Vokalsystem, 2. Takthälfte *(come)*, dann wieder autograph

f. 7–10: Papier: kleineres Format, WZ: Lilie im Wappenschild mit den Initialen CV, 8zeilig rastriert. Schrift: autograph

f. 10[v]: Schrift: nur Hälfte des 1. Taktes neben Schlüsseln, Vokal- und Oboenstimme sowie Continuo autograph, V. I, II Kopistenhandschrift

f. 11: Papier: wieder größeres Format, ohne erkennbares WZ, 10zeilig rastriert. Schrift: 1. Akkolade: nur Oboenstimme und Continuo autograph, V. I, II Kopistenhandschrift, 2. Akkolade: gänzlich autograph

f. 12: Papier: s. f. 7–10, Schrift: autograph

f. 13–19: Papier: s. f. 1–6. Schrift: autograph

f. 20: Papier: WZ: Einhorn, größeres Rastral, 10zeilig. Schrift: autograph
f. 21–23: Papier: s. f. 1–6. Schrift: autograph
f. 24r: Papier: kein erkennbares WZ. Schrift: 2 Takte Kopistenhandschrift, sonst autograph
f. 24v: Schrift: autograph
f. 25–31: Papier: s. f. 20. Schrift: autograph
f. 32–33v: Papier: kleineres Format, WZ: Lilie ohne Schild mit den Initialen DS, 8zeilig rastriert. Schrift: Nr. 9, ab T. 45–61 Kopistenhandschrift, ab T. 62 (2. Viertel)–82 autograph
f. 34–35: Papier: s. f. 32–33. Schrift: autograph
f. 36–37v: Papier: s. f. 20, 25–31. Schrift: f. 36 autograph, f. 37r Kopistenhandschrift (Nr. 10, T. 52–65), f. 37v autograph.

Nach f. 37v bricht das Autograph ab. Die letzten Takte (T. 70–80) von „Cara pianta co' miei pianti" (10) fehlen und können nur durch die Abschrift (GB Lbm, R. M. 19. a. 6., f. 43) ergänzt werden.

Dieser eigenartige Verlauf des Kompositionsprozesses, wie er sich in den verschiedenen Teilen des Autographs widerspiegelt, ist absolut einzigartig in Händels Kantatenschaffen und beweist, daß der Komponist das Werk über einen relativ langen Zeitraum hinweg immer wieder von neuem bearbeitete und vermutlich erst in Hannover vollendete[1].

Die zeitliche Nachbarschaft zu vielen anderen Kompositionen des Italienaufenthalts drückt sich auch in zahlreichen Entlehnungen aus, die sich für fast alle Sätze der Kantate nachweisen lassen:

1. Pende il ben dell'universo
   HWV 12a Radamisto (1. Fassung): 28. Alzo al volo di mia fama
2. Spezza l'arco
   HWV 1 Almira: 43. Ob dein Mund wie Plutons Rachen
   HWV 5 Rodrigo: 2. Pugneran con noi le stelle
   HWV 240 „Saeviat tellus inter rigores": 1. Saeviat tellus
   HWV 7a Rinaldo (1. Fassung): 25. Abbruggio, avvampo e fremo
3. Felicissima quest'alma
   HWV 13 Muzio Scevola: 12b. A chi vive di speranza
4. Ardi, adori e preghi
   HWV 119 „Io langiusco fra le gioje": 3. Anco il ciel, divien amante
   HWV 48 Brockes-Passion: 40. Heil der Welt
   HWV 51 Deborah: 9. Choirs of angels
   HWV 319 Concerto grosso G-Dur op. 6 Nr. 1: 2. Satz (Allegro)
6. Come rosa in su la spina
   HWV 46a Il Trionfo del Tempo e del Disinganno: 21. È ben folle quel nocchier (Ritornello)
   HWV 170 „Tra le fiamme": 3. Voli per l'aria (Ritornello)
   HWV 6 Agrippina: 42. Coll'ardor del tuo bel core; HWV 215 Col valor del vostro brando
   HWV 119 „Io languisco fra le gioje": 10. Se qui il ciel ha già prefisso
7. Come in ciel benigna stella
   HWV 83 „Arresta il passo": 3. Forse che un giorno
   HWV 147 „Partì, l'idolo mio": 2. Tormentosa, crudele partita
   HWV 10 Silla: 2. Fuggon l'aura in me di vita
   HWV 48 Brockes-Passion: 41. Eilt, ihr angefochten Seelen
   HWV 14 Floridante: 29a. Amor commanda
8. Deh lascia addolcire
   HWV 47 La Resurrezione: 5. D'amor fu consiglio
   HWV 65 Alexander Balus: 5. Fair virtue shall charm me
9. Mie piante correte (Ritornello)
   HWV 7a Rinaldo (1. Fassung): 17. Venti turbini, prestate
10. Cara pianta co' miei pianti
   HWV 34 Alcina: 39. Dall'orror di notte cieca
   HWV 404 Sonata g-Moll: 1. Satz (Andante)
   HWV 446 Suite à deux clavecins c-Moll: 4. Satz (Chaconne), T. 5–8

[1] Papier mit dem WZ *Lilie im Wappenschild/CV* verwendete Händel auch im HWV 197 „Tanti strali" (*GB* Cfm, 30 H 3, p. 33–44); dies deutet auf Hannover, da ein ähnliches WZ (*Lilie im Wappenschild/GVH* mit der Gegenmarke *IV*) in HWV 178 „A mirarvi" (*GB* Cfm, 30 H 3, p. 61–70) und HWV 6 Agrippina (*GB* Lbm, R. M. 20. d. 2., f. 11, Arie Nr. 44) auftritt, das mit dem des Opern-Ms. „La libertà contenta" von A. Steffani (*GB* Lbm, R. M. 20. h. 16., datiert *Hannover 1693*) identisch ist. Papier mit dem WZ *Einhorn* deutet ebenfalls auf Hannover als Entstehungsort hin (vgl. WZ in *GB* Lbm, R. M. 19. a. 6., f. 44–54, R. M. 19. a. 7., f. 9–15 und f. 16–23, mit den Duetten HWV 192, 196 und 199, S. Watanabe, K.: The Paper used by Handel and his Copyists during the Time of 1706–1710. In: Journal of the Japanese Musicological Society, vol. XXVII, 1981, No. 2, S. 133).

Literatur

Baumann, P.: Drei italienische Kantaten G. F. Händels. In: Göttinger Händeltage 1962, Programmheft, S. 17 ff.; Chrysander I, S. 182, 238; Dean, S. 18 f.; Harris, S. 174 f.; Harris, E. T.: Händel in Florenz. In: Händel-Jb., 27. Jg., 1981, S. 41 ff.; Hiekel, H.-O.: Anmerkungen zum Programm. In: Fest-Konzert zur III. Europäischen Rektorenkonferenz in Göttingen 1964, S. 11 ff.; Leichtentritt, S. 576 ff.; Lewis (Symposium), S. 199; Siegmund-Schultze, W.: Zu Händels Kantatenschaffen. In: G. F. Händel – Thema mit 20 Variationen, Halle 1965, S. 116 ff.
Beschreibung des Autographs: Lbm: Catalogue Squire, S. 22.

123. Languia di bocca lusinghiera

Besetzung: Solo: Sopr. Instrumente: Ob.; V.; Cont.
ChA 52b. – HHA V/4. – EZ: Italien, 1707/09

Cantata a voce sola con stromenti

Textdichter: unbekannt

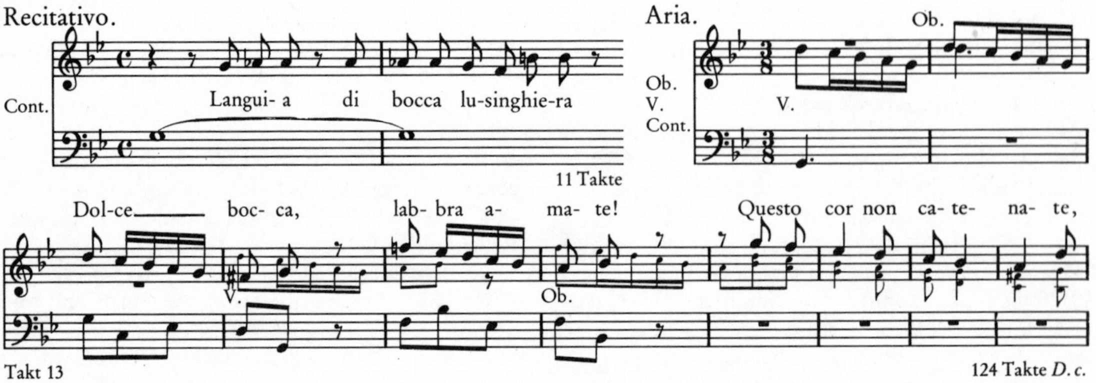

Quellen
Handschriften: Autograph: US NYp (JOG 72–12).

Bemerkungen
Das vorliegende Autograph ist vermutlich nur Teil einer längeren Kantate, von der weitere Teile verschollen sein könnten. In dieser fragmentarischen Form wurde das Werk 1869 ediert (hrsg. von J. E. Powell, Schott: Paris 1869). Der Text der Arie wurde von Händel nachträglich geändert; er lautete ursprünglich: *Dolce bocca, labra aurate/questo cor ch'incatenate/perchè brama libertà.*
Die Arie „Dolce bocca" erscheint textlich parodiert in gekürzter, jedoch reicher instrumentierter Fassung außerdem in HWV 8ª Il Pastor fido (1. Fassung: 12. Finte labbra! stelle ingrate).

Literatur
Winternitz, E.: Musical Autographs from Monteverdi to Hindemith, vol. I, II, New York²/1965 (vol. I, p. 62f., vol. II, plate 37–38, Faksimile).

124. [The Praise of Harmony:] Look down, harmonious Saint

Besetzung: Solo: Ten. Instrumente: V. I, II; Va.; Cont.
ChA 52a. – HHA V/3. – EZ: London, ca. 1736

Cantata a voce sola con stromenti

Textdichter: Newburgh Hamilton
(aus: „The Power of Musick", 1720)

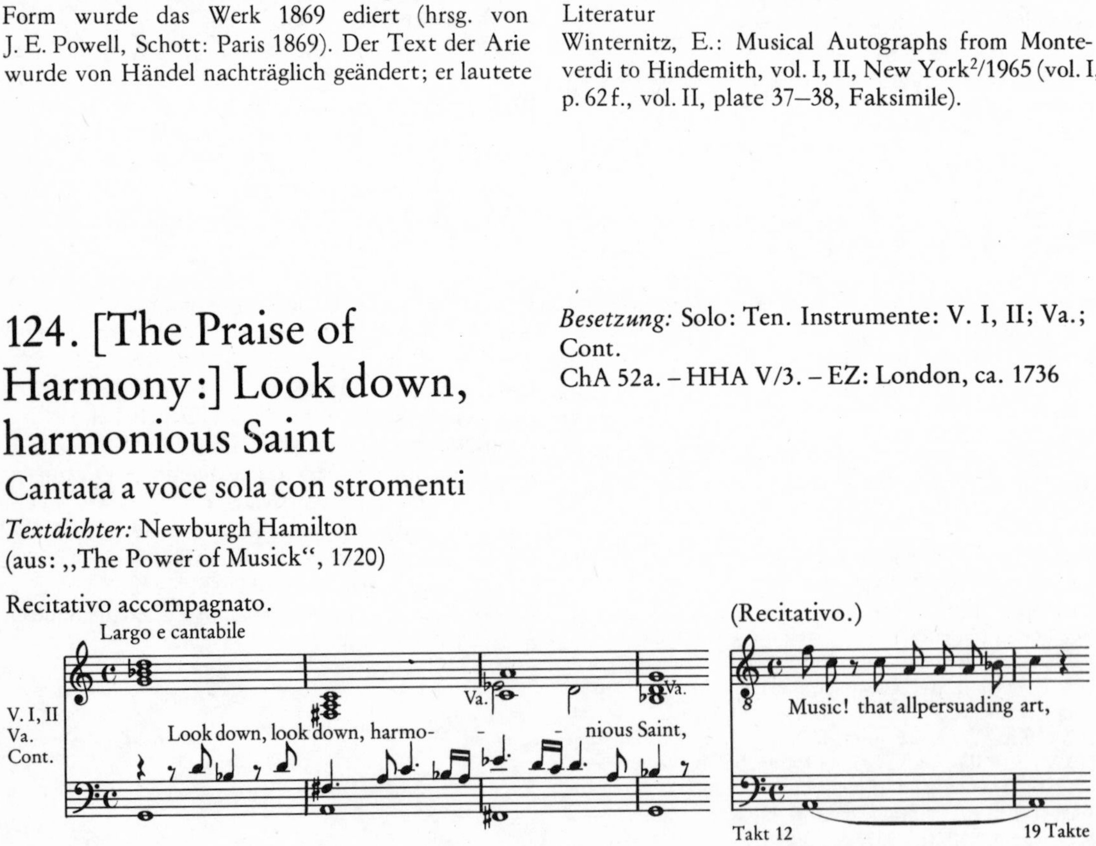

A. B. Aria.

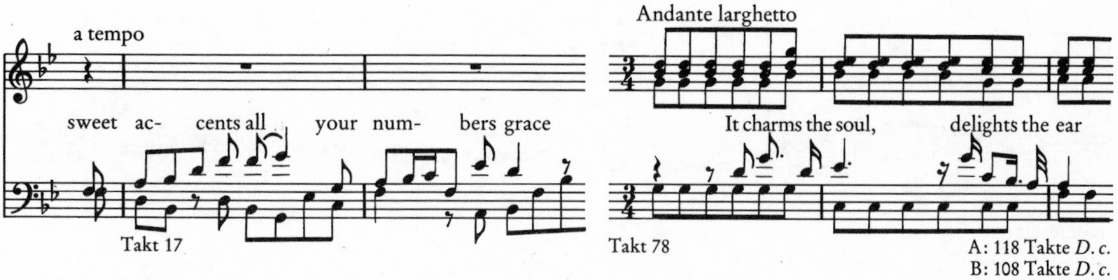

Quellen

Handschriften: Autograph: GB Lbm (R. M. 20. f. 12., f. 44–48).

Abschrift: GB Lbm (R. M. 19. e. 7., f. 48–51, für Singstimme und Bc.).

Bemerkungen

HWV 124 (auch unter dem Titel „Praise of Harmony" bekannt), in dieser Form vermutlich niemals aufgeführt, entstand um 1736 nicht als eigenständige Komposition, sondern war als Zusatz zu HWV 75 Alexander's Feast or The Power of Music geplant, da der Text aus Newburgh Hamiltons Ode „The Power of Musick" (1720) stammt (s. W. Dean, S. 271), die für „Alexander's Feast" mehrere textliche Ergänzungen lieferte.

HWV 124 sollte nach dem Orgelkonzert HWV 289 g-Moll op. 4 Nr. 1 gesungen werden (s. HWV 75, Nr. 21), wie aus der Abschrift GB Lbm (R. M. 19. e. 7., f. 48ff.)[1] ersichtlich wird, die zu Beginn den Vermerk „Dopo il Concerto per l'organo" trägt. Aus unbekannten Gründen nahm Händel HWV 124 in dieser Form jedoch nicht in seine Direktionspartitur von „Alexander's Feast" auf; er arbeitete die Arie „Sweet accents" (textlich parodiert zu „Sei cara, sei bella", s. Autograph GB Lbm, R. M. 20. f. 12., f. 45ff., wo der italienische Text neben dem englischen erscheint) in die Kantate HWV 89 „Cecilia volgi un sguardo" (als Nr. 3) ein, die 1736 in „Alexander's Feast" aufgeführt wurde (s. auch HWV 87 und HWV 89).

Der Themenkopf von „Sweet accents" bildete das melodische Modell für die Arie „Se ricordar t'en vuoi" (22) in HWV 41 Imeneo.

Literatur

Dean, S. 271; Serauky III, S. 243ff.

Beschreibung des Autographs: Lbm: Catalogue Squire, S. 98.

[1] Nicht aus dem Autograph, wie fälschlich in ChA 52A, Vorwort, behauptet wird.

125a. Lungi da me pensier tiranno (1. Fassung)

Cantata a voce sola

Textdichter: unbekannt

Besetzung: Sopr., Basso continuo

HHA V/1. – EZ: Italien, 1707/09

Recitativo.

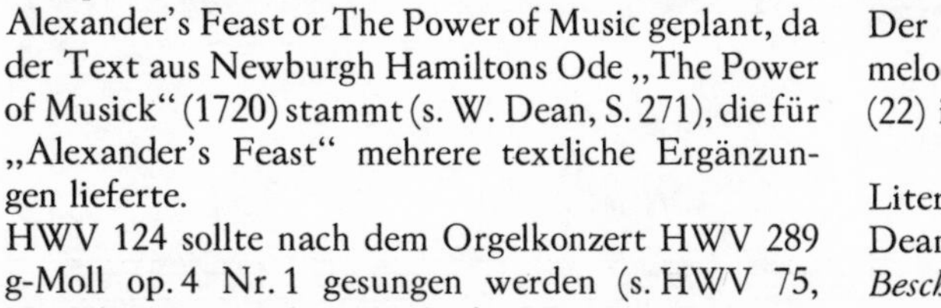

1. Aria.

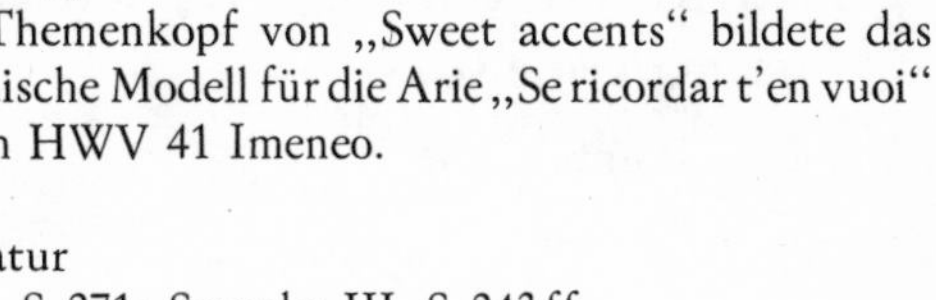

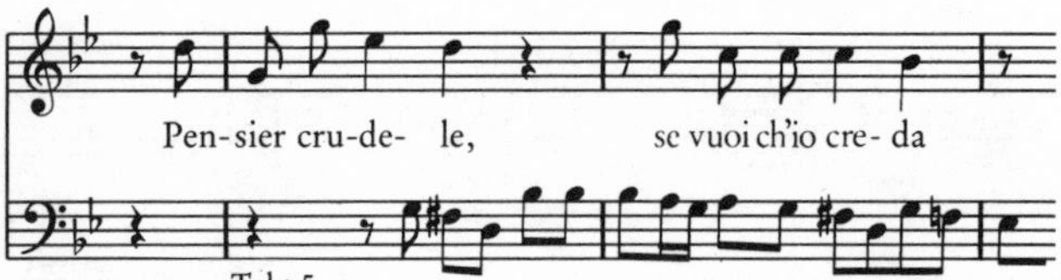
Pen- sier cru-de- le, se vuoi ch'io cre- da

Takt 5 33 Takte *D. c.*

Recitativo.

Ma se Amor ciò con- tra-sta

10 Takte

2. Aria.

Allegro

Fug-gi, fug- gi da questo sen o bar- ba- ro pen- sier,

Takt 3 30 Takte *D. c.*

Recitativo.

Non sa il mio cor sin- ce- ro,

10 Takte

3. Aria.

Tir- -si a- ma- to,a- do- ra- to mio Nu-me,

73 Takte *D. c.*

125b. Lungi da me, pensier tiranno (2. Fassung)

Cantata a voce sola

Textdichter: unbekannt

Besetzung: Alto, Basso continuo
ChA 50. – HHA V/1. EZ: London, nach 1710

Recitativo.

Lun- gi, lun- gi da me, pensier ti- ran- no!

13 Takte

1. Aria.

Pen- sier crude- le, se vuoi ch'io cre- do,

Takt 5 23 Takte *D. c.*

Recitativo.

Ma se amor ciò con- trasta

10 Takte

2. Aria.

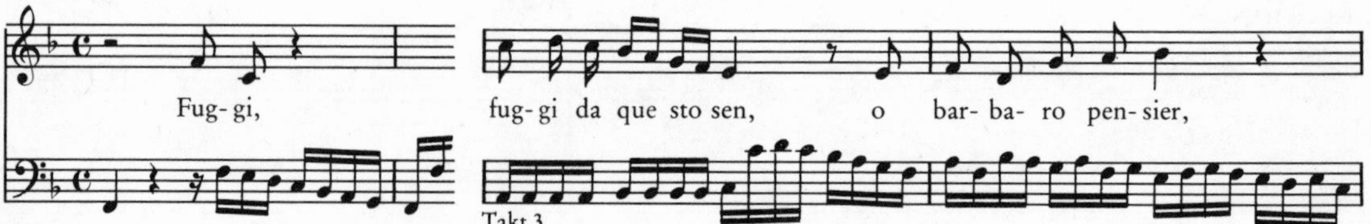
Fug- gi, fug- gi da que sto sen, o bar- ba- ro pen- sier,

Takt 3 29 Takte *D. c.*

Recitativo.

Non sa il mio cor sin- ce- ro,
10 Takte

3. Aria.

Tir- sia ma- to, a- do ra- do mio Nu- me!
74 Takte D. c.

Quellen
Handschriften: Autograph: verschollen.
Abschriften: HWV 125[a]: D (brd) MÜs (Hs. 1910, f. 193–204) – GB Cfm (24 F 12), Mp (MS 130 Hd4, v. 76, p. 10–19). HWV 125[b]: AUSTR Sydney (P 39, p. 224–229) – A Wn (Ms. 17 750, f. 98[v]–102[v]) – GB Cfm (Barrett-Lennard-Collection, Mus. MS. 797, p. 156–161), Lbm (Add. MSS. 29 484, f. 90[v]–94[r]), Lcm (MS. 256, vol. 3, f. 42[r]–46[v]; MS. 257, f. 160[v]–164[r]), Mp (MS 130 Hd4, v. 77, p. 135–144), Ob (Mus. d. 61., p. 147–155; MS. Don. d. 125., f. 38[r]–42[v]) – I Vnm (It. IV 769, f. 85[r]–89[v]).

Bemerkungen
Da die Kantate in der Fassung für Sopran HWV 125[a] von Francesco Lanciani im August 1709 für Ruspoli kopiert wurde (s. Kirkendale, Dokument 35 vom 31. August 1709) und die Handschrift in D (brd) MÜs eine zum Teil von Antonio Giuseppe Angelini angefertigte Abschrift darstellt, geht aus diesem Quellenbefund hervor, daß HWV 125[a] die frühere Fassung des Werkes bietet. Demgegenüber dürfte die Alt-Fassung HWV 125[b] – an der sonst üblichen Praxis Händels gemessen (s. unter HWV 111, 127, 139, 160 und 161) – erst in der Londoner Zeit (nach 1710) entstanden sein.
Die Musik der Arie „Tirsi amato“ (3) verwendete Händel außerdem in HWV 6 Agrippina (3. Volo pronto) und HWV 71 The Triumph of Time and Truth (13[b]. Pleasure's gentle Zephyrs playing).

Literatur
Chrysander I, S. 195; Ewerhart, S. 138; Leichtentritt, S. 567 f.

126[a]. Lungi da voi, che siete poli (1. Fassung)

Cantata a voce sola
Textdichter: unbekannt

Besetzung: Sopr., Basso continuo
HHA V/1. – EZ: Rom, Juli/August 1708

Recitativo.

Lun- gi da voi che sie- te po- li
25 Takte

1. Aria.

Adagio
Un af- fan- no più ti-

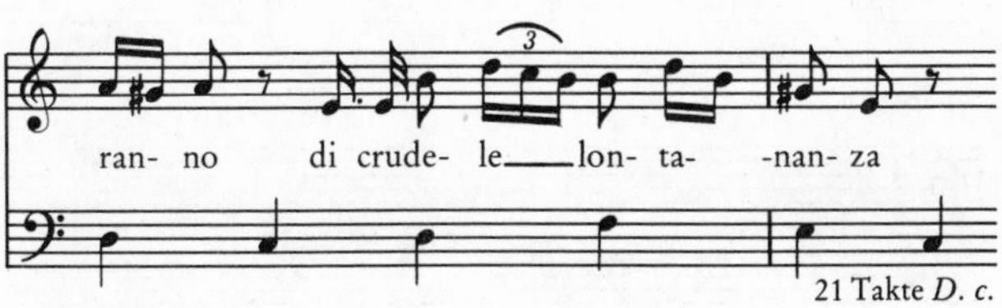
ran- no di crude- le lon- ta- -nan- za
21 Takte D. c.

Recitativo.

Ah, lan- gui- de pu- pil- le, ah,
23 Takte

2. Aria.

Andante
Chi sa, vi ri- ve- drò, chi sa,
Takt 13
81 Takte D. c.

126^{b}. Lungi da voi, che siete poli (2. Fassung)

Cantata a voce sola

Textdichter: unbekannt

Besetzung: Sopr., Basso continuo
ChA 50. – HHA V/1. – EZ: Rom, 1708

Recitativo.

Lun-gi da voi che sie- te po- li
25 Takte

1. Aria.

Largo
Un af-fan- no più ti- -ran- no
21 Takte D. c.

Recitativo.

Ah, languide pu- pille, ah
23 Takte

2. Aria.

Andante

Chi sa, vi ri- ve - drò, chi sa,
Takt 13
80 Takte D. c.

126^{c}. Lungi da voi, che siete poli (3. Fassung)

Cantata a voce sola

Textdichter: unbekannt

Besetzung: Alto, Basso continuo
ChA 50. – HHA V/1. – EZ: London, nach 1710

Recitativo.

Lun-gi da voi che sie- te po- li
25 Takte

1. Aria.

Adagio
Un af-fan-no più ti- -ran- no
21 Takte D. c.

Recitativo.

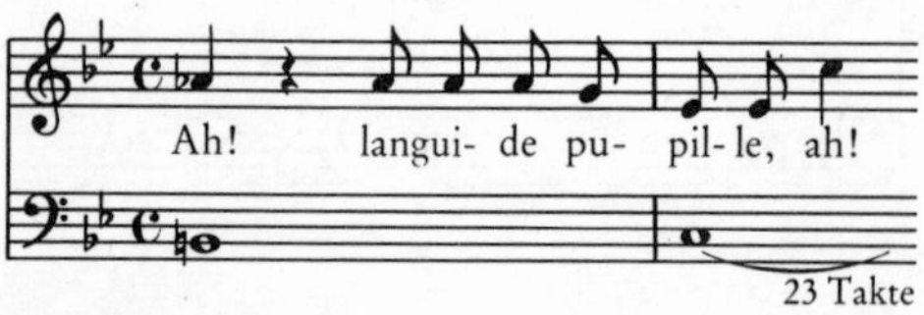
Ah! langui- de pu- pil- le, ah!
23 Takte

2. Aria.

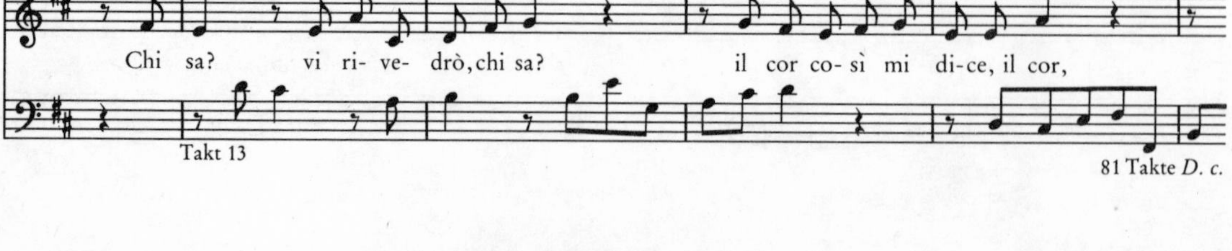
Chi sa? vi ri- ve- drò, chi sa? il cor co- sì mi di-ce, il cor,
Takt 13
81 Takte D. c.

Quellen
Handschriften: Autographe: verschollen.
Abschriften: HWV 126ª: D (brd) MÜs (Hs. 1898, f. 81–88), HWV 126ᵇ: GB BENcoke (italienische Kopie von Giov. Dom. Ventrella, datiert 1711). HWV 126ᶜ: AUSTR Sydney (P 39, p. 255–260) – A Wn (Ms. 17750, f. 14ᵛ–18ʳ) – GB Cfm (Barrett-Lennard-Collection, Mus. MS. 797, p. 195–199), Lcm (MS. 256, vol. 4, f. 36ᵛ–39ᵛ; MS. 257, f. 36ʳ–39ᵛ; MS. 685, f. 116ʳ–119ᵛ), Mp (MS 130 Hd4, v. 78, p. 197–210) – US Wc (M 1620. H2 I 9 case).

Bemerkungen
Die Kantate wurde im August 1708 von Antonio Giuseppe Angelini für Ruspoli kopiert (s. Kirkendale, Dokument 24 vom 9. August 1708). Da die in der Santini-Sammlung D (brd) MÜs überlieferte Handschrift der Fassung HWV 126ª für Sopran in wesentlichen Teilen von Angelini geschrieben wurde, handelt es sich hierbei zweifellos um das für Ruspoli kopierte Exemplar. Somit stellt die Sopranfassung die früheste Version der Kantate dar, während die Fassung für Alt vermutlich erst in England entstand.[1] Die zweite, relativ frühe Kopie HWV 126ᵇ einer Sopranfassung (GB BENcoke), die mehrere Varianten zu HWV 126ª bietet, unterstützt diese Annahme.

Literatur
Ewerhart, S. 138; Leichtentritt, S. 568.

[1] Der gleiche Text wurde auch von Johann Adolf Hasse vertont. [I Gi(1)]. S. Hansell, S. H.: The Solo Cantatas, Motets, and Antiphons of Johann Adolf Hasse, Phil. Diss. University of Illinois, 1966, maschinenschriftl., S. 50.

127ª. Lungi dal mio bel Nume (1. Fassung)

Cantate a voce sola

Textdichter: unbekannt

Besetzung: Sopr., Basso continuo
ChA 50. – HHA V/1. – EZ: Rom, 3. März 1708

Recitativo.

Lun-gi dal mio bel Nu-me
(16) 15 Takte

1. Aria.

Andante
Lontano al mio te-
Takt 6

so- ro, al mio te- so- ro
49 Takte D. c.

Recitativo.

Sen-za la va- ga Clo-ri, non ho pace un mo-mento,
11 Takte

2. Aria.

Allegro
Son come navi- cel- la es- posta in mezzo al mar
Takt 7
42 Takte D. c.

Recitativo.

Lun-gi, lun- gi da te, ben mi-o,
11 Takte

3. Aria.

Larghetto
Tor- na, vie- ni, non tar- da- re
Takt 9
88 Takte D. c.

127.[b] Lungi dal mio bel Nume (2. Fassung)

Cantata a voce sola

Textdichter: unbekannt

Besetzung: Alto, Basso continuo
HHA V/1. – EZ: England, nach 1710

Recitativo.

Lun- gi dal mio bel Nu-me
16 Takte

1. Aria.

Lontano al
Takt 6

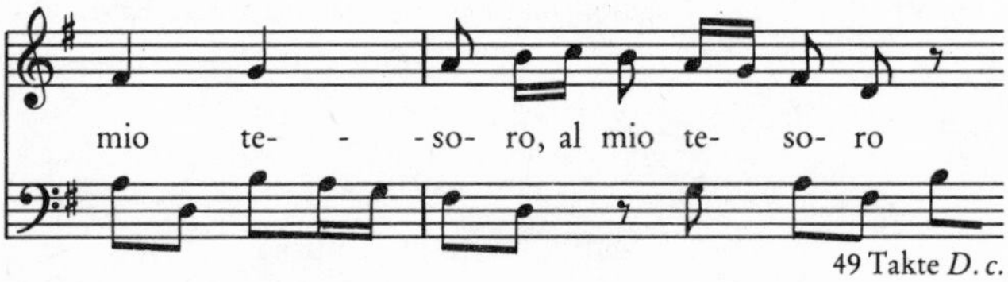
mio te- - - so- ro, al mio te- so- ro
49 Takte *D. c.*

Recitativo.

Sen- za la va- ga Clo- ri
11 Takte

2. Aria.

Son come na-vi- cel- la, es- po- sta in mezzo al mar,
Takt 7
42 Takte *D. c.*

Recitativo.

Lun-gi, lun- gi da te, ben mi- o,
11 Takte

3. Aria.

Tor- na, vie- ni, non tar- da- re,
Takt 9
87 Takte *D. c.*

127.[c] Lungi dal mio bel Nume (3. Fassung)

Cantata a voce sola

Textdichter: unbekannt

Besetzung: Sopr., Basso continuo
ChA 50. – HHA V/1. – EZ: London, ca. 1724/27

Recitativo.

Lun- gi dal mio bel Nu- me
15 Takte

1. Aria.

Andante larghetto
Lontano al
Takt 6

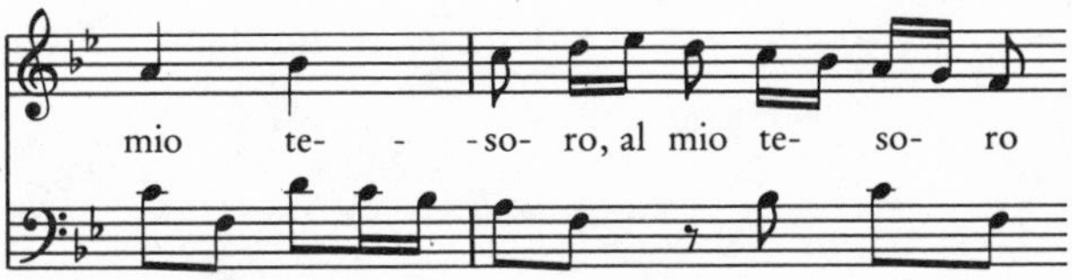
mio te- - -so- ro, al mio te- so- ro

49 Takte *D. c.*

Recitativo.

Sen- za la va- ga Clo- ri, non ho

pace un mo-men-to

9 Takte

2. Aria.

Andante

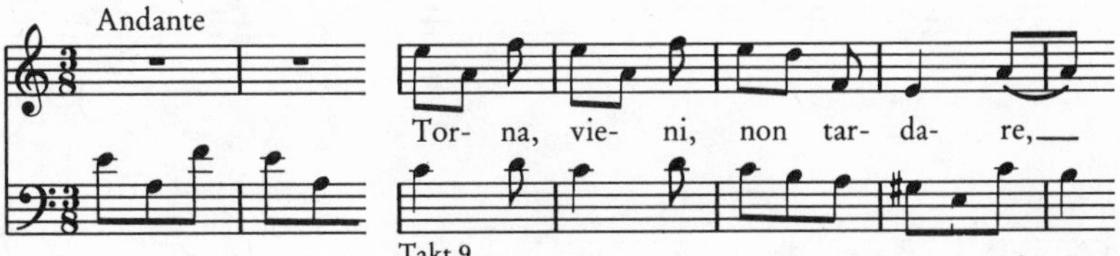
Tor- na, vie- ni, non tar- da- re,

Takt 9

91 Takte *D. c.*

Quellen

Handschriften: Autographe: HWV 127^a: GB Lbm (Add. MSS. 30 310, f. 2^r–7^v, datiert „Roma. A di 3. di Marzo 1708"). HWV 127^b: verschollen. HWV 127^c: GB Lbm (R. M. 20. d. 12., f. 31–32).

Abschriften: HWV 127^a: A Wn (Ms. 17 748, f. 75^r–80^v; Ms. 17 750, f. 105^v–110^v) – D (brd) Hs (M $\frac{A}{833^2}$, p. 231–239), MÜs (Hs. 1898, f. 23–34; Hs. 1910, f. 141–145) – GB BENcoke (bis auf Arie Nr. 2 und Rezitativ „Lungi da te" alles um einen Ton tiefer transponiert), Cfm (MS. 858, Nr. 5), CDp (M. C. 1. 5., f. 19^r–24^v), Lbm (Add. MSS. 14 212, f. 9–14; Add. MSS. 30 310, f. 8^r–12^v; Add. MSS. 31 226, f. 40^r–45^v; Add. MSS. 31 574, f. 1^r–6^r), Lcm (MS. 257, f. 40^r–45^r; MS. 685, f. 104^r–111^r), Mp (MS 130 Hd4, v. 76, p. 72–85; v. 77, p. 151–163), Ob (Mus. d. 61., p. 77–87; MS. Don. d. 125., f. 95^r–101^r) – US Wc (M 1620. H2 I 9 case). HWV 127^b: GB BENcoke. HWV 127^c: GB Cfm (24 F 11), Lbm (Egerton 2942, f. 46^v–48^r).

Bemerkungen

Die Erstfassung der Kantate trägt im Autograph das Entstehungsdatum 3. März 1708. Sie wurde, vermutlich zum zweitenmal, im August 1709 für Ruspoli kopiert (s. Kirkendale, Dokument 35 vom 31. August 1709), denn von den beiden Kopien der Santini-Sammlung ist die erstgenannte [D (brd) MÜs, Hs. 1898, f. 23 ff.] von Angelini, die zweite [D (brd) MÜs, Hs. 1910, f. 141 ff.] von Lanciani geschrieben, der auch die Rechnung dafür einreichte[1]. Das Papier des Autographs von HWV 127^a zeigt das gleiche Wasserzeichen (Typ 2/C) wie die beiden anderen für Ruspoli geschriebenen Kantatenmanuskripte, das Papier des Autographs von HWV 127^c ist dagegen englischen Ursprungs. Diese zweite Fassung der Version für Sopran zeigt deutlich die Art der Reduktion und Überarbeitung, wie sie Händel bei einer späteren Bearbeitung vornahm. Unter anderem wurde dabei die zweite Arie „Son come navicella" samt nachfolgendem Rezitativ gestrichen, vermutlich, weil Händel sie 1712 in der Oper HWV 8^a Il Pastor fido (1. Fassung, Nr. 2 mit gleichem Text) bereits zum zweitenmal verwendet hatte. Auch die Eingangsarie „Lontano al mio tesoro" (1) wurde in HWV 8^a Il Pastor fido (1. Fassung, 4. Lontan del mio tesoro) übernommen. Ob die Alt-Fassung HWV 127^b auf Händels Intentionen zurückgeht, kann mangels anderer erhaltener Quellen nicht mit Sicherheit bestimmt werden.

Literatur

Ewerhart, S. 138; Leichtentritt, S. 567; Mayo, J.: Einige Kantaten-Revisionen Händels. In: Händel-Jb., 27. Jg., 1981, S. 63 ff.; Mayo I, S. 155 f.
Beschreibung des Autographs: HWV 127^c: Lbm: Catalogue Squire, S. 22.

[1] Der Titel erscheint in dem Ruspoli-Dokument 35 in korrumpierter Form als „Lungi da te mio Nume". S. Kirkendale, S. 241, Fig. 4.

128. Lungi n'ando Fileno

Cantata a voce sola

Textdichter: unbekannt

Besetzung: Sopr., Basso continuo
ChA 50. – HHA V/1. – EZ: Rom, August 1708

Recitativo.

Lun- gi, lun- gi n'ando Fi- le- no
19 Takte

1. Aria.

Largo
Sì, pian-

ge- -te, o mi- -e pu- pil- -le,
Takt 5
48 Takte D. c.

Recitativo.

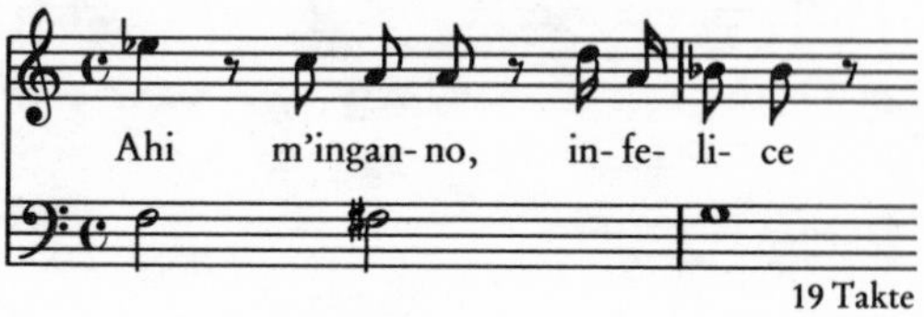
Ahi m'ingan- no, in- fe- li- ce
19 Takte

2. Aria.

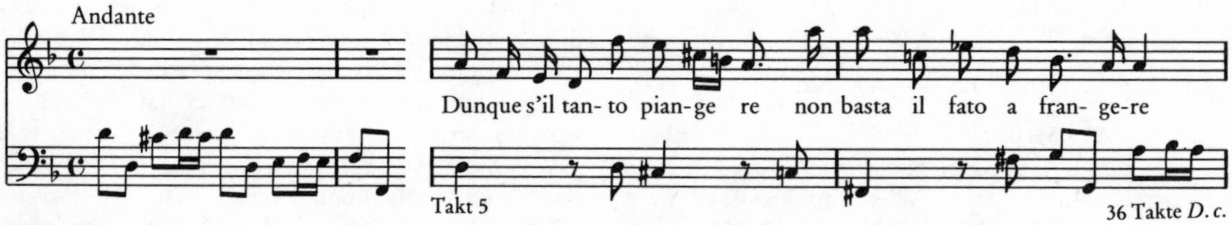
Andante
Dunque s'il tan- to pian- ge re non basta il fato a fran- ge-re
Takt 5
36 Takte D. c.

Quellen

Handschriften: Autograph: GB Lbm (R. M. 20. d. 11., f. 44–47).
Abschriften: AUSTR Sydney (P 39, p. 170–175) – A Wn (Ms. 17 750, f. 22r–25v) – GB Cfm (Barrett-Lennard-Collection, Mus. MS. 797, p. 109–113; 24 F 12), Lbm (Egerton 2942, f. 64r–66v; Add. MSS. 29 484, f. 84r–87r; Add. MSS. 31 574, f. 20v–25r), Lcm (MS. 256, vol. 3, f. 1r–4v; MS 257, f. 127v–131r), Mp (MS 130 Hd4, v. 78, p. 36–46), Ob (Mus. d. 61., p. 122–130, eine Quarte tiefer transponiert, für Alt) – US Wc (M 1620. H2 I 9 case).

Bemerkungen

Die Kantate wurde von Händel auf Papier italienischer Herkunft geschrieben (WZ des Autographs: Typ 2/C) und von Antonio Giuseppe Angelini im August 1708 für Ruspoli kopiert (s. Kirkendale, Dokument 24 vom 28. August 1708). Die Entstehung des Werkes 1708 in Rom darf damit als gesichert gelten. Im Titel schrieb Händel „Cantata di G. F. Handel."

Literatur

Leichtentritt, S. 568.
Beschreibung des Autographs: Lbm: Catalogue Squire, S. 21.

129. Manca pur quanto sai

Cantata a voce sola

Textdichter: unbekannt

Besetzung: Sopr., Basso continuo
ChA 50. – HHA V/1. – EZ: Rom, Juli/August 1708

Recitativo.

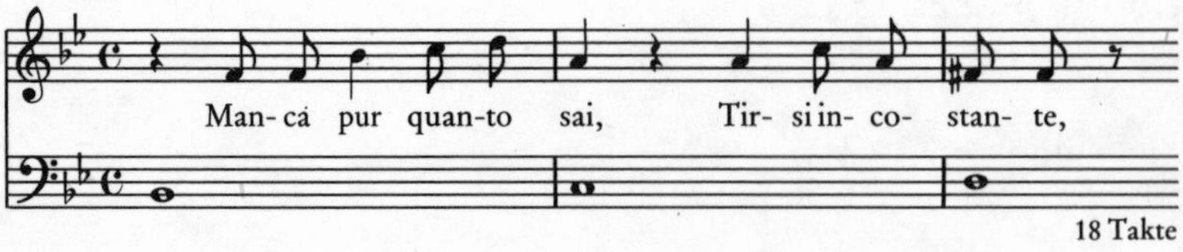
Man- cá pur quan-to sai, Tir- si in- co- stan- te,
18 Takte

1. Aria.

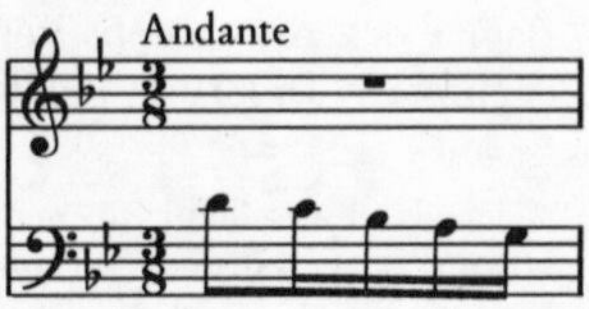
Andante

Ben- chè tra- di- ta io si- a
sem- pre fe- del sa-
Takt 15
Takt 24

rò,
Recitativo.
In-ven-ta nuove fro- di, s'an-cor sa- zia non sei
In-ven- ti amore fro- di,
113 Takte D. c.
10 Takte

2. Aria.

Allegro
All' a- mor mi- o, lo so ben i- o
Takt 6
33 Takte D. c.

Quellen
Handschriften: Autograph: GB Lbm (R. M. 20. d. 11., f. 52–55).
Abschriften: D (brd) MÜs (Hs. 1898, f. 89–96) – GB CDp (M. C. 1. 5., f. 13ᵛ–16ᵛ), Lbm (Egerton 2942, f. 59ᵛ–61ʳ; Add. MSS. 29 484, f. 64ᵛ–67ʳ), Mp (MS 130 Hd4, v. 76, p. 63–71), Ob (Mus. d. 61., p. 25–31).

Bemerkungen
Die Kantate, die nach Schriftduktus und Papier des Autographs in Italien entstand, wurde von Antonio Giuseppe Angelini im August 1708 für Ruspoli kopiert (s. Kirkendale, Dokument 24 vom 9. August 1708). Die Arie „Benchè tradita io sia" (1) wurde 1723 in die Oper HWV 15 Ottone (31ᵇ. Benchè mi sia crudele) übernommen.

Literatur
Ewerhart, S. 139.
Beschreibung des Autographs: Lbm: Catalogue Squire, S. 21.

130. Mentre il tutto è in furore

Cantata a voce sola

Textdichter: unbekannt

Besetzung: Sopr., Basso continuo
ChA 50. – HHA V/1. – EZ: Rom, August 1708

Recitativo.

Mentre il tutto è in furo- re, e, d'ogni in- tor-no
15 Takte

1. Aria.

Non tanto presto

Dave, in mezzo al- le stra-gi, rim- bom- ba,
Takt 3
41 Takte D. c.

Recitativo.

Vanne sì, ve-di, e vinci
11 Takte

2. Aria.

Combat-ti, e poi ri- tor-na a in-na- mora- re il cor,
Takt 4
28 Takte D. c.

Quellen

Handschriften: Autograph: in unbekanntem Privatbesitz[1] (Faksimile in GB Lbm, facs. suppl. X, f. 116–121).

Abschriften: D (brd) MÜs (Hs. 1899, f. 28–35; Hs. 1910, f. 169–176) – GB Lcm (MS. 257, f. 197–200r).

Bemerkungen

Die Kantate wurde im August 1708 von Antonio Giuseppe Angelini für Ruspoli kopiert (s. Kirkendale, Dokument 25 vom 28. August 1708). Der Inhalt des Textes nimmt auf die antiösterreichischen Kriegsaktivitäten Francesco Maria Ruspolis im Frühjahr und Sommer 1708 (s. Strohm) anläßlich des spanischen Erbfolgekrieges Bezug, so daß in dieser Zeit das Werk auch entstanden sein muß.

Das Thema der Arie „Combatti, e poi ritorna" (2) wurde von Händel außerdem in folgenden Werken verwendet: HWV 97 „Crudel tiranno Amor" (1. Crudel tiranno Amor), HWV 10 Silla (8. Qual scoglio in mezzo all'onde) und HWV 34 Alcina (32. Ma quando tornerai).

[1] Autograph bei einer Auktion von der Londoner Firma Sotheby & Co. am 18. Februar 1963 in London verkauft.

Literatur

Harris, S. 173 f.; Ewerhart, S. 139; Leichtentritt, S. 568 f.; Strohm, R.: Händel in Italia: Nuovi contributi. In: Rivista Italiana di Musicologia, vol. IX, 1974, S. 152 ff., bes. S. 171.

131. Menzognere speranze

Cantata a voce sola

Textdichter: unbekannt

Besetzung: Sopr., Basso continuo
ChA 50. – HHA V/1. – EZ: Rom, September 1707

Recitativo.

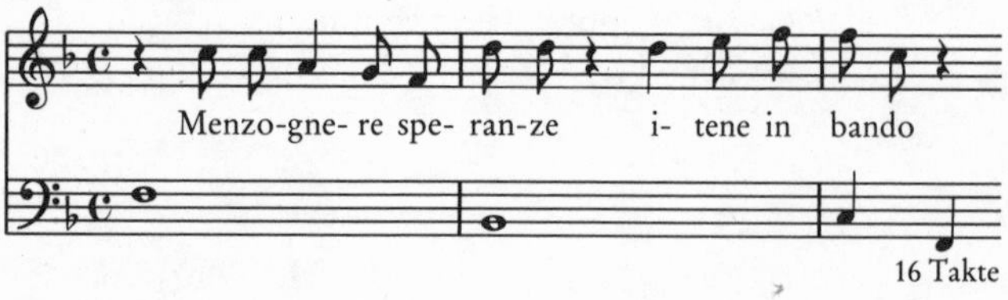
Menzo-gne- re spe- ran-ze i- tene in bando
16 Takte

1. Aria.

Adagio

La- scia di più spe- rar, se non vuoi la- cri- mar,
Takt 5
56 Takte D. c.

Recitativo.

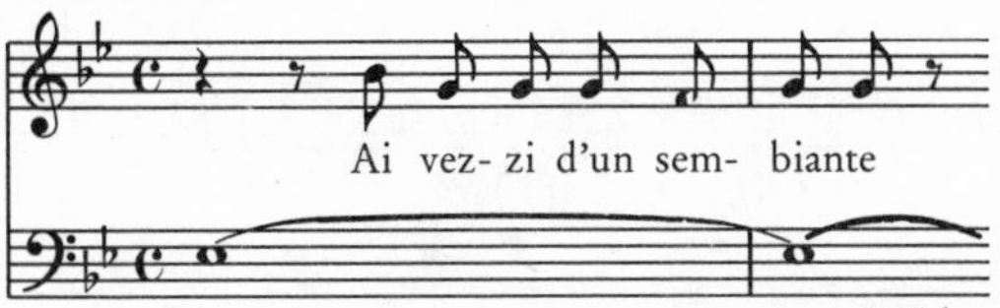
Ai vez- zi d'un sem- biante

15 Takte

2. Aria.

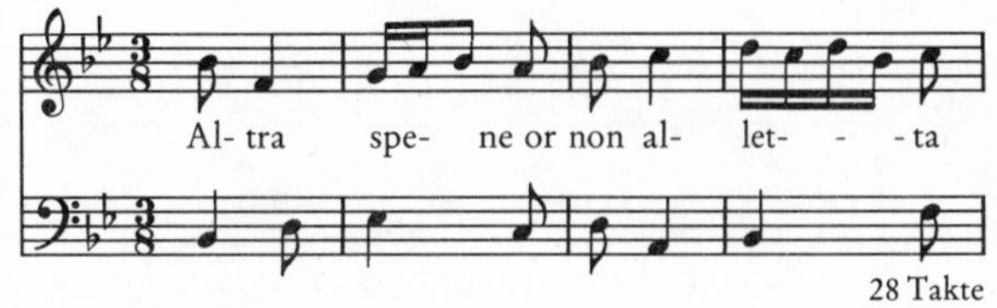
Al- tra spe- ne or non al- let- - -ta

28 Takte

Quellen

Handschriften: Autograph: GB Lbm (R. M. 20. d. 11., f. 67–69).

Abschriften: AUSTR Sydney (P 39, p. 149–152) – D (brd) MÜs (Hs. 1899, f. 44 – 47) – GB Cfm (Barrett-Lennard-Collection, Mus. MS. 797, p. 92–94), Lbm (Egerton 2942, f. 109v–111r; Add. MSS. 14 182, f. 1r–3v), Lcm (MS. 256, vol. 2, f. 33v–36r; MS. 257, f. 115r–117v), Mp (MS 130 Hd4, v. 78, p. 47–54), Ob (Mus. d. 62., p. 161–166) – I Vnm (It. IV 769, f. 53r–56v).

Bemerkungen

Die Kantate wurde von Händel auf Papier italienischer Herkunft (WZ des Autographs: Typ 2/C) geschrieben und im September 1707 von Antonio Giuseppe Angelini für Ruspoli kopiert (s. Kirkendale, Dokument 5 vom 22. September 1707). Vermutlich wurde sie von Margherita Durastanti, die Angelinis Rechnung gegenzeichnete, in einer der wöchentlichen *conversazioni* des Marchese aufgeführt.

Literatur

Ewerhart, S. 139; Harris, S. 161 f.

Beschreibung des Autographs: Lbm: Catalogue Squire, S. 21.

132a Mi palpita il cor (2. Fassung von HWV 106 „Dimmi, o mio cor")

Cantata a voce sola

Textdichter: unbekannt

Besetzung: Sopr., Basso continuo

ChA 50. – HHA V/1. – EZ: London, nach 1710

1. Arioso.

Adagio
Allegro
Mi pal- - - pi-ta il cor
Agi-

Takt 11

ta- ta è l'al- ma mi- a, a- gi- ta-(ta)

30 Takte

Recitativo.

Dimmi, o mio cor, che bra- mi,

[vgl. HWV 106] 17 Takte

2. Aria.

Mi pia- go d'a- mor lo stra- le, d'a- mor lo stra- le, e fa- ta- le

Takt 5 49 Takte *D. c.*

Recitativo.

Ma non te- mer, mio co- re,
7 Takte

3. Aria.

Allegro ma non troppo

Ca- -ri la- -ci, a- ma- - te pe- ne,
Takt 6
43 Takte D. c.

Quellen

Handschriften: Autograph: verschollen.
Abschriften: AUSTR Sydney (P 39, p. 61–66) – A Wn (Ms. 17 750, f. 43ᵛ–47ᵛ) – D (brd) Hs (M $\frac{A}{200}$, f. 1ʳ–4ᵛ) – GB Cfm (30 H 2, p. 5–6: Nr. 3 „Cari lacci“ für Alt in d-Moll; Barrett-Lennard-Collection, Mus. MS. 797, p. 1–5), Lcm (MS. 256, vol. 1, f. 1ʳ–4ᵛ; MS. 257, f. 12ʳ–15ᵛ), Mp (MS 130 Hd4, v. 77, p. 3–12), Ob (MS. Don. d. 125., f. 4ʳ–8ʳ).

Bemerkungen

Die Kantate, deren genaue Entstehungszeit mangels erhaltener autographer Quellen nicht bestimmt werden kann, stellt eine vermutlich in England vorgenommene Überarbeitung der Kantate HWV 106 „Dimmi, o mio cor“ dar. Diese Neufassung wurde um ein einleitendes Arioso erweitert, das aus den Kantaten HWV 132ᵇ⁻ᵈ „Mi palpita il cor“ entnommen ist. Außerdem wurde das lange zweite Rezitativ der Fassung HWV 106 um die Takte 1–17 gekürzt. Die Musik der Arie „Mi piago d'amor lo strale“ (1) verwendete Händel außerdem in der Oper HWV 10 Silla (20. Già respira in petto il core).

Literatur

Mayo I, S. 172 ff.; Mayo, J.: Einige Kantaten-Revisionen Händels. In: Händel-Jb., 27. Jg., 1981, S. 63 ff.

132ᵇ. Mi palpita il cor (1. Fassung)

Cantata a voce sola con Oboe

Textdichter: unbekannt

Besetzung: Sopr., Ob., Basso continuo
ChA 52b. (fragm.). – HHA V/3. – EZ: London, nach 1710 (ca. 1717/18)

1. Arioso e Recitativo.

Adagio
Allegro
Cont.
Mi pal- - - - pi- ta il cor, Agi-
Takt 10

Recitativo.

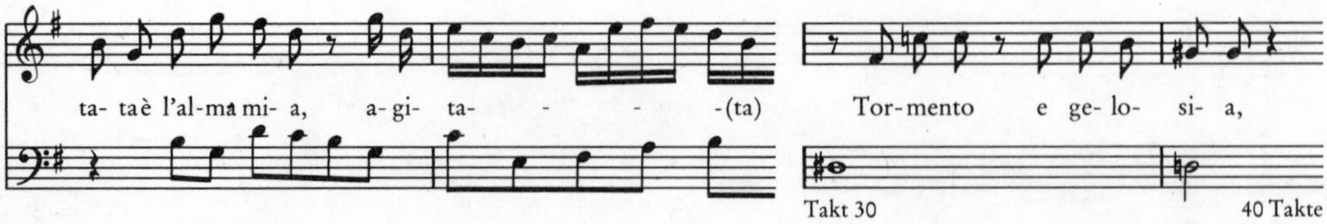
ta- ta è l'al-ma mi- a, a- gi- ta- - - - -(ta)
Tor- mento e ge- lo- si- a,
Takt 30
40 Takte

2. Aria.

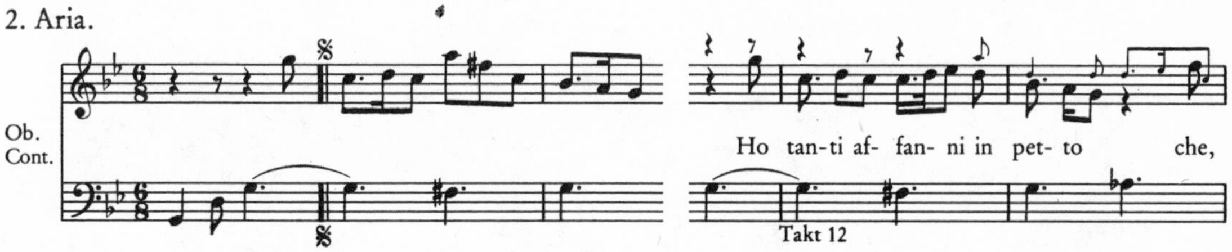
Ob.
Cont.
Ho tan-ti af- fan- ni in pet- to che,
Takt 12

qual'sia il più ti- ran- no,
72 Takte D. s.

Recitativo.

Cont.
Clori di te mi la- gno; e di te,
17 Takte

3. Aria.

Allegro
Ob.
Cont.
S'un dì m'a- do- ra la mia cru-de- le
Takt 9
49 Takte D. c.

132[c]. Mi palpita il cor (2. Fassung)

Besetzung: Alto, Fl. trav., Basso continuo
ChA 50. – HHA V/3. – EZ: London, nach 1710

Cantata a voce sola con Flauto traverso

Textdichter: unbekannt

1. Recitativo ed Arioso.

Allegro
Cont.
Mi pal- -pi-ta il cor, Agi-
[= HWV 57. Samson (20.)]
Takt 10

(Recitativo)
ta ta è l'alma mi- a, a- gi- ta- - - - -(ta). Tormento e ge-lo- si- a,
Takt 30
40 Takte

2. Aria.

Largo
Fl. trav.
Cont.
Ho tan-ti af- fan- ni in
Takt 12

pet- to, che qual sia il più ti- ran- no,
68 Takte D. c.

Recitativo.

Cont.
Clori di te mi lag- no,
17 Takte

3. Aria.

Allegro
Fl. trav.
Cont.
S'un dì m'a- do ra la mia cru- de le,
Takt 9
49 Takte D. c.

132ᵈ. Mi palpita il cor (3. Fassung)

Cantata a voce sola con stromenti

Textdichter: unbekannt

Besetzung: Solo: Alto. Instrumente: Fl. trav.; Ob.; Cont.
HHA V/3. – EZ: London, nach 1710

1a, b. Recitativo ed Arioso.

Cont.
Mi pal- - - -pi- ta il cor,
[= HWV 57. Samson (20.)]

a. (Arioso).

Allegro
Agi-
Takt 10

ta- ta è l'alma mi- a, agi- ta- - -(ta)

b. (Arioso).

A-gi- ta- - -
Takt 10

- - - - ta è l'alma mi- a,

(Recitativo)

Tormento e ge- lo- si- a,
a: Takt 30
b: Takt 26
a: 40 Takte
b: 36 Takte

2a, b. Aria.

che_ qual sia il più ti- ran-no,
a: 65 Takte D. c.
b: 73 Takte D. c.

Recitativo.

Cont.
Clo- ri, di te mi lagno,
17 Takte

3. Aria.

Allegro
Ob.
Cont.
S'un dì m'a- do- ra la mia cru-de le
Takt 9
49 Takte D. c.

Quellen
Handschriften: Autographe: HWV 132[b]: GB Lbm (R. M. 20. e. 4., f. 1–6: „Cantata a Voce Sola con Oboe"). HWV 132[c]: GB Lbm (R. M. 20. g. 8., f. 1–6). HWV 132[d]: GB Cfm (30 H 12, p. 36: Nr. 1[a]), Lbm (R. M. 20. e. 4., f. 7–8: Nr. 2[a]).
Abschriften: HWV 132[c]: GB Cfm (24 F 12, f. 188[r]–121[v], ohne Nr. 3), Lbm (Add. MSS. 29 484, f. 56[v]–59[v], Nr. 3 nur T. 1–14; Add. MSS. 31 574, f. 29[r]–34[v]), Ob (Mus. d. 61., p. 49–60). HWV 132[d]: GB BENcoke, Lbm (Add. MSS. 31 574, f. 35[r]–40[v]), Ob (Mus. d. 61., p. 61–71).

Bemerkungen
Die Kantate ist in drei Fassungen überliefert, die sämtlich durch autographe Quellen belegt sind. Alle Autographe sind auf Papier englischer Provenienz notiert. HWV 132[d] scheint die am spätesten eingerichtete Fassung darzustellen; die Abschriften überliefern eine wichtige Variante für den 1. Satz, die im Autograph (GB Cfm, 30 H 12, p. 36) nicht vermerkt ist. Für „S'un dì m'adora" (3) der Fassung HWV 132[d] existiert kein Autograph.
Eingangsrezitativ und Arioso „Mi palpita il cor/ Agitata è l'alma mia" (1) verwendete Händel später für HWV 57 Samson (20. Then long eternity).

Literatur
Leichtentritt, S. 569; Mayo I, S. 173 ff.
Beschreibung der Autographe: Lbm: Catalogue Squire, S. 24, 94. – Cfm: Catalogue Mann, Ms. 262, S. 203.

133. Ne' tuoi lumi, o bella Clori

Cantata a voce sola

Textdichter: unbekannt

Besetzung: Sopr., Basso continuo
ChA 50. – HHA V/1. – EZ: Rom, September 1707

1. Aria.

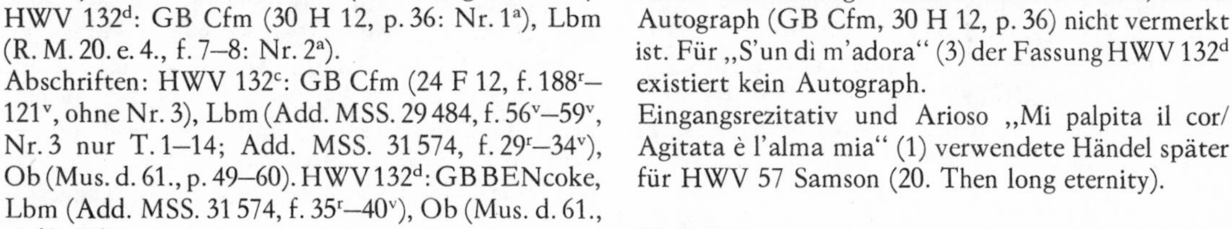
Adagio
Ne' tuoi lumi, o bel-la Clori, si na-sco- se il mio de- sti- no,
Takt 7
44 Takte D. c.

Recitativo.

Credei chequanto dolci

12 Takte

2. Aria.

Su- per-

Takt 11

bet- ti oc- - -chi amo- ro- - -si,

82 Takte *D. c.*

Recitativo.

Sul palli-domio volto,

9 Takte

3. Aria.

La mia pia-ga, se v'ap- pa- ga, ca- ri lu- mi,

Takt 8 71 Takte *D. c.*

Quellen

Handschriften: Autograph: verschollen.

Abschriften: AUSTR Sydney (P 39, p. 72–78) – A Wn (MS. 17750, f. 65r–70r), B Bc (MS. 619) – D (brd) Hs (M $\frac{A}{833^1}$, p. 105–115), MÜs (Hs. 1899, f. 1–16) – GB Cfm (Barrett-Lennard-Collection, Mus. MS. 797, p. 14–19), Lbm (Egerton 2942, f. 88v–91r), Lcm (MS. 256, vol. 1, f. 11r–16r; MS. 257, f. 73v–78r), Mp (MS 130 Hd4, v. 76, p. 95–103; v. 77, p. 52–64), Ob (Mus. d. 62., p. 9–16) – I Vnm (It. IV 769, f. 70r–76r).

Bemerkungen

Die Kantate wurde im September 1707 von Antonio Giuseppe Angelini für Ruspoli kopiert und von Margherita Durastanti, die Angelinis Rechnung gegenzeichnete, in einer der wöchentlichen *conversazioni* des Marchese aufgeführt (s. Kirkendale, Dokument 5 vom 22. September 1707). Der Text wurde auch von Alessandro Scarlatti vertont. Das Thema der Arie „La mia piaga" (3) verwendete Händel in abgewandelter Form außerdem in folgenden Werken: HWV 77 „Ah! che pur troppo è vero" (3. Da che perso ho la mia Clori), HWV 5 Rodrigo (14. Fra le spine), HWV 6 Agrippina (8. Tu ben degno), HWV 17 Giulio Cesare in Egitto (31b. Scorta siate), HWV 18 Tamerlano (Anhang 2a. Conservate per mia figlia) und HWV 38 Berenice (9. Quell'oggetto).

Literatur

Harris, S. 157 ff.; Mayo II, S. 38.

134. Pensieri notturni di Filli: Nel dolce dell' oblio

Cantata a voce sola con Flauto

Textdichter: unbekannt

Besetzung: Sopr., Flauto, Basso continuo

ChA 52b. – HHA V/4. – EZ: Rom, 1707/08

Recitativo.

Cont.

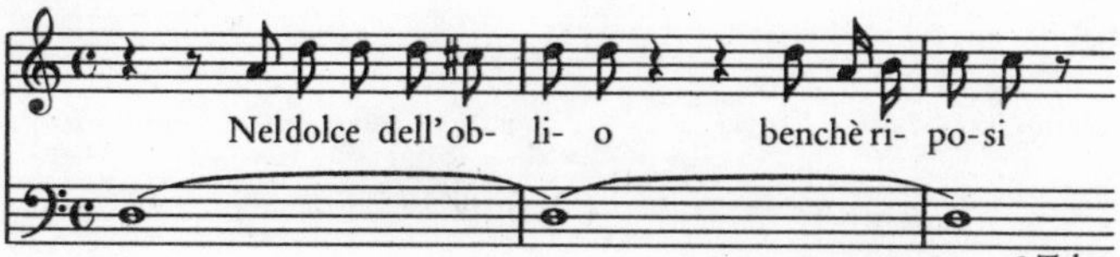
Neldolce dell'ob- li- o benchè ri- po-si

9 Takte

1. Aria.

Fl.
Cont.

Giachè il sonno a lei dis- pinge la sem- bianza del suo be- -ne,
Takt 12
65 Takte D. c.

Recitativo.

Cont.
Co-sì fi-da el-la vi- ve al cuor che a- do-ra,
6 Takte

2. Aria.

Fl.
Cont.

Ha l'ingan- no il suo di- let- to se i pensier mos- si d'af- fet- to
Takt 7
36 Takte D. c.

Quellen
Handschriften: Autograph: GB Lbm (R. M. 20. e. 2., f. 26–29: „Pensieri notturni di Filli. Cantata a voce sola con flauto di G. F. Hendel").
Abschrift: GB Lbm (Add. MSS. 31 555, f. 172–177, Kopie von R. Lacy, ca. 1870).

Bemerkungen
Die Kantate, deren Titel von Händel selbst stammt, entstand vermutlich 1707/08 in Rom, da das Papier des Autographs das gleiche Wasserzeichen (Typ 2/D) wie die meisten der für Ruspoli bestimmten Kantatenhandschriften aufweist.

Entlehnungen:
1. Giacchè il sonno a lei dispinge
   HWV 42 Deidamia: 32. Or pensate, amanti cori
2. Ha l'inganno il suo diletto
   HWV 5 Rodrigo: Ouverture: Bourrée I
   HWV 6 Agrippina: 49. V'accendano le tede

Literatur
Leichtentritt, S. 577.
Beschreibung des Autographs: Lbm: Catalogue Squire, S. 23.

135ᵃ. Nel dolce tempo (1. Fassung)

Cantata a voce sola

Textdichter: unbekannt

Besetzung: Sopr., Basso continuo
HHA V/1. – EZ: Vermutlich Neapel, Juni/Juli 1708

Recitativo.

Nel dolce tempo, in cui ri- torna a noi
25 Takte

1. Aria.

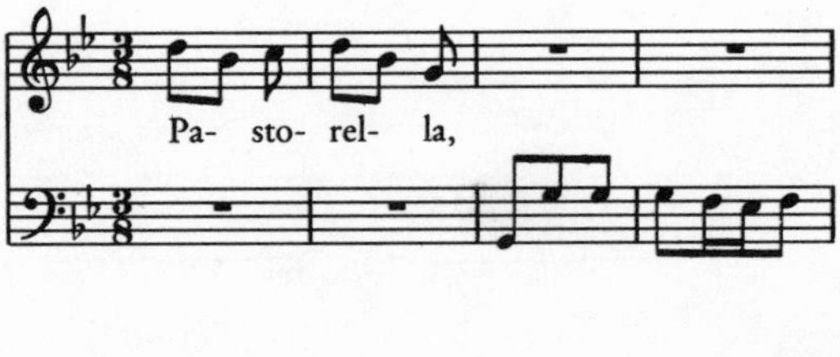
Pa- sto- rel- la,

Recitativo.

pa- sto- rel- la, co'bei lu- mi erbe e fio- -ri
Di pal-li- do co-
Takt 10
96 Takte D. c.

2. Aria.

lor la Ninfa in- tan to
Sen- ti,
27 Takte
Takt 6

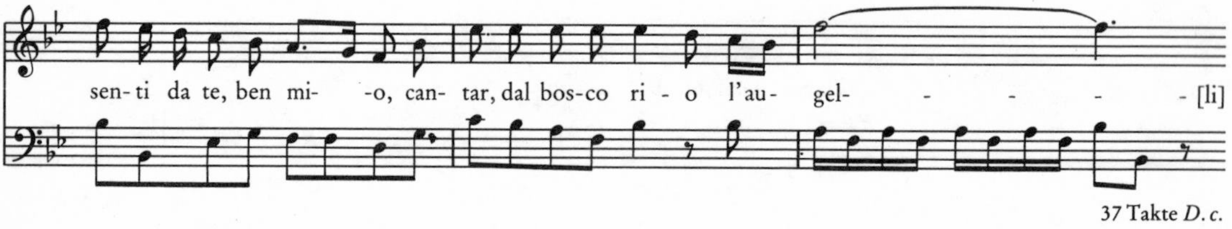
sen- ti da te, ben mi- -o, can- tar, dal bos-co ri - o l'au- gel- - - - - [li]
37 Takte D. c.

135ᵇ. Nel dolce tempo (2. Fassung)

Besetzung: Alto, Basso continuo
ChA 50. – HHA V/1. – EZ: London, nach 1710

Cantata a voce sola

Textdichter: unbekannt

Recitativo.

1. Aria.
Andante

Nel dol- ce tem- po, in cui ri- tor- na a noi
16 Takte
Pa- sto- rel- la,

pa- sto- rel- la, i bei lu- -mi er- be e fio- -ri
Takt 10
96 Takte D. c.

Recitativo.

2. Aria.
Allegro

Di pal-li-do co- lor la Ninfa in-tanto
27 Takte

Sen- ti, sen- ti di te, ben mi- o, can- tar, dal bosco ri- o l'au- gel- - (li)

Takt 7

36 Takte *D. c.*

Recitativo.

Due lu- mi, un lab-bro, un se- no, un crin sì va- go,

9 Takte

Quellen

Handschriften: Autographe: verschollen.

Abschriften: HWV 135ª: D (brd) MÜs (Hs. 1901, f. 1–5) – GB Lcm (MS. 698, f. 1ʳ–4ᵛ). HWV 135ᵇ: AUSTR Sydney (P 39, p. 218–223) – A Wn (Ms. 17750, f. 70ᵛ–74ᵛ) – GB BENcoke, Cfm (Barrett-Lennard-Collection, Mus. MS. 797, p. 152–156), Lbm (Egerton 2942, f. 91ᵛ–93ᵛ; Add. MSS. 14212, f. 35ʳ–42ᵛ), Lcm (MS. 256, vol. 3, f. 37ᵛ–42ʳ; MS. 257, f. 157ʳ–160ʳ), Mp (MS 130 Hd4, v. 77, p. 65–75), Ob (Mus. d. 62., p. 59–66) – US Wc (M 1620. H2 I 9 case).

Bemerkungen

Die unter den erhaltenen Abschriften in zwei Fassungen überlieferte Kantate entstand in der Fassung für Sopran HWV 135ª vermutlich Juni/Juli 1708 in Neapel. R. Strohm (s. Lit., S. 169, Anm. 77) weist darauf hin, daß die Textpassage im Eingangsrezitativ „Al bel Volturno in riva" (in ChA 50, S. 166, korrumpiert wiedergegeben) auf den Landsitz eines neapolitanischen Aristokraten, möglicherweise sogar des Duca d'Alvito, Bezug nimmt.

Das Schlußrezitativ (9 Takte) der Altfassung HWV 135ᵇ ist bereits im Einleitungsrezitativ der Sopranfassung HWV 135ª enthalten, so daß dieses um 9 Takte länger ist als in der Altfassung.

Die Musik der Arie „Senti di te, ben mio" (2) verwendete Händel später in HWV 10 Silla (5. Senti, bel idol mio). Auch A. Scarlatti vertonte den Text der Kantate.

Literatur

Ewerhart, S. 139; Mayo II, S. 35ff.; Strohm, R.: Händel in Italia: Nuovi contributi. In: Rivista Italiana di Musicologia, vol. IX, 1974, S. 152ff., bes. S. 169.

136ª Nell' africane selve (1. Fassung)

Cantata a voce sola

Textdichter: unbekannt

Besetzung: Basso, Basso continuo

ChA 50. – HHA V/1. – EZ: Neapel, Juni/Juli 1708

Recitativo.

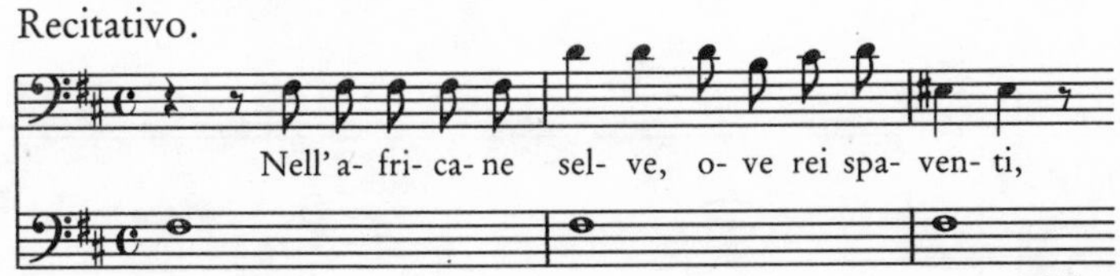
Nell' a- fri- ca- ne sel- ve, o- ve rei spa- ven- ti,

25 Takte

1. Aria.

Lan- gue, tre- ma, e prigio- nie- ro

Takt 9

96 Takte *D. c.*

Recitativo.

Ni-ce, là, fra confi- ni di valli in- col- te

21 Takte

2. Aria.

Chie- -do A-mo- -re, al- tro non bra- mo, i- o che t'a- mo,

97 Takte *D. c.*

136.[b] Nell' africane selve (2. Fassung)

Besetzung: Basso, Basso continuo
HHA V/1. – EZ: London, nach 1710

Cantata a voce sola

Textdichter: unbekannt

Recitativo.

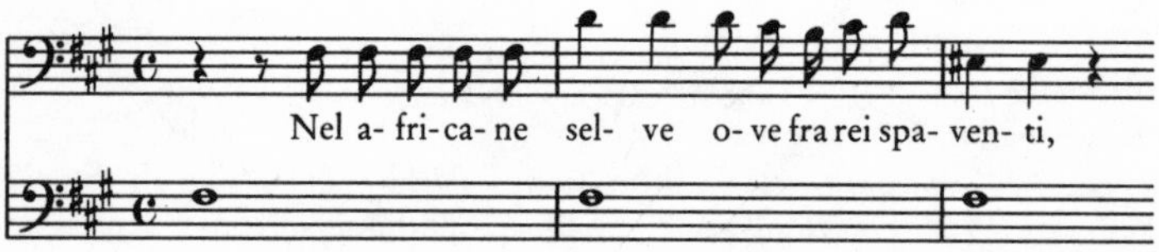
Nel a- fri-ca-ne sel- ve o- ve fra rei spa- ven- ti,

31 Takte

1. Aria.

Lan- gue, tre- ma e pri-gio- nie- ro

Takt 9 88 Takte *D. c.*

Recitativo.

Lie-ve sa- ri- a sof- fri- re ne deser- ti

10 Takte

2. Aria.

Che l'u-na l'alma sa- ni e l'al- tro il cuo- - - - re,

[vgl. HWV 193 (3.)]

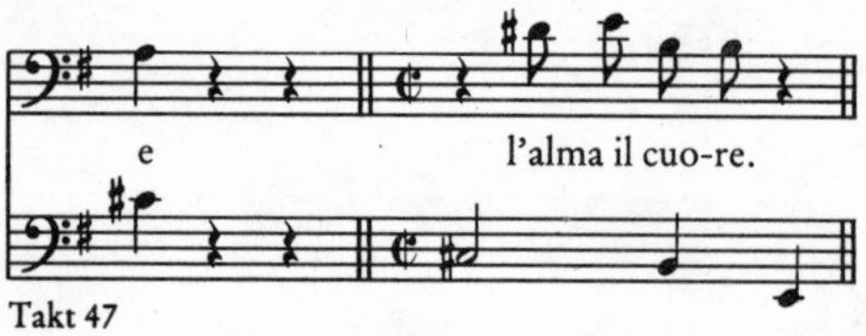
e l'alma il cuo-re.

Takt 47

3. Aria.

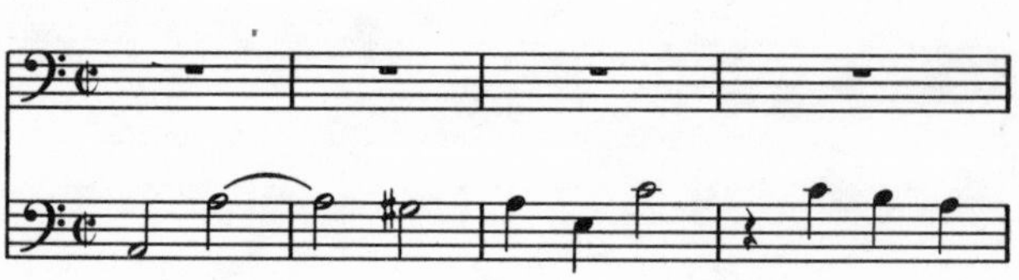

Takt 9 100 Takte *D. c.*

Quellen
Handschriften: Autograph: HWV 136^{a}: GB Lbm (R. M. 20. d. 11., f. 83–86). HWV 136^{v}: verschollen.
Abschriften: HWV 136^{a}: GB Lbm (Egerton 2942, f. 78^{r}–80^{v}), Ob (Mus. d. 62., p. 145–153). HWV 136^{b}: GB Cfm (32 G 20, f. 41–46).

Bemerkungen
Nach Schriftduktus und Papierbeschaffenheit des Autographs (WZ: Hirsch im Kreis vom Typ 3/B) entstand die Fassung HWV 136^{a} der Kantate 1707/08 in Italien. Da das Wasserzeichen des Autographs nicht mit den Zeichen der von Händel in Florenz bzw. in Rom verwendeten Papiersorten übereinstimmt, schrieb er die Komposition vermutlich zusammen mit den Kantaten HWV 153 und HWV 161^{b} in enger zeitlicher Nachbarschaft zu HWV 72 Aci, Galatea e Polifemo in Neapel, denn die Autographe aller dieser Werke weisen gleiche Schrift und Rastrierung (10 Systeme, Rastralbreite ca. 9 mm) auf. Außerdem scheint die Faktur der Solostimme von HWV 136^{a} mit ihren großen Intervallsprüngen und den extremen Lagen für den gleichen Interpreten bestimmt gewesen zu sein, der die ähnlich angelegte Baßpartie des Polifemo in HWV 72 singen sollte[1].

Die zweite Fassung HWV 136^{b} ist nur in einer Kopie überliefert, die jedoch mehrere zweifellos auf Händel selbst zurückgehende Varianten zur Erstfassung bietet, denn die neu hinzugekommene Arie „Che l'una l'alma sani" (2) weist eine enge melodische Verwandtschaft mit dem Satz „Quando non ho più core" des Kammerduetts HWV 193 „Se tu non lasci amore" (ca. 1720) auf.

Literatur
Chrysander I, S. 244; Leichtentritt, S. 596.
Beschreibung des Autographs: Lbm: Catalogue Squire, S. 21.

[1] R. Strohm (Händel in Italia: Nuovi contributi. In: Rivista Italiana di Musicologia, Vol. IX, 1974, S. 166, Anm. 66) vermutet aufgrund der Textpassage „Nell'africane selve", die er auch in Atto II, Scena 4, von S. Stampiglias Oper „La Partenope" (Venedig 1708, Teatro San Giovanni Grisostomo, Musik: A. Caldara) nachweisen konnte, daß Händel die Kantate HWV 136^{a} 1708 in Venedig für Guiseppe Maria Boschi geschrieben haben könnte (vgl. auch Chrysander I, S. 244), der während der Spielzeit 1707/08 am Teatro San Cassiano engagiert war. Dem steht – neben dem quellenkritischen Befund – jedoch entgegen, daß Boschis Stimmlage aller Wahrscheinlichkeit nach nicht mit der des unbekannten neapolitanischen Bassisten identisch war, für den diese Kantate sowie die Partie des Polifemo in HWV 72 Aci, Galatea e Polifemo gedacht war (vgl. auch Boschis Partie in HWV 7^{a} Rinaldo, 1. Fassung, besonders Nr. 5 „Sibillar gli angui d'Aletto", in der die extremen Lagen weitgehend vermieden wurden).

137. Nella stagion che di viole e rose

Cantata a voce sola

Textdichter: unbekannt

Besetzung: Sopr., Basso continuo
ChA 50. – HHA V/1. – EZ: Rom, April/Mai 1707

Recitativo.

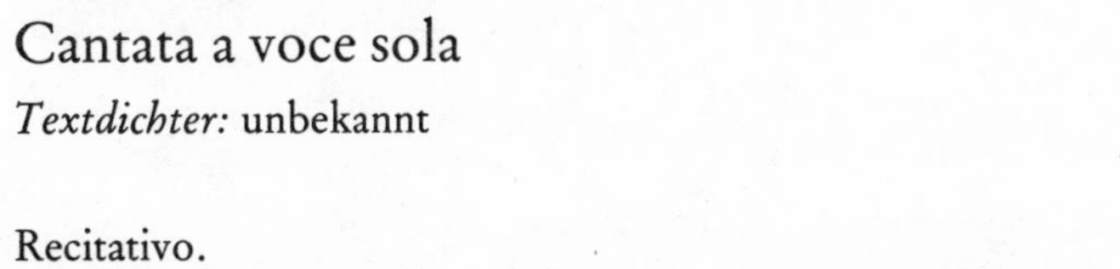
Nel- la stagion, che di vi- o- le e ro- se

12 Takte

1. Aria.

Ri- de il fio- re in

se- no al pra- to,

47 Takte *D. c.*

Recitativo.

Co- sì la Ninfa al

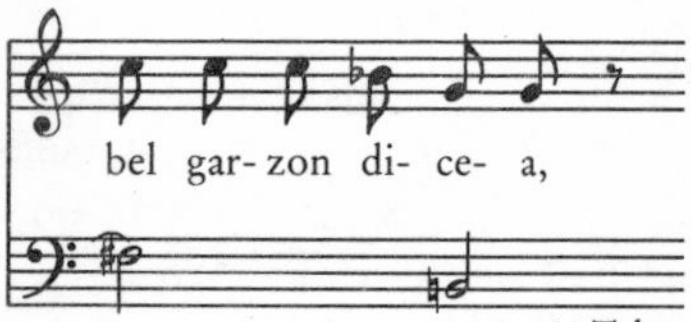
bel gar- zon di- ce- a,

11 Takte

2. Aria.

Largo

Tergi il ci- glio la- gri- mo- so,

tergi il ci- glio la- gri- mo- so, ac-ciò tor- ni più vez- zo- so

Takt 4

25 Takte *D. c.*

Quellen

Handschriften: Autograph: GB Lbm (R. M. 20. d. 11., f. 5–8).

Abschriften: AUSTR Sydney (P 39, p. 161–165) – A Wn (Ms. 17750, f. 26ʳ–29ʳ) – D (brd) MÜs (Hs. 1899, f. 91–97) – GB Cfm (Barrett-Lennard-Collection, Mus. MS. 797, p. 102–105, für Alt), Lbm (Egerton 2942, f. 34ᵛ–36ʳ), Lcm (MS. 256, vol. 2, f. 42ʳ–45ʳ; MS. 257, f. 122ᵛ–125ʳ), Mp (MS 130 Hd4, v. 78, p. 3–10) – I Vnm (It. IV 769, f. 117ʳ–120ᵛ).

Bemerkungen

Die Kantate wurde von Händel auf Papier italienischer Herkunft geschrieben (WZ des Autographs: Typ 2/C) und von Antonio Giuseppe Angelini im Mai 1707 für Ruspoli kopiert (s. Kirkendale, Dokument 1 vom 16. Mai 1707), so daß auf Grund des Quellenbefundes die Entstehung des Werkes in Rom, Frühjahr 1707, gesichert ist. 1709 fertigte Francesco Lanciani davon eine weitere Kopie für Ruspoli an (s. Kirkendale, Dokument 35 vom 31. August 1709). Die Kopie in GB Cfm (Mus. MS. 797) von der Hand des Schreibers S_1 wurde für Alt transponiert; sie ist jedoch durch keine weitere Quelle sanktioniert. Das Thema der Arie „Ride il fiore" (1) verwendete Händel in abgewandelter Form außerdem in folgenden Werken: HWV 96 „Cor fedele" (1. Cor fedele, Ritornello), HWV 175 „Vedendo amor" (3. Rise, Eurilla) und HWV 34 Alcina (25. È un folle, è un vile affetto).

Literatur

Ewerhart, S. 139; Harris, S. 159 ff.

Beschreibung des Autographs: Lbm: Catalogue Squire, S. 20.

138. Nice, che fa? che pensa?

Cantata a voce sola

Textdichter: unbekannt

Besetzung: Sopr., Basso continuo

ChA 51. – HHA V/2. – EZ: Italien, 1707/09

Recitativo.

Ni- ce che fa? che pen- sa?

19 Takte

1. Aria.

Adagio

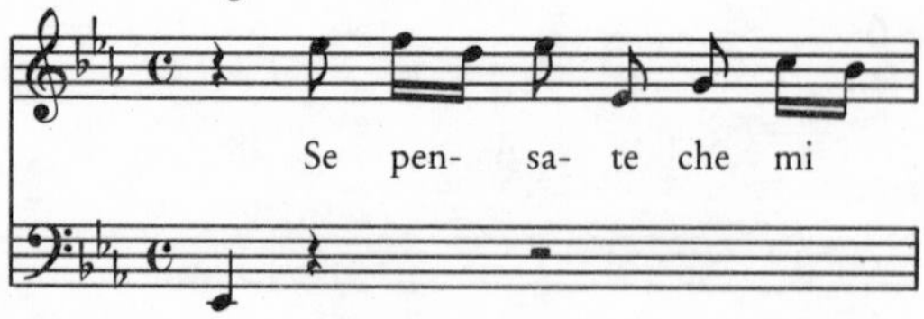
Se pen- sa- te che mi

mo- -ro

27 Takte *D. c.*

Recitativo.

Ah! per maggior mi duolo

19 Takte

2. Aria.

Allegro ma non presto
Ver- rà, sì, ver- rà ch' a- do- ro
Takt 5
se co- sì gli par-le- -ra- -i,
Adagio
Ma so ben ch'il mio te- so- ro
Takt 41
70 Takte D. c.

Quellen

Handschriften: Autograph: GB Lbm (R. M. 20. d. 11., f. 79–82).

Abschriften: AUSTR Sydney (P 39, p. 135–139) – GB Cfm (Barrett-Lennard-Collection, Mus. MS. 797, p. 72–76), Lbm (Egerton 2942, f. 75r–77v), Lcm (MS. 256, vol. 2, f. 18r–21v; MS. 257, f. 106r–109v), Mp (MS 130 Hd4, v. 78, p. 124–135).

Bemerkungen

Ort und Zeit der Entstehung der Kantate sind nicht genau festzulegen, da im Papier des Autographs keine Wasserzeichen erkennbar sind und keine Angaben über Aufführungen oder Kopien vorliegen. Vom Schriftbild her, das eindeutig auf die italienische Zeit Händels weist, ist keine Differenzierung zwischen 1707 und 1709 möglich, zumal auch die Verwendung eines kleineren Rastrals (ca. 8,5 mm Breite) im Vergleich mit anderen Kantatenautographen, bei denen in der Regel breitere Rastrale für die Notenlinien verwendet wurden, die Möglichkeit erschwert, diese Handschrift einer bestimmten Gruppe datierbarer und lokalisierbarer Werke zuzuordnen. Die Arie „Se pensate che mi moro" (1) diente Händel als melodisches Modell für zwei Sätze in HWV 48 Brockes-Passion (50. Sind meiner Seele tiefe Wunden) und HWV 17 Giulio Cesare in Egitto (12. Cara speme, questo core).

Beschreibung des Autographs: Lbm: Catalogue Squire, S. 21.

139a. Ninfe e pastori (1. Fassung)

Besetzung: Sopr., Basso continuo
ChA 51. – HHA V/2. – EZ: Rom, 1707/09

Cantata a voce sola

Textdichter: unbekannt

Recitativo.
Nin- fe e pa- sto- ri che nel cor nu- dri- te
12 Takte
1. Aria.
Larghetto
È u- na ti-
ran- - -na la nin- fa bel- - -la,
49 Takte D. c.
Recitativo.
Vin- ce la nin- fa mi- a
13 Takte

2. Aria.

Andante

Ha nel vol- to un certo bri- o, l'i- dol mi- o, che di- let- ta e spi- ra ar- dor,

22 Takte *D. c.*

Recitativo.

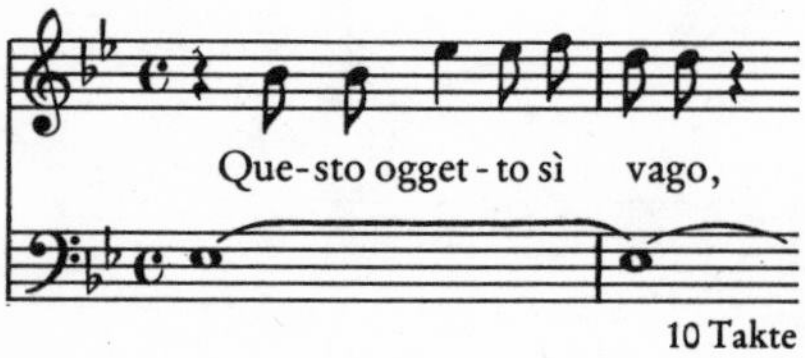
Que- sto ogget - to sì vago,

10 Takte

3. Aria.

Allegro

Di- te gli ch'il mio co- re___ ar- de per lei d'a- mor

58 Takte *D. c.*

139[b]. Ninfe e pastori (2. Fassung)

Besetzung: Alto, Basso continuo
ChA 51. – HHA V/2. – EZ: London, nach 1710

Cantata a voce sola

Textdichter: unbekannt

Recitativo.

Nin- fe e pasto- ri che nel sen nu- dri- te

12 Takte

1. Aria.

È u- na ti- ran- na la nin- fa

bel- la

49 Takte *D. c.*

Recitativo.

Vin- ce la ninfa mi- a

13 Takte

2. Aria.

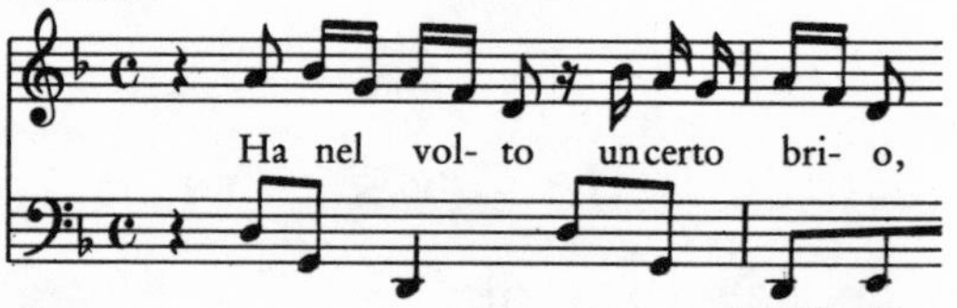
Ha nel vol- to un certo bri- o,

22 Takte *D. c.*

Recitativo.

Questo og- get- to sì va- go

11 Takte

3. Aria.

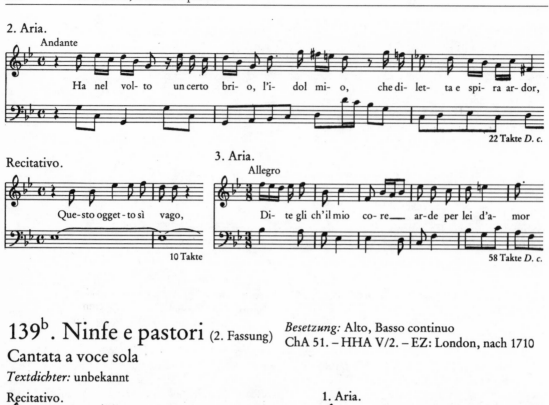

Di- te gli ch' il mi- o co- re

58 Takte *D. c.*

139^{c}. Ninfe e pastori (3. Fassung)

Cantata a voce sola

Textdichter: unbekannt

Besetzung: Sopr., Basso continuo
ChA 51. – HHA V/2. – EZ: London, ca. 1727

Recitativo.

Nin- fe e pa- sto- ri che nel cor nu- tri- te

12 Takte

1. Aria.

Andante

Ha nel vol- to un certo bri- o,

23 Takte *D. c.*

Recitativo.

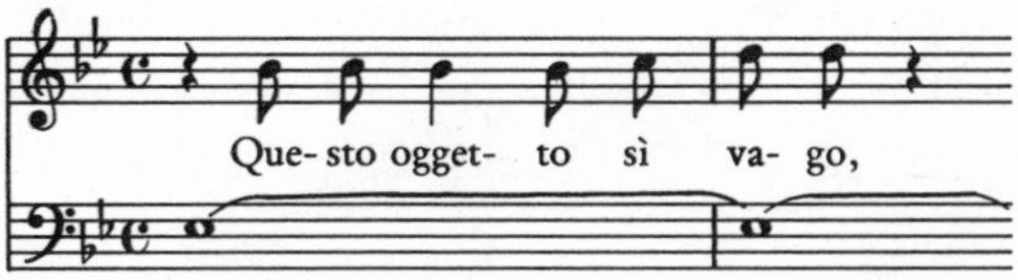
Que- sto ogget- to sì va- go,

10 Takte

2. Aria.

Allegro

Di- - te gli ch'il mio co- re

76 Takte *D. c.*

Quellen

Handschriften: Autographe: HWV 139^{a}: GB Lbm (R. M. 20. d. 11., f. 9–12). HWV 139^{b}: verschollen. HWV 139^{c}: GB Lbm (R. M. 20. d. 12., f. 38–39: „Cantata VIII").

Abschriften: HWV 139^{a}: D (brd) MÜs (Hs. 1898, f. 49–56) – GB Cfm (24 F 12), Lbm (Add. MSS. 29484, f. 45^{v}–48^{r}), Lcm (MS 257, f. 188^{v}–191^{v}), Ob (Mus. d. 62., p. 83–90), T (MS. 1131, f. 138^{v}–141^{v}) – I Vnm (It. IV 769, f. 35^{r}–40^{v}). HWV 139^{b}: GB Lbm (R. M. 19. a. 7., f. 1^{r}–4^{r}). HWV 139^{c}: AUSTR Sydney (P 39, p. 12–15) – A Wn (Ms. 17750, f. 48^{r}–50^{v}) – D (brd) Hs (M $\frac{A}{200}$, p. 25–30) – GB Cfm (Barrett-Lennard-Collection, Mus. MS. 797, p. 6–9), Lbm (Egerton 2942, f. 6^{r}–7^{v}), Lcm (MS. 256, vol. 1, f. 5^{r}–7^{r}; MS. 257, f. 48^{v}–50^{v}), Mp (MS 130 Hd4, v. 77, p. 13–19), Ob (Mus. d. 62., p. 178–182; MS. Don. d. 125., f. 1^{r}–3^{v}).

Druck: Thirteen chamber duetto's and twelve cantatas; composed by G. F. Handel. – London, Arnold's edition, No. 176–179 (1797) (HWV 139^{a}).

Bemerkungen

Die Fassung HWV 139^{a} der Kantate wurde von Händel auf italienisches Papier geschrieben (WZ des Autographs: Typ 2/C) und von Pietro Castrucci im Februar sowie ein zweites Mal von Francesco Lanciani im August 1709 für Ruspoli kopiert (s. Kirkendale, Dokument 34 vom 28. Februar 1709 und Dokument 35 vom 31. August 1709).

Die Fassung HWV 139^{b} für Alt stellt bis auf eine kleine rhythmische Variante in der letzten Arie eher eine Transposition als eine Bearbeitung dar, deren Urheber und Entstehung unbekannt sind.

Um 1724/27 bearbeitete Händel selbst die Kantate noch einmal (Sopranfassung HWV 139^{c}). Dabei wurden die Arie „È una tiranna" (1) und das folgende Rezitativ „Vince la ninfa mia" gestrichen, gleichzeitig die Schlußarie „Dite gli ch'il mio core" um 18 Takte erweitert sowie innerhalb der einzelnen Sätze verschiedene melodische und satztechnische Änderungen im Hinblick auf eine geschlossenere Faktur des ganzen Werkes durchgeführt.

Die Arie „Ha nel volto" (2) geht auf ein melodisches Modell aus HWV 1 Almira (56. Gönne nach den Tränengüssen) zurück.

Literatur

Ewerhart, S. 139; Harris, S. 171 ff.; Leichtentritt, S. 569 f.; Mayo, J.: Einige Kantaten-Revisionen Händels. In: Händel-Jb., 27. Jg., 1981, S. 63 ff.; Mayo I, S. 158 ff.

Beschreibung der Autographe: Lbm: Catalogue Squire, S. 20, 22.

140. Nò se emenderá jamás

Cantata spagnuola a voce sola e Chitarra

Besetzung: Sopr., Gitarre, Basso continuo
ChA 52^{b}. – HHA V/4. – EZ: Rom, September 1707

Textdichter: unbekannt

1. Aria.

Cont.
No se e-men- de- rá ja- más

Takt 9

de a- ma- ros mi co- ra- zon

71 Takte *D. c.*

Recitativo.

Si del que- re- ros es cau- sa

23 Takte

2. Aria.

Di- zen- te mis o- zos,
en mu- da pas- si- on

Takt 8 53 Takte *D. c.*

Quellen

Handschriften: Autograph: GB Lbm (R. M. 20. e. 2., f. 69–74: „Cantata Spagnuola a voce Sola e Chitarra").
Abschriften: D (brd) MÜs (Hs. 1899, f. 139–148, Text autograph) – GB Lbm (Add. MSS. 31 573, f. 57–60, 81, Kopie von R. Lacy, ca. 1860)

Bemerkungen

Händel schrieb diese Kantate auf einen spanischen Text vor dem 22. September 1707 in Rom (WZ des Autographs: Typ 2/C); die von Antonio Giuseppe Angelini für Ruspoli angefertigte Kopie [in D (brd) MÜs] wurde unter diesem Datum abgerechnet (s. Kirkendale, Dokument 5 vom 22. September 1707). Da Angelini des Spanischen nicht mächtig war, trug Händel den Text selbst nachträglich unter die vom Kopisten vorher geschriebenen Noten ein (das gleiche geschah im Falle des französischen Textes von HWV 155). Das Werk wurde von Margherita Durastanti, die Angelinis Rechnung gegenzeichnete, vermutlich in einer der wöchentlichen *conversazioni* des Marchese Ruspoli gesungen.

Die altertümliche Schreibweise der Noten deutet darauf hin, daß von der Kantate eine Fassung in spanischer Vihuela-Tabulatur existierte (vermutlich von Händel selbst intavoliert), die mit Werten der sonst längst überholten Mensuralnotation operierte. Eine Version der Schlußarie „Dizente mis ozos" (2) wurde 1954 vom Londoner Auktionshaus Sotheby & Co. verkauft (vgl. Sotheby & Co., Verkaufskatalog, London, 13. April 1954, Nr. 219, mit einem Faksimile des Satzes).

Literatur

Ewerhart, S. 132; Harris, S. 167; Leichtentritt, S. 578; Lewis (Symposium), S. 190.
Beschreibung des Autographs: Lbm: Catalogue Squire, S. 23.

141. Non sospirar, non piangere

Cantata a voce sola

Textdichter: unbekannt

Besetzung: Sopr., Basso continuo
ChA 51. – HHA V/2. – EZ: Florenz, Herbst 1707

1. Aria.

Adagio
Non so- spi- rar, non pian- ge- re, mio
Takt 5

cor, che so- no i ge- mi- ti in- de- gni,
34 Takte *D. c.*

Recitativo.

Sol po- trai co' so- spi- ri
7 Takte

2. Aria.

A tempo (ordinario)
Sì bel fo-co è quel che t'ar- de, quel che t'ar-de, che non puoi do-ler- ti, o cor, non puoi do- ler- ti,
35 Takte *D. c.*

Quellen

Handschriften: Autograph: GB Lbm (R. M. 20. d. 12., f. 45r–46v).
Abschriften: AUSTR Sydney (P 39, p. 205–208) – GB Cfm (Barrett-Lennard-Collection, Mus. MS. 797, p. 138–141), Lbm (Egerton 2942, f. 44v–46r), Lcm (MS. 256, vol. 3, f. 25r–27v; MS 257, f. 149r–151r), Mp (MS 130 Hd4, v. 78, p. 258–265).

Bemerkungen

Die Kantate entstand zusammen mit HWV 174 „Un sospir a chi si muore" und schließt im Autograph unmittelbar an dieses Werk an. Auf Grund von Schriftduktus und Papierbeschaffenheit des Autographs (WZ: Typ 1/J) ist anzunehmen, daß das Werk 1707 in Florenz entstand. In den römischen Quellen wird die Kantate nicht erwähnt.

Beschreibung des Autographs: Lbm: Catalogue Squire: S. 22.

142. Notte placida e cheta

Cantata a voce sola con stromenti

Textdichter: unbekannt

Besetzung: Solo: Sopr. Instrumente: V. I, II; Cont.
HHA V/4. – EZ: Rom, 1707/08

Recitativo.

Cont.
Notte pla- ci- da e che-ta che col tuo fo- sco ammanto
14 Takte

1. Aria.

Adagio
V. I, II
Cont.

Zef- fi- ret- ti, deh, ve- ni- te,
Takt 12
108 Takte D.c.

Recitativo.

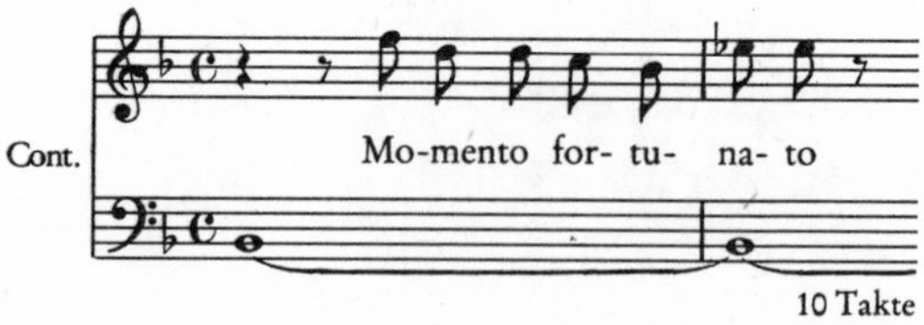
Cont.
Mo-mento for- tu- na- to
10 Takte

2. Aria.

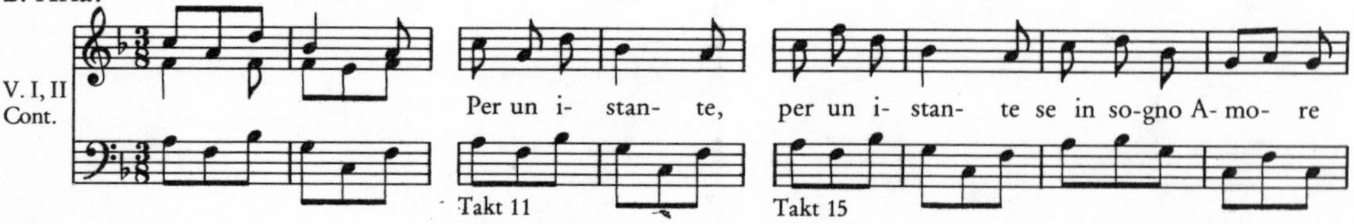
V. I, II
Cont.
Per un i- stan- te, per un i- stan- te se in so-gno A- mo- re
Takt 11
Takt 15

mi fai gio- ir
78 Takte D. c.

3. Accompagnamento.

V. I, II
Cont.
Ma già sen-to che spande l'a- li pla- ci- de e che-te
13 Takte

4. Aria.

Larghetto
Cont.
Lu- ci bel- le, vaghe stel- le,
22 Takte D. c.

5. Recitativo accompagnato.

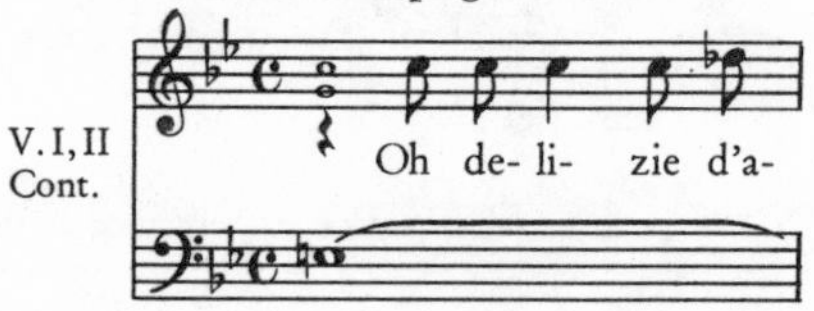
V. I, II
Cont.
Oh de- li- zie d'a-

V. II
V. I
V. I
V. II
mor, sa- zie mie vo-glie
12 Takte

6. Aria.

V. I, II
Cont.
V. I
Che non si dà qua giù pa- ce gra- di- ta,

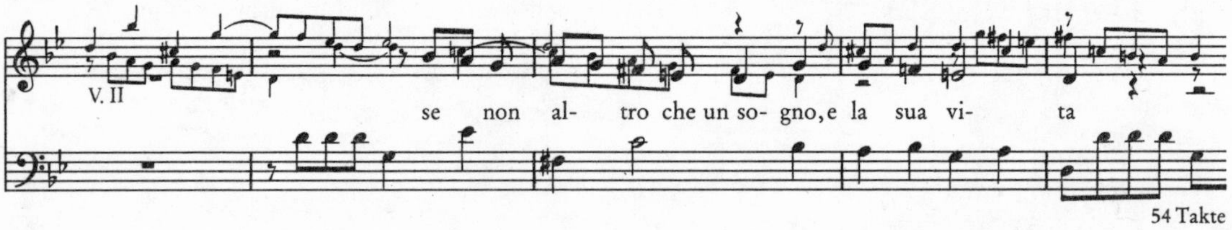
V. II
se non al- tro che un so- gno, e la sua vi- ta
54 Takte

Quellen

Handschriften: Autograph: verschollen.
Abschrift: D (brd) MÜs (Hs. 1910, f. 85–118: „Cantata à voce sola con VV. Del Sig. G. F. Hendel").

Bemerkungen

Die Kantate, deren Autograph verschollen ist, liegt nur in einer Kopie von Antonio Giuseppe Angelini vor. In den Ruspoli-Dokumenten ist sie titelmäßig nicht nachweisbar, so daß ihre Entstehungszeit nicht genau bestimmbar ist (1707/08). Bei der Kopie einer ungenannten „Cantata a voce sola con VV" im Umfang von $11^1/_2$ fogli, die am 28. August 1708 von Angelini abgerechnet wurde (s. Kirkendale, Dokument 25), kann es sich nicht um die oben genannte Kopie handeln, die $17^1/_2$ fogli (34 Bll.) zählt.
Die Arie „Che non si dà qua giù pace gradita" (6) basiert auf einem melodischen Modell, das Händel auch in der Kantate HWV 171 „Tu fedel? tu costante?" (1. Cento belle ami Fileno) verwendete.

Literatur

Ewerhart, S. 132ff.

143. Olinto pastore, Tebro fiume, Gloria: Oh come chiare e belle

Cantata a tre con stromenti

Textdichter: unbekannt

Besetzung: Soli: 2 Soprani (Olinto pastore, Gloria), Alto (Tebro fiume). Instrumente: Trba.; V. I, II concertino; V. I, II in concerto grosso; Cont.
ChA 52b. – HHA V/4. – EZ: Rom, August/September 1708. – UA: Rom, 9. September 1708, Palazzo Bonelli

Sonata.

1. Aria. Olinto

Recitativo. Olinto; Tebro

2. Aria. Tebro

Recitativo. Olinto; Tebro

3. Aria. Tebro

spe- - -ro di lau- - -ro guer- rie- -ro,
Takt 10
60 Takte D. c.

Recitativo. Olinto; Tebro

Olinto
Cont.
Per te non più ru- bel- la
29 Takte

4. Aria. Gloria

Adagio
Cont.
Caro Tebro, amico fiu-me, non rav-vi-si più la glo- ria
Takt 3
21 Takte D. c.

Recitativo. Gloria

Cont.
Sì, la gloria son i- o,
15 Takte

5. Aria. Gloria

V. I, II concertino
V. concerto grosso
Cont.
Tor-nami a vagheg-
V. concertino
Takt 13

[vgl. HWV 34. Alcina (15.)]

giar, che meco a tri-on- far
55 Takte D. c.

Recitativo. Olinto

Cont.
Tebro, tu non ri- spondi?
12 Takte

6. Aria. Olinto

La prima volta il Concertino solo col Vc. senza Cemb., le seconde repliche tutti ma piano.

Al suon che de- sta- no bel- li- che squil- le
(col V. I)
V. II
V. I, II
Cont.
20 Takte

Ritornello tutta l'Aria da capo, la prima volta forte, la seconda (volta) piano, fin' all' ultima clausula.

Recitativo. Tebro; Gloria

Tebro
Cont.
Di stupor, di di-let- to m'ab-ba-

glia- ro-no il se- no
20 Takte

7. Aria. Tebro

Allegro
V. I, II unis.
Cont.
Io tor- no a spe-
Takt 9

ra- -re che a ren- de- re o- mag- gio
42 Takte D. c.

Recitativo. Gloria

Cont.
Di sì giu- ste speran- ze non fian

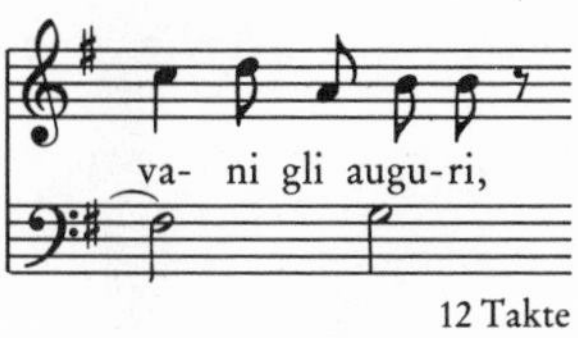
va- ni gli augu-ri,
12 Takte

8. Aria. Gloria

A- stro cle-men- te, a- stro se-re- no, la Glo-ria in
V. I, II
Cont.

se- no sem- pre ti sta.
21 Takte D. c.

Recitativo. Olinto; Tebro

Olinto
Te-bro, ti dissi il ve- ro, che pre-pa- ra- si
Cont.
23 Takte

9. Aria. Olinto

Trba.
V. I, II
Cont.
Al- le vo-ci del bronzo guer- rie- ro,
Takt 10
54 Takte D. c.

10. Coro. Olinto; Gloria; Tebro

Trba.
V.
Trba.
V. I, II
Cont.
Vi-va, vi- va, vi-va, vi-va! vi-va una- stro sì bel- lo,
8 Takte

Quellen

Handschriften: Autograph: GB Lbm (R. M. 20. e. 2., f. 30–47: „Cantata a 3. Olinto Pastore, Tebro fiume, Gloria").

Abschrift: D (brd) MÜs (Hs. 1914, f. 1–56: „Cantata à 3. con VV. Il Tebro, Olinto Pastore, La Gloria. Del Sig. Giorgio Friderigo Hendel") – GB Lbm (Add. MSS. 31 555, f. 230–251, Kopie von R. Lacy, ca. 1870).

Bemerkungen

Die Kantate, deren Autograph auf Papier römischer Herkunft (WZ: Typ 2/C) geschrieben ist, wurde von Antonio Giuseppe Angelini im September 1708 für Ruspoli kopiert. Die Uraufführung, für die sogar bei dem römischen Drucker Luca Antonio Chracas 300 Libretti in Auftrag gegeben wurden, fand am 9. September 1708 im Palazzo Bonelli statt (s. Kirkendale, Dokumente 27–29 vom 10., 15. und 25. September 1708). Ausführende waren: Olinto: Margherita Durastanti, Gloria: Anna Maria di Piedz, Tebro: Gaetano Orsini (Altkastrat). Zu den am Hofe Ruspolis beschäftigten beiden Geigern wurden drei weitere Violinisten sowie ein Trompeter engagiert, um die in der Partitur geforderte Concerto-grosso-Praxis ausführen zu können.

Die Kantate hat einen politischen Hintergrund; der Text preist Olinto-Ruspolis[1] militärische Hilfe für Papst Clemens XI. bei der Verteidigung von Ferrara während der Auseinandersetzungen im spanischen Erbfolgekrieg.

Entlehnungen:

1. Oh come chiare e belle
   HWV 232 „Dixit Dominus": 5. Secundum ordinem Melchisedech
2. Chi mi chiama
   HWV 34 Alcina: 17. Qual portento mi richiama
3. Più non spero
   HWV 119 „Io languisco fra le gioje": 2. Con linfe dorate
   HWV 8ª Il Pastor fido (1. Fassung): 14. Se in ombre nascosto
5. Tornami a vagheggiar
   HWV 9 Teseo: 1. È pur bello (Ritornello)
   HWV 34 Alcina: 15. Tornami a vagheggiar
6. Al suon che destano
   HWV 6 Agrippina: 25ª. Sotto il lauro

[1] Olinto war der Schäfername Ruspolis in der *Accademia degli Arcadi.* S. Chrysander I, S. 209.

Literatur
Chrysander I, S. 239; Ewerhart, S. 134; Kirkendale, S. 242f.; Kirkendale, U.: The War of the Spanish Succession reflected in Works of Antonio Caldara. In: Acta Musicologica, vol. 36, 1964, S. 222ff.; Leichtentritt, S. 578; Mayo I, S. 127f.; Robinson, P.: Handel and his Orbit, London 1908, S. 173f.; Strohm, R.: Händel in Italia: Nuovi contributi. In: Rivista Italiana di Musicologia, vol. IX, 1974, S. 152ff., bes. S. 171.
Beschreibung des Autographs: Lbm: Catalogue Squire, S. 23.

144. O lucenti, o sereni occhi

Cantata a voce sola

Textdichter: unbekannt

Besetzung: Sopr., Basso continuo
ChA 51. – HHA V/2. – EZ: Rom, 1707/09

Recitativo.

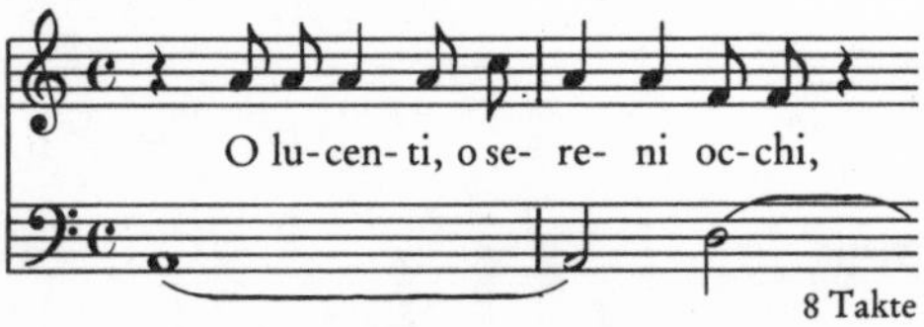
O lu-cen- ti, o se- re- ni oc-chi,
8 Takte

1. Aria.
Adagio

Per voi lan-
Takt 4

gui- - - sco e mo-ro, lu- ci belle e pur go-de- te
24 Takte D.c.

Recitativo.

Messagieri ve-

raci,
9 Takte

2. Aria.
Andante

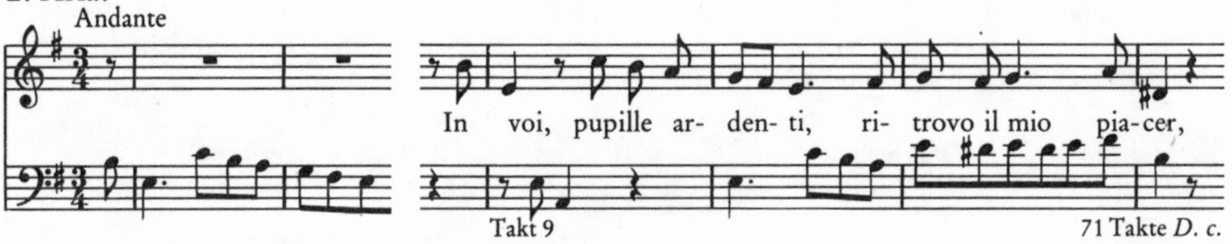
In voi, pupille ar- den- ti, ri- trovo il mio pia-cer,
Takt 9
71 Takte D. c.

Quellen
Handschriften: Autograph: verschollen.
Abschriften: AUSTR Sydney (P 39, p. 181–185) – D (brd) MÜs (Hs. 1898, f. 107–110; Hs. 1910, f. 153–158) – GB Cfm (Barrett-Lennard-Collection, Mus. MS. 797, p. 118–121), Lbm (R. M. 19. e. 7., f. 91–94; Egerton 2942, f. 67r–69r), Lcm (MS. 256, vol. 3, f. 8v–11r; MS. 257, f. 134v–137r), Mp (MS 130 Hd4, v. 78, p. 17–25), Ob (Mus. d. 62., p. 139–144; MS. Don. d. 125., f. 63v–65v) – I Vnm (It. IV 769, f. 77r–80v).

Bemerkungen
Die Kantate, deren Autograph verschollen ist, liegt in drei frühen italienischen Kopien vor; neben den in der Santini-Sammlung in D (brd) MÜs befindlichen Abschriften weist auch die Kopie in GB Lbm (R. M. 19. e. 7., f. 91–94)[1] das vorwiegend in Rom verwendete Papier (WZ: Typ 2/C, D) auf. Da jedoch andere Hinweise über Zeit und Ort der Entstehung oder Aufführung des Werkes fehlen, läßt sich eine genaue Datierung nicht vornehmen.

Literatur
Ewerhart, S. 139f.

[1] Kopie A. G. Angelinis.

145. La Lucrezia: Oh Numi eterni

Besetzung: Sopr., Basso continuo
ChA 51. – HHA V/2. – EZ: Florenz, 1706/07

Cantata a voce sola
Textdichter: unbekannt

Recitativo.

Oh Numi e- ter- ni! oh stel- le, stelle!

18 Takte

1. Aria.

Adagio

[vgl. HWV 71. The Triumph of Time and Truth (3^b.)]

Già su- per- bo del mio af- fan-no, tra- di-tor dell' o- nor mi- o

Takt 4 Takt 7 29 Takte *D. c.*

Recitativo.

Ma voi for- se nel cie- lo,

16 Takte

2. Aria.

Allegro
Il suol che

Takt 11

pre- - -me, l'au- ra che spi- -ra

118 Takte *D. c.*

3. Recitativo ed Arioso.

Ah! che ancor nell' a- bis- so

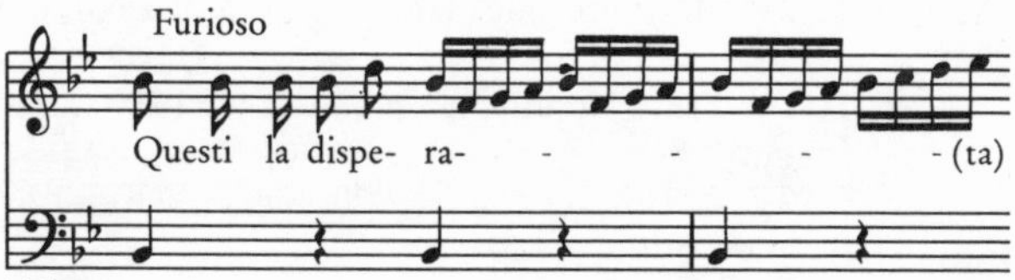
Furioso
Questi la dispe- ra- - - - - -(ta)

Takt 14

(Arioso).

Larghetto
Al- la sal-ma in fe- del por- ga la

Takt 31

pe- - - - - - -(na)
si suona (Cemb.)

Takt 85 98 Takte

Recitativo.

A voi, a voi, pa- dre, con- sor- te,
Sostentato

13 Takte

4. Arioso.

Già nel se- no co-

Furioso
mincia, co-min- cia a com- pir questo fer- ro
Ma se qui non m'e-
Takt 15

da- to ca-stigar il ti- ran- no,
24 Takte

Quellen

Handschriften: Autograph: GB Lbm (R. M. 20. d. 12., f. 20–24, fragm.: „La Lucretia di G. F. Händel"). Abschriften: AUSTR Sydney (P 39, p. 52–60) – A Wgm (Ms. IV 19082: Ms. Q 5873) – D (brd) MÜs (Hs. 1898, f. 5–16) – D (ddr) Dlb (Mus. 1/I/3, 5 Nr. 3), LEm (Ms. III. 5. 16., Kopie aus dem Vertrieb von Breitkopf & Härtel[1]; Ms. III. 5. 17., Kopie der vorigen Hs. von C. F. Becker) – GB BENcoke (Kopie von J. C. Smith senior), Cfm (Mus. MS. 858, No. 1; 24 F 17, p. 1–16; 32 G 20, f. 33–40), Lbm (R. M. 19. e. 7., f. 85–90, mit autographen Zusätzen; Egerton 2942, f. 26r–30r; Add. MSS. 14212, f. 15r–22v; Add. MSS. 14229, f. 92–98; Add. MSS. 31574, f. 41r–46v), Lcm (MS. 257, f. 20r–27r; MS. 685, f. 96r–99v), Mp (MS 130 Hd4, v. 197), Ob (MS. Mus. d. 61., p. 231–246; MS. Don. d. 125., f. 47r–54v; Mus b. 15., p. 50–59), T (Ms. 1131, f. 151r–155r) – I Bc (M. FF. 235), PLcon (Arm. I Pis. 32, p. 95), Vnm (It. IV 769, f. 95r–104r).

Druck: Thirteen chamber duetto's and twelve cantatas; composed by G. F. Handel. – London, Arnold's edition, No. 176–179 (1797).

Bemerkungen

Schriftduktus und Papier des Autographs (WZ: Typ 1/A) lassen als Entstehungsort der Kantate Florenz vermuten. Im August 1709 wurde das Werk von Francesco Lanciani für Ruspoli kopiert (s. Kirkendale, Dokument 35 vom 31. August 1709). Die von F. Chrysander (I, S. 161 f.) geäußerte Vermutung, die Kantate wäre in Florenz für die Sängerin Lucrezia d'Andrè (detta Carò) geschrieben worden, läßt sich zwar nicht belegen, doch weisen Wasserzeichen des Autographs und Händels „deutsche" Namensunterzeichnung auf die erste Zeit seines Italienaufenthalts 1706/07, die er in Florenz am Hofe der Medici verbrachte.

Demgegenüber steht die Behauptung von Mainwaring (S. 200 f.): „That (cantata) of Tarquin and Lucretia was made at Rome, and its merits are much better known in Italy than in England." Wie die erhaltenen Quellen zeigen, trifft das letztere allerdings nicht ganz zu. Die Kantate gehörte jedenfalls zu den berühmtesten Kompositionen Händels, wie nicht zuletzt aus den zahlreichen Abschriften, die davon gemacht wurden, einwandfrei hervorgeht, und wie bereits Johann Mattheson 1731 anmerkte[2].

Über die Herkunft des Textes wurde eine ganze Reihe von Vermutungen angestellt; daß dieser römischen Ursprungs sein könnte, äußerte zuletzt W. Serauky (s. Lit.), der eine Verbindung mit zwei Verfassern von „Lucretia"-Sonetten, Faustina Maratti (Mitglied der *Accademia degli Arcadi* unter dem Namen Aglaura Cidonia) und ihres Gatten Giovanni Battista Zappi (1667–1719), nicht ganz ausschließt.

Entlehnungen:

1. Già superbo del mio affanno
   HWV 102a,b „Dalla guerra amorosa": 2. La bellezza è com'un fiore
   HWV 107 „Dite, mie piante"; 1. Il candore tolse al giglio
   HWV 118 „Ho fuggito amore anch'io": 1. Ho fuggito
   HWV 48 Brockes-Passion: 20. Schau, ich fall' in strenger Buße
   HWV 189 „No, di voi non vuo' fidarmi": Altra volta incatenarmi

[1] Vgl. Breitkopf, B. C.: Verzeichniß musicalischer Werke, 2. Ausgabe, Leipzig 1764, S. 33.

[2] In: Große Generalbaß-Schule (Hamburg 1731), S. 46, 355. Dort heißt es u. a. (S. 46): „Es ist diese Lucretia eine also genannte Cantate, die wohlbekannt und gar nicht neu ist, in welcher allerhand Sing-Weisen, nicht nur aus dem Dis moll, sondern auch Cis dur und andern Tonen häuffig vorkommen ..." S. 355 f.: „Zu dessen Beweiß kann, unter tausend andern Sachen, eine gewisse Cantate von dem Capell-Meister Händel dienen, die zwar nicht gedruckt, aber in vieler Leute Händen und sehr bekannt ist. Sie führet die Aufschrifft: Lucretia, und die Anfangs-Worte heissen: O Numi eterni &c aus welchen Umständen man sie leicht kennen wird ..." Mattheson druckt als Notenbeispiel a. a. O. aus der Arie „Il suol che preme" (2) die Takte 75–83 (B-Teil) mit dem Text „Se il passo move" ab.

HWV 71 The Triumph of Time and Truth: 3b. Sorrow darkens ev'ry feature
2. Il suol che preme
HWV 16 Flavio: Anhang (9.) Il suol che preme
3. Alla salma infedel (T. 31 ff.)
HWV 583 Sonatina (A tempo giusto) g-Moll für Cembalo
HWV 255 „The Lord is my light": 7. They are brought down
HWV 324 Concerto grosso g-Moll op. 6 Nr. 6: 2. Satz (A tempo giusto)

Literatur
Chrysander I, S. 160 ff.; Ewerhart, S. 140; Harris, E. T.: Händel in Florenz. In: Händel-Jb., 27. Jg., 1981, S. 41 ff.; Kirkendale, S. 245 f.; Leichtentritt, S. 570 ff.; Mainwaring, p. 200 f./Mattheson, S. 149; Mattheson, J.: Große Generalbaß-Schule (Hamburg 1731), S. 46, 355; Serauky, W.: Georg Friedrich Händels italienische Kantatenwelt. In: Händel-Ehrung der DDR, Halle 11.–19. April 1959, Konferenzbericht, Leipzig 1961, S. 109 ff., bes. S. 112; Siegmund-Schultze, W.: Zu Händels Kantatenschaffen. In: G. F. Händel – Thema mit 20 Variationen, Halle 1965, S. 116 ff.; Wolff, H. Ch.: Die Lucrezia-Kantaten von Benedetto Marcello und Georg Friedrich Händel. In: Händel-Jb., 9. Jg., 1957, S. 74 ff.
Beschreibung des Autographs: Lbm: Catalogue Squire, S. 22.

146. Occhi miei che faceste?

Cantata a voce sola
Textdichter: unbekannt

Besetzung: Sopr., Basso continuo
ChA 51. – HHA V/2. – EZ: Rom, 1707/08

Recitativo.

Oc- chi mie- i che fa- ceste?
20 Takte

1. Aria.

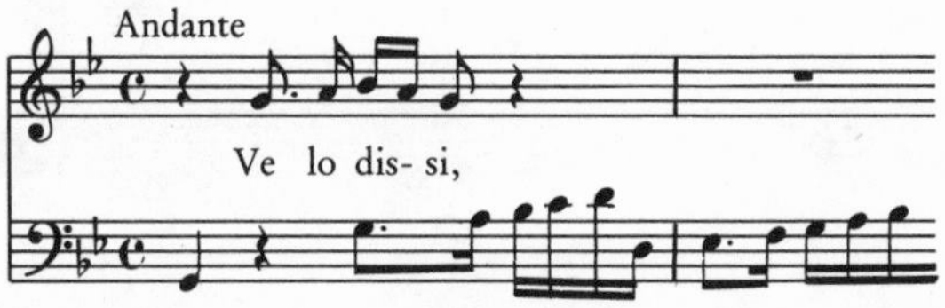
Andante
Ve lo dis- si,

ve lo dis- si e nol cre- de- ste, e nol cre- de- ste che ne- gli oc- chi di ço- ste- i
Takt 4
32 Takte D. c.

Recitativo.

Il mi- se- ro in- no- cen- te
7 Takte

2. Aria.

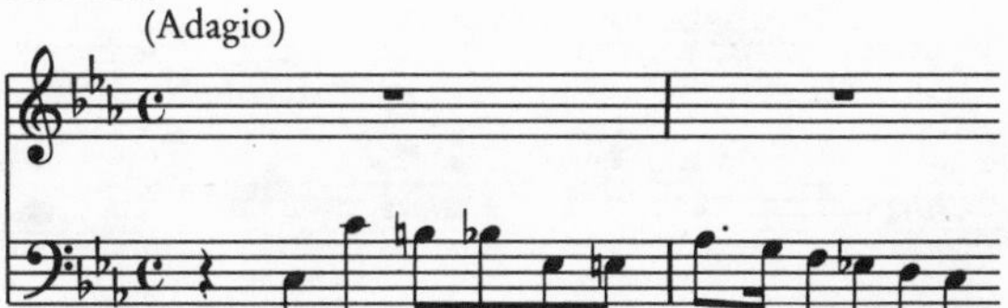
(Adagio)

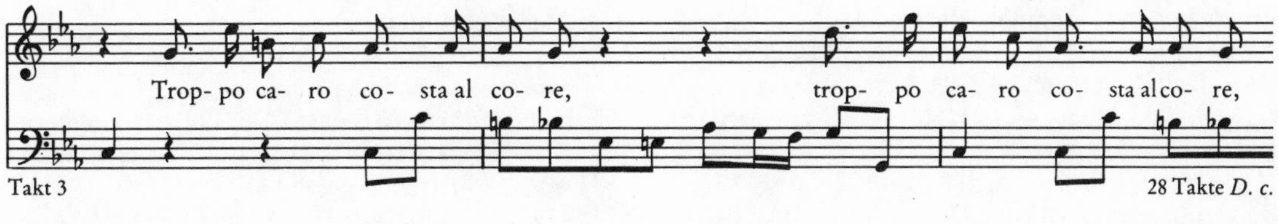
Trop- po ca- ro co- sta al co- re, trop- po ca- ro co- sta al co- re,
Takt 3
28 Takte D. c.

Quellen
Handschriften: Autograph: GB Lbm (R. M. 20. d. 11., f. 20–23).
Abschriften: AUSTR Sydney (P 39, p. 28–31) – D (brd) Hs (M $\frac{A}{833^1}$, p. 155–161) – GB Cfm (Barrett-

Lennard-Collection, Mus. MS. 797, p. 141–144), Lbm (Egerton 2942, f. 13ᵛ–15ʳ; Add. MSS. 14182, f. 31ᵛ–34ᵛ), Lcm (MS. 256, vol. 3, f. 28ʳ–31ʳ; MS. 257, f. 55ᵛ–58ʳ), Mp (MS 130 Hd4, v. 78, p. 187–196), Ob (Mus. d. 62., p. 154–160) – I Vnm (It. IV 769, f. 113ʳ–116ʳ).

Bemerkungen
Die Kantate, deren Autograph auf Papier italienischer Herkunft geschrieben ist (WZ: Typ 5/A, vgl. HWV 150 und HWV 171), entstand vermutlich 1707 in Rom, wurde jedoch nicht für Ruspoli komponiert, in dessen Rechnungsbüchern sie jedenfalls nicht erwähnt ist. Daher kann ein konkreter Anlaß für ihre Entstehung nicht genannt werden.

Literatur
Chrysander I, S. 237.
Beschreibung des Autographs: Lbm: Catalogue Squire, S. 20.

147. Partì, l'idolo mio

Cantata a voce sola

Textdichter: unbekannt

Besetzung: Sopr., Basso continuo
ChA 51. – HHA V/2. – EZ: London, nach 1710

Recitativo.

Par- tì, l'i- dolo mi- o
14 Takte

1. Aria.

La

bel- la vi- ta mi- a, so che m'abban-do- no,
Takt 5
28 Takte D. s.

Recitativo.

O voi che m'a-scol- ta- te,
22 Takte

2. Aria.

Tor- men- to- sa, cru-de- le par- ti- ta,
Takt 7
44 Takte D. c.

Quellen
Handschriften: Autograph: verschollen.
Abschriften: AUSTR Sydney (P 39, p. 1–5) – A Wn (Ms. 17750, f. 1ʳ–4ʳ) – GB Lbm (Egerton 2942, f. 1ʳ–3ʳ; Add. MSS. 14182, f. 66ᵛ–69ᵛ), Lcm (MS. 257, f. 46ʳ–48ᵛ) – US Wc (M 1620. H2 I 9 case).

Bemerkungen
Die Kantate kann infolge des verschollenen Autographs nicht genau datiert werden. Aus stilkritischen Gründen erfolgt ihre Einordnung unter die Werke, die nach 1710 in England entstanden sind.

Entlehnungen:
1. La bella vita mia
   HWV 42 Deidamia: 1. Marche
2. Tormentosa, crudele partita
   HWV 83 „Arresta il passo": 3. Forse ch'un giorno
   HWV 122 „La terra è liberata": 7. Come in ciel
   HWV 10 Silla: 2. Fuggon l'aura
   HWV 14 Floridante: 29ª. Amor commanda

Literatur
Leichtentritt, S. 571.

148. Poichè giuraro Amore

Cantata a voce sola

Textdichter: unbekannt

Besetzung: Sopr., Basso continuo
ChA 51. – HHA V/2. – EZ: Rom, Frühjahr 1707

Recitativo.

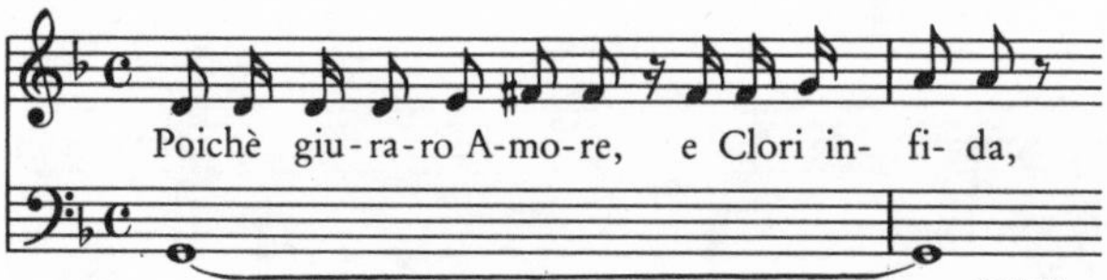
Poichè giu-ra-ro A-mo-re, e Clori in- fi- da,

19 Takte

1. Aria.
Adagio

Fi- -gli di ru-pe al pe- stra, fi- gli di ru- pe al pe- stra, du- -ri sas- si, can- -ge-

Takt 4

ras- si for- se un dì,

34 Takte *D. c.*

Recitativo.

Io sen-za speme

13 Takte

2. Aria.
Adagio

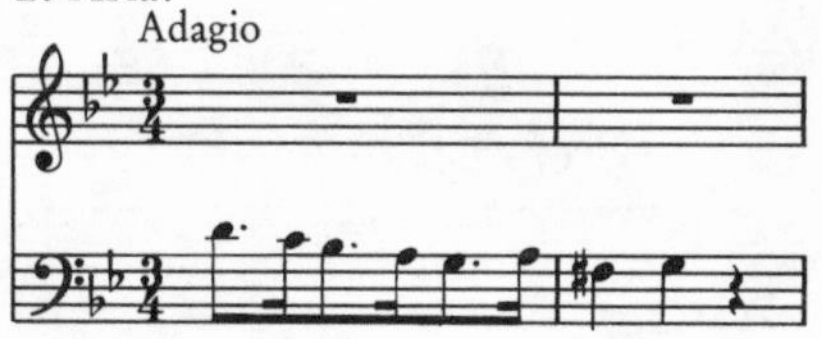

Baste-reb-be a tor di vi- ta mil- le co- ri, il duol ch'io sen- to,

Takt 9

55 Takte *D. c.*

Quellen

Handschriften: Autograph: GB Lbm (R. M. 20. d. 11., f. 40–43).

Abschriften: AUSTR Sydney (P 39, p. 32–36) – A Wn (Ms. 17750, f. 125r–128r) – D (brd) MÜs (Hs. 1899, f. 83–90) – GB Cfm (Barrett-Lennard-Collection, Mus. Ms. 797, p. 79–82), Lbm (Egerton 2942, f. 15v–17v; Add. MSS. 14182, f. 8v–13r), Lcm (MS. 256, vol. 2, f. 24r–27r; MS. 257, f. 58r–60v), Mp (MS 130 Hd4, v. 78, p. 26–35), Ob (MS. Don. d. 125., f. 90v–94v) – I Vnm (It. IV 769, f. 48r–52r).

Bemerkungen

Die Kantate wurde von Händel auf Papier italienischer Herkunft (WZ des Autographs: Typ 2/C) geschrieben und von Antonio Giuseppe Angelini im Mai 1707 sowie von Pietro Castrucci im Februar 1709 und von Francesco Lanciani im August 1709 für Ruspoli kopiert (s. Kirkendale, Dokument 1 vom 16. Mai 1707, Dokument 34 vom 28. Februar, Dokument 35 vom 31. August 1709). Auf Grund des Quellenbefundes und der Kopistenbelege sind Zeit und Ort der Entstehung (Rom, Frühjahr 1707) gesichert.

Die Musik der Arie „Basterebbe a tor di vita“ (2) geht auf ein melodisches Modell zurück, das Händel außerdem in HWV 1 Almira (21. Ich will gar von nichtes wissen) und HWV 180 „Amor, gioje mi porge“ (Ch'io non bramo a gioir) benutzte.

Literatur

Ewerhart, S. 140.

Beschreibung des Autographs: Lbm: Catalogue Squire, S. 21.

149. Qual sento io non conosciuto

Cantata a voce sola

Textdichter: unbekannt

Besetzung: Sopr., Basso continuo
HHA V/2. – EZ: Italien, 1706/07

Recitativo.

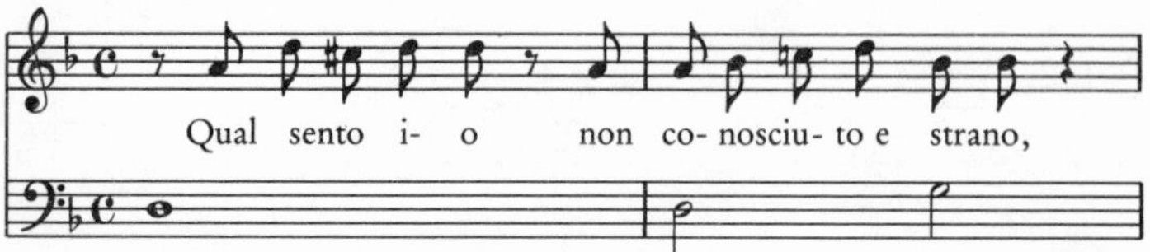
Qual sento i- o non co- nosciu- to e strano,

13 Takte

1. Aria.

Pre- so so- no, non so che sguar- do, non so che sguardo

Takt 5

Dolc' è qual do-lo- re che m'of- fe- se,

Takt 34 47 Takte *D. c.*

Recitativo.

Ma, a che mi gio- va sta fe- bre- ria

9 Takte

2. Aria.

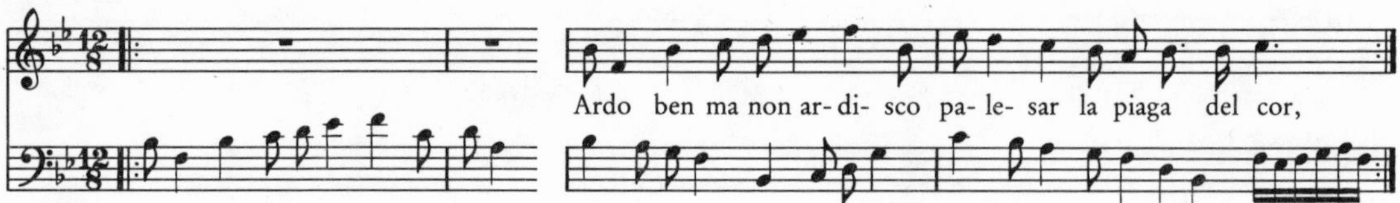
Ardo ben ma non ar- di- sco pa- le- sar la piaga del cor,

[vgl. HWV 352 (Coro)] Takt 3 20 Takte *D. c.*

Recitativo.

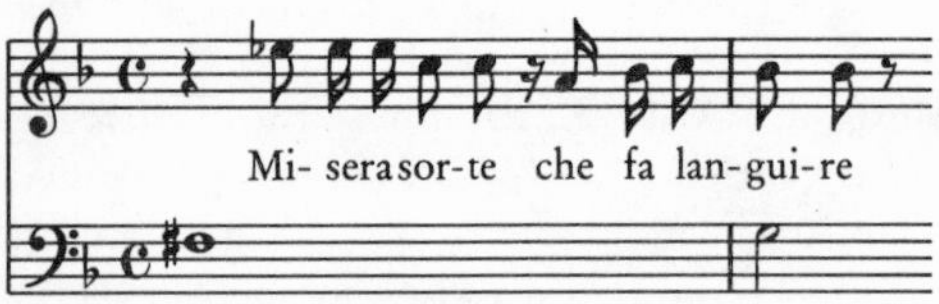
Mi- serasor-te che fa lan-gui-re

8 Takte

3. Aria.

Andante

A- man- te

Takt 9

es- ser non vo- glio, non vo- glio,
Dell' impiagato

Takt 47 Takt 51

cor,

65 Takte *D. c.*

Recitativo.

Co-sì, sa- rà il ch'il cor m'ingombra un sol pen- sier

4 Takte

Quellen
Handschriften: Autograph: verschollen.
Abschrift: GB Mp (MS 130 Hd4, v. 76, p. 104–112).

Bemerkungen
Die Kantate, deren Authentizität angezweifelt wird, ist nur als Kopie in einem Sammelband mit 11 anderen Kantaten Händels überliefert (s. HWV 94). Die thematische Substanzgemeinschaft mit mehreren frühen Werken Händels dürfte jedoch ihre Echtheit bestätigen, da sämtliche Arien der Kantate melodische Entsprechungen zu folgenden Kompositionen aufweisen:

1. Preso sono, non so che sguardo (Ritornello)
   HWV 6 Agrippina: 7. Allegrezza! Claudio giunge
2. Ardo ben ma non ardisco
   HWV 352 Suite B-Dur (aus HWV 4 Die verwandelte Daphne): 1. Coro („Amor, Amor, deine Tücke")
   HWV 102[a,b] „Dalla guerra amorosa": 1. Non v'alletti un occhio nero (T. 17–20)
3. Amante esser non voglio
   HWV 1 Almira: 14. Vollkommene Hände, wie wollt ihr stets schneiden

Obwohl infolge des verschollenen Autographs eine genaue Datierung der Kantate nicht möglich ist, weisen die melodischen Reminiszenzen an die Hamburger Werke auf eine frühe Entstehungszeit hin (ca. 1706/07).

150. [Ero e Leandro:] Qual ti riveggio, oh Dio

Cantata a voce sola con stromenti

Textdichter: vermutlich Pietro Ottoboni

Besetzung: Solo: Sopr. Instrumente: Ob. I, II; V. solo; V. I, II; Va.; Vc. solo; Cont.
HHA V/4. – EZ: Rom 1707

Se la mor-te non vor- rà me- co u- sar la cru- del- tà
Vc.
Takt 19
120 Takte D. c.

Recitativo.

Cont.
Questi dal-la mia fronte a forza suelti biondi crini
14 Takte

3. Aria.

Adagio e piano
Tutti unis. (Ob./ V. I, II) Va. Cont.

Si muora, si muora, si muo- ra, si muo- ra co- me son viva anco - ra,
Takt 6
35 Takte D. c.

Recitativo.

Cont.
Ec- co ge- li- de lab-bra, pe- gni del- la mia fè,
16 Takte

Quellen

Handschriften: Autograph: CH Sammlung Louis Koch-Floersheim, Wildegg/Basel (fragm., f. 1–16) – D (ddr) LEm (fragm., f. 17–22), heute in US NYpm (Mary Flagler Cary Music Collection)[1].

Bemerkungen

Händel schrieb diese Kantate vermutlich 1707 während seines ersten Aufenthalts in Rom (WZ: Typ 5/B. Vgl. auch HWV 146). Unter den in den Ruspoli-Dokumenten verzeichneten Kantaten ist sie jedoch nicht zu finden, so daß eine genaue Datierung nicht möglich ist, zumal Schrift und Papierbeschaffenheit den anderen römischen Quellen dieser Zeit ähnlich sind.

Immerhin könnte die Verwendung einer Solovioline mit ihrem virtuosen Passagenwerk darauf hindeuten, daß das Werk für eine der von Arcangelo Corelli geleiteten Kammermusikaufführungen des Kardinals Pietro Ottoboni bestimmt war. Dafür spricht u. a. auch, daß Händels Autograph in Rom verblieb und nicht unter den vom Marchese Ruspoli bestellten Kopien nachweisbar ist, die später zum größten Teil von Fortunato Santini erworben wurden. Der Verfasser des Textes dürfte unter den dichtenden Mitgliedern der römischen Aristokratie (vermutlich war es Ottoboni selbst) zu suchen sein. Der Titel „Ero e Leandro", unter dem das Werk in der Literatur kursiert, stammt nicht von Händel und wurde der Kantate – anscheinend zuerst von Aloys Fuchs – aus inhaltlichen Gründen nachträglich unterlegt.

Händels Autograph wurde 1834 von Aloys Fuchs in Rom erworben und zunächst in seiner Autographensammlung aufbewahrt, wie er auf dem Innentitel des Umschlags vermerkte. Ähnlich wie bei einigen anderen Handschriften aus seiner Sammlung teilte Fuchs später auch das Manuskript von HWV 150

[1] Ehemals im Besitz der Musikbibliothek Peters Leipzig. Vgl. Jahrbuch der Musikbibliothek Peters 1894, S. 13. S. auch P. Krause (Lit.).

auf. Der größere Teil des Werkes (f. 1–16, Nr. 1–5) kam nach seinem Tode in die Sammlung des Pianisten Sigismund Thalberg und nach dessen Tod (1871) bei einer Versteigerung durch die Firma Leo Liepmannssohn (Versteigerungskatalog vom 3. und 4. Dezember, Berlin 1886, S. 28–44, Nr. 234–428) in den Besitz von Siegfried Ochs, aus dessen Nachlaß es der Frankfurter Juwelier Louis Koch erwarb (s. Kinsky, Lit.). Der zweite Teil der Handschrift kam 1894 auf einer Versteigerung des Berliner Antiquariats Albert Cohn an die Musikbibliothek Peters, Leipzig. Auf diesem Teil des Manuskripts findet sich auch folgender Versuch einer Datierung von Fuchs: „Dieses Musikstück ... ist der Schluß einer Cantate für eine Singstimme mit Instrument-Begleitung, welche er (= Händel) ... in Rom 1707 für seinen Gönner und Beschützer den Cardinal Ottoboni componierte, woher auch dieses Fragment herstammt...“ Dieses Fragment wurde 1945, neben anderen wertvollen Beständen, von Walter Hinrichsen (New York) dem Fundus der Musikbibliothek Peters (heute vereinigt mit der Musikbibliothek der Stadt Leipzig, s. Krause, Lit.) entnommen und befindet sich heute in US NYpm.
Ob sich noch ein drittes Fragment daran anschloß, das eventuell ebenfalls von Fuchs aus dem Gesamtmanuskript herausgelöst wurde, wie G. Kinsky (s. Lit.) vermutet, und eine Schlußarie enthielt, geht aus den vorliegenden Teilen des Autographs nicht hervor. Das Schlußrezitativ jedenfalls hat einen deutlichen Schlußstrich, der darauf hinweist, daß die Kantate damit enden sollte.
Eine angeblich vollständige Abschrift der Kantate, die sich Ende des 19. Jahrhunderts in der damaligen Preußischen Staatsbibliothek Berlin befunden haben soll (s. Eitner, R.: Biographisch-Bibliographisches Quellen-Lexikon der Musiker und Musikgelehrten, Bd. 4, Leipzig 1901, S. 463, Signatur der Preußischen Staatsbibliothek Ms. 194), ist heute unter den Beständen der Deutschen Staatsbibliothek Berlin nicht mehr nachzuweisen.

Möglicherweise plante Händel, der Kantate die Ouverture zu HWV 78 „Ah! crudel, nel pianto mio“ voranzustellen, deren Autograph in D (brd) MÜs (Hs. 1897, f. 1) den Vermerk „Sonata Avanti la Cantata che Dice ~~Qual ti riveggio~~ (= durchgestrichen) Ah Crudel“ trägt. Das Thema der Arie „Se la morte non vorrà“ (4) verwendete Händel außerdem in folgenden Werken: HWV 6 Agrippina (17. Non ho cor che per amarti), HWV 16 Flavio (7. Di quel bel che m'innamora), HWV 29 Ezio (32.–36. Stringo al fine etc.), HWV 360 Sonata g-Moll für Flöte und Basso continuo (4. Satz: Presto), HWV 379 Sonata (op. 1 Nr. 1[a]) e-Moll (5. Satz: Presto), HWV 291 Orgelkonzert op. 4 Nr. 3 g-Moll (4. Satz: Allegro), HWV 310 Orgelkonzert op. 7 Nr. 5 g-Moll (4. Satz: Gavotte).

Literatur
Coopersmith, J. M.: Handelian Lacunae. A Project. In: The Musical Quarterly, 21. Jg., 1935, S. 224 ff.; Coopersmith, J. M.: Program Notes to a Concert of unpublished Music by Handel. In: Papers read at the International Congress of Musicology held at New York 1939, New York 1944, S. 213 ff.; Kinsky, G.: Manuskripte, Briefe, Dokumente von Scarlatti bis Stravinsky, Katalog der Musikautographensammlung Louis Koch, Stuttgart 1953, S. 2 ff.; Krause, P.: Handschriften und ältere Drucke der Werke Georg Friedrich Händels in der Musikbibliothek der Stadt Leipzig, Leipzig 1966, S. 35; Leßmann, O.: „Hero und Leander“. In: Allgemeine Musik-Zeitung, 24. Jg., Berlin 1897, S. 425, 428 (mit Faksimile der ersten Seite des Autographs, dasselbe auch bei Thormälius, G.: G. F. Händel, Bielefeld und Leipzig 1913, S. 20); Marx, H.-J.: Ein Beitrag Händels zur Accademia Ottoboniana in Rom. In: Hamburger Jahrbuch für Musikwissenschaft, Bd. I, 1976, S. 69 ff.; Mayo I, S. 22.
Beschreibung des Autographs: Fragment I: Kinsky, S. 2 ff. – Fragment II: Cary, M. B.: The Mary Flagler Cary Music Collection, New York 1970, S. 28, Nr. 120.

151. Qualor crudele, sì, ma vaga Dori

Cantata a voce sola

Textdichter: unbekannt

Besetzung: Alto, Basso continuo
ChA 51. – HHA V/2. – EZ: London, nach 1710

Recitativo.

Qualor cru- de- le, sì, ma va-ga Do-ri,
21 Takte

1. Aria.

(Largo)

Nel pen- sar che se- i l'ogget- to del de- sio dell' al- ma arden- te,
Takt 5

30 Takte *D. c.*

Recitativo.

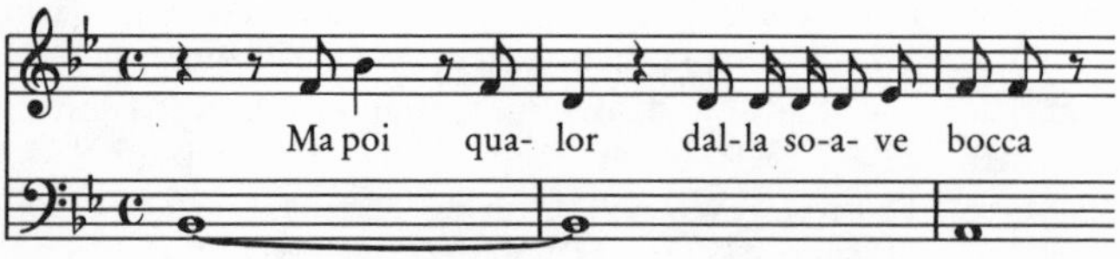
Ma poi qua- lor dal-la so-a- ve bocca

22 Takte

2. Aria.

Nell' in- can- to del tuo can- to
Takt 5

45 Takte *D. c.*

Quellen
Handschriften: Autograph: verschollen.
Abschriften: AUSTR Sydney (P 39, p. 235–240) – A Wn (Ms. 17750, f. 79r–82v) – GB CDp (M. C. 1. 5., f. 1r–5r), Cfm (Barrett-Lennard-Collection, Mus. MS. 797, p. 166–170), Lbm (Egerton 2942, f. 99r–100v; Add. MSS. 29484, f. 94v–96v, von Nr. 2 nur T. 1–21), Lcm (MS. 256, vol. 4, f. 5r–9v; MS. 257, f. 167v–171r), Mp (MS 130 Hd4, v. 77, p. 86–96), Ob (Mus. d. 61., p. 1–8; MS. Don. d. 125., f. 20r–25r).

Bemerkungen
Die Kantate, deren Entstehungszeit infolge des verschollenen Autographs nicht bestimmt werden kann, ist aus stilkritischen Gründen in die Zeit nach 1710 einzuordnen.

152. Qualor l'egre pupille

Cantata a voce sola

Textdichter: unbekannt

Besetzung: Sopr., Basso continuo
ChA 51. – HHA V/2. – EZ: Rom, September 1707

Recitativo.

Qualor l'egre pu-pil-le,

17 Takte

1. Aria.

Andante

È il pensier nel-la mia
Takt 4

mente come nave in mar fre-mente,

31 Takte *D. c.*

Recitativo.

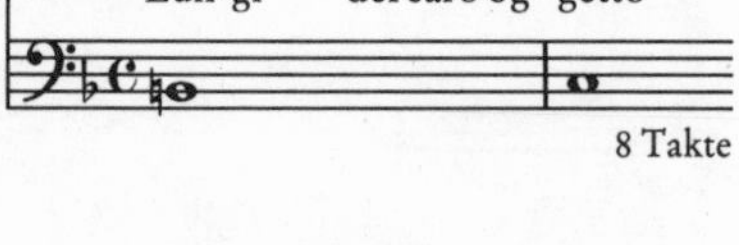
Lun-gi del caro og- getto

8 Takte

2. Aria.

Allegro ma non troppo

S'al- tri go-de pen- san-do al suo be-ne,
Takt 9
76 Takte D. s.

Recitativo.

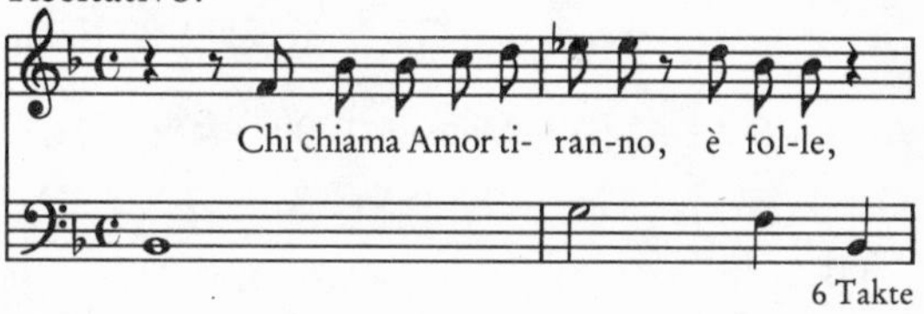
Chi chiama Amor ti- ran-no, è fol-le,
6 Takte

Quellen
Handschriften: Autograph: verschollen.
Abschriften: AUSTR Sydney (P 39, p. 84–88) – A Wn (Ms. 17750, f. 57^r–60^v) – D (brd) B (Mus. BP 372), MÜs (Hs. 1899, f. 99–106; Hs. 1910, f. 183 bis 188) – GB Cfm (Barrett-Lennard-Collection, Mus. MS. 797, p. 24–27), Lbm (Egerton 2942, f. 96^v–98^v; Add. MSS. 38069, f. 1^r–4^v), Lcm (MS. 256, vol. 1, f. 19^v–22^v; MS. 257, f. 81^r–84^r), Mp (MS 130 Hd4, v. 76, p. 38–46; v. 77, p. 34–42), Ob (Mus. d. 62., p. 119–125; MS. Don. d. 125., f. 15^v–19^v) – I Vnm (It. IV 769, f. 64^r–68^r).

Bemerkungen
Die Kantate wurde im September 1707 von Antonio Giuseppe Angelini für Ruspoli kopiert und von Margherita Durastanti, die Angelinis Rechnung gegenzeichnete, in einer der wöchentlichen *conversazioni* des Marchese gesungen (s. Kirkendale, Dokument 5 vom 22. September 1707).
Die Kopie Angelinis in der Santini-Sammlung in D (brd) MÜs (Hs. 1899) beschließt die Kantate mit der Arie „S'altri gode pensando" (2); das letzte Rezitativ „Chi chiama Amor tiranno" ist durchgestrichen und mit einem Vermerk über die Auslassung versehen.

Literatur
Ewerhart, S. 140.

153. Quando sperasti, o core

Cantata a voce sola
Textdichter: unbekannt

Besetzung: Sopr., Basso continuo
ChA 51. – HHA V/2. – EZ: vermutlich Neapel, Juni/Juli 1708

Recitativo.

Quando spe-ra- sti, o core, co-sì dolce a- li- men-to
8 Takte

1. Aria.

Andante

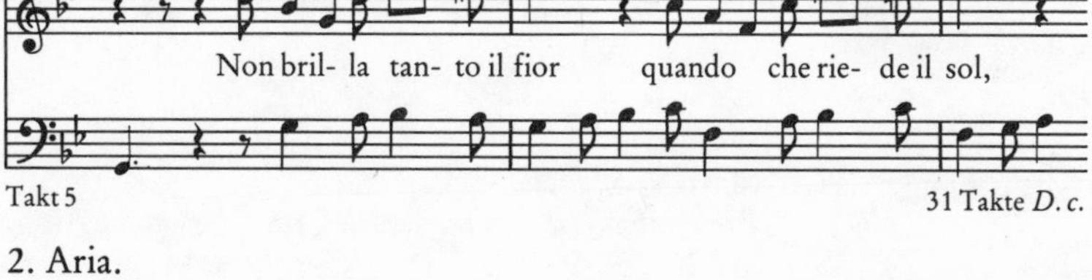
Non bril- la tan- to il fior quando che rie- de il sol,
Takt 5
31 Takte D. c.

Recitativo.

Gode, festeggia e ri-de
19 Takte

2. Aria.

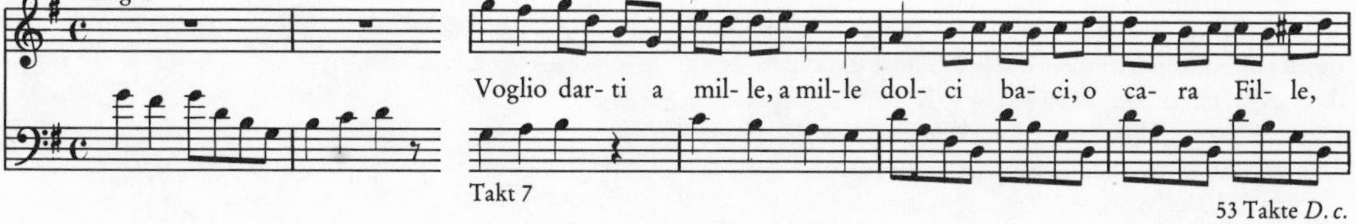
Allegro
Voglio dar- ti a mil- le, a mil-le dol- ci ba- ci, o ca- ra Fil- le,
Takt 7
53 Takte D. c.

Quellen
Handschriften: Autograph: GB Lbm (R. M. 20. d. 11., f. 28–31).
Abschriften: AUSTR Sydney (P 39, p. 186–190) – A Wn (Ms. 17750, f. 8^{r}–11^{r}) – D (brd) Hs (M $\frac{A}{833^{1}}$, p. 138–143), MÜs (Hs. 1898, f. 101–106; Hs. 1910, f. 1–6) – D (ddr) Dlb (Mus. 1/I/3, 5 Nr. 4) – GB Cfm (Barrett-Lennard-Collection, Mus. MS. 797, p. 122–125; 24 F 12), Lbm (Egerton 2942, f. 32^{r}–34^{r}; Add. MSS. 29484, f. 87^{v}–90^{r}), Lcm (MS. 256, vol. 3, f. 11^{v}–14^{v}; MS. 257, f. 137^{v}–140^{r}), Mp (MS 130 Hd4, v. 76, p. 54–62; v. 78, p. 106–115), Ob (Mus. d. 61., p. 141–146, eine Quarte tiefer für Alt transponiert), T (MS. 1131, f. 134^{v}–136^{r}) – US Wc (M 1620. H2 I 9 case).
Druck: Thirteen chamber duetto's and twelve cantatas; composed by G. F. Handel. – London, Arnold's edition, No. 176–179 (1797).

Bemerkungen
Die Kantate, deren Autograph das gleiche Papier (WZ: Typ 3/B) und die gleiche Rastrierung (10 Systeme, Rastralbreite ca. 9 mm) wie das Autograph von HWV 136ª „Nell'africane selve" aufweist, entstand vermutlich gleichfalls 1708 in Neapel. Als Händel wieder nach Rom zurückgekehrt war, ließ er die Kantate von Antonio Giuseppe Angelini für Ruspoli kopieren (s. Kirkendale, Dokument 24 vom 9. August 1708), dessen Abschrift in der Santini-Sammlung in D (brd) MÜs (Hs. 1910, f. 1–6) aufbewahrt wird.

Literatur
Ewerhart, S. 141; Harris, S. 169 f.; Heuß, A.: Kantate Nr. 51 für Sopran und Cembalo „Quando sperasti". In: Fest- und Programm-Buch zum Händelfest in Halle (1929), Leipzig 1929, S. 31 f.
Beschreibung des Autographs: Lbm: Catalogue Squire, S. 20.

154. Quel fior che all'alba ride

Cantata a voce sola

Textdichter: unbekannt

Besetzung: Sopr., Basso continuo
HHA V/2. – EZ: London, etwa 1738/40

Larghetto
tr
Quel fior che all'al- ba ri- -de
Takt 3
19 Takte
È un fior la vi- ta, la

vi- ta an- co- - - ra.
Andante
L'oc-ca- so ha nell'auro- ra e perde in un sol dì la primave- -[ra]
[vgl. HWV 192]
34 Takte

Quellen
Handschriften: Autograph: GB Cfm (30 H 11, p. 38–39).

Bemerkungen
Die Kantate, die eine Vorstudie für das 1741 komponierte Kammerduett HWV 192 mit gleichem Text darstellt, entstand ca. 1738/40. Das Werk hat den letzten Satz „L'occaso ha nell'aurora" mit diesem Duett sowie mit dem Chor „And He shall purify" (7) aus HWV 56 Messiah gemeinsam.

Literatur
Mayo, I, S. 24.
Beschreibung des Autographs: Cfm: Catalogue Mann, Ms. 261, S. 199.

155. Sans y penser

Cantate française pour une seul voix

Textdichter: unbekannt

Besetzung: Sopr. (Silvie, Tircis), Basso continuo
HHA V/2. – EZ: Rom, September 1707

1. Chanson. Silvie

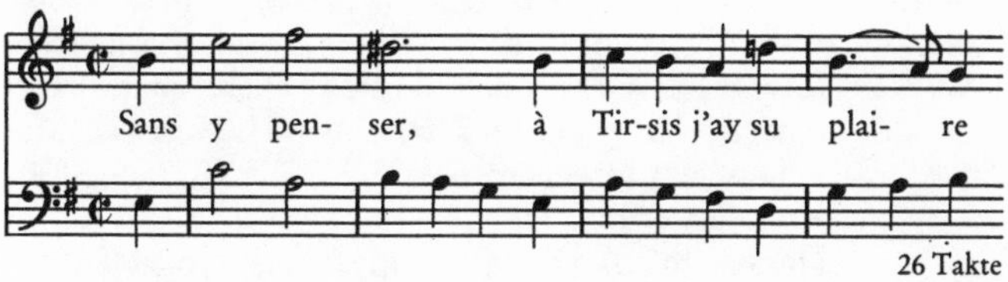
Sans y pen- ser, à Tir-sis j'ay su plai- re
26 Takte

Récitatif. Tircis

S'il ne fal- loit que bien ai- mer
(17) 16 Takte

2. Air. Tircis

Pe- ti- te fleur bru- net- te, ai- mable vi- o- let- te,
39 Takte D. c.

Récitatif. Tircis

ré une amour
21 Takte

3. Air. Silvie

Nos plai- sirs seront peu du- ra- bles,
Takt 6
63 Takte D. c. (T. 47)

Récitatif. Silvie

Vous ne sauriez flat- ter ma pei-ne,
12 Takte

4. Air. Tircis

Non, non, je ne puis plus souf- frir
27 Takte

Quellen

Handschriften: Autograph: GB Lbm (R. M. 20. d. 11., f. 61–66: „Airs françois de G. F. Hendel", f. 61ᵛ: „Cantate Française par Mʳ Handel").
Abschriften: D (brd) MÜs (Hs. 1898, f. 111–116, Text autograph) – F Pc (Risérve V. S. 1590) – GB Lbm (Add. MSS. 31 573, f. 57ʳ–59ᵛ, fragm., nur Nr. 1 und die Rezitative „S'il ne falloit" und „Vous, qui m'aviez", Kopie von R. Lacy, ca. 1858).

Bemerkungen

Händel schrieb diese französische Kantate 1707 in Rom (WZ des Autographs: Typ 2/C, D). Sie wurde von Antonio Giuseppe Angelini im September 1707 und von Francesco Lanciani im August 1709 für Ruspoli kopiert (s. Kirkendale, Dokument 5 vom 22. September 1707 und Dokument 35 vom 31. August 1709). Margherita Durastanti, die Angelinis Rechnung bestätigte, sang sie vermutlich in einer der wöchentlichen *conversazioni* des Marchese.

Obwohl das Autograph (f. 61ʳ) die Überschrift „Airs françois de G. F. Hendel" trägt und „Sans y penser" (1) als Chanson bezeichnet ist, bevor (f. 61ᵛ) der Titel „Cantate Française par Mʳ Handel" erscheint, zeigt die Abschrift Angelinis in der Santini-Sammlung D (brd) MÜs, daß alle 7 Sätze als zyklische Einheit zu betrachten sind. Dies geht auch aus den Ruspoli-Dokumenten hervor, in denen das Werk zunächst als „Una Cantata francese" (22. September 1707, Kirkendale, S. 255), später aber als „Sans penser francese" (31. August 1709, Kirkendale, S. 269) bezeichnet wird. Angelinis Abschrift diente vermutlich als Direktionspartitur, da Händel eigenhändig den französischen Text darin eintrug.

Die Texte einzelner Arien stammen aus französischen Sammlungen; wie F. Raugel (s. Lit.) nachweisen konnte, finden sich die Texte folgender Sätze in frühen französischen Publikationen:

1. Sans y penser – Christophe Ballard: Airs sérieux et à boire pour toute l'année, Paris 1705

2. Petite fleur brunette – Christophe Ballard: Brunettes ou Petits Airs tendres, avec les doubles et la basse-continue, vol. 2, Paris 1704
3. Nos plaisirs seront peu durables – Nouveau recueil de chansons choisies, vol. IV, Den Haag 1729.
Händel hat später die Kantate überarbeitet, wie verschiedene Bleistifteintragungen im Autograph (f. 62[r] ff.) erkennen lassen. Eine angeblich autographe Fassung der Chanson „Sans y penser“ wurde am 13. April 1954 zusammen mit der Chanson „Quand on suit l'amoureuse loix“ vom Londoner Auktionshaus Sotheby & Co. verkauft.

Ausgaben
Vouz ne sauriez flatter ma peine und *Non, je ne puis plus souffrir,* hrsg. von A. Ganz, London: C. Lonsdale (ca. 1850); vollständig hrsg. von F. Raugel, in: Händel-Ehrung der DDR Halle 11.–19. April 1959, Konferenzbericht, Leipzig, S. 115 ff.; Airs française für Sopran und Basso continuo, hrsg. von P. M. Young, Kassel und Leipzig 1972.

Literatur
Chrysander I, S. 240 f.; Ewerhart, S. 141 f.; Geering, A.: Georg Friedrich Händels französische Kantate. In: Festschrift Karl Gustav Fellerer zum 70. Geburtstag am 7. Juli 1972. Hrsg. von H. Hüschen (Musicae scientiae collectaneae 12), Köln 1973, S. 126 f.; Kniseley, S. Ph.: Händels französische Kantate. In: Händel-Jb., 20. Jg., 1974, S. 103 ff.; Lang, p. 91/S. 79 f.; Raugel, F.: Händels französische Lieder. In: Händel-Ehrung der DDR, Halle 11.–19. April 1959, Konferenzbericht, Leipzig 1961, S. 115 ff.
Beschreibung des Autographs: Lbm: Catalogue Squire, S. 21.

156. Sarai contenta un dì
Cantata a voce sola
Textdichter: unbekannt

Besetzung: Sopr., Basso continuo
ChA 51. – HHA V/2. – EZ: Florenz, 1706/07

1. Aria.

Sa-rai contenta un dì sa- rai contenta un dì, Ni-
Takt 3

Recitativo. 2. Aria.

- -ce mi par- ti-rò
25 Takte D. c.
Ma con qual pe-na, o Di- o!
9 Takte

Benchè io sia che m'allon-ta- - - - - - -ni
Takt 9
92 Takte D. s.

Quellen
Handschriften: Autograph: GB Lbm (R. M. 20. d. 12., f. 7–8: „Cantata di G. F. Händel“).
Abschriften: AUSTR Sydney (P 39, f. 158–160) – A Wn (Ms. 17750, f. 11[v]–14[r]) – D (brd) Hs (M $\frac{A}{833}$, Bd. 1, p. 150–155), MÜs (Hs. 1899, f. 131–138) – GB Cfm (Barrett-Lennard-Collection, Mus. MS. 797, p. 99–101), Lbm (Egerton 2942, f. 53[r]–54[r]; Add. MSS. 14182, f. 25[v]–28[r]), Lcm (MS. 256, vol. 2, f. 39[v]–41[v]; MS. 257, f. 120[v]–122[v]), Mp (MS 130 Hd4, v. 78, p. 11–16) – I Vnm (It. IV 769, f. 27[r]–30[v]).

Bemerkungen
Die Kantate, nach Schriftduktus und Papierbeschaffenheit des Autographs (WZ: Typ 1/B, 10zeilig rastriert, Rastralbreite ca. 11,2 mm; vgl. auch HWV 90, 113, 145 und 172) auf die ersten Monate von Händels Italienaufenthalt hindeutend, entstand vermutlich als eine der ersten italienischen Kantaten Ende 1706/ Anfang 1707 in Florenz, zusammen mit den Werken HWV 196 und 145, mit denen sie die autographe „deutsche" Namensunterschrift *Händel* teilt (gegenüber dem sonst meist italienisierten Namenszug *Hendel*). Dies weist ebenfalls auf eine frühe Entstehungszeit hin, in der sich Händel in Italien noch nicht recht eingelebt hatte.

In Rom wurde die Kantate später von Antonio Giuseppe Angelini kopiert [Quelle D (brd) MÜs]; ob für Ruspoli, ist nicht gewiß, da der Titel des Werkes nicht in den Ruspoli-Dokumenten auftaucht und höchstens unter den nur summarisch aufgeführten Continuo-Kantaten von 1708 zu suchen wäre (s. Kirkendale, Dokument 7 vom 26. Februar 1708 und Dokument 33 vom 24. November 1708).

Literatur
Chrysander I, S. 160.
Beschreibung des Autographs: Lbm: Catalogue Squire, S. 21.

157. Sarei troppo felice

Cantata a voce sola

Textdichter: Benedetto Pamphilj

Besetzung: Sopr., Basso continuo
ChA 51 (fragm.). – HHA V/2. – EZ: Rom, September 1707

Recitativo.

Sa- rei trop- po fe- li- ce

28 Takte

1. Aria.
Largo (Adagio, ma non troppo)

Se al pen-sier dar mai po- trò come al piè, leg- ge e mi- su- ra,

Takt 6

40 Takte *D. c.*

Recitativo.

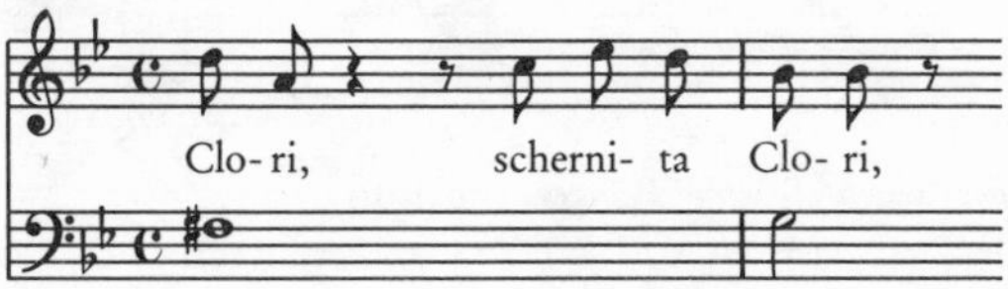
Clo- ri, scherni- ta Clo- ri,

15 Takte

2. Aria.
Adagio

Giu-sto ciel se___ non ho sor- te

Takt 12

62 Takte *D. c.*

Recitativo.

Ah! che un cie- co ho per gui- da,

7 Takte

Quellen
Handschriften: Autograph verschollen.
Abschriften: AUSTR Sydney (P 39, p. 95–100) – A Wn (Ms. 17750, f. 83ʳ–86ᵛ) – D (brd) Hs (M $\frac{A}{833^1}$, p. 115–123), MÜs (Hs. 1899, f. 56–67) – GB BENcoke, Cfm (Barrett-Lennard-Collection, Mus. MS. 79, p. 32–37; MS. 858, No. 3), Lbm (Egerton 2942, f. 101ʳ–103ᵛ; Add. MSS. 14182, f. 4ʳ–8ʳ, ohne Schlußrezitativ; Add. MSS. 14212, f. 27ʳ–34ᵛ, Add.

MSS. 29484, f. 80ᵛ–83ᵛ, ohne Schlußrezitativ), Lcm (MS. 256, vol. 1, f. 26ᵛ–30ᵛ; Ms. 257, f. 84ʳ–88ʳ; MS. 685, f. 112ʳ–115ᵛ), Mp (MS 130 Hd4, v. 77, p. 97–107), Ob (Mus. d. 61., p. 88–96; MS. Don. d. 125., f. 25ᵛ–29ᵛ) – I PLcon (Arm. I. Pis. 11., p. 16ff.), Vnm (It. IV 769, f. 121ʳ–126ᵛ).

Bemerkungen

Die Kantate, deren Text auch von Alessandro Scarlatti vertont wurde, entstand vermutlich 1707 in Rom. Sie wurde zweimal – im September 1707 und in August 1708 – von Antonio Giuseppe Angelini für Ruspoli kopiert und von Margherita Durastanti, die Angelinis Rechnung gegenzeichnete, in einer der wöchentlichen *conversazioni* des Marchese im September 1707 gesungen (s. Kirkendale, Dokument 5 vom 22. September 1707 und Dokument 24 vom 9. August 1708).

F. Chrysander veröffentlichte das Werk (ChA 51, Nr. 53) nur in fragmentarischer Form in zwei Sätzen (Rezitativ „Sarei troppo felice" und Arie „Se al pensier dar mai potrò"), obwohl die meisten der oben angeführten Quellen die Kantate vollständig überliefern.

Das Thema der Arie „Giusto ciel se non ho sorte" (2) verwendete Händel außerdem in folgenden Werken: HWV 1 Almira (41. Move i passi alle ruine), HWV 231 „Coelestis dum spirat aura" (3. Alleluja), HWV 6 Agrippina (43. Io di Roma il Giove sono), HWV 197 „Tanti strali al sen", HWV 49ª Acis and Galatea (13. Cease to beauty), HWV 12ª Radamisto (1. Fassung: Anhang 30. Senza luce, senza guida), HWV 31 Orlando (20. Tra caligini profonde).

Literatur

Ewerhart, S. 142; Harris, S. 164; Mayo II, S. 33; Streatfeild, R. A.: The Granville Collection of Handel Manuscripts. In: The Musical Antiquary, vol. II, 1911, S. 221ff.

158ª Se pari è la tua fè (1. Fassung)

Cantata a voce sola

Textdichter: unbekannt

Besetzung: Sopr., Basso continuo
HHA V/2. – EZ: Rom 1708

1. Aria.

Andante
Se pari è la tua fè al fo- co del mio sen
Takt 5
41 Takte D. c.

Recitativo.

Sì, sì, que-sta sia so-lo
13 Takte

2. Aria.

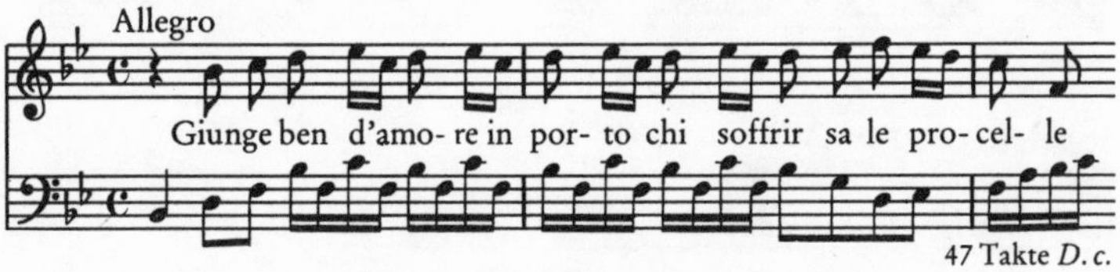
Allegro
Giunge ben d'amo- re in por- to chi soffrir sa le pro- cel- le
47 Takte D. c.

158ᵇ Se pari è la tua fè (2. Fassung)

Cantata a voce sola

Textdichter: unbekannt

Besetzung: Sopr., Basso continuo
ChA 51. – HHA V/2. – EZ: London, nach 1710

1. Aria.

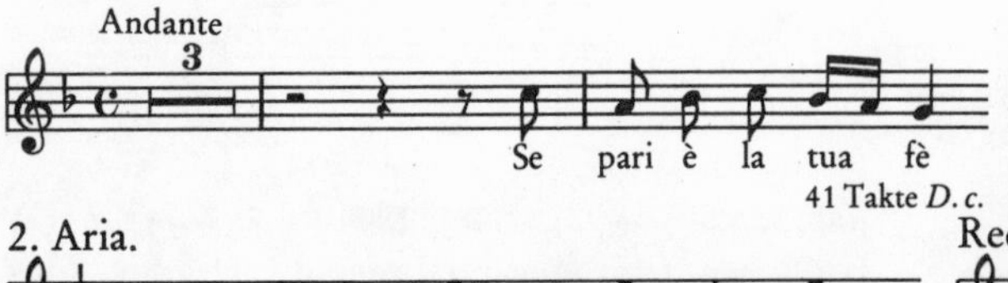
Andante
3
Se pari è la tua fè
41 Takte D. c.

Recitativo.

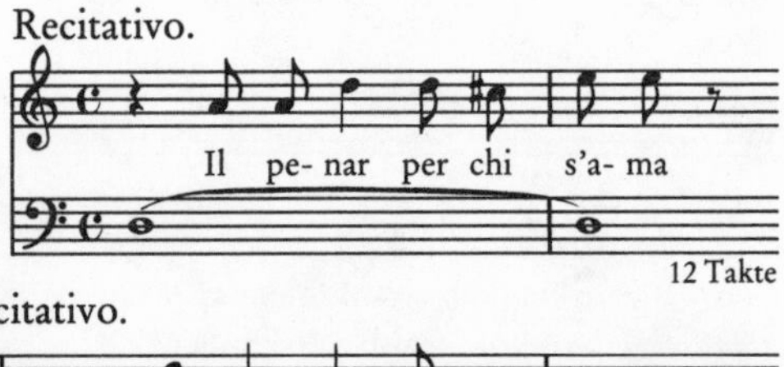
Il pe- nar per chi s'a- ma
12 Takte

2. Aria.

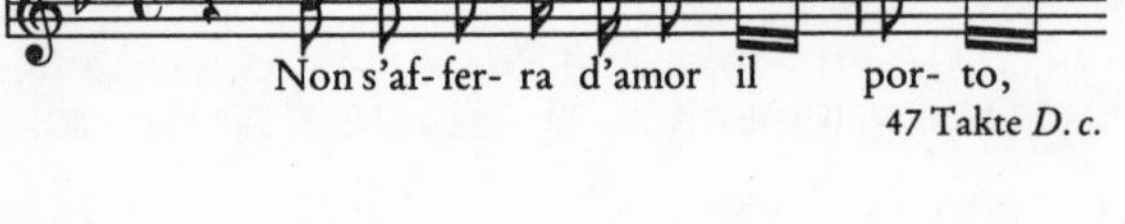
Non s'af- fer- ra d'amor il por- to,
47 Takte D. c.

Recitativo.

Sì, sì, que- sta sia so- lo,
13 Takte

158.[c] Se pari è la tua fè (3. Fassung)

Cantata a voce sola

Textdichter: unbekannt

Besetzung: Sopr., Basso continuo
ChA 51. – HHA V/2. – EZ: London, ca. 1724/27

1. Aria.

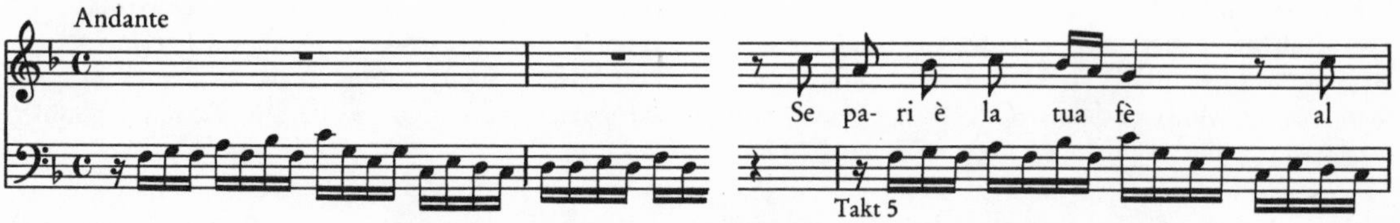
Andante
Se pa- ri è la tua fè al
Takt 5

fuo- - -co che nel sen
41 Takte D. c.

Recitativo.

Sì, sì, que- sta sia so- lo,
5 Takte

2. Aria.

Allegro
Non s'af- fer- ra d'amo- re il por- to, sen- za mai par- tir pro- cel- le,
40 Takte D. c.

Quellen

Handschriften: Autographe: HWV 158[a,b]: verschollen. HWV 158[c]: GB Lbm (R. M. 20.e. 5., f. 8–10: „Cantata X").
Abschriften: HWV 158[a]: D (brd) MÜs (Hs. 1898, f. 59–66). HWV 158[b]: AUSTR Sydney (P 39, p. 89 bis 94) – GB Cfm (Barrett-Lennard-Collection, Mus. MS. 797, p. 28–32), Lbm (Add. MSS. 14 212, f. 2r–8v; Add. MSS. 29 484, f. 67v–70v; Add. MSS. 31 574, f. 6v–10v), Lcm (MS. 256, vol. 1, f. 23r–26v; MS. 257, f. 32r–35v; MS. 685, f. 92r–95r), Mp (MS 130 Hd4, v. 76, p. 86–94), Ob (Mus. d. 61, p. 39–47) – I Mc (Noseda O 16/15) – US Wc (M 1620. H2 I 9 case). HWV 158[c]: A Wn (Ms. 17 750, f. 51r–53v) – GB Lbm (Egerton 2942, f. 51r–52v), Lcm (MS. 257, f. 5r–7v), Mp (MS 130 Hd4, v. 77, p. 20–26, Ob (Ms. Don. d. 125., f. 12r–15r).

Bemerkungen

Die Erstfassung der Kantate, deren Autograph verschollen ist, wurde von Antonio Giuseppe Angelini in zwei Exemplaren im August 1708 und von Francesco Lanciani im August 1709 für Ruspoli kopiert (s. Kirkendale, Dokument 25 vom 28. August 1708 und Dokument 35 vom 31. August 1709). Das Autograph der Fassung 158[c] entstand dagegen erst in England.

Wie J. Mayo (s. Lit.) feststellte, sind von den drei in den erhaltenen Abschriften überlieferten Fassungen der Kantate nur HWV 158[a] und HWV 158[c] von Händel autorisiert. Händels Erstfassung, deren Überlieferung auf Rom verweist, liegt in der Handschrift Angelinis in der Santini-Sammlung in D (brd) MÜs vor. In dem verschollenen Autograph dieser Fassung HWV 158[a] tilgte Händel bereits das Rezitativ „Il penar per chi s'ama" (s. HWV 158[b]) und fügte an dessen Stelle das Rezitativ „Sì, sì, questa sia solo" ein. Außerdem wollte er den Text der letzten Arie „Non s'afferra d'amor il porto" in „Giunge ben d'amore in porto" (2) geändert haben. Während Angelini unter Händels Aufsicht [s. die autographe Korrektur auf f. 63v in D (brd) MÜs] dies in seiner Abschrift korrekt wiedergab, verstanden die englischen Kopisten, denen zum Teil die italienische Sprache fremd war[1], Händels verbale Anweisungen nicht und kopierten einfach alles, was in dem verschollenen Autograph stand. Die Lesarten dieser englischen Abschriften, die HWV 158[b] überliefern, basieren also auf einem Mißverständnis: zwei der Handschriften (GB Lbm, Add. MSS. 29 484, f. 67v–70v, und GB Ob, Mus. d. 61, p. 39–47) haben am Schluß die Bemerkungen „La prima Aria: Se

[1] Vgl. das korrumpierte Italienisch in der Quelle GB Lbm (Add. MSS. 29 484, f. 70v): „Luti ma Aria: Giange ben d'amore in Porto" für die oben zitierte Anweisung Händels.

pari e la tua fè, l'ultima Aria: Giunge ben d'amore in Porto", ohne daß die Kopisten diese Anweisung Händels beachteten.
Die Fassung HWV 158c dagegen ist als eine in England entstandene Bearbeitung, in der das Rezitativ um 8 Takte und die Arie „Non s'afferra d'amore il porto" (2) um 7 Takte gekürzt wurden, durch Händels Autograph belegt.
Das Baßthema der Arie „Se pari è la tua fè' (1) ist aus der Oper HWV 1 Almira (34. Schöne Flammen, fahret wohl) entlehnt. Der B-Teil von „Non s'afferra d'amore il porto" (1) mit dem Text „Dopo i nembi" entspricht textlich den ähnlich lautenden Arien „Dopo i nembi e le procelle" (5) in HWV 5 Rodrigo bzw. „Dopo il nembo e la procella" (11) in HWV 14 Floridante, obwohl alle drei Sätze musikalisch verschieden sind.

Literatur
Ewerhart, S. 143f.; Mayo I, S. 166f.; Mayo, J. S. M.: Einige Kantaten-Revisionen Händels. In: Händel-Jb., 27. Jg., 1981, S. 63ff.
Beschreibung des Autographs: Lbm: Catalogue Squire, S. 25.

159. Se per fatal destino

Cantata a voce sola

Textdichter: unbekannt

Besetzung: Sopr., Basso continuo
ChA 51. – HHA V/2. – EZ: Rom, Frühjahr 1707

Recitativo.

Se per fa- tal de- sti- no del fa - re-trato ar- cier,
17 Takte

1. Aria.

Adagio
Crù- - -de stel-le!

a- stri ti-ran- ni! consi- gliate- mi,
25 Takte D. c.

Recitativo.

Ma co- me in- cau- ta
22 Takte

2. Aria.

(Adagio)
Con voi mi la- gne-rò, oc- chi, se non tro-
Takt 4
va- te ri- medio a un tanto ar- dor
21 Takte D. c.

Quellen
Handschriften: Autograph: GB Lbm (R. M. 20. d. 12., f. 9–12).
Abschriften: AUSTR Sydney (P 39, p. 153–157) – A Wn (Ms. 17750, f. 18v–25v) – D (brd) Hs (M $\frac{A}{833^1}$, p. 144–150), MÜs (Hs. 1899, f. 68–73; Hs. 1901, f. 10–13) – GB Cfm (Barrett-Lennard-Collection, Mus. MS. 797, p. 95–98), Lbm (Egerton 2942, f. 56v bis 58v; Add. MSS. 14182, f. 28v–31r), Lcm (MS. 256, vol. 1, f. 36v–39v; MS. 257, f. 117v–120r), Mp (MS 130 Hd4, v. 78, p. 64–73) – I Vnm (It. IV 769, f. 15r–20v).

Bemerkungen
Die Kantate, deren Autograph auf Rom als Entstehungsort verweist (WZ: Typ 2/D), wurde im Mai

1707 von Antonio Giuseppe Angelini und im August 1709 von Francesco Lanciani für Ruspoli kopiert (s. Kirkendale, Dokument 1 vom 16. Mai 1707 und Dokument 35 vom 31. August 1709). Angelinis Kopie befindet sich in der Santini-Sammlung (Hs. 1899).

Literatur
Ewerhart, S. 144.
Beschreibung des Autographs: Lbm: Catalogue Squire, S. 21.

160.[a] La bianca Rosa: Sei pur bella, pur vezzosa (1. Fassung)

Cantata a voce sola
Textdichter: unbekannt

Besetzung: Sopr., Basso continuo
ChA 51. – HHA V/2. – EZ: Rom, Frühjahr 1707

1. Aria.
Andante

Sei pur bel- la, pur vez- zo- sa,

28 Takte *D. c.*

Recitativo.

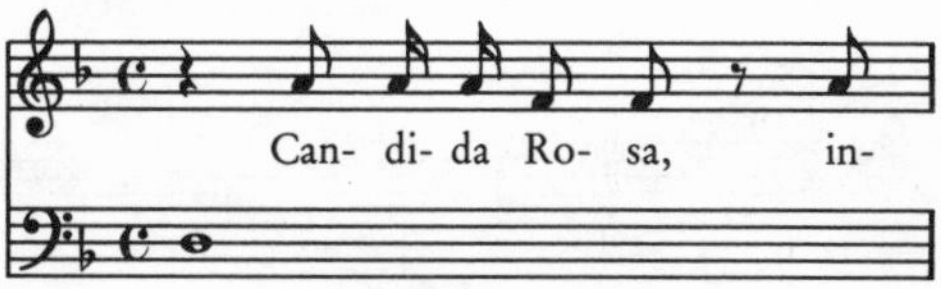
Can- di- da Ro- sa, in-

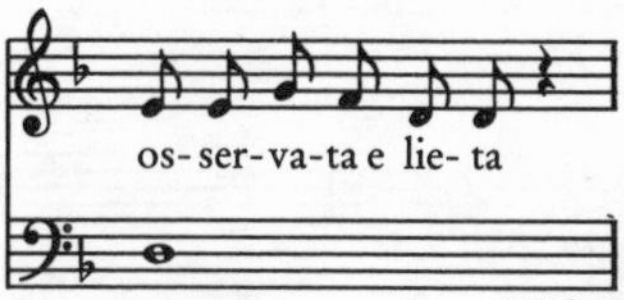
os- ser- va- ta e lie- ta

21 Takte

2. Aria.
Larghetto

Vi- vi al- la pa- - - -ce tu- - - -a

39 Takte

3. Aria.
Allegro

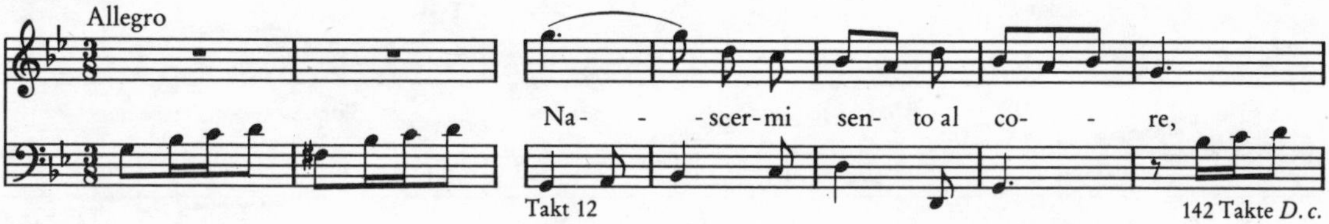
Na- - - scer- mi sen- to al co- - re,

Takt 12

142 Takte *D. c.*

160.[b] La bianca Rosa: Sei pur bella, pur vezzosa (2. Fassung)

Cantata a voce sola
Textdichter: unbekannt

Besetzung: Sopr., Basso continuo
ChA 51. – HHA V/2. – EZ: London, ca. 1724/27

1. Aria.
Larghetto

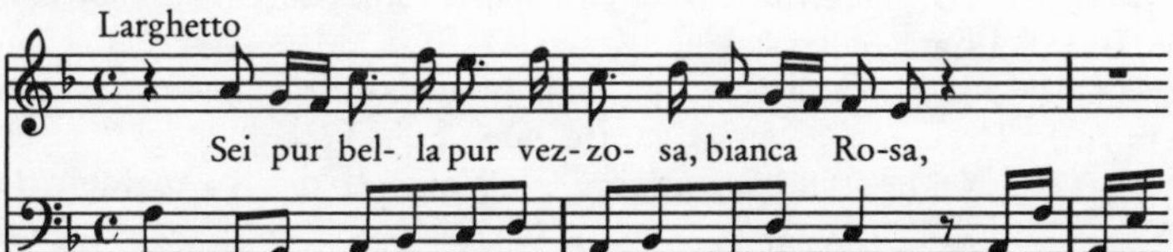
Sei pur bel- la pur vez- zo- sa, bianca Ro- sa,

26 Takte *D. c.*

Recitativo.

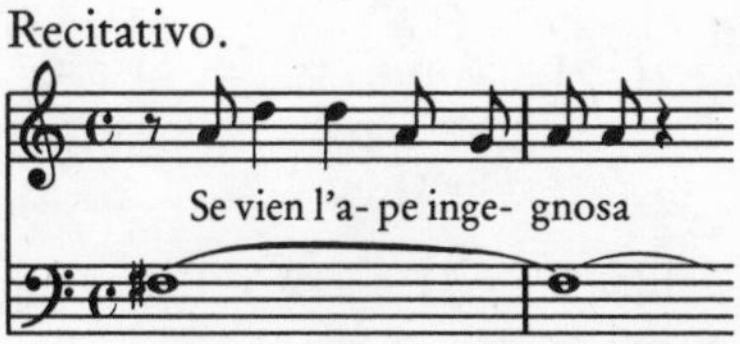
Se vien l'a- pe inge- gnosa

17 Takte

2a, b. Aria.

Allegro
E certo al- lor sei la Re- gi- na d'ogn'al- tro fior,
Takt 4
a: 39 Takte
b: 36 Takte
D. c.

160^c^ La bianca Rosa: Sei pur bella, pur vezzosa (3. Fassung)

Cantata a voce sola

Textdichter: unbekannt

Besetzung: Sopr., Basso continuo
ChA 51. – HHA V/2. – EZ: London, etwa 1724/30

1. Aria.

Larghetto
Sei pur bel- la pur vez- zo- sa, bian- ca
Takt 5

Rosa in mez- zo ai fior,
54 Takte D. c.

Recitativo.

Se vien l'ape in- ge- gno-sa
17 Takte

2. Aria.

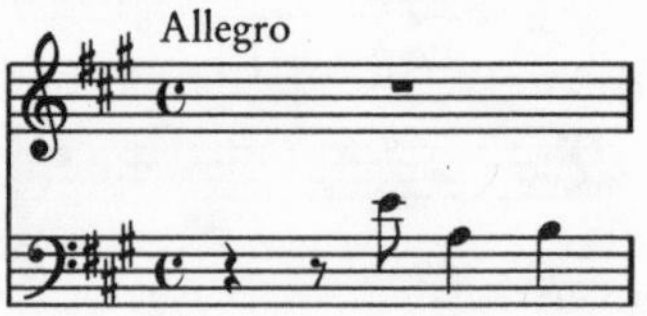
Allegro

E certo al- lor sei la re- gi- na d'ogn'al- - - tro fior,
Takt 4
36 Takte D. c.

Quellen

Handschriften: Autographe: HWV 160[a]: verschollen. HWV 160[b]: GB Lbm (R. M. 20. e. 5., f. 11–12[r]: „La Bianca Rosa"). HWV 160[c]: GB Lbm (R. M. 20. e. 5., f. 10–11: „La Bianca Rosa", nur Nr. 1 und Rezitativ mit Textincipit „Se vien").

Abschriften: HWV 160[a]: D (brd) MÜs (Hs. 1899, f. 123–130) – GB Lbm (R. M. 19. e. 7., f. 102[r]–105[v], mit autographen Tempobezeichnungen; Add. MSS. 14 182, f. 17[v]–22[v]), Ob (Mus. d. 62., p. 17–24), T (Ms. 1131, f. 136[v]–138[r]) – I Vnm (It. IV 769, f. 41[r]–46[v]). HWV 160[b]: AUSTR Sydney (P 39, p. 21–24) – A Wn (Ms. 17 750, f. 54[r]–56[v]) – GB Lbm (Egerton 2942, f. 10[r]–11[v]), Lcm (MS. 257, f. 51[r]–53[v]), Mp (MS 130 Hd4, v. 77, p. 27–33) Ob (MS. Don. d. 125., f. 8[v]–11[v]). HWV 160[c]: D (brd) Hs (M $\frac{A}{200}$, p. 33–37).

Druck: Thirteen chamber duetto's and twelve cantatas; composed by G. F. Handel. – London, Arnold's edition, No. 176–179 (1797) (HWV 160[b]).

Bemerkungen

Die Erstfassung der Kantate HWV 160[a] wurde von Antonio Giuseppe Angelini im Mai 1707 und von Francesco Lanciani im August 1709 für Ruspoli kopiert (s. Kirkendale, Dokument 1 vom 16. Mai 1707, Dokument 35 vom 31. August 1709). Die von F. Chrysander (ChA 51) geäußerten Zweifel an der Echtheit von HWV 160[a] sind durch die in Italien entstandene Kopie D (brd) MÜs von der Hand Francesco Lancianis mit der ausdrücklichen Autorenangabe „Cantata Del Sig. G. F. Hendel" gegenstandslos geworden. Während das Autograph der Erstfassung verschollen ist, sind zwei spätere Revisionen der Kantate (HWV 160[b,c]) in Händels eigener

Handschrift überliefert. Beide Autographe entstanden in England, wie das Wasserzeichen des verwendeten Papiers beweist.
Die englischen Versionen HWV 160[b,c] stellen im wesentlichen Neuvertonungen dar, bei denen im Vergleich zur Erstfassung der Einleitungssatz textlich in beiden, musikalisch jedoch nur in HWV 160[b] beibehalten wurde.
Für die dritte Fassung HWV 160[c], in der auch der erste Satz „Sei pur bella" neu vertont wurde (er besitzt motivische Verwandtschaft mit der deutschen Arie I HWV 202 „Künft'ger Zeiten eitler Kummer", der Arie „Questo core incatenato", Anhang 14, aus HWV 17 Giulio Cesare in Egitto und der Arie „Siete rose ruggiadose" aus HWV 162), schrieb Händel im Autograph (GB Lbm, R. M. 20. e. 5., f. 10–11) nur die erste Arie neu aus. Das folgende Rezitativ hat am Anfang lediglich das aus zwei Worten bestehende Textincipit „Se vien" als Hinweis für den Kopisten, während die anderen Noten ohne Text sind. Die Schlußarie wurde von Händel nicht einmal mehr in Noten angegeben; an ihrer Stelle steht lediglich der Vermerk „Aria e certo all'or, ex A♯ " für den Kopisten S_1, der die Abschrift in D (brd) Hs (M $\frac{A}{200}$) anfertigte.
Auf Grund der motivischen Verwandtschaft des ersten Satzes mit der deutschen Arie HWV 202 bzw. der Arie aus HWV 17 Giulio Cesare in Egitto kann diese Version auf ca. 1724 datiert werden.
Der Titel „La bianca Rosa", den die Kantate in allen Quellen trägt, stammt von Händel selbst.

Literatur
Ewerhart, S. 142; Mayo I, S. 160 ff.; Mayo, J.: Einige Kantaten-Revisionen Händels. In: Händel-Jb., 27. Jg., 1981, S. 63 ff.
Beschreibung der Autographe: Lbm: Catalogue Squire, S. 25.

161.ª Sento là che ristretto (1. Fassung)

Cantata a voce sola

Textdichter: unbekannt

Besetzung: Sopr., Basso continuo
HHA V/2. – EZ: Rom, 1708/09

Recitativo.

Sen- to là che ri- stretto
21 Takte

1. Aria.

Largo
Mor- mo- - -
Takt 8

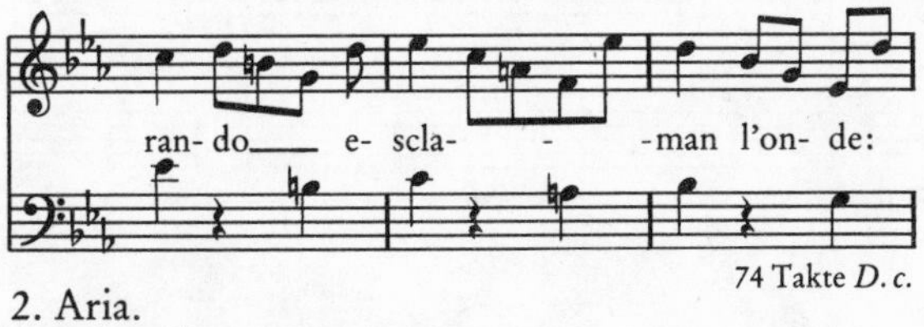
ran- do e- scla- - -man l'on- de:
74 Takte D. c.

Recitativo.

Son i- o Ni- ce il rus- cello
(20)21 Takte

2. Aria.

Andante
Se un sol mo- men- to non ti ri- mi- ro,
Takt 5
47 Takte D. c.

161[b]. Sento là che ristretto (2. Fassung)

Cantata a voce sola

Textdichter: unbekannt

Besetzung: Alto, Basso continuo
ChA 51. – HHA V/2. – EZ: vermutlich Neapel, Juni/Juli 1708

Recitativo.

Sen- to là che ri- stret-to
21 Takte

1. Aria.

Largo
Mor- mo- - - -
Takt 8

ran- do e- scla- - - man l'on- de:
77 Takte D. c.

Recitativo.

Son i- o Ni-ce il ruscel-lo,
20 Takte

2. Aria.

Andante
Se un sol mo- men- to non ti ri- mi- ro,
Takt 5
47 Takte D. c.

161[c]. Sento là che ristretto (3. Fassung)

Cantata a voce sola

Textdichter: unbekannt

Besetzung: Sopr., Basso continuo
ChA 51. – HHA V/2. – EZ: vermutlich Cannons, etwa 1717/20

Recitativo.

Sen- to là che ri- stret-to
20 Takte

1. Aria.

Largo
Mor- mo- -
Takt 9

ran- do e- scla- man l'on- de
78 Takte D. c.

Recitativo.

Son i- o Ni-ce il ruscel-lo,
17 Takte

2. Aria.

Andante
Se un sol mo- men- to non ti ri- mi- ro,
Takt 5
47 Takte D. c.

Quellen
Handschriften: Autographe: HWV 161^{a}: verschollen. HWV 161^{b}: GB Lbm (R. M. 20. d. 11., f. 1–4). HWV 161^{c}: GB Lbm (R. M. 20. d. 12., f. 28–30).
Abschriften: HWV 161^{a}: D (brd) MÜs (Hs. 1898, f. 35–46; Hs. 1910, f. 133–140) – GB Cfm (24 F 12), Lam (MS. 93, f. 31–34), Lbm (Add. MSS. 14 215, f. 112–115; Add. MSS. 29 484, f. 53^{r}–56^{r}; Add. MSS. 31 574, f. 11^{r}–15^{r}). HWV 161^{b}: AUSTR Sydney (P 39, p. 6–11) – GB Cfm (Barrett-Lennard-Collection, Mus. MS 797, p. 181–195), Lbm (Egerton 2942, f. 3^{v}–5^{v}), Lcm (MS. 256, vol. 4, f. 33^{r}–36^{r}; MS. 257, f. 16^{r}–19^{v}), Mp (MS 130 Hd4, v. 78, p. 136–148). HWV 161^{c}: A Wn (Ms. 17 750, f. 133^{v}–136^{v}) – D (brd) Hs ($M\frac{A}{200}$, p. 41–49; $M\frac{A}{833}$, Bd. 1, p. 161–170) – GB Cfm (Barrett-Lennard-Collection, Mus. MS. 797, p. 68–72), Lbm (Add. MSS. 14182, f. 50^{r}–54^{r}; Add. MSS. 31 226, f. 51^{r}–52^{r}, fragm., nur Nr. 2), Lcm (MS. 256, vol. 2, f. 14^{r}–17^{v}), Mp (MS 130 Hd4, v. 78 p. 277 ff.), Ob (Mus. d. 61, p. 97–105; MS. Don. d. 125., f. 55^{r}–59^{v}), T (MS. 1131, f. 128^{r}–130^{r}).
Druck: Thirteen chamber duetto's and twelve cantatas; composed by G. F. Handel. – London, Arnold's edition, No. 176–179 (1797) (HWV 161^{b}).

Bemerkungen
Die Kantate entstand vermutlich bereits in Italien in zwei Fassungen (HWV $161^{a,b}$), wie HWV 161^{a} erkennen läßt, die im wesentlichen – bis auf geringe Kürzungen am Schluß von „Mormorando esclaman l'onde" (1) – eine Transposition der autographen Alt-Fassung HWV 161^{b} darstellt. Diese letztere Fassung komponierte Händel vermutlich 1708 in Neapel, da das Autograph (mit einem Wasserzeichen vom Typ 3/C) in Schriftduktus und Rastrierung (10zeilig, Rastralbreite ca. 9 mm) mit dem Autograph von HWV 72 Aci, Galatea e Polifemo übereinstimmt. Da jedoch zwei gleichlautende Kopien der Sopranfassung HWV 160^{a} von Antonio Giuseppe Angelini vorliegen, kommt dieser Version trotz des verschollenen Autographs ein besonderer Authentizitätsanspruch zu. Im August 1709 fertigte außerdem Francesco Lanciani eine weitere Kopie für Ruspoli an (s. Kirkendale, Dokument 35 vom 31. August 1709).
Die dritte Fassung HWV 161^{c} (Sopran) ist eine spätere Bearbeitung (WZ des Autographs: Clausens Cb), die vermutlich während Händels Aufenthalt in Cannons (1717/20) entstand, da sie im sogenannten *Cannons-Katalog* unter Nr. 36 verzeichnet ist[1]. Im Vergleich zu den beiden in Italien entstandenen Fassungen ist Händel hier um eine ausgeglichenere Deklamation in den Rezitativen bemüht.
Die Arie „Mormorando" (1) beginnt mit dem Themenkopf der deutschen Arie IX HWV 210 „Flammende Rose, Zierde der Erden".

Literatur
Ewerhart, S. 143; Mayo I, S. 164 ff.; Mayo, J.: Einige Kantaten-Revisionen Händels. In: Händel-Jb., 27. Jg., 1981, S. 63 ff.
Beschreibung der Autographe: Lbm: Catalogue Squire, S. 20, 22.

[1] „Sento la che ristretto, Canto, p. 13". Vgl. „A Shortened and Modernized Catalogue of Music Belonging to His Grace, James, Duke of Chandos ... Subscribed by Dr. Pepusch in 1720" in: Baker, C. H. C./Baker, M. I.: The Life and Circumstances of James Brydges, First Duke of Chandos, Patron of the Liberal Arts, Oxford 1949, S. 134 ff. (Original in US SM, Stowe MS. 66).

162. Siete rose ruggiadose

Cantata a voce sola

Textdichter: unbekannt

Besetzung: Alto, Basso continuo

ChA 51. – HHA V/2. – EZ: England, ca. 1711/12

1. Aria.

Largo
Sie-te ro-se ruggia- do- se, bel-le lab- bra del mio ben,
Takt 3
23 Takte D. c.

Recitativo.

Dolce boc-ca so- a- ve,
16 Takte

2. Aria.

Per in-vo- lar- mi al duo- lo
Takt 9
91 Takte D. c.

Quellen

Handschriften: Autograph: GB Cfm (30 H 2, p. 29–31, fragm.: Rezitativ „Dolce bocca": Noten autograph, Text Kopistenhandschrift; Arie „Per involarmi": Kopistenhandschrift mit autographen Ergänzungen), Lbm (R. M. 20. d. 12., f. 25–27: Arien „Siete rose ruggiadose" und „Per involarmi" autograph, Text des Rezitativs „Dolce bocca" autograph, Noten Kopistenhandschrift).

Abschriften: GB CDp (M. C. 1. 5., f. 17r–19r), Lbm (Egerton 2942, f. 85r–86r), Ob (Mus. d. 61., p. 72–76).

Bemerkungen

Beide Autographe der Kantate sind auf Papier englischer Provenienz geschrieben (WZ: Clausens Ca); alle Kopien wurden von J. Ch. Smith senior geschrieben, so daß die Entstehungszeit des Werkes auf ca. 1711/12 zu datieren ist.

Die Arie „Siete rose ruggiadose" (1) zitiert den Themenkopf der deutschen Arie I HWV 202 „Künft'ger Zeiten eitler Kummer", der außerdem noch in der Kantate HWV 160c „Sei pur bella" (1. Sei pur bella) und HWV 17 Giulio Cesare in Egitto (Anhang 14. Questo core incatenato) erscheint.

Beschreibung der Autographe: Cfm: Catalogue Mann, Ms. 252, S. 164. – Lbm: Catalogue Squire, S. 22.

163. Solitudini care, amata libertà

Cantata a voce sola

Textdichter: unbekannt

Besetzung: Sopr., Basso continuo

ChA 51. – HHA V/2. – EZ: London, nach 1710

Recitativo.

So- li- tu- di- ni ca- re, a- ma- ta li- ber- tà,
30 Takte

1. Aria.

Alla breve

Sei bu- giar- da, u- ma- na
Takt 11

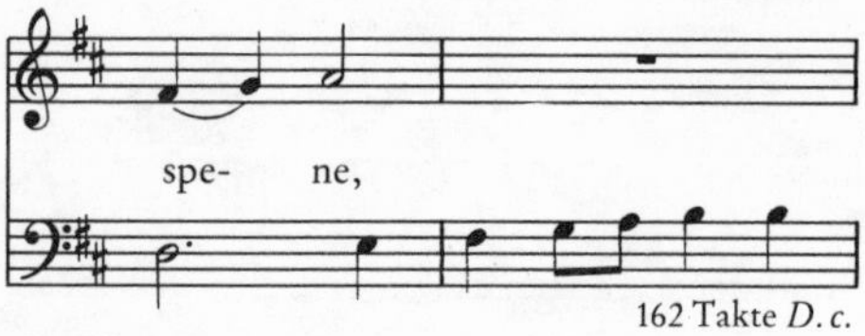
spe- ne,
162 Takte D. c.

Recitativo.

Glo- ria di bel- la fa- ma ingombra il pet- to
17 Takte

2. Aria.

Allegro

Bel- la glo- ria in cam- po ar- ma- to,
Takt 10
142 Takte D. c.

Quellen
Handschriften: Autograph: verschollen.
Abschriften: AUSTR Sydney (P 39, p. 121–129) – A Wn (Ms. 17 750, f. 119ʳ–124ᵛ) – GB Cfm (Barrett-Lennard-Collection, Mus. MS. 797, p. 57–63), Lcm (Ms. 256, vol. 2, f. 3ʳ–9ʳ; MS. 257, f. 96ʳ–102ᵛ), Mp (MS 130 Hd4, v. 76, p. 1–9, ohne das Einleitungsrezitativ „Solitudini care"; v. 77, p. 189–202), Ob (Mus. d. 62, p. 25–26), T (MS. 1131, f. 144ʳ–147ᵛ).
Druck: Thirteen chamber duetto's and twelve cantatas; composed by G. F. Handel. – London, Arnold's edition, No. 176–179 (1797).

Bemerkungen
Die Kantate, für die weder italienische Quellen noch dokumentarisches Material über Kopien und Aufführungen in Italien vorliegen, entstand vermutlich um 1710/11 in London.
Die Arie „Bella gloria in campo armato" (2)[1] verwendet das gleiche melodische Material wie „Sovra balze scoscesi e pungenti" (1) aus HWV 7ᵃ Rinaldo (1. Fassung, 1711).

[1] Angeregt durch das Thema der Arie „Porto il seno" von R. Keiser aus „Die römische Unruhe oder Die edelmütige Octavia" (Hamburg 1705), Arie des Piso, I. Handlung, 11. Auftritt, Vgl. ChA, Supplemente 6, S. 60ff.

164ᵃ Il Gelsomino: Son gelsomino (1. Fassung)

Cantata a voce sola

Textdichter: Paolo Antonio Rolli
(aus: „Di Canzonette e di Cantate", London 1727)

Besetzung: Sopr., Basso continuo
ChA 51. – HHA V/2. – EZ: London, etwa 1720/27

1. Aria.

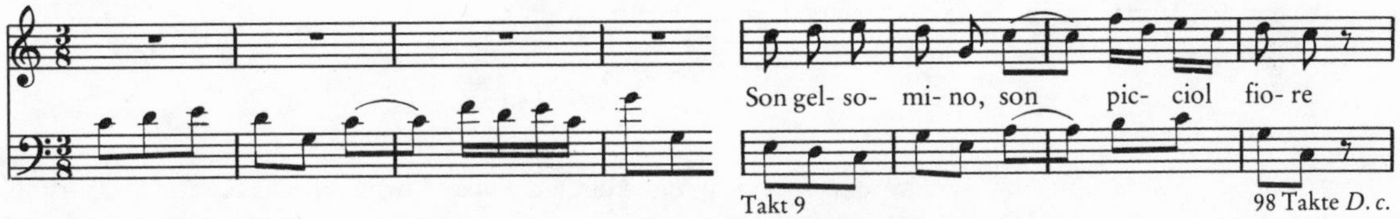
Son gel- so- mi- no, son pic- ciol fio- re
Takt 9
98 Takte D. c.

Recitativo.

Tre-mo-lan- te e leg- gie- ro fra strette ver-di
17 Takte

2. Aria.

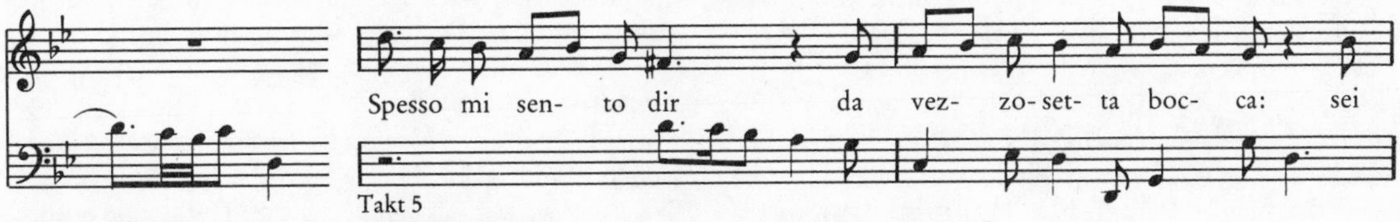
Spesso mi sen- to dir da vez- zo-set- ta boc- ca: sei
Takt 5

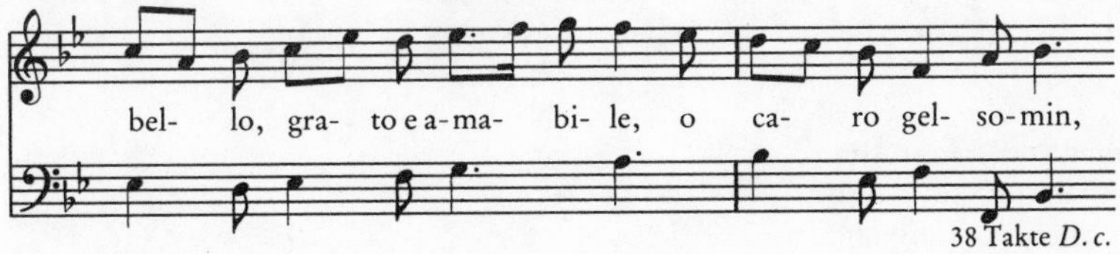
bel- lo, gra- to e a-ma- bi- le, o ca- ro gel- so-min,
38 Takte D. c.

164ᵇ Il Gelsomino: Son gelsomino (2. Fassung)

Besetzung: Alto, Basso continuo
HHA V/2. – EZ: London, nach 1717/18

Cantata a voce sola

Textdichter: Paolo Antonio Rolli
(aus: „Di Canzonette e di Cantate", London 1727)

1. Aria.
Andante
Son gel-so- mi-no, son___ pic- ciol fio-re,
Takt 9 98 Takte *D. c.*

Recitativo.
Tremolan-te e leg- gie-ro, fra strette ver-di
18 Takte

2. Aria.
Alla Siciliana

Spes-so mi sen- to dir da vez-zo-set- ta boc- ca: sei
Takt 5

bel- lo, gra- to e ama- bi-le, o ca- ro gel-so-min,
38 Takte *D. c.*

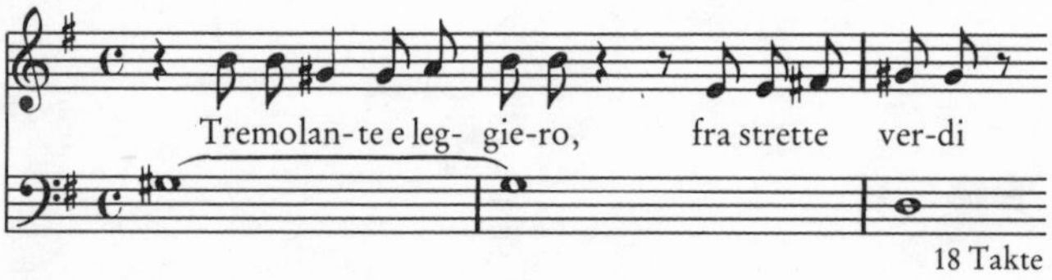

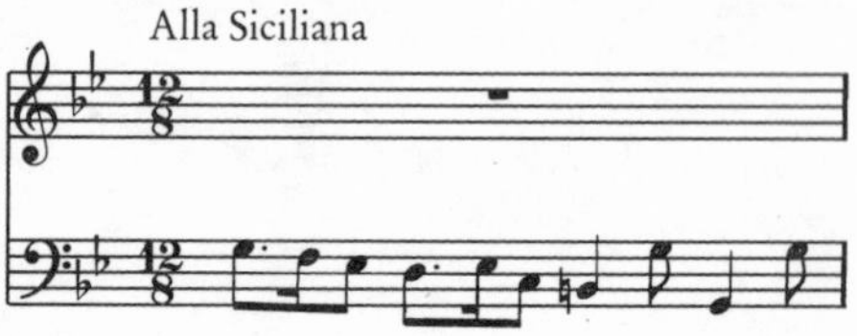

Quellen

Handschriften: Autographe: HWV 164ᵃ: GB Lbm (R. M. 20. d. 12., f. 36–37: „Il Gelsomino. Cantata"). HWV 164ᵇ: GB Cfm (30 H 2, p. 15–19: „Il Gelsomino. Cantata").

Abschriften: HWV 164ᵃ: AUSTR Sydney (P 39, p. 16–20) – D (brd) Hs (M $\frac{A}{200}$, p. 9–15, nach B-Dur transponiert) – GB Cfm (Barrett-Lennard-Collection, Mus. MS. 797, p. 42–45), Lbm (Egerton 2942, f. 8ʳ–9ᵛ), Lcm (MS. 256, vol. 1, f. 34ᵛ–37ᵛ; MS. 257, f. 1ʳ–4ʳ), Mp(MS130 Hd4, v. 78, p. 149–159), Ob (Mus. d. 62., p. 167–172; MS. Don. d. 125., f. 43ʳ–46ᵛ). HWV 164ᵇ: A Wn (Ms. 17 748, f. 71ᵛ–75ʳ) – GB Cfm (24 F 12, f. 107–111), Lbm (Add. MSS. 29 484, f. 48ᵛ–50ᵛ), Ob (Mus. d. 61., f. 111–116).

Bemerkungen

Die Autographe beider Fassungen der Kantate, deren Titel von Händel selbst stammt, sind auf Papier englischer Herkunft geschrieben. Obwohl der Text aus Paolo Antonio Rollis Kantatendichtung (No. 17) „Di Canzonette e di Cantate, libri due" erst 1727 in London veröffentlicht wurde, können als Entstehungszeit der Sopranfassung die Jahre 1720/27 angenommen werden, als Händel begann, von Rolli bearbeitete Opernlibretti zu vertonen.

Die andere Fassung für Alt (HWV 164ᵇ) stellt keine bloße Transposition der Sopranfassung dar, sondern bietet mehrere wichtige Varianten, vor allem im Rezitativ und der Arie „Spesso mi sento dir" (2).

Literatur

Mayo I, S. 169 ff.; Mayo, J.: Einige Kantaten-Revisionen Händels. In: Händel-Jb., 27. Jg., 1981, S. 63 ff. *Beschreibung der Autographe:* Lbm: Catalogue Squire, S. 22. – Cfm: Catalogue Mann, Ms. 252, S. 164.

165. Spande ancor a mio dispetto

Cantata per voce sola di Basso con Violini

Textdichter: unbekannt

Besetzung: Solo: Basso. Instrumente: V. I, II; Cont.
ChA 52a. – HHA V/3. – EZ: Italien, 1707/08

1. Aria.

2. Recitativo accompagnato.

3. Aria

Quellen

Handschriften: Autograph: GB Lbm (R. M. 20. e. 2., f. 48–55: „Cantata per Voce Sola di Basso con Violini").

Bemerkungen

Die Kantate wurde von Händel auf Papier italienischer Provenienz geschrieben und stammt vermutlich aus der ersten Zeit seiner Tätigkeit in Rom (1707/08).

Literatur

Leichtentritt, S. 578.

Beschreibung des Autographs: Lbm: Catalogue Squire, S. 23.

166. Splenda l'alba in oriente

Cantata a voce sola con stromenti

Textdichter: unbekannt

Besetzung: Solo: Alto. Instrumente: Fl. I, II; Ob. I, II; V. I, II; Va.; Cont.
ChA 52a. – HHA V/3. – EZ: London, etwa 1711/12

1. Aria.

Recitativo.
Cont.
Tu, ar-moni- ca Ce- ci- lia
11 Takte
2. Aria.
Allegro
Tutti unis.
Ob. I, II
V. I, II
unis.
Cont.
La vir- tu- te è un ve- ro nu- me del mortal nel basso mon- do,
Takt 12
67 Takte D. c.

Quellen
Handschriften: Autograph: GB Lbm (R. M. 20. e. 4., f. 32–40).

Bemerkungen
Die Kantate, deren Entstehung F. Chrysander (ChA 52ª, Vorwort) ohne Angabe von Gründen auf ca. 1713 datiert, wurde von Händel auf Papier englischer Herkunft geschrieben (WZ: Clausens Typ Ca). Dadurch wird jedoch Chrysanders Annahme weder bestätigt noch widerlegt. Die Kantate wurde zum Preise der hl. Cäcilia geschrieben und steht mit HWV 89 „Cecilia volgi un sguardo" (1736) in Verbindung; als Entstehungszeit kann ca. 1711/12 angenommen werden.

Der Text der Kantate wurde auch in HWV 89 „Cecilia volgi un sguardo" verwendet, wobei das Rezitativ „Tu, armonia Cecilia" und die Arie „La virtue è un vero nume" (2) nur textlich, die Eingangsarie „Splenda l'alba" (1) jedoch auch musikalisch in das spätere Werk übernommen wurden.
Die Arie „Splenda l'alba" bildete in der Fassung von HWV 89 „Cecilia volgi un sguardo" (2) das Modell für die Arie „Un pensiero nemico di pace" (Anhang 9) in HWV 46ᵇ Il Trionfo del Tempo e della Verità.

Literatur
Mayo I, S. 188 ff.
Beschreibung des Autographs: Lbm: Catalogue Squire, S. 24.

167ª. Stanco di più soffrire (1. Fassung)

Cantata a voce sola

Textdichter: unbekannt

Besetzung: Alto, Basso continuo
ChA 51. – HHA V/2. – EZ: Italien, 1707/08

Recitativo.
Stan-co di più sof- fri- re mille barba-re pe- ne
21 Takte
1. Aria.
Adagio
E- - ra in so- gno
al- men con- ten- to,
71 Takte D. c.
Recitativo.
Quando mi parve al-lo- ra che vi- gi-rasse in- tor- no,
20 Takte

2. Aria.

Andante
Se più non t'a- mo, non ti do- ler,
[vgl. HWV 109 (2.)]
Takt 5
53 Takte D. c.

167[b]. Stanco di più soffrire (2. Fassung)

Cantata a voce sola

Textdichter: unbekannt.

Besetzung: Sopr., Basso continuo
HHA V/2. – EZ: Rom, Juli/August 1708

Recitativo.

Stan-co di più sof- fri- re mille bar-bare pe- ne
21 Takte

1. Aria.

Adagio
E- -ra in so- -gno

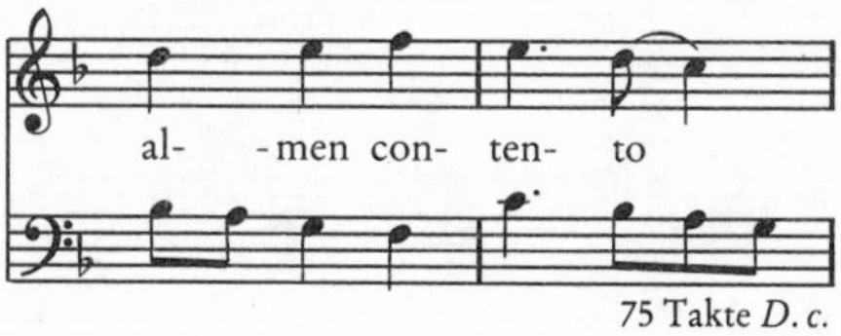
al- -men con- ten- to
75 Takte D. c.

Recitativo.

Quando mi par- ve all'o-ra, che vi- gi- rasse in- tor- no,
20 Takte

2. Aria.

Andante
Se più non t'a- mo, non ti do- ler,
Takt 5
52 Takte D. c.

Quellen

Handschriften: Autographe: verschollen.
Abschriften: HWV 167[a]: AUSTR Sydney (P 39, p. 79–83) – GB Cfm (Barrett-Lennard-Collection, Mus. MS. 797, p. 20–23), Lbm (Egerton 2942, f. 94[r]–96[r]), Lcm (MS. 256, vol. 1, f. 16[r]–19[v]; MS. 257, f. 78[r]–81[r]), Mp (MS 130 Hd4, v. 77, p. 76–85), Ob (Mus. d. 62., p. 91–98), T (MS. 1131, f. 126[v]–127[v]) – I Bc (MS. FF. 235) – US Wc (M 1620. H2 I 9 case). HWV 167[b]: A Wn (Ms. 17750, f. 75[r]–78[v]) – D (brd) MÜs (Hs. 1898, f. 73–80).
Druck: Thirteen chamber duetto's and twelve cantatas; composed by G. F. Handel. – London, Arnold's edition, No. 176–179 (1797) (HWV 167[a]).

Bemerkungen

Die Kantate wurde von Antonio Giuseppe Angelini im August 1708 für Ruspoli kopiert (s. Kirkendale, Dokument 24 vom 9. August 1708), dessen Abschrift in der Santini-Sammlung D (brd) MÜs die Sopranfassung HWV 167[b] überliefert. Nach R. Ewerhart stellt die Alt-Fassung HWV 167[a] die ursprüngliche Version dar; sie wurde von Angelini auf Veranlassung Händels in die höhere Stimmlage übertragen. Dabei ist die Arie „Era in sogno" (1) im B-Teil erweitert worden.
Die Arie „Se più non t'amo" (2) wurde von Händel später auch in die Kantate HWV 109[a,b] „Dolce pur d'amor l'affanno" als Schlußsatz übernommen.

Literatur

Ewerhart, S. 144.

168. Partenza di G.B.: Stelle, perfide stelle

Cantata a voce sola

Textdichter: unbekannt

Besetzung: Sopr., Basso continuo
ChA 51. – HHA V/2. – EZ: Rom, 1707

Recitativo.

Stel- le, per-fi-de stel-le, i- ni-quo fa- to:
15 Takte

1. Aria.
Largo assai

Se ve- drà l'a-mena sponda crescer l'onda, dite pur ch'è il pianto mi- o,
28 Takte *D. c.*

Recitativo.

Do-ve ri-vol-ga il pas-so,
19 Takte

2. Aria.
Allegro

Quando ri- tor- ne-
Takt 5

rò, se in voi ri- tro- ve-rò l'a- ma- to mio te-sor, sa- rò fe- li- -ce,
37 Takte *D. c.*

Quellen

Handschriften: Autograph: GB Lbm (R. M. 20. d. 11., f. 72–74: „Partenza di G. B. Cantata di G. F. Hendel").
Abschriften: AUSTR Sydney (P 39, p. 106–111) – A Wn (Ms. 17 750, f. 115ᵛ–118ᵛ: „Partenza di Giovanni Bononcini") – D (brd) Hs (M $\frac{A}{833^1}$, p. 130 bis 137), MÜs (Hs. 1910, f. 119–124) – GB CDp (M. C. 1. 5., f. 9ᵛ–13ʳ), Cfm (Barrett-Lennard-Collection, Mus. MS. 797, p. 46–49), Lbm (Egerton 2 942, f. 40ʳ–42ʳ; Add. MSS 29 484, f. 71ʳ–73ᵛ), Lcm (MS. 256, vol. 1, f. 38ʳ–41ᵛ; MS. 257, f. 88ʳ–91ʳ), Mp (MS 130 Hd4, v. 77, p. 180–188), Ob (Mus. d. 61., p. 17–24) – I Vnm (It. IV 769, f. 109ʳ–112ᵛ).

Bemerkungen

Die Kantate wurde von Händel vermutlich 1707 in Rom geschrieben (WZ des Autographs: Typ 2/C). Da sie nicht in den Ruspoli-Dokumenten verzeichnet ist, können über den Entstehungsanlaß nur Vermutungen angestellt werden. Die rätselhafte Überschrift „Partenza di G. B." im Autograph, die sich merkwürdigerweise auch im Autograph der Oper HWV 5 Rodrigo befindet (s. GB Lbm., R. M. 20. c. 5., f. 73: „Partenza di B. Cantata di G. F. Hendel"), deutet auf ein Abschiedswerk für einen befreundeten Gefährten hin. Ob dies wirklich Giovanni Buononcini war, wie in der Quelle A Wn (Ms. 17750) vermerkt ist, bedarf noch der Überprüfung.[1]

Auf Grund dieses Eintrages in HWV 5 Rodrigo dürfte die Kantate zur gleichen Zeit wie diese Oper entstanden sein.

Die Arie „Quando ritornerò" (2) bildet eine Vorstudie für das Duett „Caro/Bella! più amabile beltà" (43) in HWV 17 Giulio Cesare in Egitto.

Literatur

Chrysander I, S. 231 f.; Ewerhart, S. 144; Leichtentritt, S. 572.
Beschreibung des Autographs: Lbm: Catalogue Squire, S. 21.

[1] Möglicherweise könnte sich dieser Vermerk auch auf Händels Hamburger Reisegefährten (Georg) von Binitz beziehen, von dem Händel sich in Rom getrennt haben wird. Vgl. Mattheson, J.: Ehrenpforte, Hamburg 1740, S. 74 ff.

169. Torna il core al suo diletto

Besetzung: Sopr., Basso continuo
ChA 51. – HHA V/2. – EZ: Vermutlich Rom, 1707/08

Cantata a voce sola

Textdichter: unbekannt

1. Aria.

Torna il co- - - re al suo di- let- - - to, al suo di- - let- - to,

Takt 6 60 Takte *D. c.*

Recitativo.

Volsi ap-pe- na le pianti da te,

24 Takte

2. Aria.

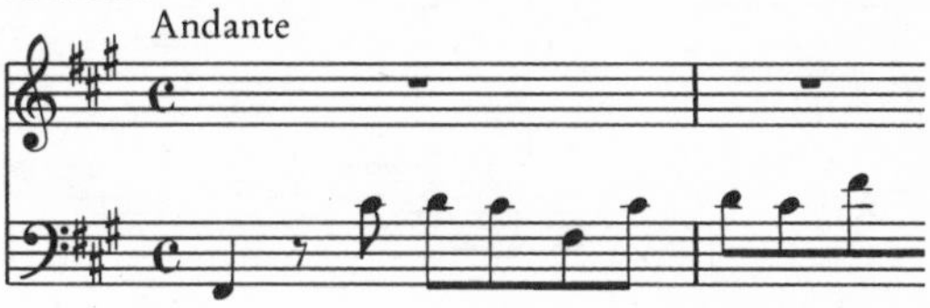
Andante

Mai più da te, mai più da te, mio ben, an- drà lon- tan, lon- ta- no il cor,

Takt 4 26 Takte *D. c.*

Quellen

Handschriften: Autograph verschollen.
Abschriften: AUSTR Sydney (P 39, p. 213–217) – A Wn (Ms. 17 750, f. 39v–42v) – D (brd) MÜs (Hs. 1898, p. 47–48) – GB Cfm (Barrett-Lennard-Collection, Mus. MS. 797, p. 148–151), Lcm (MS. 256, vol. 3, f. 34r–37v; MS. 257, f. 153v–156v), Mp (MS 130 Hd4, v. 77, p. 240–248).

Bemerkungen

Die Kopie, die ein Kopist A. Scarlattis [D (brd) MÜs] von dieser Kantate Händels anfertigte, verweist das Werk in die Zeit des Italienaufenthalts Händels. Am ehesten kommt Rom (1708) als Entstehungsort in Betracht.

Literatur

Ewerhart, S. 144.

170. Tra le fiamme (Il consiglio)

Besetzung: Solo: Sopr. Instrumente: Fl. I, II; Ob.; V. I, II; Va. da gamba; Cont.
ChA 52b. – HHA V/4. – EZ: Rom, 1707/08

Cantata a Canto solo con stromenti

Textdichter: Benedetto Pamphilj

1. Aria.

Fl. I, II
V. I, II
Va. da gamba
Cont.
Fl.
V.
Va. da g.
Tra le fiamme tu scherzi per gio- -co,

Takt 22 162 Takte *D. c.*

Recitativo.

Cont.
Deda-lo già le fortu-na-te penne

17 Takte

2. Aria.

Ob. e
V. I, II unis.
Va. da gamba
Cont.

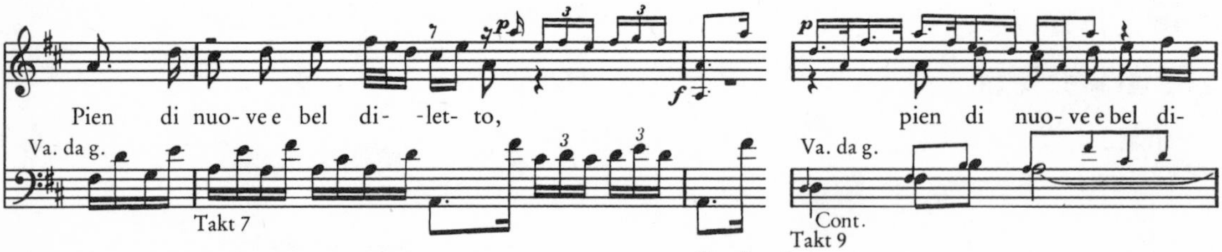
Pien di nuo- ve e bel di- -let- to,
pien di nuo- ve e bel di-
Va. da g.
Va. da g.
Takt 7
Cont.
Takt 9

(col V. unis.)
let- to sciolse l'a- li il gio- vi- -net- to,

43 Takte *D. c.*

Recitativo.

Cont.
Sì, sì, pur troppo è ve- ro:

5 Takte

3. Aria.

V. unis.
Fl. I, II
V. I, II unis.
Va. da gamba
Cont.
Vo- li per l'a- ri-a
V. da gamba
Takt 7

chi può vo- la- re

46 Takte *D. c.*

Recitativo.

Cont.
L'uomo che nacque per sa- li-re al Cielo,

7 Takte

Da capo 1. Aria
,,Tra le fiamme" (T. 1–117)

Quellen

Handschriften: Autograph: GB Lbm (R. M. 20. d. 13., f. 1–14).
Abschriften: D (brd) B (Mus. BP 373), MÜs (Hs. 1903, f. 1–58) – GB Ob (Mus. d. 61., f. 192–230).
Druck: Two trios and four cantatas, in score, composed by G. F. Handel. – London, Arnold's edition, No. 174–176 (ca. 1797).

Bemerkungen

Autograph (WZ: Typ 2/C) und Kopie Antonio Giuseppe Angelinis in der Santini-Sammlung D (brd) MÜs sind (vermutlich 1707/08) in Rom entstanden. Das Werk wurde von Händel offenbar für Kardinal Benedetto Pamphilj geschrieben, den er außerhalb seiner Verpflichtungen gegenüber Ruspoli gelegentlich mit Kompositionen bedachte und von dem der Text (unter dem Titel ,,Il consiglio") stammte (vgl. Marx). Entlehnungen:

1. Tra le fiamme
   HWV 27 Partenope: Anhang (26.) Qual farfalletta gira a quel lume
2. Pien di nuove e bel diletto (Ritornello)
   HWV 15 Ottone: 7ᵃ. Io sperai trovar riposo (Ritornello)
   HWV 18 Tamerlano: 22. Voglio stragi (Ritornello)
3. Voli per l'aria
   HWV 18 Tamerlano: Anhang (31ᵃ.) Nel mondo e nell'abisso
   HWV 23 Riccardo I.: 32. Nel mondo e nell'abisso
   HWV 330 Concerto grosso h-Moll op. 6, Nr. 12: 2. Satz (Allegro)
3. Voli per l'aria – Ritornello
   HWV 122 ,,La terra è liberata": 6. Come rosa in su la spina (Ritornello)
   HWV 119 ,,Io languisco fra le gioje": 10. Se quì il ciel ha già prefisso (Ritornello)

Literatur

Ewerhart, S. 134; Leichtentritt, S. 579; Marx, H. J.: Händel in Rom – seine Beziehungen zu Benedetto Card. Pamphilj. In: Händel-Jb., 29. Jg., 1983, S. 107 ff., bes. S. 111; Siegmund-Schultze, W.: Zu Händels Kantatenschaffen. In: G. F. Händel – Thema mit 20 Variationen, Halle 1965, S. 116 ff.
Beschreibung des Autographs: Lbm: Catalogue Squire, S. 22.

171. Tu fedel? tu costante?

Cantata a voce sola con stromenti

Besetzung: Solo: Sopr. Instrumente: V. I, II; Cont. ChA 52b. – HHA V/4. – EZ: Florenz/Rom, 1706/07

Textdichter: unbekannt

Sonata.

V. I, II
Cont.

55 Takte

Recitativo.

Cont.

Tu fe-del, tu co-stante?

21 Takte

1. Aria.

Un poco allegro

V. I, II unis.
Cont.

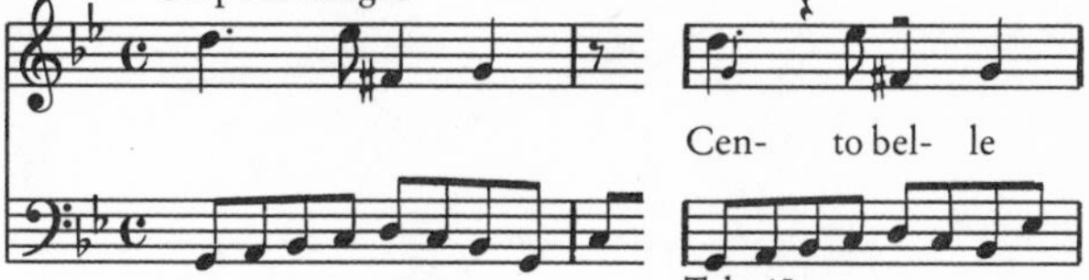
Cen- to bel- le

Takt 15

a- mi Fi- le- no,
cen- to bel- le a- mi Fi- le- no, e poi vanti a-ver in se- no

Takt 18

76 Takte *D. c.*

Recitativo.

Cont.

L'occhio ne- ro vi- va- ce

19 Takte

2. Aria.

V. I, II
Cont.

(col V. I)
Solo
Se Li- co- ri, Filli ed i- o ab- biam
V. II
Solo

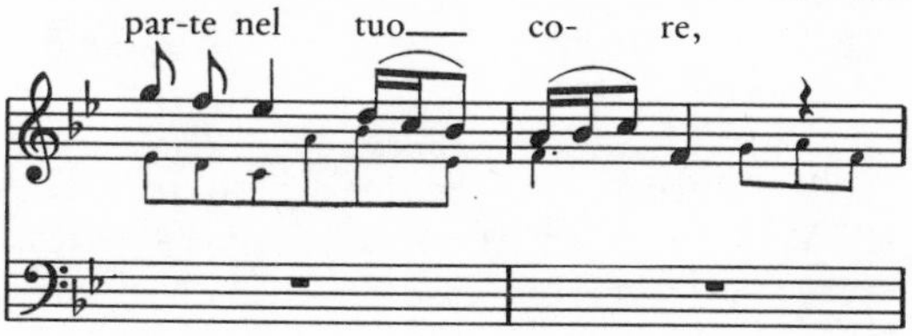
par-te nel tuo___ co- re,

65 Takte

Recitativo.

Cont.

Ma, se non hai più d'un sol cuore in pet-to

9 Takte

3. Aria.

V. I, II
Cont.

tr
Se non ti pia- ce a- mar- mi,

Takt 13

Ma se per ol- trag- giar- mi

Takt 49

62 Takte *D. c.*

Recitativo.

Cont.

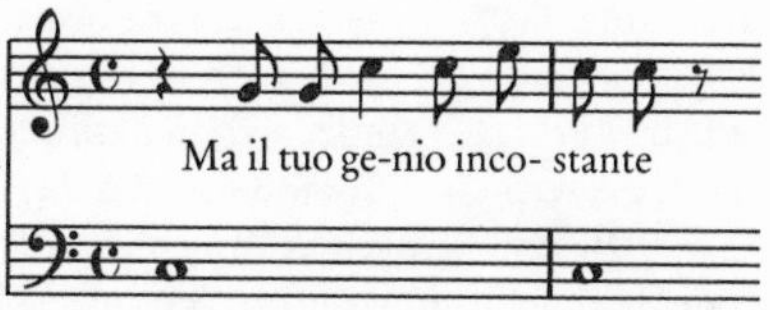
Ma il tuo ge-nio inco- stante

14 Takte

4. Aria.

(con V. unis.)
V.I,II
unis.
Cont.
Sì, cru- del, ti___ la- scie- rò,___ no-vo a-man te___ tro-ve- rò,___
28 Takte

Quellen

Handschriften: Autograph: GB Lbm (R. M. 20. e. 2., f. 56–68: „Cantata a voce sola con stromenti di G. F. Hendel").

Abschriften: D (brd) MÜs (Hs. 1910, f. 7–50; Hs. 1913, f. 1–38).

Bemerkungen

Das Autograph der Kantate besteht aus drei Teilen und zeigt drei verschiedene Arbeitsstadien, die sich durch Papier und Schriftduktus deutlich voneinander unterscheiden lassen. Der erste Teil umfaßt die Instrumentaleinleitung (Bll. 1–2, f. 56^r–57^v), deren Überschrift „Sonata della Cantata Tu Fedel" bis auf das Wort *Sonata* von einem Kopisten – vermutlich auf Händels Anweisung hin – geschrieben ist. Händels Schriftzüge in der Sonata (auf Papier mit dem WZ Typ 2/C) sind kleiner und flüchtiger als die in den übrigen Teilen der Kantate. Die Sonata muß daher unabhängig von der Kantate komponiert und ihr nachträglich vorangestellt worden sein. Auch die Rastrierung des Papiers (9zeilig, Rastralbreite ca. 9,75 mm) deutet darauf hin.

Der zweite Teil des Autographs beginnt mit der autographen Überschrift „Tu fedel" und umfaßt die Bll. 3–6 (f. 58^r–61^v; WZ: Typ 5/A, 10zeilig rastriert, Rastralbreite 10,5 mm). Händels Schrift ähnelt hier sehr den mit großen runden Notenköpfen arbeitenden Schriftzügen im ersten Teil des Autographs von HWV 232 „Dixit Dominus" und in den Autographen der Ouverture zu HWV 5 Rodrigo sowie des Violinkonzerts (Sonata à 5) HWV 288, die sämtlich das gleiche Wasserzeichen (Typ 1) aufweisen und als frühe Werke gelten müssen.

Der dritte Teil des Autographs der Kantate (Bll. 7 bis 13, f. 62^r–68^v) beginnt mit der Arie „Se Licori, Filli ed io" (2) und zeigt wiederum eine andere Schrift, die in ihrer abgerundeten, ausgeglicheneren Form den datierbaren Werken des Jahres 1707 ähnelt und nach Rom weist. Diese Annahme wird durch die Beschaffenheit des verwendeten Papiers unterstützt, das ein anderes Wasserzeichen (Typ 2/D) und eine andere Rastrierung (10 Systeme, Rastralbreite ca. 9,75 mm) erkennen läßt als die beiden übrigen Teile der Handschrift (auf f. 62^r findet sich in der linken oberen Ecke als Merkzeichen für den Kopisten das Zeichen ²//).

Aus diesem Überlieferungsbefund geht hervor, daß Händel die Kantate vermutlich bereits 1706 in Florenz begann und in Rom (April/Mai 1707) vollendete, wo sie bald darauf von Antonio Giuseppe Angelini für Ruspoli in Partitur und Stimmen kopiert wurde. Eine weitere Kopie wurde von Angelini ein Jahr später angefertigt (s. Kirkendale, Dokument 1 vom 16. Mai 1707, Dokument 24 vom 9. August 1708). Beide Kopien sind in D (brd) MÜs erhalten; Hs. 1910 müßte die ältere Kopie sein, Hs. 1913 wurde von ihr kopiert. Angelinis detaillierte Rechnung für Hs. 1910 vom 16. Mai 1707 spiegelt deutlich den Quellenbefund des Autographs wider: Er kopierte zuerst „L'Originale" (fogli 8½) und danach „la Sinfonia" (fogli 2).

Entlehnungen:

Sonata
- HWV 254 „O praise the Lord with one consent": 1. O praise the Lord (Ritornello)
- HWV 51 Deborah: 1. Immortal Lord of earth and skies (Einleitungsritornell)

1. Cento belle ami Fileno
   - HWV 142 „Notte placida e cheta": 6. Che non si dà qua giù pace gradita
2. Se Licori, Filli ed io
   - HWV 5 Rodrigo: 23. Dolce Amor, che mi consola
   - HWV 6 Agrippina: 32. Ingannata una sol volta
   - HWV 8^a Il Pastor fido (1. Fassung): 5. Di goder il bel ch'adoro
   - HWV 18 Tamerlano: Anhang (24^a.) No, che del tuo gran cor
3. Se non ti piace
   - HWV 6 Agrippina: 18. Se giunge un dispetto
   - HWV 75 Alexander's Feast: 22./23. Let's imitate her notes above
   - HWV 67 Solomon (Fassung 1759): 22. Thy musick is divine, oh King
4. Sì, crudel, ti lascierò
   - HWV 5 Rodrigo: 24. Si che lieta goderò
   - HWV 9 Teseo: 19. Più non cerca libertà
   - HWV 66 Susanna: 41. To my chaste Susanna's praise

Literatur

Chrysander I, S. 181; Ewerhart S. 134 f.; Harris, S. 165 f.; Leichtentritt, S. 579

Beschreibung des Autographs: Lbm: Catalogue Squire, S. 22.

172. Udite il mio consiglio

Cantata a voce sola

Besetzung: Sopr., Basso continuo
ChA 51. – HHA V/2. – EZ: Florenz, 1706/07, überarbeitet Rom, April/Mai 1707

Textdichter: unbekannt

A.
B. Recitativo. 1. Aria.

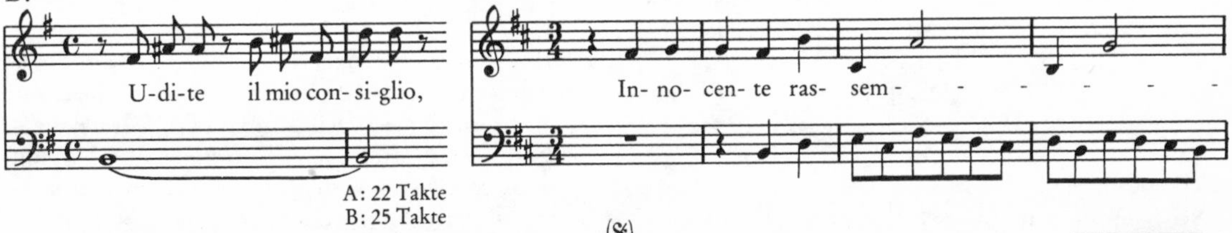
U-di-te il mio con- si-glio,
A: 22 Takte
B: 25 Takte
In- no- cen- te ras- sem- - - - - - -

- - - - - - - bra
(𝄋)
Non li scher- za- - -
(𝄋)
Takt 94
Takt 102

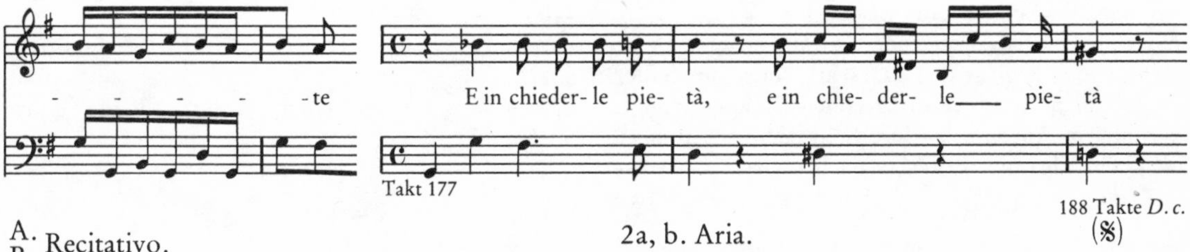
- - - - - - - te
E in chieder- le pie- tà, e in chie- der- le___ pie- tà
Takt 177
188 Takte *D. c.*
(𝄋)

A.
B. Recitativo. 2a, b. Aria.

Largo
Al ve- der- la so- ven- te,
A: 18 Takte
B: 19 Takte
Non

e- sce un guardo mai da quegli arcie- ri rai,
Takt 9
a: 65 Takte *D. c.*
b: 66 Takte *D. c.*

3. Recitativo ed Arioso.

Vo-lea più dir, ma

(Arioso)

tac- que il mi- se- ro Fi- le- no,
Non fu già per a- mor, no,
Takt 6

Recitativo.

fu per di- spet- - - - - -to,
51 Takte
Fuggite, ah! sì, fug- gi-te
10 Takte

Quellen
Handschriften: Autograph: GB Lbm (R. M. 20. d. 12., f. 1–6: Das Rezitativ „Fuggite, ah! si, fuggite" nach der Leerseite zeigt eine andere Schrift und ist nachträglich eingefügt worden).
Abschriften: AUSTR Sydney (P 39, p. 264–272) – D (brd) MÜs (Hs. 1899, f. 74–82) – GB Cfm (Barrett-Lennard-Collection, Mus. MS. 797, p. 203–210), Lbm (Add. MSS. 14182, f. 35r–42r), Lcm (MS. 256, vol. 4, f. 43r–48v; MS. 257, f. 181v–187v) – I Vnm (It. IV 769, f. 5r–13v).

Bemerkungen
Die Kantate entstand vermutlich bereits 1706/07 in Florenz, wie Schriftduktus und Papierbeschaffenheit des Autographs zeigen (WZ: Typ 1/G, 10zeilig rastriert, Rastralbreite 11,25 mm; vgl. HWV 90, 113, 145 und 156). Sie wurde von Antonio Giuseppe Angelini im Mai 1707 für Ruspoli kopiert (s. Kirkendale, Dokument 1 vom 16. Mai 1707). In Angelinis Kopie in D (brd) MÜs liegt eine von Händel autorisierte gekürzte Fassung vor, die vermutlich als Direktionspartitur diente und folgende Gestalt aufweist: Vom einleitenden Rezitativ „Udite il mio consiglio" fehlen die letzten 5 Takte der autographen Fassung. Händel veranlaßte Angelini, an ihre Stelle den von ihm als Teil des Eingangsrezitativs nachträglich ins Autograph (f. 6) eingetragenen Rezitativabschnitt „Fuggite, ah! sì, fuggite" (in ChA 51, S. 151, gesondert abgedruckt) zu setzen, so daß das Eingangsrezitativ dadurch insgesamt um drei Takte länger wurde. Von der Arie „Innocente rassembra" (1) ist der erste Teil weggelassen; die Arie beginnt unmittelbar mit dem B-Teil „Non li scherzate" ($\frac{3}{8}$-Takt). Das Rezitativ „Al vederla sovente" hat ab T. 10 auf einem gesonderten Blatt (10zeilig rastriert im Gegensatz zu dem anderen achtzeilig rastrierten Papier dieser Abschrift) eine autographe Einfügung, auf der Händel Abweichungen vom Text des Autographs notierte. Die Arie „Non esce un guardo" (2) wird um einen Takt erweitert. Der restliche Notentext entspricht dem des Autographs.
Die in ChA 51, S. 152, gedruckte Arie „Allor che sorge" befindet sich lediglich in der Quelle GB Lcm (MS. 257); sie gehört nicht in die Kantate, sondern stammt aus der Oper HWV 5 Rodrigo (32).

Literatur
Ewerhart, S. 144f.; Harris, S. 155f.; Leichtentritt, S. 572.
Beschreibung des Autographs: Lbm: Catalogue Squire, S. 21.

173. Un'alma innamorata

Cantata a voce sola con stromenti

Textdichter: unbekannt

Besetzung: Solo: Sopr. Instrumente: V.; Continuo
ChA 52b. – HHA V/4. – EZ: Rom, Mai 1707. – UA: vermutlich in Vignanello, Juni 1707

Recitativo. 1. Aria.

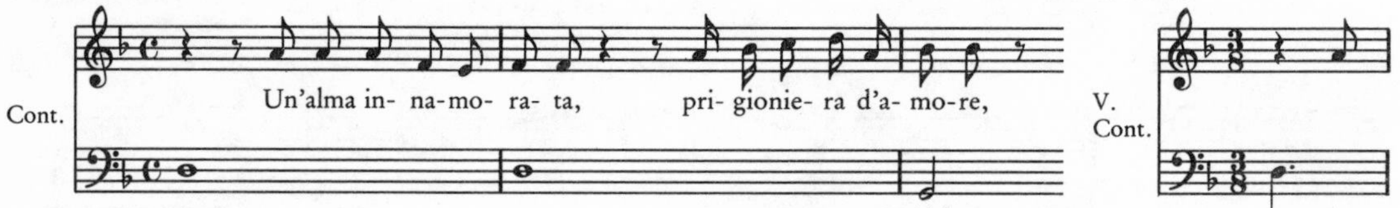
Cont.
Un'alma in- na-mo- ra- ta, pri- gionie- ra d'a- mo-re,
8 Takte
V.
Cont.

Quel po- ve- ro co- re,
quel po- ve- ro
Takt 34

co- re, fe- ri- to d'a- mo- re
140 Takte D. c.

Recitativo.

Cont.
E pur ben-chè e-gli ve- da
7 Takte

2. Aria.

Allegro
V.
Cont.
Io godo, ri- do e spero,
10
Takt 17

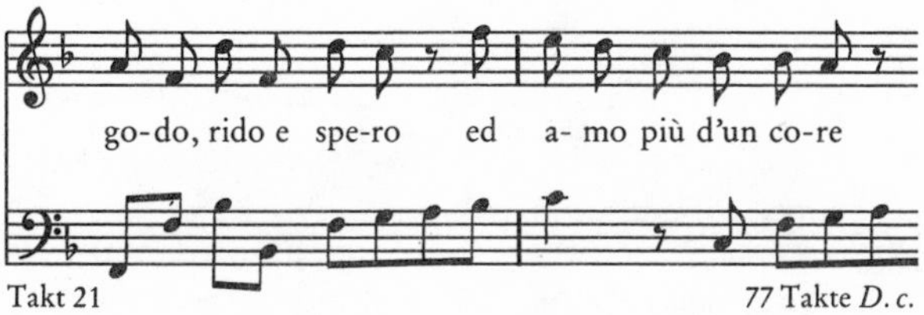
go-do, rido e spe-ro ed a- mo più d'un co-re
Takt 21
77 Takte D. c.

Recitativo.

Cont.
In quanto a me ri- tro-vo
5 Takte

3. Aria.

V.
tr
(col V. unis.)
V.
Cont.
Ben im- pa- ri co-me s'a- ma in a- mor chi vuol go- der;
[vgl. HWV 8a Il Pastor fido (27.)]
37 Takte D. c.

Quellen

Handschriften: Autograph: GB Lbm (R. M. 20. e. 2., f. 11–18).

Abschriften: D (brd) MÜs (Hs. 1893, f. 1–12; Hs. 1910, f. 51–84) – GB Lbm (Add. MSS. 31 555, f. 186–195, Kopie von R. Lacy, ca. 1860), T (MS. 646) – I PLcon (Arm. I Pis. 10, p. 36 ff.).

Bemerkungen

Die Kantate wurde von Händel 1707 in Rom geschrieben (WZ des Autographs: Typ 2/C; 9 Systeme, Rastralbreite ca. 9,5 mm) und von Antonio Giuseppe Angelini zweimal kopiert [s. D (brd) MÜs]. Eine dieser Kopien fertigte er im Juni 1707 für Ruspoli an, als der Marchese mit seinem Haushalt und den Musikern auf seinem Landsitz Vignanello weilte (s. Kirkendale, Dokument 2 vom 30. Juni 1707). Es ist daher anzunehmen, daß die Kantate im Juni 1707 in Vignanello aufgeführt wurde. Den Solopart sang Margherita Durastanti, die Angelinis Rechnung gegenzeichnete.

Händel benutzte das Thema der Arie „Ben impari" (3) später für den Schlußchor „Quel ch'il cielo" (27) in der Oper HWV 8ª Il Pastor fido (1. Fassung).

Literatur

Ewerhart, S. 135; Leichtentritt, S. 579; Serauky, W.: Georg Friedrich Händels italienische Kantatenwelt. In: Händel-Ehrung der DDR, Halle 11.–19. April 1959, Konferenzbericht, Leipzig 1961, S. 110 ff., bes. S. 112 f.

Beschreibung des Autographs: Lbm: Catalogue Squire, S. 23.

174. Un sospir a chi si muore

Besetzung: Sopr., Basso continuo
ChA 51. – HHA V/2. – EZ: Florenz, Herbst 1707

Cantata a voce sola

Textdichter: unbekannt

1. Aria.

Largo
Un so-spir, un so-spir a chi si
[vgl. HWV 78 (1.)]
Takt 5

mu-ore, per pie- tà, lab- bra vez-zo- se,
37 Takte D. c.

Recitativo.

Un tuo so- spi- ro, o ca- ra,
10 Takte

2. Aria.

Se nel pun-to ch'io mo- ro, ch'io spi- ro,
Takt 13
125 Takte D. c.

Quellen

Handschriften: Autograph: GB Lbm (R. M. 20. d. 12., f. 43r–45r).
Abschriften: AUSTR Sydney (P 39, p. 200–204) – GB Cfm (Barrett-Lennard-Collection, Mus. MS. 797, p. 134–137), Lbm (Egerton 2942, f. 42v–44r), Lcm (MS. 256, vol. 3, f. 21v–24v; MS. 257, f. 146r–149r), Mp (MS. 130 Hd4, v. 78, p. 247–257).

Bemerkungen

Die Kantate, deren Autograph in Schriftduktus und Papierbeschaffenheit auf eine frühe Entstehungszeit weist (WZ: Typ 1/J, 12zeilig rastriert, Rastralbreite ca. 9,75 mm) wurde vermutlich zusammen mit einer Gruppe anderer Kantaten 1707 in Florenz geschrieben (vgl. HWV 77, 81, 91 und 141; die letztere Kantate wurde unmittelbar im Anschluß an HWV 174 auf f. 45 von GB Lbm, R. M. 20. d. 12., begonnen). In römischen Quellen wird sie nicht erwähnt.
Die Eingangsarie „Un sospir" (1) bildet eine Vorstufe für folgende Sätze in anderen Werken Händels: HWV 78 „Ah! crudel, nel pianto mio" (1. Ah! crudel), HWV 6 Agrippina (5. Qual piacer), HWV 7a,b Rinaldo (1./2. Fassung, 27. bzw. 26. Ah! crudel) und HWV 17 Giulio Cesare in Egitto (11a. Nel tuo seno; Ritornello).
Beschreibung des Autographs: Lbm: Catalogue Squire, S. 22.

175. Vedendo Amor

Besetzung: Alto, Basso continuo
ChA 51. – HHA V/2. – EZ: Rom, 1707/08

Cantata a voce sola

Textdichter: unbekannt

Recitativo.

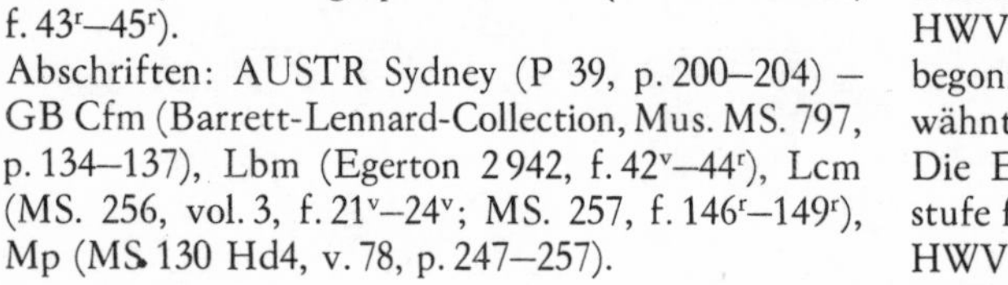
Ve-den-do A-mor che per me tes- se in- va- no
11 Takte

1. Aria.

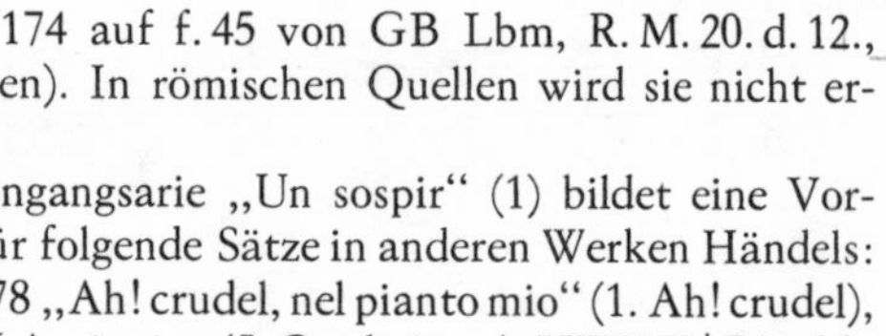
In un
Takt 9

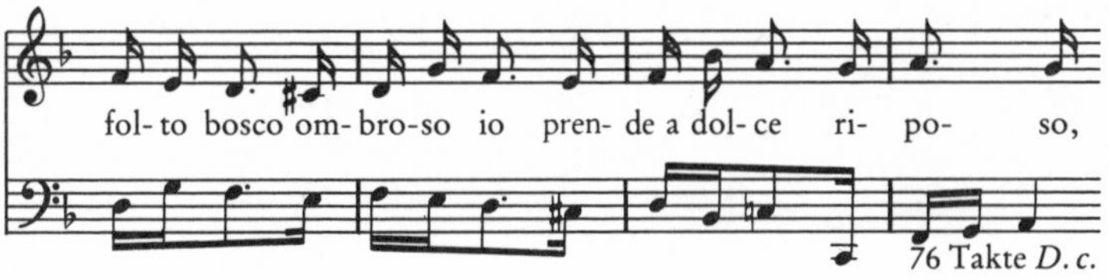
fol- to bosco om- bro-so io pren- de a dol- ce ri- po- so,
76 Takte D. c.

Recitativo.

In quel bos- co sen

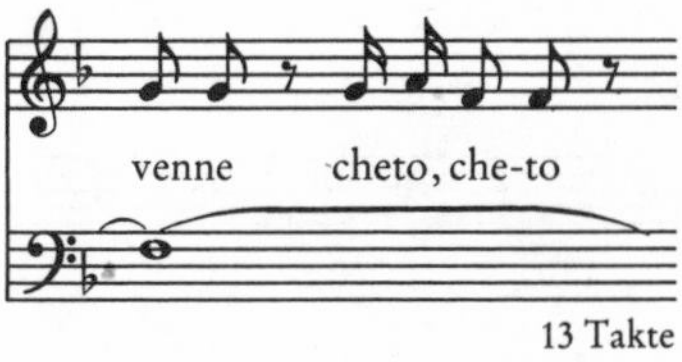
venne cheto, che-to
13 Takte

2. Aria.

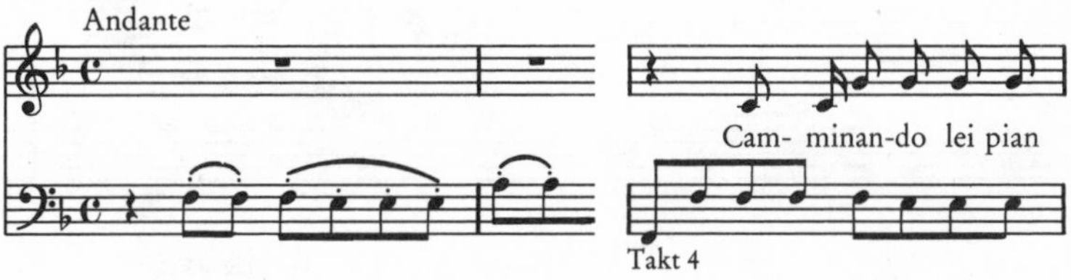
Andante
Cam- minan-do lei pian
Takt 4

pia- no, cam- minan-do lei pian pia- no, col frugnolo ac- ce- so in ma- no,
23 Takte D. c.

Recitativo.

Ca-ri-cò, sca-ri-cò, su-bi- to a- mo-re,
13 Takte

3. Aria.

Allegro
[vgl. HWV 96 (1.)]

Ri- se Euril- la, ri- - -se a- mo- re,
Takt 8
43 Takte D. c.

Recitativo.

Fra tan-to sono in gab-bia
5 Takte

Quellen

Handschriften: Autograph: GB Lbm (R. M. 20. d. 11., f. 35–39).

Abschriften: AUSTR Sydney (P 39, p. 46–51) – GB Cfm (Barrett-Lennard-Collection, Mus. MS. 797, p. 186–191; MS. 858, No. 2), Lbm (Egerton 2942, f. 23r–25v), Lcm (MS. 256, vol. 4, f. 26r–32r; MS. 257, f. 66v–70v), Mp (MS 130 Hd4, v. 78, p. 223–237).

Bemerkungen

Obwohl Händels Autograph kein sichtbares Wasserzeichen aufweist, deuten Schriftduktus, Rastrierung (8 Systeme, Rastralbreite ca. 10 mm; vgl. HWV 111a, 122 und 155) sowie motivisch-thematische Substanzgemeinschaft mit anderen Werken der Italienzeit auf eine Entstehung in Rom ca. 1707/08 hin.

In allen Kopien folgt das Werk der Kantate HWV 176 „Venne voglia ad amore" und bildet in zwei Quellen (GB Cfm, MS. 858; Mp) mit dieser sowie einigem zusätzlichem musikalischem Material unter dem Gesamttitel „Amore ucellatore" eine einzige längere Kantate, obwohl das Autograph beide Kantaten klar als selbständige Werke unterscheidet.

Entlehnungen:

1. In un folto bosco ombroso
   HWV 46a Il Trionfo del Tempo e del Disinganno: 19. Io vorrei due cori in seno
   HWV 71 The Triumph of Time and Truth: 19. Fain would I, two hearts enjoying
2. Camminando lei pian piano
   HWV 17 Giulio Cesare in Egitto: 14. Va' tacito e nascosto
3. Rise, Eurilla, rise amore
   HWV 34 Alcina: 25. È un folle, è un vile affetto

Beschreibung des Autographs: Lbm: Catalogue Squire, S. 21.

176. [Amore ucellatore:] Venne voglia ad Amore

Cantata a voce sola

Textdichter: unbekannt

Besetzung: Alto, Basso continuo
ChA 51. – HHA V/2. – EZ: Rom, 1707/08

Recitativo.

Venne voglia ad A- mo-re di far l'u-cel- la- to- re,
16 Takte

1. Aria.

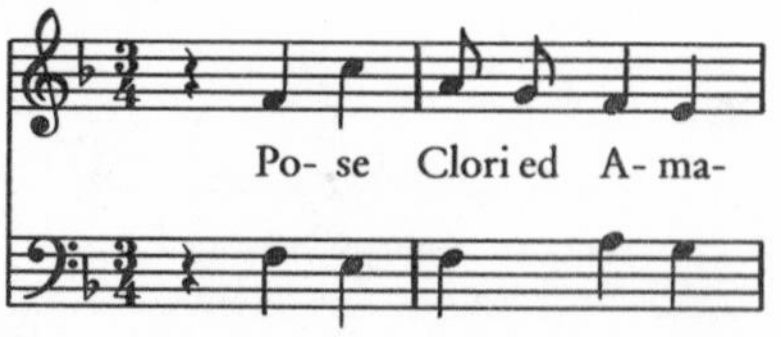
Po- se Clori ed A- ma-

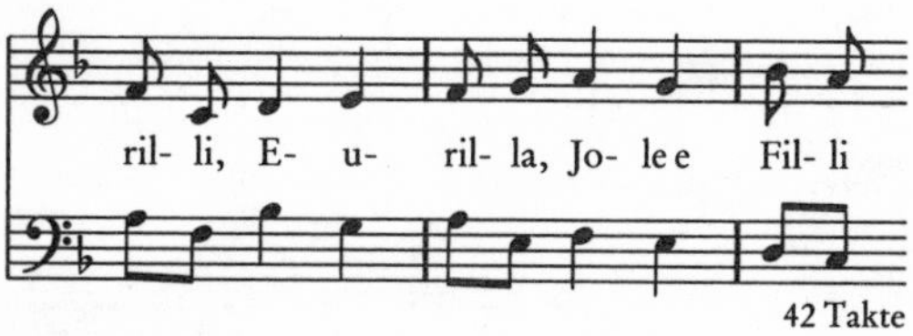
ril- li, E- u- ril- la, Jo- le e Fil- li
42 Takte

Recitativo.

A-mor gli ma-ne- gia- va co- sì be- ne,
10 Takte

2. Aria.

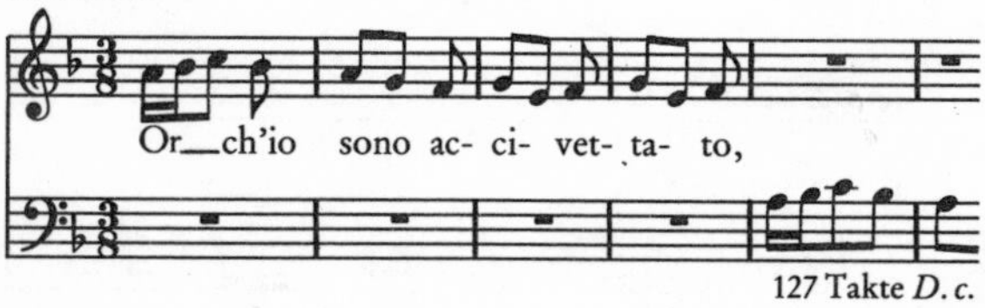
Or ch'io sono ac- ci- vet- ta- to,
127 Takte D. c.

Recitativo.

Tal-o- ra con spe- ranza di scappare,
8 Takte

Quellen
Handschriften: Autograph: GB Lbm (R. M. 20. d. 11., f. 32–34).
Abschriften: AUSTR Sydney (P 39, p. 42–46) – GB Cfm (Barrett-Lennard-Collection, Mus. MS. 797, p. 182–185; MS. 858, No. 2), Lbm (Egerton 2942, f. 20v–22v), Lcm (MS. 256, vol. 4, f. 22r–26r; MS. 257, f. 64r–66v), Mp (MS 130 Hd4, v. 78, p. 211–222).

Bemerkungen
Schriftduktus und Papierbeschaffenheit des Autographs (kein sichtbares Wasserzeichen, 8zeilig rastriert, Rastralbreite ca. 10 mm) zeigen das gleiche Bild wie der bei HWV 175 charakterisierte Überlieferungsbefund. In allen Kopien geht das Werk der Kantate HWV 175 „Vedendo amor" voraus und bildet in zwei der Quellen (GB Cfm, MS. 858; Mp) mit dieser sowie einigem zusätzlichem musikalischem Material eine Kantateneinheit unter dem Gesamttitel „Amore ucellatore", obwohl in beiden Autographen Händel die Werke als selbständige Kantaten konzipierte und dieser Titel in den Autographen nicht erscheint.
Die Musik der Arie „Pose Clori ed Amarilli" (1) übernahm Händel später in HWV 42 Deidamia (34b. Non vuò perdere l'istante) und in HWV 55 L'Allegro, il Penseroso ed il Moderato (Fassung 1741: 17. Straight mine eye hath caught new pleasures).
Beschreibung des Autographs: Lbm: Catalogue Squire, S. 21.

177. Zeffiretto, arresta il volo

Besetzung: Sopr., Basso continuo
ChA 51. – HHA V/2. – EZ: Italien, 1707/09

Cantata a voce sola

Textdichter: unbekannt

1. Aria

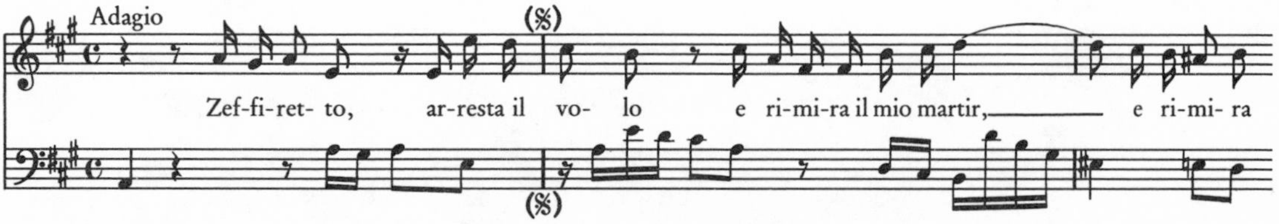
Adagio
(𝄋)
Zef-fi-ret- to, ar-resta il vo- lo e ri-mi-ra il mio martir, e ri-mi- ra
(𝄋)

Allegro
Poi ve- loce, ov' è il mio be- ne
Takt 10
43 Takte *D. c.*

Recitativo

Van-ne all'i- do- lo mi- o
17 Takte

2. Aria

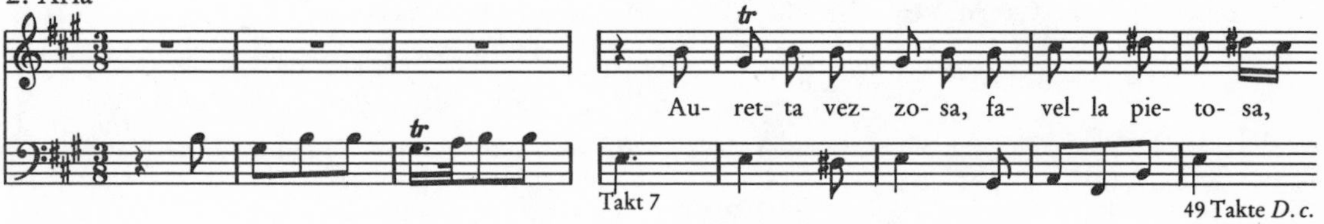
tr
Au- ret- ta vez- zo- sa, fa- vel- la pie- to- sa,
Takt 7
49 Takte *D. c.*

Quellen
Handschriften: Autograph: GB Lbm (R. M. 20. d. 11., f. 13^{r}–14^{r}).
Abschriften: AUSTR Sydney (P 39, p. 25–27) – A Wn (Ms. 17 750, f. 37^{r}–39^{r}) – GB Cfm (Barrett-Lennard-Collection, Mus. MS. 797, p. 76–78), Lbm (Egerton 2942, f. 12^{r}–13^{r}), Lcm (MS. 256, vol. 2, f. 21^{v}–23^{v}; MS. 257, f. 53^{v}–55^{r}), Mp (MS 130 Hd4, v. 78, p. 160–167) – I Vnm (It. IV 769, f. 13^{r}–14^{r}).

Bemerkungen
Obwohl das Papier des Autographs kein Wasserzeichen erkennen läßt, deuten Händels Schrift und die stilistische Stellung der Kantate auf eine Entstehungszeit zwischen 1707 und 1709 in Italien hin. Eine zusätzliche Hilfe für die Datierung bietet die im August 1709 in den Ruspoli-Dokumenten verzeichnete Kopie einer Kantate mit dem Titel „Aurette vezzose" (Arie Nr. 2 aus HWV 177) von der Hand Francesco Lancianis, die infolge des Umfangs von 1 foglio (4 Bll.) mit diesem Werk identisch sein dürfte (s. Kirkendale, Dokument 35 vom 31. August 1709).
Das Thema der Arie „Auretta vezzosa" (2) verwendete Händel später für den Schlußchor der Oper HWV 24 Siroe (30. Dolcissimo amore).

Literatur
Leichtentritt, S. 572f.
Beschreibung des Autographs: Lbm: Catalogue Squire, S. 20.

178. A mirarvi io son intento

Besetzung: Sopr., Alto, Basso continuo
ChA 32, 32a. – HHA V/5, 6. – EZ: Hannover, 1710/12

Duetto Nr. 8

Textdichter: Ortensio Mauro (?)

Sopr.
A mi- rar-vi io son in- ten- to, oc-chi ca- ri del mio ben
Takt 3
61 Takte *D. c.*

Si nas- con- de,
Ma l'a- mor per___ mio tor-men- to
42 Takte
Alto
E vi- bran-
- do in un ba- leno, in un ba- le- no del suo stral l'arden-te fa- ce,
54 Takte

Quellen

Handschriften: Autograph: GB Cfm (30 H 3, p. 61–70, fragm., ohne den Schluß von „E vibrando"). Abschriften: D (brd) B (Am. Bibl. 152, f. 28^r–33^r), Hs ($M\frac{A}{172}$, p. 51–61; $M\frac{B}{2767}$, p. 69–88; $M\frac{B}{1570}$, p. 117–132), MÜs (Hs. 1907, f. 18^r–26^r) – D (ddr) Bds (Am. Bibl. 151) – GB BENcoke (1. Bd.: f. 33^v–39^v; 2. Bd.: f. 49^v–60^v), Cfm (Barrett-Lennard-Collection), Lbm [R. M. 18. b. 11., f. 34^r–43^r; R. M. 18. b. 14., f. 35^r–44^r; R. M. 19. a. 7. f. 29^r–34^r; R. M. 19. f. 2., f. 1–11; R. M. 23. f. 9. (12.), f. 36^r, fragm., T. 1–8; Add. MSS 5322, f. 33^v–40^v; Egerton 2943, f. 23^v–29^v], Lcm (MS. 258, f. 42^r–47^v; MS. 259, f. 30^r–36^r) – I Bc – J Tn – US NBu (X Fo. M1529.H1418).

Drucke: Thirteen celebrated Italian duets, accompanied with the harpsichord or organ, never before printed. Composed by the late M^r. Handel. – London, W^m. Randall; Thirteen celebrated Italian duets, accompanied with the harpsichord or organ. Composed by G. F. Handel. – London, H. Wright; Handel's celebrated vocal duets, composed for the private practice of Her Majesty the late Queen Caroline, accompanied with the harpsichord or organ, never before publish'd; with the poetry from Milton's Paradise Lost, Pope's Essay on Man & Universal Prayer; adapted by the composer of Young's Night Thoughts [Thomas Billington]. – London, H. Wright; Thirteen chamber duetto's and twelve cantatas; composed by G. F. Handel. – London, Arnold's edition, No. 176–179 (1797); A new edition of thirteen celebrated Italian duetts, and two trios with an accompaniment for the piano forte or organ, composed by G. F. Handel. Revised, corrected and collated with authentic manuscript copies by James Bartleman. – London, R^t. Birchall. – The Works of Handel, printed for the members of the Handel Society, vol. 12: Chamber Duettos and Trios, ed. H. Th. Smart, London 1852.

Bemerkungen

Der Quellenüberlieferung nach entstand das Duett (ChA Nr. 8) 1710/12 in Hannover (als Nr. 6 der für die damalige Kurprinzessin und spätere englische Königin Karoline komponierten sogenannten 12 „Hannover"-Duette, s. Mainwaring, p. 85/Mattheson, S. 68, Chrysander I, S. 360).

Mehrere der frühen Abschriften enthalten nur 10 Duette (ChA Nr. 3–12), von denen eine Handschrift (GB Lbm, R. M. 18. b. 11.) auf Grund des Wasserzeichens in dem verwendeten Papier in Hannover geschrieben worden sein soll, eine andere [D (brd) Hs, $M\frac{B}{2767}$], von Chrysander (ChA 32, Vorwort) als „Händels Handexemplar" bezeichnet, gleichfalls deutscher Herkunft ist und eine dritte [D (brd) Hs, $M\frac{B}{1570}$] von Smith senior auf 1717 datiert wurde.

Im Autograph (GB Cfm, 30 H 3, p. 61–70), das ein anderes Papierformat aufweist als die weiteren autographen Duette in diesem Band, fehlen vom Schlußsatz („E vibrando") die letzten drei Takte. Außerdem hat Händel die beiden einleitenden Continuo-Takte des ersten Satzes („A mirarvi") weggelassen: sie sollten nur als Ritornell vor dem Da capo erklingen.

Vom ersten Satz ließ Händel sich später in HWV 279 Utrecht Jubilate (3. Be ye sure that the Lord) bzw. im Chandos Anthem I HWV 246 „O be joyful" (4. Be ye sure) melodisch anregen.

Literatur

Chrysander I, S. 360 ff., 365; Leichtentritt, S. 583; Mainwaring, p. 197 f./Mattheson, S. 145 ff.; Timms, C.: Handel and Steffani. A new Handel signature. In: The Musical Times, vol. 114, 1973, S. 374 ff.

Beschreibung des Autographs: Cfm: Catalogue Mann, Ms. 253, S. 166 f.

179. Ahi, nelle sorti umane

Duetto Nr. 20

Textdichter: unbekannt

Besetzung: Sopr. I, II, Basso continuo
ChA 32a. – HHA V/5, 6. – EZ: London, 31. August 1745

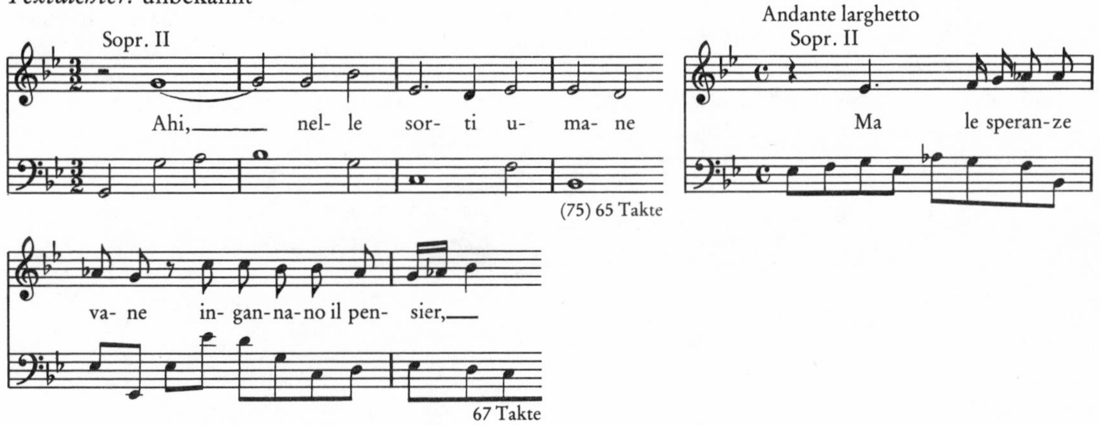
Sopr. II
Ahi, nel- le sor- ti u- ma- ne
(75) 65 Takte
Andante larghetto
Sopr. II
Ma le speran-ze
va- ne in- gan-na-no il pen- sier,
67 Takte

Quellen
Handschriften: Autograph: GB Lbm (R. M. 20. g. 9., f. 57–60: „D° di G. F. Handel").
Abschriften: A Wgm [Q 3004 (VI. 15890)] – GB BENcoke (3. Bd., Smith-Kopie, f. 19r–24r), Lbm (R. M. 19. e. 7., f. 71–76) – I Rsc (A. Ms. 3970).

Bemerkungen
Die Entstehung des Duetts (ChA Nr. 20) ist im Autograph vermerkt [f. 60: „Fine ♄ (= Sonnabend) August 31. 1745"]. Der Datierung nach ist es das letzte Duett, das Händel schrieb.

Literatur
Chrysander I, S. 372; Leichtentritt, S. 587.
Beschreibung des Autographs: Lbm: Catalogue Squire, S. 93.

180. Amor, gioje mi porge

Duetto Nr. 6

Textdichter: unbekannt

Besetzung: Sopr. I, II, Basso continuo
ChA 32, 32a. – HHA V/5, 6. – EZ: Italien 1707/09

Sopr. I
A- mor, gio- je mi por- ge, e tu, sem- pre più ri- -a,
Takt 6
87 Takte
Adagio
On- - -de al ben-da- - - - -to nu- - - - -me
On- - -de al ben- da- - -tó nu- - -me ri- nunzio ogni di- let-(to)
28 Takte
Andante
Sopr. I
Ch'io non bramo a gio- ir, per non pe- - -na- (re)
83 Takte

Quellen
Handschriften: Autograph: GB Cfm (30 H 3, p. 17–23: „Di G. F. Hendel").
Abschriften: D (brd) B (Am. Bibl. 152, f. 1^{v}–4^{v}), Hs ($M\frac{A}{172}$, p. 29–38; $M\frac{B}{2767}$, p. 41–52; $M\frac{B}{1570}$, p. 26–36), MÜs (Hs. 1908, f. 33^{r}–40^{r}) – D (ddr) Bds (Am. Bibl. 151) – GB BENcoke (1. Bd.: f. 19^{v}–25^{v}; 2. Bd.: f. 27^{r}–36^{r}), Cfm (Barrett-Lennard-Collection; 22 F 28, p. 150–155), Lbm [R. M. 18. b. 11., f. 20^{v}–25^{v}; R. M. 18. b. 14., f. 20^{v}–26^{v}; R. M. 23. f. 9. (12.), f. 20^{r}–26^{r}; Egerton 2943, f. 13^{v}–17^{r}; Add. MSS. 5322, f. 4^{r}–10^{r}]; Lcm (MS. 258, f. 29^{r}–34^{v}; MS. 259, f. 17^{v}–22^{v}) – I Bc – US NBu (X Fo. M 1529.H.1418).
Drucke: s. HWV 178

Bemerkungen
Der Quellenüberlieferung nach (WZ des Autographs: Typ 1/I) entstand das Duett (ChA Nr. 6) 1707/09 in Italien (Nr. 4 der 12 „Hannover"-Duette, vgl. HWV 178). Der dritte Satz („Ch'io non bramo a gioir") verwendet melodische Anregungen aus HWV 1 Almira (21. Ich will gar von nichtes wissen) und HWV 148 „Poichè giuraro amore" (2. Basterebbe a tor di vita).

Literatur
Chrysander I, S. 364 f.; Leichtentritt, S. 582 f.
Beschreibung des Autographs: Cfm: Catalogue Mann, Ms. 253, S. 165 f.

181. Beato in ver chi può (Beatus ille of Horace)
Duetto Nr. 18

Textdichter: Quintus Horatius Flaccus („Beatus ille, qui procul negotiis")

Besetzung: Sopr., Alto, Basso continuo
ChA 32a. – HHA V/5, 6. – EZ: London, 31. Oktober 1742

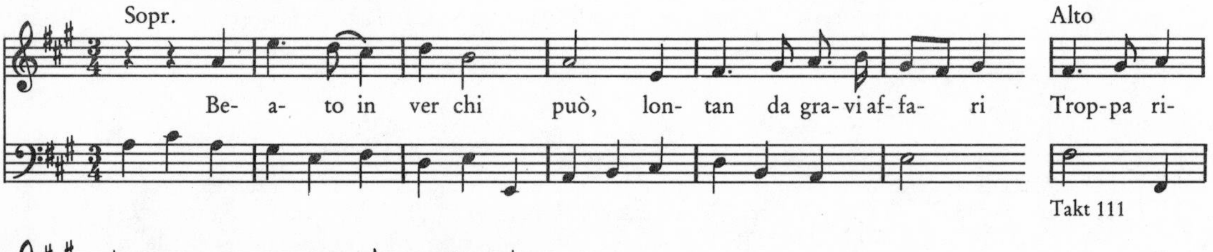
Sopr.
Be- a- to in ver chi può, lon- tan da gra- vi af- fa- ri
Alto
Trop- pa ri-
Takt 111

chez-za, no, ne pover- tà l'af- fan-(na)
195 Takte D. c.

Quellen
Handschriften: Autograph: GB Lbm (R. M. 20. g. 9., f. 43–46: „D° di G. F. Handel. Beatus ille of Horace").
Abschriften: A Wgm [Q 3004 (VI. 15 890)] – GB BENcoke (3. Bd., S_1-Kopie, f. 1^{r}–6^{r}) – I Rsc (A. Ms. 3970).

Bemerkungen
Die Entstehung des Duetts (ChA Nr. 18) ist im Autograph angegeben (f. 46: „Fine. G. F. Handel London. Oct$^{obr.}$ 31. 1742"). Der Text ist eine italienische Übertragung der Ode „Beatus ille, qui procul negotiis" von Horaz, was Händel im Autograph vermerkte.

Literatur
Chrysander I, S. 372; Heuß, A.: Die Kammerduette „Beato in ver chi può" und „Tacete ohimè, tacete". In: Programm-Buch zum Händel-Fest, Berlin 1906, S. 185 ff.; Leichtentritt, S. 586 f.
Beschreibung des Autographs: Lbm: Catalogue Squire, S. 93.

182[a] Caro autor di mia doglia (1. Fassung)

Duetto Nr. 1[a]

Textdichter: unbekannt

Besetzung: Sopr., Ten., Basso continuo
ChA 32a. – HHA V/5, 6. – EZ: Italien, ca. 1707

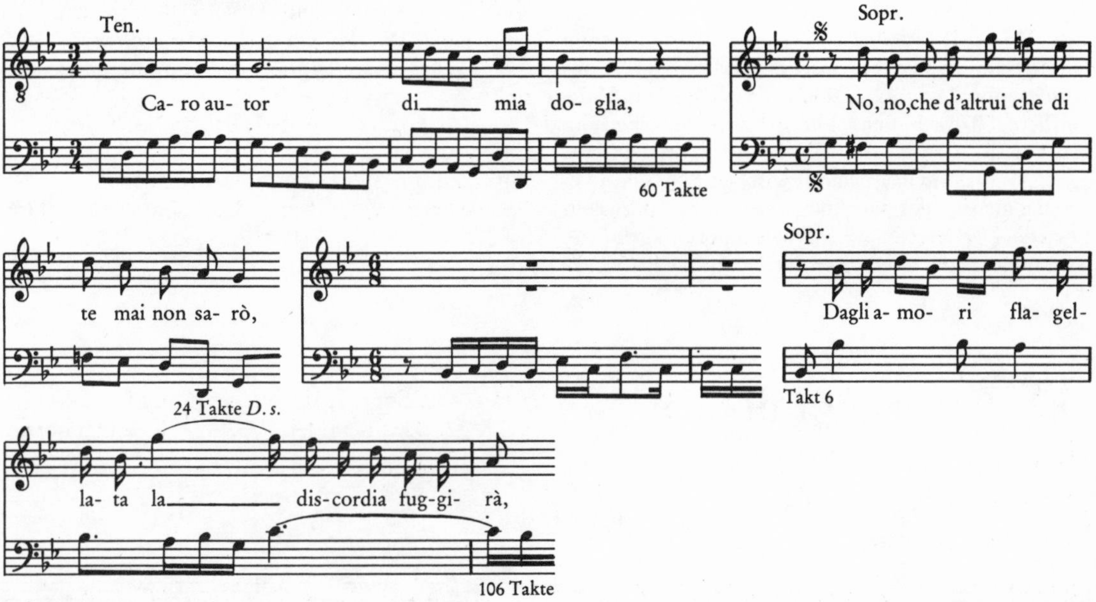
Ten.
Ca- ro au- tor di mia do- glia,
60 Takte
Sopr.
No, no, che d'altrui che di te mai non sa- rò,
24 Takte D. s.
Sopr.
Dagli a- mo- ri fla- gel- la- ta la discordia fug- gi- rà,
Takt 6
106 Takte

182[b] Caro autor di mia doglia (2. Fassung)

Duetto Nr. 1[b]

Textdichter: unbekannt

Besetzung: Alto I, II, Basso continuo
ChA 32a. – HHA V/5, 6. – EZ: London, ca. 1740/43

Larghetto
Alto II
Ca- ro au- tor di mia do- glia
61 Takte
Andante
Alto I
No, no, che d'altrui che di te mai non sa- rò,
42 Takte
Allegro ma non troppo
[vgl. HWV 83 (11.), HWV 119 (5.)]
Dagli a- mo- ri fla- gel- la- ta la dis-cor- - - - dia fug- gi- rà,
Takt 5
Dagli a- mo- ri fla- gel- la- ta
45 Takte (fragm.)

Quellen

Handschriften: Autographe: HWV 182^{a}: GB Lbm (R. M. 20. g. 9., f. 22–26). HWV 182^{b}: GB Lbm (R. M. 20. g. 9., f. 31–35, fragm.).
Abschrift: HWV 182^{a}: GB Cfm (24 F 17, f. 25 ff.).

Bemerkungen

Das Duett HWV 182^{a} (ChA Nr. 1^{a}) wurde von Händel auf Papier italienischer Herkunft (WZ des Autographs: Typ 1/D) geschrieben und entstand vermutlich 1707 in Florenz. Die spätere Überarbeitung HWV 182^{b} (ChA Nr. 1^{b}) (WZ des Autographs: Clausens Cf) entstand in England zwischen 1740 und 1743 wie die meisten der dort komponierten und datierten Duette. Der letzte Satz („Dagli amori flagellata") ist unvollständig überliefert und bricht nach 45 Takten im Autograph ab. Da auch keine Kopien davon erhalten sind, ist nicht sicher, ob Händel die Komposition jemals beendete.
Der letzte Satz in beiden Fassungen („Dagli amori flagellata") teilt das melodische Material mit den Kantaten HWV 83 „Arresta il passo" (11. Per abbatter il rigore) und HWV 119 „Io languisco fra le gioje" (8. Non più barbaro furore), wobei 182^{b} eine direkte Transkription der Kantatensätze darstellt.

Literatur

Chrysander I, S. 361; Leichtentritt, S. 581.
Beschreibung der Autographe: Lbm: Catalogue Squire, S. 92 f.

183. Caro autor di mia doglia

Duetto Nr. 1^{c}

Textdichter: unbekannt

Besetzung: Sopr. I, II, Basso continuo
ChA 32, 32a. – HHA V/5, 6. – EZ: Hannover, 1710/12

Ca- - - -ro au- tor, ca- ro au-
Takt 5
Dol- ce pe- na, No, no, no, no,
Sopr. II
tor di mia do- glia, ca- ro
Sopr. I
No, no, no
Takt 15
che d'al- tri che di te
no, che d'al- tri che di te
35 Takte
Sopr. I
Dagl'a- mo- ri fla- gel- la- ta,
52 Takte D. s.

Quellen

Handschriften: Autograph: verschollen.
Abschriften: D (brd) Hs (M $\frac{B}{1570}$, p. 1–9), MÜs (Hs. 1907, f. 41^{v}–47^{r}) – GB BENcoke (1. Bd.: f. 69^{v}–73^{v}; 2. Bd.: f. 110^{v}–117^{v}), Lbm (Add. MSS. 5322, f. 47^{r}–52^{r}), Lcm (MS. 258, f. 62^{v}–66^{v}; MS. 259, f. 61^{v}–66^{r}) – US N Bu (X Fo. M1529. H1418).
Drucke: s. HWV 178.

Bemerkungen

Die dritte Vertonung dieses Textes als Kammerduett (ChA Nr. 1^{c}) datiert F. Chrysander in die Zeit 1710/11 und zählt das Werk als zwölftes der „Hannover"-Duette. Da das Autograph verschollen ist, lassen sich keine näheren Angaben über Zeit und Ort der Entstehung machen. Auf jeden Fall muß das Duett 1712/13 vorgelegen haben, wie sein Abdruck in R. Keisers „Divertimenti serenissimi" (Hamburg 1713) beweist.[1] Musikalisch ist HWV 183 vollständig unabhängig von den beiden Fassungen HWV $182^{a,b}$; dies hat zu Zweifeln an seiner Echtheit geführt, obwohl Keiser als Autor wohl nicht in Betracht kommt. Die eindeutige Zuschreibung des Werkes an Händel in allen handschriftlichen Quellen dürfte dagegen für den Authentizitätsanspruch den Ausschlag geben.

Die von F. Chrysander hervorgehobene Entlehnung einiger Motive aus dem letzten Satz („Dagl'amori flagellata") für den Aufbau des Chores „Wretchful lovers/Behold the monster Polypheme" aus HWV 49^a Acis and Galatea (10) scheint allerdings mehr zufällig zu sein, um als bewußte thematische Übernahme gelten zu können.

[1] Divertimenti serenissimi, delle cantate, duette & arie diverse, senza stromenti. Oder: Durchlauchtige Ergötzung über verschiedene Cantaten, Duetten und Arien, ohne Instrumenten. – Hamburg, Friedrich Conrad Greflinger, 1713. Das Duett ist darin als erstes Werk abgedruckt. Vgl. Petzoldt, R.: Die Kirchenkompositionen und weltlichen Kantaten Reinhard Keisers (1674–1739), Berlin 1935, S. 66 f. Auch Petzoldt lehnt Keisers Urheberschaft an diesem Duett aus stilistischen Gründen ab.

Literatur

Chrysander I, S. 361 f.; Leichtentritt, S. 581; Timms, C.: Handel and Steffani. A new Handel signature. In: The Musical Times, vol. 114, 1973, S. 374 ff., bes. S. 376.

184. Che vai pensando, folle pensier

Duetto Nr. 5

Textdichter: Ortensio Mauro (?)

Besetzung: Sopr., Basso, Basso continuo
ChA 32, 32a. – HHA V/5, 6. – EZ: Italien 1707/09

Allegro ma non presto
Che vai pen- san- do, fol- le pen- sier, fol- le pen-sier
Se pen- si
[vgl. HWV 41. Imeneo (3., 10.)]
62 Takte
far- - - - - mi pe- nar spe- ran- - -do,
67 Takte

Quellen

Handschriften: Autograph: GB Cfm (30 H 3, p. 9 bis 15).

Abschriften: D (brd) B (Am. Bibl. 152, f. 24^v–27^v), Hs ($M\frac{A}{172}$, p. 20–29; $M\frac{B}{1570}$, p. 50–61; $M\frac{B}{2767}$, p. 27–40) MÜs (Hs. 1907, f. 2^r–8^r) – D (ddr) Bds (Am. Bibl. 151) – GB BENcoke (1. Bd.: f. 12^v–18^v; 2. Bd.: f. 19^v–26^v), Cfm Barrett-Lennard-Collection; 22 F 28, p. 143–149, aus dem Besitz von Bernard Gates), Lbm (R. M. 18. b. 11., f. 14^r–20^r; R. M. 18. b. 14., f. 14^r–20^r; R. M. 23. f. 9. (12.), f. 13^r–19^v; Egerton 2943, f. 9^r–13^r; Add. MSS. 5322, f. 40^v–46^v], Lcm (MS. 258, f. 1^r–6^v; MS. 259, f. 11^v–17^r) – I Bc – J Tn – US NBu (X Fo.M1529. H1418).

Drucke: s. HWV 178.

Bemerkungen

Das Duett entstand der Quellenüberlieferung nach (WZ des Autographs: Typ 1/J) 1707/09 in Italien (ChA Nr. 5; „Hannover"-Duett Nr. 3).

Der erste Abschnitt „Che vai pensando", der durch Agostino Steffanis Kammerduett „Non voglio, no"[1] (Chrysander I, S. 336 f.) angeregt wurde, bildete eine Vorstudie für die beiden Chöre „Vien Imeneo" (3, 4, 10) in HWV 41 Imeneo.

Literatur

Chrysander I, S. 363 f.; Leichtentritt, S. 582; Mainwaring, p. 198/Mattheson, S. 147.

Beschreibung des Autographs: Cfm: Catalogue Mann, Ms. 253, S. 165.

[1] DDT, 2. Folge: Denkmäler der Tonkunst in Bayern, 6. Jg., II. Bd., hrsg. von A. Einstein und A. Sandberger, Leipzig 1905, Thematisches Verzeichnis, Vorwort, S. XXIII.

185. Conservate, raddoppiate

Duetto Nr. 11

Textdichter: Ortensio Mauro (?)

Besetzung: Sopr., Alto, Basso continuo
ChA 32, 32a. – HHA V/5, 6. – EZ: Hannover, 1710/12

Alto
Conser- va- te, raddop- pia- te,
52 Takte
Sia- - -te e- ter-ne in que- sto cor,
No, di voi,
70 Takte

Quellen
Handschriften: Autograph: GB Cfm (30 H 3, p. 53 bis 59).
Abschriften: D (brd) B (Am. Bibl. 152, f. 16ᵛ–18ᵛ), Hs ($M\frac{A}{172}$, p. 81–87; $M\frac{B}{1570}$, p. 10–17; $M\frac{B}{2767}$, p. 119–126), MÜs (Hs. 1908, f. 28ᵛ–32ᵛ) – GB BENcoke (1. Bd.: f. 53ᵛ–57ʳ; 2. Bd.: f. 81ʳ–88ʳ), Cfm (Barrett-Lennard-Collection), Lbm (R. M. 18. b. 11., f. 58ʳ–61ʳ; R. M. 18. b. 14., f. 58–61; Egerton 2943, f. 39ᵛ–42ʳ; Add. MSS. 5322, f. 10ʳ–14ʳ), Lcm (MS. 258, f. 48ʳ–51ʳ; MS. 259, f. 47ᵛ–50ᵛ) – I Bc – US NBu (X Fo. M1529.H1418).
Drucke: s. HWV 178.

Bemerkungen
Das Duett (ChA Nr. 11) entstand der Quellenüberlieferung nach 1710/12 als siebentes der „Hannover"-Duette (vgl. HWV 178).
Das Autograph zeigt Spuren einer nachträglichen Textierung; vermutlich arbeitete Händel das Werk nach einer Skizze für einen Chorsatz aus, wie der Vermerk „Coro" auf p. 55 schließen läßt.

Literatur
Chrysander I, S. 366 f.; Leichtentritt, S. 584; Mainwaring, p. 198/Mattheson, S. 147.
Beschreibung des Autographs: Cfm: Catalogue Mann, Ms. 253, S. 166.

186. Fronda leggiera e mobile

Duetto Nr. 19

Textdichter: unbekannt

Besetzung: Sopr., Alto, Basso continuo
ChA 32a. – HHA V/5, 6. – EZ: London, etwa 1740/45

a, b.

Sopr.
Fronda leggie-ra e mo- - - - - - - bile,
a.
sorte in-co- stan- - te.
Takt 85
b.
sor- te in-co- stan- - -te.
Takt 71
Andante larghetto
Alto
Sag-gio quel cor, quel cor che li- be-ro
143 Takte

Quellen
Handschriften: Autograph: GB Lbm (R. M. 20. g. 9., f. 52–56: „D° di G. F. Handel").

Abschriften: A Wgm [Q 3004 (VI. 15 890)] – GB BENcoke (3. Bd., Smith-Kopie, f. 25ʳ–31ʳ), Lbm (R. M. 19. e. 7., f. 52–58) – I Rsc (A. Ms. 3970).

Bemerkungen

Das Duett (ChA Nr. 19) entstand vermutlich zwischen 1740 und 1745 wie die meisten der in England komponierten Kammerduette (WZ des Autographs: Clausens Cf, dexter). Einen weiteren Anhaltspunkt für die Datierung bietet die Umarbeitung des ersten Satzes „Fronda leggiera" als Chor (21. See from his post Euphrates flies) in HWV 61 Belshazzar (1744), der anschließend auch in das Concerto a due Cori B-Dur HWV 332 (3. Satz: Allegro) übernommen wurde.

Dieser erste Satz des Duetts liegt im Autograph in zwei Versionen vor, da Händel einen um 14 Takte verkürzten und in die Dominante modulierenden zweiten Schluß einfügte. Obwohl ein Da capo nach dem zweiten Satz nicht ausdrücklich angemerkt ist, stellt die längere Version von 87 Takten, die in der Tonika schließt, zweifellos einen Hinweis auf eine Wiederholung des ersten Satzes nach dem in Taktart und Tempo kontrastierenden *Andante larghetto* „Saggio quel cor" dar.

Literatur

Chrysander I, S. 372; Leichtentritt, S. 587.

Beschreibung des Autographs: Lbm: Catalogue Squire, S. 93.

187. Giù nei Tartarei regni

Duetto Nr. 2

Textdichter: unbekannt

Besetzung: Sopr., Basso, Basso continuo

ChA 32a. – HHA V/5, 6. – EZ: Italien, ca. 1707

Sopr.
Basso
Andante
Giù nei Tar- ta- rei reg- ni n'andrem ma-
Giù nei Tar- ta- rei re- gni n'andrem ma- don- na,
Io ch'arden- do mi
54 Takte
Io ch'arden- do mi sfac- (cio)
Ma, per il ghiaccio e-
sfac- - - - - - cio
(53) 45 Takte
stremo è nel tuo co- re,
io nel tuo cor, e tu nel mi- o, l'in- fer- - - - - -(no)
io nel tuo
Takt 6
48 Takte

Quellen

Handschriften: Autograph: GB Lbm (R. M. 20. g. 9., f. 27–30).

Abschrift: GB Cfm (24 F 17).

Bemerkungen

Das Duett (ChA Nr. 2) entstand nach Schriftduktus und Papierbeschaffenheit des Autographs (WZ: Typ 1/L) vermutlich (zusammen mit HWV 182[a]) um 1707 in Florenz. Der Text wurde auch von Benedetto Marcello als Duett vertont[1].

Das thematische Material des zweiten und dritten Teils („Io ch'ardendo mi sfaccio" und „Io nel tuo cor, e tu nel mio") verwendete Händel später in HWV 56 Messiah (7. And he shall purify), nachdem es bereits eine Umbildung im Kammerduett HWV 192 „Quel fior che all'alba ride" („L'occaso ha nell' aurora") erfahren hatte, das im allgemeinen als thematische Quelle für diesen Satz in „Messiah" angesehen wird. Auch HWV 198 „Troppo cruda" („Ma la speme lusinghiera") macht von diesem melodischen Modell Gebrauch.

Literatur

Chrysander I, S. 361; Leichtentritt, S. 581; Timms, C.: Handel and Steffani. A new Handel signature. In: The Musical Times, vol. 114, 1973, S. 374 ff., bes. S. 376.

Beschreibung des Autographs: Lbm: Catalogue Squire, S. 93.

[1] Vgl. Fruchtman, C. S.: Checklist of Vocal Chamber Works by Benedetto Marcello (Detroit Studies in Music Bibliography X), Detroit 1967, S. 23.

188. Langue, geme, sospira

Duetto Nr. 13

Textdichter: G. D. de Totis
(aus: „La caduta del regno dell'Amazzoni“, Atto II, Scena 10, Rom 1690)

Besetzung: Sopr., Alto, Basso continuo
ChA 32, 32a. – HHA V/5, 6. – EZ: London, ca. 1722/24

Alto
Lan- - -gue, ge- - -me, so- spi-ra e si la-gna
(112) 110 Takte

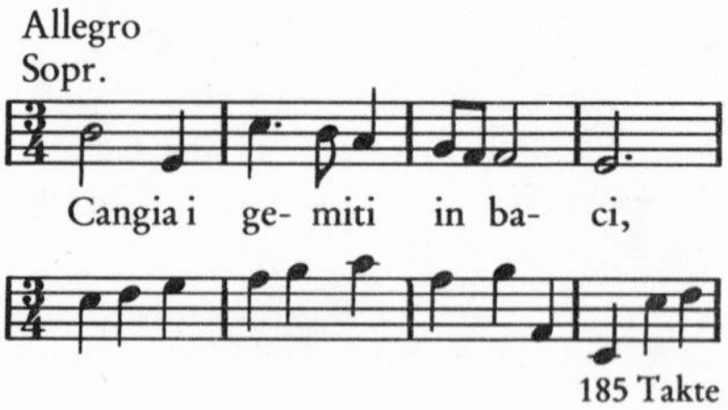
Allegro
Sopr.
Cangia i ge- miti in ba- ci,
185 Takte

Quellen
Handschriften: Autograph: GB Lbm (R. M. 20. g. 9., f. 61–64).
Abschriften: D (brd) Hs (M $\frac{B}{1570}$, p. 170–179), MÜs (Ms. 1908, f. 23r–28r) – GB BENcoke (1. Bd.: f. 64v–69r; 2. Bd.: f. 101r–110r), Cfm (Barrett-Lennard-Collection), Lbm (R. M. 18. b. 14., f. 71r–75r; R. M. 19. e. 7., f. 53–56; Egerton 2943, f. 53v–56v), Lcm (MS. 258, f. 58r–62r; MS. 259, f. 57v–61r) – I Bc – US NBu (X Fo. M1529. H1418), Wc (M 1497.H13 case, f. 1r–4v).
Drucke: s. HWV 178.

Bemerkungen
Das Duett (ChA Nr. 13) wurde von Händel zusammen mit HWV 193 vermutlich zwischen 1722 und 1724 geschrieben (WZ des Autographs: Clausens Typ Cb, sinister). Der Text stammt aus der Oper „La caduta del regno dell'Amazzoni“ von G. D. de Totis[1] (vertont von B. Pasquini, Rom 1690, Atto II, Scena 10). Auch Pietro Torri vertonte den von Händel verwendeten Textabschnitt als Duett[2]; Händel ließ sich bei seiner Komposition von Torris Werk motivisch anregen (s. Timms).

Literatur
Chrysander I, S. 367; Leichtentritt, S. 585; Timms, C.: Handel and Steffani. A new Handel signature. In: The Musical Times, vol. 114, 1973, S. 374ff., bes. S. 376.
Beschreibung des Autographs: Lbm: Catalogue Squire, S. 93.

[1] Vgl. A. Hicks, in: The New Grove, Artikel *Handel, G. F.*, S. 125.
[2] Ms. in GB Lbm (R. M. 23. k. 22., f. 59v) und I Fc (D. 333, kopiert 1718 in Düsseldorf).

189. No, di voi non vuo' fidarmi (1. Fassung)

Duetto Nr. 16

Textdichter: unbekannt

Besetzung: Sopr. I, II, Basso continuo
ChA 32a. – HHA V/5, 6. – EZ: London, 3. Juli 1741

Andante
Sopr. I
No, di voi non vuo' fi- dar-mi, cieco A-mor, cru-del Bel- tà,

[vgl. HWV 56 (11.)]

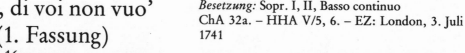

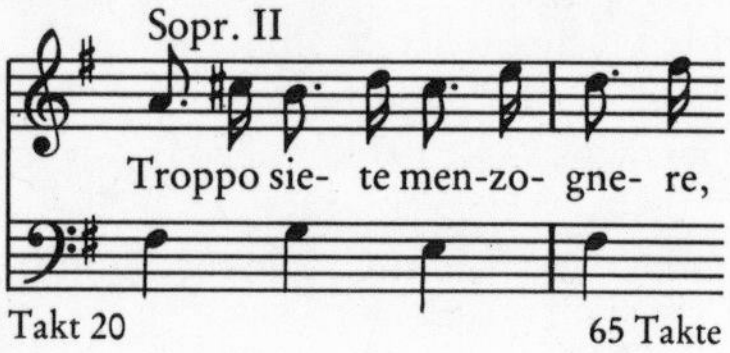
Sopr. II
Troppo sie- te men-zo- gne- re,
Takt 20
65 Takte

Larghetto
Sopr. I
Al- tra volta in-ca- te- nar- mi
28 Takte

Allegro
Sopr. I
So per pro-va i vostri in- gan- - - - - ni;
56 Takte

Quellen

Handschriften: Autograph: GB Lbm (R. M. 20. g. 9., f. 39–42: „Duetto di G. F. Handel").
Abschriften: A Wgm [Q 3004 (VI. 15890)] – GB BENcoke (3. Bd., Smith-Kopie, f. 7v–12v) – I Rsc (A. Ms. 3970).

Bemerkungen

Die Entstehung des Duetts (ChA Nr. 16) ist im Autograph vermerkt (f. 42: „a Londra, a'3 di Luglio. 1741. ♀ (= Freitag) July ye 3. 1741."). Händel benutzte die Musik aller drei Sätze später in anderen Kompositionen:

No, di voi non vuo' fidarmi/Troppo siete menzognere
  HWV 56 Messiah: 11. For unto us a child is born
Altra volta incatenarmi
  HWV 102a,b „Dalla guerra amorosa"; 2. La bellezza è com'un fiore
  HWV 107 „Dite mi, o piante": 1. Il candore tolse al giglio
  HWV 118 „Ho fuggito amore anch'io": 1. Ho fuggito
  HWV 145 „Oh numi eterni": 1. Già superbo del mio affanno
  HWV 48 Brockes-Passion: 20. Schau, ich fall' in strenger Buße
  HWV 71 The Triumph of Time and Truth: 3b. Sorrow darkens ev'ry feature
So per prova i vostri inganni
  HWV 56 Messiah: 23. All we like sheep

Literatur

Chrysander I, S. 371; Leichtentritt, S. 586; Siegmund-Schultze, W.: Zwei Händelsche Kammerduette und „Der Messias". In: Händel-Festspiele Halle, 7. bis 10. Juni 1958, Programmheft, S. 75 ff.; Siegmund-Schultze, W.: Die musikalischen Quellen des Messias. In: G. F. Händel – Thema mit 20 Variationen, Halle 1965, S. 89 ff.
Beschreibung des Autographs: Lbm: Catalogue Squire, S. 93.

190. No, di voi non vuo' fidarmi (2. Fassung)

Duetto Nr. 17

Textdichter: unbekannt

Besetzung: Sopr., Alto, Basso continuo
ChA 32a. – HHA V/5, 6. – EZ: London, 2. November 1742

Alto
No, di voi non vuo' fi- dar-mi,
140 Takte

Largo
Sopr.
Al- tra vol- ta in- ca- -
Alto
Al- tra vol- ta in- ca- te- nar- mi,

- - -te-nar- mi
in- ca- te nar- mi,
27 Takte

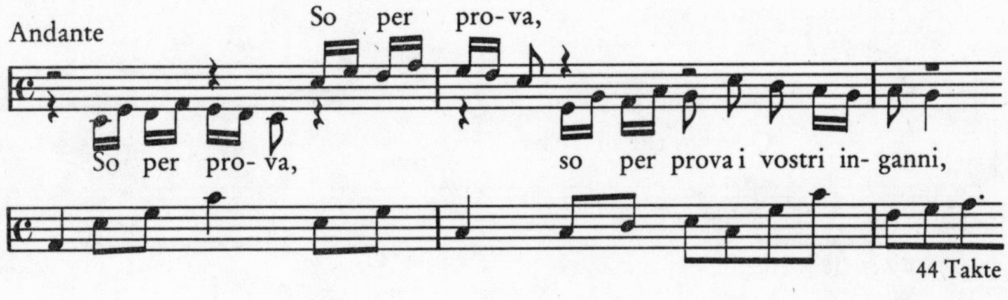
Andante
So per pro- va,
So per pro- va,
so per prova i vostri in- ganni,
44 Takte

Quellen
Handschriften: Autograph: GB Lbm (R. M. 20. g. 9., f. 47–51: „D° di G. F. Handel“).
Abschrift: GB Lbm (R. M. 19. e. 7., f. 64–70).

Bemerkungen
Das Entstehungsdatum des Duetts (ChA Nr. 17) ist von Händel im Autograph vermerkt (f. 51: „G. F. Handel London Nov. 2. ♂ (= Dienstag) 1742“). Musikalisch ist das Werk völlig unabhängig von der ersten Vertonung des Textes (vgl. HWV 189).

Literatur
Chrysander I, S. 371; Leichtentritt, S. 586.
Beschreibung des Autographs: Lbm: Catalogue Squire, S. 93.

191. Quando in calma ride
Duetto Nr. 9
Textdichter: Ortensio Mauro (?)

Besetzung: Sopr., Basso, Basso continuo
ChA 32, 32a. – HHA V/5, 6. – EZ: Italien 1707/09

Sopr.
Quan- - - do in cal- ma ri- de il ma- re, le tem- pe- ste ha più vi- ci- ne,
55 Takte
E si passa in un ba- le- - - - - no dall' al- tez- - - ze,
55 Takte

Quellen
Handschriften: Autograph: GB Cfm (30 H 3, p. 1–8, fragm.: „Duetto di G. F. Hendel“. Am Schluß fehlen 9 Takte).
Abschriften: D (brd) Hs (M $\frac{A}{172}$, p. 62–71; M $\frac{B}{1570}$, p. 75–85; M $\frac{B}{2767}$, p. 89–102), MÜs (Hs. 1907, f. 26ʳ–32ᵛ) – GB BENcoke (1. Bd.: f. 40ʳ–44ᵛ; 2. Bd.: f. 60ᵛ–69ʳ), Cfm (Barrett-Lennard-Collection), Lbm (R. M. 18. b. 11., f. 43ᵛ–50ʳ; R. M. 18. b. 14., f. 44ᵛ–50ʳ; Egerton 2943, f. 30ʳ–33ᵛ: Add. MSS. 5322, f. 59ʳ–65ʳ), Lcm (MS. 258, f. 7ʳ–11ᵛ; MS. 259, f. 36ᵛ–41ʳ) – I Bc – US NBu (X Fo. M1529. H1418).
Drucke: S. HWV 178.

Bemerkungen
Das Duett (ChA Nr. 9) entstand der Quellenüberlieferung nach (WZ des Autographs: Typ 1/N) in Italien um 1707/09 (vgl. HWV 178; „Hannover“-Duett Nr. 3).

Literatur
Chrysander I, S. 365; Leichtentritt, S. 583 f.
Beschreibung des Autographs: Cfm: Catalogue Mann, Ms. 253, S. 165.

192. Quel fior che all'alba ride
Duetto Nr. 15
Textdichter: unbekannt

Besetzung: Sopr. I, II, Basso continuo
ChA 32a. – HHA V/5, 6. – EZ: London, 1. Juli 1741

Andante larghetto
Sopr. I
Quel fior che all'al- ba ri - - - - - - - de
Grave
È un
42 Takte
[vgl. HWV 56 (18.)]

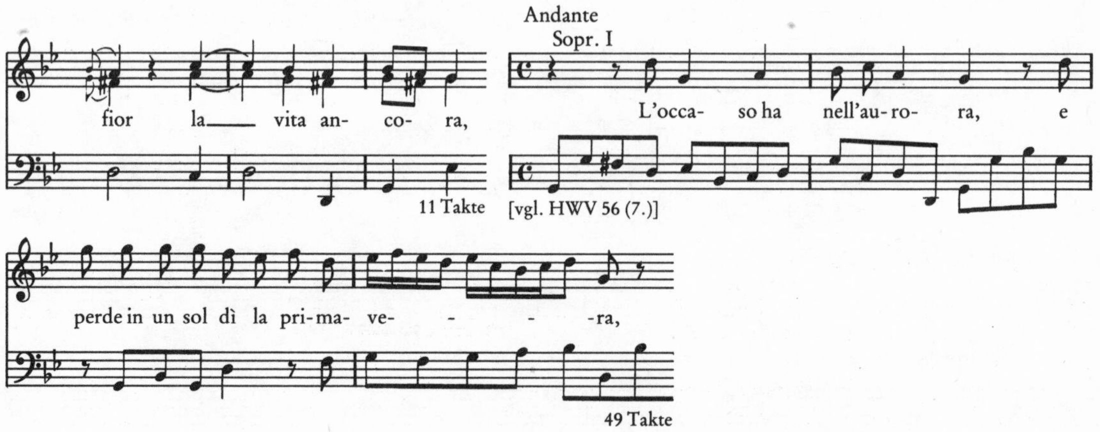
Andante
Sopr. I
fior la vita an- co- ra,
L'occa- so ha nell'au- ro- ra, e
11 Takte
[vgl. HWV 56 (7.)]
perde in un sol dì la pri- ma- ve- - - -ra,
49 Takte

Quellen
Handschriften: Autograph: GB Lbm (R. M. 20. g. 9., f. 36–38: „Duetto di G. F. Handel"; R. M. 20. g. 14., f. 51ʳ: Skizze zu „L'occaso ha nell'aurora").
Abschriften: A Wgm [Q 3004 (VI. 15 890)] – GB BENcoke (3. Bd., Smith-Kopie, f. 13ʳ–17ᵛ) – I Rsc (A. Ms. 3970).
Faksimile-Ausgabe: Faksimilie-Druck nach dem Original in der Privatbibliothek des Königs von England. – München: Drei Masken Verlag 1923

Bemerkungen
Das Duett (ChA Nr. 15) ist von Händel im Autograph mit folgendem Entstehungsdatum versehen worden: f. 38: „a Londra, a' 1 di Luglio 1741. ☿ (= Mittwoch) July yᵉ 1. 1741".
Entlehnungen:
Quel fior che all'alba ride
HWV 56 Messiah: 18. His yoke is easy
L'occaso ha nell'aurora[1]
HWV 187 „Giù nei Tartarei regni": Io ch'ardendo mi sfaccio/Io nel tuo cor
HWV 198 „Troppo cruda, troppo fiera": Ma la speme lusinghiera
HWV 56 Messiah: 7. And He shall purify
HWV 154 „Quel fior": 3. L'occaso ha nell'aurora
HWV 66 Susanna: 35. Righteous Daniel/Hencewe found the path of truth (T. 29 ff.).

Literatur
Chrysander I, S. 371; Leichtentritt, S. 585 f.; Siegmund-Schultze, W.: Zwei Händelsche Kammerduette und „Der Messias". In: Händel-Festspiele Halle, 7.–10. Juni 1958, Programmheft, S. 75 ff.; Siegmund-Schultze, W.: Die musikalischen Quellen des Messias. In: G. F. Händel – Thema mit 20 Variationen, Halle 1965, S. 89 ff.
Beschreibung des Autographs: Lbm: Catalogue Squire, S. 93.

[1] Die Fortspinnung des Themas auf den Text „e perde in un sol di la primavera" scheint in der ausgezierten Form, in der es in HWV 56 Messiah (7. And He shall purify) auftritt, von G. Ph. Telemann angeregt worden zu sein. Vgl. Telemann, G. Ph.: Der Harmonische Gottesdienst, Teil II, Kantate auf Rogate „Deine Toten werden leben", Hamburg 1725/26, in: G. Ph. Telemann, Musikalische Werke, Bd. III, hrsg. von G. Fock, Kassel und Basel 1953, S. 236 ff.

193. Se tu non lasci amore

Duetto Nr. 14

Textdichter: unbekannt

Besetzung: Sopr., Alto, Basso continuo
ChA 32, 32a. – HHA V/5, 6. – EZ: London, ca. 1720/24

Alto
Se tu non lasci a- mo- - re, mio cor ti penti- rai
so ben i- o, lo
[vgl. HWV 56 (44.)]
47 Takte *D. c.* (74 Takte)
Takt 74

Adagio
Sopr.
Ma con chi par- lo, oh Dio,
so ben i- o, ma con chi par- lo, oh Dio, oh Di- o, con chi,
86 Takte

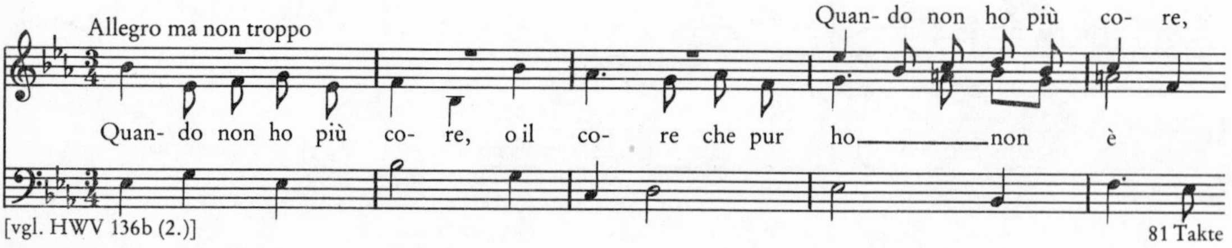
Allegro ma non troppo
Quan- do non ho più co- re,
Quan- do non ho più co- re, o il co- re che pur ho non è
81 Takte

[vgl. HWV 136b (2.)]

Quellen

Handschriften: Autograph: GB Lbm (R. M. 20. g. 9., f. 65–68, fragm.: „Quando non ho più core" bricht nach 56 Takten ab).

Abschriften: D (brd) Hs ($M\frac{B}{1570}$, p. 180–194) – GB BENcoke (2. Bd.: f. 118^{r}–129^{v}), Cfm (Barrett-Lennard-Collection), Lbm (R. M. 18. b. 14., f. 75^{v}–82^{v}; R. M. 19. e. 7., f. 77–84; Egerton 2943, f. 48^{v}–53^{r}), Lcm (MS. 258, f. 67^{r}–72^{v}; MS. 259, f. 66^{v}–73^{r}) – I Bc – US NBu (X Fo. M1529. H 1418).

Drucke: s. HWV 178.

Bemerkungen

Das Duett (ChA Nr. 14) entstand zusammen mit HWV 188 „Langue, geme, sospira", vermutlich zwischen 1722 und 1724. Die Autographe beider Duette, die nicht genau datiert werden können, zeigen gleiche Schrift und gleiche Wasserzeichen. Ihre Datierung auf ca. 1711 (Chrysander I, S. 360) ist dagegen durch keine näheren Anhaltspunkte gestützt.

Entlehnungen:

Se tu non lasci amore
- HWV 201 „Se tu non lasci amore"
- HWV 278 Utrecht Te Deum: 3. To thee Cherubin and Seraphin
- HWV 247 „In the Lord put I my trust": 3. God is a constant sure defence
- HWV 56 Messiah: 44. O death, where is thy sting/ 45. But thanks be to God

Quando non ho più core
- HWV 136^{b} „Nell'africane selve": 2. Che l'una l'alma sani

Literatur

Chrysander I, S. 367 ff.; Leichtentritt, S. 585; Siegmund-Schultze, W.: Die musikalischen Quellen des Messias. In: G. F. Händel – Thema mit 20 Variationen, Halle 1965, S. 89 ff.

Beschreibung des Autographs: Lbm: Catalogue Squire, S. 93.

194. Sono liete, fortunate

Duetto Nr. 3

Textdichter: Ortensio Mauro (?)

Besetzung: Sopr., Alto, Basso continuo

ChA 32, 32a. – HHA V/5, 6. – EZ: Italien, etwa 1706/Hannover, 1710/12

Sopr.
So- no lie- te,
Alto
So- no lie- - -te, fortu- na- - -te, dol-ci gra-te le ca- te- - -(ne)
33 Takte
Sopr.
Crudel- tà nè

Alto
lon- ta- nan- za,
Non av- -ran mai la pos-san-za di stac- car- - -(le)
Takt 15
108 Takte

Quellen
Handschriften: Autographe: D (ddr) Bds (Mus. ms. autogr. G. F. Händel 5, p. 1–4: „Hendel: 1 Duetto") – GB Cfm (30 H 3, p. 45–51: „di G. F. Hendel").
Abschriften: D (brd) B (Am. Bibl. 152, f. 5r–7r), Hs (M $\frac{A}{172}$, p. 1–8; M $\frac{B}{1570}$, p. 18–25; M $\frac{B}{2767}$, p. 1–10), MÜs (Hs. 1908, f. 1r–5v) – D (ddr) Bds (Am. Bibl. 151) – BENcoke (1. Bd.: f. 1v–4v; 2. Bd.: f. 1v–7v), Cfm (Barrett-Lennard-Collection; 22 F 28, p. 132–135), Lbm [R. M. 18. b. 11., f. 2r–6r; R. M. 18. b. 14., f. 1–15; R. M. 23. f. 9. (12.), f. 1r–5r; Egerton 2943, f. 1v–3v; Add. MSS. 5322, f. 14r–18r], Lcm (MS. 258, f. 18v–21v; MS. 259, f. 1r–4v) – I Bc – US NBu (X Fo. M1529. H1418).
Drucke: S. HWV 178.

Bemerkungen
Der Überlieferung nach ist dieses Duett (ChA Nr. 3) das erste derartige Werk überhaupt, das Händel geschrieben hat. Der autographe Quellenbefund mit dem Hinweis auf eine Zählung als Nr. 1 deutet gleichfalls darauf hin.
Händel schrieb das erste Autograph [D (ddr) Bds] vermutlich bereits vor seiner Italienreise oder kurz nach deren Beginn (1705/06). Aus dem verwendeten Papier lassen sich keine Anhaltspunkte für eine genauere Datierung gewinnen, doch weist der Schriftduktus dieses Autographs, ähnlich denen von HWV 198 „Troppo cruda" und HWV 236 „Laudate pueri" F-Dur (1. Fassung), auf eine frühe Entstehung hin. Das zweite Autograph (GB Cfm) entstand ca. 1710/12 als erstes der „Hannover"-Duette und läßt Spuren einer nachträglichen Revision erkennen.
Der dritte Satz „Non avran mai la possanza" diente Händel später als Anregung für die Ouverture von HWV 63 Judas Maccabaeus.

Literatur
Chrysander I, S. 362; Leichtentritt, S. 581 f.; Mainwaring, p. 198/Mattheson, S. 147.
Beschreibung des Autographs: Cfm: Catalogue Mann, Ms. 253, S. 166.

195. Spero indarno

Duetto

Textdichter: unbekannt

Besetzung: Sopr., Basso, Basso continuo
HHA V/5, 6. – EZ: London, etwa 1730/40

Spe- ro in- dar- no al mio mar- ti- - -re dal mio ben
Spe- ro in- dar- no al mio mar- ti- - - -re
Cont.
51 Takte

Quellen
Handschriften: Autograph: verschollen.
Abschriften: GB Lbm (Add. MSS. 5322, f. 72v–73v; Add. MSS. 31573, f. 53v–54r).

Bemerkungen
Die Echtheit dieses Duetts ist nicht ganz gesichert, da autographe oder andere authentische Quellen nicht überliefert sind. Es befindet sich in einem Sammelband zusammen mit anderen Duetten Händels und ist in einer Form überliefert, die auch an einen Ausschnitt aus einem größeren Werk denken läßt.

196. Tacete, ohimè, tacete

Duetto Nr. 10

Textdichter: Francesco de'Lemene
(,,Amor dorme", aus *Poesie diverse*, 1694)

Besetzung: Sopr., Basso, Basso continuo
ChA 32, 32a. – HHA V/5, 6. – EZ: Italien 1706/07

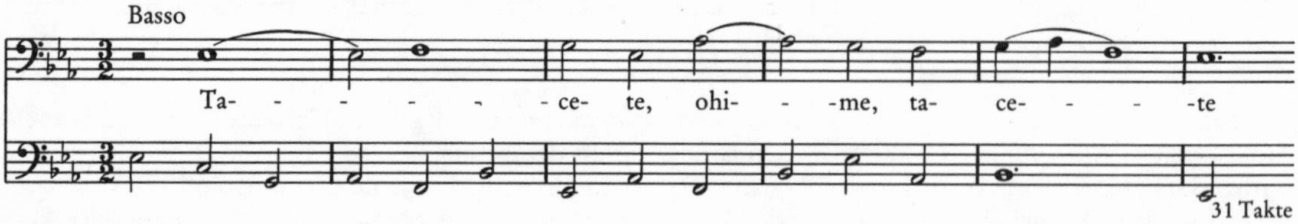
Basso
Ta- - - - - - ce- te, ohi- - - me, ta- ce- - - - te
31 Takte

Sopr.
En- tro fio- ri- ta cu- na dor(me)
En- tro fio- ri- ta cu- na- dor- - - - (me)
52 Takte D. c.

Sopr.
Non sia vo- ce im- por-

tu- na che li tur- ba il ri- po(so)
39 Takte

Basso
Sol quan- do dor- - me A- mo- - re
83 Takte

Quellen
Handschriften: Autograph: GB Cfm (30 H 3, p. 25 bis 31.: ,,Duetto di G. F. Händel").
Abschriften: D (brd) B (Am. Bibl. 152, f. 33v–37v), Hs (M $\frac{A}{172}$, p. 71–81; M $\frac{B}{1570}$, p. 62–74; M $\frac{B}{2767}$, p. 103–118), MÜs (Hs. 1908, f. 14v–22v) – GB BENcoke (1. Bd.: f. 45v–52r; 2. Bd.: f. 69v–80v), Cfm (Barrett-Lennard-Collection), Lbm (R. M. 18. b. 11., f. 50v–58r; R. M. 18. b. 14., f. 50v–57v; R. M. 19. a. 7., f. 9–15; Egerton 2943, f. 34r–39r; Add. MSS. 5322, f. 52r–59r), Lcm (MS. 258, f. 12r–18r; MS. 259, f. 41v–47r) – I Bc – US NBu (X Fo. M1529. H1418).
Drucke: s. HWV 178.

Bemerkungen
Das Duett (ChA Nr. 10; ,,Hannover"-Duett Nr. 8) entstand der Quellenüberlieferung nach 1706/07 vermutlich in Florenz (WZ des Autographs: Typ 1/B). Der Text, der auch von Benedetto Marcello als Duett vertont wurde[1], stammt von Francesco de' Lemene (,,Amor dorme", aus *Poesie diverse*, Milano 1692)[2].

[1] Vgl. Fruchtman, C. S.: Checklist of Vocal Chamber Works by Benedetto Marcello, Detroit 1967, S. 27.
[2] Frdl. Hinweis von A. Hicks (London). Die Tatsache, daß der früher Ortensio Mauro zugeschriebene Text von einem anderen Autor stammt, muß auch im Hinblick auf die Texte der anderen Duette skeptisch stimmen, die im allgemeinen als Dichtungen Mauros gelten.

Entlehnungen:
Entro fiorita cuna dorme
HWV 232 ,,Dixit Dominus"; 6. Dominus a dextris tuis (Einleitung)
HWV 233 ,,Donna che in ciel": 5. Maria salute e speme/Estingua la sua face (T. 104 ff.)
Non sia voce importuna
HWV 312 Concerto grosso B-Dur op. 3 Nr. 1: 3. Satz (Allegro)

Literatur
Chrysander I, S. 366; Heuß, A.: Die Kammerduette ,,Beato in ver chi può" und ,,Tacete, ohimè, tacete". In: Programm-Buch zum Händelfest Berlin 1906, S. 208 ff.; Leichtentritt, S. 584; Mainwaring, p. 198/Mattheson, S. 147.
Beschreibung des Autographs: Cfm: Catalogue Mann, Ms. 253, S. 166.

197. Tanti strali al sen mi scocchi

Duetto Nr. 12

Textdichter: Ortensio Mauro (?)

Besetzung: Sopr., Alto, Basso continuo
ChA 32, 32a. – HHA V/5, 6. – EZ: Hannover, 1710/12

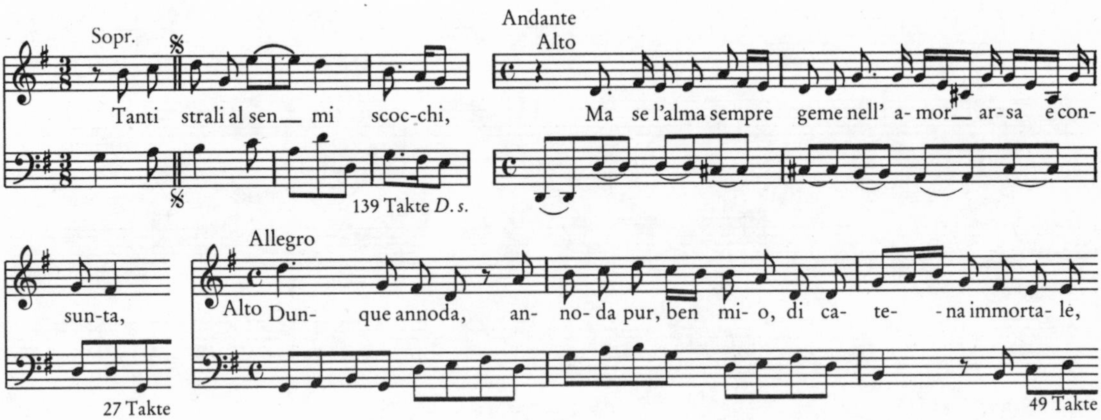
Sopr.
Tanti strali al sen mi scoc-chi,
139 Takte D. s.
Andante
Alto
Ma se l'alma sempre geme nell' a- mor ar-sa e con-
sun-ta,
27 Takte
Allegro
Alto Dun- que annoda, an- no- da pur, ben mi- o, di ca- te- - na immorta- le,
49 Takte

Quellen
Handschriften: Autograph: GB Cfm (30 H 3, p. 33 bis 44).
Abschriften: D (brd) B (Am. Bibl. 152, f. 19^r–24^r), Hs (M $\frac{A}{172}$, p. 87–96; M $\frac{B}{1570}$, p. 101–116; M $\frac{B}{2767}$, p. 127–144), MÜs (Hs. 1907, f. 33^r–41^r) – GB BEN-coke (1. Bd.: f. 58^r–64^r; 2. Bd.: f. 88^r–100^v), Cfm (Barrett-Lennard-Collection), Lbm (R. M. 18. b. 11., f. 61^v–70^v; R. M. 18. b. 14., f. 62–70; R. M. 19. a. 7., f. 34^v–43^r; Egerton 2943, f. 42^v–48^r; Add. MSS. 5322, f. 65^r–72^r), Lcm (MS. 258, f. 51^v–57^v; MS. 259, f. 51^r–57^v) – I Bc – US NBu (X Fo. M1529. H1418).
Drucke: s. HWV 178.

Bemerkungen
Das Duett (ChA Nr. 12) entstand der Quellenüberlieferung nach 1710/12 als zehntes der „Hannover"-Duette (vgl. HWV 122, Anm. 1).
Entlehnungen:
Tanti strali al sen
HWV 1 Almira: 41. Move i passi alle ruine
HWV 157 „Sarei troppo felice": 2. Giusto ciel se non ho sorte
HWV 231 „Coelestis dum spirat aura": 3. Alleluja
HWV 6 Agrippina: 43. Io di Roma il Giove sono
HWV 49ª Acis and Galatea: 13. Cease to beauty
HWV 12ª Radamisto (1. Fassung): Anhang (30.) Senza luce, senza guida
HWV 31 Orlando: 20. Tra caligini profonde
Dunque annoda pur, ben mio
HWV 122 „La terra è liberata": 4. Ardi, adori
HWV 119 „Io languisco fra le gioje": 11. Anche il ciel
HWV 48 Brockes-Passion: 40. Heil der Welt
HWV 12ª Radamisto (1. Fassung): 29. Deggio dunque/Ciel, pietà, pietà del mio dolor (T. 9 ff.)
HWV 51 Deborah: 9. Choirs of angels
HWV 319 Concerto grosso G-Dur op. 6 Nr. 1: 2. Satz (Allegro)

Literatur
Chrysander I, S. 367; Leichtentritt, S. 584.
Beschreibung des Autographs: Cfm: Catalogue Mann, Ms. 253, S. 166.

198. Troppo cruda, troppo fiera

Duetto Nr. 4

Besetzung: Sopr., Alto, Basso continuo
ChA 32, 32a. – HHA V/5, 6. – EZ: Italien, etwa 1706

Textdichter: Ortensio Mauro (?)

Sopr.
Trop-po cru- da, trop- -po fie- ra
58 Takte
Sopr.
Ma la spe- me lu- sin-
ghie- - - - - - -(ra)
51 Takte
Adagio
In- fiam- ma- te,
Sopr.
Alto In- fiam- ma- te, sa- et-
sa- et- ta- - - -(te)
ta- - - - - - - -(te)
29 Takte
Andante
Alto
A chi spera, o lu- ci a- ma- te,
108 Takte

Quellen

Handschriften: Autograph: D (ddr) Bds (Mus. ms. autogr. G. F. Händel 5, p. 4–10: „Hendel. 2da Altera Duetta").

Abschriften: A Wn (Ms. 18747, f. 41v–47r) – B Bc (MS. 699) – D (brd) B (Am. Bibl. 152, f. 7v–11v; Mus. BP 374), Hs (M $\frac{A}{172}$, p. 8–20; M $\frac{B}{1570}$, p. 37 bis 49; M $\frac{B}{2767}$, p. 11–26), MÜs (Hs. 1908, f. 6r–14r) – GB BENcoke (1. Bd.: f. 5r–12r; 2. Bd.: f. 8r–19r), Cfm (Barrett-Lennard-Collection; 22 F 28, p. 136 bis 142), Lbm [R. M. 18. b. 11., f. 6v–13v; R. M. 18. b. 14., f. 6–13; R. M. 19. a. 7., f. 24–28; R. M. 19. f. 2., f. 12–20; R. M. 23. f. 9.(12.), f. 5v–12v; Egerton 2943, f. 4r–8v; Add. MSS. 5322, f. 18v–25v), Lcm (MS. 258, f. 22r–28v; MS. 259, f. 5r–11r) – I Bc – US NBu (X Fo. M1529. H1418).

Drucke: s. HWV 178.

Bemerkungen

Der Überlieferung nach entstand dieses Duett (ChA Nr. 4) als zweites Kammerduett nach HWV 194, mit dem es motivisch stark verknüpft ist. Der autographe Quellenbefund („Altera Duetta") bestätigt diese Annahme. Händel schrieb das Werk vermutlich bereits vor seiner Italienreise (1705/06) oder kurz nach deren Beginn nieder, wie ein Schriftvergleich mit HWV 194 „Sono liete" und HWV 236 „Laudate pueri" F-Dur zeigt. Chrysanders Datierung (als zweites der „Hannover"-Duette) auf 1710/12 entspricht zwar der Anordnung in den meisten frühen Abschriften, sagt aber nichts über die wahre Entstehung aus.

Das Autograph zeigt deutliche Spuren des Kompositionsprozesses mit einer Neufassung des Schlußsatzes „A chi spera", der aber in seinen wesentlichen Zügen dem ersten Entwurf folgt. Am Ende der zweiten Niederschrift notierte Händel später: „Dieses ist so verwirret geschrieben wie mein Kopf ist. habe niehmanden es abzuschreiben verdamen wollen". Chrysander vermutet, Händel habe das Werk unter den Auswirkungen einer Krankheit geschrieben und den Satz hinzugefügt, um sich gleichsam für die unleserliche Schrift zu entschuldigen.

Das Thema des zweiten Satzes „Ma la speme lusinghiera" entspricht motivisch dem zweiten Satz „Io ch'ardendo" in HWV 187 „Giù nei Tartarei regni".

Literatur

Chrysander I, S. 363; Leichtentritt, S. 582.

199. Va, speme infida

Duetto Nr. 7

Textdichter: Ortensio Mauro (?)

Besetzung: Sopr. I, II, Basso continuo
ChA 32, 32a. – HHA V/5, 6. – EZ: Hannover, 1710/12

Va, va, speme infi- da, pur, va, non ti cre- do!
Va, va, spe me infi- da, pur,
32 Takte
Sopr. I
Tu bal- dan- zo- - - - - - - - - - -(sa)
Ma se mendace e va- na
99 Takte
Sopr. II
Fe- de or vuoi che ti pre- sti,
io ve- do? Va, va, speme infida, pur,
io ve- do?
Takt 5
Takt 75
96 Takte

Quellen
Handschriften: Autograph: verschollen[1]
Abschriften: D (brd) B (Am. Bibl. 152, f. 12^{r}–16^{r}), Hs ($M\frac{A}{172}$, p. 39–51; $M\frac{B}{1570}$, p. 87–100; $M\frac{B}{2767}$, p. 53–68), MÜs (Hs. 1907, f. 8^{v}–17^{v}) – D (ddr) Bds (Am. Bibl. 151) – GB BENcoke (1. Bd.: f. 26^{v}–33^{r}; 2. Bd.: f. 36^{v}–49^{v}), Cfm (Barrett-Lennard-Collection; 22 F 28, p. 156–171), Lbm [R. M. 18. b. 11., f. 26–33; R. M. 18. b. 14., f. 27–34; R. M. 19. a. 7., f. 16–23; R. M. 23. f. 9.(12.), f. 26^{v}–35^{v}; Egerton 2943, f. 17^{v}–23^{r}; Add. MSS. 5322, f. 25^{v}–33^{r}], Lcm (MS. 258, f. 33^{r}–41^{v}; MS. 259; f. 23^{r}–29^{v}) – I Bc – J Tn – US NBu (X Fo. M1529. H1418).
Drucke: s. HWV 178.

[1] Das Autograph soll am 1. März 1814 von der Londoner Antiquariatsfirma White verkauft worden sein. Vgl. A. Hicks, Artikel *Handel, G. F.,* in: The New Grove, S. 125.

Bemerkungen
Der Quellenüberlieferung nach entstand das Duett (ChA Nr. 7) 1710/12 als fünftes der „Hannover"-Duette. Auch die frühen Kopien gliedern das Werk an entsprechender Stelle ein.

Literatur
Chrysander I, S. 365; Leichtentritt, S. 583.

200. Quel fior che all'alba ride

Trio Nr. 2

Textdichter: unbekannt

Besetzung: Sopr. I, II, Basso, Basso continuo
ChA 32, 32a. – HHA V/5, 6. – EZ: Italien, ca. 1708

Quel fior che all' al- ba ri- de,
Sopr. I
Il so- le poi l'uc- ci- de, il so- le poi l'uc-
Basso
Cont.

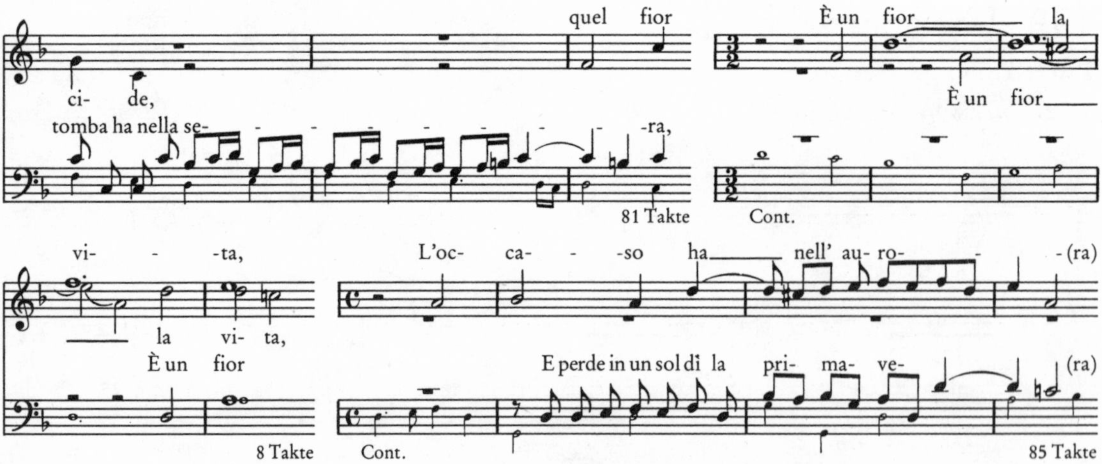
quel fior
È un fior la
ci- de,
È un fior
tomba ha nella se- -ra,
81 Takte
Cont.
vi- -ta,
L'oc- ca- -so ha nell' au- ro- -(ra)
la vi- ta,
È un fior
E perde in un sol dì la pri- ma- ve- (ra)
8 Takte
Cont.
85 Takte

Quellen

Handschriften: Autograph: verschollen.

Abschriften: D (brd) Hs (M $\frac{B}{1570}$, p. 149–169; M $\frac{B}{2767}$, p. 161–181) – GB BENcoke, Cfm (Barrett-Lennard-Collection; 22 F 27, f. 105–116: andere Textversion „Quel fior che all'alba nasce"), Lbm (R. M. 18. b. 11., f. 71–81[r]; R. M. 19. a. 6., f. 44–54; Add. MSS. 31 496, f. 12[v]–21[v]; Egerton 2943, f. 57[r]–63[v]; Egerton 2459, f. 189[r]–201[r]: Textversion „Quel fior che all'alba nasce"), Lcm (MS. 259, f. 81[r]–86[v]) – I Bc – US N Bu (X Fo. M1529. H1418), Wc (M1620. H2.I.9 case).

Drucke: Two celebrated Italian trios accompanied with the harpsichord or organ never before printed composed by the late M[r]. Handel. – London, Robert Birchall; Two trios, and four cantatas, in score, composed by G. F. Handel. – London, Arnold's edition, No. 174–176 (ca. 1797); A new edition of thirteen celebrated Italian duetts, and two trios with an accompaniment for the piano forte or organ, composed by G. F. Handel. Revised, corrected and collated with authentic manuscript copies by James Bartleman. – London, R. Birchall.

Bemerkungen

Der Überlieferung nach entstand dieses Kammertrio zusammen mit HWV 201 während Händels Italienaufenthalt um 1708. Das verschollene Autograph, das vermutlich wie eine Anzahl anderer Manuskripte Händels in Italien zurückblieb, als er das Land verließ, wurde jedoch schon früh kopiert. Händel machte von der Musik später wieder Gebrauch, als er den ersten Satz „Quel fior" für den Schlußchor bzw. das Baß-Duett „Let old Timotheus yield the prize" in HWV 75 Alexander's Feast (Nr. 21, Anhang 21) und den letzten Satz „L'occaso ha nell'aurora" für HWV 55 L'Allegro (33. These pleasures, Melancholy, give)[1] entlehnte. Die beiden anderen Vertonungen des Textes (HWV 154 und HWV 192) sind musikalisch unabhängig von diesem Trio. Zwei der Quellen (GB Cfm, 22 F 27; Lbm, Egerton 2459) überliefern den ersten Satz mit dem abweichenden Text „Quel fior che all'alba nasce/Dal sol che all'ora il pasce/Ha tomba in su la sera".

Literatur

Chrysander I, S. 370 f.; Leichtentritt, S. 585.

[1] Vgl. auch die Entlehnung des Kontrasubjekts „E perde in un sol dì la primavera" in HWV 248 „Have mercy upon me" (8. And sinners shall be converted).

201[a, b] Se tu non lasci amore

Trio Nr. 1

Textdichter: unbekannt

Besetzung: Sopr. I, II, Basso, Basso continuo
ChA 32, 32a. – HHA V/5, 6. – EZ: Neapel, 12. Juli 1708

a, b.
Sopr. I
Se tu non la- -sci a-mo- re, mio cor, ti pen- ti- rai,
Cont.
a.) Sopr. I
lon- ta- no dal tuo
Cont. Takt 35

be- ne, tu non av- rai che pe- - - - - - -(ne),
Basso
lon- ta- no dal tuo
a: 86 Takte
b: 38 Takte
Ma con chi par- lo, ma
Basso con Cont.

Sopr. I
Quando non ho più co- - -re, o il co-re che pur ho
Takt 7
Cont.
118 Takte

Quellen
Handschriften: Autograph: HWV 201ᵃ: CH Sammlung Louis Koch-G. Floersheim, Wildegg/Basel, 15 beschriebene Bl..; f. 15ʳ: „G. F. Hendel. il 12 di luglio 1708. Napoli.").
Abschriften: HWV 201ᵃ: GB Cfm (22 F 27, f. 127 bis 132). HWV 201ᵇ: D (brd) Hs (M $\frac{B}{1570}$, p. 133–148; M $\frac{B}{2767}$, p. 145–160), MÜs (Hs. 1908, f. 40ᵛ–49ʳ) – GB BENcoke, Cfm (22 F 27, f. 117–126), Lbm (R. M. 18. b. 11., f. 81ᵛ–89ᵛ; Egerton 2943, f. 57ʳ–63ᵛ; Add. MSS. 31 496, f. 2ᵛ–12ᵛ; Add. MSS. 31 723, fragm., nur Baßpartie), Lcm (MS. 259, f. 76ʳ–80ᵛ) – I Bc – US NBu (X Fo. M1529.H1418), Wc (M1620. H2.I.9 case).
Drucke: s. HWV 200.

Bemerkungen
Nach Händels Datierung des Autographs (WZ Typ 2/C, D) entstand das Trio kurz vor seiner Abreise aus Neapel am 12. Juli 1708. Das Werk ist vermutlich später von Händel überarbeitet worden; aus der autographen Fassung HWV 201ᵃ geht hervor, daß der erste Satz „Se tu non lasci amore" ursprünglich länger war, als er in den meisten Abschriften und in ChA 32/32ᵃ überliefert wird. Händel kürzte dabei den B-Teil des ersten Satzes um 52 Takte und fügte ein viertaktiges Nachspiel hinzu, um den Satz formal abzurunden.
Das Autograph stammt aus Bernard Granvilles Besitz, der es von Händel selbst als Geschenk erhalten hatte[1].
Bei der späteren Fassung des Textes als Kammerduett HWV 193 übernahm Händel nur für den ersten Satz einige motivische Wendungen; die beiden anderen Sätze sind Neukompositionen.
Der dritte Satz des Trios „Quando non ho più core" basiert auf einem melodischen Modell, das Händel später in HWV 37 Giustino (20. Per me dunque il Ciel non ha) und HWV 65 Alexander Balus (18. O calumny, Ritornello) in abgewandelter Form wieder aufgriff.

Literatur
Cummings, W. H.: The Granville „Handel-Manuscripts". In: The Musical Antiquary, vol. 3, 1911, S. 59 ff.; Chrysander I, S. 247, 367 ff.; Leichtentritt, S. 585; Kinsky, G.: Manuskripte, Briefe, Dokumente von Scarlatti bis Stravinsky, Katalog der Musikautographensammlung Louis Koch, Stuttgart 1953, S. 4 ff.
Beschreibung des Autographs: Kinsky, S. 4 ff.

[1] Auf f. 16ᵛ des Autographs befindet sich eine handschriftliche Eintragung von B. Granville, die dies bestätigt (abgedruckt bei Kinsky, a. a. O., S. 5).

202.–210. Neun deutsche Arien

Textdichter: Barthold Heinrich Brockes (aus: „Irdisches Vergnügen in Gott", Hamburg ²/1724)

Besetzung: Sopr., obligates Instrument, Basso continuo
HHA V/5, 6. – EZ: London, 1724/27

Aria I

Künft'ger Zeiten eit- ler Kummer stört nicht un-sern sanf- ten
Takt 15

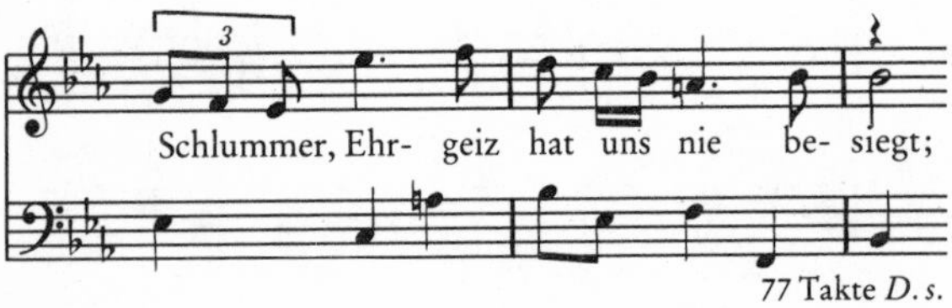
Schlummer, Ehr- geiz hat uns nie be- siegt;
77 Takte *D. s.*

Aria II

Das zit- tern- de Glänzen der spie-len- den Wel-len ver- sil-bert das U- fer,
Takt 13
65 Takte *D. c.*

Aria III

Andante
Sü-ßer Blu- men Ambra- - flo- -cken,
Takt 15
119 Takte *D. c.*

Aria IV

Larghetto
Sü- ße Stil- le, sanf-te Quel- le ru- hi- ger Ge- - las- sen-heit!
73 Takte *D. s.*

Aria V

Singe, See- le, Gott zum Prei- se, der auf sol- che weise Wei-se
Takt 10
133 Takte *D. c.*

Aria VI

Andante
Mei- ne Seele hört im Sehen,
Takt 8
57 Takte *D. c.*

Aria VII

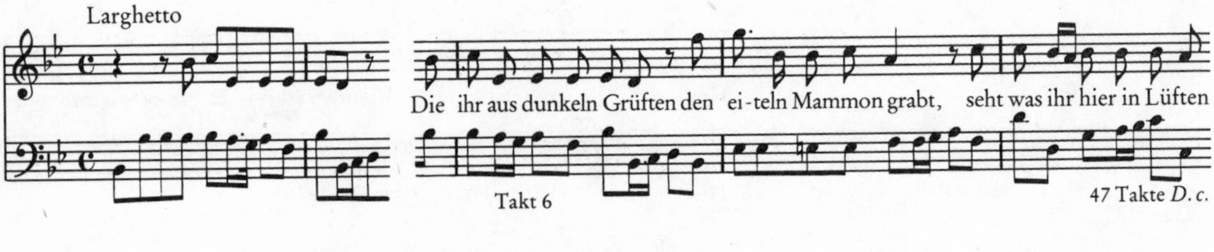
Larghetto
Die ihr aus dunkeln Grüften den ei-teln Mammon grabt, seht was ihr hier in Lüften
Takt 6
47 Takte *D. c.*

Aria VIII

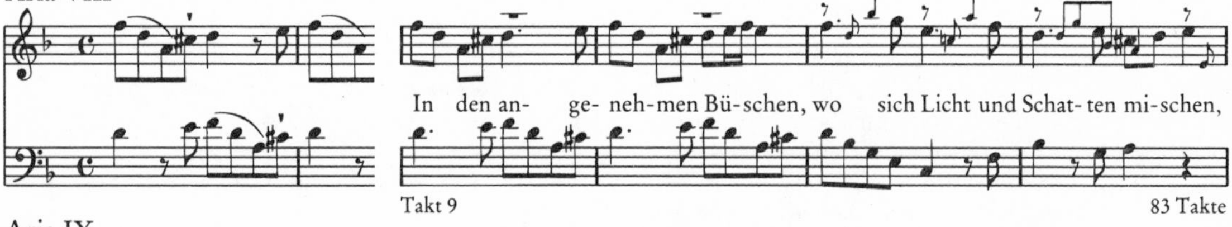
In den an- ge- neh-men Bü-schen, wo sich Licht und Schat- ten mi-schen,
Takt 9
83 Takte

Aria IX

Flam-men-de Ro- se, Zier- de der Er-den,
Takt 21
(130) 126 Takte D. c.

Quellen

Handschriften: Autographe: GB Lbm (R. M. 20. f. 13., f. 1–3r: Arie I, f. 3r–4v: Arie II, f. 5–6: Arie III, f. 7–8: Arie IV, f. 9r–11r: Arie V, f. 11r–12v: Arie VI, f. 13–14: Arie VII, f. 15–17: Arie VIII, f. 18–19: Arie IX).

Bemerkungen

Die 9 Arientexte aus der Gedichtsammlung „Irdisches Vergnügen in Gott" (2. Aufl., Hamburg 1724) von Barthold Heinrich Brockes vertonte Händel zwischen Ende 1724 und Anfang 1727. Die von F. Chrysander (I, S. 363 f.) vermutete Entstehungszeit 1711 bzw. 1716 wurde von M. Seiffert in 1729 korrigiert, doch müssen die Arien spätestens 1727 vorgelegen haben, als Brockes den 2. Teil seiner Sammlung veröffentlichte und darin auf die Vertonungen durch Händel ausdrücklich Bezug nahm, indem er sie mit anderen neuen Texten zu einer Kantate zusammenstellte (s. Braun, S. 66 f.). Andererseits kann Händel nicht vor 1724, dem Erscheinungsjahr der 2. Auflage, mit seiner Vertonung begonnen haben, denn die 1. Auflage des I. Bandes (1721) enthielt noch nicht alle Texte, die Händel ausgewählt hat[1].

Die Arien entstanden in loser Folge und sind von Händel nicht als Zyklus gedacht; die Numerierung der Kompositionen im Autograph wurde von späterer Hand vorgenommen. Nur HWV 202 und 203 sowie HWV 206 und 207 wurden paarweise komponiert (HWV 203 beginnt auf f. 3r, 5. System, im Anschluß an HWV 202, deren Schluß auf System 1–3 dieser Seite notiert ist; HWV 207 beginnt auf f. 11r, 8. System, im unmittelbaren Anschluß an HWV 206, deren letzter Teil auf System 1–3 und 4–6 dieser Seite steht). Arie VIII HWV 209 zeigt die einzige von Händel selbst vorgenommene Blattzählung 1–3 für f. 15–17 des Gesamtautographs. Auf Grund der Papierbeschaffenheit des Autographs lassen sich deutlich zwei Gruppen von Arien innerhalb der Handschrift unterscheiden, die sich auch durch den Schriftduktus voneinander abgrenzen. Die Arien HWV 202 und 203 bilden die eine Gruppe; das Papier ihrer Autographe weist gegenüber dem der zweiten Gruppe HWV 204–210 eine andere Blattgröße und ein anderes Wasserzeichen auf (WZ: CANTONI/BERGAMO), das u. a. im Autograph von HWV 19 Rodelinda, I. Akt (1724/25), ebenfalls nachweisbar ist[2]. Die zweite Gruppe mit den Arien HWV 204–210 (Nr. III-IX) hat das Wasserzeichen Typ C (Clausens Cb, sinister), das zwischen 1717 und 1730 vielfach unter Händels Handschriften belegt ist. In dieser Gruppe ist die Arie HWV 204 vermutlich die zeitlich früheste; einerseits ist die Seiteneinrichtung ihres Autographs anders als bei den übrigen Arien, andererseits ist die Tinte der Notenlinien auf den Seiten f. 5–6 stärker verblaßt und das Papier von f. 5 dunkler getönt als bei allen anderen Blättern dieser Gruppe. Das deutet darauf hin, daß diese Arie als äußere Schicht bei der Lagerung des Gesamtmanuskripts gedient hat[3], jedenfalls über mehrere Jahrzehnte hinweg, solange die Arien in Händels Besitz waren; ihre heutige Anordnung und ihr jetziger Einband stammen erst vom Ende des 18. Jahrhunderts[4].

Die Autographe der Arien entstanden also vermutlich im Zeitraum von etwa zwei Jahren. Ihre jetzige Reihenfolge muß jedoch nicht zwangsläufig der ursprünglichen Reihenfolge von Händels Vertonungen zuwiderlaufen; vermutlich schrieb Händel zuerst die Arie III HWV 204, der sich die Arien HWV 205–210 in loser Folge und enger zeitlicher Nachbarschaft anschlossen. Möglicherweise benutzte Händel als Textgrundlage hierfür bereits die erste Auflage der Dichtung von Brockes. Es wäre denkbar, daß er die Arien HWV 202 und 203 erst dann schrieb, als er in den Besitz der 2. Auflage des „Irdischen Vergnügens" (nach 1724) gelangte.

[1] Der Text der Arie HWV 202 „Künft'ger Zeiten" erschien erst in der 2. Auflage 1724 (aus „Der Mittag"). Vgl. Braun, a. a. O., S. 59.

[2] Diesen Hinweis verdankt der Verf. Mr. Donald J. Burrows, Abingdon/Oxfordshire, England.

[3] Vgl. King. A. H.: Handel and his Autographs, London, 2/1979, S. 19.

[4] Vgl. King, a. a. O., S. 10.

Das Gesamtautograph der *Deutschen Arien* stellt keine spätere Reinschrift, sondern das Kompositionsautograph dar; das ergibt sich aus mehreren Änderungen und Zusätzen, die Händel während des Kompositionsvorganges vornahm. So schrieb er u. a. in HWV 203 über T. 45/46 ein *NB.* und verwies damit auf T. 7 des Einleitungsritornells, dessen Takte 7–11 zwischen T. 45 und T. 46 eingeschoben werden sollten, um eine befriedigende Überleitung zum B-Teil der Arie zu erhalten[5]. In HWV 208 ist die ursprüngliche Tempobezeichnung *Andante* von Händel in *Larghetto* korrigiert worden, in HWV 210 kürzte er seine Vertonung nachträglich um vier Takte.

Entlehnungen:

I. Künft'ger Zeiten eitler Kummer
  HWV 160[c] „Sei pur bella, pur vezzosa": 1. Sei pur bella
  HWV 162 „Siete rose ruggiadose": 1. Siete rose
  HWV 17 Giulio Cesare in Egitto: Anhang 14. Questo core incatenato
  HWV 18 Tamerlano: 5. Bella Asteria
  HWV 40 Serse: 34. Per dar fine alla mia pena

II. Das zitternde Glänzen
  HWV 17 Giulio Cesare in Egitto: [17.] Chi perde un momento
  HWV 19 Rodelinda: Anhang (31.) Verrete a consolarmi

B-Teil: Mit dem unbesorgten Leben
  HWV 18 Tamerlano: 9. Deh! Lasciatemi il nemico

VI. Meine Seele hört im Sehen
  HWV 242 „Silete venti": 5. Da te serta (Ritornello)
  HWV 388 Sonata B-Dur op. 2 Nr. 3: 1. Satz (Andante)
  HWV 392 Sonate F-Dur für 2 Violinen und Continuo: 1. Satz (Andante)

VII. Die ihr aus dunklen Grüften
  HWV 18 Tamerlano: 3. Forte e lieto a morte andrei

VIII. In den angenehmen Büschen
  HWV 11 Amadigi: 17. Ti pentirai, crudel
  HWV 18 Tamerlano: 6. Dammi pace, oh volto amato

IX. Flammende Rose, Zierde der Erden
  HWV 161[a–c] „Sento là che ristretto": 1. Mormorando esclaman l'onde
  HWV 17 Giulio Cesare in Egitto: 6[b,c]. La speranza all'alma mia

[5] In der Ausgabe von H. Roth (München 1921, Leipzig 1931) ist das vom Hrsg. übersehen worden, wodurch die Arie um 5 Takte zu kurz ist.

Literatur

Braun, W.: B. H. Brockes' „Irdisches Vergnügen in Gott" in den Vertonungen G. Ph. Telemanns und G. Fr. Händels. In: Händel-Jb., 1. (VII.) Jg., 1955, S. 42ff.; Chrysander I, S. 373f.; Leichtentritt, S. 589ff.; Lewis (Symposium), S. 193ff.; Roth, H.: Neun deutsche Arien: a) Musikalische Stundenbücher, München 1921; b) Leipzig: Breitkopf & Härtel 1931, Vorwort; Rudolph, J.: Meine Seele hört im Sehen. In: Händel-Jb., 7./8. Jg., 1961/62, S. 35ff.; Seiffert, M.: Händels deutsche Gesänge. Nach Materialien in Fr. Chrysanders Nachlaß. In: Liliencron-Festschrift, Leipzig 1910, S. 297ff.; Siegmund-Schultze, W.: Händels Deutsche Arien. In: 12. Händelfestspiele Halle (Saale) 1963, Programmheft, S. 44ff.; Siegmund-Schultze, W.: Neun deutsche Arien, Vorwort zur NA, Leipzig: VEB Deutscher Verlag für Musik 1981; Steglich, R.: G. F. Händel, Neun deutsche Arien (Rezension). In: Händel-Jb., 5. Jg., 1933, S. 119ff.; Steglich, R.: Ein Seitenstück zu Händels „Largo" (Künft'ger Zeiten). In: Händel-Jb., 1. (VII.) Jg., 1955, S. 38ff.

211. Aure dolci, deh, spirate

Aria a voce sola con stromenti

Textdichter: unbekannt

Besetzung: Solo: Alto. Instrumente: V. I, II; Va.; Cont.

HHA V/5, 6. – EZ: London, ca. 1724/25

Va.
p
Au- -re dol- ci, deh, spi- -ra- te,
Takt 13
a fa- vor dell' I- dol mi- o,
104 Takte D. c.

Quellen

Handschriften: Autograph: GB Lbm (R. M. 20. f. 11., f. 9–10).

Beschreibung des Autographs: Lbm: Catalogue Squire, S. 98.

212. Con doppia gloria mia

Besetzung: Solo: Sopr. Instrumente: V. I, II; Cont.
HHA V/5, 6. – EZ: London, ca. 1720/23

Aria a voce sola con stromenti

Textdichter: unbekannt

Larghetto e staccato
Con doppia glo-ria mi- a di lau-ri il cri-ne a- dorno,
Takt 6

37 Takte *D. s.*

Quellen

Handschriften: Autograph: GB Lbm (R. M. 20. f. 11., f. 13–14).

Beschreibung des Autographs: Lbm: Catalogue Squire, S. 98.

213. Con lacrime sì belle

Besetzung: Solo: Alto. Instrumente: Ob. I, II; V. I, II; Vc.; Cont.
HHA V/5, 6. – EZ: London, nach 1710 (1717/18)

Aria a voce sola con stromenti

Textdichter: unbekannt

57 Takte (fragm.)

Quellen

Handschriften: GB Cfm (30 H 12, p. 13–16, fragm.).

Beschreibung des Autographs: Cfm: Catalogue Mann, Ms. 262, S. 202.

214. Dell'onda instabile

Besetzung: Alto, Flauto, Basso continuo
HHA V/5, 6. – EZ: London, ca. 1746/48

Aria a voce sola
con stromento obbligato

Textdichter: unbekannt

Alto
Del on- da in- sta- bi- le del ma- re infi- -do

38 Takte *D. c.*

Quellen

Handschriften: Autograph: GB Cfm (30 H 2, p. 27 bis 28).

Beschreibung des Autographs: Cfm: Catalogue Mann, Ms. 252, S. 164.

215. Col valor del vostro brando

Aria a voce sola con stromenti

Textdichter: unbekannt

Besetzung: Solo: Sopr. Instrumente: V. I, II; Vc.; Fag.; Cbb.; Cemb.
HHA V/5, 6. – EZ: London, etwa 1711/12

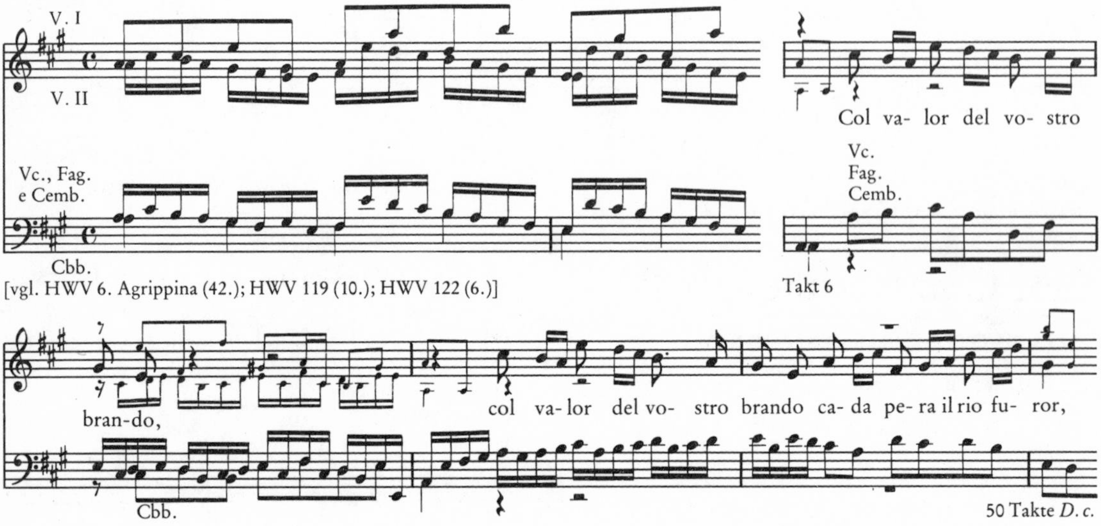
V. I
V. II
Vc., Fag. e Cemb.
Cbb.
Col va- lor del vo- stro
Vc. Fag. Cemb.
[vgl. HWV 6. Agrippina (42.); HWV 119 (10.); HWV 122 (6.)]
Takt 6
bran-do,
col va- lor del vo- stro brando ca- da pe- ra il rio fu- ror,
Cbb.
50 Takte D. c.

Quellen
Handschriften: Autograph: GB Cfm (30 H 12, p. 1 bis 5).

Bemerkungen
Die Arie stellt die Bearbeitung eines früheren Arienmodells (vgl. HWV 6, Nr. 42, HWV 119, Nr. 10, HWV 122, Nr. 6) für eine unbekannte Gelegenheit dar. Sie entstand in England; nach dem Papier des Autographs zu urteilen (WZ: Clausens Typ Ca), kommt dafür der Zeitraum zwischen 1711 und 1712 in Betracht.

Beschreibung des Autographs: Cfm: Catalogue Mann, Ms. 262, S. 201.

216. Impari del mio core

Aria a voce sola

Textdichter: unbekannt

Besetzung: Sopr., Basso continuo
HHA V/5, 6. – EZ: London, ca. 1746/48

Im- pa- ri del mio co- re chi ben a- mar non sa,
[vgl. HWV 45 (10.), HWV 69 (11)]
Takt 6
33 Takte

Quellen
Handschriften: Autograph: GB Cfm (30 H 2, p. 25).

Bemerkungen
Das Thema der Arie verwendete Händel später in HWV 45 Alceste (Nr. 10) bzw. in HWV 69 The Choice of Hercules (Nr. 11).

Beschreibung des Autographs: Cfm: Catalogue Mann, Ms. 252, S. 164.

217. L'odio, sì, ma poi ritrovò

Aria a voce sola con stromenti

Textdichter: unbekannt

Besetzung: Solo: Alto. Instrumente: V. I, II unis.; Cont.
HHA V/5, 6. – EZ: London, ca. 1720/22

Alto
L'o- dio, sì, ma poi ri-tro- vò
che lo
p
Takt 12
sde- gno a-mor pla- cò
28 Takte (fragm.)

Quellen
Handschriften: Autograph: GB Cfm (30 H 12, p. 19 bis 20).

Beschreibung des Autographs: Cfm: Catalogue Mann, Ms. 262, S. 202.

218. Love's but the frailty of the mind

English song

Textdichter: William Congreve

Besetzung: Sopr., Basso continuo
HHA V/5, 6. – EZ: London, 1740. – UA: London, gesungen von Kitty Clive in ,,The Way of the World" von William Congreve, 17. März 1740, Drury Lane Theatre

Andante
Love's but the frail- ty of the mind, when 'tis not
Takt 5

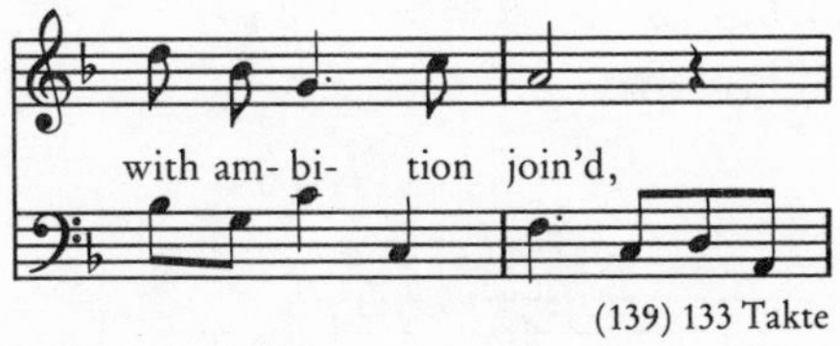
with am- bi- tion join'd,
(139) 133 Takte

2. 'tis not to wound a wanton boy
or am'rous youth that gives the joy...

3. Then I alone the conquest prize,
when I insult a rival's eyes...

Quellen
Handschriften: Autograph: GB Cfm (30 H 12, p. 25 bis 27).
Abschriften: GB BENcoke (in: L'Allegro-Part.), Lbm (R. M. 19. d. 11., f. 140–144).

Bemerkungen
Händel schrieb diesen Song für die Schauspielerin und Sängerin Catherine (Kitty) Clive als Einlage für eine Wiederaufführung des Schauspiels ,,The Way of the World" von William Congreve am 17. März 1740 im Londoner Drury Lane Theatre.
Beschreibung des Autographs: Cfm: Catalogue Mann, Ms. 262, S. 203.

219. Non so se avrai mai bene

Besetzung: Sopr., Basso continuo
HHA V/5, 6. – EZ: London, nach 1710

Aria a voce sola

Textdichter: unbekannt

Non so se avrai mai be- ne, so che non hai che pe- ne,

Takt 7 44 Takte

Quellen
Handschriften: Autograph: verschollen
Abschriften: GB Cfm (30 H 2, p. 4), Ob (Mus.d.62., Cantata 14, f. 107–112).

Bemerkungen
Die Quelle in GB Ob (Mus.d.62.) überliefert die Arie zusammen mit „Già respira in petto il core" und „È tempo luci belle", die in GB Cfm (30 H 2, p. 1–4, vgl. HWV 10, Nr. 20, Nr. 11) nacheinander folgen, als *Cantata 14.* Diese Zusammenstellung geht jedoch nicht auf Händel zurück.

220. Per dar pace al mio tormento

Besetzung: Sopr., Basso continuo
HHA V/5, 6. – EZ: London, ca. 1746/48

Aria a voce sola

Textdichter: unbekannt

Largo
Per dar pa- ce al mio tor- men- - to sempre ten- - to di fug- gi- re

Takt 7 25 Takte (fragm.)

Quellen
Handschriften: Autograph: GB Cfm (30 H 2, p. 25).

Beschreibung des Autographs: Cfm: Catalogue Mann, Ms. 252, S. 164.

221. Quant'invidio tua fortuna

Besetzung: Sopr., Basso continuo
HHA V/5, 6. – EZ: London, ca. 1746/48

Aria a voce sola

Textdichter: unbekannt

Quant'in- vi- dio tua for- tu- na, ca- ro a- ma-to

Takt 11 40 Takte

Quellen
Handschriften: Autograph: GB Cfm (30 H 2, p. 26).

Beschreibung des Autographs: Cfm: Catalogue Mann, Ms. 252, S. 164.

222. Quanto più amara fu sorte crudele

Aria a voce sola con stromenti

Textdichter: unbekannt

Besetzung: Solo: Sopr. Instrumente: V. I, II; Va.; Cont.

HHA V/5, 6. – EZ: London, ca. 1721/23

Larghetta
Quanto più a-ma-ra fu sor-te cru- de- le, tan- to più ca- ra,
Takt 13
85 Takte D. c.

Quellen

Handschriften: Autograph: GB Lbm (R. M. 20. f. 11., f. 11–12).

Beschreibung des Autographs: Lbm: Catalogue Squire, S. 98.

223. S'un dì m'appaga, la mia crudele

Aria a voce sola con stromenti

Textdichter: unbekannt

Besetzung: Solo: Sopr. Instrumente: V. I, II unis.; Cont.

HHA V/5, 6. – EZ: London, ca. 1738/41

Andante allegro
S'un dì m'ap- pa- ga,
Takt 10
la mia cru- de- le,
conten- to e lie- to l'a- do- re- rò
90 Takte D. c.

Quellen

Handschriften: Autograph: GB Lbm (R. M. 20. f. 11., f. 17–18).

Beschreibung des Autographs: Lbm: Catalogue Squire, S. 98.

224. Sì, crudel, tornerà

Aria a voce sola con stromenti (fragm.)

Textdichter: unbekannt

Besetzung: Solo: Sopr. Instrumente: V. I, II unis.; Cont.

EZ: London, ca. 1738/41

Strom.
Sopr.
Sì, crudel, tor- ne-rà,
(fragm.)

Quellen

Handschriften: Autograph: GB Cfm (30 H 12, p. 67, fragm., nur Vokalpart notiert).

Beschreibung des Autographs: Cfm: Catalogue Mann, Ms. 262, S. 207.

225. Sperà chi sa perchè la sorte

Aria a voce sola con stromenti

Textdichter: unbekannt

Besetzung: Solo: Alto. Instrumente: Ob. I, II; V. I, II; Va.; Cont.
EZ: London, ca. 1717/18

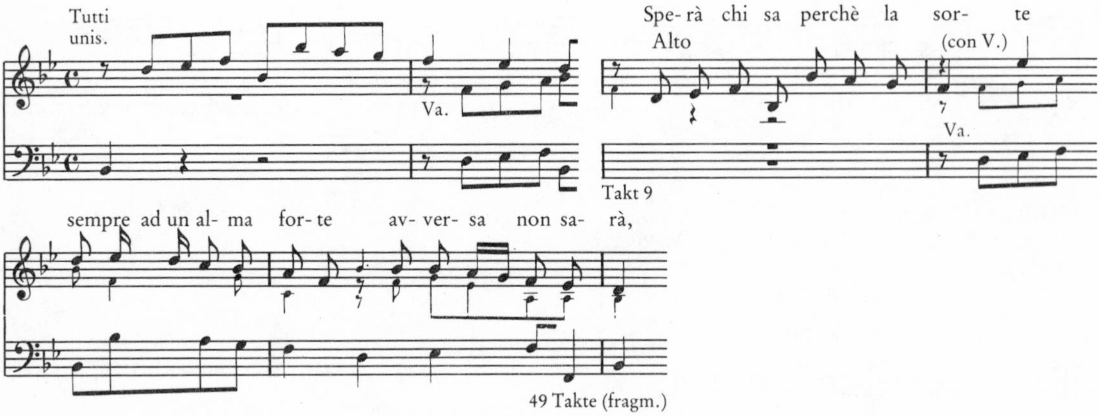
Tutti unis.
Va.
Spe- rà chi sa perchè la sor- te
Alto
(con V.)
Va.
Takt 9
sempre ad un al- ma for- te av- ver- sa non sa- rà,
49 Takte (fragm.)

Quellen
Handschriften: Autograph: GB Lbm (R. M. 20. f. 11., f. 15–16, fragm.).
Beschreibung des Autographs: Lbm: Catalogue Squire, S. 98.

226. The morning is charming

Hunting song

Textdichter: Charles Legh

Besetzung: Sopr., Basso continuo
HHA V/5, 6. – EZ: London, 1743

The morning is char- ming, all na- ture is gay,

[vgl. HWV 58, Anhang (55.)] 40 Takte

Quellen
Handschriften: Autographe: GB Cfm (30 H 12, p. 11), Bibliothek der Familie Legh, Adlington Hall, Macclesfield (Cheshire)[1].

Bemerkungen
Händel schrieb diesen *Hunting Song* für Charles Legh, der auch den Text dazu gedichtet hatte, vermutlich im Sommer des Jahres 1743. Er benutzte dazu die Melodie eines für HWV 58 Semele skizzierten, aber nicht auskomponierten Satzes auf den Text „Then Mortals be merry and scorn the blind Boy" (s. HWV 58, Anhang 55), der ursprünglich als Schlußchor dienen sollte (Autograph: GB Lbm, R. M. 20. f. 7., f. 111v).
Das Autograph in GB Cfm ist Händels Kompositionsentwurf; er fertigte davon eigenhändig eine Reinschrift an, die er 1743 Charles Legh überreichte, der auf dem Blatt neben seiner Autorschaft am Text folgendes vermerkte: „Presented by Him in This his own hand Writing to Charles Legh Esqr. in the year 1743."
Wie O. E. Deutsch (s. Lit.) nachwies, existierte eine weitere Vertonung des Textes von dem Organisten Ridley aus Prestbury (Cheshire), die auch gedruckt wurde (in: Gentlemen's Magazine, 1747, vol. XVII, p. 144 f., sowie in: Social Harmony, ed. Th. Hale of Darnhall, 1760, Sect. 2, p. 108–112).

Literatur
Cole, H. A.: A Hunting Song. In: The Musical Times, vol. 109, 1968, S. 725; Deutsch, O. E.: Handel's Hunting Song. In: The Musical Times, vol. 83, Dec. 1942, S. 362 f.
Beschreibung des Autographs: Cfm: Catalogue Mann, Ms. 262, S. 201 f.

[1] Faksimile in: Streatfeild, R. A.: Handel, London 1/1909, 2/1910, S. 303/04.

227. Vo' cercando tra fiori

Aria a voce sola con stromenti

Textdichter: unbekannt

Besetzung: Solo: Sopr. Instrumente: V. I, II; Cont.
HHA V/5, 6. – EZ: London, ca. 1725/28

Vo' cer- cando tra fio-ri il più va- go per ve- der se in lui tro- vo l'i- mago
Allegro
V. unis.
p
Takt 18
149 Takte D. c.

Quellen
Handschriften: Autograph: GB Lbm (R. M. 20. f. 11., f. 24–25).

Beschreibung des Autographs: Lbm: Catalogue Squire, S. 99.

228. 24 English Songs

228.1 The unhappy Lovers: As Celia's fatal arrows flew

English Song

Textdichter: unbekannt

Besetzung: Sopr., Basso continuo
EZ: etwa 1730

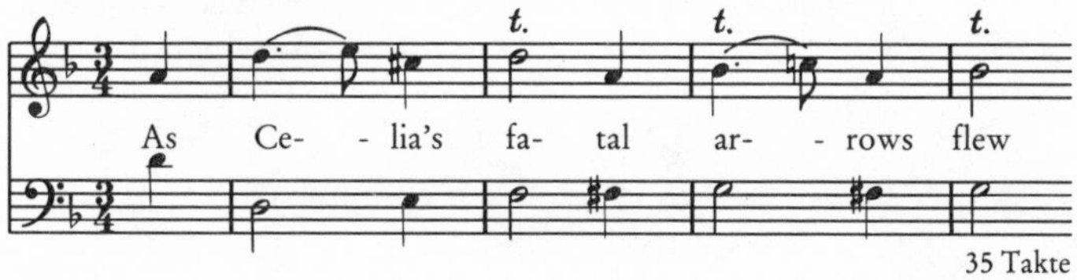
t.
t.
t.
As Ce- - lia's fa- tal ar- - rows flew
35 Takte

Quellen
Drucke: As Celia's fatal arrows. The Unhappy Lovers. Set by Mr. Handel. – s. l., s. n. (ca. 1725); A choice collection of English songs set to musick by M^r. Handel (No. 1). – London, J. Walsh (1731); The merry musician; or, a cure for the spleen: being a collection of the most diverting songs and pleasant ballads... vol. IV (p. 25–28). – London, J. Walsh (1733); British musical miscellany, or, the delightful grove: being a collection of celebrated English, and Scotch songs, by the best masters ... vol. V (p. 66 bis 68). – London, J. Walsh (1735).

228.2 Charming Cloris: Ask not the cause/The poor Shepherd: The Sun was sunk beneath the Hills

English Song

Textdichter: unbekannt

Besetzung: Sopr., Basso continuo
EZ: etwa 1730

The sun was sunk be- neath the hill
Ask not the cause why sul- -len spring
33 Takte

Quellen
Drucke: The musical miscellany; being a collection of choice songs, set to the violin and flute, by the most eminent masters ... volume the third (p. 198 bis 200: Charming Cloris). – London, John Watts (ca. 1730); British musical miscellany ... vol. VI (p. 114–115: Charming Cloris). – London, J. Walsh (1737); The Sun was sunk beneath the hill. (The poor shepherd). The words by Mr. Gay. – s. l., s. n. (ca. 1725); — s. l., s. n. (ca. 1730); A choice collection of English songs ... (No. 13). – London, J. Walsh (1731).

228^{3}. As on a Sunshine Summer's Day

English Song

Textdichter: Benjamin Griffin

Besetzung: Sopr. senza Continuo
EZ: etwa 1729

As on a sun- -shine sum- - -mer's day

Quellen
Drucke: As on a sunshine summer's day. The words by Mr. Benj. Griffin. To a minuet. In: The musical miscellany ... volume the second (p. 39–41). – London, John Watts, 1729; A general collection of minuets made for the balls at court ... compos'd by Mr Handel (No. 6). – London, J. Walsh, J. Hare, J. Young (1729); Handel's favourite minuets from his operas & oratorios with those made for the balls at court, for the harpsicord, German flute, violin or guitar. Book IV (p. 63). – London, J. Walsh (1762)[1].

[1] Auch als „Mons. Denoyer's Minuet" *(Deluded by her mate's dear voice)* in „The Village Opera", 1729, und „Air XX Handell's Minuet" in „The Chamber Maid", a Ballad Opera, 1730. Vgl. Smith, Descriptive Catalogue, S. 167.

228^{4}. Bacchus Speech in Praise of Wine: Bacchus one day gayly striding

English Song (Minuet)

Textdichter: Mr. Phillips

Besetzung: Sopr., Basso continuo
EZ: etwa 1730

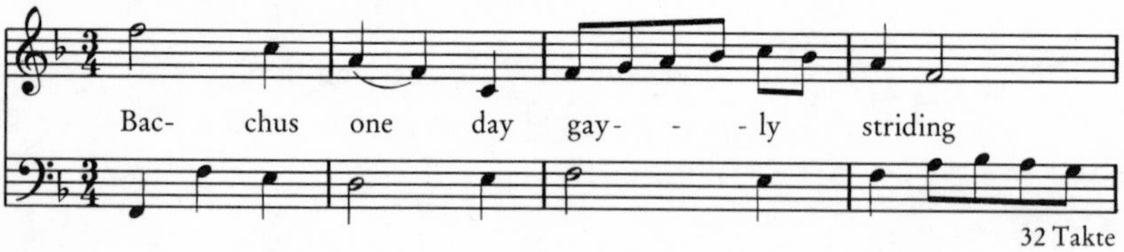
Bac- chus one day gay- - - ly striding

32 Takte

Quellen
Drucke: Bacchus one day gayly striding. Words to a favourite minuet of Mr Handells by Mr P—s [= Phillips.]. – s. l., s. n. (ca. 1730); — A song to a favourite minuet of Mr Handel's. – s. l., s. n. (ca. 1735); A choice collection of English songs (Nr. 8). – London, J. Walsh (1731); The musical miscellany ... volume the fourth (p. 110–112). – London, John Watts, 1729; British musical miscellany ... vol. IV (p. 90–91). – London, J. Walsh (1735/36); Calliope or English Harmony a collection of the most celebrated English and Scots songs ... vol: the first (p. 99). – London, Henry Roberts, 1739; Handel's favourite minuets ... Book I (p. 17). – London, J. Walsh (1762)[1]; A general collection of minuets made for the balls at court ... compos'd by Mr Handel (No. 35). – London, J. Walsh, J. Hare; J. Young (1729, vgl. HWV 530).

[1] Auch als Air 17 *(Thus we'll drown all melancholy)* aus „Devil to pay", Ballad Opera. – London, J. Watts, 1731. Vgl. Smith, Descriptive Catalogue, S. 167.

228[5]. The Polish Minuet or Miss Kitty Grevil's Delight: Charming is your shape and air

Besetzung: Sopr., Basso continuo
EZ: etwa 1720

English Song (Minuet)

Textdichter: unbekannt

Char- ming is ___ your shape and air,

Quellen

Drucke: Charming is your shape and air. The Polish Minuet or Miss Kitty Grevil's delight. – s. l., s. n. (ca. 1720); —... A song sung by Mr Ray at the Theatre Royal. – s. l., s. n. (1720); — s. l., s. n. (ca. 1730); The Monthly Mask of vocal musick; or the new-est songs made for the theatre's & other ocations ... (Nov. 1720). – London, J. Walsh, J. Hare (1720); A choice collection of English songs (No. 17). – London, J. Walsh (1731)[1].

[1] Auch als Air V (Wounded by the scornful fair) in „Silvia". Ballad Opera. – London, J. Watts, 1731. Vgl. Smith, Descriptive Catalogue, S. 171.

228[6]. The Sailor's Complaint: Come and listen to my ditty/Hosier's Ghost: As near Portobello lying

Besetzung: Sopr., Basso continuo
EZ: etwa 1735

English Song

Textdichter: unbekannt

A. The Sailor's Complaint
B. Hosier's Ghost

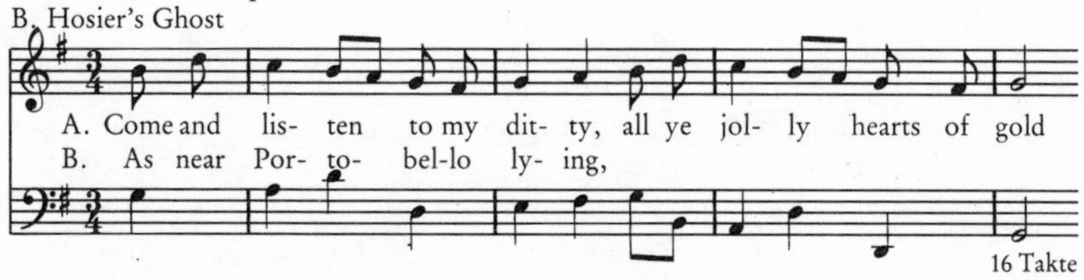
A. Come and lis- ten to my dit- ty, all ye jol- ly hearts of gold
B. As near Por- to- bel-lo ly- ing,
16 Takte

Quellen

Drucke: Come and listen. The Sailor's complaint. In: British Musical Miscellany, vol. IV (p. 49–50). – London, J. Walsh (ca. 1735); The Musical Entertainer .. vol. I (p. 54). – London, Geo. Bickham (1737); Hosiers Ghost (As near Portobello lying). In: The Muses Delight. An accurate collection of English and Italian songs, cantatas and duetts (p. 190). – Liverpool, John Sadler, 1754.

228^{7}. Di godere ha speranza il mio core/Oh my dearest, my lovely creature

English Song

Textdichter: unbekannt

Besetzung: Sopr., Basso continuo
EZ: etwa 1719

Allegro
Di go-dere ha spe- ranza il mio
Oh my dea-rest, my love- ly
Takt 6
co- re l'al- ma di- ce che spe- me non v'è,
crea- ture, look with pit- -y on your swain,
33 Takte *D. c.*

Quellen

Drucke: Di godere ha speranza il mio core. Oh, my dearest, my lovely creature. A song by Mr Hendell in ye yearly subscription or ye Harmonious Entertainment. – s. l., s. n. (ca. 1719); — in English & Italian by Mr Hendell. In: The Monthly Mask of vocal musick (Dec. 1719). – London, J. Walsh, J. Hare (1719).

228^{8}. The forsaken Maid's Complaint: Faithless ungrateful/The slighted Swain: Cloe proves false

English Song

Textdichter: unbekannt/Abraham Bradley

Besetzung: Sopr., Basso continuo
EZ: etwa 1720

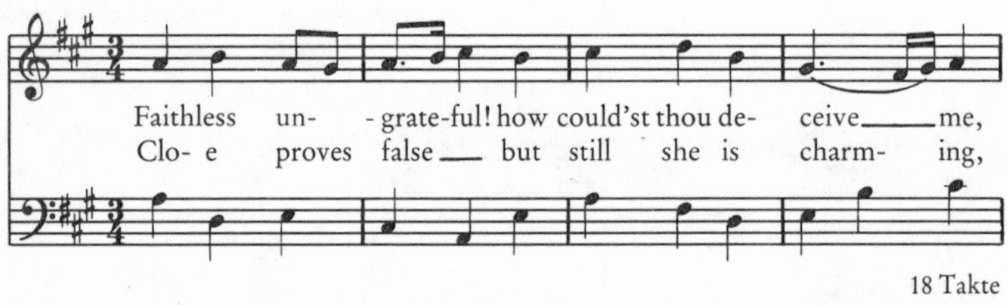
Faithless un- - grate-ful! how could'st thou de- ceive me,
Clo- e proves false but still she is charm- ing,
18 Takte

Quellen

Drucke: Cloe proves false. The slighted swain. The words by A. Bradley. – s. l., s. n. (ca. 1720); — s. l., s. n. (ca. 1730); A general collection of minuets ... by M[r] Handel (p. 15, als „Menuet in Floridante"). – London, J. Walsh, J. Hare, J. Young, (1729); Handel's favourite minuets... Book II (p. 32). – London, J. Walsh (1762); The Musical miscellany ... volume the third (p. 120–121). – London, John Watts, 1729; British musical miscellany ... vol. III (p. 45–46). – London, J. Walsh (ca. 1735); The merry mountebank ... compiled ... by Timothy Tulip (p. 99, „To a Minuet of Mr. Handel's"). – London 1732; Faithless ungratefull: how could'st thou deceive me. The forsaken Maids Complaint. – s. l., s. n.; The monthly mask of vocal musick (July, 1722). – London,

J. Walsh, J. Hare (1722); A choice collection of English songs ... (No. 16). – London, J. Walsh (1731).

Bemerkung
Die Melodie dieses Menuetts ist abgeleitet aus „No, non piangete, pupille belle" (23) in HWV 14 Floridante.

228.9 From scourging rebellion

English Song

Textdichter: John Lockman

Besetzung: Sopr., Basso continuo
EZ: etwa 1746. – UA: London, 25. Mai 1746, gesungen von Thomas Lowe in Vauxhall Gardens

1. From scourging re-bel- lion and baffling proud France, crown'd with lau- rels, behold British Wil-liam advance,

20 Takte
(5 Strophen)

Quellen
Drucke: A song on the victory obtain'd over the rebels, by His Royal Highness the Duke of Cumberland. The words by Mr Lockman. Set by Mr Handel. Sung by Mr Lowe ... in Vauxhall Gardens (1746). – s. l., s. n.; — s. l., s. n. (1746); The London Magazine (July, 1746). – s. l., s. n.; The vocal musical mask. A collection of English songs never before printed set to musick by Mr. Lampe, Mr. Howard &c. Book IV. – London, J. Walsh (ca. 1746); A song on the victory over the rebels ... Set by Mr Handel. – s. l., s. n. (ca. 1750); A song on the victory obtain'd over the rebels ... – s. l., s. n. (Dublin, ca. 1750); The monthly mask or an entertainment of musick ... By the best masters (No. 24, f. 45). – Dublin, William Mainwaring. – Abschrift: GB BENcoke

Bemerkungen
Die Melodie wurde aus der Musik der Arie „Volate, amori" (7) aus HWV 33 Ariodante abgeleitet. Beim Einsatz des Chores sind im oberen System der Drucke Instrumente als Tuttiverstärkung angegeben.

Literatur
Müller-Blattau, S. 122; Serauky IV, S. 425; Siegmund-Schultze, W.: Zwei „Massenlieder" von G. F. Händel. In: Musik und Gesellschaft, 4. Jg., 1954, S. 7f.; Squire, W. B.: Handel in 1745. In: Riemann-Festschrift, Leipzig 1909, S. 423ff.; Friedlander, A. M.: Two Patriotic Songs by Handel. In: The Musical Times, vol. 66, 1925, S. 416ff.

228.10 The forsaken Nymph: Guardian Angels now protect me

English Song

Textdichter: unbekannt

Besetzung: Sopr., Basso continuo
EZ: etwa 1735

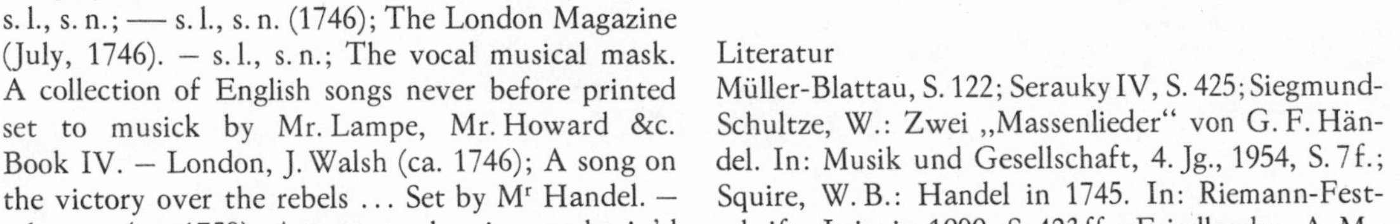
Guard- -ian An- -gels, now pro- -tect me; send to me the swain I love,

17 Takte

Quellen
Drucke: The forsaken nymph. A new song. – s. l., s. n. (ca. 1735); — s. l., s. n. (ca. 1740); — s. l., s. n. (ca. 1750); Calliope or English harmony ... vol: the first (p. 62). – London, Henry Roberts, 1739; Amaryllis: consisting of such songs as are most esteemed for composition and delicacy and sung at the publick theatres or gardens ... vol. II (p. 64). – London, T. J[efferys], M. Cooper, J. Wood, I. Tyther (ca. 1746); Universal Harmony: or the Gentleman and Lady's social companion consisting of a great variety of the best and most favourite English and Scots songs, cantatas, &c ... by the best masters (p. 65). – London, printed for the proprietors, 1743.

228.[11] I like the am'rous Youth that's free

English Song

Textdichter: James Miller

Besetzung: Sopr., Basso continuo
EZ: 1737. – UA: London, gesungen von Kitty Clive in der Komödie „The Universal Passion" von James Miller, 1737, Drury Lane Theatre

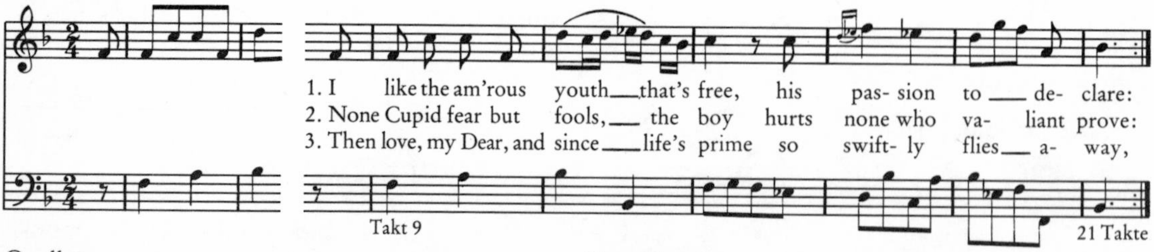
1. I like the am'rous youth that's free, his pas- sion to de- clare:
2. None Cupid fear but fools, the boy hurts none who va- liant prove:
3. Then love, my Dear, and since life's prime so swift- ly flies a- way,
Takt 9
21 Takte

Quellen
Drucke: I like the am'rous youth that's free. Sung by Mrs. Clive in the Comedy call'd the Universal Passion. Set by Mr Handel. – s. l., s. n. (ca. 1737); The British Orpheus. A collection of favourite English songs. Book I (p. 2). – London, J. Walsh, 1742; Clio and Euterpe or British harmony ... vol. I (p. 98). – London, Henry Roberts, 1758.

Bemerkung
Händel schrieb die Komposition für die Sängerin und Schauspielerin Kitty Clive vermutlich als Einlage bei der Premiere von James Millers Komödie „The Universal Passion", die am 28. Februar 1737 im Londoner Drury Lane Theatre aufgeführt wurde.

228.[12] Phillis: My fair, ye Swains, is gone astray

English Song

Textdichter: unbekannt

Besetzung: Sopr., Basso continuo
EZ: etwa 1725

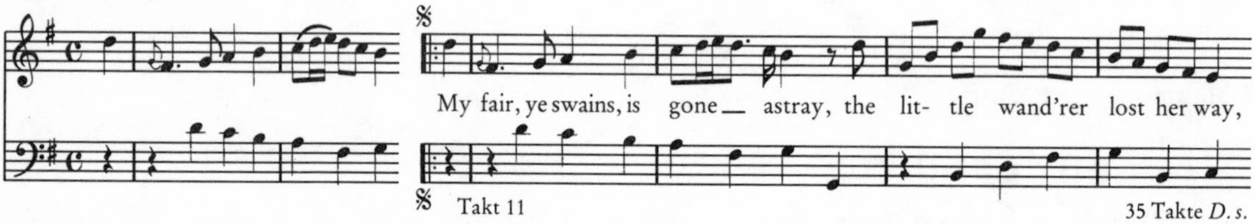
My fair, ye swains, is gone astray, the lit- tle wand'rer lost her way,
Takt 11
35 Takte D. s.

Quellen
Druck: Phillis. Set by Mr. Handel. In: Apollo's Cabinet: or The muses delight ... vol. II (p. 158–159). – Liverpool, John Sadler, 1756.

228.[13] Not, Cloe, that I better am

English Song

Textdichter: unbekannt

Besetzung: Sopr., Basso continuo
EZ: etwa 1730

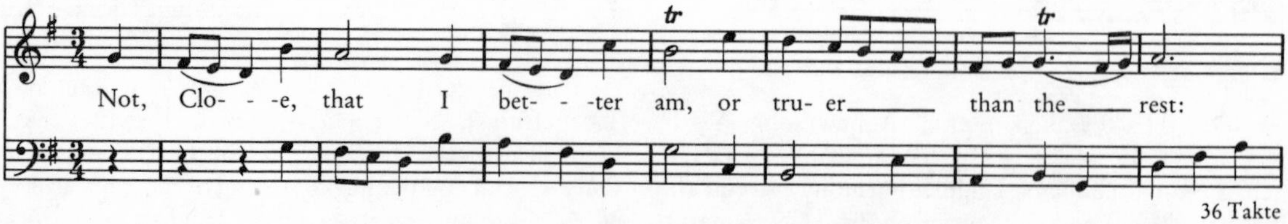
Not, Clo- - -e, that I bet- - -ter am, or tru- er than the rest:
36 Takte

Quellen
Druck: Not Cloe that I better am. Set by Mr. Handel. In: British musical miscellany ... vol. V (p. 121–122). – London, J. Walsh (1736).

228.[14] Strephon's Complaint of Love: Oh cruel Tyrant Love

Besetzung: Sopr., Basso continuo
EZ: etwa 1730

English Song

Textdichter: unbekannt

Oh cru- - -el Ty- - -rant Love,

24 Takte

Quellen

Drucke: Oh! cruel tyrant love. Strephon's complaint of love. Set by Mr. Handel. – s. l., s. n. (ca. 1730); A choice collection of English songs ... (No. 5). – London, J. Walsh (1731); The musical miscellany ... volume the fourth (p. 42–43). – London, John Watts, (ca. 1730); The merry musician ... vol. II (p. 137 bis 139). – London, J. Walsh, No. 335 (1730); British musical miscellany ... vol. III (p. 91–92). – London, J. Walsh (ca. 1735)[1].

[1] Die Melodie entspricht Air XXV in „The fashionable Lady", Ballad Opera von J. Ralph (London, April 1730). Vgl. Smith, W. C.: Descriptive Catalogue, S. 184.

228.[15] The Satyr's Advice to a Stock-Jobber: On the shore of a low ebbing sea/Ye Swains that are courting a Maid/ Molly Mogg: Says my uncle I pray you discover

Besetzung: Sopr., Basso continuo
EZ: etwa 1730

English Song

Textdichter: unbekannt

Say's my un- cle I pray you dis- cov- er,
On the shore of a low eb- bing sea, a sigh-ing young Job- ber was seen,
Ye swains that are courting a maid

16 Takte

Quellen

Drucke: (On the shore of a low ebbing sea). The Satyr's advice to a stock-jobber. The musick by Mr. Handel (auch mit dem Text: Ye swains that are courting a maid). In: The musical miscellany ... vol. V (p. 152–155). – London, John Watts (ca. 1730); The merry musician ... vol. IV (p. 129–131). – London, J. Walsh (1733); British musical miscellany ... vol. V (p. 82–83). – London, J. Walsh (1736); The monthly mask or an entertainment of musick (No. XIV). – London, J. Walsh (1738); Says my uncle I pray you discover. Molly Mogg[1] [or The fair maid of the Inn]. A song set by an eminent master. – s. l., s. n. (ca. 1730); A choice collection of English songs ... (No. 14). – London, J. Walsh (1731); Mist's Weekly Journal (27 Aug., 1726).

[1] Text von John Gay.

228.[16] Phillis be kind and hear

English Song

Textdichter: Mr. Paratt

Besetzung: Sopr., Basso continuo
EZ: etwa 1730

Phil- lis be kind and hear my love,

27 Takte

Quellen
Druck: Phillis be kind. A song set by Mr. Handel. The words by Mr. Parratt. In: British musical miscellany ... vol. II (p. 10–11). – London, J. Walsh (1734).

Bemerkungen
Die Melodie entspricht der des Menuets A-Dur HWV 545 (Abschriften: GB Lbm, R. M. 18. b. 8., f. 94ʳ; Add. MSS. 31 467, f. 31ᵛ; veröff. in: Pieces for Harpsichord by G. F. Handel. Ed. by W. B. Squire – J. A. Fuller-Maitland, Mainz und Leipzig: B. Schott's Söhne, 1928, Nr. 70).

228.[17] Phillis advised: Phillis the lovely

English Song

Textdichter: unbekannt

Besetzung: Sopr., Basso continuo
EZ: etwa 1739

Phillis Advised

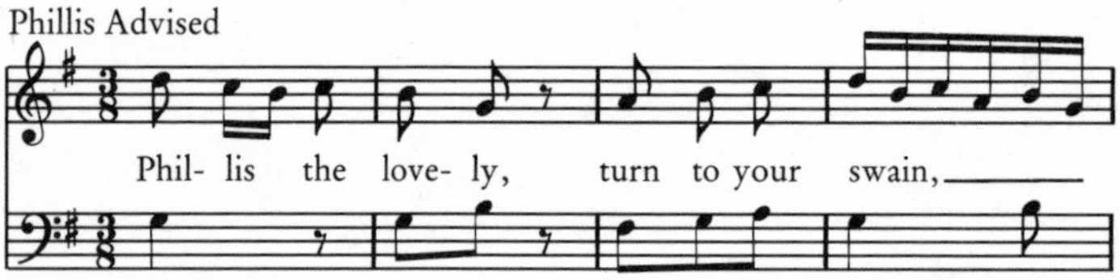
Phil- lis the love- ly, turn to your swain,

17 Takte

Quellen
Druck: Phillis the lovely, turn to your swain. Phillis advised. In: The musical entertainer ... vol. II (p. 72). – London, G. Bickham, C. Corbett (ca. 1739).

228.[18] Stand round, my brave boys

English Song

Textdichter: unbekannt

Besetzung: Sopr., Basso continuo
EZ: 1745. – UA: London, gesungen am 14. November 1745 von Thomas Lowe in dem Schauspiel „The Relapse or Virtue in Danger" von John Vanbrugh, Drury Lane Theatre

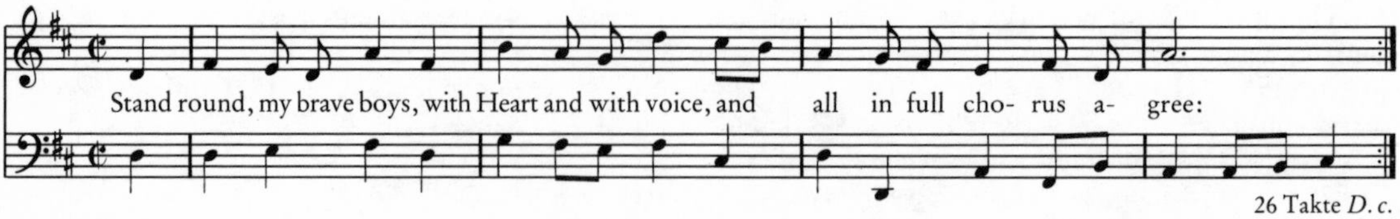
Stand round, my brave boys, with Heart and with voice, and all in full cho- rus a- gree:

26 Takte *D. c.*

Quellen

Handschriften: Autograph: GB Cfm (30 H 9, p. 41, Zeile 3–5, Skizze).

Abschriften: GB BENcoke, Lbm (Add. MSS. 31 573, f. 69r).

Drucke: A song made for the Gentlemen volunteers of the city of London set to musick by Mr Handel. – (London), J. Simpson (1745); — s. l., s. n. (1745); — London Magazine, Nov., 1745; — s. l., s. n. (ca. 1750); The monthly masque or an entertainment of musick ... by the best masters ... (No. 23, p. 44). – Dublin, William Mainwaring (ca. 1750).

Bemerkungen

Der Song „Stand round, my brave boys" ist das erste von zwei patriotischen Liedern, die Händel 1745/46 während der Zeit der Kämpfe mit dem schottischen Kronprätendenten Charles Edward Stuart schrieb. Es wurde zuerst am 14. Mai 1745 in dem Schauspiel „The Relapse, or Virtue in Danger" von John Vanbrugh (Drury Lane Theatre) von Thomas Lowe gesungen (s. *„General Advertiser"*, Nov. 15, 1745: „A song ... sung by Mr. Lowe at the Theatre Royal in Drury Lane") und am folgenden Tage „by particular desire" wiederholt.

Literatur

Smith, W. C.: Descriptive Catalogue, S. 188; Squire, W. B.: Handel in 1745. In: Riemann-Festschrift, Leipzig 1909, S. 423 ff. (s. auch HWV 228[10]).

228.[19] The faithful Maid/ The melancholly Nymph: 'Twas when the seas were roaring

English Song

Textdichter: John Gay

Besetzung: Sopr., Basso continuo

EZ: etwa 1725. – UA: London, etwa 1725, als Einlage in „The Comick Tragick Pastorall Farce, or What d'ye call it" von John Gay

The faithful Maid/The Melancholly Nymph

'Twas when the seas were roar- ing with hol- low blasts of wind,

16 Takte
(5 Strophen)

Quellen

Drucke; Twas when the seas were roaring. Sung in the Comick Tragick Pastorall Farce, or What d'ye call it [von John Gay]. – s. l., s. n. (ca. 1725); — s. l., s. n. (ca. 1730); A choice collection of English songs ... (No. 22). – London, J. Walsh (1731); A collection of sea songs on several occasions (f. 10). – London, J. Walsh, J. Hare; The melancholy nymph/ The faithful maid. In: The musical miscellany ... volume the second (p. 94–96). – London, John Watts (ca. 1730); The musical entertainer ... vol. I (p. 53). – London, Geo. Bickham (1737); British Melody or The Musical Magazine, No. 58 (ca. 1730); Universal Harmony: or The Gentlemen and Lady's social companion (p. 54). – London, printed for the proprietors (1743); Calliope or English harmony ... vol: the first (p. 168). – London, Henry Roberts, 1739; Amaryllis: consisting of such songs as are most esteemed for composition ... vol. I (p. 79). – London, T. J[efferys]., M. Cooper, J. Wood, J. Tyther (1746); The Muses delight. An accurate collection of English and Italian songs, cantatas and duetts ... (p. 176). – Liverpool, John Sadler, 1754.[1]

[1] Die Melodie entspricht Air IX (XXVIII) „How cruel are the Traytors" aus Act II von „The Beggar's Opera" (Text: John Gay), 1728. Vgl. Smith, W. C.: Descriptive Catalogue, S. 202.

228.[20] The Rapture/ Matchless Clarinda: When I survey Clarinda's charms/Venus now leaves

Besetzung: Sopr., Basso continuo
EZ: etwa 1725

English Song

Textdichter: B. (Bradley?)

The Rapture

When I sur- vey Cla- rin- - da's charms,
Ve- nus now leaves her Pa- - phian dwell- - ing,

28 Takte

Quellen

Drucke: Venus now leaves. Sung in the entertainment of the festival on the Approaching Nuptials of the Prince of Orange (März 1734). – In: British musical miscellany ... vol. I (p. 53). – London, J. Walsh (1734); When I survey Clarinda's charms. A song the words made by Mr B. to a favourite Minuet of Mr Handels – s. l., s. n. (ca. 1725); — A song made to a favourite Minuet of Mr Handell's. – s. l., s. n. (ca. 1730); A choice collection of English songs ... (No. 10). – London, J. Walsh (1731); A general collection of Minuets made for the balls at court ... (No. 23). – London, J. Walsh, J. Hare, J. Young (1729); The Rapture. In: The musical miscellany ... volume the third (p. 166–168). – London, John Watts (ca. 1730); The Universal Musician. – s. l., s. n.; Calliope or English harmony ... vol. I (p. 39). – London, Henry Roberts, 1739; Matchless Clarinda. In: Universal Harmony: or The Gentlemen and Lady's social companion (p. 68). – London, printed for the proprietors (1743); Handel's favourite minuets from his operas & oratorios with those made for the balls at court ... Book II (p. 29). – London, J. Walsh (1762).

Bemerkungen

In „The Lady's Banquet Second Book", London, J. Walsh (1733), p. 21, ist das Menuett Francesco Geminiani zugeschrieben; in „Amaryllis", vol. II, London 1746, erscheint die Melodie mit dem Text „That which her slender waist confined" (s. A. Hicks, in: The New Grove, Artikel *Handel, G. F.,* S. 127). Vgl. auch HWV 543.

228.[21] The Death of the Stag: When Phoebus the tops of the Hills does adorn

Besetzung: 2 Singstimmen (Violinen, Querflöten oder Hörner), Basso continuo
EZ: etwa 1740

Hunting Song for two voices

Textdichter: unbekannt

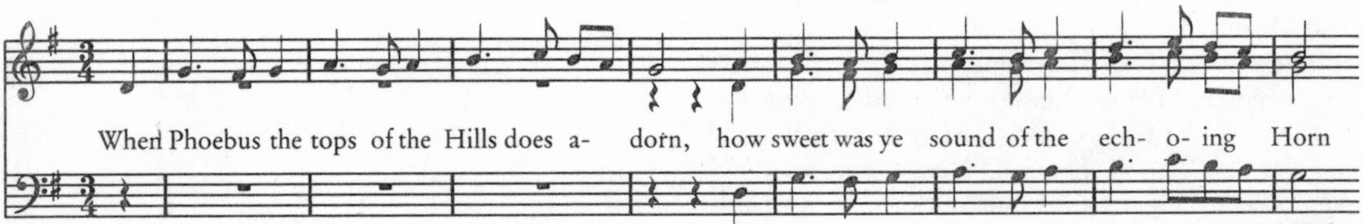
When Phoebus the tops of the Hills does a- dorn, how sweet was ye sound of the ech- o- ing Horn

[auch in F-Dur]

72 (63) Takte

Quellen
Handschriften: Abschriften: GB Lbm (Add. MSS. 33351, f. 11^{v}–13^{r}; Add. MSS. 34074, f. 10^{r}ff.; Add. MSS. 34075; Add. MSS. 34126).
Drucke: A Hunting Song for two voices. – s. l., s. n. (ca. 1740); — s. l., s. n. (ca. 1750); A Hunting Song for 2 voices, violins or German flutes. Set by Mr Handel. – s. l., s. n. (ca. 1750); The Death of the stagg. A favourite hunting song for two voices, two French horns, or two violins & a bass. Set by Mr Handel. – (London), H. T. [Henry Thorowgood] (ca. 1767); Apollo's Cabinet: or The Muses delight ... vol. I (p. 69). – Liverpool, John Sadler, 1756; Clio and Euterpe or British harmony... vol. I (p. 170–171). – London, Henry Roberts, 1758[1].

[1] Auch als geistliche Parodie mit dem Text „When Jesus our Saviour came down from above" (Hymn on the Redemption) in: A Companion to the Magdalen Chapel containing the Hymns ... (ca. 1780). Vgl. Smith, W. C.: Descriptive Catalogue, S. 179.

228^{22} Who to win a Woman's favour

English Song

Textdichter: unbekannt

Besetzung: Sopr., Basso continuo
EZ: ca. 1746

Who to win a wo- man's fa- - -vor

[vgl. HWV 1 Almira (25.)] 14 Takte

Quellen
Druck: Who to win a woman's favor. Set by Mr Handel. In: Amaryllis: consisting of such songs as are most esteemed for composition ... vol. II (p. 55). – London, T. J[efferys]., M. Cooper, J. Wood, I. Tyther (1746).

Bemerkungen
Die Melodie stammt aus HWV 1 Almira (25. Menuet). Vgl. auch HWV 540^{a}.

228^{23} An Answer to Collin's Complaint: Ye winds to whome Collin complains

English Song

Textdichter: unbekannt

Besetzung: Sopr. (senza Cont.)
EZ: ca. 1716

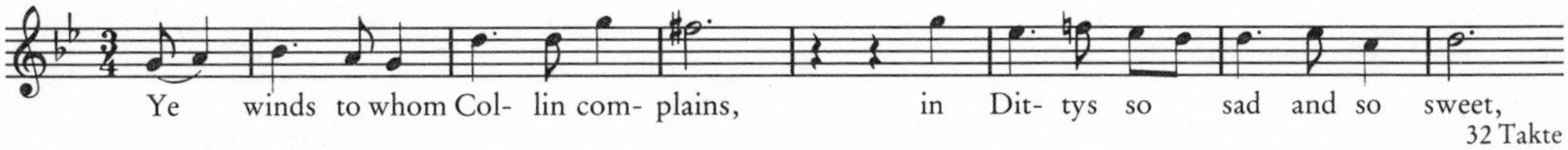
Ye winds to whom Col- lin com- plains, in Dit- tys so sad and so sweet,

32 Takte

Quellen
Drucke: Ye winds to whome Collin complains. An answer to Collins complaint the tune by Mr Hendell. – s. l., s. n. (ca. 1720); A choice collection of English songs... (No. 24); The merry musician; or, a cure for the spleen ... Part I (p. 161–164). – London, H. Meere, J. Walsh, 1716.

228[24] Yes, I'm in love

English Song

Textdichter: W. Whitehead

Besetzung: Sopr., Basso continuo
EZ: ca. 1740

Moderato
1. Yes I'm in love I feel it now, and Ce-lia has un-done me;
tr
Takt 9
34 Takte

Quellen

Drucke: Yes, I'm in love. Set by Mr Handel [Text von W. Whitehead]. – s. l., s. n. (ca. 1740); — s. l., s. n. (ca. 1740); The Museum, May 10, 1746; Amaryllis: consisting of such songs as are most esteemed for composition ... vol. II (p. 74, mit französischem Titel „Je ne sai quoi"). – London, T. J[efferys]., M. Cooper, J. Wood, I. Tyther (1746).

Kirchenmusik

Geistliche Konzertmusik
Anthems, Te Deum, Jubilate
Kirchenlieder

229. Sieben hallesche Kirchenkantaten

(Musik verschollen)

229. 7 hallesche Kirchenkantaten (verschollen):
229[1]. Das gantze Haupt ist krank à 8 (Dialogo: Dominica 14./19. post Trinitatis) (Nr. 35)
229[2]. Es ist der alte Bund, Mensch à 12 (Dialogo: Dominica 16. et 24. post Trinitatis) (Nr. 50)
229[3]. Fürwahr, er trug unsere Krankheit à 15 (Nr. 99, Nr. 144)
229[4]. Thue Rechnung von deinem Haußhalten à 13 Dialogo: Dominica 9. et 22. post Trinitatis) (Nr. 19)
229[5]. Victoria. Der Tod ist verschlungen (in den Sieg) à 14 (Feria Pschatos) (Nr. 221)
229[6]. Was werden wir essen à 10/12 (Dialogo: Dominica Laetare, item 7. et 15. post Trinitatis) (Nr. 95)
229[7]. Wer ist der, so von Edom kömmt à 12 (Dominica Invocavit) (Nr. 102).
EZ: Halle, ca. 1700–1703

Quelle: Specification/Derer 276 Musicalischen Kirchen-Stücken, so der seel. Hr. Adamus Meissner, gewesener Organista bey der Kirchen zu St. Ulrich alhier in seinem Testamente gedachter Kirchen zu seinem Andencken vermachet/de Anno 1718 (Halle, Archiv der St. Ulrichskirche)

Literatur
Verzeichnis der Musikalien des Ulrichsorganisten Adam Meißner. In: Serauky, W.: Musikgeschichte der Stadt Halle, Musikbeilagen und Abhandlungen zum 2. Band, 1. Halbband. Halle (Saale)–Berlin 1940, S. 70ff.

230. Ah! che troppo ineguali / O del ciel! Maria Regina

Recitativo ed Aria
a voce sola con stromenti

Textdichter: unbekannt

Besetzung: Solo: Sopr. Instrumente: V. I, II; Va.; Cont.
ChA 52b. – HHA V/4. – EZ: Rom, 1708

Recitativo.

Cont.

Ah! che troppo in-e- guali

14 Takte

Aria.

Adagio

V. I, II
Va.
Cont.

O___ del Ciel Ma- ri- a Re-gi- na! se di pa- ce sei la stel- la

Takt 12

69 Takte *D. c.*

Quellen
Handschriften: Autograph: GB Lbm (R. M. 20. e. 3., f. 72–75).

Bemerkungen
Die vermutlich unvollständig überlieferte Kantate entstand 1708 in Rom (WZ des Autographs: Typ 2/D). R. Strohm nimmt an, daß die im Text ausgedrückte Bitte um Frieden sich auf die kriegerischen Ereignisse während der Zeit des Spanischen Erbfolgekrieges bezieht, die auch den Kirchenstaat schwer erschütterten.

Literatur
Leichtentritt, S. 580; Strohm, R.: Händel in Italia. Nuovi contributi. In: Rivista Italiana di Musicologia, vol. IX, 1974, S. 152 ff., bes. S. 171 f.
Beschreibung des Autographs: Lbm Catalogue Squire, S. 24.

231. Coelestis dum spirat aura

Motetto in festo S. Antonii de Padua a Canto solo con stromenti

Textdichter: unbekannt

Besetzung: Solo: Sopr. Instrumente: V. I, II; Cont. Erstausgabe: Hrsg. von R. Ewerhart, Köln; Edmund Bieler Verlag 1957 (= die kantate, 2). – HHA III/2. – EZ: Rom, Mai/Juni 1707. – UA: Vignanello, vermutlich am 13. Juni 1707

Sonata

Recitativo.

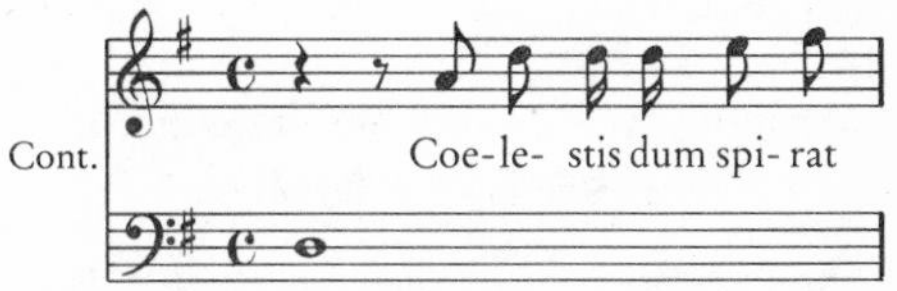

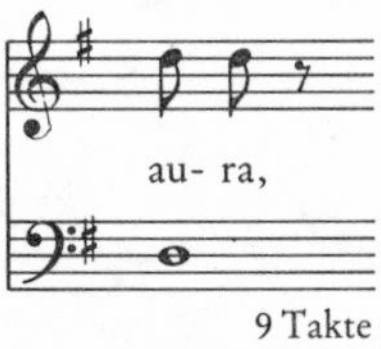

1. Aria.

Recitativo.

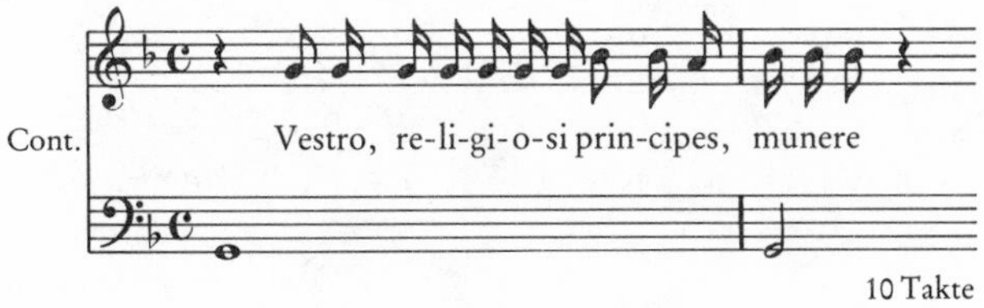

2. Aria.

3. Aria.

Quellen

Handschriften: Autograph: verschollen

Abschriften: D (brd) MÜs (Hs. 1887, 2 Hefte; 1. Heft: „Motetto di S. Antonio di Hendel", Singstimme mit Continuo, 10 Bll., 2. Heft: „Concertino Dell' Motetto Celestis dum spirat aura. In festo S. Antonij de Padua à Canto Solo con VV. Del Sig. Giorgio Friderico Hendel 1707", St. für V. I, II, Continuo, 8 Bll.).

Druck: Georg Friedrich Händel: Colestis dum spirat aura. Kantate für Sopran, 2 Violinen und Basso continuo. Herausgegeben von Rudolf Ewerhart (= die Kantate 2), Köln: Verlag Edmund Bieler 1957.

Bemerkungen

Die von Antonio Giuseppe Angelini kopierte, datierte und mit eindeutiger Bestimmung für den Aufführungsanlaß versehene Solomotette wurde bei einem Aufenthalt des Marchese Ruspoli auf seinem Landsitz Vignanello von Händel im Mai/Juni 1707 komponiert und dort aufgeführt. Solistin der Aufführung war Margherita Durastanti, die Angelinis Rechnung für das Aufführungsmaterial (s. Kirkendale, Dokument 2 vom 30. Juni 1707) gegenzeichnete.

Als Aufführungstag muß der 13. Juni angenommen werden, an dem das Fest des Hl. Antonius gefeiert wurde (im Jahre 1707 fiel auf diesen Tag auch der Pfingstmontag); die Aufführung huldigte dabei gleichzeitig der 475. Wiederkehr des Jahres der Kanonisation dieses Heiligen, die von Ruspoli mit einem beträchtlichen Aufwand an Kirchenschmuck in Vignanello begangen wurde. Unter anderem wurde bei der Aufführung der Kantate ein neues Altarbild des Heiligen von Michelangelo Cerutti eingeweiht (s. Kirkendale, S. 229 f.). Ein weiteres Indiz für die Aufführung an diesem Ort liegt vor in der Textstelle „et lucidos protectionis radios prote, Julianelle..." des zweiten Rezitativs, denn „Julianellum" war der mittelalterliche Name des Fleckens Vignanello (s. Kirkendale, Addendum, S. 518).

Entlehnungen:

1. Felix dies
   HWV 5 Rodrigo: 26. Alle glorie, alle palme
   HWV 55 L'Allegro, il Moderato ed il Penseroso: Troppo audace (Add. song)
   HWV 56 Messiah: 8. O thou that tellest good tidings
2. Tam patrono singulari
   HWV 1 Almira: 17. Più non vuo' tra sì e no
   HWV 37 Giustino: 30. Il piacer della vendetta
3. Alleluja
   HWV 1 Almira: 41. Move i passi alle ruine
   HWV 157 „Sarei troppo felice": 2. Giusto ciel se non ho sorte
   HWV 6 Agrippina: 43. Io di Roma il Giove sono
   HWV 197 „Tanti strali al sen"
   HWV 49ª Acis and Galatea (1. Fassung): 13. Cease to beauty
   HWV 12ª Radamisto (1. Fassung): Anhang 30. Senza luce, senza guida
   HWV 31 Orlando: 20. Tra caligini profonde

Literatur

Ewerhart, S. 119; Kirkendale, S. 229 f.

232. Dixit Dominus Domino meo

Geistliches Konzert für Soli, Chor und Orchester

Text: Psalm 109 (110)

Besetzung: Soli: Sopr., Alto. Chor: S. I, II; A.; T.; B. Instrumente: V. I, II; Va. I, II; Cont.

ChA 38. – HHA III/1. – EZ: Rom, April 1707. – UA: Rom, vermutlich 16. Juli 1707, Santa Maria in Monte Santo

1. Coro. S. I, II; A.; T.; B.

Dominus Domino me-o,
o,
Dominus Domino me-o,
138 Takte
2. Aria. Alto
Cont.
Tutti
Vir- gam vir- tu- tis,
Takt 7
3. Aria. Sopr. I
— vir- tu- tis tu- - ae,
53 Takte.
V. I, II
Va. I, II
Cont.
Te- cum prin- ci- pi- um
Takt 9
91 Takte
4. Coro. S. I, II; A.; T.; B.
Grave
V. I, II
Va. I, II
Cont.
Ju- ra- vit Do- mi- nus, ju- ra- (vit)
Et non, non poe- ni-
Takt 6
te- bit, non,
Et non, non poe- ni- te- bit,
Et non
62 Takte
5. Chorus. S. I, II; A.; T.; B.
S. II Se-cundum
Se-cundum or- di-nem Mel-
A.
V. I, II
Va. I, II
Cont.
B.
Tu es sa-
S. I Se-cundum or- di-nem Melchi- se-dech, se-cun-dum or- dinem Mel-chi- - - - - - se-
or- dinem Mel-chi-se-dech, se-cundem or- di-nem Mel- chi- - - - - - - - se-
chi-se-dech, se-cundum or- di-nem Melchi-se-dech, A. secundum
cer- - -dos in ae- - ter- - - - - - - - - -
-dech,
-dech,
or- - -(dinem)
T. Se-cundum or-
-num
30 Takte
6. Coro. S. I, II; A.; T.; B.
Allegro
V. I, II
Va. I, II
Cont.
S. II solo
Do- -
Takt 16

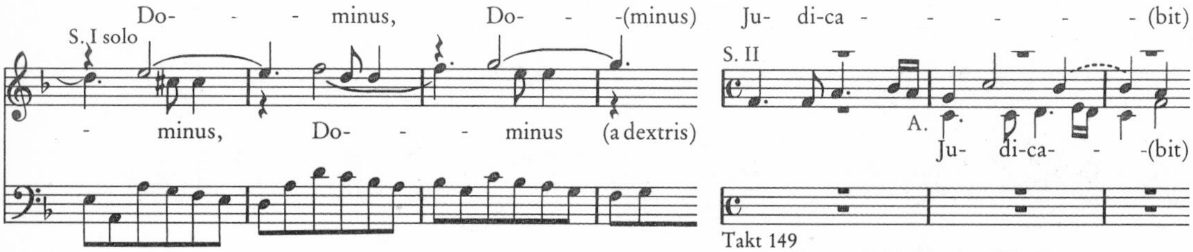

Takt 149

7. Coro. S. I, II; A.; T.; B.

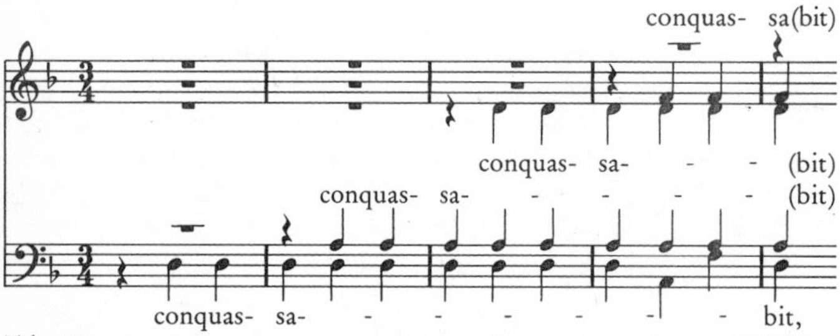

Takt 210 259 Takte

Takt 6 36 Takte

8. Coro. S. I, II; A.; T.; B.

Takt 6

Allegro

S. I, II

Takt 57 175 Takte

Quellen

Handschriften: Autograph: GB Lbm (R. M. 20. f. 1., f. 30r–82v).

Abschriften: A Wn (Ms. 16 536, Abschrift von Felix Mendelssohn Bartholdy, datiert „London, 6. Nov. 1829") – D (brd) MÜs (Hs. 1924, f. 1–79, hier fälschlich als Werk von J. A. Hasse bezeichnet[1]) – GB Lcm (MS. 246, f. 1r–80r; Ms. 248, f. 1–97r; MS. 249, f. 1r–104v), Mp [MS 130 Hd4, v. 205(1)], Ob (Mus. d. 58.).

[1] Die Hs. trägt auf f. 1r den Vermerk „esista in Casa Colonna" von der Hand F. Santinis. Nr. 2 ist in dieser Quelle in G-Dur notiert, bei Nr. 3 fehlen die Violen.

Bemerkungen

Die Vertonung des 110. Psalms „Dixit Dominus" begann Händel vermutlich bereits Ende 1706 in Florenz und beendete sie in Rom 1707. Darauf deuten sowohl das Papier des Autographs (WZ: Typ 1/E, H für Bll. 1–36, Typ 2/A, D für Bll. 37–53) als auch Händels Datierung (f. 82v: „S. D. G. G. F. Hendel, 1707 li d'Aprile. Roma"), wobei der genaue Tag aus-

gespart ist, während die letzte Ziffer 7 der Jahreszahl ursprünglich eine 6 (für 1706) war.
Als Auftraggeber für die Komposition vermutet J. S. Hall den Kardinal Carlo Colonna, bei dem Händel nachweislich in Rom verkehrte (s. Mainwaring/Mattheson, S. 52); daß eine Abschrift des Werkes in Colonnas Besitz war, bestätigt die Eintragung Santinis auf der Quelle D (brd) MÜs. Möglicherweise wurde das Werk bei dem Fest der Madonna del Carmine am 16. Juli 1707 in der Kirche Santa Maria in Monte Santo (Rom, Piazza del Popolo) zusammen mit HWV 235, 237, 240 und 243 aufgeführt (s. Hall), obwohl es dafür keinen dokumentarischen Beweis gibt.
Entlehnungen:
1. Dixit Dominus
   HWV 51 Deborah: 15. See the proud chief
(1.) Donec ponam inimicos tuos
   HWV 51 Deborah: 22. Plead thy just cause
4. Juravit Dominus/Et non poenitebit (T. 6ff.)
   HWV 233 „Donna, che in ciel": 5. Maria, salute e speme
   HWV 196 „Tacete, ohimè, tacete": Non sia voce importuna
   HWV 74 Birthday Ode: 7. The day that gave great Anna birth
   HWV 255 „The Lord is my light": 5. I will offer in his dwelling
   HWV 49b Acis and Galatea (2. Fassung): 11. Contento sol promette Amor
   HWV 355 Aria c-Moll für Streicher
5. Secundum ordinem Melchisedech
   HWV 143 „Oh come chiare e belle": 1. Oh come chiare
6. Dominus a dextris tuis
   HWV 233 „Donna, che in ciel": 5. Maria, salute e speme/Estingua la sua face (T. 104ff.)
   HWV 196 „Tacete, ohimè, tacete": Entro fiorita cuna

Literatur
Chrysander I, S. 162f.; Ewerhart, S. 120; Ewerhart, R.: Dixit Dominus. In: Archives sonores de la musique sacrée, Paris 1959; Godehart, G.: Händels „Dixit Dominus" und Dettinger Tedeum. In: Göttinger Händel-Fest 1957, Programmheft; Hall, J. S.: The Problem of Handel's Latin Church Music. In: The Musical Times, vol. 100, 1959, S. 197ff.; Hall, J. S.: Handel among the Carmelites. In: The Dublin Review, July, 1959, S. 122ff.; Hicks, A.: Handel's Early Musical Development. In: Proceedings of the Royal Musical Association, vol. 103, 1976/77, S. 80ff.; Lam, S. 157ff.; Leichtentritt, S. 535f.; Steele, J.: Dixit Dominus: Alessandro Scarlatti and Handel. In: Studies in Music, University of Western Australia Press, No. 7, 1973, S. 19ff.
Beschreibung des Autographs: Lbm: Catalogue Squire, S. 61.

233. Donna, che in ciel di tanta luce splendi

Cantata a voce sola con stromenti e coro (Anniversario della liberazione di Roma dal terremoto nel giorno della Purificazione della Beatissima Vergine)

Textdichter: unbekannt

Besetzung: Solo: Sopr. Chor: S.; A.; T.; B. Instrumente: V. I, II; Va.; Cont.
Erstausgabe: Hrsg. von R. Ewerhart, Köln: Arno Volk Verlag 1959 (= polyphonia sacra). – HHA III/2. – EZ: Rom, vermutlich Januar 1708. – UA: Rom, vermutlich 1./2. Februar 1708, Kirche S. Maria in Ara Coeli

Introduzione.

Recitativo.
Cont.
Donna, che in ciel di tanta lu-ce splendi
14 Takte
1. Aria.
V. I, II
Va.
Cont.
solo
Va- cil-lò, va- cil- lò, vacil- lò
per ter-
Takt 15
ror del primo er-ro- re
Takt 19
67 Takte D. c.
2. Accompagnement.
V. I, II
Va.
Cont.
Torna immobi-le in grembo
20 Takte
3. Aria.
Adagio
Cont.
Tu sei la bel- la se- re- na stel- la
Takt 10
90 Takte D. c.
Recitativo.
Cont.
Pur nel-la vi- a che re-sta
8 Takte
4. Aria.
Tutti all'unis.
V. I, II
Va.
Cont.
Sor- ga, sor-ga pu-re dal or- ri- do A- ver- -no,
Takt 9
133 Takte D. c.
Recitativo.
Cont.
Dunque a te di-a-mo lo-di,
9 Takte
5. Solo e Coro. Sopr.; S.; A.; T.; B.
V. I, II
Va.
Cont.
Ma-ri- a, sa-
Takt 17
lu- te e spe- me,
Solo
Ma-ri- -a,
Ma-ri- a, sa- lu-te e spe- - - me,
Takt 35
Ma-ri- a, sa- lu-te e spe- - -me,

Solo
Per te l'i-ra che fre- - - - - - -me
e-stingua la sua fa- ce in mar di
e- stingua la sua face in mar
Takt 98
Takt 105
per te l'i- ra che fre- - - - - - - - -me
san- - - - - - gue,
per te l'i- ra che fre-(me)
di san- - gue,
per te
stin-gua la sua fa- ce in mar di
san- - - -gue,
Solo
e pace e gio- - - - - - - -(ia)
Solo
E pace e gio- - - - - - ia,
E pace e gio- - - - - - -(ia)
Takt 121
Takt 129
151 Takte

Quellen

Handschriften: Autograph: verschollen.

Abschrift: D (brd) MÜs (Hs. 1895, f. 1–80: „Anniversario della Liberat.ne di Roma dal Terremoto, Cantata"; f. 1r: „Introduttione alla Cantata 1702 di G. F. Handel", f. 9r: „Anniversario della Liberatione di Roma dal Terremoto nel giorno dell. Purif.e della Betma V.e Cantata à Voce Sola con Strti e Choro").

Druck: Georg Friedrich Händel: Donna, che in ciel. Herrin, du strahlst im Himmel. Kantate für Sopran-Solo, gem. Chor, Streichorchester und Basso continuo. Herausgegeben von Rudolf Ewerhart. Köln: Arno Volk Verlag 1959 (mit Vorwort und Revisionsbericht).

Bemerkungen

Wie aus dem Titel hervorgeht, wurde diese Marienkantate zum Gedenken an das Erdbeben komponiert, das die Umgebung Roms am 2. Februar 1703 erschütterte, die Stadt selbst aber verschonte. Papst Clemens XI. verfügte damals, daß dieser Tag (der im Kirchenjahr gleichzeitig das Fest Mariae Reinigung oder Lichtmeß darstellt) mit besonderen kirchlichen Feiern ausgestattet werden sollte (s. Ewerhart, Vorwort zur Ausgabe), an denen die Musik einen großen Anteil hatte. Dies führte auch zur Entstehung dieser Kantate; den Auftrag dazu soll Händel vom Senat der Stadt Rom erhalten haben, in dessen Kirche S. Maria in Ara Coeli die Aufführung stattfand.

Da das Autograph verschollen ist, kann das Werk nicht genau datiert werden; vom Überlieferungsbefund her – der größte Teil der Partitur (f. 1–27, 34–54r) wurde von Angelini kopiert (WZ: Typ 2/C, D) – kommen die Jahre 1708 oder 1709 in Betracht. Während R. Ewerhart 1708 als mutmaßliches Aufführungsjahr angibt, plädiert R. Strohm neuerdings erst für 1709. Für beide Jahre gibt es keine dokumentarischen Belege, die auf eine Aufführung hindeuten; die motivische Verwandtschaft der *Introduttione* mit der Agrippina-Ouverture läßt eher auf das Jahr 1709 schließen.

Entlehnungen:

Introduzione, 1. Teil
  HWV 6 Agrippina: Ouverture, 1. Teil[1]

1. Vacillò per terror (Ritornello)
   HWV 17 Giulio Cesare in Egitto: 42a. Sinfonia
4. Sorga pure
   HWV 11 Amadigi: 6. Vado, corro al mio tesoro
5. Maria, salute e speme
   HWV 232 „Dixit Dominus": 4. Juravit Dominus/ Et non poenitebit (T. 6ff.)
   HWV 196 „Tacete, ohimè, tacete": Non sia voce importuna

[1] Vgl. ChA 48, Vorwort, S. VI, Ouvertüre HWV 453.

HWV 74 Birthday Ode: 7. The day that gave great Anna birth
HWV 255 „The Lord is my light": 5. I will offer in his dwelling
HWV 49[b] Acis and Galatea (2. Fassung): 11. Contento sol promette Amor
HWV 355 Aria c-Moll für Streicher
5. Per te l'ira freme (T. 98 ff.)
HWV 248 „Have mercy upon me": 6. Thou shalt make me hear/That the bones which thou hast broken (T. 16 ff.)
(5.) Estingua la sua face
HWV 232 „Dixit Dominus": 6. Dominus a dextris tuis (Einleitung)
HWV 196 „Tacete, ohimè, tacete": Entro fiorita cuna

Literatur

Ewerhart, S. 120 ff.; Strohm, R.: Händel in Italia. Nuovi contributi, In: Rivista Italiana di Musicologia, vol. IX, 1974, S. 152 ff., bes. S. 171 f.

234. Il Pianto di Maria: Giunta l'ora fatal

Cantata sacra a voce sola di soprano da eseguirsi davanti al Santo Sepolcro (Autorschaft Händels fraglich)

Textdichter: unbekannt

Besetzung: Solo: Sopr. Instrumente: V. I, II, III, IV; Va.; Cont.
EZ: Siena, vermutlich März 1709. – UA: Siena, vermutlich 29. März (Karfreitag) 1709

Recitativo.

1. Cavatina.

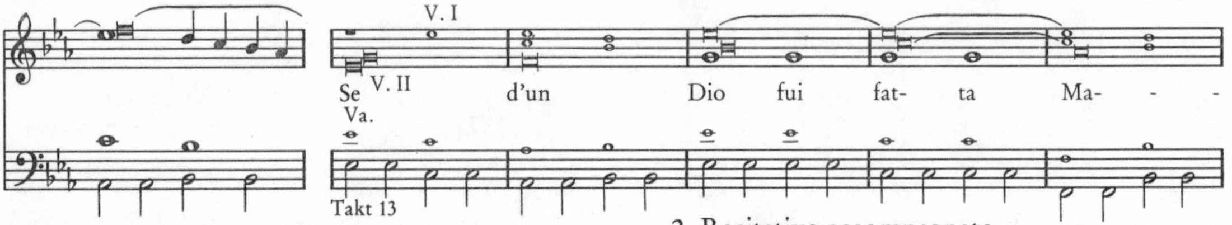

2. Recitativo accompagnato.

3. Cavatina (Nr. 1) da capo

Recitativo.

4. Aria.

5. Recitativo accompagnato.

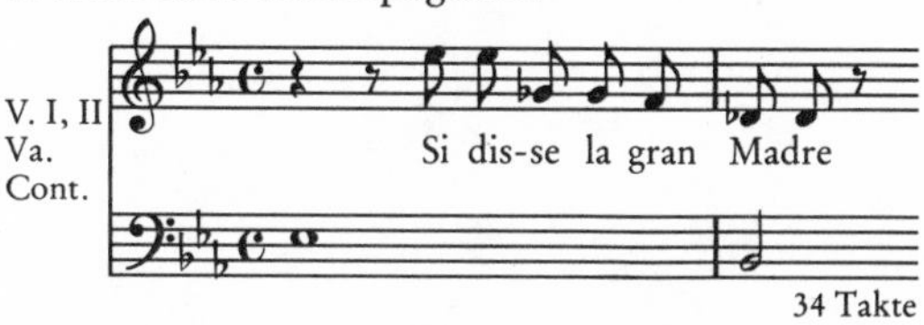

6. Aria.

7. Recitativo accompagnato.

Quellen

Handschriften: Autograph: verschollen.
Abschriften: D (brd) MÜs (Hs. 1877: „Il Pianto di Maria, Cantata Sacra A Voce Sola di Soprano Da Eseguirsi davanti al S.° Sepolcro. Musica Del Sig.ᵉ Giorgio Federigi Hendel“) – GB Lbm (Egerton 2454, Kopie von F. Santini) – I PAc, Rsc (A. Ms. 3970), Sac (Ms. VII/E/37, 26 Bll.: „Il Pianto di Maria, Cantata sacra Da cantarsi dinãzi al Santo Sepolcro, Musica del Sig^{r}. Giuseppe (!) Hendel“, aus dem Besitz von Karl von Ritterfels, 1820; Opera n. 2790–38, datiert 8. Nov. 1790).

Bemerkungen

Die Kantate, deren Echtheit aus stilkritischen Gründen stark angezweifelt wird, soll Händel im Auftrag des Principe Ferdinando de' Medici von Florenz im Jahre 1709 für die Karfreitagsferien in Siena geschrieben haben. Als Beweis dafür gilt eine Tagebuchaufzeichnung von Francesco Maria Mannucci aus dem Archiv von San Lorenzo in Florenz vom 16. Februar 1711, in der Gespräche zwischen dem Gran Principe, dem Komponisten Giacomo Antonio Perti und anderen florentinischen Musikern anläßlich der Beisetzung von Francesco Maria de' Medici wiedergegeben werden. Die Gesprächsteilnehmer unterhielten sich über Alessandro und Domenico Scarlatti, Bernardo Pasquini, Arcangelo Corelli und „Sassone Hendle“. Dabei erwähnte der Principe, daß er die Absicht habe, eine neue Komposition für die Karwoche 1711 („nuova Musica alla Cantata al Sepolcro“) mit dem Titel „Il Pianto di Maria Vergine“ in Auftrag zu geben, über den gleichen Text, den Händel schon zwei Jahre zuvor (1709) für den Karfreitag in Siena komponiert hätte. Händels Komposition hielt der Prinz zwar für schön, aber zusammenhanglos und ein wenig verdrießlich, sie sei nicht ganz neu und enthalte eine Menge von Anderen („non tutto nuova e di Sacco d'altri“); deshalb wolle er sie nicht aufführen lassen, sondern den Fratres von Genua schenken. G. A. Perti meinte, daß der junge Sachse vielleicht der Größte von allen sein könnte,

wenn er aufhören würde, andere nachzuahmen und so schnell zu komponieren. Darauf fügte der Priester Casini hinzu, daß er in ihm ein Wunder an Talent, aber zu viel Arglist („ma troppa malizia") gefunden habe.
Die vorliegende Komposition verwendet in der Cavatina „Se d'un Dio fui fatta Madre" (1) die Intonation des Canticum B. Mariae Virginis (Magnificat) nach der gregorianischen Liturgie (s. Fabbri, S. 183).

Literatur
Fabbri, M.: Nuova luce sull'attività fiorentina di Giacomo Antonio Perti, Bartolomeo Cristofori e Giorgio F. Haendel. In: Chigiana XXI (nuova seria 1), Siena 1964, S. 143ff., bes. S. 173ff.: G. F. Haendel e Firenze: Dalla cantata sacra „Il Pianto di Maria"; Hicks, A.: Handel's Early Musical Development. In: Proceedings of The Royal Musical Association, vol. 103, 1976/77, S. 80ff., bes. S. 84; Mayo I, S. 27ff.; Schilling, J.: Händels Kantate „Il Pianto di Maria". In: Göttinger Händel-Fest 1972, Programmheft, S. 23ff.; Zanetti, E.: Roma città di Hendel. In: Musica d'Oggi II, 1959, S. 434ff.

235. Haec est Regina virginum

Antifona a voce sola con stromenti

Textdichter: unbekannt

Besetzung: Solo: Sopr. Instrumente: V. I, II; Va.; Org.
EZ: Rom, 1707, komponiert vermutlich für das Fest „Madonna del Carmine"

Haec est Re- gi- na vir- ginum,
Takt 9
haec est Re- gi- -na, Re-gi- na vir- gin- um,
Vir-go De- - -i
Takt 29
ge- - - ni- -trix
Al- -ma vir- - -go, in- ter- ce- - - de
Takt 34
44 Takte

Quellen
Handschriften: Autograph: verschollen.
Abschrift: I Mc (M. S. Ms. 158-1).

Bemerkungen
Das Werk war vermutlich für das Fest der Madonna del Carmine (16. Juli 1707) bestimmt. Zur verschollenen Abschrift aus der Colonna-Bibliothek vgl. HWV 243. Die erhaltene Kopie eines unbekannten Kopisten (1. Hälfte des 18. Jh.) wurde von R. Gorini in der Musiksammlung des Conte Carlo Villa (I Mc) entdeckt und ausgewertet.

Literatur
Siehe HWV 243. – Gorini, R.: Antiphon von Händel wiederentdeckt. In: Neue Solidarität, Wiesbaden, Nr. 31 – 11. 8. 1983, S. 6.

236. Laudate pueri dominum (1. Fassung)

Geistliches Konzert für Sopran und Instrumente

Text: Psalm 112 (113)

Besetzung: Solo: Sopr. Instrumente: V. I, II; Cont.
ChA 38. – HHA III/2. – EZ: vermutlich 1703/06

1.

2.

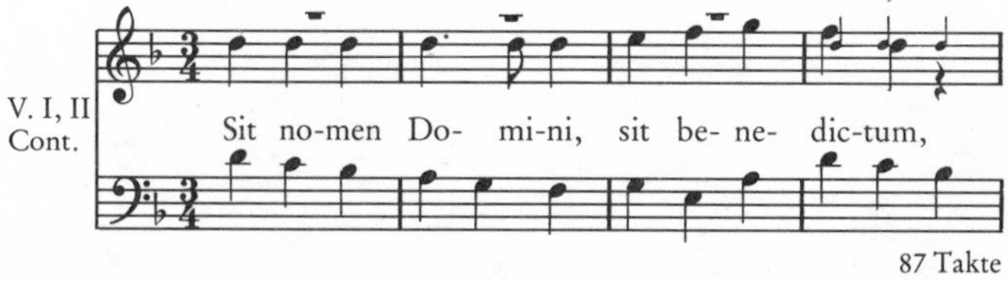

3.

4.

5.

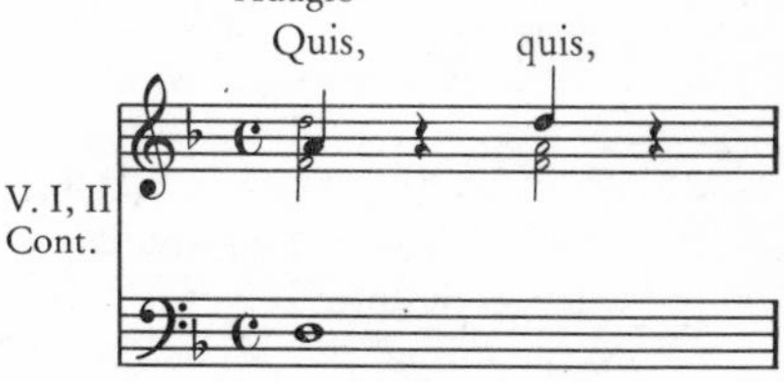

6.

7.

8.

Quellen
Handschriften: Autograph: GB Lbm (R. M. 20. h. 7., f. 1–6).
Abschrift: D (ddr) Bds (Mus. Ms. 30 243, Abschrift Heinrich Bokemeyers, um 1720).

Bemerkungen
Händels erste Vertonung des Psalms 113 (Nr. 112 der lateinischen Vulgata) wird allgemein als seine früheste im Autograph erhaltene Vokalkomposition angesehen. Das Autograph[1] ist sicher frühen Datums; das ungewöhnliche Papierformat von 21,5 × 32,5 cm mit 16zeiliger Rastrierung findet außer in der Kantate HWV 98 „Cuopre tal volta il cielo" (mit gleicher Rastrierung, aber anderen Maßen) kein vergleichbares Gegenstück unter Händels in Italien entstandenen Werken, so daß die Datierung auf die Zeit bis 1706 annehmbar erscheint.
Für die Vermutung, daß die Komposition noch auf deutschem Boden entstanden sein könnte, sprechen das bisher nicht identifizierte Wasserzeichen des Autographs (f. 1–4: gekröntes Wappenschild mit 3 liegenden Kreuzen, von 2 Löwen gestützt//D I, und f. 5–6: Narrenkopf mit siebenstrahliger Halskrause//FDC), das eindeutig nicht italienischen, sondern vermutlich deutschen Ursprungs ist, sowie die in Norddeutschland hergestellte Kopie von Heinrich Bokemeyer, dem schwerlich eine italienische Quelle als Vorlage gedient haben kann.
Möglicherweise schrieb Händel das Werk noch in Hamburg, um es auf seine Italienreise mitzunehmen, denn in Hamburg hatte er dafür kaum Verwendung. Die Musik der meisten Sätze bildete den motivisch-thematischen Ausgangspunkt für die zweite Vertonung des Textes HWV 237. Das Thema der Arie „Qui habitare facit" (7) wurde später in HWV 64 Joshua (38. Oh had I Jubal's lyre) übernommen.

[1] Faksimile von f. 3r s. King. A. H.: Handel and his Autographs, London 2/1979, Tafel VII.

Literatur
Chrysander I, S. 164 ff.; Hicks, A.: Handel's Early Musical Development. In: Proceedings of the Royal Musical Association, vol. 103, 1976/77, S. 80 ff., bes. S. 86; Kümmerling, H.: Heinrich Bokemeyers Kopie von Händels erster Fassung des „Laudate pueri Dominum". In: Händel-Jb., 1. (VII.) Jg., 1955, S. 102; Lam, S. 156 f.; Leichtentritt, S. 534 f.
Beschreibung des Autographs: Lbm: Catalogue Squire, S. 61.

237. Laudate pueri dominum (2. Fassung)

Geistliches Konzert für Solo, Chor und Orchester

Text: Psalm 112 (113)

Besetzung: Solo: Sopr. concertato. Chor: S. capella; A.; T.; B. Instrumente: Ob. I, II; V. I, II; Va. I, II; Org.; Cont.
ChA 38. – HHA III/2. – EZ: Rom, 8. Juli 1707

1. Solo e Coro. Sopr. concertato; S. capella; A.; T.; B.

2. Sopr.

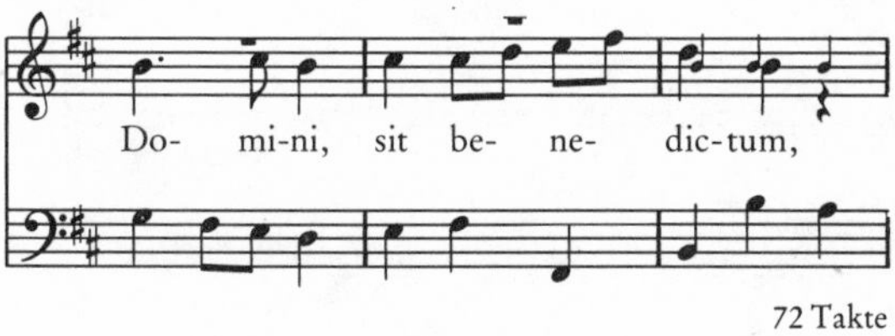

3. Coro. Sopr. conc.; S.; A.; T.; B.

4. Solo. Sopr.

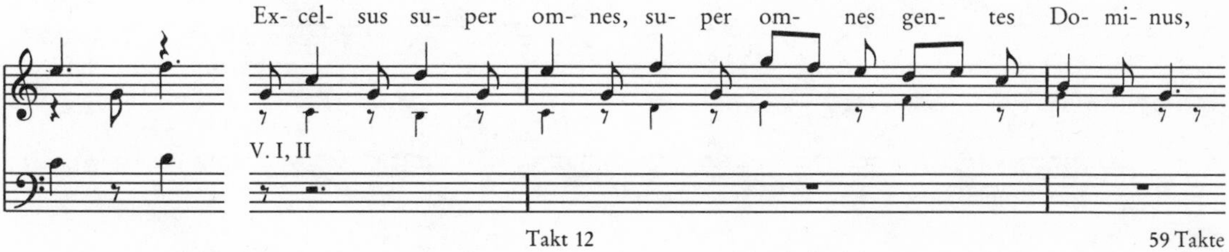

5. Coro. S. I, II; A.; T.; B.

Grave
(Tutti)
Ob. I, II
V. I, II
Va. I, II
Cont.
Quis? quis sic- ut Do- minus, quis, quis sic- ut Do- mi-nus De- us no- ster,
16 Takte

6. Solo. Sopr.

V. I, II
Cont.
Sus-ci-tans a ter- ra in-o-pem, a ter- ra in-o-pem,
Primo Org. solo con due Violoncelli e Contrabbasso
Takt 13
98 Takte

7. Solo. Sopr.

V. unis.
staccato
V. I, II
Cont.
Qui ha-bita- re fa- cit ste- rilem in domo,
Takt 10
51 Takte

8. Solo e Coro. Sopr. conc.; S.; A.; T.; B.

Allegro
Ob. solo
Sopr. solo
Ob. I, II
V. I, II
Va. I, II
Cont.
Vc. solo
Glo- - - - - - - - - - -ri-a,
Takt 16
Allegro
(Solo)
Tutti
[sanc]-to. Sicut e- rat in prin- ci- - - - pi-o,
Takt 90
(Solo)
Ob. solo
et in se- cu-la se- cu- lo-rum, A- - - - - - - - (men)
A- - - - - - - -(men)
Cont.
130 Takte
Takt 99

Quellen
Handschriften: Autograph: GB Lbm (R. M. 20. f. 1., f. 1–29: „Psalmus 112").
Abschriften: GB Lcm (MS. 247, f. 1^r–36^v; MS. 248, f. 97^v–139^r; MS. 249, f. 107^r–154^r), Mp [MS 130 Hd4, v. 205(2)], Ob (Mus. d. 58.) – Stimmensatz mit Oboenstimmen in C ehemals im Besitz von W. H. Cummings (s. Lit. unter HWV 238).

Bemerkungen
Die zweite Fassung des „Laudate pueri Dominum" schrieb Händel in Rom. Zu Beginn des Autographs (WZ: Typ 2/C, D) notierte er die Stellung des Textes in der lateinischen Vulgata („Psalmus 112"), die Beendigung der Komposition gab er auf f. 29 an: „S. D. G. G. F. H. 1707. il 8 Julij. Roma".
Bei der erneuten Vertonung des Textes arbeitete Händel die erste Fassung (HWV 236) vollkommen um und richtete sie für eine größere Besetzung ein. Die motivisch-thematische Substanzgemeinschaft beider Fassungen ist jedoch deutlich erkennbar.
Entlehnungen in später entstandenen Werken:
1. Laudate pueri Dominum/8. Sicut erat in principio
   HWV 279 Utrecht Jubilate: 1. O be joyful in the Lord
   HWV 246 „O be joyful in the Lord": 2. O be joyful
3. A solis ortu
   HWV 253 „O come let us sing": 9. There is sprung up a light
   HWV 64 Joshua: 15. May all the host of heav'n
7. Qui habitare facit
   HWV 64 Joshua: 38. Oh had I Jubal's lyre (Vokalpart)
   HWV 67 Solomon: 19. Thy sentence, great King (Instrumentalpart)
8. Gloria patri
   HWV 64 Joshua: 17. Glory to God
(8.) Amen
   HWV 254 „O praise the Lord with one consent": 8. Alleluja
   HWV 258 „Zadok the Priest": Amen, alleluja

Literatur
Chrysander I, S. 164 ff.; Heuß, A.: Psalm 112 „Laudate pueri". In: Fest- und Programm-Buch zum 2. Händelfest in Kiel, Leipzig 1928, S. 20 f.; Leichtentritt, S. 534 f.
Beschreibung des Autographs: Lbm: Catalogue Squire, S. 61.

238. Nisi Dominus/Gloria patri

Geistliches Konzert für Soli, Doppelchor und Doppelorchester

Text: Psalm 126 (127) und Doxologie

Besetzung: Soli: Alto, Ten., Basso. Chor: Coro I: S. I; A. I; T. I; B. I; Coro II: S. II; A. II; T. II; B. II. Instrumente: Orchester I: V. I, II; Va.; Cont. Orchester II: V. I, II; Va.; Org.; Cbb.; Cont.
ChA 38 (Nisi dominus). – HHA III/2. – EZ: Rom, 13. Juli 1707. – UA: Rom, vermutlich 16. Juli 1707, Santa Maria in Monte Santo

1. Coro. S. I, II; A.; T.; B.

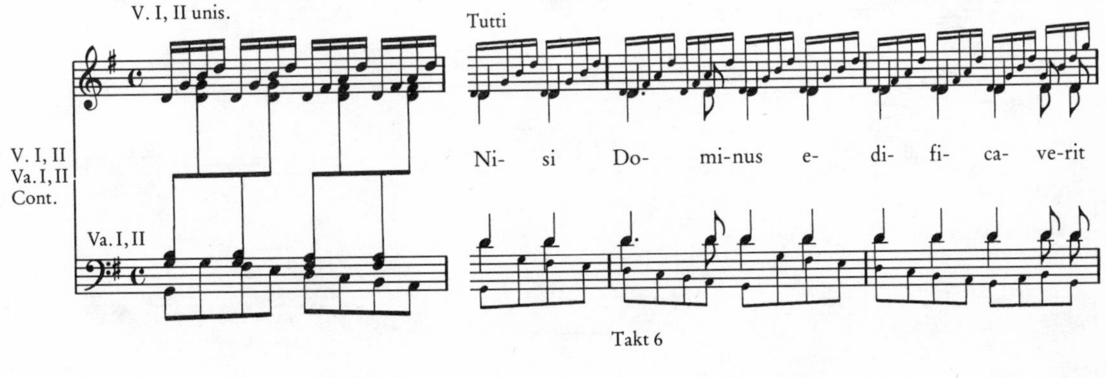

pp
A. solo
do- - - - - - -mum, in va- - - - - -num,
48 Takte
2. Solo. Ten.
Cont.
Va-num, va-num, va- num, va-num, va- num est vo- bis
Takt 9
p
68 Takte
3. Solo. Alto
pp
V. II
V. I, II
Va. I, II
Violone
Va. I
Va. II
Violone
Cum de- derit di- lec- tis su- is som- - - num,
pp
Senza Org. e Cbb.
16 Takte
4. Solo. Basso
V. I, II unis.
V. I, II
Cont.
Si- cut sa- git- tae, sa-
git- tae in manu po- ten- - - - - -tis,
i- ta Fi- li- i ex- cus- -so-
p
Takt 7
p
rum, excus- so- -rum,
43 Takte
5. Solo. Ten.
V. I solo
Tutti
Va. I, II
V. II solo
V. I, II
Va. I, II
Cont.
Violone solo
Tutti
Be- a- - -tus vir,
Takt 6

6. Coro. Chorus I: S. I; A. I; T. I; B. I;
Chorus II: S. II; A. II; T. II; B. II

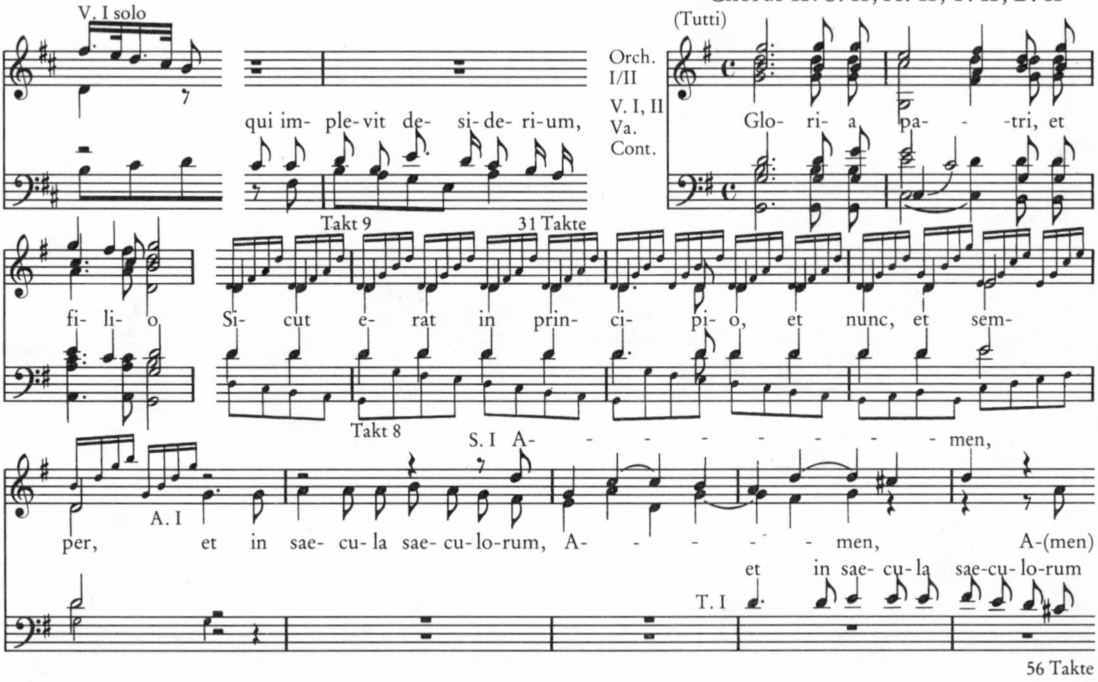
V. I solo
qui im- ple-vit de- si- de- ri-um,
(Tutti)
Orch. I/II
V. I, II Va. Cont.
Glo- ri- a pa- - -tri, et
Takt 9
31 Takte
fi- li- o
Si- cut e- rat in prin- ci- pi- o, et nunc, et sem-
Takt 8
S. I A- - - - - - - - - men,
A. I
per, et in sae- cu- la sae- cu- lo-rum, A- - - - - men, A-(men)
et in sae- cu- la sae-cu- lo-rum
T. I
56 Takte

Quellen

Handschriften: Autograph: Nisi Dominus: verschollen. Gloria Patri: 1860 bei einem Brand in Clifton vernichtet.

Abschriften: Nisi Dominus: GB Lbm (R. M. 19. d. 2., f. 1–16; Egerton 2458, f. 80r–99r), Lcm (MS. 248, f. 139v–154r; MS. 249, f. 155r–172r), Mp [MS 130 Hd4, v. 205(3)]. – Gloria Patri: D (brd) MÜs (Hs. 1874, f. 1–8, Kopie von F. Santini) – J Tn (Ms. 0.52.3., 16 S., verschollen).

Drucke: Gloria Patri: Crystal Palace... Handel Festival 1891: The Selection, London 1891; Kl. A., ed. T. W. Bourne, London: Novello, Ewer & Co., 1898; Gloria Patrí, composed by Handel. Full Score edited from the unique Manuscript Copy in the Possession of Marquis Tokugawa of Kishu with an Introduction and Notes by Shoichi Tsuji, Tokyo: Nanki Music Library 1928 (mit Faksimile).

Bemerkungen

Den Psalm 127 mit anschließender Doxologie für Doppelchor und Doppelorchester vertonte Händel 1707 in Rom. Im Autograph soll Händel folgende Notiz über den Abschluß der Komposition gemacht haben: „S. D. G. G. F. Hendel, 1707, gli 13 di Giulio, Roma". J. S. Hall nimmt an, daß das Werk im Juli 1707 anläßlich des Festes zu Ehren der Madonna del Carmine in der Kirche S. Maria in Monte Santo auf Anregung des Kardinals Colonna aufgeführt worden sei. Eine Abschrift der Doxologie befand sich im 19. Jahrhundert im Besitz von E. Goddard; nach seinem Tode erwarb sie W. H. Cummings (s. Lit.). Als 1917 dessen Musiksammlung verkauft wurde, ging das Manuskript in den Besitz des Marquis Tokugawa von Kishu über und befand sich bis 1945 in I Tn. 1928 wurde es im Neudruck mit einer Faksimileseite (Kopie von A. G. Angelini) veröffentlicht.

Entlehnungen:

1. Nisi Dominus (Instrumentalpart)/6. Gloria Patri/ Sicut erat
   HWV 258 „Zadok the Priest" (Instrumentalpart)
6. Gloria Patri/Et in saecula saeculorum Amen (T. 11 ff.)
   HWV 260 „The King shall rejoice" (Coronation Anthem III): Alleluja (T. 291 ff.)
   HWV 51 Deborah: 39. Alleluja (T. 146 ff.)

Literatur

Anonym: Handel's Nisi Dominus. In: The Musical Times, vol. 45, 1904, S. 521, vol. 53, 1912, S. 306; Bourne, T. W.: Handel's Double Gloria Patri. In: Monthly Musical Record, vol. 27, 1897; Chrysander I, S. 164; Cummings, W. H.: Handel's Nisi Dominus. In: The Musical Times, vol. 39, 1898, S. 412; Cummings, W. H.: Handel Manuscripts. In: The Musical Antiquary, 3. Jg., 1912, S. 116 f.; Ewerhart, S. 123; Hall, J. S.: The Problem of Handel's Latin Church Music. In: The Musical Times, vol. 100, 1959, S. 197 ff., 600; Hall, J. S.: Handel among the Carmelites. In: The Dublin Review, July 1959, S. 122 ff.; Lam, S. 159 f.; Leichtentritt, S. 68 f., 536; Serauky, W.: G. F. Händels lateinische Kirchenmusik. In: Händel-Jb., 3.(IX.) Jg., 1957, S. 5 ff.; Sotheby, Wilkinson, and Hodge Sale Catalogue of the Library of Dr. Cummings, 17th–24th May 1917, London 1917.

239. O qualis de coelo sonus

Motetto a Canto solo con stromenti

Besetzung: Solo: Sopr. Instrumente: V. I, II; Cont. Erstausgabe: Hrsg. von R. Ewerhart, Köln: Verlag Edmund Bieler 1957 (= die kantate, 1). – HHA III/2. – EZ: Rom, Mai/Juni 1707. – UA: Vignanello, vermutlich 12. Juni (Pfingsten) 1707

Textdichter: unbekannt

Sonata

1. Accompagnato

2. Aria

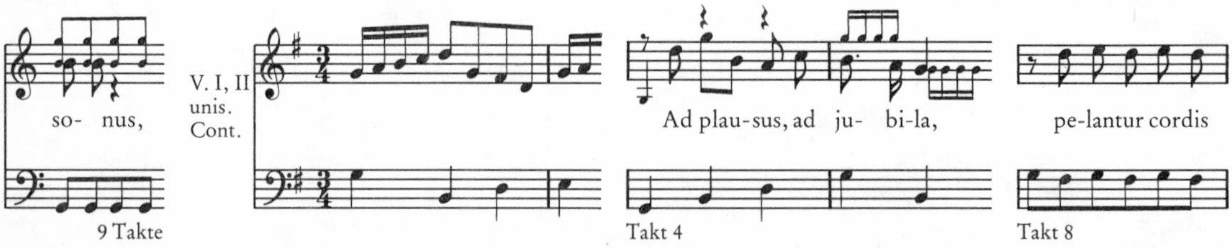

Recitativo

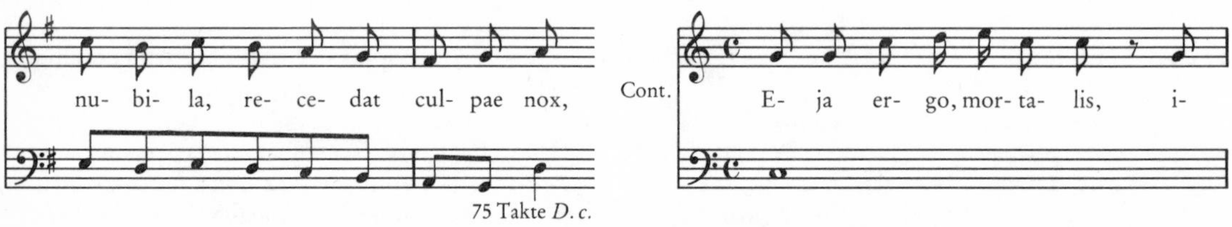

3. Air

4. Aria

Quellen
Handschriften: Autograph: D (brd) MÜs (Hs. 1888, 1. Heft, Part., 8 Bll.).
Abschrift: D (brd) MÜs (Hs. 1888, 2. Heft, Canto mit Continuo, 10 Bll., f. 1r: „Motetto a Canto Solo con VV. Del Sig. Hendel").
Druck: Georg Friedrich Händel: O qualis de coelo sonus. Kantate für Sopran, 2 Violinen und Basso continuo. Herausgegeben von Rudolf Ewerhart (= die Kantate 1), Köln: Verlag Edmund Bieler 1957.

Bemerkungen
Diese für Pfingsten bestimmte Solomotette wurde von Händel bei einem Aufenthalt mit dem Marchese Ruspoli auf dessen Landsitz Vignanello im Mai/Juni 1707 komponiert und vermutlich am Pfingstsonntag (12. Juni) 1707 dort aufgeführt (Solistin: Margherita Durastanti). Der Kopist Antonio Giuseppe Angelini fertigte zu gleicher Zeit eine Kopie des Werkes an (s. Kirkendale, Dokument 2 vom 30. Juni 1707), von der die Canto-Stimme in der Santini-Sammlung in D (brd) MÜs erhalten ist. Händels Autograph ging in den Besitz von Ruspoli über und wurde im 19. Jahrhundert von F. Santini erworben.

Entlehnungen:
Sonata s. 4. Alleluja
2. Ad plausus, ad jubila (Ritornello)
   HWV 7a Rinaldo (1. Fassung): 4. Sulla ruota (Ritornello)
   HWV 68 Theodora: 12. Dread the fruits of Christian folly
3. Gaude, tellus benigna (Baßthema)
   HWV 6 Agrippina: 41. Taceró, pur che fedele (Baßthema)
   HWV 14 Floridante: 18. Fuor di periglio/accompagnate (T. 82 ff., Baßthema)
   HWV 63 Judas Maccabaeus: (23.) Great in wisdom (Ritornello)
4. Alleluja
   HWV 5 Rodrigo: 21. La ti sfido
   HWV 240 „Saeviat tellus": 4. Alleluja
   HWV 8a Il Pastor fido (1. Fassung): 6. Casta Dea
   HWV 242 „Silete venti": 6. Alleluja
   HWV 50b Esther (2. Fassung): 3. Alleluja

Literatur
Ewerhart, S. 123 f.
Beschreibung des Autographs: MÜs: Ewerhart, S. 123.

240. Saeviat tellus inter rigores

Motetto a Canto solo con Violini e Oboi. Per la Madonna St^{ma}. del Carmine

Textdichter: unbekannt

Besetzung: Solo: Sopr. Instrumente: Ob. I, II; V. I, II; Va.; Cont.
HHA III/2. – EZ: Rom, 1707/08. – UA: Rom, vermutlich 16. Juli 1707, Santa Maria in Monte Santo

1. Aria

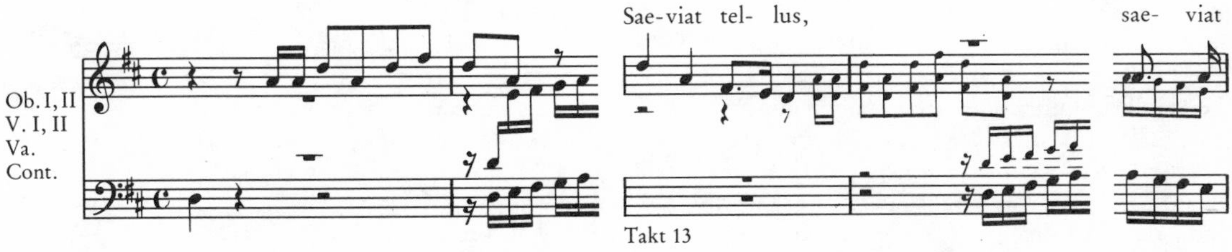

Recitativo

Quellen

Handschriften: Autograph: verschollen.

Abschrift: GB Lbm (Egerton 2458, f. 2–39: „Mottetto (!) a Canto solo con VV. e Oboi. Per la Madonna St.^ma^ del Carmine. Del S^g^. G. F. Hendel").

Bemerkungen

Händel schrieb diese Solomotette im Sommer 1707 auf Veranlassung von Kardinal Colonna in Rom. J. S. Hall vermutet, daß sie zusammen mit HWV 232, 235, 237, 238 und 243 anläßlich des Festes der Madonna del Carmine am 16. Juli 1707 in der Kirche Santa Maria in Monte Santo aufgeführt worden sei. Indiz dafür ist die einzige erhaltene Kopie der Komposition, die von dem englischen Geistlichen E. Goddard aus der Colonna-Bibliothek in Rom erworben wurde; auf dem Umschlag notierte Goddard folgenden Vermerk über die Bestimmung und die Herkunft des Manuskripts: „On the 16th July – the festival of the Madonna del Carmine – a great mass was accustomed to be celebrated in the church of the Madonna di Monte Santo in the Piazza del Popolo, at the expense of the Colonna family, to whom this manuscript formerly belonged, it being purchased at the publicks sale of their property. E. Goddard".

Entlehnungen

1. Saeviat tellus
   HWV 1 Almira: 43. Ob dein Mund wie Plutons Rachen
   HWV 5 Rodrigo: 2. Pugneran con noi le stelle
   HWV 122 „La terra è liberata": 2. Spezza l'arco e getta l'armi
   HWV 7ª Rinaldo (1. Fassung): 25. Abbruggio, avvampo e fremo
2. O nox dulcis
   HWV 6 Agrippina: 15. Vieni, o cara
   HWV 15 Ottone: 16. Vieni, o figlio
3. Alleluja
   HWV 5 Rodrigo: 21. La ti sfido
   HWV 239 „O qualis de coelo sonus": 4. Alleluja
   HWV 8ª Il Pastor fido (1. Fassung): 6. Casta Dea
   HWV 242 „Silete venti": 6. Alleluja
   HWV 50ᵇ Esther (2. Fassung): 3. Alleluja

Literatur

Hall, J. S.: The Problem of Handel's Latin Church Music. In: The Musical Times, vol. 100, 1959, S. 197 ff., 600; Hall, J. S.: Handel among the Carmelites. In: The Dublin Review, July 1959, S. 122 ff.

241. Salve Regina

Geistliches Konzert für Sopran und Instrumente

Text: Antiphon zu den Psalmen
(Herman v. Vehringen zugeschrieben)

Besetzung: Solo: Sopr. Instrumente: V. I, II; Vc.; Org.
ChA 38. – HHA III/2. – EZ: Rom, Mai/Juni 1707.
UA: Vignanello, vermutlich 19. Juni 1707 (Trinitatis)

1.

2.

3.

Quellen

Handschriften: Autograph: D (ddr) Bds (Mus. ms. autogr. G. F. Händel 2, 8 Bll. mit 16 beschriebenen Seiten, ehemals Sammlung Landsberger, Rom).
Abschrift: D (brd) B (Mus. ms. 9036/1, Cantostimme, 4 Bll. mit 7 beschriebenen Seiten von der Hand F. Santinis).

Bemerkungen

Händel schrieb das Werk im Mai/Juni 1707 für Marchese Ruspoli während eines Aufenthalts auf dessen Landsitz Vignanello. Vermutlich wurde es dort am 19. Juni 1707 während der Vesper zum Trinitatissonntag aufgeführt. Die Solistin war Margherita Durastanti (vgl. HWV 231 und 239). Eine von Antonio Giuseppe Angelini angefertigte Kopie für Ruspoli (s. Kirkendale, Dokument 2 vom 30. Juni 1707) ist nicht erhalten.

Literatur

Dean, S. 16; Kirkendale, S. 230; Lam, S. 160; Leichtentritt, S. 536; Siegmund-Schultze, W.: Zu Händels Kantatenschaffen. In: G. F. Händel, Thema mit 20 Variationen, Halle 1965, S. 116 ff.

242. Silete venti

Motetto a voce sola con stromenti

Besetzung: Solo: Sopr. Instrumente: Ob. I, II; Fag.; V. I, II; Va.; Cont.
ChA 38. – HHA III/2. – EZ: London, ca. 1724

Textdichter: unbekannt

1. Symphonia

[vgl. HWV 249b (1.); HWV 402 op. 5 Nr. 7 (4.)]

2. Recitativo accompagnato

3. Aria

4. Recitativo accompagnato

5. Aria

6. Aria

Presto
Ob. I, II
V. I, II
Va.
Cont.

[= HWV 240. Saeviat tellus (4.)]

Quellen
Handschriften: Autograph: GB Lbm (R. M. 20. g. 9., f. 1–21: „Motetto").

Bemerkungen
Schriftduktus und Wasserzeichen des Autographs (Clausens Typ Cb und Bc_2) verweisen die undatierte Solomotette „Silete venti" in die Zeit um 1724. J. S. Hall vermutet, daß Händel sie für Kardinal Carlo Colonna geschrieben und diesem bei seinem Rom-Aufenthalt 1729 überreicht habe. Wie Mainwaring/Mattheson (S. 86) berichten, hatte Colonna Händel eingeladen, doch da der schottische Kronprätendent sich damals bei dem Kardinal aufhielt, lehnte Händel die Einladung aus politischen Rücksichten dem Haus Hannover gegenüber ab. Als Höflichkeitsgeste soll er dem Kardinal diese Motette dediziert haben; einen Beweis dafür gibt es jedoch nicht, abgesehen davon, daß der letzte Satz, das „Alleluja" (6), eine Bearbeitung des Schlußsatzes der Motette HWV 240 „Saeviat tellus" darstellt, die Händel ebenfalls für Colonna geschrieben haben soll. Durch diese melodische Reminiszenz wollte Händel vermutlich an die alte Beziehung der Jahre 1707/09 erinnern.
1737 übernahm Händel zwei Arien aus „Silete venti" mit geändertem Text in HWV 50^b Esther: „Dulcis amor" (3) wurde zu „Cor fedele spera sempre", „Date serta" (5) zu „Bianco gigli" und der B-Teil („Surgant venti") zu „Spira un aura" umgestaltet. Das Autograph läßt bei dem letzten Satz die von Smith senior hinzugefügten italienischen Textworte noch erkennen; die für HWV 50^b Esther angefertigte neue Version der drei Arien liegt in GB Lbm (R. M. 18. c. 5., f. 66^v–81^v) vor.
Entlehnungen:

1. Symphonia
Largo staccato e forte
 HWV 290 Orgelkonzert B-Dur op. 4 Nr. 2: 1. Satz (A tempo ordinario e staccato)
Allegro
 HWV 249^b „O sing unto the Lord a new song": 1. Symphony (Allegro)
 HWV 402 Triosonate B-Dur op. 5 Nr. 7: 4. Satz (Allegro)
2. Silete venti
 HWV 50^b Esther (2. Fassung): 1. Breathe soft, ye gales
3. Dulcis amor Jesu care
 HWV 50^b Esther (2. Fassung): Hope, a pure and lasting treasure (Add. air 20)
5. Date serta, date flores
 HWV 207 „Meine Seele hört im Sehen"
 HWV 388 Triosonate B-Dur op. 2 Nr. 3: 1. Satz (Andante)
 HWV 392 Triosonate F-Dur: 1. Satz (Andante)
6. Alleluja
 HWV 5 Rodrigo: 21. La ti sfido
 HWV 239 „O qualis de coelo sonus": 4. Alleluja
 HWV 240 „Saeviat tellus": 3. Alleluja
 HWV 8^a Il Pastor fido (1. Fassung): 6. Casta Dea
 HWV 50^b Esther (2. Fassung): 3. Alleluja

Literatur
Chrysander I, S. 475 f., II, S. 42 f.; Hall, J. S.: The Problem of Handel's Latin Church Music. In: The Musical Times, vol. 100, 1959, S. 197 ff., 600; Hall, J. S.: Handel among the Carmelites. In: The Dublin Review, July 1959, S. 122 ff.; Lam, S. 161 f.; Leichtentritt, S. 536; Serauky, W.: G. F. Händels lateinische Kirchenmusik. In: Händel-Jb., 3. (IX.) Jg., 1957, S. 5 ff.
Beschreibung des Autographs: Lbm: Catalogue Squire, S. 92.

243. Te decus virginum

Antiphon für Alt und Instrumente

Musik verschollen

Textdichter: unbekannt

EZ: Rom, 1707/08, komponiert vermutlich für das Fest „Madonna del Carmine"

Bemerkungen

Die Komposition soll von Händel für das Fest der Madonna del Carmine in Rom (16. Juli 1707) geschrieben worden sein. Eine Abschrift des Werkes, die von E. Goddard aus der Colonna-Bibliothek Rom erworben wurde und 1878 in den Besitz des englischen Händelforschers und Sammlers W. H. Cummings überging, befindet sich seit dem Verkauf von dessen Bibliothek 1917 in unbekanntem Privatbesitz.

Literatur

Cummings, W. H.: Handel Manuscripts, In: The Musical Antiquary, 3. Jg., 1912, S. 116f.; Hall, J. S.: The Problems of Handel's Latin Church Music. In: The Musical Times, vol. 100, 1959, S. 197ff.; Sotheby, Wilkinson and Hodge Sale Catalogue of the Library of Dr. Cummings. 17th–24th May 1917, London 1917.

244. Kyrie eleison

Für 4 Singstimmen und Instrumente

Besetzung: S.; A.; T.; B. Instrumente: V. I, II; Va. I, II; Cont.
HHA III/2. – EZ: London, etwa 1740

Kyrie

1.

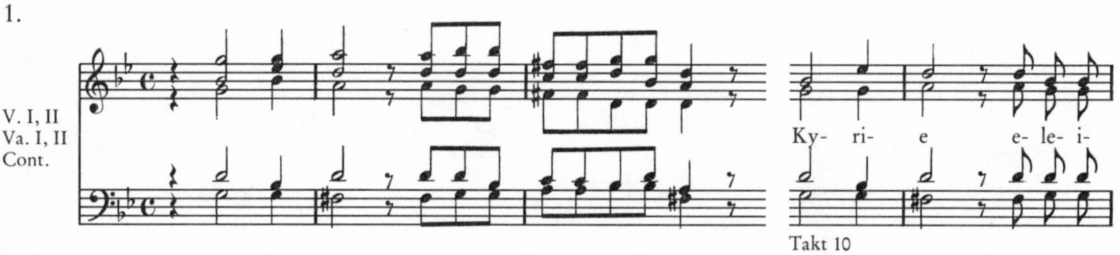

Takt 10

37 Takte

2.

[vgl. HWV 70. Jephtha (44.)]

Takt 11

91 Takte

3.

[vgl. HWV 433 Suite VIII (2.)]

Quellen
Handschriften: Autograph: GB Lbm (R. M. 20. g. 10., f. 9v–13v).

Bemerkungen
Schriftduktus und Papierbeschaffenheit des Autographs verweisen das Kyrie in die Zeit zwischen 1740 und 1745. J. S. Hall vermutet, daß Händel hier nur das Werk eines anderen Komponisten kopiert habe, und nennt G. P. Colonna als einen möglichen Autor. Bevor jedoch keine sichere Identifizierung möglich ist, kann die Komposition nicht aus Händels authentischem Werkbestand ausgeschieden werden.

Das erste Thema des 3. Satzes (Kyrie eleison) bildete Händel nach dem Thema der Fuge des 2. Satzes (Allegro) aus HWV 433 Suite VIII f-Moll für Cembalo (1. Sammlung), das Kontrasubjekt nach der Fuge Nr. 3 B-Dur HWV 607.

Literatur
Chrysander I, S. 178f.; Hall, J. S.: The Problems of Handel's Latin Church Music. In: The Musical Times, vol. 100, 1959, S. 197ff., 600; Hall, J. S.: Handel among the Carmelites. In: The Dublin Review, July 1959, S. 122ff.
Beschreibung des Autographs: Lbm: Catalogue Squire, S. 99.

245. Gloria in excelsis Deo
Für 5–6 Singstimmen und Orchester

Besetzung: C. I, II; A.; T. I, II; B. Instrumente: Ob.; Trba.; V. I, II; Va. I, II; Org.; Cont.
HHA III/2. – EZ: London, etwa 1740

Gloria. C. I, II; A.; T.; B.
1.

2.
C. I, II; A.; T.; B.

3.
C. I, II; A.; T. I, II; B.

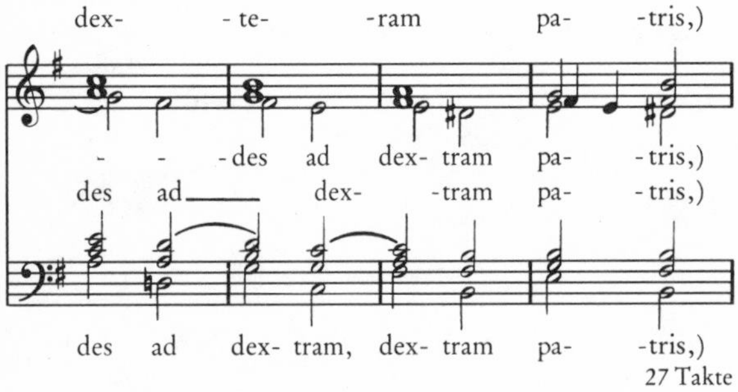

4.
C. I, II; A.; T.; B.

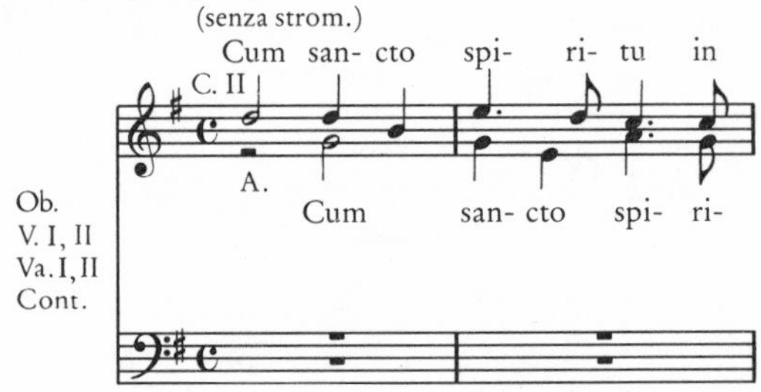

Quellen

Handschriften: Autograph: GB Lbm (R. M. 20. g. 10., f. 1–9ʳ).

Bemerkungen

Die Entstehungszeit des „Gloria" fällt mit der des „Kyrie" HWV 244 zusammen, das unmittelbar im Anschluß an das „Gloria" auf f. 9ᵛ des gemeinsamen Autographs begonnen wurde (ca. 1740/45).

Zur Frage der Authentizität der Komposition vergleiche HWV 244.

Das Hauptthema des ersten Satzes („Gloria in excelsis Deo"), dessen Grundmotiv bereits in HWV 6 Agrippina (2. La mia sorte fortunata) erscheint, verwendete Händel später für den Schlußchor „Virtue will place thee" (17) in HWV 69 The Choice of Hercules (1750).

Literatur

Chrysander I, S. 178f.; Hall, J. S.: The Problem of Handel's Latin Church Music. In: The Musical Times, vol. 100, 1959, S. 197ff., 600; Hall, J. S.: Handel among the Carmelites. In: The Dublin Review, July 1959, S. 122f.

Beschreibung des Autographs: Lbm: Catalogue Squire, S. 99.

246. O be joyful in the Lord

Anthem I

Text: Psalm 100 (V. 1–4) und Doxologie

Besetzung: Soli: Canto, Ten., Basso. Chor: C.; T.; B. Instrumente: Ob.; Fag.; V. I, II; Vc.; Cont. ChA 34. – HHA III/4. – EZ: Cannons, ca. 1717

1. Sinfonia

[= HWV 280 (1.), HWV 397 op. 5 Nr. 2 (1)] 10 Takte [= HWV 278 (1.), HWV 397 op. 5 Nr. 2 (2)]

2. Solo and Chorus. Ten.; C.; T.; B.

[= HWV 237 (1.), HWV 279 (1.)]

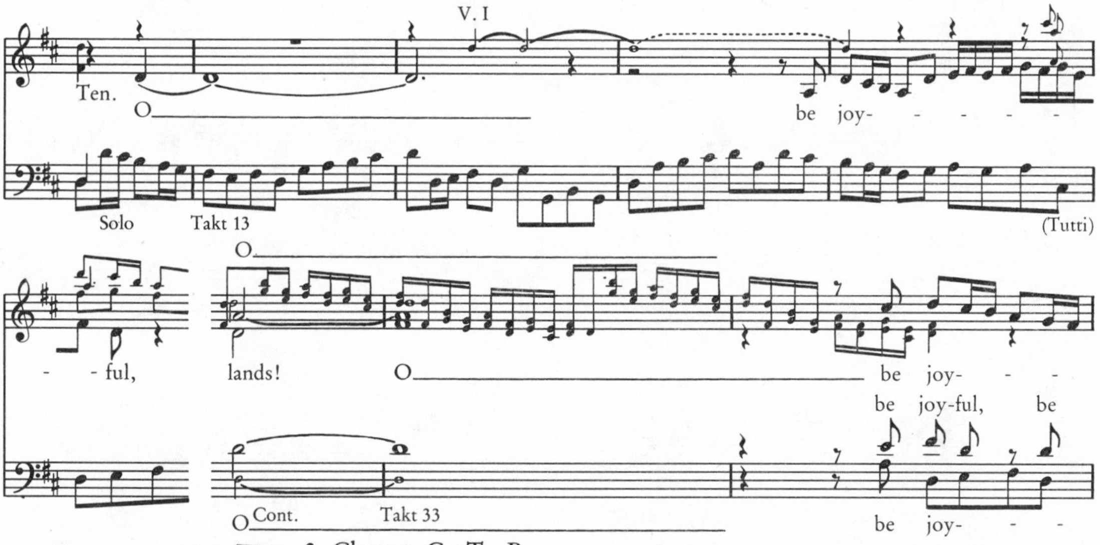

3. Chorus. C.; T.; B.

4. Duet. Canto; Basso

5. Chorus. C.; T.; B.

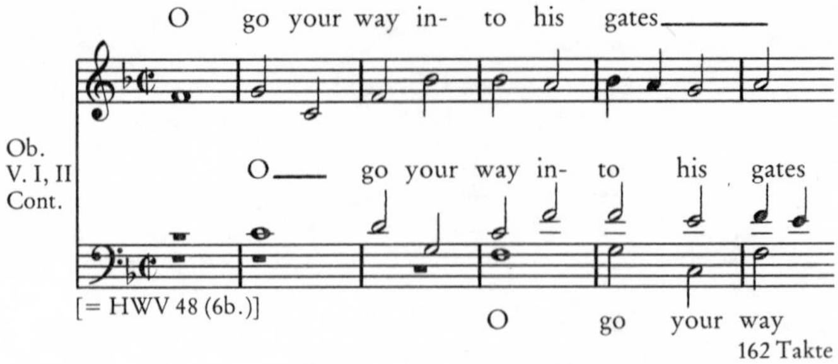

6. Trio. Canto; Ten.; Basso

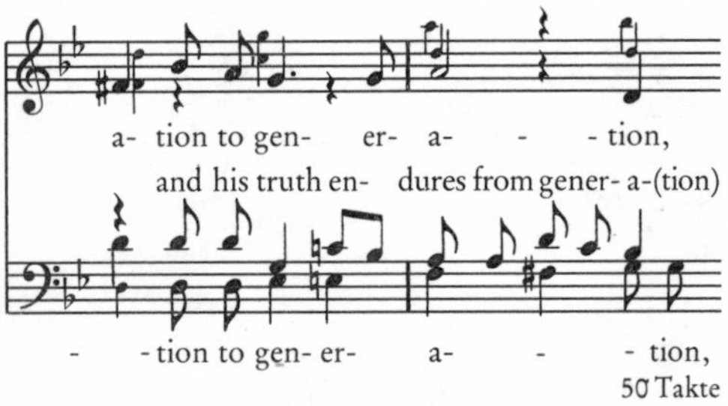

7. Chorus. C.; T.; B.

8. Chorus. C.; T.; B.

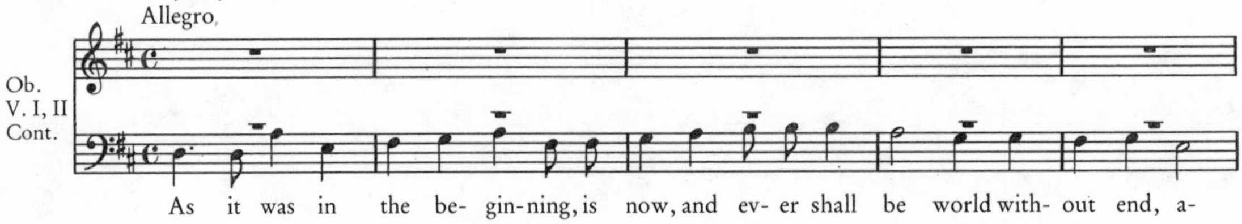

A- men,
A- - - - - - - - - - - - - - - - - - - men, a- - men,
- men, a- - men,

92 Takte

Quellen

Handschriften: Autograph: GB Lbm (R. M. 20. d. 8., f. 102^r–128^r: „Ψ 100.“).

Abschriften: GB Cfm (Barrett-Lennard-Collection, vol. 32, Mus. MS. 814, p. 101 ff.), H [MS. R. 10. XVI(2), f. 43 ff.], Lbm (R. M. 19. g. 1^b., f. 111^r–132^v; Egerton 2910, f. 39^r–60^r), Thomas Coram Foundation London (Part.: MS. 116; St.: vol. 135), Ob (Mus. d. 57., p. 48–148), Shaftesbury Collection (v. 12) – US Cu (MS. 437, St.: vol. 1, 4, 6, 8, 9, 13, 15, 17, 19, 21).

Bemerkungen

Anthem I entstand zusammen mit Anthem III HWV 248 in gleicher Besetzung und gleichem Aufbau als vermutlich zweites Paar der von James Brydges, Earl of Carnavon (später Duke of Chandos) in einem Brief vom 25. 9. 1717 an Dr. Arbuthnot erwähnten 6 Anthems (s. Deutsch, S. 78). In dem Schreiben heißt es: „Mr. Handle(!) has made me two new Anthems very noble ones & most think they far exceed the two first. He is at work on 2 more & some Overtures to be plaied before the first lesson.“ Das bedeutet, daß Händel 4 Anthems bis September 1717 schon komponiert und zwei weitere in Arbeit hatte. G. Beeks nimmt an, daß Anthem II und V^A als erstes, I und III als zweites und IV und VI^A als drittes Paar hintereinander bis Herbst 1717 entstanden seien. Die Entstehungszeit für Anthem I liegt damit vermutlich Anfang September 1717.

Das Werk erforderte von Händel lediglich ein geschickte Transkriptionstechnik, denn es stellt nur die Überarbeitung des Utrecht Jubilate HWV 279 dar, in der die aus je 4 Bläser- und Streicherstimmen sowie 4–8 Singstimmen bestehende Partitur des Jubilate auf die kleinere Besetzung mit einer Oboe, dreistimmigem Streichersatz, Fagott und drei Singstimmen reduziert wurde. Da das Utrecht Jubilate keine instrumentale Einleitung besitzt, stellte Händel die Sinfonia für Anthem I aus den Instrumentalvorspielen des Te Deum D-Dur HWV 280 (Adagio) und des Utrecht Te Deum HWV 278 (Allegro) zusammen.

Utrecht Jubilate HWV 279 und Anthem I gehen in ihrem vokalen Beginn „O be joyful“ auf das „Laudate pueri“ D-Dur HWV 237 zurück.

Entlehnungen:

1. Sinfonia[1]

Adagio

HWV 280 Te Deum D-Dur: 1. We praise thee

HWV 397 Triosonate D-Dur op. 5 Nr. 2: 1. Satz (Adagio)

Allegro

HWV 278 Utrecht Te Deum: 1. We praise thee (T. 5 ff.)

HWV 397 Triosonate D-Dur op. 5 Nr. 2: 2. Satz (Allegro)

2. O be joyful

HWV 237 „Laudate pueri Dominum“ (2. Fassung): 1. Laudate pueri

4. Be ye sure that the Lord

HWV 178 „A mirarvi io son intento“

5. O go your way

HWV 48 Brockes-Passion: 6^b. Wir wollen alle eh' erblassen

Literatur

Baker, C. H. C./Baker, M. I.: The Life and Circumstances of James Brydges, First Duke of Chandos, Patron of the Liberal Arts, Oxford 1949; Beeks, S. 89 ff.; Leichtentritt, S. 539 f.; Sibley, J. C.: Handel at Cannons, London 1918; Streatfeild, R. A.: Handel, Cannons, and the Duke of Chandos, London 1916.

Beschreibung des Autographs: Lbm: Catalogue Squire, S. 11 f.

[1] Aus: Kuhnau, J.: Frische Clavierfrüchte, Leipzig 1696, Sonata Terza: Aria (2), 2. Teil. Vgl. DTD, 4. Bd., Leipzig 1901, S. 84.

247. In the Lord put I

Anthem II

Text: New Edition of the Psalms (Nahum Tate, Nicholas Brady), 1696: Psalm 11 (V. 1), Psalm 9 (V. 9), Psalm 11 (V. 2), Psalm 12 (V. 5), Psalm 11 (V. 7), Psalm 13 (V. 6)

Besetzung: Solo: Ten. Chor: C.; T.; B. Instrumente: Ob.; Fag.; V. I, II; Vc.; Cbb.; Org.
ChA 34. – HHA III/4.– EZ: Cannons, ca. 1717

1. Symphony.

[= HWV 316 Concerto op. 3 Nr. 5 (1.)] 39 Takte

[= HWV 316 Concerto op. 3 Nr. 5 (2.), HWV 431 Suite V (3.)] 76 Takte

2. Chorus. C.; T.; B.

154 Takte

3. Air. Ten.

Takt 13 54 Takte

4. Chorus. C.; T.; B.

[vgl. HWV 48 (12.)] 114 Takte

5. Air. Ten.

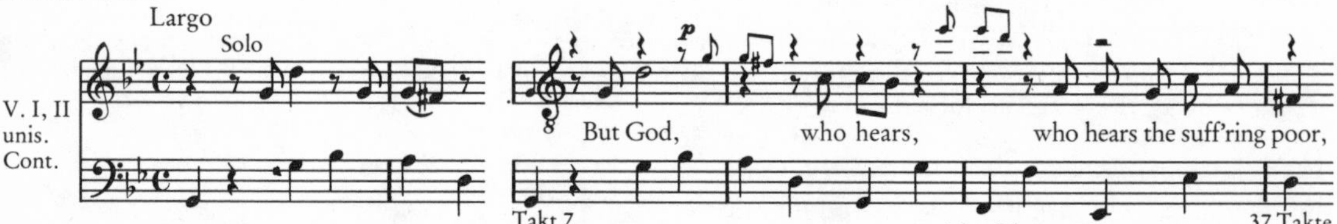

Takt 7 37 Takte

6. Chorus. C.; T.; B.

42 Takte

7. Air. Ten.

8. Chorus. C.; T.; B.

Quellen

Handschriften: Autographe: GB Lbm (R. M. 20. d. 8., f. 29^{r}–59^{v}: „Ψ the 11."; R. M. 20. g. 14., f. 38^{v}: Skizze für Nr. 1, Allegro).

Abschriften: D (brd) Hs (M $\frac{A}{177}$, Bd. II, p. 49–142) – GB BENcoke, Cfm (Barrett-Lennard-Collection, MS. 810, vol. 27, p. 147–197), Lbm (R. M. 19. g. 1., vol. II, f. 96^{r}–124^{v}; R. M. 19. g. 1^{b}., No. 4, f. 86^{r}–110^{v}; R. M. 19. g. 6., f. 57^{v}–60^{r}: Symphony als „Sonata 14"; Add. MSS. 29425, f. 2^{v}–38^{v}; Egerton 2913, f. 80^{r}–103^{v}), T (Part.: MS. 617, p. 1–120; MS. 883, f. 1^{r}–49^{v}; St.: MS. 797–803: „Gostling partbooks"), Y [M 80, fragm.; M 81(2), Cantostimme] – US Cu (MS. 437, Part.: vol. 26; St.: vol. 1, 4, 6, 8, 9, 13, 15, 17, 19, 21).

Drucke: The complete score of ten Anthems composed chiefly for the Chapel of his Grace the late James Duke of Chandos by G. F. Handel in three vol^{s}. Vol. II. – London, Wright & Wilkinson (1784); Anthem, in score, composed at Cannons, for his Grace the Duke of Chandos between the years 1718 & 1720. By G. F. Handel. Anthem X. – London, Arnold's edition, No. 81–82 (ca. 1790); The overtures to the ten Anthems composed chiefly for the Chapel of his Grace the late James Duke of Chandos; by G. F. Handel, adapted for the organ, harpsichord, or piano forte. – London, H. Wright.

Bemerkungen

Anthem II entstand vermutlich zusammen mit Anthem V^{A} HWV 250^{a} als erstes Paar der 1717 komponierten 6 Chandos Anthems (vgl. HWV 246). Als Textquelle diente Händel hierbei „A New Edition of the Psalms of David" von Nahum Tate und Nicholas Brady (London 1696), wie er jeweils an den betreffenden Satzanfängen vermerkte (z. B. f. 40^{r}: „The 9 verse of the 9 Psalm, of Bradys versification" etc.; vgl. auch f. 42^{v}, 48^{v}, 50^{r}, 54^{r}, 55^{v}, mit den entsprechenden Hinweisen auf die Textvorlagen). Vermutlich wurde die Symphony nachträglich komponiert und gehörte zu den „Overtures to be plaied before the first lesson", von denen der Duke of Chandos in seinem Brief an Arbuthnot vom 25. 9. 1717 (vgl. HWV 246) sprach, da sie – zusammen mit den Instrumentaleinleitungen zu HWV 252 und 253 – separat überliefert ist (vgl. GB Lbm, R. M. 19. g. 6.) und später zu HWV 316 Concerto grosso op. 3 Nr. 5 umgearbeitet wurde.

Entlehnungen:

1. Symphony (1. und 2. Satz)
   HWV 316 Concerto grosso d-Moll op. 3 Nr. 5: 1. und 2. Satz (Allegro)
   HWV 431 Suite VI fis-Moll für Cembalo (1. Sammlung): 3. Satz (Allegro)
3. God is a constant sure defence
   HWV 278 Utrecht Te Deum: 3. To thee Cherubin and Seraphin
   HWV 193 „Se tu non lasci amore"
   HWV 56 Messiah: $44^{a,b}$. O death where is thy sting
4. Behold, the wicked bend their bow
   HWV 48 Brockes-Passion: 12. Greift zu, schlagt tot
   HWV 51 Deborah: 3. Forbear thy doubts
7. The righteous Lord
   HWV 66 Susanna: 3. When thou art nigh

Literatur

Beeks, S. 89ff.; Chrysander I, S. 458, 461f.; Lam, S. 165f.; Leichtentritt, S. 540.

Beschreibung der Autographe: Lbm: Catalogue Squire, S. 11, 46.

248. Have mercy upon me

Anthem III

Text: Psalm 51 (V. 1–4, 8, 10–13)

Besetzung: Soli: Canto, Ten. Chor: C.; T.; B. Instrumente: Ob.; Fag.; V. I, II; Vc.; Cbb.; Org. ChA 34. – HHA III/4.– EZ: Cannons, ca. 1717

1. Symphony

61 Takte

2. Chorus. C.; T.; B.

Str.
Have mer- cy up- on me, o God, have mer- cy,
T.
Takt 6
47 Takte

3. Duet. Canto; Ten.

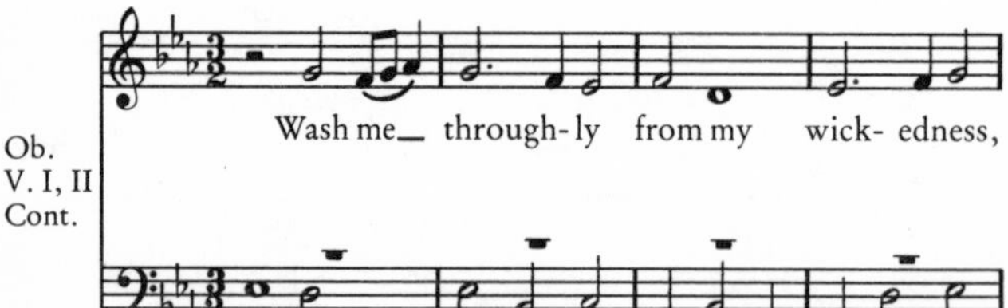
Ob. V. I, II Cont.
Wash me through- ly from my wick- edness,
Vc. solo coll'Org.
85 Takte

4. Accompagnato. Ten.

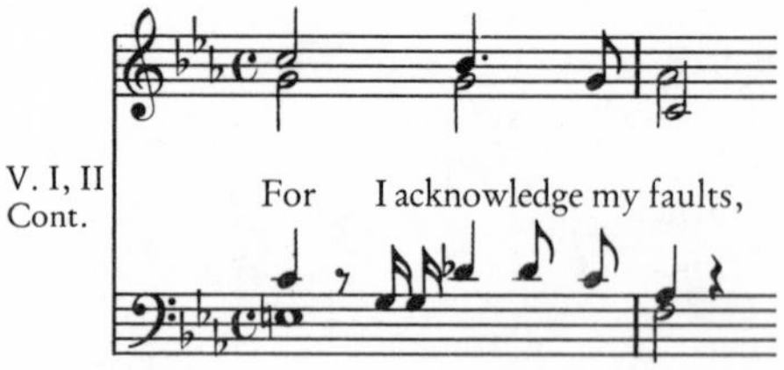

5. Air. Ten.

[vgl. HWV 278 (9.)]

6. Chorus. C.; T.; B.
Thou shalt make me hear of joy and
C. con Ob.
I sin- ned
Ob.
Fag.
V. I, II
Vc.
Cbb.
Org.
of joy and
27 Takte
[vgl. HWV 278 (4., T. 107)]
glad- - ness,
Str.
and glad- - - - -(ness)
B. con Fag. e Cont.
Thou shalt make me hear
that the bones which thou hast
Takt 16
T. con V. II
that the bones which thou hast bro- ken
bro- ken may re- -joice,
55 Takte
7. Air. Canto
Adagio
Ob.
Ob.
V. I, II
Cont.
V. I, II
Make me a
Ob.
V.
p
[vgl. HWV 278 (5.)]
Takt 5
clean heart, o God, make me
33 Takte
8. Chorus. C.; T.; B.
Allegro
Ob.
Fag.
V. I, II
Cont.
con Fag. e Cont.
Then shall I teach thy ways un- to the
[vgl. HWV 71 (8.)]
con V. I
And sinners shall be con- vert- - - - -ed un- -to thee, and sin-ners shall
Then shall I teach
wick- - -ed, un- to the wick- - - -ed, un- -to
48 Takte

Quellen

Handschriften: Autograph: GB Lbm (R. M. 20. d. 7., f. 1^r–23^r: „Ψ 51“).

Abschriften: DK Privatsammlung Margarethe Schou (No. 2, p. 1–64) – D (brd) Hs (M $\frac{A}{177}$, Bd. VI, p. 63 ff.) – GB BENcoke (2 Ex., eines davon mit „Miserere“-Text), Cfm (Barrett-Lennard-Collection, MS. 811, vol. 28, p. 71–106), H (MS. R. 10. XVI., f. 1^r–41^r), Lbm (R. M. 19. g. 1., vol. III, f. 121^r–138^r; Egerton 2912, f. 1^r–20^v; Add. MSS. 28 968, f. 1^r–41^v; Add. MSS. 29 419, f. 2^v–29^v; Add. MSS. 30 309, f. 21^r–41^r; R. M. 19. e. 3., Part., R. M. 19. b. 4., St., für „Miserere“, eine Adaption mit anderen Werken Händels), Thomas Coram Foundation London (MS. 115), Y [M 97(2), p. 85–103] – US Cu (MS. 437, St.: vol. 2, 5, 7, 11, 12, 14, 16, 18, 20, 22), NBu (M 2038.H14A5, vol. II, p. 1–66).

Drucke: The complete score of ten Anthems ... vol. III. – London, Wright & Wilkinson (1784); Anthem, in score ... Anthem IV. – London, Arnold's edition, No. 75–76 (ca. 1790); The overtures to the ten Anthems ... – London, H. Wright; G. F. Händel's Werke in vollständiger Original Partitur mit untergelegtem deutschen Texte herausgegeben ... von J. O. H. Schaum. Bd. III. – Berlin, E. H. G. Christiani (ca. 1821/25).

Bemerkungen

Anthem III (Text: Prayer Book; deutsche Fassung nach Luther, Psalm 51, v. 3–6, 10, 12–15) entstand zusammen mit Anthem I HWV 246 als vermutlich zweites Paar der 6 Chandos Anthems, die 1717 komponiert wurden (vgl. HWV 246). Wie in Anthem I benutzte Händel auch hier die Technik der Transkription bei der Übernahme von Sätzen aus GWV 278 Utrecht Te Deum (Nr. 5–7), jedoch teilweise unter Transposition und Erweiterung der entlehnten Teile sowie unter Einfügung neu komponierter Abschnitte (s. Beeks).

Entlehnungen:

2. Have mercy upon me
   HWV 81 „Alpestre monte“: 2. Io so ben ch'il vostro orrore
   HWV 51 Deborah: 4. For ever to the voice of pray'r
   HWV 59 Joseph and his brethren: 27. Thus one with ev'ry virtue crown'd
5. Against thee only have I sinned (Ritornello)
   HWV 278 Utrecht Te Deum: 9. Vouchsafe, o Lord
6. Thou shalt make me hear
   HWV 278 Utrecht Te Deum: 4. Thou art the King of Glory (T. 107 ff.)

(6.) That the bones which thou hast broken (T. 16 ff.)
   HWV 233 „Donna che in ciel“: 5. Per te l'ira che freme (T. 98 ff.)

7. Make me a clean heart
   HWV 278 Utrecht Te Deum: 5. When Thou took'st upon Thee
8. Then shall I teach
   HWV 71 The Triumph of Time and Truth: 8. Strengthen us, oh Time/Then shall we teach (T. 9 ff.)
8. And sinners shall be converted (T. 3 ff.)
   HWV 200 „Quel fior che all'alba ride“: L'occaso ha nell'aurora/e perde in un sol dì
   HWV 55 L'Allegro, il Penseroso ed il Moderato: 33. These pleasures, Melancholy, give

Literatur

Beeks, S. 89 ff.; Chrysander I, S. 392 f., 458, 462 ff.; Lam, S. 166 f.; Leichtentritt, S. 540 f.

Beschreibung des Autographs: Lbm: Catalogue Squire, S. 10.

249ª O sing unto the Lord a new song (1. Fassung)

Anthem IV^A (Chapel Royal Anthem)

Text: Psalm 96 (V. 1–4, 6, 9, 11)

Besetzung: Soli: Alto, Basso. Chor: C.; A.; T.; B. Instrumente: Fl. trav.; Ob. I, II; Trba. I, II; V. I, II; Va.; Cont.

ChA 36. – HHA III/9. – EZ: London, September 1714. – UA: London, 26. September 1714, Chapel Royal, St. James's Palace

1. Solo and Chorus. Alto; C.; A.; T.; B.

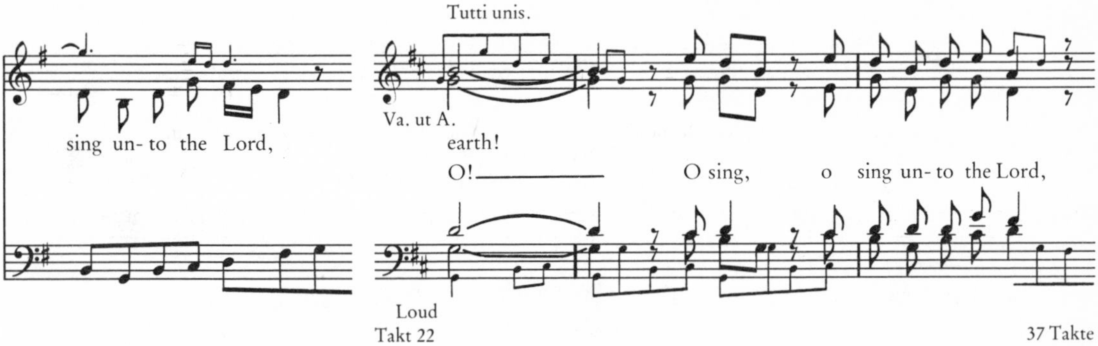

2. Air. Alto

3. Accompagnato. Basso

4. Air. Basso

5a, b. Duet and Chorus. Alto; Basso; C.; A.; T.; B.

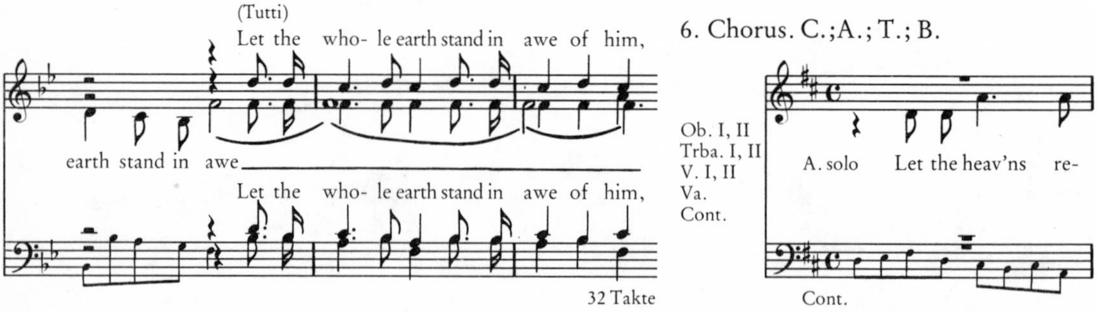

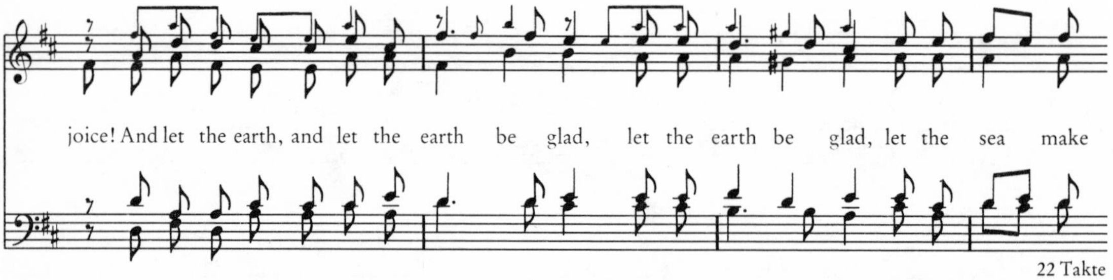

Quellen

Handschriften: Autograph: GB Lbm (R. M. 20. g. 6., f. 1r–11r).

Bemerkungen

Anthem IV^A wurde Ende August oder Anfang September 1714 für die Chapel Royal komponiert und vermutlich am 26. September dieses Jahres zusammen mit HWV 280 Te Deum D-Dur (s. unter diesem Werk) aufgeführt. Händel benutzte es später als Vorlage für die Neubearbeitung des Textes als Chandos Anthem IV HWV 249b.

Die Solosätze Nr. 2 und Nr. 3 liegen in verschiedenen Versionen vor, die wahrscheinlich Aufführungsvarianten darstellen, aber später gestrichen wurden. Die Altarie „Sing unto the Lord" (2) verarbeitet ein Thema, das aus der Oper HWV 1 Almira (7. Leset, ihr funkelnden Augen, mit Fleiß) stammt. Zu Beginn dieser Arie notierte Händel folgende Transpositionsanweisung: „Dieser Vers wird einen thon tieffer transponiret in allen Partien, in den Orgel Part 2 thon tieffer."

Literatur

Chrysander I, S. 458, 463f.; Leichtentritt, S. 541.

Beschreibung des Autographs: Lbm: Catalogue Squire, S. 95.

249b. O sing unto the Lord a new song (2. Fassung)

Anthem IV

Besetzung: Soli: Canto, Ten. Chor: C.; T.; B. Instrumente: Ob.; Fag.; V. I, II; Vc.; Cbb.; Org. ChA 34. – HHA III/4. – EZ: Cannons, ca. 1717

Text: Psalm 96 (V. 1, 3, 4), Psalm 93 (V. 4), Psalm 96 (V. 9, 11, 13)

1. Symphony

[vgl. HWV 389 op. 2 Nr. 4 (1.)] 13 Takte

[vgl. HWV 242 (1.); HWV 402 op. 5 Nr. 7 (4.)] 72 Takte

2. Solo and Chorus. Canto; C.; T.; B.

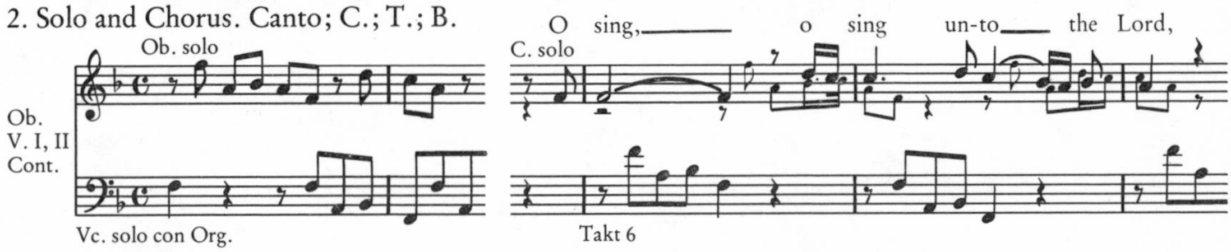

Takt 22 37 Takte

3. Chorus. C.; T.; B.

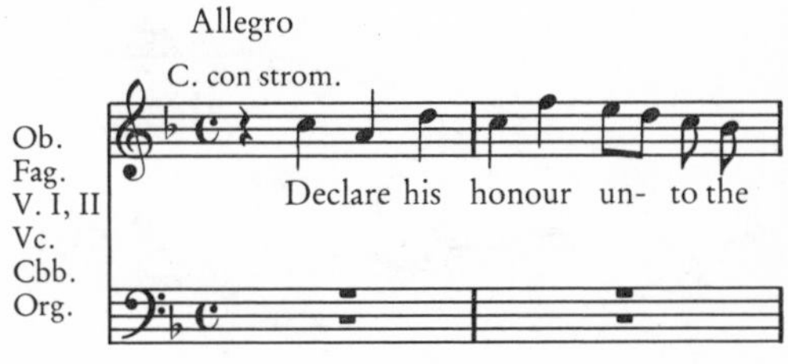

Takt 44

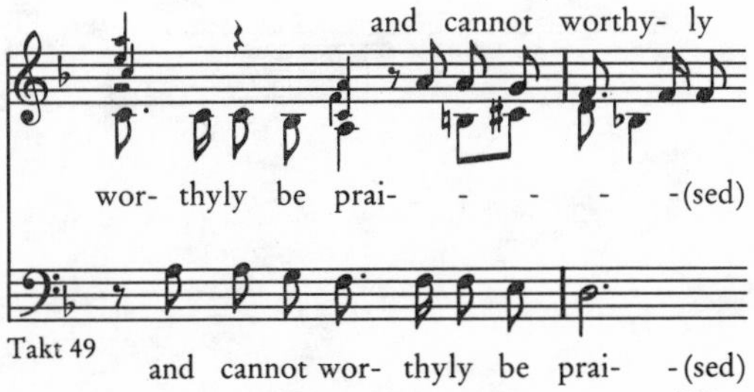

Takt 49 60 Takte

4. Air. Ten.

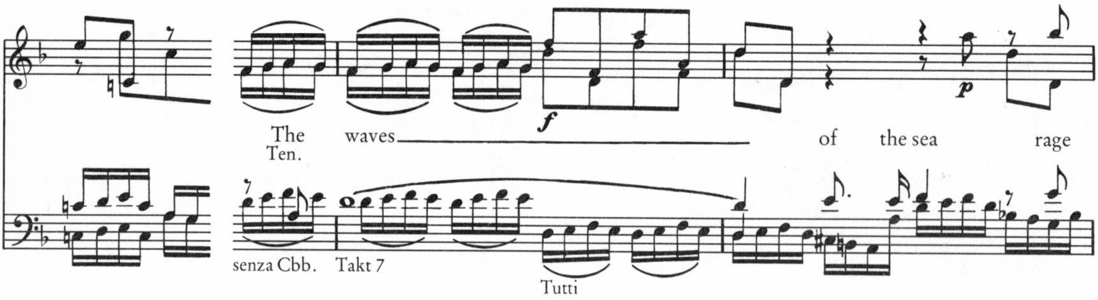
The waves of the sea rage
Ten.
senza Cbb. Takt 7
Tutti

hor- rib-ly,
42 Takte

5. Duet. Canto; Ten.

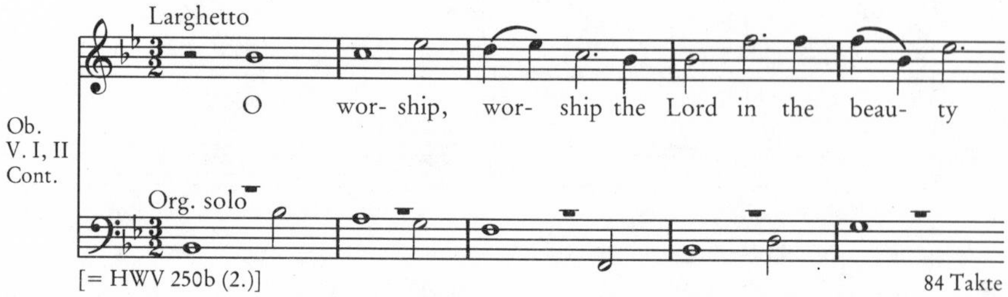
Larghetto
O wor- ship, wor- ship the Lord in the beau- ty
Ob.
V. I, II
Cont.
Org. solo
[= HWV 250b (2.)]
84 Takte

6. Chorus. C.; T.; B.

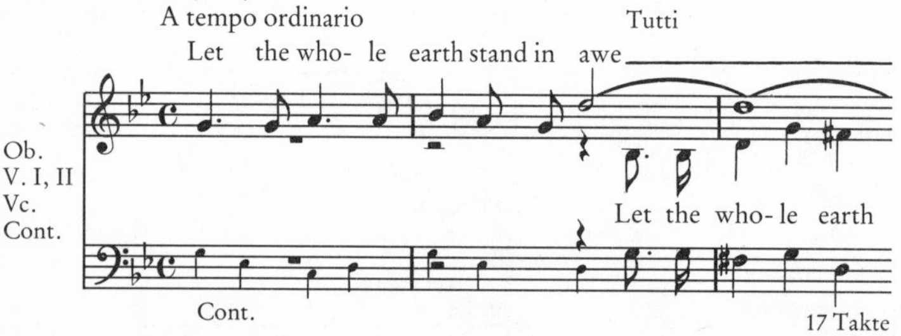
A tempo ordinario
Tutti
Let the who- le earth stand in awe
Let the who- le earth
Ob.
V. I, II
Vc.
Cont.
Cont.
17 Takte

7. Chorus. C.; T.; B.

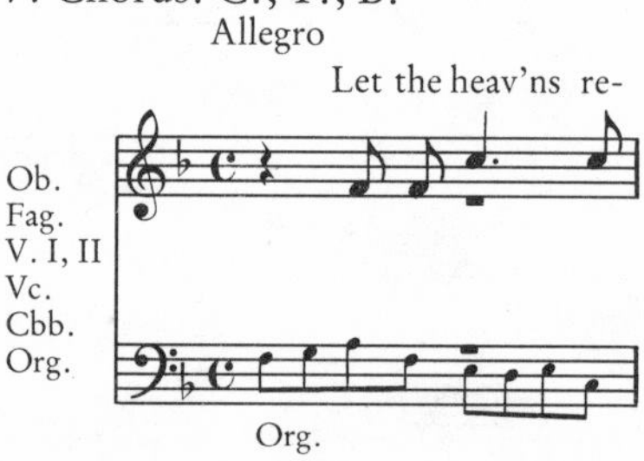
Allegro
Let the heav'ns re-
Ob.
Fag.
V. I, II
Vc.
Cbb.
Org.
Org.

joice, and let the earth, and let the earth be glad, and let the earth be glad,
and let the earth, and let the earth be glad, and let the earth be glad,
37 Takte

Anhang

8. Air. Ten.

Adagio e staccato
V. I
V. II
Ob.
Ob.
V. I, II
Cont.
For he cometh, for he cometh, he cometh to judge the
Ten.
earth,
26 Takte

Quellen

Handschriften: Autograph: GB Lbm (R. M. 20. d. 6., f. 25^{r}–42^{v}).

Abschriften: D (brd) Hs (M $\frac{A}{177}$, Bd. II, p. 1–48) – DK Privatsammlung Margarethe Schou (No. 3, p. 1–55) – EIRE Dtc (St., fragm.) – GB Cfm (Barrett-Lennard-Collection, MS. 811, vol. 28, p. 41–70), DRc (MS. Mus. E 19), Lbm (R. M. 19. g. 1., vol. III, f. 84^{r}–99^{r}; Egerton 2912, f. 60^{r}–77^{v}; Add. MSS. 29 421, f. 3^{v}–24^{v}; Add. MSS. 30 309, f. 3^{r}–20^{r}), Thomas Coram Foundation London (Part.: MS. vol. 117; St.: vol. 135), Mp [MS 130 Hd4, v. 50(3)], Ob (MS. Mus. Sch. b. 1., f. 1^{r}–11^{v}; Mus. Sch. c. 104, St. für C., T., B., V.I, II), Och (MS. 70, 71, 73–75, St. für V. I, II, Vc, Ob., Fag.), T (MS. 881, f. 45^{r}–76^{r}), Y (M 101; M 172) – US Cu (MS. 437, St.: vol. 1, 4, 6, 8, 9, 13, 15, 17, 19, 21), NBu (M 2038.H14A5, vol. III, p. 1–52), Ws (W. B. 530).

Drucke: The complete score of ten Anthems ... Vol. I. – London, Wright & Wilkinson; Anthem in score ... Anthem VI. – London, Arnold's edition, No. 77 (ca. 1790); The overtures to the ten Anthems ... – London, H. Wright; G. F. Händel's Werke in vollständiger Original Partitur mit untergelegtem deutschen Texte herausgegeben ... von J. O. H. Schaum. Bd. IV. – Berlin, E. H. G. Christiani (ca. 1825).

Bemerkungen

Anthem IV entstand zusammen mit Anthem VI^{A} HWV 251^{b} als vermutlich drittes Paar der Chandos Anthems im Herbst 1717 und geht auf das Chapel Royal Anthem IV^{A} HWV 249^{a} vom Jahre 1714 zurück. Eingangs- und Schlußchor wurden dabei umgearbeitet, die Einleitungssinfonie und sämtliche Solosätze mit zum Teil veränderten und erweiterten Texten neu vertont.

Entlehnungen:

1. Symphony
Grave
HWV 389 Triosonate F-Dur op. 2 Nr. 4: 1. Satz (Larghetto)
Allegro
HWV 402 Triosonate B-Dur op. 5 Nr. 7: 4. Satz (Allegro)
HWV 242 „Silete venti": 1. Symphonia (Allegro)

2. O sing unto the Lord
HWV 249^{a} „O sing unto the Lord": 1. O sing unto the Lord

3. Declare his honour
HWV 48 Brockes-Passion: Sinfonia (Allegro)
HWV 313 Concerto grosso B-Dur op. 3 Nr. 2: 3. Satz (Allegro)
HWV 607 Fuge B-Dur Nr. 3

5. O worship the Lord
HWV 250^{b} „I will magnify thee": 2. O worship the Lord

6. Let the whole earth
HWV 249^{a} „O sing unto the Lord": 3. Let the whole earth

7. Let the heav'ns rejoice
HWV 249^{a} „O sing unto the Lord": 6. Let the heav'ns rejoice

Das Tenorsolo „For he cometh" (8) ist nur im Autograph: f. 41^{v}–42^{v}, dort gestrichen) sowie in den Abschriften GB Mp und US Cu (Aylesford-Collection) überliefert.

Literatur

Beeks, S. 89 ff.; Chrysander I, S. 458, 463 f.; Lam, S. 167 f.; Leichtentritt, S. 541.

Beschreibung des Autographs: Lbm: Catalogue Squire, S. 10.

250^{a} I will magnify thee

(1. Fassung)

Anthem V^{A}

Text: Psalm 145 (V. 1, 2, 4, 17, 19, 20), Psalm 144 (V. 15), Psalm 145 (V. 21)

Besetzung: Soli: Sopr., Ten. Chor: C.; T.; B. Instrumente: Ob.; Fag.; V. I, II; Vc.; Cbb.; Org.
ChA 34. – HHA III/5. – EZ: Cannons, ca. 1717

1. Symphony

[= HWV 396 Sonata op. 5 Nr. 1 (1.), HWV 288 (1.); HWV 302a Concerto Nr. 3 (3.)] 23 Takte

[= HWV 396 op. 5 Nr. 1 (2.), HWV 302a (4.)] 57 Takte

2. Chorus. C.;T.; B.

3. Air. Ten.

4. Chorus. C.;T.; B.

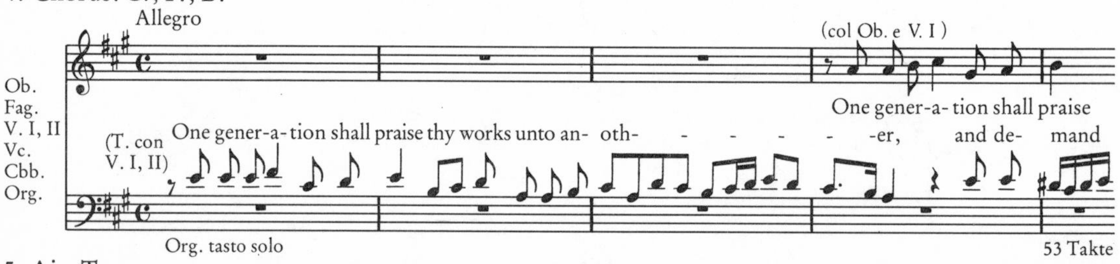

5. Air. Ten.

6. Air. Sopr.

7. Air. Ten.

8. Solo and Chorus. Ten.; C.; T.; B.

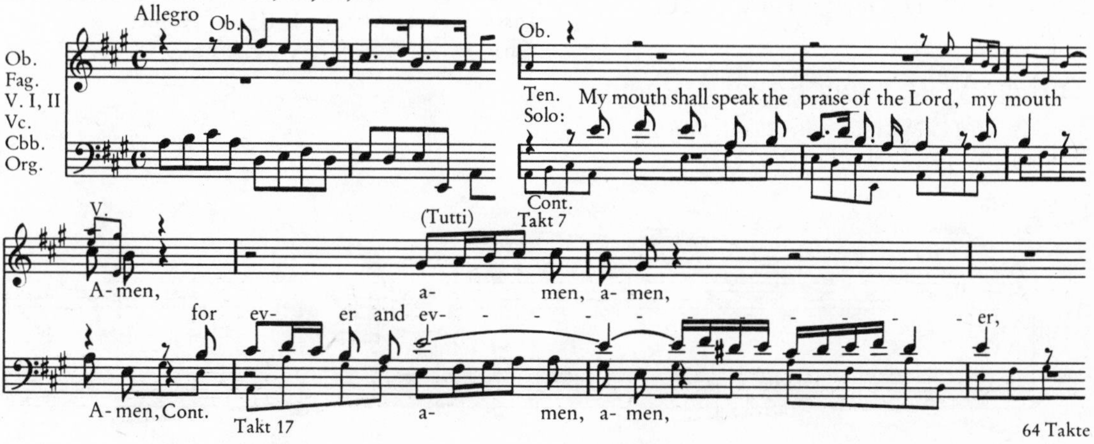

Quellen

Handschriften: Autograph: GB Lbm (R. M. 20. d. 6., f. 77^r–99^r: „Ψ ye 145.", kürzere Fassung, ohne die Sätze Nr. 6 und Nr. 7).

Abschriften: a) kürzere Fassung: GB Lbm (R. M. 19. g. 1., vol. II, f. 44^r–62^v; R. M. 19. g. 1^b., No. 3, f. 68^r–85^r; Add. MSS. 29417, f. 1–27), Lcm (MS. 899, p. 149–184), Ob (MS. Mus. Sch. b. 1., f. 11^v–24^r; MS. Mus. Sch. c. 104, St. für C., T., B., V. I, II), Och (MS. 70, 71, 73–75, St. für V. I, II, Vc., Ob., Fag.), Y (M 98; M 99). b) längere Fassung: D (brd) Hs (M$\frac{B}{1659}$, f. 5–37) – GB BENcoke, Lcm (MS. 242, p. 1–88), T (MS. 614, f. 1–55; MS. 620, p. 7–95; MS. 881, f. 77^r–119^r) – US Cu (MS. 437, St.: vol. 2, 5, 7, 11, 12, 14, 16, 18, 20, 22, enthält die kürzere Fassung; die beiden Zusätze Nr. 6 und Nr. 7 finden sich in dieser Quelle bei Anthem II HWV 247[1] und Anthem VII HWV 252[2]), NBu (M 2038.H14A5, vol. V, p. 1–50).

Drucke: The complete score of ten Anthems ... Vol. II. – London, Wright & Wilkinson; Anthem, in score... Anthem Ist. – London, Arnold's edition, No. 72–73 (ca. 1790); The overture to the ten Anthems ... – London, H. Wright; Solo Anthem. Every day will I give thanks. Handel. Sung by M^r. Harrison. – London R^t. Birchall; [Every day will I give thanks] ... – s. l., s. n.; — London, J. Dale.

Bemerkungen

Anthem V^A entstand vermutlich zusammen mit Anthem II HWV 247 als erstes Paar der 1717 komponierten 6 Chandos Anthems. Da Anthem V^A zunächst zwei Sätze weniger als Anthem II besaß, fügte Händel später (vor August 1720, wahrscheinlich schon Ende 1718) Nr. 6 und Nr. 7 hinzu, um das Werk auf die gleiche Länge zu bringen. Obwohl diese Sätze nicht im Autograph überliefert sind, beweisen die Abschriften von J. C. Smith senior (GB T, MS. 881) und des Kopisten S_3 (GB T, MS. 614) ihre Authentizität.

Die von F. Chrysander vorgenommene Eingliederung der beiden Sätze (ChA 34: Nr. 4–6 – 5–7) ist eine willkürliche Anordnung, die lediglich der Reihenfolge der Psalmverse (Psalm 145, v. 17, 19: The Lord is righteous in all his ways, etc.; v. 20: The Lord preserveth all them, etc.) entspricht, nicht aber der Satzfolge in den Manuskripten und frühen Drukken.

Der erste und letzte Chor des Anthems wurden als gemeinsamer Schlußchor in HWV 61 Belshazzar übernommen.

Entlehnungen:

1. Symphony

Andante

HWV 288 Sonata (Concerto) à 5 B-Dur für Violine und Orchester: 1. Satz (Andante)

HWV 302^a Oboenkonzert Nr. 3 B-Dur: 3. Satz (Andante)

HWV 580 Sonata (Larghetto) g-Moll für Cembalo

HWV 396 Triosonate A-Dur op. 5 Nr. 1: 1. Satz (Andante)

Allegro

HWV 302^a Oboenkonzert Nr. 3 B-Dur: 4. Satz (Allegro)

HWV 396 Triosonate A-Dur op. 5 Nr. 1: 2. Satz (Allegro)

2. I will magnify thee

HWV 61 Belshazzar: $50^{a,b}$. I will magnify thee

8. My mouth shall speak

HWV 61 Belshazzar: $50^{a,b}$. My mouth shall speak

Literatur

Beeks, S. 89 ff.; Beeks, G.: Handel's Chandos Anthems. The „Extra" Movements. In: The Musical Times, vol. 119, 1978, S. 621 ff.; Chrysander I, S. 458, 461; Lam, S. 168 f.; Leichtentritt, S. 541 f.

Beschreibung des Autographs: Lbm: Catalogue Squire, S. 10.

[1] Der Satz steht hier unmittelbar vor „The righteous Lord" (7).

[2] Der Satz folgt der Sopranarie „Blessed is the people" (8).

250b. I will magnify thee

(2. Fassung)

Anthem VB (Chapel Royal Anthem)

Text: Psalm 145 (V. 1), Psalm 96 (V. 9, 6, 10), Psalm 89 (V. 14), Psalm 145 (V. 21)

Besetzung: Soli: Alto, Basso. Chor: C.;A.; T.; B. Instrumente: Ob.; V. I, II; Va.; Cont.
ChA 34. – HHA III/9.– EZ: London, nach 1718

1. Air. Alto

2. Duet. Alto; Basso

[= HWV 249b (5.)]

3. Quartet and Chorus. Sopr.; Alto; Ten.; Basso; A.; T.; B. rip.

[= HWV 253 (4.)]

4. Duet and Chorus. Alto; Basso; C.; A.; T.; B.

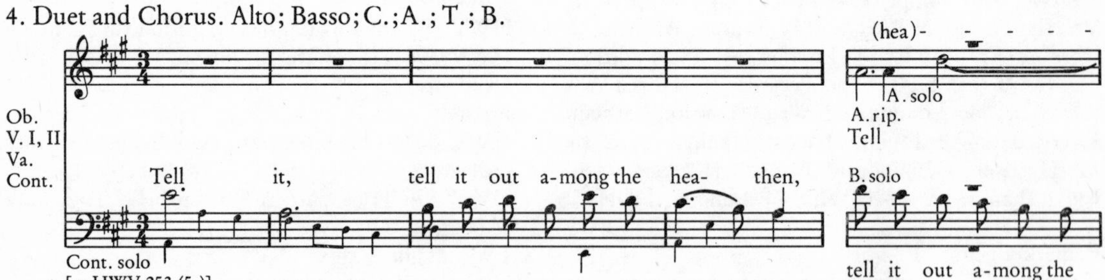

[= HWV 253 (5.)]

5. Air. Alto

[vgl. HWV 252 (7.)]

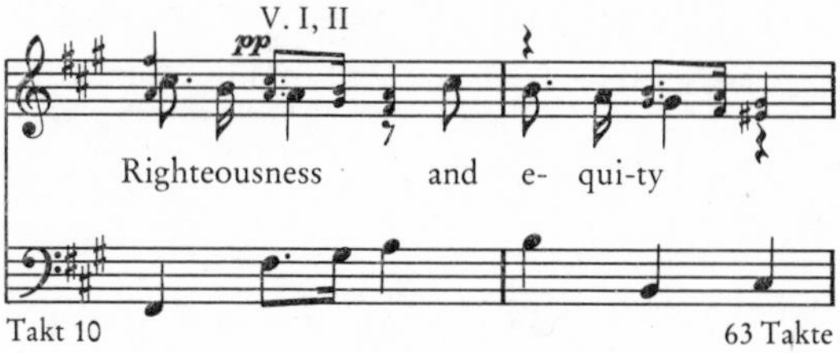

6. Duet and Chorus. Alto; Basso; C.; A.; T.; B.

Quellen

Handschriften: Autograph: GB Lbm (R. M. 20. g. 8., f. 7^{r}–22^{v}, fragm.: Nr. 1–4, T. 1–68).

Abschriften: EIRE Dmh (St.) – GB Lbm (R. M. 19. g. 1., vol. II, f. 1–43^{v}; R. M. 18. b. 7., f. 1–18, fragm.: Nr. 4, T. 69–158, Nr. 5–6; Egerton 2911, f. 48^{v}–72^{v}), Mp [MS 130 Hd4, v. 47(3)], T (MS. 620, p. 1–6, fragm., Nr. 1) – US Cu (MS. 437, vol. 25), NBu (M 2038.H14A5, Appendix vol. I, p. 119–189).

Bemerkungen

Anthem V^B wurde von Händel als Zusammenstellung von Sätzen aus verschiedenen Chandos Anthems für die Chapel Royal geschrieben. Die im Autograph erwähnten Sänger Francis Hughes (Alt), Thomas Gethin (Tenor) und Samuel Wheeley (Baß), die 1708, 1714 und 1716 in die Kapelle eintraten, sowie die Übernahme von Sätzen aus den zwischen 1717 und 1718 komponierten Chandos Anthems IV, V^A, VII und VIII weisen darauf hin, daß Anthem V^B auf jeden Fall nach 1718, vermutlich jedoch zwischen 1721 und 1726 komponiert und aufgeführt wurde[1].

Entlehnungen

1. I will magnify thee (Ritornello)
   HWV 288 Sonata (Concerto) à 5 B-Dur für Violine und Orchester: 1. Satz (Andante)
   HWV 250^{a} Anthem V^A „I will magnify thee": 1. Symphony (Andante)
   HWV 302^{a} Oboenkonzert Nr. 3 B-Dur: 3. Satz (Andante)
   HWV 580 Sonata (Larghetto) g-Moll für Cembalo
   HWV 396 Triosonate A-Dur op. 5 Nr. 1: 1. Satz (Andante)
   HWV 61 Belshazzar: 50^{a,b}. I will magnify thee
2. O worship the Lord
   HWV 249^{b} „O sing unto the Lord": 5. O worship the Lord
3. Glory and worship are before him
   HWV 253 „O come let us sing": 4. Glory and worship
   HWV 266 „How beautiful are the feet": 2. Glory and worship
4. Tell it out among the heathen[2]
   HWV 253 „O come let us sing": 5. Tell it out
   HWV 61 Belshazzar: 48. Tell it out
5. Righteousness and equity
   HWV 252 „My song shall be alway": 7. Righteousness and equity
6. My mouth shall speak
   HWV 250^{a} Anthem V^A „Il will magnify thee": 8. My mouth shall speak
   HWV 61 Belshazzar: 50^{a,b}: My mouth shall speak

Literatur

Lam, S. 168 f.; Leichtentritt, S. 541 f.

Beschreibung des Autographs: Lbm: Catalogue Squire, S. 94 f.

[1] Den größten Teil des Jahres 1719 weilte Händel auf dem Kontinent und dürfte dort kaum Gelegenheit gefunden haben, englische Kirchenmusik zu schreiben, 1720 wurde die Royal Academy of Music eröffnet, für die Händel als Komponist und Dirigent tätig war, so daß ihm wenig Zeit für Gelegenheitswerke blieb.

[2] Skizze in GB Lbm (R. M. 20. g. 14., f. 51^{r})

251ª. As pants the hart

(1. Fassung)

Anthem VI^C (Chapel Royal Anthem)

Text: Psalm 42 (V. 1, 3–7) nach „Divine Harmony", London 1712, und Book of Common Prayer

Besetzung: Soli: Sopr., Alto I, II, Ten., Basso I, II. Chor: C.; A. I, II; T.; B. I, II. Instrumente: Org., Vc., Cbb.
ChA 34. – HHA III/9.– EZ: London, vor Oktober 1714

1. Sextet and Chorus. Sopr.; Alto I, II; Ten.; Basso I, II; C.; A. I, II; T.; B. I, II

2. Air. Alto

3. Air. Alto

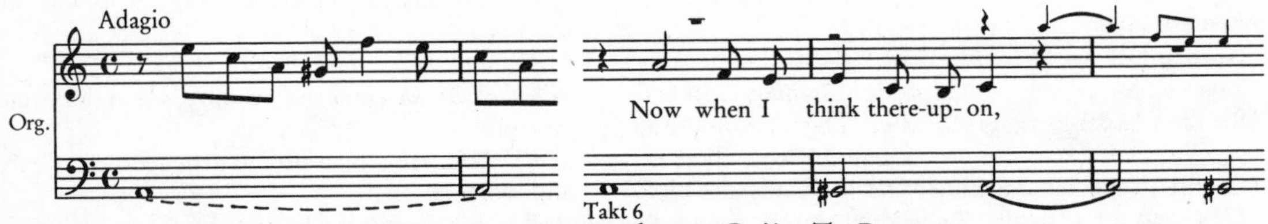

(Recitative)

4. Chorus. C.; A.; T.; B.

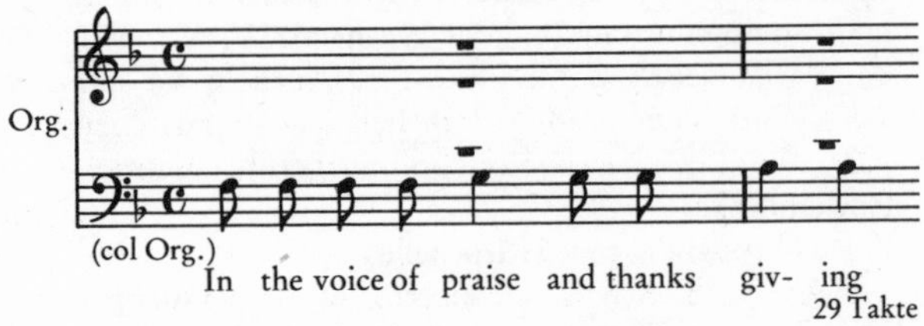

5. Duet. Sopr.; Alto

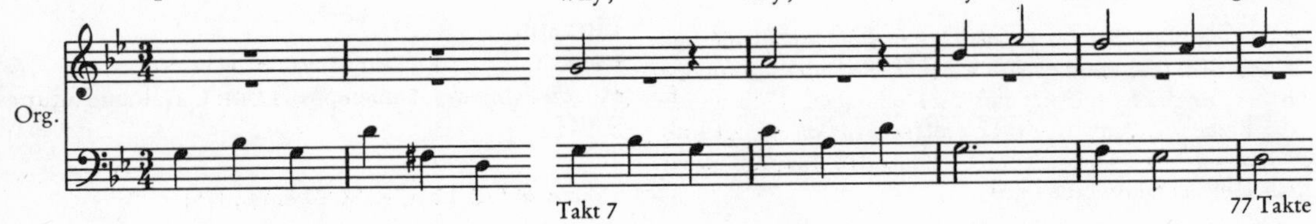

6. Chorus. C.; A. I, II; T.; B.

44 Takte

Quellen
Handschriften: Autograph: GB Lbm (Add. MSS. 30 308, f. 17–26).
Abschriften: GB Lbm (R. M. 19. g. 1., vol. I, f. 30 bis 39), Ob (MS. Mus. d. 57., p. 149–174) – US NBu (M 2038.H14A5, vol. IX, p. 99–126).

Bemerkungen
Das Anthem VI^C gehört zu den sogenannten Chapel Royal Anthems, die Händel zwischen 1711 und 1725 für die Königliche Kapelle schrieb. Seine Entstehungszeit muß auf jeden Fall vor Oktober 1714 (vermutlich zwischen 1712 und 1714) liegen, da der im Autograph neben Hughes, Wheeley und Gates erwähnte Sänger Eilfurt (Richard Elford), der den Part des Alto II sang, am 29. Oktober 1714 verstarb.
Die einzelnen Sätze gingen zum Teil in die anderen Fassungen des Anthems über. Wie G. Beeks (in: The Chandos Anthems and Te Deum, S. 438ff.) nachweisen konnte, nahm Händel die Textzusammenstellung teils nach dem Wortlaut des „Prayer Book", überwiegend jedoch nach der Dr. John Arbuthnot zugeschriebenen Textfassung aus (p. 102) „Divine Harmony; or a New Collection of Select Anthems used at Her Majesty's Chappels Royal, Westminster Abby, St. Paul's, Windsor, both Universities, Eaton, and most Cathedrals in her Majesty's Dominion" (ed. T. Church for John Dolben), London 1712, vor.
Das Thema des Duetts „Why so full of grief" (5) entlehnte Händel dem 4. Satz des Kammerduetts HWV 198 „Troppo cruda" (A chi spera, o luci amate).

Literatur
Lam, S. 169f.; Leichtentritt, S. 542f.

251^b. As pants the hart

(2. Fassung)

Anthem VI^A

Text: Psalm 42 (V. 1, 3–7) nach „Divine Harmony", London 1712, und Book of Common Prayer

Besetzung: Soli: Sopr., Ten., Basso. Chor: C.; T.; B. Instrumente: Ob.; Fag.; V. I, II; Vc.; Cbb.; Org.
ChA 34. – HHA III/5. – EZ: Cannons, ca. 1717

1. Sonata

[vgl. HWV 398 Sonata op. 5 Nr. 3] 63 Takte [= HWV 398 op. 5 Nr. 3 (2.), HWV 316 Concerto op. 3 Nr. 5 (4.)]

42 Takte

2. Trio and Chorus. Sopr.; Ten.; Basso; C.; T.; B.

3. Air. Sopr.

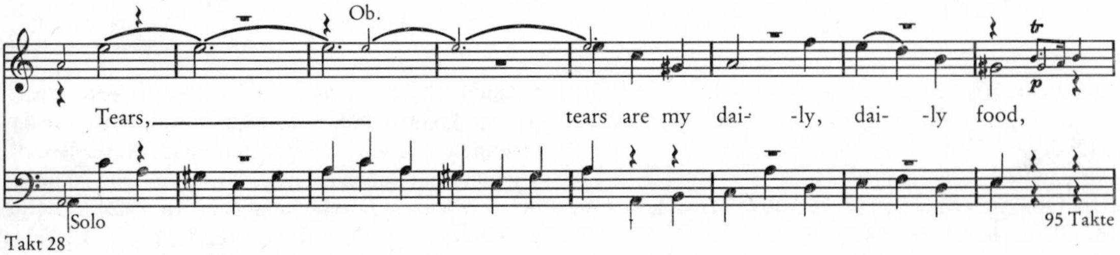

4. Accompagnato. Ten.

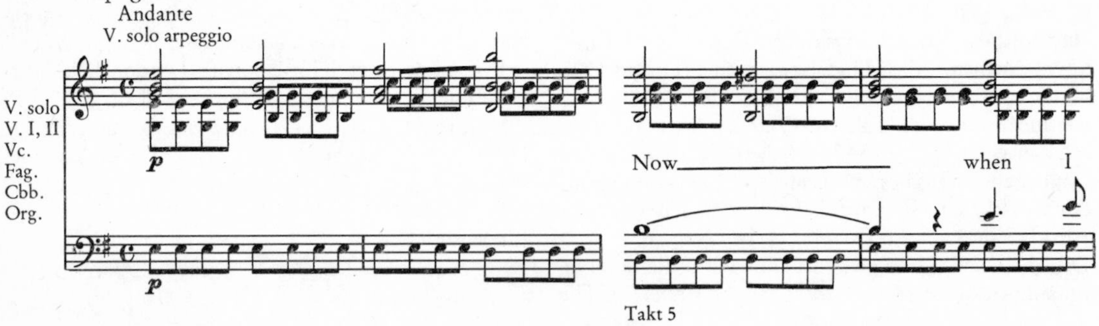

5. Chorus. C.; T.; B.

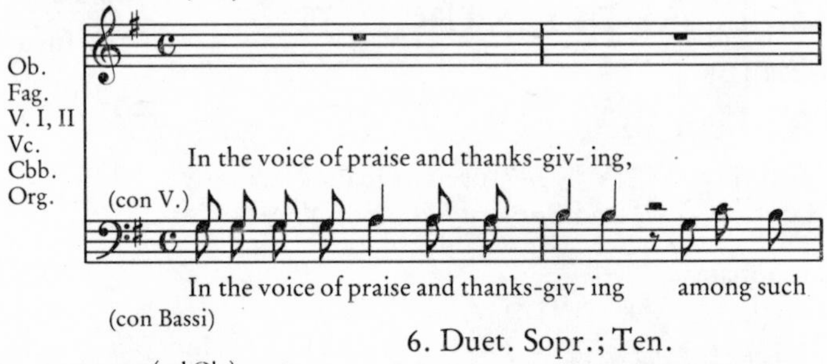

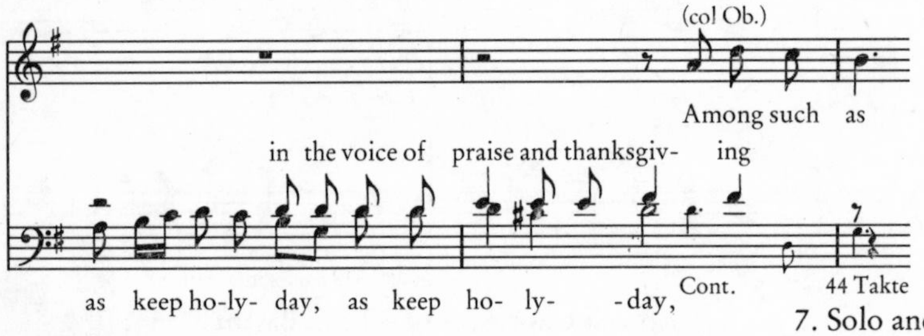

6. Duet. Sopr.; Ten.

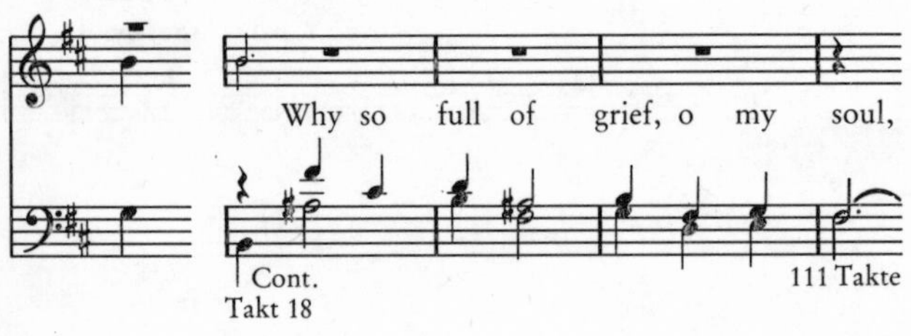

7. Solo and Chorus. Ten.; C.; T.; B.

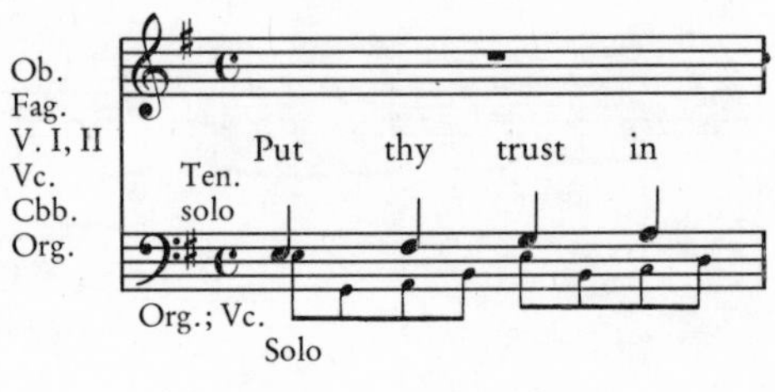

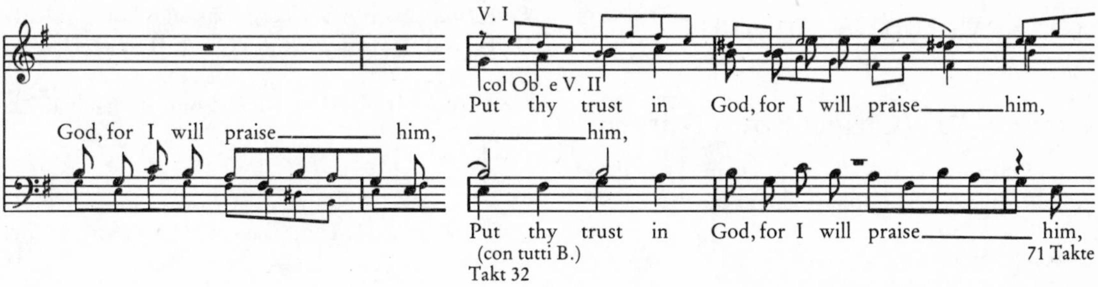

Quellen

Handschriften: Autograph: GB Lbm (R. M. 20. d. 6., f. 1^r–24^r).

Abschriften: D (brd) Hs ($M\frac{A}{177}$, Bd. VII, p. 1–66) – GB Cfm (Barrett-Lennard-Collection, MS. 811, vol. 28, p. 137–174), Lbm (R. M. 19. g. 1., vol. III, f. 37^r–57^r; R. M. 18. d. 1. als Einlage in HWV 50^b Esther[1]; Add. MSS. 29 423, f. 3^v–33^v; Add. MSS. 30 309, f. 71^r–87^v; Add. MSS. 31 557, f. 32^r–73^r; Add. MSS. 31 559, f. 1^r–20^r), Lgc (Gresham Mus. 365, f. 1^r–4^r, Oboenstimme), Thomas Coram Foundation London (MS. 118), Ob (Mus. Sch. c. 104, St. für T., B.), Och (MS. 70–75, St. für V. I, II, T., Vc., Ob., Fag.; MS. 1082, Cantostimme; MS. 615, Part.), T (MS. 881, f. 1^r–42^v; MS. 1023, p. 105–128, fragm.), Y (M 80) – US Cu (MS. 437, St.: vol. 2, 5, 7, 11, 12, 14, 16, 18, 22), NBu (M 2038.H14A5, vol. III, p. 53–122).

Drucke: Anthems with simphonies for various instruments, composed chiefly for the chapel of His Grace the late James Duke of Chandos, by G. F. Handel. Never before printed. – London, Birchall & Beardmore, No. 129; As pants the hart. A favorite anthem in score for voices and instruments, composed by Mr Handel. – London, Wright & Wilkinson; The complete score of ten Anthems ... Vol. III. – London, Wright & Wilkinson; Anthem. As pants the hart &c. Composed for the chapel of the Duke of Chandos, by M^r. Handel, for the voice, harpsichord, and violin, with the chorusses in score. – London, Harrison and C°.; Anthem. – s. l., s. n.; Anthem, in score ... Anthem VIII. – London, Arnold's edition, No. 79 (ca. 1790); The overtures to the ten anthems ... – London, H. Wright; G. F. Händel's Werke in vollständiger Original Partitur mit untergelegtem deutschen Texte herausgegeben ... von J. O. H. Schaum. Bd. I. – Berlin, E. H. G. Christiani (ca. 1821).

Bemerkungen

Anthem VI^A entstand zusammen mit Anthem IV^B als vermutlich drittes Paar der Chandos Anthems im Herbst 1717 (vgl. HWV 246). Es stellt eine Neufassung des Chapel Royal Anthems VI^C dar, wobei nur der erste Satz annähernd notengetreu transkribiert wurde; sämtliche anderen Sätze sind Neuvertonungen auf der Grundlage einer Textzusammenstellung aus Teilen des „Prayer Book" und der „New Version of the Psalms" (1696) von Tate und Brady. Alle späteren Bearbeitungen des Textes greifen auf Anthem VI^A zurück.

Einige Quellen zu HWV 50^b Esther (2. Fassung) überliefern Anthem VI^A als Einlage in den II. Akt dieses Oratoriums [u. a. GB Lbm, R. M. 18. d. 1. und D (brd) Hs, $M\frac{C}{261^a}$]. Wie W. Dean (Handel's Dramatic Oratorios and Masques, S. 218) jedoch nachwies, geht diese Fassung nicht auf Händels selbst zurück und wurde erst nach seinem Tode wirksam[2].

Entlehnungen:

1. Symphony

Larghetto

HWV 398 Triosonate e-Moll op. 5 Nr. 3: 1. Satz (Andante larghetto)

HWV 266 „How beautiful are the feet": 1. How beautiful (Einleitung)

Allegro

HWV 316 Concerto grosso d-Moll op. 3 Nr. 5: 3. Satz (Allegro ma non troppo)

HWV 398 Triosonate e-Moll op. 5 Nr. 3: 2. Satz (Variante: Allegro)

6. Why so full of grief

HWV 386^a Triosonate c-Moll op. 2 Nr. 1 bzw. HWV 386^b h-Moll: 4. Satz (Allegro)

Literatur

Beeks, S. 89 ff.; Chrysander I, S. 458, 462; Leichtentritt, S. 542 f.; Mies, P.: Das Anthem „So wie der Hirsch schreit" und seine Fassungen. In: Händel-Jb., 4. Jg., 1931, S. 1 ff.

Beschreibung des Autographs: Lbm: Catalogue Squire, S. 10.

[1] Der erste Satz dieser Quelle besteht aus einer Transposition von HWV 251^c „As pants the hart" nach e-Moll. Dasselbe auch in der Direktionspartitur von „Esther" (ab 1759) in D (brd) Hs ($M\frac{C}{261^a}$, vol. II, f. 8–11).

[2] Dean, a. a. O., bezieht diese Einfügung auf das ungenannte „Oratorio" von 1738, „in which Handel used a fresh version of the anthem with several of the Italian additions to Esther".

251c. As pants the hart

(3. Fassung)

Anthem VI^B (Chapel Royal Anthem)

Text: Psalm 42 (V. 1, 3–7) nach „Divine Harmony", London 1712, und Book of Common Prayer

Besetzung: Soli: Alto, Ten., Basso. Chor: C.; A. I, II; T.; B. I, II. Instrumente: Ob. I, II; V. I, II; Va.; Vc.; Cbb.; Org.

ChA 34. – HHA III/9. – EZ: London, nach 1720

1. Symphony

Larghetto

2. Sextet and Chorus. Sopr.; Alto I, II; Ten.; Basso I, II; C.; A. I, II; T.; B. I, II

Largo

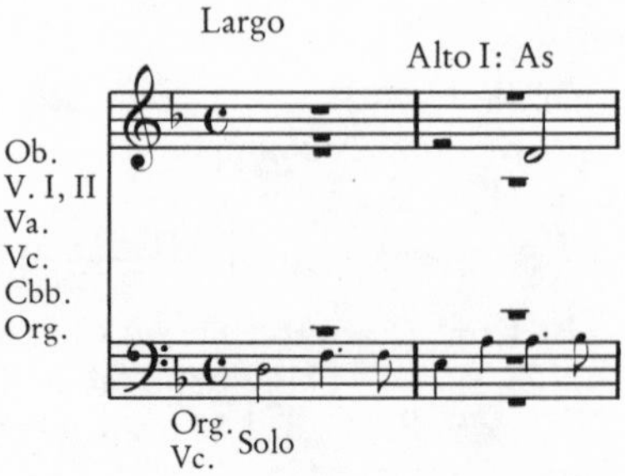

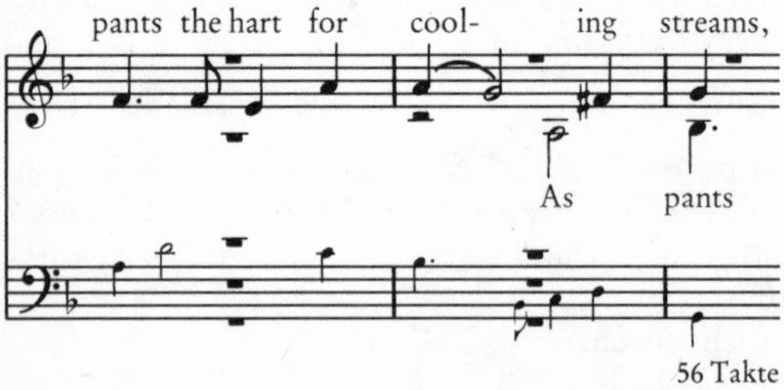

3. Air. Alto

Larghetto

Takt 18

4a. Accompagnato. Basso

4b. Accompagnato. Basso (1738)

Largo

5a. Chorus. C.; A.; T.; B.

(Allegro)

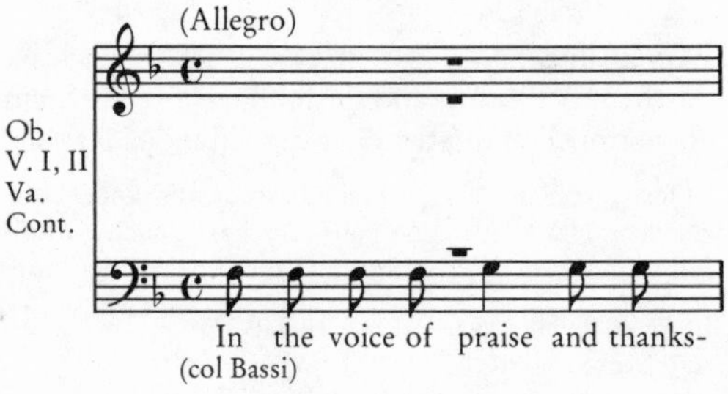

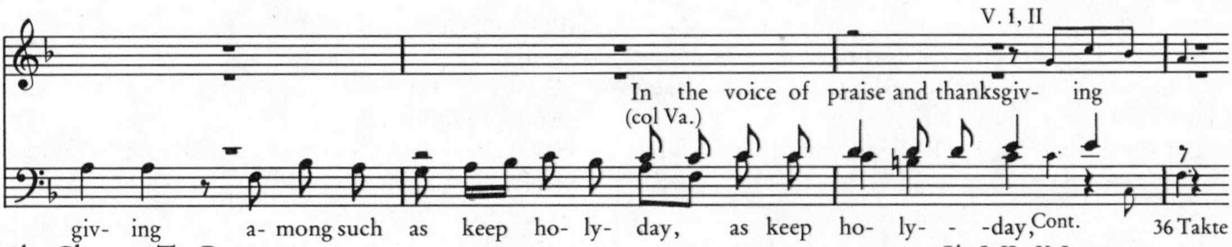

5b. Chorus. T.; B. (1738)

6. Duet. Alto; Ten.

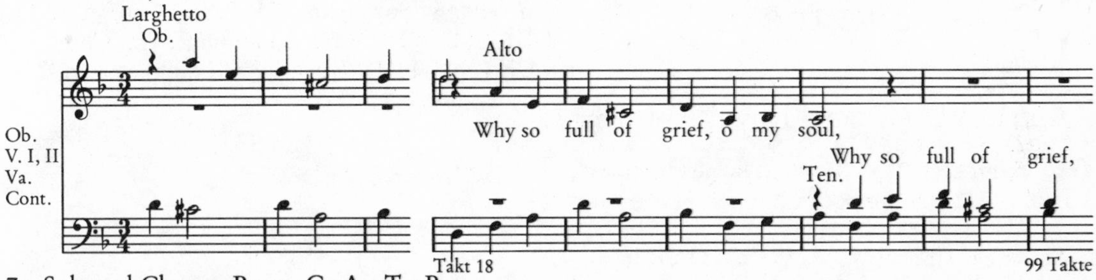

7a. Solo and Chorus. Basso; C.; A.; T.; B.

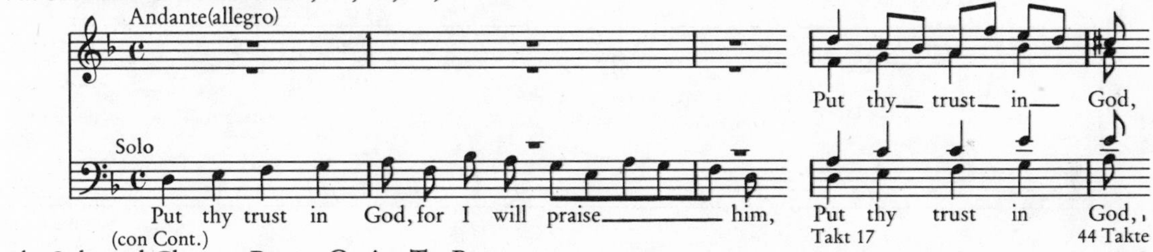

7b. Solo and Chorus. Basso; C.; A.; T.; B.

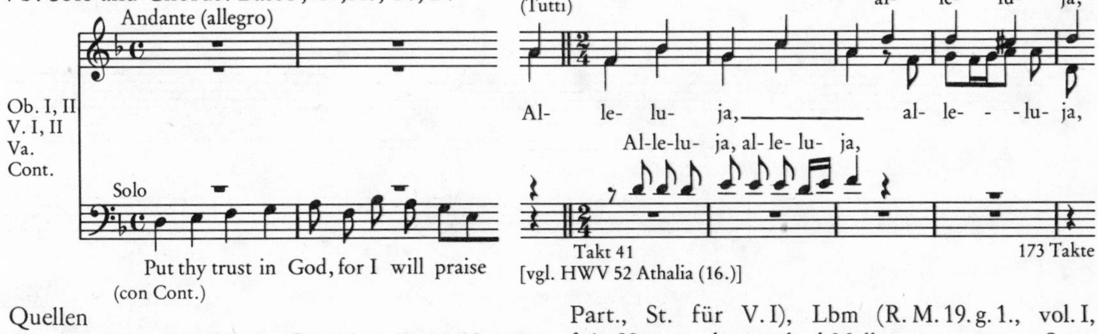

Quellen

Handschriften: Autograph: GB Lbm (R. M. 20. g. 1., f. 1r–24r; f. 12r–13r: Nr. 4b und Nr. 5b in der Handschrift von J. C. Smith sen., Autograph s. GB Lbm, Add. MSS. 30 308, f. 27r–28v).

Abschriften: D (brd) HS (M $\frac{A}{177}$, Bd. VI, p. 1–62) – EIRE Dtc (St., fragm.) – GB Cfm (30 H 15, p. 53 bis 55, 61: Nr. 7b)[1], DRc [MS. E 26(V), fragm., Part., St. für V. I), Lbm (R. M. 19. g. 1., vol. I, f. 1–29, mit der nach d-Moll transponierten Symphonie von HWV 251b, Nr. 4b und Nr. 7a; R. M. 19. a. 1., f. 148–150, fragm.: Nr. 4; Egerton 2911, f. 1–21v; Add. MSS. 31 557, f. 1–31v), Och (MS. 69; MS. 72, St.) – US Cu (MS. 437, St.: vol. 2, 3, 5, 7, 11, 12, 14, 16, 18, 22), NBu (M 2038.H14A5, vol. VI, p. 1–100).

[1] Für eine Aufführung („Oratorium“ genannt) am 28. März 1738. S. Dean, S. 261.

Bemerkungen

Anthem VI^{B} ist in seiner ursprünglichen Form eine Bearbeitung der vorausgegangenen Fassungen HWV 251^{a,b} für die Chapel Royal. Das Werk entstand vermutlich um 1720/22 und wurde von den im Autograph genannten Sängern Hughes, Bell, Gethin, Wheeley und Baker gesungen.

Für eine Aufführung am 28. März 1738, „Oratorium" genannt, in der neben Sätzen aus „Esther", „Deborah" und „Athalia" sowie anderen Anthems auch Anthem VI^{B} erklang, komponierte Händel Nr. 4^{b} und Nr. 5^{b} (mit dem cantus firmus des Luther-Chorals „Christ lag in Todesbanden") neu und fügte im Schlußchor das „Alleluja" aus HWV 52 Athalia (16) ein.

Entlehnungen:

1. Symphony
   HWV 398 Triosonate e-Moll op. 5 Nr. 3: 1. Satz (Andante larghetto)
   HWV 266 „How beautiful are the feet": 1. How beautiful (Einleitung)
3. Tears are my daily food
   HWV 388 Triosonate B-Dur op. 2 Nr. 3: 3. Satz (Larghetto)
6. Why so full of grief
   HWV 386^{a} Triosonate c-Moll op. 2 Nr. 1 bzw. HWV 386^{b} h-Moll: 4. Satz (Allegro)

Literatur

Leichtentritt, S. 542 f.

Beschreibung des Autographs: Lbm: Catalogue Squire, S. 12.

251^{d}. As pants the hart

(4. Fassung)

Anthem VI^{D} (Chapel Royal Anthem)

Text: Psalm 42 (V. 1, 3–7) nach „Divine Harmony", London 1712, und Book of Common Prayer

Besetzung: Soli: Alto I, II, Basso. Chor: C.; A. I, II; T.; B. I, II. Instrumente: Org., Vc., Cbb.

ChA 36. – HHA III/9. – EZ: London, ca. 1721

1. Sextet and Chorus. C.; A. I, II; T.; B. I, II

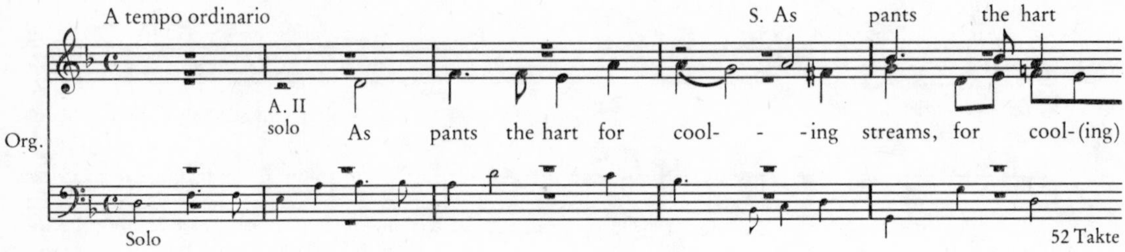

2. Quintet. C.; A. I, II; T.; B.

Recitative. Basso I

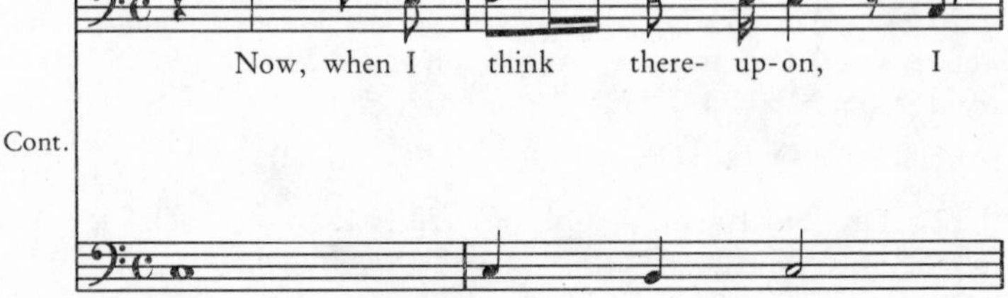

3. Chorus. C.; A.; T.; B.

Allegro

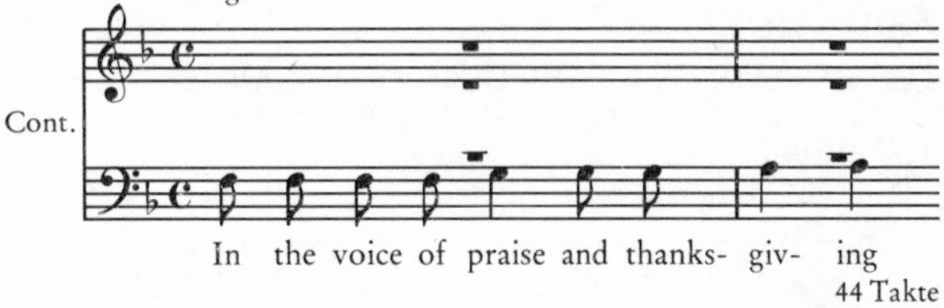

4. Duet. Alto I, II

Larghetto

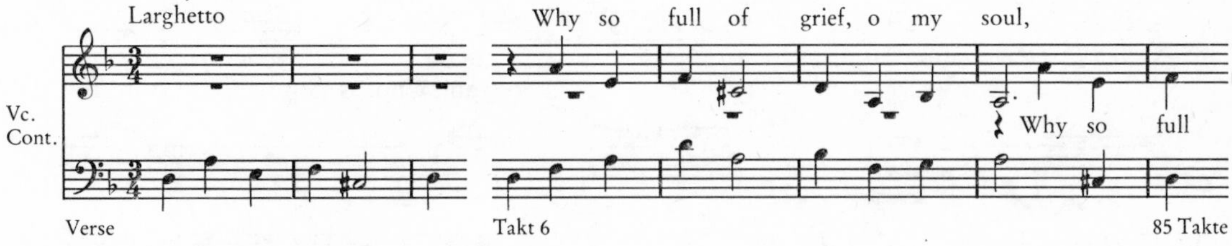

5. Chorus. C.; A.; T.; B.

Allegro ma non troppo

Quellen

Handschriften: Autograph: GB Lbm (R. M. 20. g. 10., f. 23r–36r).

Bemerkungen

Anthem VI^D entstand um 1721 für die Chapel Royal. Es stellt eine Neubearbeitung auf der Grundlage von Anthem VI^A, VI^B und VI^C dar. Die im Autograph erwähnten Sänger Hughes, Bell, Wheeley und Gates waren Solisten der Königlichen Kapelle und traten bei der Aufführung in den Solopartien auf.

Entlehnungen:

2. Tears are my daily food
   HWV 363 Sonate F-Dur op. 1 Nr. 5: 3. Satz (Adagio)
   HWV 401 Triosonate F-Dur op. 5 Nr. 6: 3. Satz (Adagio)

Now when I think thereupon (Recitative)
   HWV 251c Anthem VI^B: 4. Now when I think thereupon

3. In the voice of praise
   HWV 251b Anthem VI^A,C: 5./4. In the voice of praise
4. Why so full of grief
   HWV 251b Anthem VI^A: 6. Why so full of grief
   HWV 386a Triosonate c-Moll op. 2 Nr. 1 bzw. HWV 386b h-Moll: 4. Satz (Allegro)
5. Put thy trust in God
   HWV 251a Anthem VI^C: 6. Put thy trust in God

Literatur

Lam, S. 169 f.; Leichtentritt, S. 542 f.

Beschreibung des Autographs: Lbm: Catalogue Squire, S. 99.

252. My song shall be alway

Anthem VII

Text: Psalm 89 (V. 1, 5–10, 12, 15, 16, 18), Alleluja

Besetzung: Soli: Sopr., Alto, Ten., Basso. Chor: C.; A.; T.; B. Instrumente: Ob.; Fag.; V. I, II; Vc.; Cbb.; Org.

ChA 35. – HHA III / 5. – EZ: Cannons, ca. 1717

1. (Sinfonia)

Ob.
V. I, II
Cont.

2. Solo and Chorus. Sopr.; C.; A.; T.; B.

Ob.
Fag.
V. I, II
Cont.

3. Accompagnato. Ten.

V. I, II
Cont.

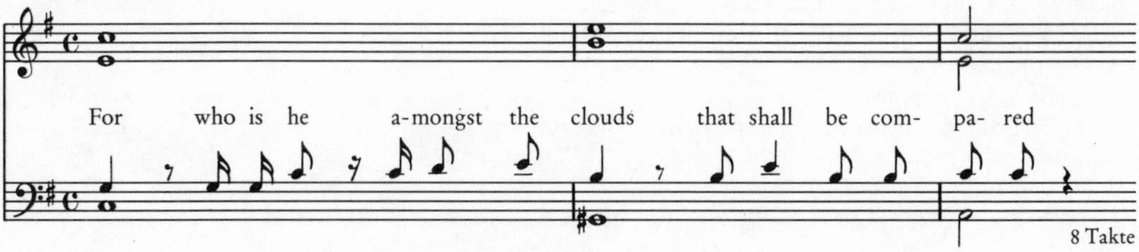

4. Air. Ten.

Ob.
V. unis.
Ob.
V. I, II
unis.
Cont.
God is ver- - - - y
[vgl. HWV 280 Te Deum (3.)]
Takt 11

great- - - - -ly to be fear'd,
89 Takte

5. Trio. Sopr.; Ten.; Basso

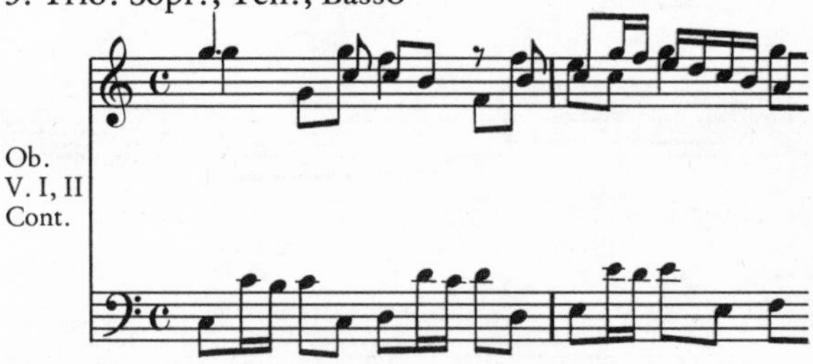
Ob.
V. I, II
Cont.

V. I, II
p
Thou rul- - - - - - - -est the raging of the sea,
p
Takt 9
65 Takte

6. Duet. Alto; Basso

Larghetto
V. I, II
unis.
Fag.
Vc.
Cbb.
Org.
tr
Alto
p
The heav'ns are thine, the earth al- so is thine,
V. e Fag.
Basso
Fag.
Cbb., Org.
Takt 6
33 Takte

7. Chorus. C.; A.; T.; B.

Allegro ma non presto
Ob.
Fag.
V. I, II
Cbb.
Org.
Righteousness and eq- ui- ty, righteousness and eq- ui- ty
[vgl. HWV 250b (5.)]
are the ha-bi- ta- (tion)

are the hab-i- ta- - - - - -tion of thy seat,
are the ha- (bitation)
are the hab- - -i- ta- - - -tion of thy seat,
Takt 7
123 Takte

8. Air. Sopr.

9. Chorus. C.; A.; T.; B.

Quellen

Handschriften: Autograph: GB Lbm (R. M. 20. d. 8., f. 1r–28r: „Ψ. ye 89.").

Abschriften: D (brd) Hs (M $\frac{A}{177}$, Bd. II, p. 143 ff.) – GB Cfm (Barrett-Lennard-Collection, MS. 811, vol. 28, p. 1–40), DRc (MS. E 21, ohne Sinfonia), Lbm (R. M. 19. g. 1., vol. III, f. 100r–120v; R. M. 19. g. 6., f. 60v–63r: Sinfonia als „Sonata 15"; Egerton 2910, f. 61r–78v; Add. MSS. 29 422, f. 3v bis 33v; Add. MSS. 31 558, f. 1–44v, ohne Sinfonia; Add. MSS. 31 559, f. 21r–38v, ohne Sinfonia), Ob (MS. Mus. d. 46., f. 47r–71v, ohne Sinfonia), T (MS. 882, f. 51r–92v; MS. 615, f. 1–50), Y (MS. M 100) – US Cu (MS. 437, St.: vol. 1, 3, 4, 6, 8, 13, 15, 17, 19, 21), NBu (M 2038.H14A5, vol. V, p. 51–142, überliefert als einzige handschriftliche Quelle das Trio Nr. 5).

Drucke: The complete score of ten Anthems ... Vol. III. – London, Wright & Wilkinson; Anthem, in score ... Anthem VII. – London, Arnold's edition, No. 78 (ca. 1790); The overtures to the ten Anthems ... – London, H. Wright; G. F. Händel's Werke in vollständiger Original Partitur mit untergelegtem deutschen Texte herausgegeben ... von J. O. H. Schaum. Bd. III. – Berlin, E. H. G. Christiani (ca. 1823).

Bemerkungen

Anthem VII entstand Ende 1717 oder Anfang 1718, vermutlich zusammen mit Anthem XI^A HWV 256^a. Das geht aus der Verwendung der vier vokalen Stimmlagen C., A., T. und B. hervor, die außer in diesen beiden Werken sonst in keinem der anderen Chandos Anthems anzutreffen sind. Außerdem zeigt das Papier der Autographe beider Anthems VII und XI^A die gleichen Wasserzeichen (Typen Cb und D_1).

Ursprünglich war Anthem VII kürzer als in den meisten Abschriften und frühen Drucken. Das Duett „The heav'ns are thine" (6) stellt einen späteren Zusatz dar, der im Autograph nach einer Leerseite (f. 16v) auf f. 17r beginnt.

Das Trio „Thou rulest the raging of the sea" (5) ist überhaupt nur in einer der Abschriften überliefert (US NBu, M 2038.H14A5, vol. V) und wurde von Samuel Arnold für seine Händel-Ausgabe dem Druck der „Ten Anthems" von Wright & Wilkinson (ca. 1784) entnommen, deren Vorlage vermutlich einer handschriftlichen Quelle aus dem Besitz des Verlegers John Walsh entstammt, die heute nicht mehr nachweisbar ist. G. Beeks vermutet, daß dieser Satz („Mr. Handel's celebrated Trio", wie er im 19. Jahrhundert genannt wurde) anläßlich einer Veranstaltung in Hickford's Room in London erstmals am 2. April 1741 von den Sängern Russel (Countertenor), John Beard (Tenor) und Thomas Reinhold (Baß) aufgeführt wurde.

Das Programm enthielt neben „David's Lamentation over Saul and Jonathan" von John Christopher Smith junior auch die Chandos Anthems IV und VII (s. Deutsch, S. 497 f.).

Mehrere Sätze des Anthem VII gehen auf frühere Kompositionen Händels zurück.

Entlehnungen:
1. Sinfonia
   HWV 314 Concerto grosso G-Dur op. 3 Nr. 3: 1. Satz (Largo e staccato/Allegro)
Largo e staccato
   HWV 48 Brockes-Passion: Sinfonia (Grave e staccato)
Allegro
   HWV 74 Birthday Ode: 2. The day that gave great Anna birth
   HWV 48 Brockes-Passion: 38. Ein jeder sei ihm untertänig
   HWV 51 Deborah: 1. O grant a leader to our host
2. My song shall be alway (Ritornello)
   HWV 48 Brockes-Passion: 5. Ach wie hungert mein Gemüte (Instrumentaleinleitung)
4. God is very greatly
   HWV 280 Te Deum D-Dur: 3. When thou tookest upon thee
7. Righteousness and equity ...
   HWV 250b „I will magnify thee“: 5. Righteousness and equity
7. ... are the habitation of thy seat (T. 7 ff.)
   HWV 278 Utrecht Te Deum: 5. When thou took'st/Thou sittest at the right hand (T. 26 ff.)
8. Blessed is the people
   HWV 280 Te Deum D-Dur: 2. The glorious company
9. Thou art the glory
   HWV 278 Utrecht Te Deum: 4. The glorious company/Thou art the everlasting son (T. 142 ff.)
   HWV 280 Te Deum D-Dur: 6. O Lord, in thee have I trusted
   HWV 262 „This is the day which the Lord has made“: 9. Alleluja, amen

Literatur

Beeks, S. 89 ff.; Beeks, G.: Handel's Chandos Anthems. The „Extra“ Movements. In: The Musical Times, vol. 119, 1978, S. 621 ff.; Chrysander I, S. 386, 459, 465; Leichtentritt, S. 544.
Beschreibung des Autographs: Lbm: Catalogue Squire, S. 11.

253. O come let us sing unto the Lord

Anthem VIII

Text: Psalm 95 (V. 1–3, 6, 7), Psalm 96 (V. 6, 10), Psalm 99 (V. 9), Psalm 97 (V. 10), Psalm 103 (V. 11), Psalm 97 (V. 11, 12)

Besetzung: Soli: Sopr., Ten. Chor: C.; T. I, II; B. Instrumente: Fl. I, II; Ob.; V. I, II; Cont.
ChA 35. – HHA III / 5. – EZ: Cannons, ca. 1718

1. Sonata

Ob.
V. I, II
Cont.

[vgl. HWV 302a Concerto Nr. 3 (1.)] 42 Takte

[vgl. HWV 302a (2.), HWV 389 op. 2 Nr. 4 (4.)]

121 Takte

2. Chorus. C.; T. I, II; B.

Allegro

Ob.
V. I, II
Cont.

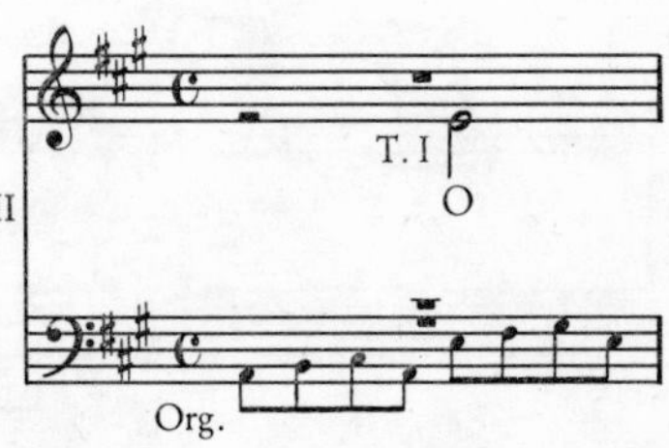

3. Air. Ten.

4. Chorus. C.; T. I, II; B.

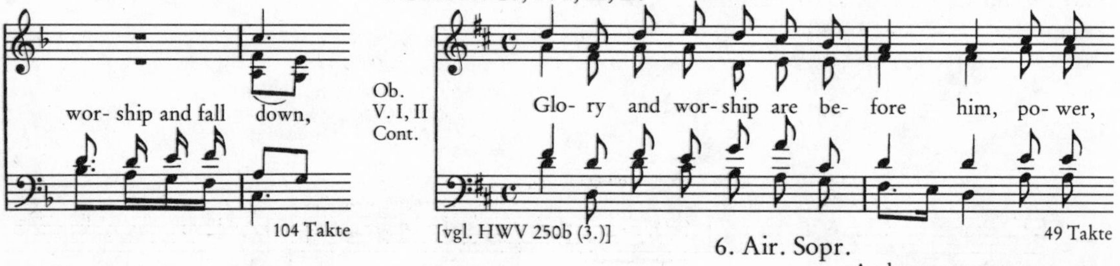

6. Air. Sopr.

5. Chorus. C.; T. I, II; B.

Quellen

Handschriften: Autograph: GB Lbm (R. M. 20. d. 8., f. 60ʳ–101ʳ: „Ψ. ye 95."; R. M. 20. g. 14., f. 51ʳ: Skizze zu Nr. 5).

Abschriften: D (brd) Hs (M $\frac{A}{177}$, Bd. V) – GB BENcoke (Sonata f. V, I, II, Ob. I, II aus der Aylesford Collection), Cfm (Barrett-Lennard-Collection, MS. 810, vol. 27, p. 1–72), DRc (MS. Mus. E 28/1, Part., fragm., Nr. 1–2; MS. Mus. E 28/2–4, St. für V. I, Bc., Vc. von Nr. 1–2), Lbm (R. M. 19. g. 1., vol. III, f. 2ʳ–36ᵛ; Egerton 2910, f. 1ʳ–38ᵛ; Add. MSS. 29 420, f. 3ᵛ–54ᵛ; Add. MSS. 30 309, f. 42ᵛ–70ʳ), Lcm (MS. 243, p. 1–67), Lgc (Gresham Mus. 365, f. 9ʳ–11ʳ, Oboenstimme; Mus. 366, f. 5ʳ–8ʳ, Vc.-Stimme), Mp [MS 130 Hd4, v. 50(1)], T (MS. 882, f. 93ʳ–163ᵛ), Y (M 113) – US Cu (MS. 437, St.: vol. 1, 4, 6, 8, 9, 13, 15, 17, 19, 21), NBu (M 2038. H14A5, vol. II, p. 67–139).

Drucke: The complete score of ten Anthems ... Vol. I. – London, Wright & Wilkinson; Anthem, in score ... Anthem V. – London, Arnold's edition, No. 76–77 (ca. 1790); The overtures to the ten Anthems ... – London, H. Wright; G. F. Händel's Werke in vollständiger Original Partitur mit untergelegtem deutschen Texte herausgegeben ... von J. O. H. Schaum. Bd. I. – Berlin, E. H. G. Christiani (ca. 1821).

Bemerkungen

Anthem VIII entstand als erstes Werk der Gruppe der Chandos Anthems VIII–X vermutlich zusammen mit dem sogenannten Chandos Te Deum B-Dur HWV 281 kurz vor HWV 49ᵃ Acis and Galatea (1. Fassung) im Frühjahr 1718. Nach G. Beeks weisen darauf sowohl Instrumentierung und Besetzung der Vokalstimmen als auch formale Einzelheiten hin, die bei den genannten Werken auffallend ähnlich sind. Außerdem verzeichnete Händel im Autograph die Namen der beiden Tenorsolisten, die 1718 in Cannons nachweisbar sind; für Blackley (Tenore I), der als Acis in Erscheinung trat, waren die Sätze Nr. 3 und 8 bestimmt, Row[1] (Tenore II), der den Damon in „Acis and Galatea" sang, erhielt das Solo Nr. 7. An dieser Stelle des Autographs (f. 92ʳ) befindet sich folgender Vermerk Händels für den Kopisten: „Dieser vers wird nicht im andern Tenor geschrieben, sondern auf ein blat apart". Damit wurde angemerkt, daß durch die separate Ausschreibung auf ein gesondertes Blatt eine Eingliederung der Arie auch in den Part von Tenore I möglich sein sollte, falls der Tenore-II-Solist (Row) nicht zur Verfügung stehen würde.

Entlehnungen:

1. Sonata (1. Satz)
   HWV 302ᵃ Oboenkonzert Nr. 3 B-Dur: 1. Satz (Vivace)
   HWV 302ᵇ Largo F-Dur für Bläser und Streicher

[1] Francis Row gehörte dem Chor der Westminster Abbey und später der Chapel Royal an.

1. Sonata (2. Satz)
   HWV 389 Triosonate F-Dur op. 2 Nr. 4: 4. Satz (Allegro)
   HWV 302ᵃ Oboenkonzert Nr. 3 B-Dur: 2. Satz (Fuge), Allegro
3. O come let us worship
   HWV 10 Silla: 9. Dolce nume de' mortali
4. Glory and worship
   HWV 250ᵇ „I will magnify thee": 3. Glory and worship
   HWV 266 Peace Anthem: 2. Glory and worship
5. Tell it out among the heathen
   HWV 250ᵇ „I will magnify thee": 4. Tell it out
   HWV 61 Belshazzar: 48. Tell it out
9. There is sprung up a light
   HWV 237 „Laudate pueri" (2. Fassung): 3. A solis ortu

Literatur

Beeks, S. 89 ff.; Chrysander I, S. 459, 465; Lam, S. 171 f.; Leichtentritt, S. 544 f.

Beschreibung des Autographs: Lbm: Catalogue Squire, S. 11.

254. O praise the Lord with one consent

Anthem IX

Text: A New Edition of the Psalms (Nahum Tate, Nicholas Brady), 1696: Psalm 135 (V. 1–3, 5), Psalm 117 (V. 1, 2), Psalm 148 (V. 1, 2), Alleluja

Besetzung: Soli: Sopr., Ten. I, II, Basso. Chor: C.; A.; T.; B. Instrumente: Ob.; V. I, II; Cont.

ChA 35. – HHA III / 6. – EZ: Cannons, ca. 1718

1. Chorus. C.; T. I, II; B.

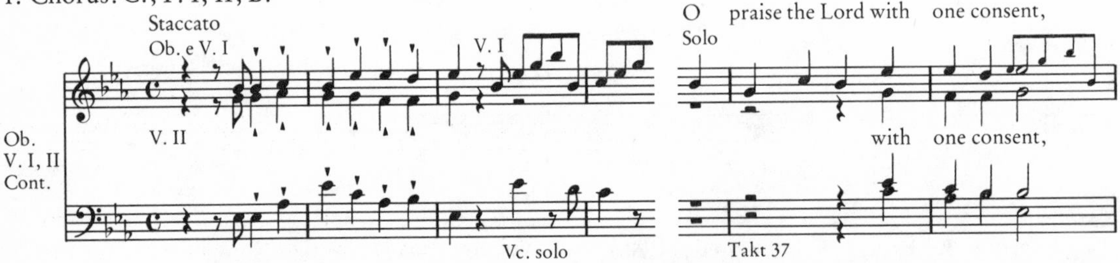

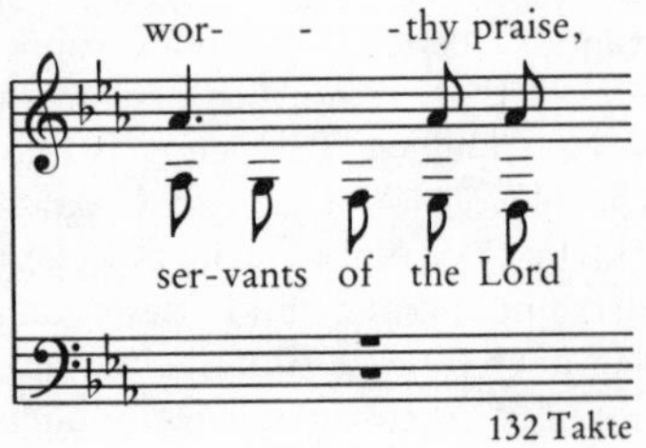

2. Air. Ten. I

[vgl. HWV 51 (26.)]

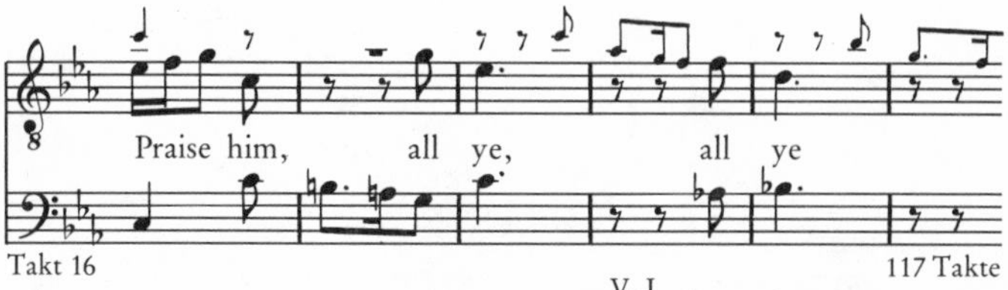
Praise him, all ye, all ye
Takt 16
117 Takte

3. Air. Ten. II

Allegro
Ob., V. I
tr
V. II
Ob.
V. I, II
Cont.
[vgl. HWV 51 (34.)]

V. I
p
V. II p
For this our tru- est in- - -t'rest is glad hymns of praise to sing,
Takt 6
63 Takte

4. Air. Basso

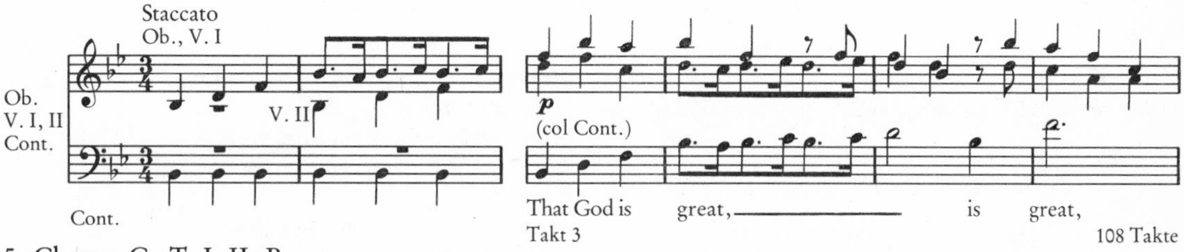
Staccato
Ob., V. I
V. II
Ob.
V. I, II
Cont.
Cont.
p
(col Cont.)
That God is great, is great,
Takt 3
108 Takte

5. Chorus. C.; T. I, II; B.

Allegro ma non presto
Ob., V. I
V. II
Ob.
V. I, II
Cont.
With cheer- ful notes let all the earth,
(con strom.)
With cheer- ful notes let all the earth,
let all the earth,
Takt 11

Allegro
Let all, in- -spir'd with god- -ly mirth,
Takt 43
102 Takte

6. Air. Sopr.

Larghetto
Ob., V. I
V. II
Ob.
V. I, II
Cont.
[vgl. HWV 51 (31.)]

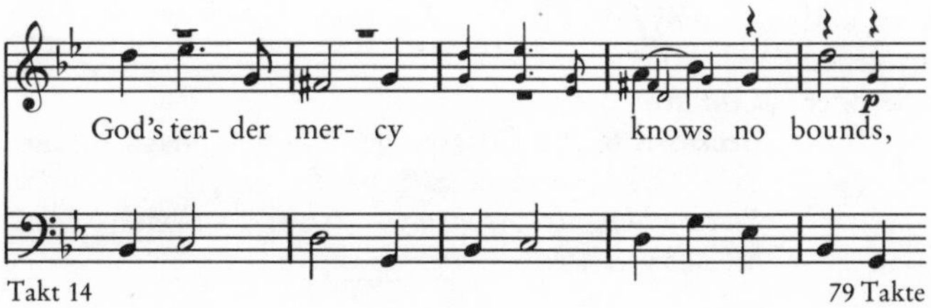
God's ten- der mer- cy knows no bounds,
p
Takt 14
79 Takte

7. Chorus. C.; T. I, II; B.

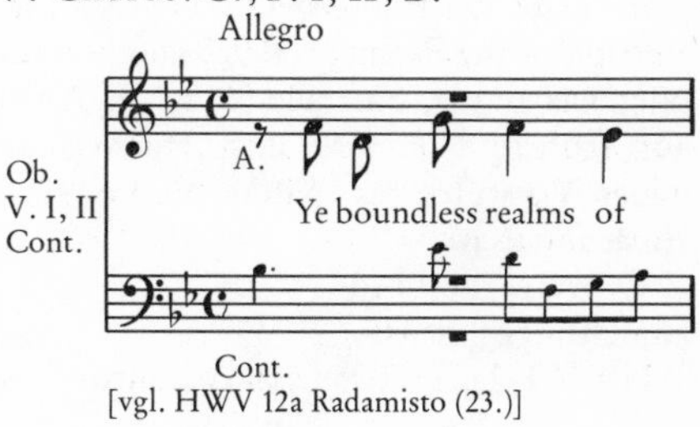
Allegro
A.
Ye boundless realms of
Ob.
V. I, II
Cont.
Cont.
[vgl. HWV 12a Radamisto (23.)]

joy ex- alt your mak- -er's fame, ex- alt, ex- alt,
63 Takte

8. Chorus. C.;T. I, II; B.

Andante
Ob.
V. I, II
Cont.
Your voi- - -ces
Cont.

raise, ye Che- ru-bin,
Al- le- lu- ja
col Ob.
sing his praise! Al- le- lu- ja,
Takt 8
52 Takte

Quellen

Handschriften: Autograph: GB Cfm (30 H 5, f. 1^r bis 35^v).

Abschriften: D (brd) Hs ($M\frac{A}{177}$, Bd. IV, p. 1–104; $M\frac{A}{197}$) – GB BENcoke, DRc (MS. Mus. E. 14), GL (vol. IV, p. 16–24, St.), H (MS. R. 10. XVII.; 30. B. VI, Orgelstimme), Lbm (R. M. 19. g. 1., vol. II, f. 169^r–209^v; R. M. 19. g. 1^b., No. 1, f. 1^r bis 31^v; R. M. 19. e. 7., f. 1^r–47^r; Egerton 2913, f. 1^r–34^v; Add. MSS. 29426, f. 3^v–46^r), Lgc (Gresham Mus. MS. 415), Och (MS. 69, Cantostimme), T (MS. 883, f. 127^r–190^v) – US Cu (MS. 437, St.: vol. 2, 5, 7, 9, 11, 12, 14, 16, 18, 20, 22), NBu (M 2038. H14A5, vol. VI, p. 101–163).

Drucke: The complete score of ten Anthems ... Vol. II. – London, Wright & Wilkinson; Anthem, in score ... Anthem XI. – London, Arnold's edition, No. 82–83 (ca. 1790); The overtures to the ten Anthems ... – London H. Wright; G. F. Händel's Werke in vollständiger Original Partitur mit untergelegtem deutschen Texte herausgegeben ... von J. O. H. Schaum. Bd. IV. – Berlin, E. H. G. Christiani (ca. 1824).

Bemerkungen

Anthem IX entstand vermutlich im Frühjahr 1718. Die Textgrundlage bildet eine gereimte Paraphrase von Versen der Psalmen 135, 117 und 148 aus „New Version of the Psalms" (1696) von Nahum Tate und Nicholas Brady. Fast alle Sätze des Anthems gehen auf frühere Kompositionen Händels zurück oder bilden Vorstufen für spätere Werke.

Entlehnungen:

1. O praise the Lord
Einleitungsritornell
HWV 171 „Tu fedel? tu costante?": Sonata
HWV 51 Deborah: 1. Immortal Lord (Einleitungsritornell)
Let all the servants of the Lord (T. 81 ff.)
HWV 314 Concerto grosso G-Dur op. 3 Nr. 3: 3. Satz (Allegro)
HWV 606 Fuge Nr. 2 G-Dur
HWV 259 „Let thy hand be strengthened": Alleluja
2. Praise him all ye
HWV 51 Deborah: 26. No more disconsolate I'll mourn
HWV 50^b Esther (Fassung 1751): 13^b. No more disconsolate
3. For this our truest int'rest
HWV 51 Deborah: 34. Our fears are now for ever fled
4. That God is great
HWV 74 Birthday Ode: 8. Let envy then conceal her head
HWV 51 Deborah: 11. Awake the ardour of thy breast
6. God's tender mercy
HWV 51 Deborah: 31. Now sweetly smiling
7. Ye boundless realms
HWV 12^a Radamisto (1. Fassung): 23. Se teco vive il cor
8. Your voices raise/Alleluja (T. 8 ff.)
HWV 237 „Laudate pueri" (2. Fassung): 8. Gloria patri/Amen (T. 99 ff.)
HWV 258 „Zadok the Priest": Amen, alleluja (T. 67 ff.)

Literatur

Beeks, S. 89 ff.; Chrysander I, S. 459, 466 ff.; Lam, S. 172 ff.; Leichtentritt, S. 545 f.

Beschreibung des Autographs: Cfm: Catalogue Mann, MS. 255, S. 169.

255. The Lord is my light

Anthem X

Besetzung: Soli: Sopr., Ten. I, II. Chor: C.; T. I, II, III; B. Instrumente: Fl. I, II; Ob.; V. I, II; Cont.
ChA 35. – HHA III / 6. – EZ: Cannons, ca. 1718

Text: Psalm 27 (V. 1, 3, 4, 7), Psalm 18 (V. 31, 7, 14), Psalm 20 (V. 8), Psalm 34 (V. 3), Psalm 28 (V. 8), Psalm 29 (V. 4, 9), Psalm 30 (V. 4), Psalm 45 (V. 18), Amen

1. Sinfonia

Ob., V. I
V. II
Ob.
V. I, II
Cont.

Allegro
Takt 19
59 Takte

2. Air. Ten.

Andante
Ob., V. I
tr
V. II
Ob.
V. I, II
Cont.

The Lord is my light, the Lord is my light, and my sal- va- tion,
Takt 11
57 Takte

3. Chorus. C.; T. I, II, III; B.

Though an host of men, though an host of men
col Ob.
col V. I, II
Though an host of men we-re laid a- gainst me, though an host of men
Though an host of men we-re laid a- gainst me, a- gainst me,
T. I, II
T. I
T. II
Ob.
V. I, II
Cont.
Though an host of men, though an host of men
123 Takte

4. Air. Ten. II

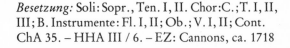

Largo
Fl. I, II
V. I, II
Fl. I, II
V. I, II
Cont.
[vgl. HWV 92 (3.)]
One thing have I de- sir- - -ed of the
Takt 4

Lord,
43 Takte

5. Chorus. C.; T. I, II; B.

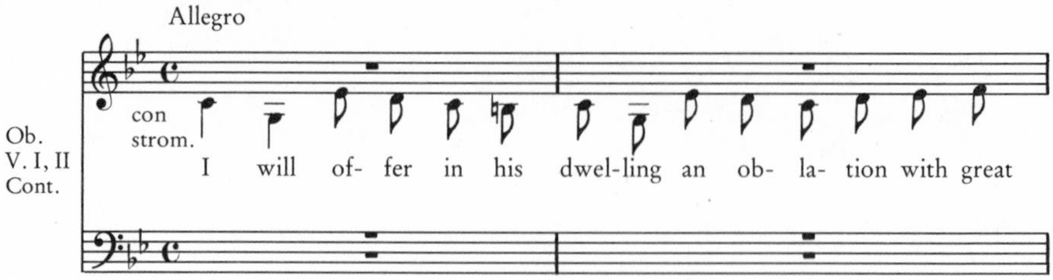
Allegro
Ob.
V. I, II
Cont.
con
strom.
I will of- fer in his dwel-ling an ob- la- tion with great

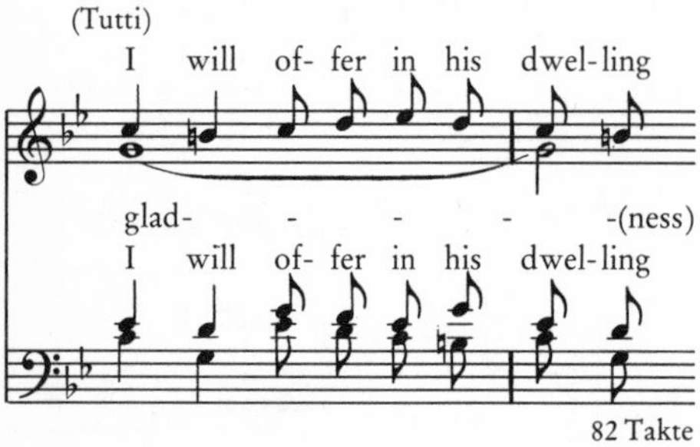
(Tutti)
I will of- fer in his dwel-ling
glad- - - - -(ness)
I will of- fer in his dwel-ling
82 Takte

6. Chorus. C.; T. I, II; B.

Grave
Ob.
V. I, II
Cont.
For who is God but the Lord?

Andante
p
The earth trem- -bled,
Takt 6
36 Takte

7. Chorus. C.; T. I, II; B.

A tempo ordinario
col
V. I, II
pp
They are brought
Ob.
V. I, II
Cont.

down and fall'n, but we are ris-en, we are ris- en,
f
They are brought down
29 Takte

8. Chorus. C.; T. I, II; B.

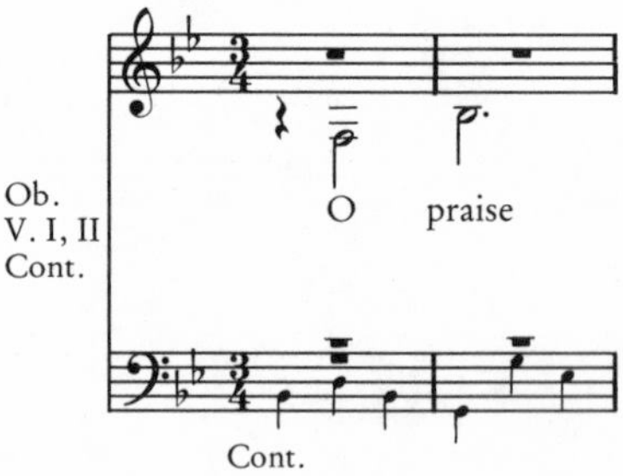
Ob.
V. I, II
Cont.
O praise
Cont.

(Tutti)
O praise the Lord with me, and let us mag-ni- fy
the Lord with me! O praise the Lord with me, and let us mag-ni- fy
O praise the Lord with me, and let us mag-ni- fy
O praise the Lord with me, and let us mag-ni- fy
51 Takte

9. Air. Ten. I

Allegro
Ob., V. I
Ob.
V. I, II
Cont.
The Lord is my strength and my shield,
Takt 5
51 Takte

10. Air. Sopr.

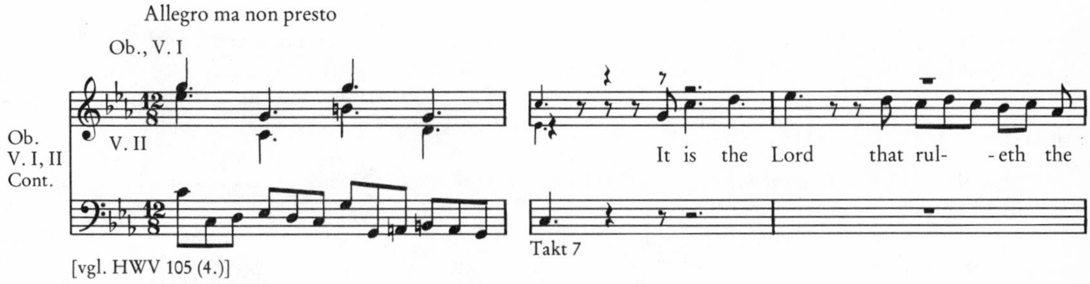
Allegro ma non presto
Ob., V. I
Ob.
V. I, II
Cont.
V. II
It is the Lord that rul- -eth the
[vgl. HWV 105 (4.)]
Takt 7

sea,
51 Takte

11. Chorus. C.;T. I, II; B.

Andante e staccato
V. I, II
Ob.
V. I, II
Cont.
Sing prai- -
Sing prai- - -
Sing
Takt 6

Sing prai- ses
ses, sing prai- - -ses un- to the Lord,
- - - -ses un- to the Lord,
prai- - - -ses un- to the Lord, sing prai-(ses)
Allegro
col
V. I, II
I will re-member thy
Takt 20
[vgl. HWV 66 (34., T. 28)]
(Tutti)
world
name from one genera- tion to an- oth- - - -er, I will re- mem- ber thy name
I will remember thy name

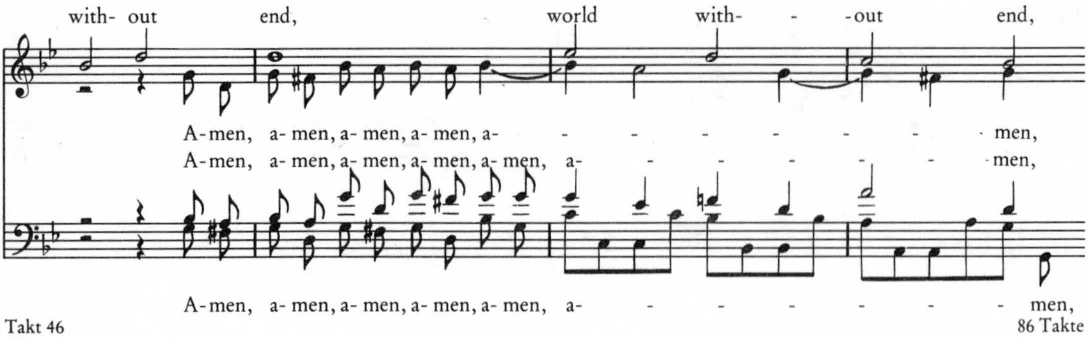
with- out end, world with- - -out end,
A-men, a- men, a- men, a- men, a- - - - - - - - men,
A-men, a- men, a- men, a- men, a- men, a- - - - - - - -men,
A-men, a- men, a- men, a- men, a- men, a- - - - - - - - men,

Takt 46 — 86 Takte

Quellen

Handschriften: Autograph: GB Lbm (R. M. 20. d. 7., f. 24ʳ–62ᵛ: „Ψ. 27.").

Abschriften: D (brd) Hs (M $\frac{A}{177}$, Bd. IV, p. 105ff.) – GB BENcoke, Cfm (Barrett-Lennard-Collection, MS. 810, vol. 27, p. 73–146), DRc (MS. E. 26, Oboenstimme), Lbm (R. M. 19. g. 1., vol. II, f. 125ʳ bis 168ʳ; R. M. 19. g. 1ᵇ., No. 2, f. 32ʳ–67ᵛ; Egerton 2912, f. 21ʳ–59ᵛ; Add. MSS. 29424, f. 3ᵛ–59ᵛ), Mp [MS 130 Hd4, v. 50(2)], Och (MS. 69, Cantostimme), T (MS. 616, f. 1–84ᵛ; MS. 883, f. 51ʳ–126ʳ), Y (MS. M 81, p. 1–115) – US Cu (MS. 437, Part.: vol. 26, St.: vol. 1, 4, 6, 8, 9, 13, 15, 17, 19, 21).

Drucke: The complete score of ten Anthems ... Vol. I. – London, Wright & Wilkinson; Anthem, in score ... Anthem IX. – London, Arnold's edition, No. 79–81 (ca. 1790); The overtures to the ten Anthems ... – London, H. Wright; G. F. Händel's Werke in vollständiger Original Partitur mit untergelegtem deutschen Texte herausgegeben ... von J. O. H. Schaum. Bd. II. – Berlin, E. H. G. Christiani (ca. 1822).

Bemerkungen

Anthem X entstand vermutlich in den ersten Monaten des Jahres 1718 und wurde von Händel zusammen mit Anthem IX komponiert (vgl. G. Beeks). Auch in diesem Werk lassen sich Themen nachweisen, die von Händel früheren Werken entlehnt bzw. in spätere Kompositionen eingearbeitet wurden.

Entlehnungen:

4. One thing have I desired
   HWV 92 „Clori, mia bella Clori": 3. Mie pupille
   HWV 51 Deborah: 32. Tears, such as tender fathers shed
5. I will offer in his dwelling
   HWV 232 „Dixit Dominus": 4. Juravit Dominus/Et non poenitebit (T. 6ff.)
   HWV 233 „Donna, che in ciel": 5. Maria, salute e speme
   HWV 196 „Tacete, ohimè, tacete": Non sia voce importuna
   HWV 74 Birthday Ode: 7. The day that gave great Anna birth
   HWV 49ᵇ Acis and Galatea (2. Fassung): 11. Contento sol promette Amor
   HWV 355 Aria c-Moll für Streicher
6. For who is God/The earth trembled (T. 6ff.)
   HWV 64 Joshua: 17. Glory to God/The nations tremble (T. 122ff.)
7. They are brought down
   HWV 145 „Oh Numi eterni": 3. Alla salma infedel
   HWV 583 Sonatina (A tempo giusto) g-Moll für Cembalo
   HWV 324 Concerto grosso g-Moll op. 6 Nr. 6: 2. Satz (A tempo giusto)
8. O praise the Lord with me
   HWV 51 Deborah: Ouverture, 3. Satz (Poco allegro)
10. It is the Lord that ruleth
   HWV 98 „Cuopre tal volta il cielo": 2. Tuona, balena
   HWV 105 „Dietro l'orme fugaci": 4. Venti, fermate
   HWV 54 Israel in Egypt: 12. But the waters overwhelmed
11. Sing praises unto the Lord/I will remember thy name
   HWV 66 Susanna: 34. Impartial heav'n/With thy own ardours

(11.) World without end (T. 46ff.)
   HWV 232 „Dixit Dominus": 1. Dixit Dominus
   HWV 51 Deborah: 22. Plead thy just cause

Literatur

Beeks, S. 89ff.; Chrysander I, S. 163, 459, 467f.; Lam, S. 174; Leichtentritt, S. 546f.
Beschreibung des Autographs: Lbm: Catalogue Squire, S. 10.

256.ª Let God arise (1. Fassung)
Anthem XI^A

Text: Psalm 68 (V. 1–4, 19), Psalm 76 (V. 6), Psalm 68 (V. 35)

Besetzung: Soli: Sopr., Ten. Chor: C.;A.; T.; B. Instrumente: Ob.; Fag.; V. I, II; Vc.; Cbb.; Org. ChA 35. – HHA III / 6. – EZ: Cannons, ca. 1717

1. Symphony

2. Chorus. C.;A.; T.; B.

3. Air. Ten.

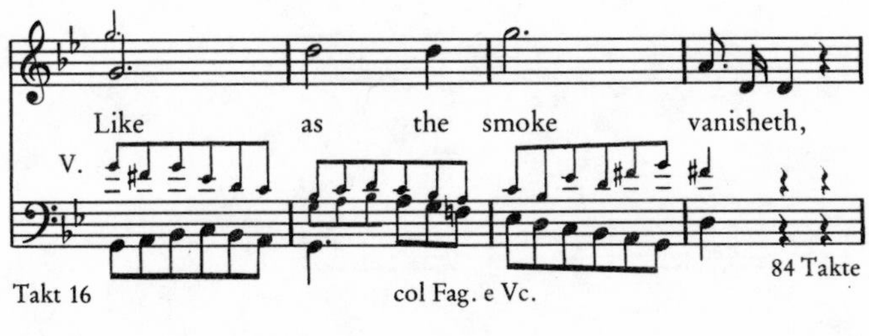

4. Air. Sopr.

Let the right- eous be glad,
and re- joice,

Takt 8

71 Takte

5. Chorus. C.; A.; T.; B.

Allegro
V. I
Ob.
Fag.
V. I, II
Vc.
Cbb.
Org.
A. O sing un- to God, sing
Takt 12
B. O sing

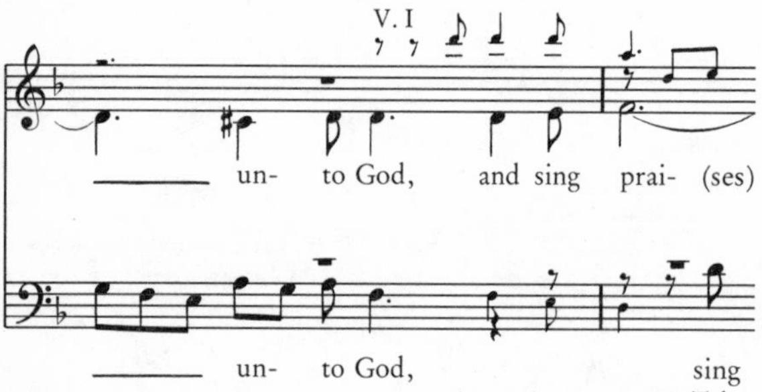
V. I
un- to God, and sing prai- (ses)
un- to God, sing

72 Takte

6. Accompagnato. C.; A.; T.; B.

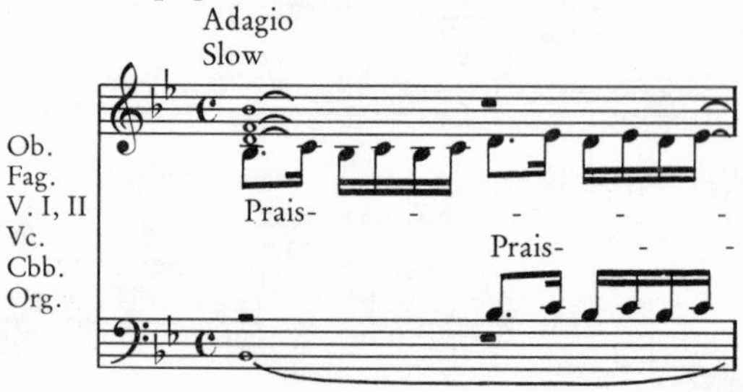
Adagio
Slow
Ob.
Fag.
V. I, II
Vc.
Cbb.
Org.
Prais-
Prais-

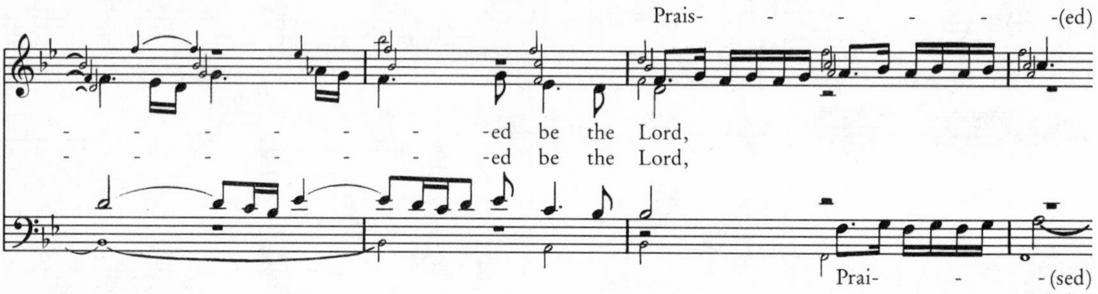
Prais- -(ed)
-ed be the Lord,
-ed be the Lord,
Prai- -(sed)

14 Takte

7. Chorus. C.; A.; T.; B.

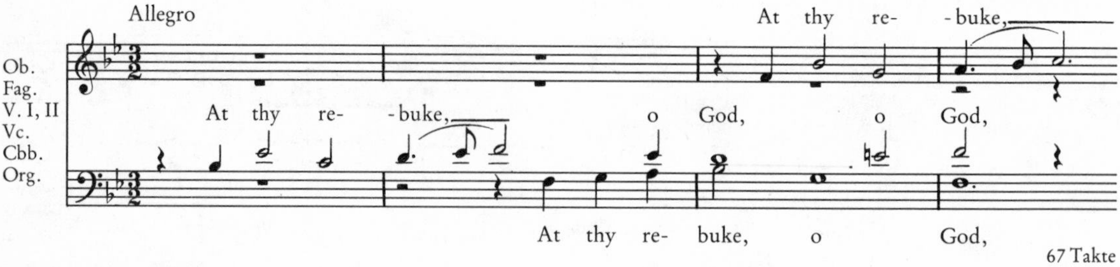
Allegro
At thy re- -buke,
Ob.
Fag.
V. I, II
Vc.
Cbb.
Org.
At thy re- -buke, o God, o God,
At thy re- buke, o God,

67 Takte

8. Chorus. C.; A.; T.; B.

Andante
Ob.
Fag.
V. I, II
Vc.
Cbb.
Org.
col V. I, II
Bless- - - ed be God, bless- - - - - -ed,

Cont. e Fag.

47 Takte

Quellen
Handschriften: Autograph: GB Lbm (R. M. 20. d. 6., f. 43^r–76^r).
Abschriften: D (brd) Hs (M $\frac{A}{177}$, Bd. VII, p. 67 ff.) – GB Lbm (R. M. 19. g. 1., vol. II, f. 63^r–95^r, ohne den ersten Teil der Symphony; R. M. 19. g. 1., vol. III, f. 58^r–83^v, ohne den ersten Teil der Symphony; Add. MSS. 29418, f. 1^r–38^v, ohne den ersten Teil der Symphony), Lcm (MS. 244, p. 1–95), T (MS. 882, f. 2^r–50^r) – US Cu (MS. 437, St.: vol. 2, 3, 5, 7, 11, 12, 14, 16, 18, 20, 22), NBu (M 2038.H14A5, vol. IX, p. 2–98).
Drucke: Anthem, in score ... Anthem III. – London, Arnold's edition, No. 74–75 (ca. 1790); G. F. Händel's Werke in vollständiger Original Partitur mit untergelegtem deutschen Texte herausgegeben ... von J. O. H. Schaum. Bd. II. – Berlin, E. H. G. Christiani (ca. 1823, enthält die 1. Fassung mit Solosätzen der 2. Fassung HWV 256^b).

Bemerkungen
Anthem XI^A wurde zusammen mit Anthem VII vermutlich Ende 1717 bzw. Anfang 1718 komponiert (s. G. Beeks). Die Autographe beider Anthems sind auf Papier mit gleichen Wasserzeichen (Larsens Typen Cb und D_1) geschrieben und besetzen als einzige unter den Chandos Anthems die Vokalstimmen mit C., A., T. und B., d. h., der zweithöchste Part ist im Altschlüssel statt im Tenorschlüssel wie bei den anderen Anthems notiert.
Ursprünglich besaß Anthem XI^A nur eine einsätzige Symphony; der einleitende Teil (T. 1–26), zunächst als Andante, danach als Tempo ordinario e staccato und schließlich (mit Bleistift) als Larghetto bezeichnet, wurde vermutlich erst ca. 1735/38 hinzugefügt. Das betreffende Blatt des Autographs (f. 43), auf dem dieser Einleitungssatz steht, ist später geschrieben und trägt den Vermerk: „To be play'd before the Symphony of the Anthem let God arise". Das nächste Blatt (f. 44^r) beginnt mit dem Chor „Let God arise" (2), während f. 51^r den ursprünglichen Anfang der Handschrift mit dem Allegro-Teil der Symphony (in der Tempobezeichnung *Allegro assai* wurde das *assai* später durch *ma non presto* ersetzt) und der Überschrift „Ψ 68" darstellt. Ein zusätzlicher Vermerk „N 2" verweist auf den Beginn. Die korrekte Satzfolge in der Blattzählung lautet demnach: f. 43, 51–53, 44–50, 54–76.

Entlehnungen:
1. Symphony (Satz 1–3)
   HWV 402 Triosonate B-Dur op. 5 Nr. 7: 1.–3. Satz (Larghetto – Allegro ma non presto – Adagio)
1. Symphony/Allegro (ma non presto)
   HWV 82 „Amarilli vezzosa": 3. Quel nocchiero che mira le sponde
8. Blessed be God
   HWV 278 Utrecht Te Deum: 10. O Lord, in thee have I trusted
   HWV 54 Israel in Egypt: 27. The Lord shall reign

Literatur
Beeks, S. 89 ff.; Chrysander I, S. 396, 459, 464 f.; Heuß, A.: Anthem (Psalm 68). In: Fest- und Programm-Buch zum 3. Händelfest in Halle, Leipzig 1929, S. 27 f.; Lam, S. 174 f.; Leichtentritt, S. 547 f.
Beschreibung des Autographs: Lbm: Catalogue Squire, S. 10.

256^b. Let God arise (2. Fassung)

Anthem XI^B (Chapel Royal Anthem)

Text: Psalm 68 (V. 1, 2, 4), Psalm 68 (V. 35, Schluß), Alleluja

Besetzung: Soli: Alto, Basso. Chor: C.; A.; T.; B. Instrumente: Ob.; Fag.; V. I, II; Va.; Vc.; Cbb.; Org.
ChA 35. – HHA III/9. – EZ: London, ca. 1720 bis 1724. – UA: London, vermutlich am 5. Januar 1724, Chapel Royal, St. James's

1. Chorus. Alto; Basso; C.; A.; T.; B.

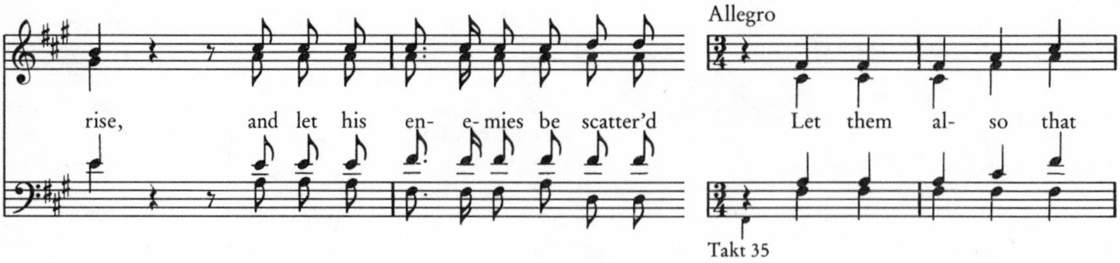

2. Duet. Alto; Basso

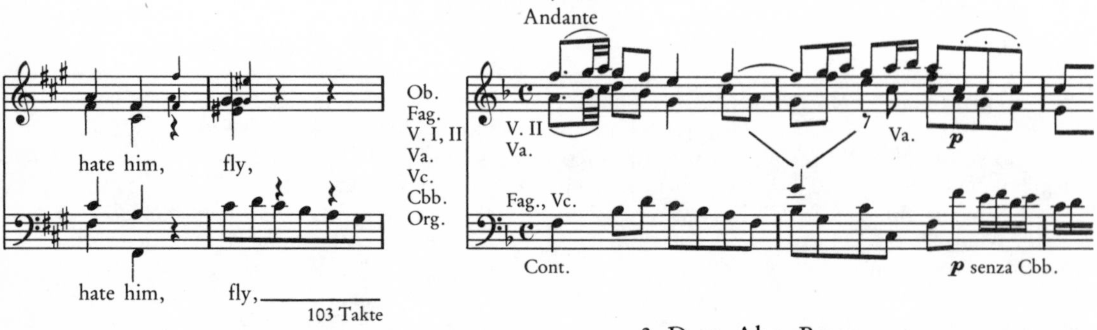

3. Duet. Alto; Basso

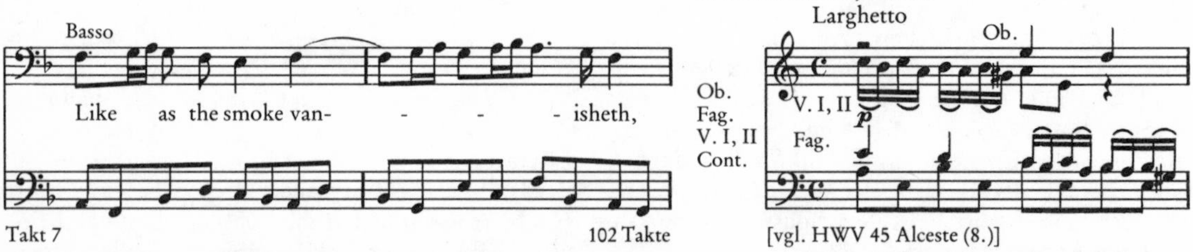

4. Chorus. Alto; Basso; C.; A.; T.; B.

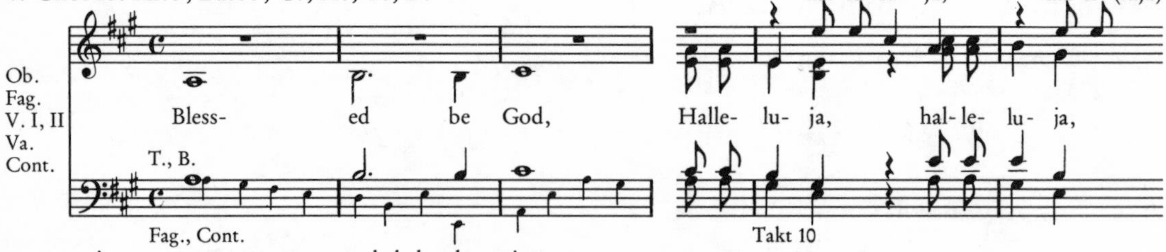

Quellen
Handschriften: Autograph: GB Lbm (R. M. 20. g. 4., f. 21ʳ–37ᵛ, fragm., von Nr. 4 nur T. 1–54).
Abschriften: EIRE Dmh (St.) – GB BENcoke (3 Part.), Cfm (Barrett-Lennard-Collection, vol. 28, Mus. MS. 811, p. 107–136), Lbm (Egerton 2911, f. 22–48; Add. MSS. 29 998, f. 29ᵛ–51ᵛ), Lcm (MS. 2254, f. 29–48, nur Nr. 2 und 3), Mp [MS 130 Hd4, v. 47(2)] – US Cu (MS. 437, St.: vol. 2, 3, 5, 12, 14, 16, 18, 20, 22, nur Nr. 2–3 als Einlage in HWV 256ᵃ), NBu (M2038.H14A5, Appendix vol. I, p. 63–118).
Drucke: The complete score of ten Anthems ... Vol. III. – London, Wright & Wilkinson; Anthem, in score ... Anthem II. – London, Arnold's edition, No. 73–74 (ca. 1790); The overtures to the ten Anthems ... – London, H. Wright.

Bemerkungen
Anthem XI^B arbeitete Händel vermutlich zwischen 1720 und 1724 für die Chapel Royal aus dem Chandos Anthem XI^A HWV 256ᵃ um, wobei nur der erste und letzte Satz in wesentlichen Passagen aus dem älteren Werk übernommen wurde, die beiden Duett-Sätze jedoch Neukompositionen darstellen. Die Solisten, deren Namen Händel im Autograph vermerkte, waren Francis Hughes (Alto) und Samuel Wheeley (Basso). Das Werk war vermutlich jenes „new Anthem"[1], das zusammen mit dem Te Deum A-Dur HWV 282 am 5. Januar 1724 anläßlich der Rückkehr König Georgs I. von einer Reise auf den Kontinent in der Chapel Royal des St. James's Palace aufgeführt wurde.
Entlehnungen:
3. O sing unto God
   HWV 36 Arminio: 1. Il fuggir, cara mia vita
   HWV 45 Alceste: 8. Ye fleeting shades, I come
   HWV 69 The Choice of Hercules: 16. Lead, Goddess, lead the way
4. Blessed be God
   HWV 278 Utrecht Te Deum: 10. O Lord, in Thee have I trusted
   HWV 257 „O praise the Lord, ye angels of his": 7. My mouth shall speak
   HWV 54 Israel in Egypt: 15. I will sing unto the Lord; 27. The Lord shall reign

Literatur
Chrysander I, S. 464 f.; Lam, S. 174 f.; Leichtentritt, S. 547 f.
Beschreibung des Autographs: Lbm: Catalogue Squire, S. 96.

[1] Vgl. Deutsch, S. 156. Am 1. April 1724 erhielt Händel aus der königlichen Haushaltskasse eine Zahlung „for Writing the Anthem which was perform'd at Sᵗ James before His Maᵗʸ.", was sich nur auf das am 5. Januar aufgeführte Werk beziehen kann. Vgl. Deutsch, S. 161.

257. O praise the Lord, ye angels of his

Anthem (Autorschaft Händels fraglich)

Text: Psalm 103 (V. 20, 21, 11, 13, 17), Psalm 115 (V. 12), Psalm 145 (V. 21)

Besetzung: Soli: Alto, Basso. Chor: C.; A.; T.; B.
Instrumente: Ob. I, II; Trba. I, II; V. I, II; Va.; Vc.; Cont.
ChA 36. – EZ: London, vermutlich 1723

1. Sonata

2. Solo and Chorus. Alto; C.; A.; T.; B.

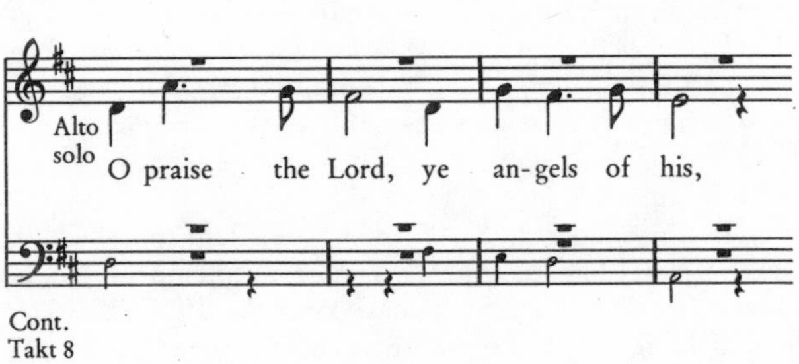

3. Air. Basso

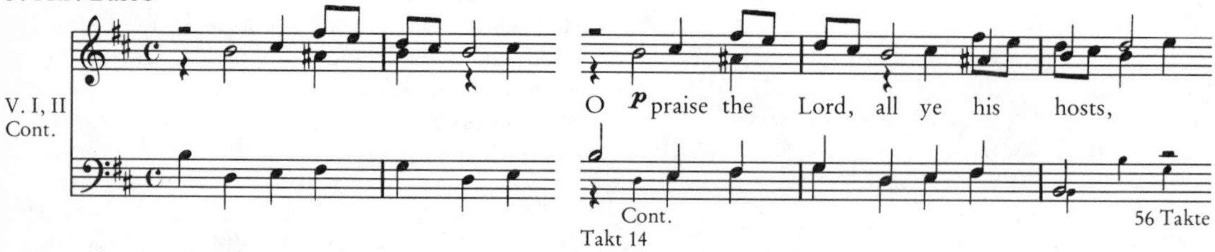

4. Accompagnato and Arioso. Alto

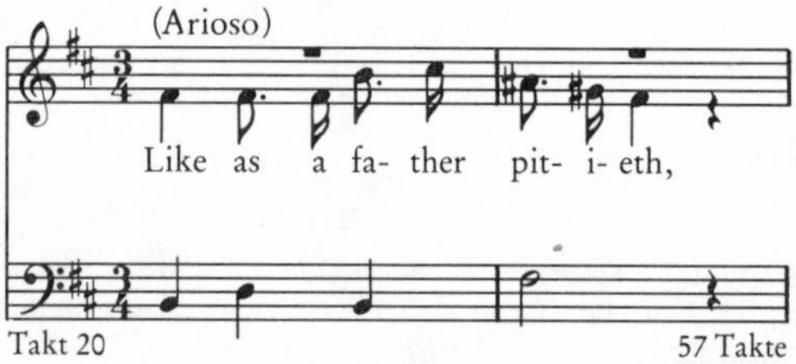

5. Duet. Alto; Basso

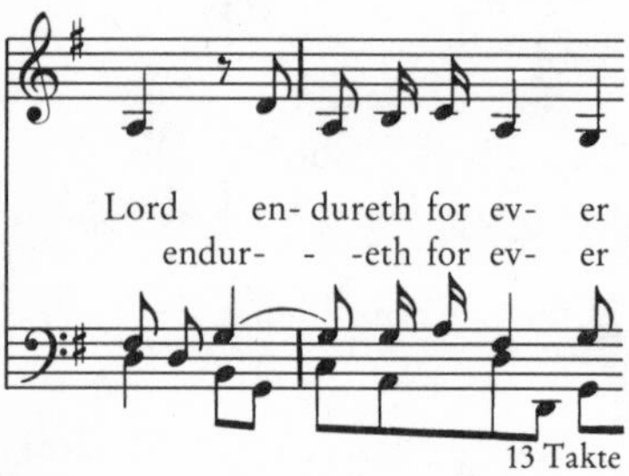

6. Air. Basso

7. Solo and Chorus. C.; A.; T.; B.

Quellen
Handschriften: verschollen.
Druck: Anthem, in score ... Anthem XII. – London, Arnold's edition, No. 83–84 (ca. 1790).

Bemerkungen
Das vielfach als Anthem XII bezeichnete Werk ist durch keine handschriftlichen Quellen überliefert; im Druck der Arnold-Ausgabe liegt die einzige Quelle vor. Aufgrund dieser Tatsache sowie der stilkritischen Bewertung des Werkes sind mehrfach Zweifel an seiner Echtheit geäußert worden. Zuletzt hat H. D. Johnstone diese Zweifel aufgegriffen und als mutmaßlichen Autor Maurice Green genannt. Eine Klärung der Autorschaft muß bis zur Vorlage besser fundierter Argumente aufgeschoben werden.

Literatur
Chrysander I, S. 395, 459, 466; Johnstone, H. D.: The Chandos Anthems. The autorship of No. 12. In: The Musical Times, vol. 117, 1976, S. 601 ff.; Lam, S. 175; Leichtentritt, S. 548.

258. Zadok the Priest

Anthem I

Text: 1. Buch der Könige (Kap. I, V. 38–40)

Besetzung: Chor: C. I, II; A. I, II; T.; B. I, II; Instrumente: Ob. I, II; Fag. I, II; Trba. I, II, III; Timp.; V. I, II, III; Va.; Vc.; Cbb.; Org.
ChA 14. – HHA III/10. – EZ: London, August/September 1727. – UA: London, 11. Oktober 1727, Westminster Abbey

Chorus. C. I, II; A. I, II; T.; B. I, II

V. I
Ob. I, II
Fag. I, II
Trba. I, II, III
Timp.
V. I, II, III
Va.
Vc.
Cbb.
Org.
Ob. I, II
V. II, III; Va.
Fag. I, II
Org. Soft
Vc. e Cbb.
V. I, II
(Tutti)
Za- dok, the Priest, and Na- than, the Pro- phet,
Loud
Takt 23
A tempo ordinario
(Tutti)
C. I/II, A. I
A. II
And all the peo- ple re- -joic'd,
T.
B. I/II
Takt 31
C. I/II
A. I/II
Good save the King,
T.
B. I/II
Takt 63
long live the King, God save the King! May the King live for ev- -er! A- men,
con Str.
a- men, al- le- lu- ja, al- le- lu- ja, a- men! A- - - - - - - - -(men)
A- - - - - - - - - - (men)
121 Takte
B. e Fag.

259. Let thy hand be strengthened

Anthem II

Text: Psalm 89 (V. 13, 14)

Besetzung: Chor: C.; A. I, II; T.; B. Instrumente: Ob. I, II; V. I, II; Va.; Cont.

ChA 14. – HHA III/10. – EZ: London, August/September 1727. – UA: London, 11. Oktober 1727, Westminster Abbey

Chorus. C.; A. I, II; T.; B.

Ob. I, II
V. I, II
Va.
Cont.
Str.
A. I
A. II
Let thy hand be strength-
T.
B.
Let thy hand be
Takt 26
C. e Ob. colla parte
Let thy hand be strength-
-en-ed
A. II
Let thy hand
strength- - en-ed, let thy hand,
Larghetto
Ob., V. I
V. II
Va.
Takt 85
Let jus- tice and judgment be
A. I
A. II
Let jus- tice and judg- ment be the prep- a- ra- - - - tion
T.
B.
Let jus- tice and judg- ment be the prep- -a- ra- -tion
Takt 98
C. con Ob. II
e V. II
Al- le- luja, al- le- lu- ja, al- le- lu- ja
A. I, II
con Va.
Al- le- lu- ja, al- le- lu- ja, al- le- lu- ja,
Al- le- lu- ja, alle- lu- ja
Takt 163
Al- le- lu- ja, al- le- lu- ja, al- le-
214 Takte

260. The King shall rejoice

Anthem III

Text: Psalm 21 (V. 1, 5, 3), Alleluja

Besetzung: Chor: C.; A. I, II; T.; B. I, II. Instrumente: Ob. I, II; Trba. I, II, III; Timp.; V. I, II, III; Va.; Cont.

ChA 14. – HHA III/10. – EZ: London, August/September 1727. – UA: London, 11. Oktober 1727, Westminster Abbey

Chorus. C.; A. I, II; T.; B. I, II

Allegro
Ob., V. I
Ob. I, II
Trba. I, II, III
Timp.
V. I, II, III
Va.
Cont.
V. II, III
Va.

The King shall re- joice, the King shall re- joice in thy strength, oh Lord!

Takt 29

Chorus. C.; A.; T.; B.

Allegro
V. I, II
Ob. I, II
V. I, II, III
Va.
Cont.
Ob. I, II
V. III e Va.
Ex- ceed- ing glad shall he be,

Takt 75 Takt 95

Chorus. C.; A. I, II; T.; B. I, II

Non tanto allegro, a tempo giusto
Ob. I, II
Trba. I, II, III
Timp.
V. I, II
Va.
Cont.
V. I, II
Glo- - - - - - - - - - - - - ry
B. I
T.
B. II
Cont.

Takt 190

Adagio
and great wor- ship hast thou laid up- -on him.

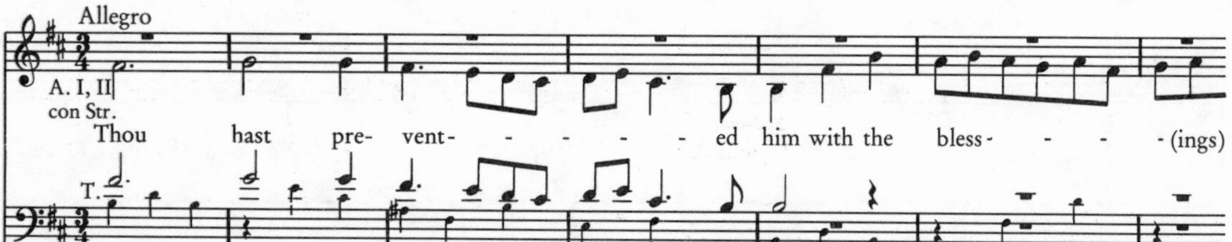
Allegro
A. I, II
con Str.
Thou hast pre- vent- - - - - ed him with the bless- - - - (ings)
T.
Cont.

Takt 197
[vgl. HWV 51 (39.)]

Allegro
A. I
Al- le- lu- ja, Al- le- lu- ja!
Al- le- luja, al- le- lu- ja, Al- le- lu- ja!
A. II
e T.
Al- le- lu- ja, Al-le-

Takt 291

261. My heart is inditing

Anthem IV

Text: Psalm 45 (V. 1, 9, 11), Jesaja 49 (V. 23)

Besetzung: Chor: C.; A. I, II; T.; B. I, II. Instrumente: Ob. I, II; Trba. I, II, III; Timp.; V. I, II, III; Va.; Cont.

ChA 14. – HHA III/10. – EZ: London, August/September 1727. – UA: London, 11. Oktober 1727, Westminster Abbey

Soli and Chorus. C.; A. I, II; T.; B. I, II

Soli and Chorus. C.; A. I, II; T.; B.

Chorus. C.; A. I, II; T.; B.

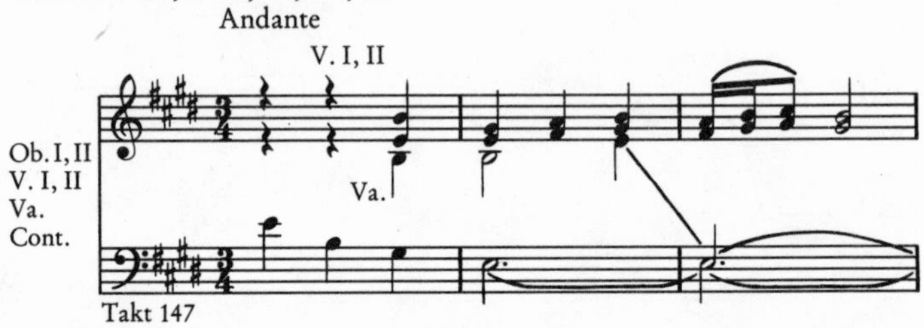

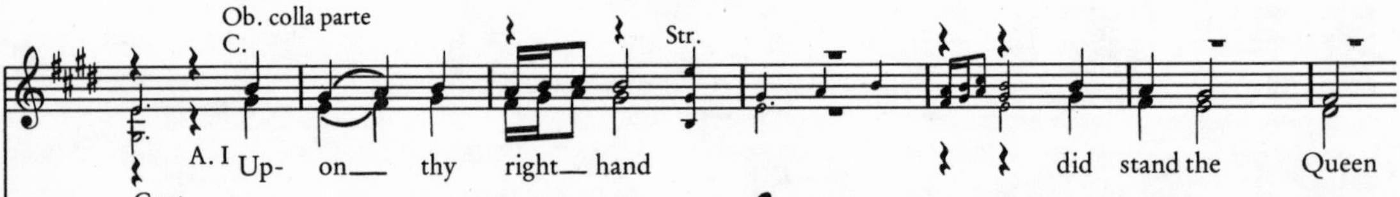

Chorus. C.; A. I, II; T.; B.

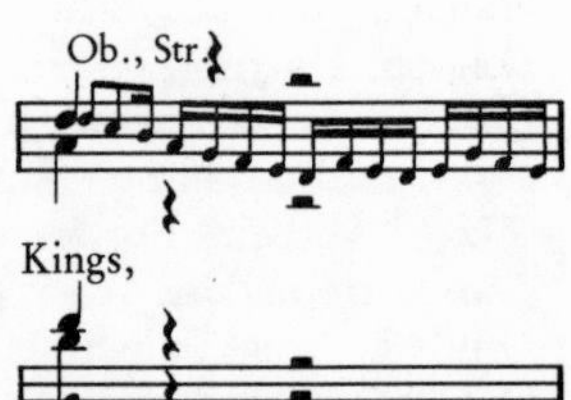

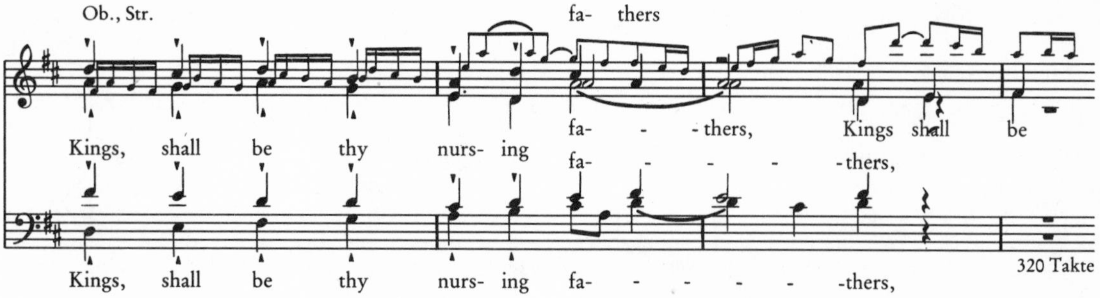
Ob., Str.
fa- thers
Kings, shall be thy nurs- ing
fa- - - thers, Kings shall be
fa- - - - - -thers,
Kings, shall be thy nurs- ing fa- - - - - - -thers,
320 Takte

Quellen

Handschriften: Autographe: GB Lbm (R. M. 20. h. 5., HWV 258: f. 1–10, „Anthem. 1 Kings 1. 48"; HWV 259: f. 11^r–11^v, Kopistenhandschrift, f. 12–17, Autograph; HWV 260: f. 18–35, „Ψ 21. v. 1. et v. 3"; HWV 261: f. 36–50. „Ψ 45 v. 1, 10, 12. Ψ 49 v. 23.").

Abschriften: HWV 258–261: D (brd) Hs (M $\frac{C}{259}$; M $\frac{B}{1661}$) – D (ddr) LEm (III. 2. 79) – GB Cfm (Barrett-Lennard-Collection, vol. 29, vol. 30; Mus. MS. 813), Lbm (R. M. 19. g. 1^a., p. 1–157; Add. MSS. 31 504, fragm., Orgelst. mit Vokalpart), Lcm (MS. 892), Mp [MS 130 Hd4, v. 49 (2, 1, 3, 4)], Shaftesbury Collection (v. 18). Einzelkopien: HWV 258: EIRE Dmh (St.) – GB BENcoke, Cfm (32 G 23, f. 1–16), CH (Cap. VI/I/I), H (30. B. VI, p. 44–48, Orgelst.), Lbm (Add. MSS. 3356, f. 53^r–56^r), Mp [MS 130 Hd4, v. 59(14), v. 60(11), v. 62(7), St. für V. I, II, Bc.], Y (M. 164/H, H2, St. für B., T.). HWV 259: EIRE Dm – GB H (MS. R. 10. XX), Ob (Mus. Sch. c. 104, St.), Och (MS. 68–75, St.). HWV 260: GB Ob (Mus. Sch. c. 104, St.), Och (MS. 68–75, St.). HWV 261: EIRE Dmh (St.) – GB Lbm (R. M. 19. a. 15., f. 1–27, Orgelst. mit reduzierter Part.), Y (M 75).

Drucke: Handel's celebrated Coronation Anthems in score, for voicees and instruments. Vol. I [= HWV 258, 261, 259]. – London, J. Walsh (ca. 1742/43); The Anthem which was perform'd in Westminster Abby at the Funeral of Her most sacred Majesty Queen Caroline compos'd by M^r. Handel vol. II [p. 55–86: HWV 260]. – London, J. Walsh; Handel's celebrated Coronation Anthems ... vol. I. – London, J. Walsh (ca. 1743, HWV 258–261); — ib., William Randall (2 versch. Ausgaben); — ib., H. Wright; The celebrated Coronation Anthems. Composed by Mr Handel, for the voice, harpsicord, and violin. – London, Harrison & Co.; – Einzelausgaben: HWV 258: Handel's overtures XI collection ... to which is added the Coronation Anthem. – London, J. Walsh (1758); Anthem. For the coronation of George II^D. Composed in the year, 1727, by G. F. Handel. – London, Arnold's edition, No. 158 (ca. 1785); The favourite Coronation Anthem in parts for a full orchestra. – London, Randall's Music Shops; Handel's celebrated Coronation Anthem set for the voice and harpsichord in a manner never before printed. – London, William Randall; — ib., H. Wright; The Coronation Anthem, composed by Handel [aus: The Piano-Forte Magazine, vol. IV, No. 57]. – London, Harrison & Co.; Coronation Anthem. Composed by Handel, adapted for the harpsichord or piano forte. – London, J. Bland; — ib., A. Bland & Weller; — ib., F. Linley; Coronation Anthem for the voice, organ, or piano forte. – London, G. Goulding. — s. l., s. n.; Handel's Coronation Anthem. – s. l., s. n.; — London, R. Falkener; Handel's celebrated Coronation Anthem, adapted for the organ, harpsichord & forte-piano. – London, G. Smart; Handel's grand Coronation Anthem for the harpsichord or piano forte. – London, W. Boag; Coronation Anthem, arranged by J. C. Nightingale. – London Halliday & Co.; Coronation and funeral Anthems ... arranged for the organ or piano forte. By Dr John Clarke. – London, S. J. Button & C. Whitaker; The Coronation Anthem, adapted for two performers. – London, Longman & Broderip. – HWV 259: Anthem. For the Coronation of George II^D. Composed in the year, 1727, by G. F. Handel. – London, Arnold's edition, No. 157 (ca. 1795). – HWV 260: Anthem. For the Coronation of George II^D ... – London, Arnold's edition, No. 171–172 (ca. 1796). – HWV 261: Anthem. For the Coronation of George II^D. – London, Arnold's edition, No. 158–159 (ca. 1795). – The Works of Handel, printed for the members of the Handel Society, vol. I [HWV 258–261], ed. W. Crotch, London 1843/44: Anthems for the Coronation of King George II, composed in the year 1727, by George Frederic Handel.

Bemerkungen

Die 4 Coronation Anthems entstanden vermutlich zwischen Juli und September 1727, nachdem Georg II. nach dem plötzlichen Tod seines Vaters Georg I. (gest. am 11. Juni[1] 1727 in Osnabrück während einer Reise auf den Kontinent) am 16. Juni zum englischen König proklamiert worden war. Den Kompositionsauftrag verdankte Händel, der am 25. Februar 1723 offiziell zum „Composer of Musick

[1] Kontinentales Datum neuen Stils: 22. Juni 1727.

for his Majesty's Chapel Royal" ernannt worden war[2], einer zeitgenössischen Nachricht[3] zufolge dem Königspaar selbst.

Die Autographe der vier Anthems enthalten keine Daten über Anfang oder Beendigung der Komposition, doch muß angenommen werden, daß die Werke etwa Mitte September 1727 fertig vorlagen; verschiedene englische Zeitungen erwähnen in ihren Berichten über die bevorstehenden Krönungsfeierlichkeiten, die am 4. Oktober in der Westminster Abbey stattfinden sollten, Händel ausdrücklich als Komponisten der Krönungsmusik. So heißt es in *The Post-Man and Historical Account* vom 12./14. September[4]: „London, Sept. 14. Circular letters are sent by the Lord Great Chamberlain to all Peers and Peeresses to provide themselves with suitable Habits and Equipages to attend the Coronation, and the famous Mr. Handel is appointed to compose the Antheim (!), which is to be sung at that grand Ceremony." *The Norwich Mercury* berichtete am 16. September: „September 9. Mr. Hendel, the famous Composer to the Opera, is appointed by the King to compose the Anthem at the Coronation which is to be sung in Westminster Abbey at the Grand Ceremony." *Parker's Penny Post* schließlich erklärte am 4. Oktober: „Mr. Hendle has composed the Musick for the Abbey at the Coronation, and the Italian Voices, with above a Hundred of the best Musicians will perform; and the Whole is allowed by those Judges in Musick who have already heard it, to exceed any Thing heretofore of the same Kind: It will be rehearsed this Week, but the Time will be kept private, lest the Crowd of People should be an Obstruction to the Performers."

Die hier erwähnte Probe fand am 6. Oktober statt, nachdem die Krönungszeremonien infolge einer drohenden Sturmflut auf den 11. Oktober verschoben worden waren.

Über den Ablauf der Feierlichkeiten und den Anteil der Musik unterrichten mehrere Publikationen[5], die auch die Texte der Kompositionen wiedergeben. Die Reihenfolge, in der die Anthems bei der Krönung musiziert wurden, war nach D. Burrows (S. 471) folgende: HWV 259 (Anerkennung) – HWV 258 (Salbung) – HWV 260 (Krönung des Königs) – HWV 261 (Krönung der Königin).

Die ausführenden Sänger und Instrumentalisten waren Mitglieder der Londoner Chöre, der Hofmusik und vermutlich auch der Theaterensembles; während Händel im Autograph von HWV 260 eine Besetzung von 47 Sängern vorsah [vgl. R. M. 20. h. 5., f. 18^r: „C(antus) 12, H(ughes) et 6 (Alti primi), Freem(an) et 6 (Alti secondi), Church et 6 (Tenori), Wheely et 6 (Bassi primi), Gates et 6 (Bassi secondi)], geht aus den erhaltenen Abrechnungsbelegen hervor, daß etwa 40 erwachsene Sänger neben den Chorknaben und etwa 90 Instrumentalisten mitwirkten. Die Angaben über die Zahl der Mitwirkenden differieren in der Londoner Presse erheblich, wie aus folgenden drei Berichten über die Probe am 6. Oktober deutlich wird:

Evening Post (No. 28, 42, 7.–10. Oct. 1727)[6]: „Last Friday, also Yesterday in Westminster Abby there was a Rehearsal of the Musick compos'd by Hendel against the Coronation by a great Number of the best Voices, accompanied by diverse sorts of Instruments of Musick, Violins, Bass Viols, Trumpets, Hautboys, Kettle Drums, Organ, &c. and the Performance in the Opinion of good Judges was extraordinary fine and exceeding every Thing before of the like kind." *The Country Journal: or The Craftsman* (7. Oct. 1727)[6]: „The Musick composed for the Coronation by Mr Hendel is to be performed by Italian Voices and above 100 of the best Musicians, the Rehearsal was this Week and is allowed to [be] the best performance of that Kind that ever was." Die *Norwich Gazette* (14. Oct. 1727) berichtete drei Tage nach der Krönung schließlich vom 7. Oktober: „Yesterday there was a Rehearsal of the Coronation Anthem in Westminster-Abbey, set to Musick by the famous Mr. Hendall: There being 40 Voices, and about 160 Violins, Trumpets, Hautboys, Kettle-Drums, and Bass's proportionable; besides an Organ, which was erected behind the Altar: And both the Musick and the Performers, were the Admiration of all the Audience."[7]

Die Meldung des *Country Journal* dürfte wohl am ehesten den tatsächlichen Gegebenheiten entsprochen haben. Die im letzten Bericht erwähnte Orgel stammte von dem Orgelbauer Christopher Shrider und ging später in den Besitz der Westminster Abbey über.

Als Solisten vermerkte Händel in den Autographen (HWV 261) folgende Sänger: Hughes und Lee

[2] Vgl. The Musical Times, vol. 116, 1975, S. 1003.

[3] König Georg III. notierte in seinem Exemplar der Mainwaring-Biographie (GB Lbm), Georg II. selbst habe darauf bestanden, daß Händel und nicht Maurice Green (Organist und Komponist der Chapel Royal) die Krönungsmusik komponieren solle. Vgl. Smith, W. C.: George III., Handel, and Mainwaring. In: The Musical Times, vol. 65, 1924, S. 790. S. auch Flower, p. 175 f./S. 155 f.

[4] Zitiert nach D. Burrows, S. 469 (nicht bei Deutsch).

[5] The Form and Order of the Service that is to be Performed... in the Coronation of their Majesties, London 1727; The Ceremonial of the Coronation of his Most Sacred Majesty, King George the Second, and of his Royal Consort, Queen Caroline, Dublin 1727; Vollständige Beschreibung der Ceremonien, welche sowohl bey den Englischen Crönungen überhaupt vorgesehen, besonders aber bey dem höchst-beglückten Crönungs-Fest Ihro K. K. M. M. Georgii des II. und Wilhelminae Carolinae ... am 11./22. Octobr. dieses 1727. Jahres feyerlichst beobachtet sind, Hannover 1728.

[6] Zitiert nach den Angaben von H. D. Johnstone (Coronation Rehearsals), in: The Musical Times, vol. 118, 1977, S. 725 (nicht bei Deutsch).

[7] Deutsch, S. 215.

(Alto I, II), Wheeley und Bell (Baß I, II). Als Chorführer wurden außerdem (HWV 260) genannt: Francis Hughes (Alto I), John Freeman (Alto II), John Church (Tenore), Samuel Wheeley (Basso I) und Bernard Gates (Basso II), sämtlich Mitglieder der Königlichen Kapelle.
Die von Chrysander (II, S. 174) und Burrows geschilderte Aufstellung der Mitwirkenden wurde von Händel später bei seinen Oratorienaufführungen aufgegriffen, um dem Publikum dabei einen Ersatz für die fehlende szenische Darbietung zu geben. Unter diesem Aspekt ist die Ankündigung der Aufführung von HWV 50^{b} Esther (*London Daily Journal,* 19. April 1732) im Haymarket-Theatre zu verstehen, in der es heißt: „NB. There will be no Action on the Stage, but the House will be fitted up in a decent Manner, for the Audience. The Musick disposed after the Manner of the Coronation Service". Händel berücksichtigte aber nicht nur die äußeren Umstände der Aufführung; er gliederte in seine frühen Oratorien der 30er Jahre alle vier Coronation Anthems ein und griff auch 1746 noch einmal auf HWV 258 zurück:

HWV 258 „Zadok the Priest"
  HWV 50^{b} Esther (2. Fassung): 25. God is our hope (1732)/Blessed are all they (1751)/God save the King
  HWV 62 Occasional Oratorio: 40. Blessed are all they/God save the King
HWV 259 „Let thy hand be strengthened"
Let thy hand
  HWV 51 Deborah: 13. Let thy deeds be glorious
Let justice and judgement/Alleluja
  HWV 51 Deborah: 14. Despair all around them/ Alleluja
HWV 260 „The King shall rejoice"
The King shall rejoice
  HWV 51 Deborah: 29. The gret King of Kings
Thou hast prevented/Alleluja (T. 197 ff.)
  HWV 51 Deborah: 39. Let our glad songs/O celebrate his sacred name/Alleluja
HWV 261 „My heart is inditing"[8]
  HWV 50^{b} Esther (2. Fassung): 5. My heart is inditing

In drei der Anthems finden sich thematische Entlehnungen aus früheren Werken:

HWV 258 „Zadok the Priest"
Instrumentaleinleitung
  HWV 238 „Nisi dominus": 1. Nisi dominus (Instrumentaleinleitung)
Amen, alleluja
  HWV 237 „Laudate pueri" (2. Fassung): 8. Amen
  HWV 254 „O praise the Lord with one consent": 8. Alleluja
HWV 259 „Let thy hand be strengthened"
Alleluja
  HWV 254 „O praise the Lord with one consent": 1. O praise the Lord/Let all the servants of the Lord (T. 81 ff.)
  HWV 314 Concerto grosso G-Dur op. 3 Nr. 3: 3. Satz (Allegro)
  HWV 606 Fuge Nr. 2 G-Dur
HWV 260 „The King shall rejoice"
Alleluja
  HWV 238 „Nisi dominus/Gloria patri": 6. Gloria patri/et in saecula saeculorum Amen (T. 11. ff.)

Literatur

Burrows, D.: Handel and the 1727 Coronation. In: The Musical Times, vol. 118, 1977, S. 469 ff.; Chrysander II, S. 170 ff.; Chrysander, F.: Henry Carey und der Ursprung des Königsgesanges God save the King: 1. Das Krönungsanthem Zadok the Priest von Händel. In: Jahrbücher für Musikalische Wissenschaft, 1. Bd., Leipzig 1863, S. 289 ff.; Deutsch, S. 213 ff.; E(dwards), F. G.: Handel's Coronation Anthems. In: The Musical Times, vol. 43, 1902, S. 153 ff.; Flower, p. 174 ff./S. 155 f.; Hall, J. S.: Handel's Coronation Anthems. In: Musical Opinion, vol. 76, 1953, S. 597 ff.; Johnstone, H. D.: Coronation Rehearsals (= Letters to the Editor). In: The Musical Times, vol. 118, 1977, S. 725; Lam, S. 162 f.; Leichtentritt, S. 550 f.
Beschreibung der Autographe: Lbm: Catalogue Squire, S. 12 f.

[8] Als Quelle für das Einleitungsthema diente Händel die Kantate 33 „Ergeuß dich zur Salbung der schmachtenden Seele" aus G. Ph. Telemanns Kantatenjahrgang „Der Harmonische Gottesdienst" (Hamburg 1725/26). Vgl. G. Ph. Telemann, Musikalische Werke, Bd. IV, Kassel 1957, S. 280.

262. This is the day which the Lord hath made

Wedding Anthem for Princess Anne and William, Prince of Orange

Sprüche Sal. 31 (V. 25, 26, 28, 29), Sirach 26 (V. 1, 3, 21), Psalm 45 (V. 18)

Besetzung: Soli: Sopr., Alto, Ten., Basso. Chor: C. I, II; A. I, II; T. I, II; B. I, II. Instrumente: Fl. trav. I, II; Ob. I, II; Fag.; Trba. I, II; Timp.; V. I, II; Va.; Vc.; Cbb.; Archiliuto; Org.; Cemb. ChA. 36. – HHA III/11. – EZ. London, Februar/März 1734. – UA: London, 14. März 1734, French Chapel, St. James's Palace

1. Solo and Chorus. Alto; C. I, II; A. I, II; T. I, II; B. I, II

2. Air. Basso

3. Air. Sopr.

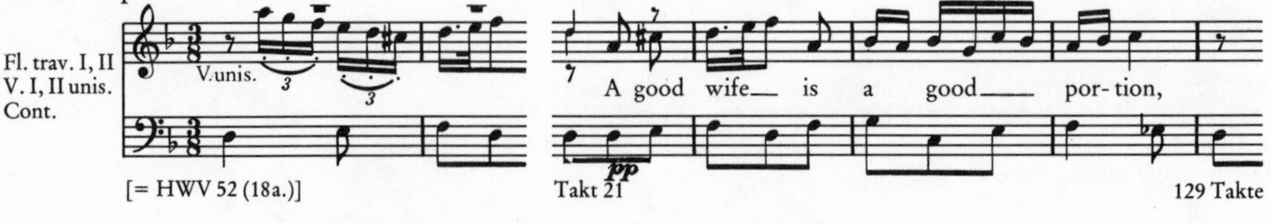

4. Air. Ten.

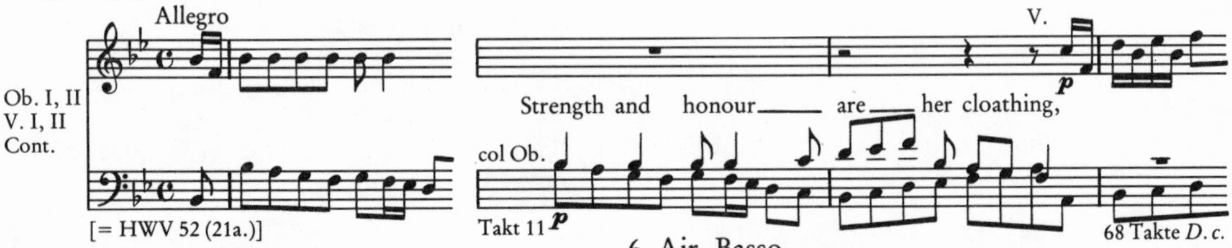

5. Accompagnato. Basso

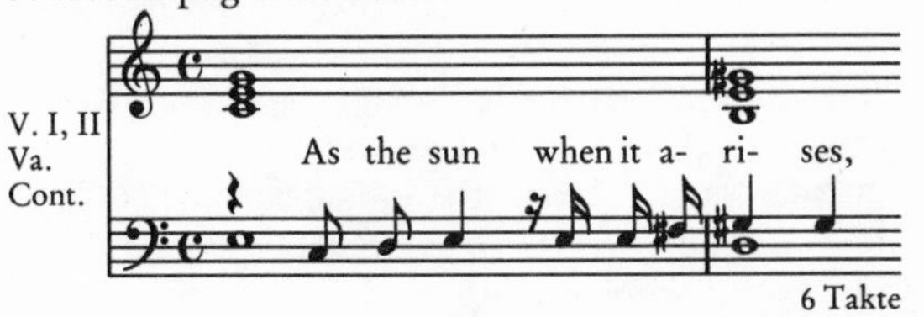

6. Air. Basso

7. Chorus. C. I, II; A. I, II; T. I, II; B. I, II

8. Chorus. C.; A.; T.; B.

9. Chorus. C.; A.; T.; B.

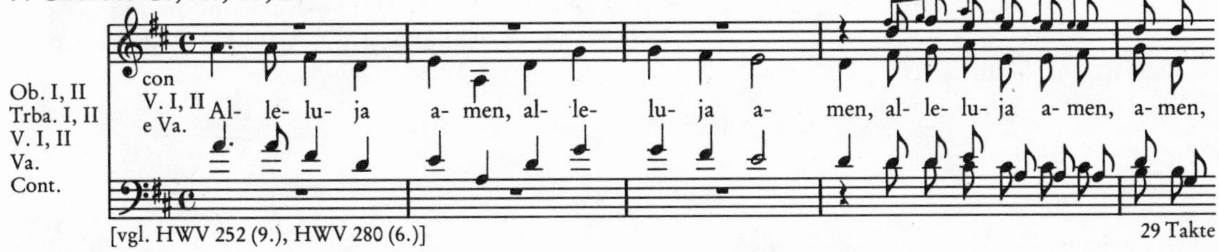

Quellen

Handschriften: Autograph: nicht vorhanden.

Abschrift: D (brd) Hs (M $\frac{C}{266}$, Direktionspartitur mit autographen Zusätzen).

Bemerkungen

Das für die Feierlichkeiten anläßlich der Vermählung von Händels Schülerin Princess Anne mit Wilhelm von Oranien am 14. März 1734 in der French Chapel, St. James's Palace, aufgeführte Wedding Anthem stellt keine Originalkomposition dar. Händel entnahm die meisten Sätze dafür dem Oratorium HWV 51 Athalia, wie er das bereits mit der zum gleichen Anlaß aufgeführten Serenata HWV 73 Il Parnasso in festa getan hatte. Das als Gelegenheitswerk verfaßte Anthem ist daher nicht im Autograph überliefert, sondern Händel ließ die Direktionspartitur (vgl. Clausen, S. 248) direkt nach der „Athalia"-Partitur zusammenstellen. Er selbst fügte die Vokalstimmen und die Texte der vier Arienparodien ein und gab in den Chorsätzen dem Kopisten John Christopher Smith senior an mehreren Stellen Hinweise, wie bei der Neufassung der älteren Vorlagen zu verfahren sei. Außerdem komponierte er das Accompagnato „As the sun" (5) direkt in die Direktionspartitur.

Die Parodien verteilen sich auf folgende Sätze:

1. This is the day
   HWV 52 Athalia: 17. The mighty pow'r
2. Blessed is the man
   HWV 52 Athalia: 11. Gentle airs
   HWV 73 Il Parnasso in festa: 28ª. Da sorgente rilucente
3. A good wife
   HWV 52 Athalia: 18ª. Through the land
   HWV 73 Il Parnasso in festa: 17. Nel spiegar
   HWV 8ᵇ Terpsicore: 3. Di parnasso i dolci accenti
4. Strength and honour
   HWV 134 „Nel dolce dell'oblio": 2. Ha l'inganno il suo diletto
   HWV 5 Rodrigo: Ouverture/Bourrée I
   HWV 6 Agrippina: 49. V'accendano le tede
   HWV 52 Athalia: 21ª. My vengeance awakes me
   HWV 72 Il Parnasso in festa: 31. Circonda in lor vite
6. Her children arise up
   HWV 52 Athalia: 19. Ah! can'st thou but prove me
   HWV 73 Il Parnasso in festa: 11. Del nume Lieo
8. We will remember thy name
   HWV 46ª Il Trionfo del Tempo e del Disinganno: 10. Sonata
   HWV 5 Rodrigo: 27. Qua rivolga gli orribili acciari
   HWV 7ª Rinaldo (1. Fassung): 28. Vo' far guerra
   HWV 579 Sonata G-Dur für Cembalo
9. Alleluja
   HWV 278 Utrecht Te Deum: 4. Thou art the everlasting son (T. 142ff.)
   HWV 252 „My song shall be alway": 9. Thou art the glory of their strength, alleluja
   HWV 280 Te Deum D-Dur: 6. O Lord, in thee have I trusted

Das Londoner *Grub-Street Journal* (21 March, 1734, s. Deutsch, S. 361) berichtete über die Aufführung folgendes:

„The nuptials of her royal highness the princess royal with the prince of Orange, was perform'd on thursday last ... after the organ had play'd some time, his highness the prince of Orange led the princess royal to the rails of the altar, and kneel'd down, and then the Lord bishop of London perform'd the service; after which the bride and bridegroom arose, and retir'd to their places, whilst a fine anthem compos'd by Mr. Handell, was perform'd by a great number of voices and instruments."

Literatur

Chrysander II, S. 321; Clausen, S. 248, Schoelcher, S. 165f.

263. Sing unto God, ye kingdoms of the earth

Wedding Anthem for Frederick, Prince of Wales, and Princess Augusta of Saxe-Gotha

Text: Psalm 68 (V. 32), Psalm 128 (V. 1–5), Psalm 106 (V. 48)

Besetzung: Soli: Sopr., Alto, Ten., Basso. Chor: C.; A.; T.; B. Instrumente: Ob. I, II; Trba. I, II; Timp.; V. I, II; Va.; Cont.

ChA 36. – HHA III/11. – EZ: London, März/April 1736. – UA: London, 27. April 1736, Chapel Royal St. James's Palace

1. Solo and Chorus. Alto; C.; A.; T.; B.

[vgl. HWV 46b (1.), HWV 71 (1.)]

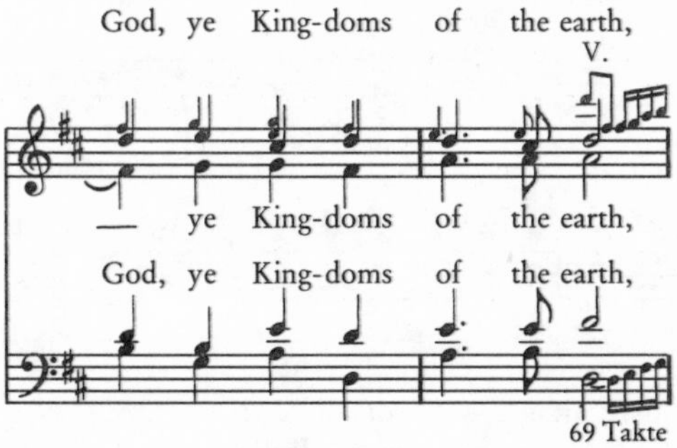
God, ye King-doms of the earth,
V.
— ye King-doms of the earth,
God, ye King-doms of the earth,
69 Takte

2. Air. Sopr.

Larghetto
V. I, II
unis.
Cont.
[vgl. HWV 46b (3.), HWV 71 (3.)]

Bles- sed, bles- sed, blessed are all they that fear the Lord;
Takt 9
46 Takte

3. Air. Basso

Andante
Vc. solo
Vc. solo
V. I, II
unis.
Cont.
Thy wi-fe shall be as the fruit- ful vine
Cont. con Vc.
Takt 18
133 Takte

4. Chorus. C.; A.; T.; B.

Andante allegro
Ob. I, II
V. I, II
Va.
Cont.
B.
Cont.
T.
e Va.
Lo, thus
Lo, thus shall the man be blessed that feareth the Lord, that fear-eth the Lord, thus shall
[vgl. HWV 46b (25.), HWV 71 (21.)]

shall the man be bless- ed
— the man be bles- (sed)
41 Takte

5. Accompagnato. Ten.

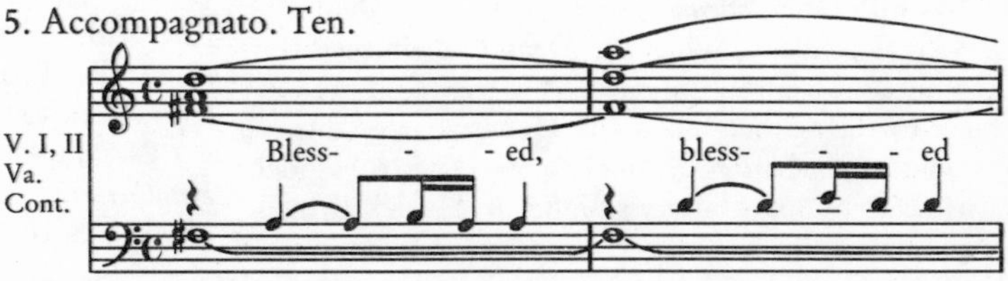
V. I, II
Va.
Cont.
Bless- - - ed, bless- - - ed

V. II
be the Lord God of Is- ra- el,
10 Takte

6. Solo and Chorus. Ten.; C.; A.; T.; B.

Ob. I, II
Trba. I, II
V. I, II
Va.
Cont.

con strom.
And let all the peo- ple say: A-men, al- le- lu- ja a- men. A-men, al- le- lu- ja a- men,
Ten. solo

Takt 8

97 Takte

Quellen

Handschriften: Autograph: GB Cfm (30 H 1, p. 51 bis 54, fragm., nur Nr. 4).

Abschriften: D (brd) Hs (M $\frac{A}{203}$) – GB DRc, Lbm (R. M. 19. g. 1., vol. I, f. 157–198), T (MS. 618; MS. 620, fragm.), Y (MS. M 97, p. 1–84) – US NBu (M 2038.H14A5, vol. VII, p. 93–172).

Drucke: Anthem. For the wedding of Frederick Prince of Wales, and the Princess of Saxe-Gotha. Composed in the year, 1736, by G. F. Handel. – London, Arnold's edition, No. 153–154 (1795); Anthem in score perform'd at the Chapel Royal, S^t. James's; at the marriage of His Royal Highness George Prince of Wales; and Her Royal Highness Caroline Princess of Brunswick, 1795. Composed by G. F. Handel. – ib. (spätere Ausgabe).

Bemerkungen

Die Komposition dieses Wedding Anthem, das für den Kronprinzen und die deutsche Prinzessin Augusta von Sachsen-Gotha bestimmt war, erfolgte vermutlich im März 1736, da Händel im April an der Oper HWV 36 Atalanta arbeitete, die ebenfalls als Beitrag zu den Hochzeitsfeierlichkeiten des Kronprinzenpaares diente. Händels Autograph des Anthems ist bis auf das Fragment in GB Cfm verschollen; auch die Direktionspartitur ist nicht erhalten.

Die Londoner Presse berichtete über die Feierlichkeiten in der Chapel Royal des St. James's Palace am 27. April (*Daily Journal,* 28. April 1736, s. Deutsch, S. 405) folgendes: „When the Dean had finished the Divine Service; the married Pair rose and retired back to their Stools upon the Hautpas; where they remained while an Anthem composed by Mr. Handel was sung by his Majesty's Band of Musick, which was placed in a Gallery over the Communion-Table." Dem Tagebuch des Earl of Egmont (s. Deutsch, S. 405) ist zu entnehmen, daß die Aufführung des Anthems nicht allzu gut ausfiel; er bemerkte u. a.: „... Over the altar was placed the organ, and a gallery made for the musicians. An anthem composed by Hendel for the occasion was wretchedly sung by Abbot, Gates, Lee, Bird, and a boy." Die Altisten waren demnach John Abbot[1] und Leigh, John Beard sang die Tenorsoli Nr. 5 und Nr. 6 und vermutlich Bernard Gates das Baßsolo Nr. 3.

Während der Schlußsatz (6) aus HWV 73 Il Parnasso in festa stammt, übernahm Händel später in HWV 46^b Il Trionfo del Tempo e della Verità folgende Sätze[2]:

1. Sing unto God
   HWV 46^b Il Trionfo del Tempo e della Verità: 1. Solo al goder
   HWV 71 The Triumph of Time and Truth: 1. Time is supreme
2. Blessed are all they
   HWV 46^b Il Trionfo del Tempo e della Verità: 3. Fosco genio
   HWV 71 The Triumph of Time and Truth: 3. Pensive sorrow
4. Lo, thus shall the man be blessed[3]
   HWV 46^b Il Trionfo del Tempo e della Verità: 25. Pria che sii converta in polve
   HWV 71 The Triumph of Time and Truth: 21. Ere to dust is chang'd that beauty
6. And let all the people say
   HWV 73 Il Parnasso in festa: 33. Lunga seria d'altri eroi

Das Anthem wurde – mit Ergänzungen aus dem anderen Wedding Anthem HWV 262 „This is the day" – von Händel nochmals am 8. Mai 1740 bei den Feierlichkeiten zur Vermählung von Princess Mary mit dem Prinzen Friedrich von Hessen aufgeführt[4].

Literatur

Prout, E.: Graun's Passion Oratorio and Handel's Knowledge of it. In: Monthly Musical Record, vol. 24, May–June 1894, S. 97 ff., 121 ff.

Beschreibung des Autographs: Cfm: Catalogue Mann, Ms. 251, S. 162 f.

[1] Abbot wurde später als Bassist bekannt; er sang bei Händel 1743 in einer „Athalia"-Aufführung die Rolle des Attendant. Für ihn schrieb Händel die hauptsächlichsten Baß-Soli in HWV 283 Dettingen Te Deum. Vgl. Dean, S. 651.

[2] Diese Sätze gingen dann in HWV 71 The Triumph of Time and Truth über.

[3] Vgl. unter HWV 46^b, S. 37, Anmerkung 4.

[4] S. A. Hicks, in: *The New Grove*, Artikel *Handel*, vol. 8, S. 121.

264. The ways of Zion do mourn

Funeral Anthem for Queen Caroline

Text: Lam. Jeremiae I (V. 4), I (V. 11), II (V. 10); 2. Sam. I (V. 19); Lam. Jeremiae I (V. 1); Hiob 29 (V. 14, 11, 12); Sirach 36 (V. 23); Philipper 4 (V. 8); Psalm 112 (V. 6); Daniel 12 (V. 3); Sirach 44 (V. 13–15); Weisheit Salomonis 5 (V. 15, 16); Psalm 103 (V. 17), zusammengestellt von Edward Willes (Prayerbook)

Besetzung: Chor: C. I, II; A.; T.; B. Instrumente: Ob. I, II; Fag.; V. I, II; Va.; Cont.
ChA 11. – HHA III12. – EZ: London, 5.–12. Dezember 1737. – UA: London, 17. Dezember 1737, Henry VII's Chapel, Westminster

1. Symphony

2. Chorus. C.; A.; T.; B.

3. Chorus. C.; A.; T.; B.

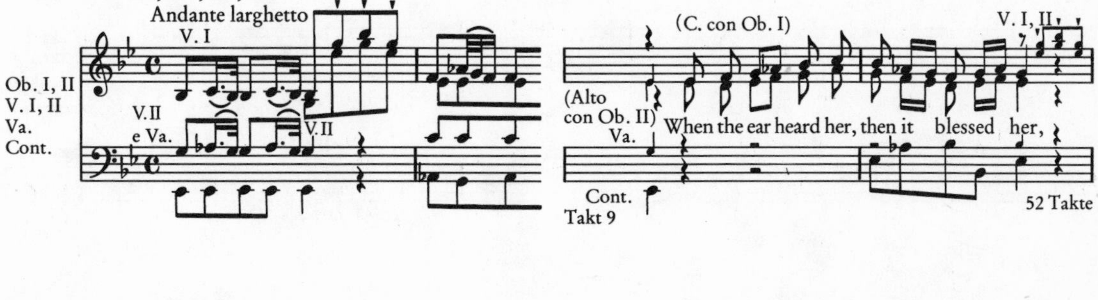

4. Chorus. C.; A.; T.; B.

5. Chorus. C. I, II; A.; T.; B.

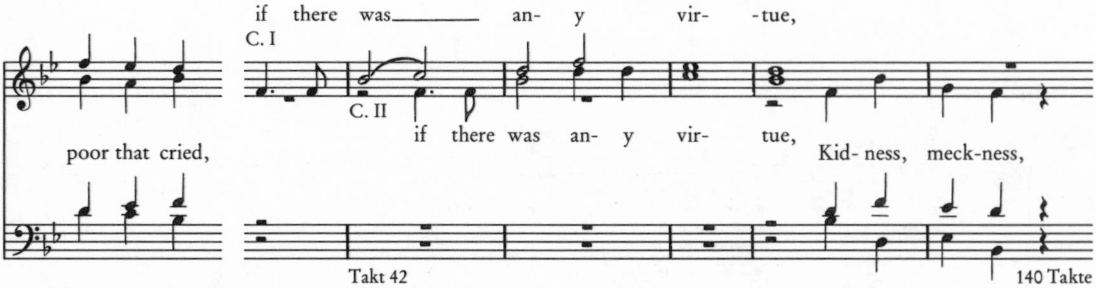

6. Chorus. C.; A.; T.; B.

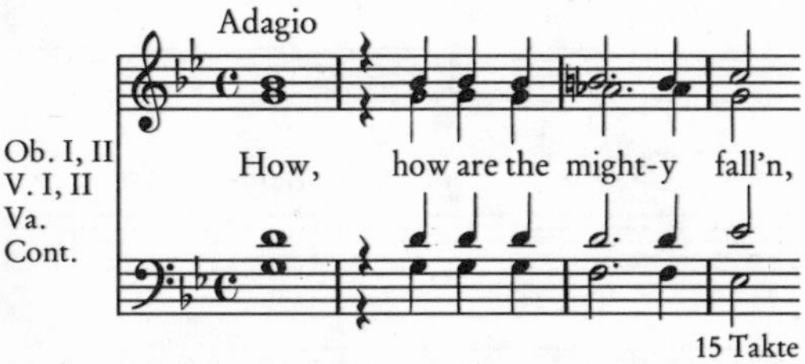

7. Chorus. C.; A.; T.; B.

8. Chorus. C.; A.; T.; B.

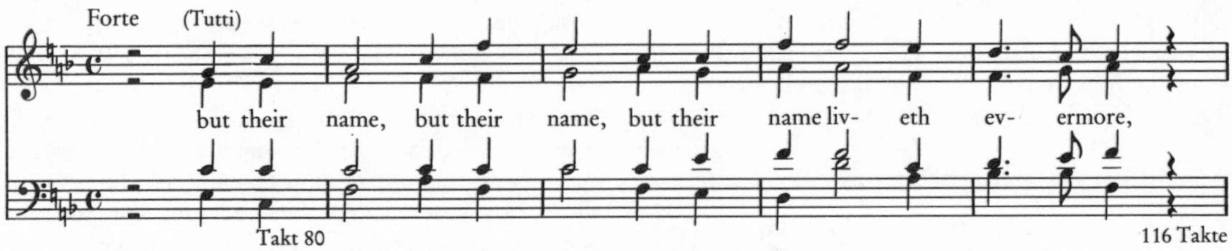

9. Chorus. C.; A.; T.; B.

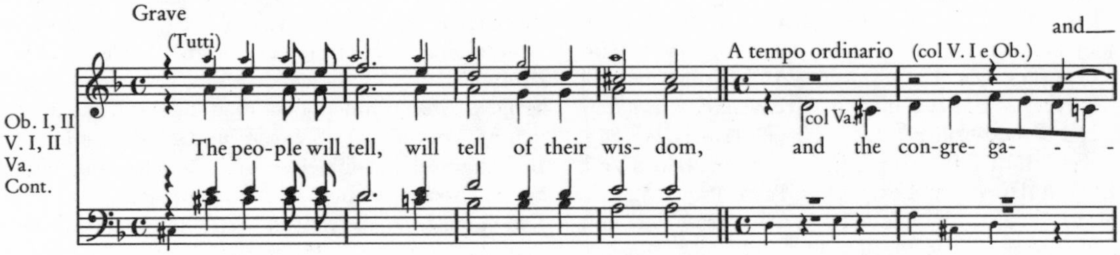

10. Chorus. C.; A.; T.; B.

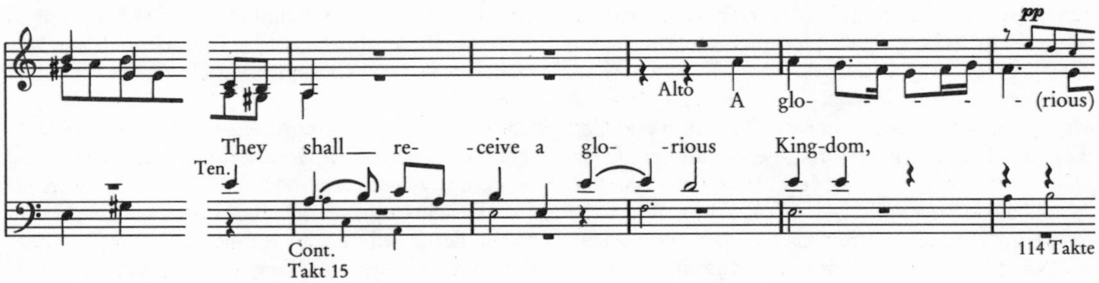

11. Chorus. C.; A.; T.; B.

Quellen

Handschriften: Autograph: GB Lbm (R. M. 20. d. 9., f. 1–48, mit später hinzugefügtem italienischem Text, f. 2r: „The Anthem for the Queens Caroline's Funeral").

Abschriften: D (brd) BNms (aus der Sammlung A. Klein, Ende 18./Anfang 19. Jh.), Hs ($M\frac{B}{1659}$, teilweise in reduzierter Partitur), MÜs (Hs. 1872, Kopie und Bearbeitung von F. Santini) – D (ddr) LEm (III. 2. 75., p. 1–153, aus dem Besitz von J. G. Schicht, ca. 1800), SWl (Mus. 2425, mit deutschem Text, ca. 1785, für eine Aufführung in Ludwigslust) – EIRE Dm – GB BENcoke, Cfm (Barrett-Lennard-Collection, No. 30, vol. 1; Mus. MS. 813, 2. Teil), DRc (MS. Mus. E 35(I), St. für C. II und Va.], Er (mit deutschem Text), Lbm (R. M. 19. a. 15., f. 28 bis 51, fragm., Nr. 5, 6 und 9 in reduzierter Part. mit Orgelcontinuo; R. M. 19. g. 1a., p. 1–99[1]; Egerton 2913, f. 35r–79v; Add. MSS. 5061, f. 2r–79r), Mp [MS 130 Hd4, St.: v. 134–141, 142(1)–144(1), 146(1) bis 149(1); als Act I „The Lamentation of the Israelites for the Death of Joseph" in „Israel in Egypt"], Y (M 156/1–11, St.) – US BETm (LMisc. 17 A, datiert April 1740).

Drucke: The anthem which was perform'd in Westminster Abby at the funeral of Her most Sacred Majesty Queen Caroline compos'd by Mr Handel. Vol. II. – London, J. Walsh (2 verschiedene Ausgaben); — ib., W. Randall (2 verschiedene Ausgaben); — ib., (H.) Wright; The anthem performed in Westminster Abby at the funeral of Queen Caroline, composed by Mr Handel [= The new Musical Magazine, No. 62–63]. – London, Harrison and Co.; Anthem. For the funeral of Queen Caroline. Composed in the year, 1737, by G. F. Handel. – London, Arnold's edition, No. 155–156 (ca. 1795); When the ear heard him. A quartett taken from the anthem composed for the funeral of Queen Caroline. – London, R. Birchall; Des Staubes Söhne trauern. Empfindungen am Grabe Jesu. Ein Oratorium von G. F. Händel. – Leipzig, Breitkopf & Härtel (1805)[2]; — Empfindungen am Grabe Jesu ... im Clavier Auszuge von I. H. Clasing. – Hamburg, A. Cranz (1820); — Mainz, B. Schott's Söhne, No. 1652 (St.).

Bemerkungen

Das Funeral Anthem für die Beisetzungsfeierlichkeiten der am 20. November 1737 verstorbenen Königin Caroline entstand vermutlich zwischen dem 5. und 12. Dezember 1737. Während Händel die Beendigung der Komposition im Autograph vermerkte (f. 48v: „S. D. G. G. F. Handel London Decembr 12. 1737."), fehlt jede Angabe über ihren Beginn. Da Händel jedoch den II. Akt der Oper HWV 39 Faramondo am 4. Dezember beendete und danach die Arbeit an diesem Werk zugunsten des Funeral Anthem unterbrach, ist anzunehmen, daß er am 5. Dezember das Anthem begann. J. Hawkins (History V, S. 416) behauptet zwar, daß Händel erst am 7. Dezember den Auftrag für die Komposition erhielt, doch dürfte er wohl kaum zwei Tage untätig über der zu zwei Drittel fertigen Oper und dem erst geplanten Anthem verbracht haben. Die genaue Zeitangabe für den Abschluß des II. Aktes von „Faramondo" („Sontags abens um 10 Uhr") weist zweifellos auf eine bewußte Unterbrechung der bisherigen Arbeit hin, wenn man dieser Uhrzeit die richtige Bedeutung beimißt und eine terminliche Bedrängnis daraus ableitet, die Händel zwang, bis in die Nachtstunden hinein zu komponieren.

Die Londoner Zeitungen berichteten ausführlich über die feierliche Aufbahrung[3], die vom St. James's Palace am 16. Dezember zunächst zur Prince's chamber neben dem House of Lords führte; von dort wurde am Abend des 17. Dezember der Leichnam zum Nordeingang der Westminster Abbey überführt, um in feierlicher Prozession unter Glockengeläut und dem Salut der Tower-Kanonen zur Henry VII's Chapel getragen zu werden. Nach Beendigung des Beisetzungsrituals, das Joseph Wilcocks, Lord Bishop of Rochester, als Dean der Abbey zelebrierte, der eigentlichen Beisetzung und der Proklamation der Titel der toten Königin, wurde das Funeral Anthem aufgeführt, das am Tag zuvor in der Königlichen Kapelle (Banquetting House) in Whitehall geprobt worden war[4].

Über den genauen Zeitpunkt der Aufführung während der abendlichen Beisetzungsfeierlichkeiten und die vermutliche Besetzung des Werkes existieren mehrere Berichte; so schrieb der Duke of Chandos in einem Brief[5]: „It began a quarter before 7, & was over a little after ten; the Anthem took up three quarter of an hour of the time, of which the composition was exceeding fine, and adapted very properly to the melancholly occasion of it ..." Das *Grub-Street Journal* vom 22. Dezember 1737[6] berichtete: „The funeral of her late Majesty was perform'd between the hours of six and nine last saturday night ... The fine Anthem of Mr. Handel's was perform'd about nine. The vocal parts were perform'd by several choirs of the Chapel Royal, Westminster-abbey and Windsor, and the boys of the Chapel-royal and West-

[1] Das Funeral Anthem folgt hier mit neuer Seitenzählung den vier Coronation Anthems HWV 258–261, die p. 1–157 einnehmen.

[2] Deutsche Fassung des Funeral Anthem, hrsg. von F. Rochlitz und A. E. Müller, Text vermutlich von C. W. Ramler.

[3] Die folgende Beschreibung fußt auf dem ausführlichen Bericht in: The Gentleman's Magazine, vol. VII, 1737, S. 764 ff. (nicht bei Deutsch).

[4] Vgl. The Old Whig or The Consistent Protestant vom 15. Dezember 1737, Deutsch, S. 442.

[5] Original in US SM. Zitiert bei Baker, C. H. C./Baker, M. I.: The Life and Circumstances of James Brydges, First Duke of Chandos, Patron of the Liberal Arts, Oxford 1949, S. 260, und Deutsch, S. 543.

[6] Vgl. Chrysander II, S. 437, Deutsch, S. 444.

minster-abbey; and several musical Gentlemen of distinction attended in surplices, and sang in the burial service[7]. There were near 80 vocal performers, and 100 instrumental from his Majesty's band, and from the Opera." In der Kapelle war eine Galerie errichtet worden, auf die der königliche Orgelbaumeister Shrider eine Orgel gesetzt hatte, um die sich vermutlich die Musiker gruppierten[8].

Die Kompilation der Schriftstellen für den Text des Funeral Anthem erfolgte durch den Sub-Dean der Westminster Abbey, Edward Willes[9]. Im einzelnen wurden folgende Bibelstellen benutzt[10]: Nr. 2: Klagelieder Jeremiae I:4, 11, II:10, 2. Samuel I:19, Klagelieder Jeremiae I:1, Hiob XXIX:14; Nr. 3: Hiob XXIX:11; Nr. 4: 2. Samuel I:19; Nr. 5: Hiob XXIX:12, Sirach XXXVI:25 (23), Philipper IV:8; Nr. 6: 2. Samuel I:19; Nr. 7: Psalm 112:6, Daniel XII:3; Nr. 8: Sirach XLIV:13 (14); Nr. 9: Sirach XLIV: 14 (15), 15, Weisheit Sal. V:16 (15); Nr. 10: Weisheit Sal. V:17 (16); Nr. 11: Psalm 103:17.

In seiner ursprünglichen Form begann das Anthem ohne die einleitende Symphony (1) auf f. 2 des Autographs; diese komponierte Händel vermutlich erst später. Im folgenden Jahr (1738) lag sie jedoch bereits vor, als Händel wesentliche Teile des Funeral Anthem zunächst als „Elegy on the Death of Saul and Jonathan" in HWV 53 Saul übernehmen wollte, ohne diese Absicht allerdings auszuführen (s. die Textverweise im Autograph von „Saul", GB Lbm, R. M. 20. g. 3., f. 98ᵛ). Statt dessen übernahm er das Werk vollständig als Act I in HWV 54 Israel in Egypt und gab ihm den Titel „The Lamentation of the Israelites for the Death of Joseph" (vgl. Quelle GB Mp). Vermutlich sind für diese Wiederverwendung des Anthem die Kürzungen vorgenommen worden, die Händel im Autograph anmerkte. 1749 benutzte Händel zwei Sätze aus dem Funeral Anthem (Nr. 5 und Nr. 7) für das sogenannte Foundling Hospital Anthem HWV 268 (s. die Nachweise unter HWV 268).

Die im Autograph nachgetragene italienische Textierung für die meisten Sätze des Funeral Anthem (außer Nr. 9–10) deutet auf eine geplante Aufführung mit italienischen Sängern hin, doch ließ sich bisher kein konkreter Anlaß dafür nachweisen.

Über die besondere Beziehung zwischen Händel und der verstorbenen Königin Caroline, geb. Prinzessin von Brandenburg-Ansbach, die einander bereits von Hannover her kannten, ist im Hinblick auf die Stellung des Funeral Anthem in Händels Schaffen mehrfach in der Literatur Stellung genommen worden. Daß Händel der deutschen Herkunft von Caroline in diesem Werk bewußt gedachte, beweisen mehrere Zitate deutscher Choräle in verschiedenen Sätzen („Herr Jesu Christ, du höchstes Gut"[11] in Nr. 2 auf die Worte „The ways of Zion do mourn" und „Du Friedefürst, Herr Jesu Christ" in Nr. 5 auf die Worte „She deliver'd the poor that cried", wo der Choral zeilenweise durchgeführt wird). Außerdem bearbeitete Händel eine Orgelfuge in a-Moll des Weißenfelser und früheren Brandenburg-Bayreuther Hofkapellmeisters Johann Philipp Krieger[12] für den Satz „She put on righteousness" (2), ließ sich bei dem Abschnitt „If there was any virtue" (5, T. 42 ff.) von dem Kanon „Herr, ich lasse dich nicht, du segnest mich denn" aus den „Musikalischen Exequien" von Heinrich Schütz (SWV 279, T. 261 ff.) anregen und zitierte die Begräbnismotette „Ecce quomodo moritur justus" von Jacobus Handl-Gallus[13] in „Their bodies are buried in peace" (8) bei der Textstelle (T. 24 ff.) „but their name liveth evermore".

Auf eine weitere Parallelstelle (3. When the ear heard her) mit einer eigenen Komposition – der Bourrée der F-Dur-Ouverture von HWV 8ᶜ Il Pastor fido (2. Fassung) – verwies bereits F. Chrysander. W. A. Mozart soll bei der Entstehung des Requiems KV 626 aus Händels *Funeral Anthem* mehrere thematische Anregungen verwertet haben.

Literatur

Becker, H.: Die frühe Hamburgische Tagespresse als musikgeschichtliche Quelle. In: Beiträge zur Hamburgischen Musikgeschichte, Hamburg 1956, S. 37; Bernhardt, R.: Die Drucklegung und Aufführ-

[7] Namentlich als Mitwirkende im Funeral Anthem erwähnt sind die Altisten Thomas Elford, Francis Hughes, George Laye (Leigh), James Baileys (Tenor), Thomas Baker, Bernard Gates, Robert Wass und Samuel Weely (Bässe). Vgl. Deutsch, S. 443.

[8] Weekly Journal, 17. Dezember 1737. Vgl. Deutsch, S. 442 f.

[9] Vgl. den Brief von Francis Hare, Bischof von Chichester, vom 18. Dezember 1737 (Deutsch, S. 443). Der von Chrysander (II, S. 437) genannte Dr. Alured Clarke verfaßte nur die gedruckte Lobschrift auf die verstorbene Königin mit Zitaten aus dem Anthem-Text bzw. den dort gewählten Bibelstellen.

[10] Vgl. auch die Aufstellung bei: George Frideric Handel (1685–1759): Funeral Anthem for Queen Caroline (1737) ... edited and with keyboard reduction by William Herrmann, New York–London: G. Schirmer, 1976, Foreword, S. V f. Die genannten Bibelstellen sind nur in Teilen im Text des Funeral Anthem zitiert, um einen fortlaufenden Wortsinn zu erhalten. Die Angabe der Textstellen im HWV erfolgt nach der Zählung Martin Luthers (deutsche Ausgabe des Alten Testaments); Abweichungen der englischen Zählung sind jeweils in Klammern dahinter vermerkt.

[11] Chrysander (II, S. 439) wies darauf hin, daß diese Melodie zu Händels Zeit in Mitteldeutschland als Begräbnischoral auch auf den Text „Wenn mein Stündlein vorhanden ist" gesungen wurde. In dieser Fassung verwendete sie unter anderem auch Heinrich Schütz in den „Musikalischen Exequien" (1636) SWV 279 auf die Worte der 4. Strophe („Weil du vom Tod erstanden bist", T. 242 ff.).

[12] Vgl. DTB, 18. Jg., 1917, S. 192. Zitiert auch in: G. F. Händel: Trauer-Hymne (Funeral Anthem), hrsg. von H. Reich, Stuttgart-Hohenheim: Hänssler Verlag 1964 (Reihe 10, Die Kantate, Nr. 212), Vorwort.

[13] Vgl. DTÖ, Jg. 12/1, 1905, S. 171 f.

rung von Händels Trauerhymne als Passions-Oratorium in Leipzig 1805. In: Monatsschrift für Gottesdienst und kirchl. Kunst, 34. Jg., 1929, S. 76ff.; Chrysander II, S. 436ff., III, S. 40ff.; Chrysander, F.: Ueber Händels Begräbniß-Anthem (Funeral-Anthem, Trauerhymne) für Königin Caroline 1737. In: Euterpe, 21. Jg., Leipzig 1862, S. 143ff.; Chrysander, F.: Über die Aufführung von Händels „Trauerhymne auf den Tod der Königin Karoline". In: Allgemeine Musikalische Zeitung, 5. Jg., Leipzig 1870, S. 95 (Anm.), 101f.; Flower, p. 240ff./S. 215ff.; Hawkins, J.: A General History of the Science and Practice of Music, vol. V, London 1776, new edition, London 1858, S. 416ff.; Herrmann, W.: Foreword zu: George Frideric Handel (1685–1759): Funeral Anthem for Queen Caroline (1737) ... Kl. A., New York–London 1976, S. IIIff.; Heuß, A.: Die Trauerhymne auf den Tod der Königin Caroline. In: Fest- und Programm-Buch zum 2. Händelfest in Kiel, Leipzig 1928, S. 21ff.; Hiekel, H.-O.: Eine anonyme Händel-Bearbeitung des 19. Jahrhunderts. In: Göttinger Händeltage 1962, Programmheft, S. 36f.; Lam, S. 163f.; Lang, p. 226f./S. 203f.; Larsen, S. 68ff.; Larsen, J. P.: Ein Händel-Requiem. Die Trauerhymne für die Königin Karoline (1737). In: Bericht über den internationalen musikwissenschaftlichen Kongreß Hamburg 1956, Kassel 1957, S. 15ff.; Leichtentritt, S. 560ff.; Reich, H.: Händels Trauer-Hymne und die musikalischen Exequien von Schütz. In: Musik und Kirche, 36. Jg., 1966, S. 74ff.; Reich, H.: Händels Chorbearbeitung einer Orgelfuge von J. P. Krieger. In: Musik und Kirche, 36. Jg., 1966, S. 172ff.; Siegmund-Schultze, W.: Händels Trauer-Anthem und Mozarts Requiem. In: Festschrift der Händelfestspiele Halle 1956, Leipzig 1956, S. 24ff., sowie in: G. F. Händel. Thema mit 20 Variationen, Halle 1965, S. 95ff.; Werner, E.: G. F. Händels „Trauer-Anthem" HWV 264. Eine Studie mit kritischer Ausgabe der Partitur im Rahmen der Hallischen Händel-Ausgabe. Diss. phil. (maschinenschriftl.) Halle 1981.

Beschreibung des Autographs: Lbm: Catalogue Squire, S. 14.

265. The King shall rejoice

Anthem for the Victory of Dettingen

Text: Psalm 21 (V. 1, 5–7), Psalm 20 (V. 5)

Besetzung: Soli: Alto, Basso. Chor: C. I, II; A.; T.; B. Instrumente: Ob. I, II; Fag.; Trba. I, II, Principale; Timp.; V. I, II; Va.; Cont.

ChA 36. – HHA III/13. – EZ: London, 30. Juli bis 3. August 1743. – UA: London, 27. November 1743, Chapel Royal, St. James's Palace

1. Chorus. C. I, II; A.; T.; B.

2. Duet and Chorus. Alto; Basso; C. I, II; A.; T.; B.

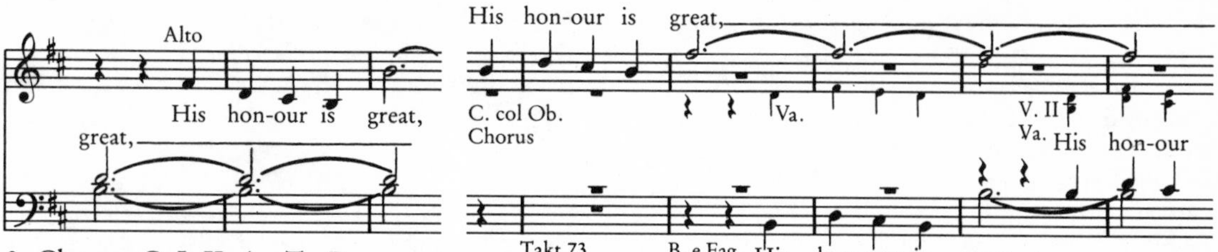

3. Chorus. C. I, II; A.; T.; B.

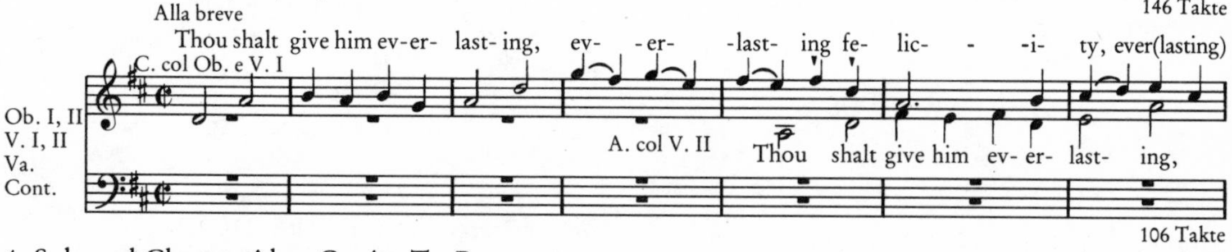

4. Solo and Chorus. Alto; C.; A.; T.; B.

5. Chorus. C. I, II; A.; T.; B.

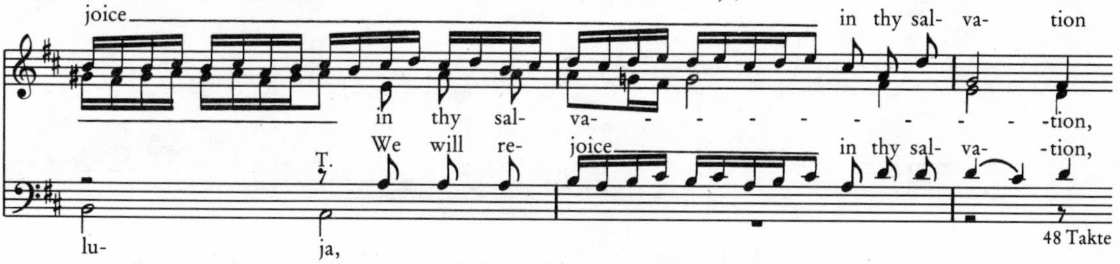

Quellen

Handschriften: GB Lbm (Add. MSS. 30 308, f. 1–16).

Abschriften: D (brd) Hs (M $\frac{C}{260}$) – GB BENcoke, DRc (Part.: A. 32; St.: D. 7), Lbm (R. M. 19. g. 1., vol. III, f. 139r–164v; Add. MSS. 30 309, f. 88v–111r), Lwa (MS. CG 48), Mp (MS 130 Hd4, v. 48; v. 348) – J Tn (MS. 265) – US NBu (M 2038. H14A5, vol. VII, p. 2–92).

Druck: Anthem. For the victory at Dettingen. Composed in the year, 1743, by G. F. Handel. – London, Arnold's edition, No. 156–157 (ca. 1795).

Bemerkungen

Das Anthem zur Feier des Sieges der Engländer in der Schlacht bei Dettingen im österreichischen Erbfolgekrieg (27. Juni 1743) entstand zwischen dem 30. Juli und 3. August 1743, kurz nach dem für den gleichen Anlaß komponierten Dettingen Te Deum HWV 283. Beide Werke wurden zusammen aufgeführt.

Händel notierte im Autograph Beginn und Abschluß der Komposition (f. 1: „angefangen den 30 July 1743", f. 16: „S. D. G. G. F. Handel. London Agost. 3. ☿ (= Mittwoch). 1743 völlig geendiget.") sowie den Na-

men des Baßsolisten Abbot[1] bei „His honour is great“ (2).
Nach vier vorangehenden öffentlichen Proben in der Chapel Royal im St. James's Palace und in Whitehall am 26. Seoptember, 9., 18. und vermutlich 25. November (vgl. Schoelcher, S. 283, Deutsch, S. 571–574) wurden Anthem und Te Deum am 27. November 1743 in der Chapel Royal feierlich aufgeführt.

Händel übernahm den Schlußchor des Anthem „We will rejoice“ (5) in das Oratorium HWV 59 Joseph and his brethren (als Nr. 44), das er kurz nach der Fertigstellung des Anthems begann.

Literatur
Serauky IV, S. 136ff.; Völsing, E.: G. F. Händels englische Kirchenmusik, Leipzig 1940, S. 24ff.

[1] Vgl. auch HWV 283.

266. How beautiful are the feet of them

Anthem composed on the Occasion of the Peace (Friede von Aachen 1748/49)

Text: Jes. 52 (V. 7, 9) bzw. Röm. 10 (V. 15), Psalm 96 (V. 6), Psalm 29 (V. 11), Off. 7 (V. 12)

Besetzung: Soli: Sopr., Alto I, II. Chor: C.; A.; T.; B. Instrumente: Fl. trav.; Ob.; Fag.; Trba. I, II; Timp.; V. I, II; Va.; Cont.
HHA III/14. – EZ: London, April 1749. – UA: London, 25. April 1749, Chapel Royal, St. James's Palace

1. Duet and Chorus. Alto I, II; C.; A.; T.; B.

2. Chorus. C., A., T., B. solo; A., T., B. rip.

[= HWV 250b, Anthem V[B] (3.)]

44 Takte

3. Solo and Chorus. Sopr.; C.; A.; T.; B.

4. Chorus. C.; A.; T.; B.

Quellen

Handschriften: Autographe: GB Lbm (R. M. 20. g. 6., f. 25–31[r]: Nr. 1; R. M. 20. g. 6., f. 31[v]–32[r]: Nr. 2, St. für Trba. I, II, Timp.; R. M. 20. g. 8., f. 13[v]–18[r]: Nr. 2; R. M. 20. g. 6., f. 32[r]–33[v]: Nr. 3, T. 1–117; R. M. 20. f. 3., f. 45–48: „NB.“, Fortsetzung von Nr. 3, T. 118 ff.; R. M. 20. f. 2., f. 124[v]–128[r], 132[v]: Nr. 4). Abschriften: D (brd) Hs (M $\frac{C}{262^a}$, Direktionspartitur 1765 ff. von „Israel in Egypt“, f. 1–4: Nr. 3) – GB T (MS. 347, Direktionspartitur von „Messiah“, f. 125[v]–132[r]: Nr. 4).

Libretto: The Anthem composed on the Occasion of the Peace. In: A Performance of Musick ... The Musick composed by Mr. Handel. – London, R. Tonson (25. Mai 1749) [Ex.: GB Ckc (Mn. 20. 49)].

Faksimiles: Nr. 1, in: Das Autograph des Oratoriums „Messias“ von G. F. Händel. Für die deutsche Händelgesellschaft hrsg. von F. Chrysander, Hamburg 1892, S. 285–297. – Nr. 4, in: Handel's Conducting Score of „Messiah“ Reproduced in Facsimile from the Manuscript in the Library of St. Michael's College, Tenbury Wells. – London: Scolar Press 1974, f. 125[v]–132[r].

Druck: The Anthem on the Peace. Edited by Donald Burrows. Vocal score. – Borough Green, Sevenoaks, Kent: Novello 1981.

Bemerkungen

Händel komponierte das „Peace Anthem“ für die Feierlichkeiten anläßlich des Friedensschlusses von Aachen[1], der für England den Österreichischen Erbfolgekrieg beendete. Es wurde am 25. April 1749 zusammen mit einem Te Deum in der Chapel Royal des St. James's Palace aufgeführt. Die Londoner Presse berichtete darüber folgendes[2]: „Tuesday

[1] Der Friedensvertrag war im Oktober 1748 unterzeichnet, in London aber erst am 2. Februar 1749 offiziell verkündet worden.

[2] *Whitehall Evening Post* (25.–27. April 1749). Zitiert nach Burrows, S. 1230 (nicht bei Deutsch).

[25. April] being the Day appointed by Royal Proclamation, for a General Thanksgiving on Account of the late Peace, his Majesty and the Royal Family went to the Chapel Royal, where a new Te Deum[3] and Anthem, the Musick whereof was composed by Mr. Handel, was performed..." Als Solisten der Aufführung wirkten die Sänger der Chapel Royal Benjamin Mence und Anselm Bayly (Alto I, II) mit, das Sopransolo sang „the boy". Händel fügte die Namen den betreffenden Sätzen der Teilautographe bei.
Am 27. Mai 1749 wurde das „Peace Anthem" nochmals im Rahmen eines Wohltätigkeitskonzertes für das Foundling Hospital aufgeführt (s. Deutsch, S. 670f.), zu dem ein Textdruck erschien. Auf Grund dieses Textes identifizierte und rekonstruierte D. J. Burrows das Anthem (1973) und veröffentlichte eine Ausgabe (Kl. A., 1981).
Händel griff bei der Komposition des Anthem auf die Pasticcio-Praxis zurück und stellte es aus folgenden Werken zusammen:

1. How beautiful are the feet
Instrumentaleinleitung
HWV $251^{b,c}$ „As pants the hart" (2./3. Fassung): 1. Symphony
HWV 398 Triosonate e-Moll op. 5 Nr. 3: 1. Satz (Andante larghetto)
Vokalteil
HWV 56 Messiah: 34^{b}. How beautiful are the feet
2. Glory and worship are before him
HWV 250^{b} „I will magnify thee": 3. Glory and worship
HWV 253 „O come let us sing unto the Lord": 4. Glory and worship
3. The Lord hath given strength
HWV 62 Occasional Oratorio: 12./13. Be wise at length[4]
4. Blessing and glory
HWV 56 Messiah: 47. Blessing and honour

Die Zusammenstellung aus bereits vorher vorliegenden Sätzen erforderte nicht die Anlage eines neuen Autographs; Händel verwies bei der Anfertigung der Direktionspartitur, die verschollen ist, den Kopisten auf die im Quellenverzeichnis angegebenen autographen Sätze. Im Falle von „Glory and worship" (2), der aus dem Anthem HWV 250^{b} „I will magnify thee" stammt, fügte er auf einem Extrablatt (GB Lbm, R. M. 20. g. 6., f. 31^{v}) die Trompeten- und Paukenstimmen hinzu, notierte für „The Lord hath given strength" (3) den Anfang separat (R. M. 20. g. 6., f. 32–33) und verwies am Ende des Blattes (f. 33) durch ein „segue NB." auf die Fortsetzung im Autograph des „Occasional Oratorio" (R. M. 20. f. 3., f. 45). Dasselbe geschah beim Schlußsatz, der aus der Direktionspartitur von „Messiah" (GB T, MS. 347) entnommen wurde, in der Händel den etwas veränderten Text des Anthem vermerkte und für die Schlußtakte auf das „Messiah"-Autograph (R. M. 20. f. 2., f. 132^{v}) direkt zurückgriff. Der Satz Nr. 3 wurde später in HWV 54 Israel in Egypt (Aufführung 1756) eingegliedert; in der von J. Ch. Smith junior um 1760 angelegten neuen Direktionspartitur für die Aufführungen von „Israel in Egypt" nach Händels Tod [D (brd) Hs, M $\frac{C}{262^{a}}$] beginnt das Werk mit dem Satz „The Lord hath given strength unto his people", der in dieser Quelle drei nicht in der Vorlage, d. h. dem Autograph des „Occasional Oratorio", befindliche Interpolationen für die Flöte, die Oboe und die Streicher enthält, die nach Meinung von D. Burrows auf Händel selbst zurückgehen.

Literatur
Burrows, D. J.: Handel's Peace Anthem. In: The Musical Times, vol. 114, 1973, S. 1230ff.
Beschreibung der Autographe: Lbm: Catalogue Squire, S. 94–95, 54.

[3] Überarbeitete Fassung von HWV 280 (mit Nr. 5^{b}), in der die gleichen Sänger (Mence und Bayly) als Solisten genannt sind.
[4] Aus A. Stradellas Serenata „Qual prodigio" (9. Amor sempr'è avezzo) entlehnt. Vgl. ChA, Supplemente 3, S. 28f.

267. How beautiful are the feet of them

Anthem (fragm.)

Text: Jes. 52 (V. 7, 9) bzw. Röm. 10 (V. 15)

Besetzung: Solo: Canto. Chor: C.; A.; T.; B. Instrumente: Ob. I, II; Fag.; Trba. I, II; Timp.; V. I, II; Va.; Cont.

EZ: London, ca. 1749 (vermutlich erster Entwurf für HWV 266)

Solo and Chorus. Canto; C.; A.; T.; B.

Chorus

Quellen

Handschriften: Autograph: GB Lbm (R. M. 20. g. 6., f. 34–39, fragm.).

Druck: Faksimile: Das Autograph des Oratoriums „Messias" von G. F. Händel. Für die deutsche Händelgesellschaft hrsg. von F. Chrysander, Hamburg 1892, S. 298–309.

Bemerkungen

Dem Autograph des *Peace Anthem* HWV 266 folgt das hier verzeichnete Fragment mit gleicher Textfassung, das ebenfalls auf die Musik des Satzes „Be wise at length" (12./13.) aus HWV 62 Occasional Oratorio zurückgreift. Händel vollendete die Komposition jedoch nicht, so daß die letzten 17 Takte ohne Ausfüllung des Orchesterparts blieben. D. J. Burrows hält dieses Fragment für den ersten Entwurf des geplanten Peace Anthem, der dann zugunsten der späteren Fassung verworfen wurde.

Literatur

Burrows, D. J.: Handel's Peace Anthem. In: The Musical Times, vol. 114, 1973, S. 1230 ff., bes. S. 1232.

Beschreibung des Autographs: Lbm: Catalogue Squire, S. 95.

268. Blessed are they that consider the poor

Foundling Hospital Anthem

Text: Ps. 41 (V. 1–2), Ps. 72 (V. 12), Ps. 8 (V. 2), Ps. 112 (V. 6)/Dan. 12 (V. 3), Ps. 41 (V. 3, 2), Sir. 44 (V. 14–15)/Weish. Sal. 5 (V. 15), Off. 19 (V. 6), 11 (V. 15), 19 (V. 16)

Besetzung: Soli: Canto I, II, Alto, Ten., Basso. Chor: C. I, II; A.; T.; B. Instrumente: Ob. I, II; Fag.; Trba. I, II; Timp.; V. I, II; Va.; Cont.

ChA 36. – HHA III/14 – EZ: London, Frühjahr 1749. – UA: London, Foundling Hospital Chapel, 27. Mai 1749

1. Air. Ten.

3. Air. Alto

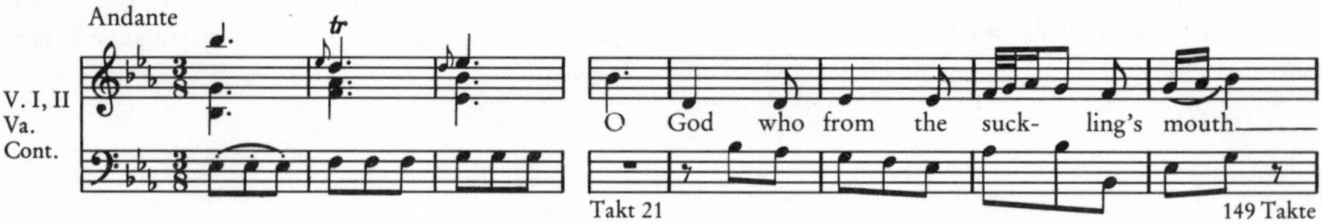

4. Chorus. C.; A.; T.; B.

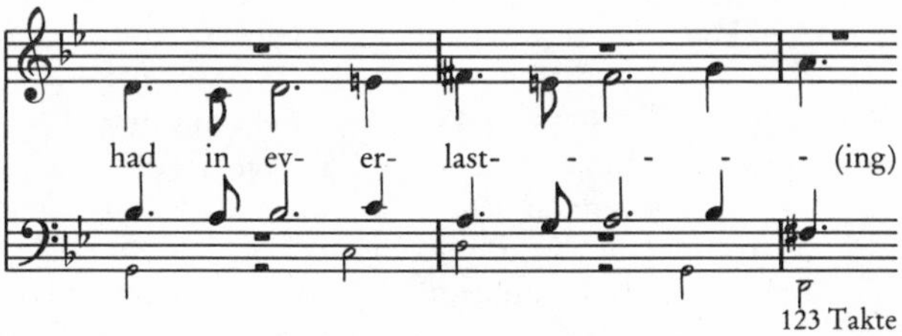
had in ev- er- last- - - - - (ing)
123 Takte

5. Chorus. C.; A.; T.; B.

A tempo ordinario

(Tutti)

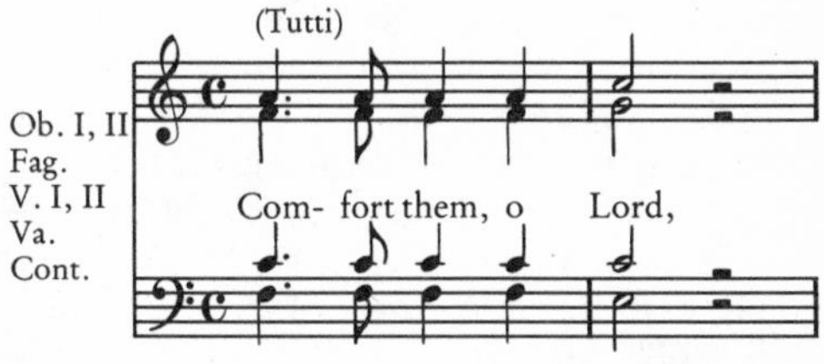
Ob. I, II
Fag.
V. I, II
Va.
Cont.
Com- fort them, o Lord,

Str.
when they are sick,

Un poco andante

C. col Ob. e V. I
Keep them a- live, let them be bless- ed,
V. II e Va.
Cont.
Takt 24
102 Takte

6. Accompagnato. Canto I, II

A tempo ordinario e piano

V. I, II
Va.
Cont.
The people will tell of their wisdom,
17 Takte

7. Duet. Canto I, II

Andante larghetto

V. I, II
Va.
Cont.

Their re- ward al- so is with the Lord,
Their re- ward al- so is
p
Takt 9
90 Takte

8. Chorus. C.; A.; T.; B.

Allegro

Str.
Trba. I, II
Timp.
V. I, II
Va.
Cont.
Hal- le- lu- jah, hal- le- lu- jah, hal- le-
[= HWV 56 Messiah (39.)]
Takt 4

lu- jah, hal- le- lu- jah, hal- le- - -lu- jah,
94 Takte

Quellen

Handschriften: Autograph: GB Lbm (R. M. 20. f. 12., f. 18–34, fragm.: Nr. 3, Nr. 2[a], T. 57–105, Nr. 5–7).

Abschriften: GB Thomas Coram Foundation London (Direktionspartitur MS. 114, geschrieben von J. C. Smith senior, mit autographen Eintragungen Händels; MS. vol. 135, St.), Lbm (R. M. 19. e. 8., f. 1–55[r], mit Nr. 2[b]; R. M. 19. g. 1., vol. I, f. 199–252, mit Nr. 2[b], ohne Nr. 8), Lcm (MS. 245[1]; MS. 2254, Tenorstimme; MS. 2273, Orgelstimme), T (MS. 719, fragm.) – US NBu (M 2038. H14A5, vol. VIII, p. 1–122, ohne Nr. 8).

Libretto: A Performance of Musick ... The Musick composed by Mr. Handel. – London, R. Tonson (25. Mai 1749) [Ex.: GB Ckc (Mn. 20.49)].

Bemerkungen

Das sogenannte Foundling Hospital Anthem, das Händel für ein Wohltätigkeitskonzert dieser Einrichtung schuf, entstand im Frühjahr 1749 und wurde in der Kapelle dieses „Hospital for the Maintenance and Education of Exposed and Deserted Young Children" (1740 von Thomas Coram gegründet) am 27. Mai 1749 (zusammen mit anderen Werken Händels) erstmals aufgeführt, wie das gedruckte Programm zeigt (s. Deutsch, S. 670 f.). Als Solisten werden der Altkastrat Gaetano Guadagni, für den Händel die Arie „O God who from the suckling's mouth" (3) im Autograph bestimmte, und der Tenor Thomas Lowe genannt. 1753 erfolgte eine weitere Aufführung, und kurz nach Händels Tod 1759 dirigierte es John Christopher Smith junior als Teil einer Gedächtnisveranstaltung zu Ehren Händels in einem Konzert mit geistlicher Musik (Libretto in F Pc; s. D. Burrows, S. 276, Anm. 32).

Der Text des Foundling Hospital Anthem setzt sich aus mehreren Bibelstellen (u. a. Psalm 41, v. 1–3, Hiob 29, v. 12, Psalm 112, v. 6) zusammen; Nr. 2[a] bzw. Nr. 3 („O God who from the suckling's mouth") entspricht einem Rezitativtext aus HWV 50[a] Esther (1. Fassung, Scene II, Rezitativ vor Nr. 6). Teile des Werkes wurden von Händel anderen Kompositionen entlehnt und nur unwesentlich geändert:

2. They deliver the poor (T. 16 ff.)
   HWV 264 Funeral Anthem: 5. She deliver'd the poor
4. The Charitable shall be had
   HWV 264 Funeral Anthem: 7. The righteous shall be had
5. Comfort them, o Lord[2]/Keep them alive[3] (T. 24 ff.)
   HWV 66 Susanna: 12. Virtue shall never long be oppress'd
8. Hallelujah
   HWV 56 Messiah: 38. Hallelujah

Die Sätze Nr. 2 und 4 wurden direkt aus dem Autograph des Funeral Anthem (GB Lbm, R. M. 20. d. 9.) abgeschrieben; an den betreffenden Stellen hat Händel dort die Textänderungen für das Foundling Hospital Anthem dem Kopisten angegeben. Das Autograph für „Keep them alive" (5) wurde aus HWV 66 Susanna (GB Lbm, R. M. 20. f. 6., f. 32[v]) herausgelöst, wie der verbale Vermerk (in R. M. 20. f. 12., f. 31[r]: „Segue Accomp. 1. Elder Tyrannic Love") mit dem Hinweis auf den nächsten Satz in „Susanna" erkennen läßt. Für den Schlußchor verwies Händel (R. M. 20. f. 12., f. 31[v]) den Kopisten auf die Vorlage: „Segue Chorus ex Messiah, Act 2, Halleluja for the Lord God omnipotent reigneth".

Die erste Fassung des Anthem bestand nur aus den Sätzen Nr. 2[a], 4, 5 und 8. Der Chor „Blessed are they" (2) liegt in zwei Fassungen vor; die erste Fassung (2[a]) mündet in eine umfangreiche Choralbearbeitung mit dem cantus firmus „Aus tiefer Not schrei ich zu dir" auf die Worte „O God who from the suckling's mouth", die aus HWV 50[a] Esther (1. Fassung) stammen. Die Alt-Arie (3) mit dem gleichen Text ist eine spätere Neuvertonung[4] für den Altkastraten Guadagni im Anschluß an die gekürzte Fassung Nr. 2[b] mit geändertem Schluß. Weitere nachträglich hinzugefügte Sätze sind die Tenor-Arie Nr. 1 für Thomas Lowe, für die keine autographe Vorlage nachweisbar ist, und die Duettsätz Nr. 6–7.

Der Chor „Comfort them, o Lord" (5) wurde später auch in HWV 71 The Triumph of Time and Truth (als Nr. 25) übernommen.

Literatur

Burrows, D. J.: Handel and the Foundling Hospital. In: Music & Letters, vol. 58, 1977, S. 269 ff.; Chrysander I, S. 473; Chrysander, F.: Über Händels fünfstimmige Chöre. In: Allgemeine Musikalische Zeitung, 14. Jg., Leipzig 1879, S. 137 ff., 15 Jg., Leipzig 1880, S. 149, 168, 182 ff., 199 ff.; Leichtentritt, S. 549; Nicholson, B.: The Treasures of the Foundling Hospital, Oxford 1972; Serauky V, S. 330 ff.; Völsing, E.: G. F. Händels englische Kirchenmusik, Leipzig 1940, bes. S. 36 ff.

Beschreibung des Autographs: Lbm: Catalogue Squire, S. 97 f.

[1] Diese Quelle, aus Sätzen des Foundling Hospital Anthem, anderen Anthem-Sätzen sowie einem Rezitativ und einer Arie aus HWV 17 Giulio Cesare in Egitto bestehend, geht aller Wahrscheinlichkeit nach nicht auf Händel zurück.

[2] Dem „Qui tollis" einer Messe Antonio Lottis entlehnt. Vgl. Taylor, S.: The Indebtedness of Handel to works by other composers, Cambridge 1906, S. 179 f.

[3] Der „Suonata Prima" aus Johann Kuhnaus Sammlung „Frische Clavier-Früchte" (1696) entlehnt. Vgl. DTD, 1. Folge, 4. Bd., Leipzig 1901, S. 73.

[4] Vgl. ChA 36, Vorwort, S. I f., und Burrows, a. a. O., S. 276 f.

269. Amen alleluja

Besetzung: Sopr., Basso continuo
ChA 38. – HHA III/Supplement. – EZ: London, ca. 1746/47

A- men, al- le- lu- ja,— al- le- lu- ja,— al- le- lu- ja,

72 Takte

270. Amen

Besetzung: Sopr., Basso continuo
ChA 38. – HHA III/Supplement. – EZ: London, ca. 1730/40

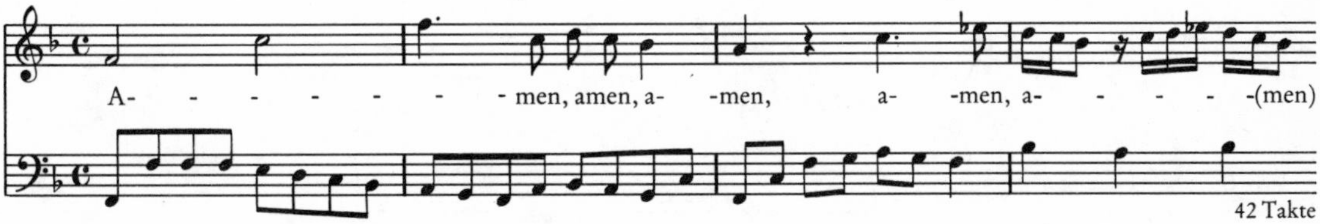
A- - - - - - - - men, amen, a- -men, a- -men, a- - - - -(men)

42 Takte

271. Amen, allelujah

Besetzung: Sopr., Basso continuo
ChA 38. – HHA III/Supplement. – EZ: London, ca. 1730/40

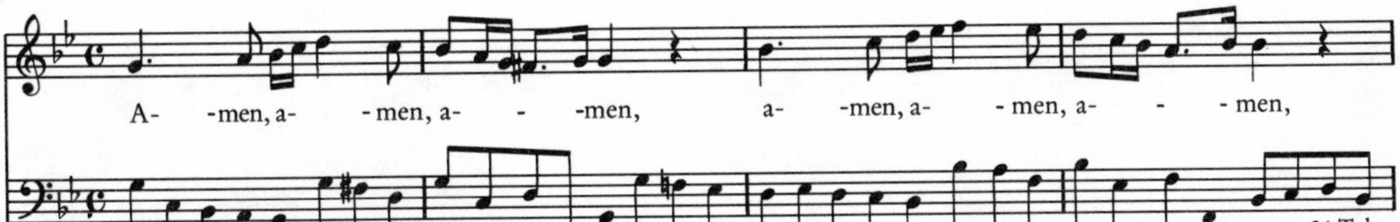
A- -men, a- -men, a- - -men, a- -men, a- - men, a- - - men,

26 Takte

272. Alleluja, amen

Besetzung: Sopr., Basso continuo
ChA 38. – HHA III/Supplement. – EZ: London, ca. 1738/41

Largo
Al- - - - le- lu- ja, al- le- lu- ja, al- le- lu- ja,—

Takt 3

27 Takte

273. Alleluja, amen

Besetzung: Sopr., Basso continuo
ChA 38. – HHA III/Supplement. – EZ: London, ca. 1738/41

Andante
Al- - - le- lu- ja, al- - - le- lu-ja, allelu- ja. Amen, a- - -(men)
26 Takte

274. Alleluja, amen

Besetzung: Sopr., Basso continuo
ChA 38. – HHA III/Supplement. – EZ: London, ca. 1738/41

Al- le- -lu- ja, alle- -lu- ja, al- le- lu- ja,
Takt 4
76 Takte

275. Amen, alleluja

Besetzung: Sopr., Basso continuo
HHA III/Supplement. – EZ: London, ca. 1730/40

(A- men, al- - -le- lu- -ja, al- le- - - -lu- -ja, a- - -men,)
25 Takte

276. Amen, hallelujah

Besetzung: Sopr., Basso continuo
HHA III/Supplement. – EZ: London, ca. 1743/46

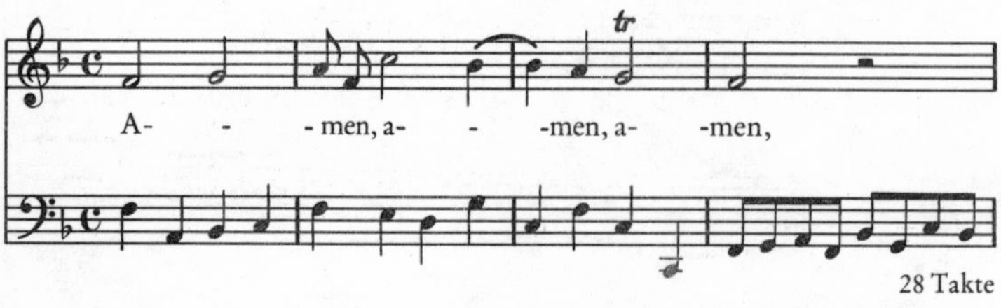
tr
A- - - men, a- - -men, a- -men,
28 Takte

277. Halleluja, amen

Besetzung: Sopr., Basso continuo
HHA III/Supplement. – EZ: London, ca. 1746/47

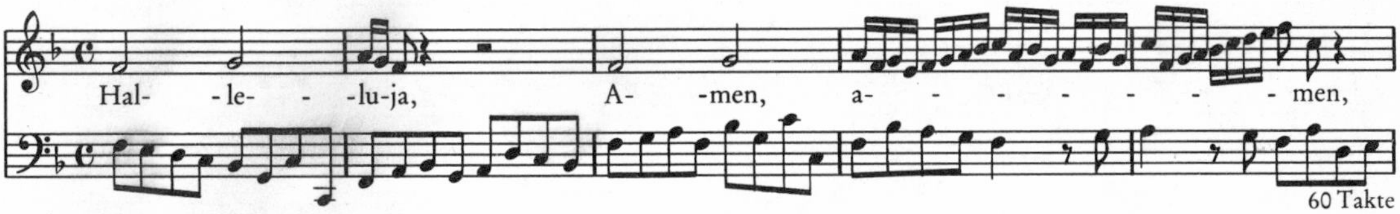

Quellen
Handschriften: Autographe: GB Lbm (R. M. 20. f. 12., f. 2ᵛ: HWV 269, f. 3ʳ: HWV 270, f. 3ᵛ: HWV 271, f. 5ʳ: HWV 272, f. 5ᵛ: HWV 273, f. 6ʳ: HWV 274, f. 4ʳ: HWV 275, ohne Text), Cfm (30 H 12, p. 29: HWV 276, p. 32–33: HWV 277).
Druck: HWV 276–277: G. F. Handel: Two Sacred Arias/Zwei geistliche Arien, hrsg. von A. Mann (Rutgers University Documents of Music Number 10), New York: Continuo Music Press Alexander Broude Inc. 1979.

Bemerkungen
Die 9 Solo-Anthems oder geistlichen Arien (sämtliche Stücke tragen im Autograph keine Gattungsbezeichnungen) schrieb Händel als Studien für die Gestaltung der vokalen Schreibweise im Belcanto-Stil, wie A. Mann es formulierte. Vermutlich hat Händel einige davon (wie etwa HWV 276 und 277) direkt im Unterricht seiner Schüler aus der königlichen Familie benutzt. Ihre Entstehungszeit fällt in die Jahre zwischen 1740 und 1747.

Literatur
Hallische Händel-Ausgabe, Supplement, Bd. 1: Händels Kompositionslehre, hrsg. von Alfred Mann, Kassel und Leipzig 1979 (mit Faksimiles von HWV 276 und 277); Mann, A.: Vorwort zur Ausgabe von HWV 276/277.
Beschreibung der Autographe: Lbm: Catalogue Squire, S. 97. – Cfm: Catalogue Mann, Ms. 262, S. 203.

278. Te Deum

Für den Frieden von Utrecht

Text: Ambrosianischer Lobgesang in englischer Übersetzung

Besetzung: Soli: Sopr. I, II, Alto I, II, Ten., Basso. Chor: C. I, II; A. I, II; T. I, II; B. Instrumente: Fl. trav.; Ob. I, II; Fag.; Trba. I, II; V. I, II, III; Va.; Vc.; Org.; Cont.
ChA 31. – HHA II/3. – EZ: London, beendet am 14. Januar 1713. – UA: London, 7. Juli 1713, St. Paul's Cathedral

1. Chorus. C.; A.; T.; B.

3. Soli and Chorus. C. I, II; A.; T.; B.

4. Soli and Chorus. C. I, II; A.; T.; B.

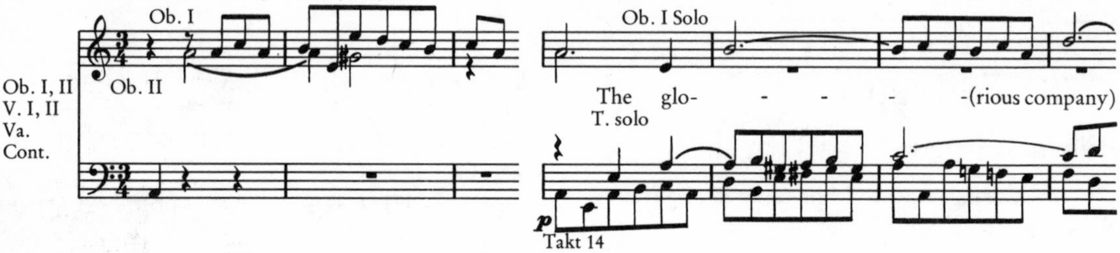

5. Soli and Chorus. C. I, II; A.; T.; B.

6. Soli and Chorus. C.; A.; T.; B.

7. Chorus. C. I, II; A. I, II; T. I, II; B.

8. Chorus. C. I, II; A.; T.; B.

9. Soli and Chorus. C. I, II; A. I, II; T.; B.

10. Chorus. C. I, II; A.; T.; B.

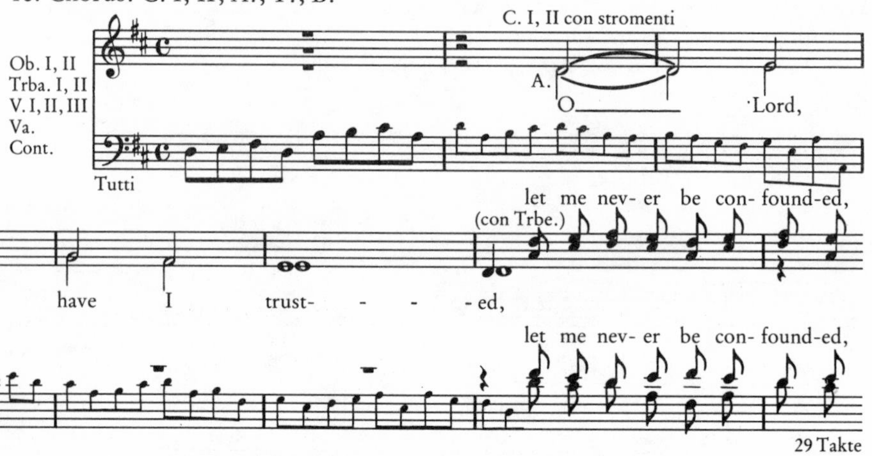

Quellen

Handschriften: Autograph: GB Lbm (R. M. 20. g. 5., f. 1–42).

Abschriften: D (brd) Hs (M $\frac{B}{1661}$, p. 1–79) – D (ddr) Bds (Am. Bibl. 133; Am. Bibl. 139), LEm (III. 2. 77., p. 2–85, aus dem Besitz von J. A. Hiller, ca. 1779) – EIRE Dmh (St.) – GB BENcoke, Cfm (Barrett-Lennard-Collection, vol. 32, Mus. MS. 814, p. 1–108), DRc (MS. M 172; MS. E 15/3, fragm., nur Nr. 5), H (30. B. VI., p. 1–32, Orgelst.), Lbm (R. M. 18. f. 9., f. 1–55; Egerton 2914, f. 1–40; Add. MSS. 5323; Harley MS. 7342, f. 310–350), Malmesbury Collection, Mp [MS 130 Hd4, St.: v. 327(1)–344(1), 347(1)], Ob (Mus. Sch. c. 104, St.), Och (MS. 68–72, St.) – US BETm (PSB 74, fragm.). – GB BENcoke: Autograph der Bearbeitung von J. A. Hiller.

Drucke: Te Deum et Jubilate, for voices and instruments perform'd before the sons of the clergy at the Cathedral-Church of St. Paul. Compos'd by George Frederick Handel. – London, John Walsh; – ib., John Walsh, No. 212; Te Deum et Jubilate... Vol. III. – ib., John Walsh, No. 212; Te Deum et Jubilate... Vol. III. – ib., W. Randall (2 verschiedene Ausgaben); Te Deum; composed by Mr. Handel, for the voice, harpsichord, and violin. With the chorusses in score. – London, Harrison & Co.; A grand Te Deum composed in the year 1713 for the peace of Utrech(t) by G. F. Handel. – London, Arnold's edition, No. 15–16 (1788); Georg Friedrich Händels Te Deum laudamus, zur Utrechter Friedensfeyer ehemals in Engländischer Sprache componirt, und nun mit dem bekannten lateinischen Texte herausgegeben von Johann Adam Hiller. – Leipzig, im Schwickertschen Verlage (1780); Te Deum laudamus, von G. F. Händel. Im Clavier-Auszuge von I. H. Clasing. – Hamburg, A. Cranz (ca. 1819/20).

Bemerkungen
Utrecht Te Deum und Jubilate sind Händels erste erhaltene Kirchenkompositionen auf englische Texte, die noch gelegentlich Deklamationsfehler wegen mangelnder Sprachkenntnis aufweisen (vgl. Chrysander II, S. 390ff.). Im Autograph des Te Deum notierte Händel die Beendigung der Komposition im „alten Stil" (f. 42): „S. D. G. G. F. H. Londres ce 14 de Janv. v. st. a 1712"; wie schon Chrysander (I, S. 387) feststellte, entspricht dieses Datum – umgerechnet nach dem auf dem Kontinent üblichen Gregorianischen Kalender – dem 25. Januar 1713[1]. Die Uraufführung erfolgte im Auftrag der Königin Anna zusammen mit dem Jubilate am 7. Juli 1713 in St. Paul's Cathedral zur Feier des Friedens von Utrecht (31. März), der am 5. Mai in London verkündet wurde und den Spanischen Erbfolgekrieg für England und Frankreich beendete (s. Deutsch, S. 61). Händel erhielt als Anerkennung für seine Kompositionen vom Hof eine jährliche Pension von 200£ Sterling.
Als Solisten traten die im Autograph des Jubilate genannten Sänger Richard Elford (Alto I), Francis Hughes (Alto II), Samuel Weeley (Baß I) und Bernard Gates (Baß II) auf, die mit Ausnahme von Elford sämtlich der Chapel Royal angehörten[2]. Von 1731 bis 1742 wurden Utrecht Te Deum und Jubilate alljährlich im Februar anläßlich der Wohltätigkeitsveranstaltung „for the Sons of the Clergy" in St. Paul's Cathedral aufgeführt, bis seit 1744 Händel beide Werke für diesen Zweck durch das Dettingen Te Deum HWV 283 ersetzte (s. Deutsch, S. 270ff.)
Entlehnungen
1. We praise thee (Instrumentaleinleitung)[3]
   HWV 246 „O be joyful in the Lord": 1. Sinfonia, 2. Satz (Allegro)
   HWV 397 Triosonate D-Dur op. 5 Nr. 2: 2. Satz (Allegro)
3. To thee Cherubin and Seraphin
   HWV 193 „Se tu non lasci amore"
   HWV 247 „In the Lord put I my trust": 3. God is a constant sure defence
   HWV 56 Messiah: 44[a,b]. O death, where is thy sting
4. The glorious company/Thou art the King of Glory (T. 107ff.)
   HWV 248 „Have mercy upon me": 6. Thou shalt make me hear
4. Thou art the everlasting son (T. 142ff.)
   HWV 252 „My song shall be alway": 9. Thou art the glory
   HWV 280 Te Deum D-Dur: 6. O Lord, in thee have I trusted
   HWV 262 „This is the day": 9. Alleluja amen
5. When thou took'st upon Thee
   HWV 248 „Have mercy upon me": 7. Make me a clean heart
5. Thou sittest a the right hand (T. 26ff.)
   HWV 252 „My song shall be alway": 7. Righteousness and equity/are the habitation of thy seat (T. 7ff.)
6. We believe that Thou shalt come
   HWV 48 Brockes-Passion: 26. Die ihr Gottes Gnad versäumet
   HWV 51 Deborah: 17. In Jehovah's awful sight
7. Day by day
   HWV 281 Te Deum B-Dur: 6. Day by day
8. Vouchsafe, o Lord
   HWV 248 „Have mercy upon me": 5. Against thee only have I sinned
   HWV 280 Te Deum D-Dur: 5[b]. Vouchsafe, o Lord
9. O Lord, in Thee have I trusted
   HWV 256[a,b] „Let God arise": 8./4. Blessed be God

Literatur
Chrysander I, S. 387ff.; Chrysander, F.: Über Händels fünfstimmige Chöre. In: Allgemeine Musikalische Zeitung. 14. Jg., Leipzig 1879, S. 137ff., 15. Jg., Leipzig 1880, S. 149, 168, 182ff. 199ff.; Harden, I.: Zum „Utrechter Te Deum und Jubilate". In: Göttinger Händelfestspiele 1963, Programmheft, S. 27ff.; Hiller, J. A.: Georg Friedrich Händels Te Deum zur Utrechter Friedensfeyer (Partitur), Vorrede, Leipzig 1780; Lam, S. 176f.; Lawrence, J. T.: Handel's Utrecht Te Deum and Jubilate. In: Musical Opinion, vol. 31, No. 372, 1908; Leichtentritt, S. 552ff.; Lincoln, St.: Handel's Music for Queen Anne. In: The Musical Quarterly, vol. 45, 1959, S. 191ff., bes. S. 203ff.
Beschreibung des Autographs: Lbm: Catalogue Squire, S. 87.

[1] Vgl. Grotefend, H.: Taschenbuch der Zeitrechnung des deutschen Mittelalters und der Neuzeit. Zehnte erweiterte Auflage, hrsg. von Th. Ulrich, Hannover 1960.
[2] Pearce, E. H.: The Sons of the Clergy, 1655–1904, London ¹/1904, ²/1928, S. 234ff.
[3] Das Thema entlehnte Händel aus: Kuhnau, J.: Frische Clavier-Früchte, Leipzig 1696, Sonata Terza, Aria (2), 2. Teil. Vgl. DTD, 1. Folge, 4. Bd., Leipzig 1901, S. 84.

279. Jubilate (O be joyful)

Für den Frieden von Utrecht

Text: Psalm 100 (V. 1–5), Doxologie, Amen in englischer Übersetzung

Besetzung: Soli: Alto I, II; Basso. Chor: C. I, II; A. I, II; T. I, II; B. I, II. Instrumente: Ob. I, II; Fag.; Trba. I, II; V. I, II, III; Va.; Vc.; Org.; Cont.

ChA 31. – HHA III/3. – EZ: London, Frühjahr 1713. – UA: London, 7. Juli 1713, St. Paul's Cathedral

1. Solo and Chorus. C.; A.; T.; B.

[vgl. HWV 237 (1.), HWV 246 (2.)]

2. Chorus. C. I, II; A.; T.; B.

3a, b. Duet. Alto; Basso

4. Chorus. C.; A.; T.; B.

5. Trio. A. I, II; B.

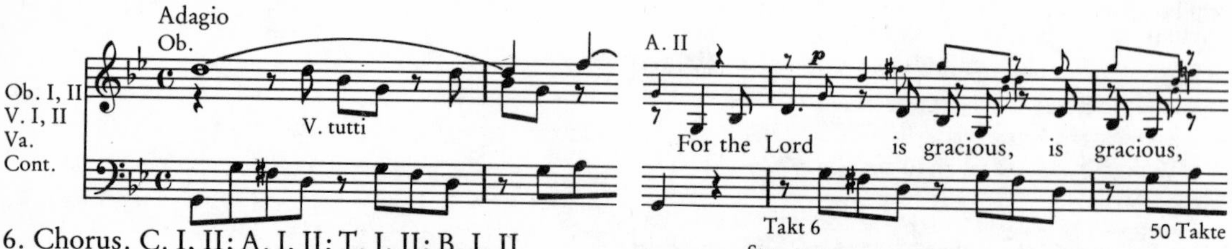

6. Chorus. C. I, II; A. I, II; T. I, II; B. I, II

7. Chorus. C. I, II; A.; T.; B.

Quellen

Handschriften: Autograph: GB Lbm (R. M. 20. g. 8., f. 43–73).

Abschriften: D (brd) Hs (M $\frac{B}{1661}$, p. 81–144) – D (ddr) LEm (II. 2. 77, p. 86–153, aus dem Besitz von J. A. Hiller; ca. 1779) – EIRE Dmh (St.) – GB BENcoke, Cfm (Barrett-Lennard-Collection, vol. 32, Mus. MS. 814, p. 1–108, 2. Teil), DRc [MS. E 15(2), fragm., Nr. 3; MS. M 172], H (30. B. VI, p. 24–44, Orgelst.), Lbm (R. M. 18. f. 9., f. 1–55; R. M. 19. a. 14., f. 1–36, Orgelst., z. T. mit ausgeschriebenen Vokal- und Instrumentalstimmen; Egerton 2914, f. 41–68; Add. MSS. 5323; Add. MSS. 27745, Orgelst.; Harley Ms. 7342, f. 350–379), Lcm (MS. 888), Malmesbury Collection, Mp (MS 130 Hd4, v. 172), Ob (Mus. Sch. c. 104, St.), Och (MS. 68–72, St.) Y (M 96).

Drucke: Te Deum et Jubilate, for voices and instruments perform'd before the sons of the clergy at the Cathedral-Church of St. Paul. Compos'd by George Frederick Handel. – London, John Walsh; – ib., John Walsh, No. 212; Te Deum et Jubilate ... Vol. III. – ib., No. 212; – ib., W. Randall (2 verschiedene Ausgaben); Jubilate Deo; composed by Mr Handel, for the voice, harpsichord, and violin; with the chorusses in score. As performed at S^t. Paul's Cathedral. – London, Harrison & Co.; A grand Jubilate composed in the year 1713 for the peace of Utrech(t) by G. F. Handel. – London, Arnold's edition, No. 16–17 (1788); Symphony to the Jubilate. – ib., Arnold's edition, No. 20; The Dettingen Te Deum, composed in the year 1743, and a grand Jubilate, composed in the year 1713, by G. F. Handel, arranged for the organ or piano forte, by Dr John Clarke, Cambridge. – London, S. J. Button & J. Whitaker, No. 15(16); Der 100ste Psalm Jauchze dem Herrn alle Welt etc. in Musik gestzt von G. F. Händel. – Leipzig, Breitkopf & Härtel (1803); Der hundertste Psalm von G. F. Händel. Im Clavier-Auszuge von I. H. Clasing. – Hamburg, A. Cranz (ca. 1820).

Bemerkungen

Das Jubilate entstand zusammen mit dem Te Deum HWV 278 und wurde mit diesem am 7. Juli 1713 in St. Paul's Cathedral zur Feier des Friedens in Utrecht aufgeführt. Das ursprünglich von Händel im Autograph vermerkte genaue Datum über die Beendigung der Komposition (f. 72^r: „S. D. G. G. F. Hendel ... 1713") ist beim Einbinden der Blätter abgeschnitten worden, so daß nur die Jahreszahl 1713 noch erkennbar ist. Als Solisten werden im Autograph folgende Sänger genannt: Richard Elford Alto I), Francis Hughes (Alto II), Samuel Weeley (Basso I) und Bernard Gates (Basso II).

Für das Duett „Be ye sure" (3) komponierte Händel eine zweite Fassung (Nr. 3^b), deren Schluß im Autograph auf f. 73^r erhalten ist. Über spätere Aufführungen des Jubilate s. HWV 278.

Händel überarbeitete das Werk 1717 als Anthem I HWV 246 für den Duke of Chandos (als sogenanntes *Chandos Jubilate* bekannt) während seiner Tätigkeit in Cannons und reduzierte dabei die ursprüngliche Partituranlage auf die dort verfügbare geringere Besetzung.

Entlehnungen:

1. O be joyful
   HWV 237 „Laudate pueri" (2. Fassung): 1. Laudate pueri
3. Be ye sure
   HWV 178 „A mirarvi io son intento"
4. O go your way
   HWV 48 Brockes-Passion: 6^b. Wir wollen alle eh' erblassen

Literatur

Chrysander I, S. 401 ff.; Harden, I.: Zum „Utrecht Te Deum und Jubilate". In: Göttinger Händelfestspiele 1963, Programmheft, S. 27 ff.; Lam, S. 176; Lawrence, J. T.: Handel's Utrecht Te Deum and Jubilate. In: Musical Opinion, vol. 31, No. 372, 1908; Leichtentritt, S. 555 f.; Lincoln, St.: Handel's Music for Queen Anne. In: The Musical Quarterly, vol. 45, 1959, S. 191 ff., bes. S. 203 ff.; Winterfeld, C. von: Der evangelische Kirchengesang und sein Verhältnis zur Kunst des Tonsatzes, Bd. 3, Leipzig 1847, S. 55 ff.

Beschreibung des Autographs: Lbm: Catalogue Squire, S. 87.

280. Te Deum D-Dur

Text: Ambrosianischer Lobgesang in englischer Übersetzung

Besetzung: Soli: Alto, Basso. Chor: C.; A. I, II; T.; B. Instrumente: Fl. trav.; Trba. I, II; V. I, II; Va.; Cont.

ChA 37. – HHA III/8. – EZ: London, ca. 1714

UA: London, vermutlich am 26. September 1714, Chapel Royal, St. James's (spätere Überarbeitung für den 25. April 1749 zur Feier des Friedens von Aachen)

1. Solo and Chorus. Alto; C.; A. I, II; T.; B.

2. Soli and Chorus. Alto; Basso; C.; A. I, II; T.; B.

3. Solo and Chorus. Alto; C.; A. I, II; T.; B.

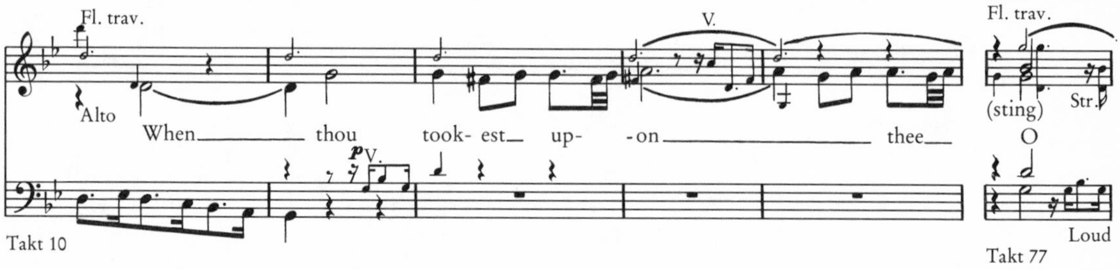

4. Chorus. C.; A. I, II; T.; B.

5a. Accompagnato. Alto

5b. Air. Alto (1749)

6. Chorus. C.; A. I, II; T.; B.

[vgl. HWV 252 (9.); HWV 262 (9.)]

Quellen

Handschriften: Autograph: GB Lbm (R. M. 20. g. 4., f. 38–61; f. 56ᵛ–57ᵛ: Nr. 5b, kopiert von J. C. Smith senior), Cfm (30 H 12, p. 7–8: Nr. 5b, mit Verweis auf den Schlußchor Nr. 6).

Abschriften: GB Cfm (Barrett-Lennard-Collection, vol. 32, Mus. MS. 814, p. 109–132), Ep (W. MA. 14C), Lbm (R. M. 19. e. 2.; Egerton 2914, f. 116–128), Lcm (MS. 889), Mp [MS 130 Hd4, Part.: v. 326, St.: v. 327(4), 328(4), 329(3), 330(3), 331(4)–333(4), 334(2), 335(2), 336(3), 337(2), 338(4), 339(3), 340(3), 341(4)–344(4), 345(2), 347(4)], Ob (Mus. d. 57, p. 1 bis 47) – US BETm (L Misc. 12).

Druck: A short Te Deum in score composed for her late Majesty Queen Caroline in the year 1737 by G. F. Handel. – London, Arnold's edition, No. 13 (1788).

Bemerkungen

Das Te Deum D-Dur führte Händel am 26. September 1714 in der Chapel Royal des St. James's Palace in einem Dankgottesdienst anläßlich der Übersiedlung der hannoverschen Königsfamilie nach London auf. Der *Post Boy* vom 28. September 1714 (s. Deutsch, S. 63) berichtete darüber folgendes: „On Sunday Morning last [= 26. September], His Majesty went to His Royal Chappel at St. James's ... Te Deum was sung, composed by Mr. Handel ..."

Das Werk wurde vermutlich im Sommer 1714 komponiert; da das Autograph keine Daten enthält, ist die genaue Entstehungszeit unbekannt. Seinen Beinamen „Caroline Te Deum" erhielt es vermutlich durch Charles Burney, der es im Hinblick auf die Rückkehr des Königspaares von einer Reise auf den Kontinent im Januar 1737 mit Königin Caroline in Verbindung brachte, obwohl für 1737 keine Aufführung nachweisbar ist und bereits Charles Jennens um 1740 auf seiner Partitur des Werkes (GB Mp) den Vermerk „Te Deum, perform'd on the Arrival of the Princess, the late Q. Caroline" anbrachte, was auf 1714 deutet. Burneys offensichtlich falsche Datierung wurde von Samuel Arnold für seine Ausgabe des Werkes in den Titel übernommen.

Die im Autograph vermerkten Sängernamen Elford („Eilfurt"), Hughes, Bayley (sämtlich Alt), Gates, Baker und Weeley (sämtlich Baß) beziehen sich auf die Uraufführung 1714; Benjamin Mence und Anselm Bayly, vermutlich auch der Tenor Laye (Leigh) und der Bassist Wass, sangen 1749, als das Te Deum zusammen mit dem Peace Anthem HWV 266 am 25. April dieses Jahres in der Chapel Royal bei einem Dankgottesdienst anläßlich des Friedensschlusses von Aachen aufgeführt wurde. 1723/24 hatte Händel einen neuen Satz auf den Text „Vouchsafe, o Lord" (5b) komponiert (GB Cfm 30 H12, p. 7–8), der anstelle des ursprünglichen Accompagnato (5a) von Hughes bei einer Aufführung um die gleiche Zeit gesungen wurde.

Entlehnungen:

1. We praise thee
   HWV 246 „O be joyful in the Lord": 1. Sinfonia (Adagio)
2. The glorious company
   HWV 252 „My song shall be alway": 8. Blessed is the people
3. When thou tookest upon thee
   HWV 252 „My song shall be alway": 4. God is very greatly

5b. Vouchsafe, o Lord
   HWV 278 Utrecht Te Deum: 9. Vouchsafe, o Lord
   HWV 281 Te Deum B-Dur: 7. Vouchsafe, o Lord

6. O Lord, in thee have I trusted
   HWV 278 Utrecht Te deum: 4. The glorious company/Thou art the everlasting son (T. 142 ff.)
   HWV 252 „My song shall be alway": 9. Thou art the glory of their strength
   HWV 262 „This is the day which the Lord has made": 9. Alleluja, amen

Literatur

Chrysander I, S. 401; Chrysander, F.: Über Händels fünfstimmige Chöre. In: Allgemeine Musikalische Zeitung, 14. Jg., Leipzig 1879, S. 137 f., 15 Jg., Leipzig 1880, S. 149, 168, 182 ff., 199 ff.; Lam, S. 176; Leichtentritt, S. 556.

Beschreibung der Autographe: Lbm: Catalogue Squire, S. 96 f. – Cfm: Catalogue Mann, Ms. 262, S. 201.

281. Te Deum B-Dur (Chandos)

Text: Ambrosianischer Lobgesang in englischer Übersetzung

Besetzung: Soli: Canto, Ten. I, II, B. Chor: C.; T. I, II, III; B. Instrumente: Fl.; Ob.; Trba.; V. I, II; Cont.

ChA 37. – HHA III/7. – EZ: Cannons, ca. 1718

1. Soli and Chorus. C.; T. I, II, III; B.

2. Soli and Chorus. C.; T. I, II, III; B.

3. Chorus. C.; T. I, II, III; B.

4. Air. Canto

5. Solo and Chorus. C.; T. I, II; B.

Chorus. C.; T. I, II, III; B.

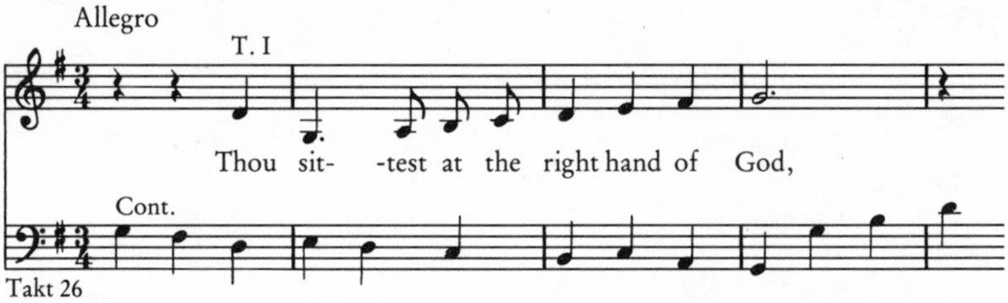

6. Chorus. C.; T. I, II, III; B.

7. Solo and Chorus. Ten. I; C.; T. I, II, III; B.

Quellen

Handschriften: Autograph: GB Lbm (R. M. 20. d. 7., f. 63ʳ–115ʳ).

Abschriften: D (brd) Hs (M $\frac{A}{204}$) – GB BENcoke, Cfm (Barrett-Lennard-Collection, vol. 32, Mus. MS. 814, p. 1–100, 1. Teil; 23 G 10, f. 1–96), Lbm (R. M. 19. g. 1., vol. I, f. 40ʳ–122ʳ; Add. MSS. 29416; Egerton 2914, f. 69ʳ–115ᵛ), Malmesbury Collection (datiert 1719), Mp [MS 130 Hd4, St.: v. 327(2), 328(2), 331(2)–333(2), 336(2), 338(2), 341(2)–344(2), 347(2)], Ob (MS. Mus. d. 56) – US NBu (M2038. H14A5, vol. I), NYr (Sibley Music Library, Vault M2020; H236C).

Druck: Te Deum in score composed for His Grace the Duke of Chandos (in the year 1719) by G. F. Handel. – London, Arnold's edition, No. 14–15 (1788).

Bemerkungen

Das Te Deum B-Dur schrieb Händel im Frühjahr 1718 in Cannons zusammen mit HWV 49ª Acis and Galatea. Die Autographe beider Werke zeigen, daß nicht nur die gleiche Besetzung von Händel für das Te Deum und „Acis and Galatea" vorgeschrieben ist, sondern auch die gleichen Tenor-Solisten (Blackley und Rowe) jeweils mitwirkten. G. Beeks wies auf die zum Teil gleichen Wasserzeichen im Te Deum und in „Acis and Galatea" hin (Larsens Typen B und C mit der Sonderform Lilie auf Wappen/LVG, wobei das V etwas nach links versetzt ist, und der Gegenmarke IV). Als Entstehungsanlaß vermutet Chrysander (I, S. 401) Aufführungen zu Geburtstagsfeiern des Herzogs von Chandos.

Entlehnungen:

1. We praise thee
   HWV 282 Te Deum A-Dur: 1. We praise thee
3. Thou art the King of glory/Thou art the everlasting son
   HWV 278 Utrecht Te Deum: 4. Thou art the King of Glory/Thou art the everlasting son
   HWV 282 Te Deum A-Dur: 4. Thou art the King of glory
4. When thou tookest upon thee
   HWV 282 Te Deum A-Dur: 5. When thou tookest upon thee
5. When thou hast overcome/We believe that thou shalt come (T. 253 ff.)
   HWV 282 Te Deum A-Dur: 6. We believe that thou shalt come
   HWV 314 Concerto grosso G-Dur op. 3 Nr. 3: 2. Satz (Adagio)
6. Day by day we magnify thee
   HWV 278 Utrecht Te Deum: 7. Day by day we magnify thee
7. Vouchsafe, o Lord
   HWV 278 Utrecht Te Deum: 9. Vouchsafe, o Lord
   HWV 280 Te Deum D-Dur: 5ᵇ. Vouchsafe, o Lord

Literatur

Beeks, S. 89 f.; Chrysander I, S. 397 ff.; Leichtentritt, S. 556 f.

Beschreibung des Autographs: Lbm: Catalogue Squire, S. 10 f.

282. Te Deum A-Dur

Text: Ambrosianischer Lobgesang in englischer Übersetzung

Besetzung: Soli: Alto, Ten., Basso I, II. Chor: C.; A. I, II; T.; B. I, II, III. Instrumente: Fl. trav.; Ob.; Fag.; V. I, II; Va.; Vc.; Cbb.; Org.
ChA 37. – HHA III/8. – EZ: London, ca. 1723/24. – UA: London, vermutlich am 5. Januar 1724, Chapel Royal, St. James's Palace

1. Chorus. Alto I; Basso I, II; C.; A. II; T.; B. III

2. Solo and Chorus. Ten.; C.; A. I, II; T.; B.

3. Solo and Chorus. Alto; C.; A. I, II; T.; B. I, II, III

4. Solo and Chorus. C.; A. I, II; T.; B. I, II, III

5. Air. Alto

6. Soli and Chorus. C.; A. I, II; T.; B. I, II, III

7. Air. Alto

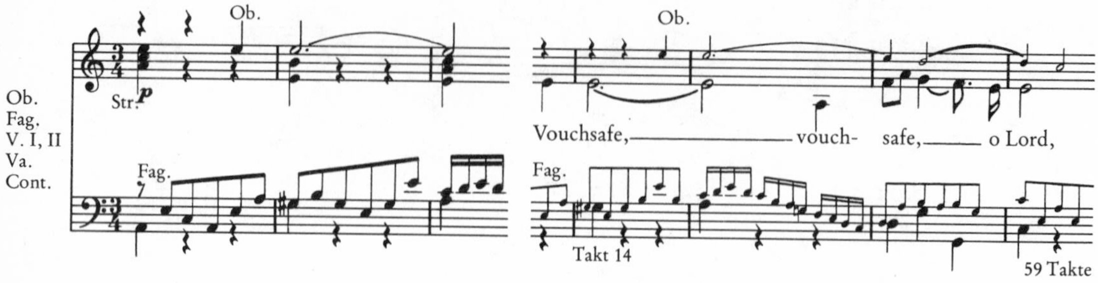

8. Chorus. C.; A. I, II; T.; B. I, II, III

Quellen
Handschriften: Autograph: GB Lbm (R. M. 20. g. 4., f. 1–20).
Abschriften: DK Privatsammlung Margarethe Schou – GB BENcoke (3 Ex.), Lbm (R. M. 19. g. 1., vol. I, f. 123–156; Add. MSS. 29 998, f. 1–29ʳ), Lcm (MS. 890; MS. 1057, f. 48–76), Lgc (MS. 365–366: St. für Ob., Fag.), Mp [MS 130 Hd4, Part: v. 47(1); v. 325; St.: v. 327(3), 328(3), 329(2), 330(2), 331(3) bis 333(3), 338(3), 339(2), 340(2), 341(3)–344(3), 345(1), 346(1), 347(3)], Ob (MS. Mus. c. 25., f. 28–55) – US BETm (L Misc. 13), NBu (M2038. H14A5, Appendix vol. I, p. 1–62).
Druck: Te Deum in score composed for His Grace the Duke of Chandos (in the year 1720) by G. F. Handel. – London, Arnold's edition, No. 20 (1788).

Bemerkungen
Das Te Deum A-Dur schrieb Händel vermutlich zwischen 1721 und 1724 für die Chapel Royal, wie aus den Namen der im Autograph angeführten Sänger Hughes (Alto), Gethin (Getting, Tenore), Weeley und Gates (Basso) ersichtlich wird, die sämtlich in diesem Zeitraum der Kapelle angehörten. Das Autograph ist nicht datiert; vermutlich war das Werk jenes Te Deum, das am 5. Januar 1724 zusammen mit einem Anthem (vermutlich HWV 256ᵇ) anläßlich der Rückkehr König Georgs I. von einer Reise auf den Kontinent aufgeführt wurde. Das *London Journal* vom 11. Januar 1724 (s. Deutsch, S. 156) berichtete darüber folgendes: „Sunday last [the 5th] being the first Sunday since his Majesty's Arrival, Te Deum and a new Anthem were performed both Vocally and Instrumentally, at the Royal Chappel at St. James's, his Majesty and their Royal Highness being present.“ Bei der Komposition des Werkes übernahm Händel Sätze aus dem sogenannten Chandos Te Deum B-Dur HWV 281, die in gekürzter und stark überarbeiteter Form in den Kontext des neuen Werkes eingegliedert wurden (vgl. f. 3ʳ des Autographs mit dem Hinweis für die fehlende Nr. 2: „To thee all angels from the other Score“).
Entlehnungen:
1. We praise thee
   HWV 281 Te Deum B-Dur: 1. We praise thee
4. Thou art the King of glory
   HWV 281 Te Deum B-Dur: 3. Thou art the King of glory
5. When thou tookest upon thee
   HWV 281 Te Deum B-Dur: 4. When thou tookest upon thee
   HWV 283 Dettingen Te Deum: 7. When thou tookest upon thee.
6. We believe that thou shalt come
   HWV 281 Te Deum B-Dur: 4. We believe that thou shalt come
   HWV 314 Concerto grosso G-Dur op. 3 Nr. 3: 2. Satz (Adagio)

Literatur
Chrysander I, S. 397 ff.; Leichtentritt, S. 557 f.
Beschreibung des Autographs: Lbm: Catalogue Squire, S. 96.

283. Te Deum

For the victory of Dettingen

Text: Ambrosianischer Lobgesang in englischer Übersetzung

Besetzung: Soli: Alto, Ten., Basso. Chor: C. I, II; A.; T.; B. Instrumente: Ob. I, II; Fag.; Trba. I, II, Principale; Timp.; V. I, II, III; Va.; Vc.; Cbb.; Org.; Cont.

ChA 25. – HHA III/13. – EZ: London, 17. Juli bis Ende Juli 1743. – UA: London, 27. November 1743, Chapel Royal, St. James's Palace

1. Chorus. C. I, II; A.; T.; B.

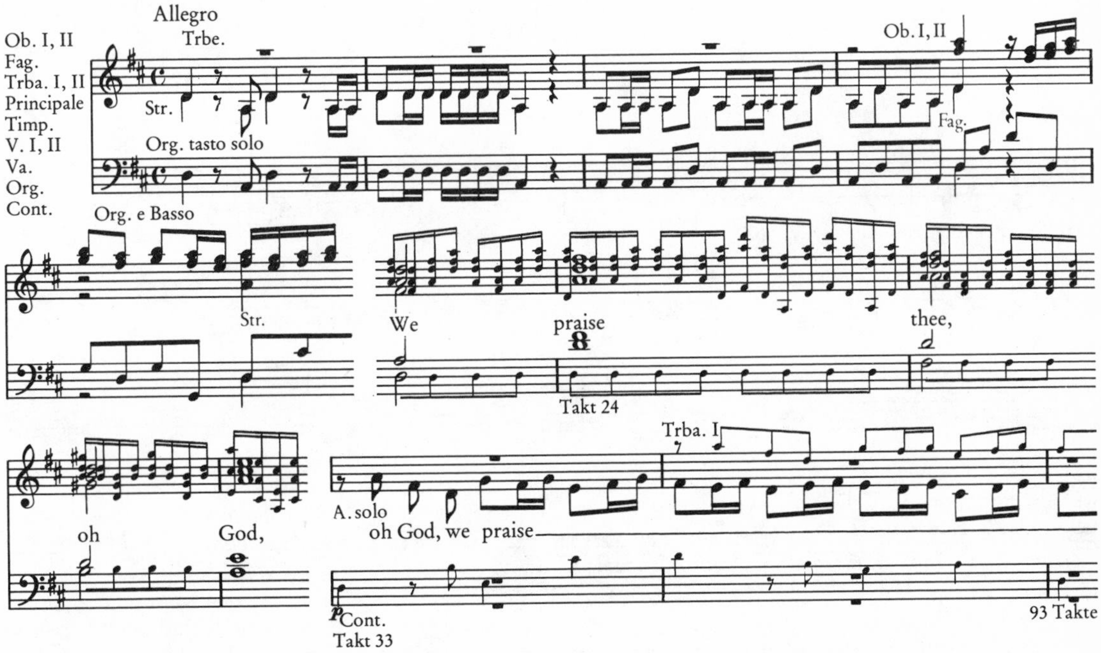

2. Solo and Chorus. Alto; C. I, II; A.; T.; B.

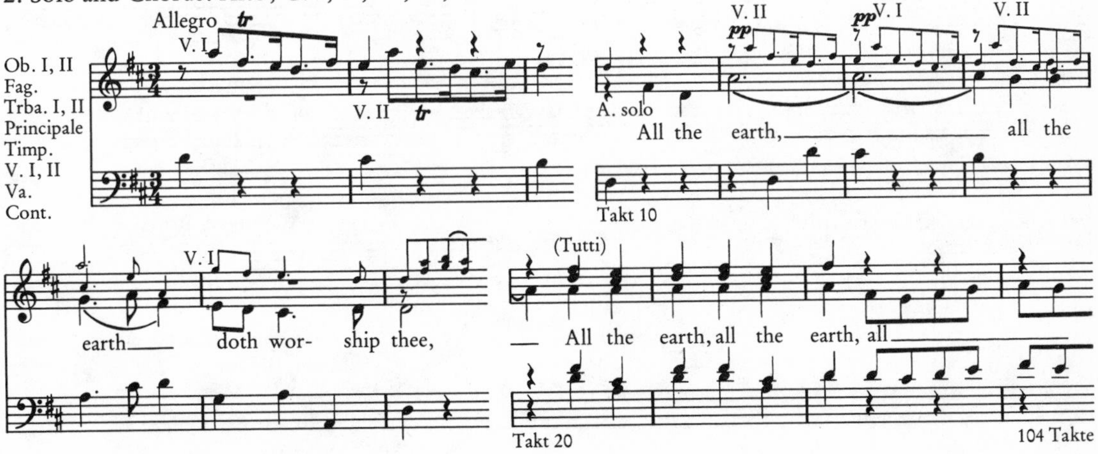

3. Chorus. C. I; T. tutti; B. tutti

4. Chorus. C. I, II; A.; T.; B.

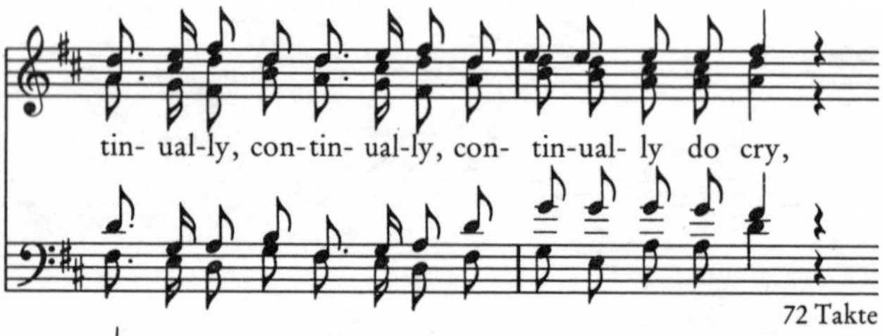

5. Chorus. C. I, II; A.; T.; B.

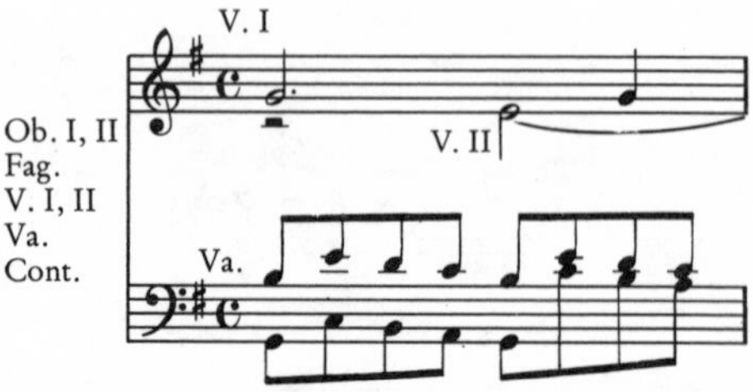

6. Solo and Chorus. Basso; C. I, II; A.; T.; B.

Thou art the King of Glo- ry, oh Christ,
Takt 9
(Tutti)
Thou art the King of Glo- ry, oh Christ,
Christ.
Tutti
Takt 42
62 Takte

7. Air. Basso

Larghetto e piano un poco
V. I, II
Va.
Cont.
When thou too-kest up- on thee to de-
Takt 15

8. Chorus. C. I, II; A.; T.; B.

Grave
liv- - - er man,
118 Takte
Ob. I, II
Fag.
Trba. I, II
Principale
Timp.
V. I, II
Va.
Cont.
Str.
col Ob. I, II
When thou hadst o- ver- come the
sharpness of death:
Allegro
Thou didst o- -pen the King- dom of heav- - - -(en)
38 Takte

9. Trio. A.; T.; B.

Andante
V. I, II
Ob. I, II
V. I, II
Va.
Cont.
Va.
Thou sit- test at the right hand of God,
A.
Str.
pp
p
Takt 16

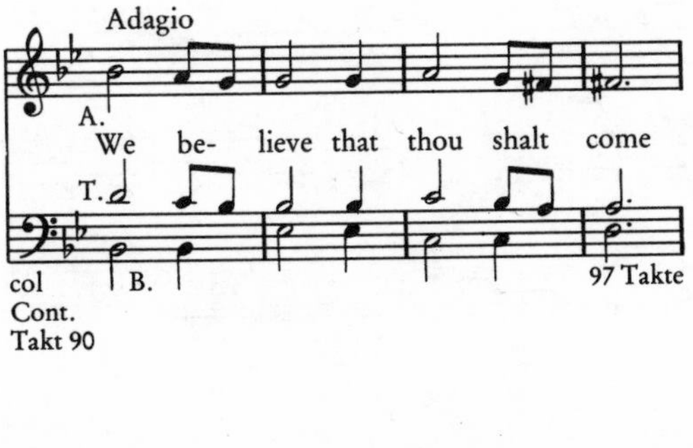
Adagio
A.
We be- lieve that thou shalt come
T.
col Cont.
B.
97 Takte
Takt 90

10. (Symphony.)

Adagio
Trba. I
Trba. I, II
Trba. II
8 Takte

11. Chorus. C. I, II; A.; T.; B.

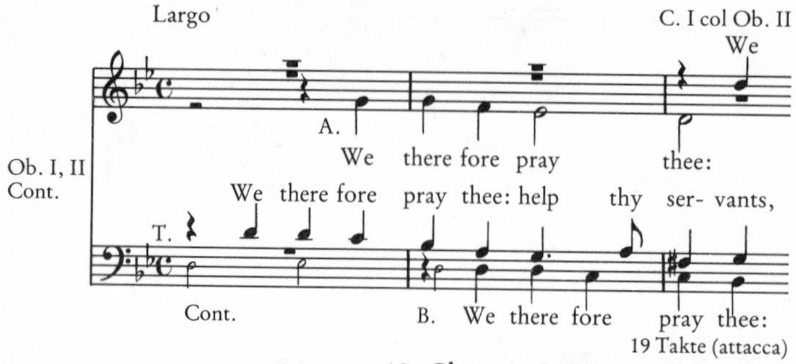

12a, b. Chorus. C. I, II; A.; T.; B.

13. Chorus. C. I, II; A.; T.; B.

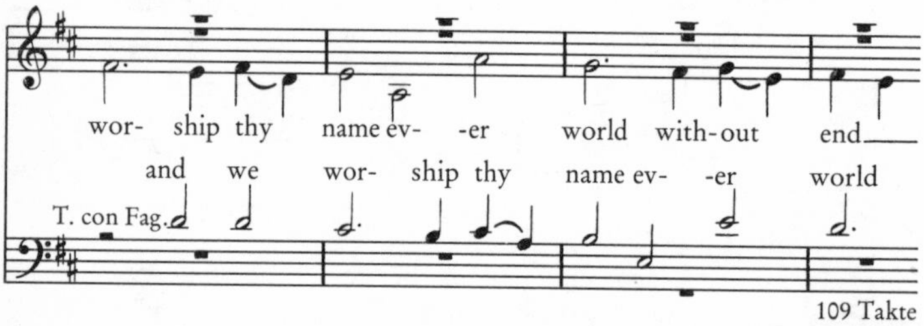

14. Accompagnato. Basso

15. Solo and Chorus. Alto; C. I, II; A.; T.; B.

Quellen

Handschriften: Autograph: GB Lbm (R. M. 20. h. 6., f. 1–35).

Abschriften: D (ddr) LEm (Ms. III. 2. 76, ca. 1814, mit autographen Eintragungen F. Mendelssohn Bartholdys für eine Aufführung in Leipzig 1840; PM 6066, ca. 1815, Kopie von J. G. Schicht; PM 3511, ca. 1850) – GB BENcoke, DRc (Part.: MS. A 32; St.: D 7), Lbm (R. M. 18. f. 9., f. 56–125; R. M. 19. a. 11., f. 33–38: Canto II; R. M. 19. a. 13., Orgelcontinuostimme; Add. MSS. 27745, Orgelcontinuostimme), Lsp, Lwa (MS. CG 48), Mp [MS 130 Hd4, Part.: v. 348; St.: v. 112(7), 113(7), 114(3), 115(7), 214(4)–220(4), 221(3), 222(4), 223(4), 224(2)] – US CA, Houghton.

Drucke: Handel's grand Dettingen Te Deum in score. For voices and instruments, as perform'd at the Cathedral-Church of S^{t}. Paul. Vol. IV. – London, J. Walsh; — ib., William Randall (2 verschiedene Ausgaben); — ib., H. Wright; Handel's celebrated Dettingen Te Deum for voices and instruments. – London, H. Wright; — ib., Preston; The grand Dettingen Te Deum; composed by Mr Handel, for the voice, harpsichord, and violin; with the chorusses in score. As performed at S^{t}. Paul's Cathedral. – London, Harrison & Co.; Te Deum composed in the year 1743 for the victory at Dettingen by G. F. Handel. – London, Arnold's edition, No. 17–19 (1788); Handel's grand Dettingen Te Deum adapted for the organ, harpsichord or piano forte by M^{r}. Billington. – London, Longman & Broderip; The Dettingen Te Deum, composed in the year 1743, and a grand Jubilate, composed in the year 1713, by G. F. Handel, arranged for the organ or piano forte, by Dr John Clarke, Cambridge. – London, S. J. Button & J. Whitaker, No. 15(16); — Philadelphia, G. E. Blake; Te Deum zur Feier des Sieges bei Dettingen im Jahre 1743 von G. F. Haendel im Klavierauszuge von C. F. Rex. – Berlin, T. Trautwein, No. 360 – The works of Handel, printed for the members of the Handel Society, vol. 6, ed. G. T. Smart, London 1846/47.

Bemerkungen

Das Te Deum zur Feier des Sieges der Engländer in der Schlacht bei Dettingen (27. Juni 1743) während des Österreichischen Erbfolgekrieges wurde zusammen mit dem Dettingen Anthem HWV 265 „The King shall rejoice" komponiert und aufgeführt. Händel notierte den Beginn der Komposition des Te Deum im Autograph [f. 1: „☉ (= Sonntag) angefangen July 17 1743."]; der Vermerk über die Beendigung ging vermutlich zusammen mit dem letzten Blatt (f. 35) des Autographs verloren, das nur in Kopistenhandschrift auf anders rastriertem Papier vorliegt (Schlußchor Nr. 15, T. 136–142).

Als Solisten der Baßsoli sah Händel im Autograph die Sänger Abbot (Nr. 7 und 14) sowie Gates (Nr. 6) vor.

Nach vier vorangehenden Proben in der Chapel Royal des St. James's Palace am 26. September, 9., 19. und vermutlich 25. November (vgl. Schoelcher, S. 283, Deutsch, S. 571–574) wurden das Te Deum und das Anthem am 27. November 1743 öffentlich aufgeführt. Der *Daily Advertiser* vom 28. November 1743 (Deutsch, S. 575) berichtete darüber folgendes: „Yesterday his Majesty was at the Chapel Royal at St. James's, and heard a Sermon preach'd by Rev. Dr. Thomas; when the new Te Deum, and the following Anthem, both set to Musick by Mr. Handel, on his Majesty's safe Arrival, were perform'd before the Royal Family."

Bei der Vertonung des Dettingen Te Deum benutzte Händel, wie bereits in den Oratorien HWV 53 Saul und HWV 54 Israel in Egypt, Motive und Themen aus dem Te Deum von Francesco Antonio Urio in folgenden Sätzen:

Dettingen Te Deum
1. We praise thee (T. 3 ff.)
2. All the earth
3. To thee all angels cry
4. To thee Cherubim
5. The glorious company/also the holy ghost
8. When thou hadst overcome
9. Thou sittest at the right hand
11. We therefore pray thee
13. Day by day we magnify thee
(13.) and we worship thy name (T. 36 ff.)

Urio: Te Deum (ChA, Supplemente 2)
Laudamus te, Instrumentaleinleitung (S. 3)
Te eternum, Instrumentaleinleitung (S. 20)
Te gloriosus Apostolorum, Ritoruell (S. 43)
Tibi Cherubim, Instrumentaleinleitung (S. 30)
Te per orbem terrarum (S. 57)
Tu devicto mortis aculeo (S. 78 ff.)
Tu ad dexteram Dei sedes (S. 88 ff.)
Tu ergo quaesumus tuis famulis subveni (S. 96, S. 94)
Dignare, Domine (S. 136 ff.)
Per singulos dies benedicimus (S. 128)

Literatur

Chrysander I, S. 387 ff.; Chrysander, F.: Francesco Antonio Urio. In: Allgemeine Musikalische Zeitung, 13. Jg., Leipzig 1878, S. 513 ff., 14. Jg., Leipzig 1879, S. 6 ff.; Flower, p. 285 f./S. 261; Godehart, G.: Händels „Dixit Dominus" und „Dettinger Te Deum". In: Göttinger Händel-Fest 1957, Programmheft; Heuß, A.: Das Dettinger Te Deum. In: Fest- und Programm-Buch zum 2. Händelfest in Kiel, Leipzig 1928, S. 23 f.; Hiller, J. A.: Georg Friedrich Händels

Te Deum zur Utrechter Friedensfeyer (Partitur), Vorrede, Leipzig 1780; Hiller, J. A.: Ueber Alt und Neu in der Musik. Nebst Anmerkungen zu Händel's großem Te Deum und einem anderen von Jomelli, Leipzig 1787; Lam, S. 177 f.; Leichtentritt, S. 588 ff.; Serauky IV, S. 109 ff.; Völsing, E.: G. F. Händels englische Kirchenmusik, Leipzig 1940, S. 21 ff.
Beschreibung des Autographs: Lbm: Catalogue Squire, S. 87 f.

284.–286. 3 English Hymns

Besetzung: Sopr., Basso continuo
EZ: London, ca. 1746/47

Textdichter: Charles Wesley

284. The Invitation

285. Desiring to Love

286. On the Resurrection

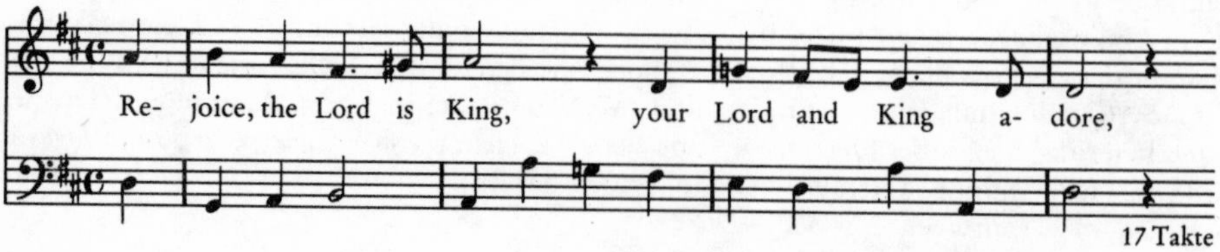

Quellen

Handschriften: Autograph: GB Cfm (30 H 12, p. 9).

Drucke: The Fitzwilliam Music, never published. Three Hymns, the words by the late Rev[d]. Charles Wesley, A. M. of Christ Church College, Oxon; and set to music by George Frederick Handel faithfully transcribed from his autography in the library of the Fitzwilliam Museum, Cambridge by Samuel Wesley, and now very respectfully presented to the Wesleyan Society at large. – (London) S. Wesley & Royal Harmonic Institution (ca. 1826); Three Hymns from the Fitzwilliam Library arranged in score for the convenience of choirs by Samuel Wesley. – London, Goulding & D'Almaine (ca. 1827).

Bemerkungen

Die drei geistlichen Lieder nach Texten von Charles Wesley, die auch als Cannons-, Fitzwilliam- bzw. Gopsal-Hymnen bezeichnet worden sind, schrieb Händel ca. 1746/47.

Die letzten zwei Takte des Autographs von HWV 285 „O Love divine" sind verlorengegangen, doch sind sie aus dem Druck von 1826 zu ergänzen. Samuel Wesley, der Sohn des Textautors, vermerkte zu Beginn des Autographs: „The words of these Hymns are by my father, the late Rev. Charles Wesley."

Literatur

Mann, A.: G. F. Händel. Aufzeichnungen zur Kompositionslehre aus den Handschriften im Fitzwilliam Museum Cambridge. Hallische Händel-Ausgabe, Supplement Bd. 1, Leipzig und Kassel 1978, S. 84 f.; Matthews, B.: Wesley's finance and Handel's hymns. In: The Musical Times, vol. 114, 1973, S. 137 ff.

Beschreibung des Autographs: Cfm; Catalogue Mann, Ms. 262, S. 201.

Alphabetisches Verzeichnis der Textanfänge

Pale terror and dismay – HWV 66 (40)
Pari all'amor immenso fu – HWV 234 (6)
Parti, l'idolo mio – HWV 147
Pastorella, i bei lumi – HWV $135^{a,b}$ (1)
Peace, crown'd with roses – HWV 66 (7)
Peaceful rest, dear parent shade – HWV 60 (14)
Pende il ben dell'universo – HWV 122 (1)
Pensier crudele – HWV $125^{a,b}$ (1)
Pensive sorrow, deep possessing – HWV 71 (3)
Penso al rio, ma penso insieme – HWV 100 (1)
Per abbatter il rigore d'un crudel – HWV 83 (11)
Per celare il nuovo scorno – HWV 47 (20)
Per dar pace al mio tormento – HWV 220
Per formar, sì, vaga e bella pastorella – HWV 107 (2)
Per involarmi al duolo – HWV 162 (2)
Per me già di morire – HWV 47 (22)
Per pietà de' miei martiri – HWV 98 (3)
Per te l'ira che freme – HWV 233 (5)
Per te lasciai la luce – HWV 99 (2)
Per trofei di mia costanza – HWV 78 (4)
Per un istante se in sogno Amore – HWV 142 (2)
Per voi languisco – HWV 144 (1)
Perchè fiero? perchè, o Dio! – HWV 72 (11)
Petite fleur brunette – HWV 155 (2)
Pfui, seht mir doch den neuen König an – HWV 48 (46)
Pharaoh, thy dreams are one – HWV 59 (6^{a})
Pharaoh's chariots and his host – HWV 54 (18)
Phillis be kind and hear me – HWV 228^{16}
Phillis the lovely – HWV 228^{17}
Piacer che non si dona – HWV 82 (2)
Piangerò, ma le mie lacrime – HWV 104 (2)
Piangete, sì, piangete – HWV 47 (9)
Pien di nuove e bel diletto – HWV 170 (2)
Pietà valore, gloria ed onore – HWV 99 (6)
Pietoso sguardo vezzo bugiardo – HWV 82 (1)
Pious King, and virtuous Queen – HWV 67 (33)
Pious orgies, pious airs – HWV 62 (4^{a-c})
Più bella spoglia sarà frai (= How lovely is the blooming fair) – HWV 51 (8)
Più bello ancor risplende il sol (= The glorious sun) – HWV 51 (37)
Più non cura valle oscura – HWV 46^{a} (20), HWV 46^{b} (22)
Più non spero di lauro guerriero – HWV 143 (3)
Place danger around me – HWV 64 (33)
Plead thy just cause – HWV 51 (22)
Pleasure! my former ways resigning – HWV 71 (24)
Pleasure submits to pain – HWV 71 (11)
Pleasure's gentle Zephyrs playing – HWV 71 ($13^{b,c}$)
Pluck root and branch – HWV 50^{a} (1), HWV 50^{b} (10)
Poichè giuraro amore – HWV 148
Populous cities please me then – HWV 55 (23)
Pose Clori ed Amarilli – HWV 176 (1)
Pour forth no more – HWV 70 (2)
Povera fedeltà, quanto sei rara – HWV 96 (12)
Pow'rful guardians of all nature – HWV 59 (12), HWV 63 (Add. air 1748, nach 31), HWV 65 (27)
Praise him, all ye – HWV 254 (2)
Praise the Lord for all his mercies past – HWV 67 (2)
Praise the Lord with cheerful noise – HWV 50^{a} (5), HWV 50^{b} (13^{a})
Praise the Lord with harp and tongue – HWV 67 (35)
Praised be the Lord – HWV 256^{a} (6)
Precipitoso nel mar che freme – HWV 72 (9)
Prepare the hymn, prepare the song – HWV 62 (23)
Prepare then, ye immortal choir – HWV 58 (31)
Preserve him for the glory – HWV 53 (41)
Presso sono, non so che sguardo – HWV 149 (1)
Presume not on thy God – HWV 57 (35)
Presuming slave – HWV 57 (39)
Pria che spunti un dì sì fiero – HWV $111^{a,b}$ (2)
Pria che sii converta in polve – HWV 46^{b} (25)
Pronti l'ale dispiegate – HWV 115 (2)
Prophetic raptures swell my breast – HWV 59 (35)
Prophetic visions strike my eye – HWV 62 (17^{a})
Proverà lo sdegno mio – HWV 49^{b} (19), HWV 72 (11)
Pura del cielo – HWV 46^{a} (30)
Pure menti amico ciel (= Watchful angels, let her share) – HWV 50^{b} (2^{a})
Può te, Orfeo, co'l dolce suono – HWV 117 (1)
Puoi volare, ov'è il mio bene – HWV 177 (1)
Pupilla lucente in stelle funesta – HWV 90 (2)
Put thy trust in God – HWV 251^{a} (6), HWV 251^{b} (7), HWV 251^{c} ($7^{a,b}$), HWV 251^{d} (5)

Qual insolita luce – HWV 47 (2^{b})
Qual sento io non conosciuto – HWV 149
Qual ti riveggio, oh Dio – HWV 150
Qualor crudele sì, ma vaga Dori – HWV 151
Qualor l'egre pupille – HWV 152
Quando è parto dell'affetto – HWV 47 (11)
Quando in calma ride – HWV 191 (1)
Quando non ho più core – HWV 193 (3), HWV 201 (3)
Quando non son presente – HWV 100 (2)
Quando ritornerò – HWV 168 (2)
Quando sperasti, o core – HWV 153
Quant' invidio tua fortuna – HWV 221
Quanto breve è il godimento – HWV 73 (9)
Quanto più amare – HWV 222
Quanto più rigida – HWV $120^{a,b}$ (3)
Queen of summer, queen of love – HWV 68 (17)
Quel bel rio ch'a duro scoglio – HWV 91 (1)
Quel del ciel ministro eletto – HWV 46^{b} (35)
Quel fior che all'alba ride – HWV 154 (1), HWV 192 (1), HWV 200 (1)
Quel nocchiero che mira le sponde – HWV 82 (3)
Quel povero core – HWV 173 (1)
Quell'erbetta che smalta le sponde – HWV 96 (2^{a})
Quella che miri aura scherzosa – HWV 91 ($2^{a,b}$)
Quella fama, ch'or ti chiama (= Endless fame) – HWV 50^{b} (9)
Questi la disperare – HWV 145 (3)
Qui habitare facit – HWV 236 (7), HWV 237 (7)
Qui l'augel da pianta in pianta – HWV 49^{b} ($22^{a,b}$), HWV 72 (13)
Qui sedes ad dextram patris – HWV 245
Quis sicut Dominus – HWV 236 (5), HWV 237 (5)

Verzeichnis der Instrumentalsätze

Verzeichnis der Partien in den oratorischen Werken und Kantaten

Abiathar (Basso) – HWV 53 Saul
Abinoam (Basso) – HWV 51 Deborah
Abner (Basso) – HWV 52 Athalia
Abner (Ten.) – HWV 53 Saul
Achsah (Sopr.) – HWV 64 Joshua
Aci (Sopr.) – HWV 72 Aci, Galatea e Polifemo
Acis (Ten.) – HWV 49^{a} Acis and Galatea (1. Fassung)
Acis (Mezzosopr.) – HWV 49^{b} Acis and Galatea (2. Fassung)
Agrippina (Sopr.) – HWV 110 „Dunque sarà pur vero"
Ahasverus (Alto, auch Ten.) – HWV 50^{b} Esther (2. Fassung)
Alexander Balus (Alto) – HWV 65 Alexander Balus
Amalekite (Ten.) – HWV 53 Saul
Amarilli (Sopr.) – HWV 82 „Amarilli vezzosa"
Ambassador, Jewish (Basso) – HWV 63 Judas Maccabaeus
Aminta (Sopr.) – HWV 83 „Arresta il passo"
Angel (Sopr.) – HWV 64 Joshua
Angel (Sopr.) – HWV 70 Jephtha
Angelo (Sopr.) – HWV 47 La Resurrezione
Apollo (Ten.) – HWV 58 Semele
Apollo (Mezzosopr.) – HWV 73 Il Parnasso in festa
Apollo (Basso) – HWV 122 „La terra è liberata"
Arioch (Ten.) – HWV 61 Belshazzar
Arminda (Sopr.) – HWV 105 „Dietro l'orme fugaci"
Asenath (Sopr.) – HWV 59 Joseph and his brethren
Aspasia (Sopr.) – HWV 65 Alexander Balus
Assuerus (Ten.) – HWV 50^{a} Esther (1. Fassung)
Astrea (Sopr.) – HWV 119 „Io languisco fra le gioje"
Athalia (Sopr.) – HWV 52 Athalia
Athamas (Alto) – HWV 58 Semele
Attendant (Sopr.) – HWV 66 Susanna
Attendant (Ten.) – HWV 67 Solomon
Attendant of Pleasure (Ten.) – HWV 69 The Choice of Hercules

Barak (Alto) – HWV 51 Deborah
Beauty (Sopr.) – HWV 71 The Triumph of Time and Truth
Bellezza (Sopr.) – HWV $46^{a,b}$ Il Trionfo del Tempo
Belshazzar (Ten.) – HWV 61 Belshazzar
Benjamin (Sopr.) – HWV 59 Joseph and his brethren

Cadmus (Basso) – HWV 58 Semele
Caiphas (Basso) – HWV 48 Brockes-Passion
Caleb (Basso) – HWV 64 Joshua
Calliope (Alto) – HWV 73 Il Parnasso in festa
Chelsias (Basso) – HWV 66 Susanna
Chief Priest of Baal (Basso) – HWV 51 Deborah
Chief Priest of the Israelites (Basso) – HWV 51 Deborah
Cleofe (Alto) – HWV 47 La Resurrezione
Cleopatra (Sopr.) – HWV 65 Alexander Balus
Clio (Sopr.) – HWV 73 Il Parnasso in festa
Clori (Sopr.) – HWV 49^{b} Acis and Galatea (2. Fassung)
Clori (Sopr.) – HWV 96 „Cor fedele"
Cloride (Alto) – HWV 73 Il Parnasso in festa
Courtier (Basso) – HWV 65 Alexander Balus
Counsel/Truth (Alto) – HWV 71 The Triumph of Time and Truth
Cyrus (Mezzosopr.) – HWV 61 Belshazzar

Dafne (Sopr.) – HWV 122 „La terra è liberata"
Dalila (Sopr.) – HWV 57 Samson
Daliso (Alto) – HWV 82 „Amarilli vezzosa"
Damon (Ten.) – HWV $49^{a,b}$ Acis and Galatea
Daniel (Sopr.) – HWV 66 Susanna
Daniel (Alto) – HWV 61 Belshazzar
David (Alto) – HWV 53 Saul
Deborah (Sopr.) – HWV 51 Deborah
Deceit (Sopr.) – HWV 71 The Triumph of Time and Truth
Dejanira (Sopr.) – HWV 60 Hercules
Diana (Sopr.) – HWV 79 „Alla caccia"
Didymus (Alto) – HWV 68 Theodora
Disinganno (Alto) – HWV $46^{a,b}$ Il Trionfo del Tempo
Doeg (Basso) – HWV 53 Saul
Dorinda (Alto) – HWV 49^{b} Acis and Galatea (2. Fassung)

Elder, 1st (Ten.) – HWV 66 Susanna
Elder, 2^{d} (Basso) – HWV 66 Susanna
Ero (Sopr.) – HWV 150 „Qual ti riveggio, oh Dio"
Esther (Sopr.) – HWV $50^{a,b}$ Esther
Eupolemus (Basso) – HWV 63 Judas Maccabaeus
Eurilla (Sopr.) – HWV 49^{b} Acis and Galatea (2. Fassung)
Eurilla (Alto) – HWV 73 Il Parnasso in festa
Euterpe (Alto) – HWV 73 Il Parnasso in festa
Evangelist (Ten.) – HWV 48 Brockes-Passion

Fileno (Alto) – HWV 96 „Cor fedele"
Filli (Alto) – HWV 49^{b} Acis and Galatea (2. Fassung)
Fillide (Sopr.) – HWV 83 „Arresta il passo"

Galatea (Sopr.) – HWV $49^{a,b}$ Acis and Galatea
Galatea (Alto) – HWV 72 Aci, Galatea e Polifemo
Giovanni, San (Ten.) – HWV 47 La Resurrezione
Giove (Sopr.) – HWV 119 „Io languisco fra le gioje"
Giunone (Alto) – HWV 119 „Io languisco fra le gioje"

Gloria (Sopr.) – HWV 143 „Oh come chiare e belle"
Gobrias (Basso) – HWV 61 Belshazzar

Habdonah (Ten.) – HWV 50^{a} Esther (1. Fassung)
Haman (Basso) – HWV $50^{a,b}$ Esther
Hamor (Alto) – HWV 70 Jephtha
Harapha (Basso) – HWV 57 Samson
Harbonah (Ten.) – HWV 50^{b} Esther (2. Fassung)
Harlot, First (Sopr.) – HWV 67 Solomon
Harlot, Second (Sopr.) – HWV 67 Solomon
Herald (Ten.) – HWV 51 Deborah
Hercules (Basso) – HWV 60 Hercules
Hercules (Mezzosopr.) – HWV 69 The Choice of Hercules
High Priest (Ten.) – HWV 53 Saul
High Priest (Basso) – HWV 58 Semele
High Priest (Alto, auch Sopr.) – HWV 59 Joseph and his brethren
Hyllus (Ten.) – HWV 60 Hercules

Ino (Alto) – HWV 58 Semele
Iole (Sopr.) – HWV 60 Hercules
Iphis (Sopr.) – HWV 70 Jephtha
Irene (Alto) – HWV 68 Theodora
Iris (Sopr.) – HWV 58 Semele
Israelite, 1st (Sopr.) – HWV $50^{a,b}$ Esther
Israelite, 2^{d} (Ten.) – HWV 50^{a} Esther (1. Fassung)
Israelite, 3^{d} (Alto) – HWV 50^{a} Esther (1. Fassung)
Israelite Man (Sopr.) – HWV 50^{b} Esther (2. Fassung)
Israelitish Man (Ten.) – HWV 57 Samson
Israelitish Man (Mezzosopr.) – HWV 63 Judas Maccabaeus
Israelitish Woman (Sopr.) – HWV 50^{b} Esther (2. Fassung), HWV 51 Deborah, HWV 57 Samson
Israelitish Woman, First (Sopr.) – HWV 63 Judas Maccabaeus
Israelitish Woman, Second (Mezzosopr.) – HWV 63 Judas Maccabaeus

Jael (Sopr.) – HWV 51 Deborah
Jakobus (Alto) – HWV 48 Brockes-Passion
Jephtha (Ten.) – HWV 70 Jephtha
Jesus (Basso) – HWV 48 Brockes-Passion
Joacim (Mezzosopr.) – HWV 66 Susanna
Joad (Alto) – HWV 52 Athalia
Joas (Sopr.) – HWV 52 Athalia
Johannes (Alto) – HWV 48 Brockes-Passion
Jonathan (Ten.) – HWV 53 Saul
Jonathan (Ten.) – HWV 65 Alexander Balus
Josabeth (Sopr.) – HWV 52 Athalia
Joseph (Mezzosopr.) – HWV 59 Joseph and his brethren
Joshua (Ten.) – HWV 64 Joshua
Judah (Ten.) – HWV 59 Joseph and his brethren
Judas (Alto) – HWV 48 Brockes-Passion
Judas Maccabaeus (Ten.) – HWV 63 Judas Maccabaeus
Judge (Basso) – HWV 66 Susanna
Juno (Alto) – HWV 58 Semele
Jupiter (Ten.) – HWV 58 Semele

Kriegsknecht (Basso) – HWV 48 Brockes-Passion

Levite (Basso) – HWV 67 Solomon
Lichas (Alto) – HWV 60 Hercules
Lucifero (Basso) – HWV 47 La Resurrezione
Lucrezia (Sopr.) – HWV 145 „Oh Numi eterni"

Maddàlena (Sopr.) – HWV 47 La Resurrezione
Mägde (Sopr.) – HWV 48 Brockes-Passion
Manoa (Basso) – HWV 57 Samson
Maria (Sopr.) – HWV 48 Brockes-Passion
Marte (Basso) – HWV 73 Il Parnasso in festa
Mathan (Ten.) – HWV 52 Athalia
Merab (Sopr.) – HWV 53 Saul
Mercurion (Basso) – HWV 119 „Io languisco fra le gioje"
Messenger (Ten.) – HWV 57 Samson
Messenger (Basso) – HWV 61 Belshazzar
Messenger (Mezzosopr.) – HWV 63 Judas Maccabaeus
Messenger (Ten.) – HWV 68 Theodora
Micah (Alto) – HWV 57 Samson
Michal (Sopr.) – HWV 53 Saul
Minerva (Sopr.) – HWV 119 „Io languisco fra le gioje"
Mordecai (Ten.) – HWV 50^{a} Esther (1. Fassung)
Mordecai (Alto) – HWV 50^{b} Esther (2. Fassung)

Nicaule, Queen of Sheba (Sopr.) – HWV 67 Solomon
Nitocris (Sopr.) – HWV 61 Belshazzar

Oechalian, 1st (Sopr.) – HWV 60 Hercules
Officer (Ten.) – HWV 50^{b} Esther (2. Fassung)
Olinto (Sopr.) – HWV 143 „Oh come chiare e belle"
Orfeo (Sopr.) – HWV 73 Il Parnasso in festa
Othniel (Alto) – HWV 64 Joshua

Petrus (Ten.) – HWV 48 Brockes-Passion
Phanor (Alto) – HWV 59 Joseph and his brethren
Pharaoh (Basso) – HWV 59 Joseph and his brethren
Philistine (Ten.) – HWV 57 Samson
Philistine Woman (Sopr.) – HWV 57 Samson
Piacere (Sopr.) – HWV $46^{a,b}$ Il Trionfo del Tempo
Pilatus (Basso) – HWV 48 Brockes-Passion
Pleasure (Sopr.) – HWV 69 The Choice of Hercules
Pleasure (Ten.) – HWV 71 The Triumph of Time and Truth
Polifemo (Basso) – HWV 49^{b} Acis and Galatea (2. Fassung), HWV 72 Aci, Galatea e Polifemo
Polypheme (Basso) – HWV 49^{a} Acis and Galatea (1. Fassung)
Potiphera (Alto) – HWV 59 Joseph and his brethren
Priest (Mezzosopr.) – HWV 63 Judas Maccabaeus
Priest Israelite (Basso) – HWV 50^{b} Esther (2. Fassung)
Priest of Jupiter (Basso) – HWV 60 Hercules
Proteo (Basso) – HWV 73 Il Parnasso in festa

Personenregister

Orts- und Sachregister[1]

[1] In das Sachregister wurden nur die vom üblichen Instrumentarium Händels abweichenden Instrumente aufgenommen; London wurde im Ortsregister ausgespart.